PRATIQUE DU FRANÇAIS

Pierre-Antoine MACÉ et Madeleine GUINARD

LE GRAND DICTIONNAIRE DES SYNONYMES

Collection dirigée par Bernard Lecherbonnier

PLURIGUIDES/NATHAN

A la même Librairie

Collection PLURIGUIDES NATHAN

Collection dirigée par Bernard LECHERBONNIER

- Les accords parfaits
J. BERTRAND – M. GUINARD

- Dictionnaire pratique de conjugaison
J. BERTRAND – M. GUINARD

- Les Faux Frères
J. BERTRAND – M. GUINARD

- Dictionnaire des homonymes
J. BERTRAND – M. GUINARD

- T.O.P. Tout l'Orthographe Pratique
A. JOUETTE

- Dictionnaire des mots abstraits
M. SOMMANT

- Pièges et difficultés du français
P. DENEVE – J.P. CASTELLANI

- Grammaire facile du français
A. JOUETTE

Collection DICTIONNAIRES LITTERAIRES NATHAN

- Dictionnaire des types et caractères littéraires

- Dictionnaire des mythes, symboles et archétypes
CL. AZIZA – CL. OLIVIERI – R. SCTRICK

Préface

« Nous parlons tous par phrases inachevées, avec trois petits points suspendus, parce que nous ne trouvons jamais le mot juste ».

(Jean ANOUILH, La Répétition, Deuxième Acte).

Pour exprimer leur pensée, combien d'entre vous n'ont-ils pas recherché le *mot juste ?* Il leur manquait. Ne leur venaient à l'esprit que des termes généraux, tels « faire, donner, prendre ou chose », et beaucoup auraient souhaité pouvoir disposer d'un dictionnaire des synonymes vraiment pratique. Le voici. Ce dictionnaire des synonymes, c'est-à-dire de mots qui ont un sens identique ou voisin, leur offrira un très grand nombre de termes – la plupart connus, certains un peu oubliés, d'autres parfois inconnus. Il leur permettra d'employer le mot précis en fonction des nuances qu'ils veulent suggérer. C'est ainsi que pour le verbe « prendre » nous proposons une liste de 90 synonymes, placés en situation. Tel mot convient dans un contexte et ne conviendra pas dans un autre ; deux synonymes d'un même mot ne sont pas obligatoirement synonymes entre eux. C'est pourquoi ceux que nous citons sont introduits, chaque fois que cela nous a paru nécessaire, par des exemples qui les situent dans un environnement ; le choix que nous présentons est suffisamment large pour satisfaire à toutes les exigences. De plus, comme n'importe quel mot ne peut pas être utilisé en toutes circonstances, nous avons jugé utile de signaler les termes reconnus familiers ou populaires, anciens ou littéraires.

Le livre comprend deux parties : l'ordre alphabétique général où les mots sont groupés par familles sous des numéros d'appel, et un index de tous les mots cités, à l'exclusion de ceux qui sont déjà dans l'ordre alphabétique. L'une des caractéristiques de ce dictionnaire est de ne pas comporter de renvois intérieurs d'un mot à l'autre : chaque terme est en effet traité dans son ensemble, ce qui permettra au lecteur d'en découvrir toutes les facettes et ce qui lui évitera les sauts successifs d'une page à l'autre.

Le public de ce dictionnaire est très vaste : le livre s'adresse aux élèves des collèges et des lycées, aux étudiants des facultés, aux étrangers qui apprennent la langue française, aux rédacteurs d'articles, aux journalistes, à tous ceux qui sont amenés, par leur profession, à s'exprimer devant un auditoire. Chacun, en le feuilletant, enrichera son vocabulaire et perfectionnera son langage.

Les auteurs ne sauraient oublier de manifester leur gratitude à Micheline Sommant qui a relu le manuscrit et dont ils ont apprécié les suggestions.

P.-A. M. et M. G.

ABRÉVIATIONS

adj.	adjectif
adv.	adverbe
anc.	ancien
argot.	argotique ou argot
au fig.	au figuré
dr.	droit
interj.	interjection
lang. fam.	langue familière
n. f.	nom féminin
n. m.	nom masculin
péj.	péjoratif
plur.	pluriel
poét.	poétique
pop.	populaire
prép.	préposition
pron.	pronom
sing.	singulier
v. impers.	verbe impersonnel
v. intr.	verbe intransitif
v. pers.	verbe personnel
v. tr.	verbe transitif
v. tr. ind.	verbe transitif indirect
vulg.	vulgaire

POUR UNE BONNE CONSULTATIC

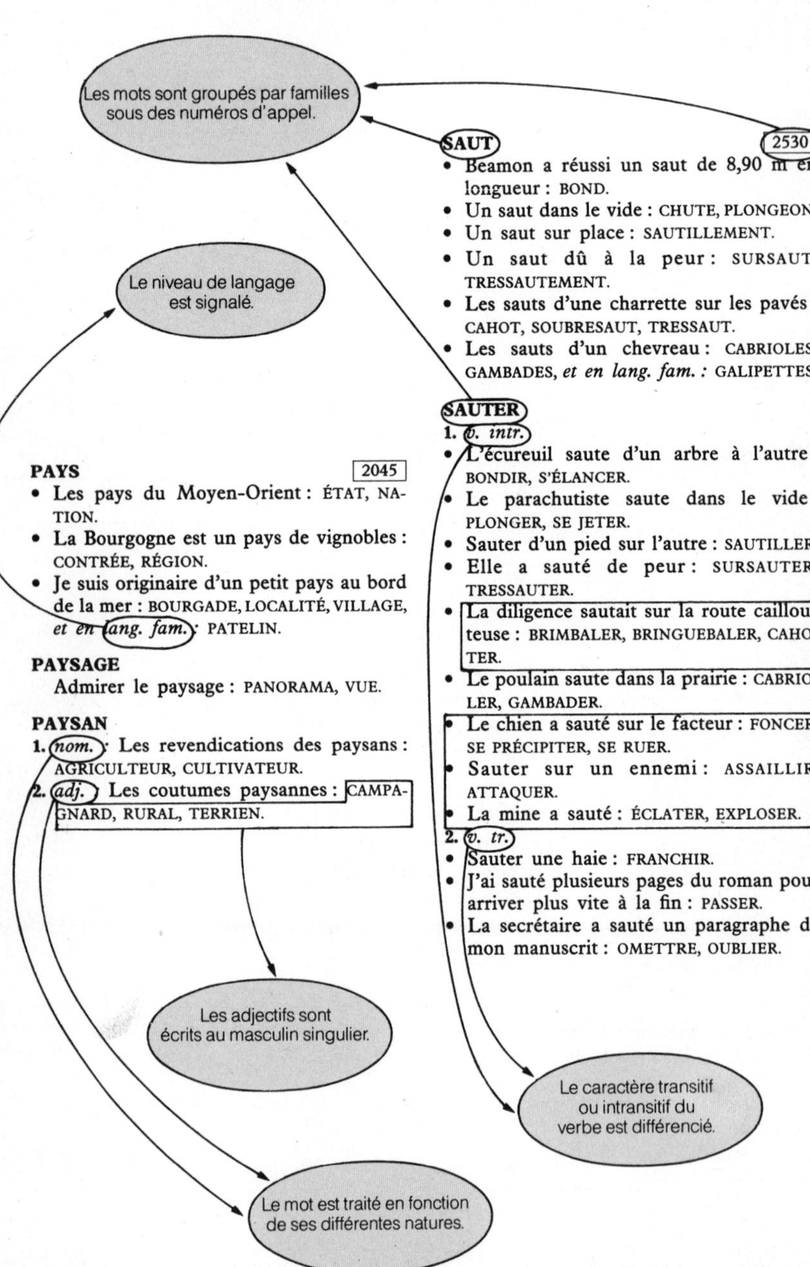
Les mots sont groupés par familles sous des numéros d'appel.
Le niveau de langage est signalé.
Les adjectifs sont écrits au masculin singulier.
Le caractère transitif ou intransitif du verbe est différencié.
Le mot est traité en fonction de ses différentes natures.

PAYS 2045

- Les pays du Moyen-Orient : ÉTAT, NATION.
- La Bourgogne est un pays de vignobles : CONTRÉE, RÉGION.
- Je suis originaire d'un petit pays au bord de la mer : BOURGADE, LOCALITÉ, VILLAGE, *et en lang. fam. :* PATELIN.

PAYSAGE

Admirer le paysage : PANORAMA, VUE.

PAYSAN

1. *nom.* : Les revendications des paysans : AGRICULTEUR, CULTIVATEUR.

2. *adj.* : Les coutumes paysannes : CAMPAGNARD, RURAL, TERRIEN.

SAUT 2530

- Beamon a réussi un saut de 8,90 m en longueur : BOND.
- Un saut dans le vide : CHUTE, PLONGEON.
- Un saut sur place : SAUTILLEMENT.
- Un saut dû à la peur : SURSAUT, TRESSAUTEMENT.
- Les sauts d'une charrette sur les pavés : CAHOT, SOUBRESAUT, TRESSAUT.
- Les sauts d'un chevreau : CABRIOLES, GAMBADES, *et en lang. fam. :* GALIPETTES.

SAUTER

1. *v. intr.*

- L'écureuil saute d'un arbre à l'autre : BONDIR, S'ÉLANCER.
- Le parachutiste saute dans le vide : PLONGER, SE JETER.
- Sauter d'un pied sur l'autre : SAUTILLER.
- Elle a sauté de peur : SURSAUTER, TRESSAUTER.
- La diligence sautait sur la route caillouteuse : BRIMBALER, BRINGUEBALER, CAHOTER.
- Le poulain saute dans la prairie : CABRIOLER, GAMBADER.
- Le chien a sauté sur le facteur : FONCER, SE PRÉCIPITER, SE RUER.
- Sauter sur un ennemi : ASSAILLIR, ATTAQUER.
- La mine a sauté : ÉCLATER, EXPLOSER.

2. *v. tr.*

- Sauter une haie : FRANCHIR.
- J'ai sauté plusieurs pages du roman pour arriver plus vite à la fin : PASSER.
- La secrétaire a sauté un paragraphe de mon manuscrit : OMETTRE, OUBLIER.

DU DICTIONNAIRE

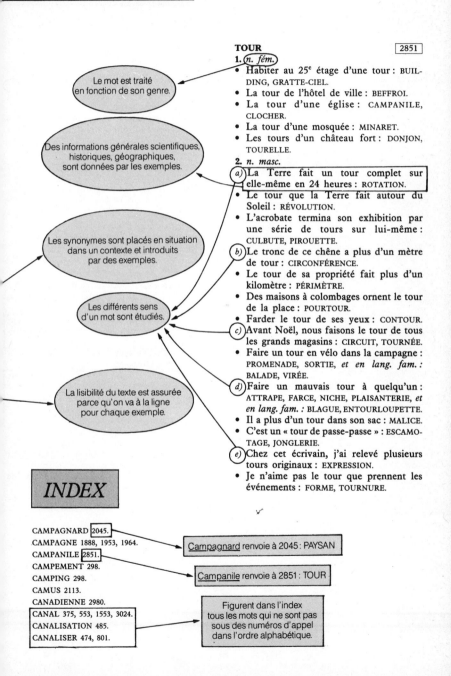

Le mot est traité en fonction de son genre.

Des informations générales scientifiques, historiques, géographiques, sont données par les exemples.

Les synonymes sont placés en situation dans un contexte et introduits par des exemples.

Les différents sens d'un mot sont étudiés.

La lisibilité du texte est assurée parce qu'on va à la ligne pour chaque exemple.

TOUR 2851

1. *n. fém.*

- Habiter au 25e étage d'une tour : BUILDING, GRATTE-CIEL.
- La tour de l'hôtel de ville : BEFFROI.
- La tour d'une église : CAMPANILE, CLOCHER.
- La tour d'une mosquée : MINARET.
- Les tours d'un château fort : DONJON, TOURELLE.

2. *n. masc.*

a) La Terre fait un tour complet sur elle-même en 24 heures : ROTATION.

- Le tour que la Terre fait autour du Soleil : RÉVOLUTION.
- L'acrobate termina son exhibition par une série de tours sur lui-même : CULBUTE, PIROUETTE.

b) Le tronc de ce chêne a plus d'un mètre de tour : CIRCONFÉRENCE.

- Le tour de sa propriété fait plus d'un kilomètre : PÉRIMÈTRE.
- Des maisons à colombages ornent le tour de la place : POURTOUR.
- Farder le tour de ses yeux : CONTOUR.

c) Avant Noël, nous faisons le tour de tous les grands magasins : CIRCUIT, TOURNÉE.

- Faire un tour en vélo dans la campagne : PROMENADE, SORTIE, *et en lang. fam. :* BALADE, VIRÉE.

d) Faire un mauvais tour à quelqu'un : ATTRAPE, FARCE, NICHE, PLAISANTERIE, *et en lang. fam. :* BLAGUE, ENTOURLOUPETTE.

- Il a plus d'un tour dans son sac : MALICE.
- C'est un « tour de passe-passe » : ESCAMOTAGE, JONGLERIE.

e) Chez cet écrivain, j'ai relevé plusieurs tours originaux : EXPRESSION.

- Je n'aime pas le tour que prennent les événements : FORME, TOURNURE.

INDEX

Campagnard renvoie à 2045 : PAYSAN

Campanile renvoie à 2851 : TOUR

Figurent dans l'index tous les mots qui ne sont pas sous des numéros d'appel dans l'ordre alphabétique.

A a

ABAISSEMENT 1

- L'abaissement des températures en hiver : AFFAIBLISSEMENT, BAISSE, CHUTE, DIMINUTION.
- L'abaissement d'un store : DESCENTE.
- L'abaissement des mœurs : AVILISSEMENT, DÉCADENCE, DÉCHÉANCE, DÉGRADATION.

ABAISSER

- Abaisser quelque chose : AFFAIBLIR, ATTÉNUER, BAISSER, DESCENDRE, DIMINUER.
- Abaisser quelqu'un : AVILIR, DÉGRADER, DÉPRÉCIER, HUMILIER, MORTIFIER, RABAISSER, RAVALER.

S'ABAISSER

- La vitre s'abaisse doucement : BAISSER, DESCENDRE.
- En la trompant, tu t'abaisserais : S'AVILIR, SE DÉSHONORER.
- Il n'a pas voulu s'abaisser à présenter des excuses : CONDESCENDRE À, DAIGNER.
- S'abaisser devant un vainqueur : S'HUMILIER.

ABANDON 2

1. L'abandon de quelque chose au profit de quelqu'un : CESSION, DON.
- L'abandon d'une fonction : DÉMISSION, RENONCIATION À.
- Dans l'armée, l'abandon de poste : DÉSERTION.
- L'abandon d'une cause, d'un parti : DÉFECTION, *et en lang. fam. :* LÂCHAGE.

2. Elle m'a parlé avec abandon : CONFIANCE.

ABANDONNER

- Abandonner quelque chose à quelqu'un : CÉDER, DONNER, LAISSER, LÉGUER, LIVRER.
- Abandonner quelque chose : SE DÉFAIRE DE, SE SÉPARER DE.
- Abandonner une fonction : ABDIQUER, DÉMISSIONNER DE, RENONCER À, RÉSIGNER, SE DÉMETTRE DE.
- « Abandonner le combat » : CAPITULER, SE RENDRE, SE SOUMETTRE.
- Abandonner un lieu : DÉMÉNAGER DE, DÉSERTER, ÉVACUER, PARTIR DE, QUITTER, S'ÉLOIGNER DE, S'EN ALLER DE.
- Abandonner quelqu'un : DÉLAISSER, LAISSER, NÉGLIGER, ROMPRE AVEC, *et en lang. fam. :* LÂCHER, LARGUER, PLAQUER.

S'ABANDONNER

SE CONFIER, S'ÉPANCHER, SE LAISSER ALLER À.

ABATTEMENT 3

1. *Sur le plan physique :* AFFAIBLISSEMENT, ALANGUISSEMENT, ANÉANTISSEMENT, EFFONDREMENT, ÉPUISEMENT, FAIBLESSE, FATIGUE, LANGUEUR.
- *Sur le plan moral :* ACCABLEMENT, CONSTERNATION, DÉCOURAGEMENT, DÉMORALISATION, DÉPRESSION, DÉSESPOIR, MÉLANCOLIE, NEURASTHÉNIE, SPLEEN, TRISTESSE.

2. Demander un abattement sur un prix : DÉDUCTION, RABAIS.

ABATTRE

- Abattre un être animé : DESCENDRE, TUER.
- Abattre une forteresse : DÉMANTELER, DÉMOLIR, RASER.
- Abattre un arbre : COUPER.
- Abattre son jeu, ses cartes : ÉTALER.
- Abattre les forces physiques de quelqu'un : AFFAIBLIR, ANÉANTIR, ÉPUISER, FATIGUER.
- Que cette nouvelle ne vous « abatte pas le moral » : ACCABLER, CONSTERNER, DÉCOURAGER, DÉMORALISER, DÉPRIMER, DÉSESPÉRER.

S'ABATTRE

- Tout un pan de mur s'est abattu : S'AFFAISSER, S'ÉBOULER, S'ÉCROULER, S'EFFONDRER, TOMBER.
- L'aigle s'abat sur sa proie : FONDRE SUR, SE PRÉCIPITER SUR.

ABBAYE 4
CLOÎTRE, COMMUNAUTÉ, COUVENT, MONASTÈRE, PRIEURÉ.

ABDICATION 5
DÉMISSION, RENONCIATION, RÉSIGNATION.

ABDIQUER
- Abdiquer le pouvoir : DÉMISSIONER DE, SE DÉMETTRE DE.
- Abdiquer devant une difficulté : CAPITULER, CÉDER, RENONCER.

ABERRATION 6
ABSURDITÉ, AVEUGLEMENT, ÉGAREMENT, FOLIE.

ABHORRER 7
ABOMINER, DÉTESTER, EXÉCRER, HAÏR, HONNIR.

ABÎME : GOUFFRE, PRÉCIPICE. 8

ABÎMER
ALTÉRER, DÉGRADER, DÉTÉRIORER, ENDOMMAGER, GÂTER, SALIR, SOUILLER, TACHER, *et en lang. fam. :* AMOCHER, BOUSILLER, DÉGLINGUER, ESQUINTER, FUSILLER.

ABJECT 9
BAS, DÉGOÛTANT, HONTEUX, IGNOBLE, INFÂME, INFECT, MÉPRISABLE, RÉPUGNANT, SORDIDE,VIL.

ABNÉGATION 10
ALTRUISME, DÉSINTÉRESSEMENT, DÉVOUEMENT, RENONCEMENT, SACRIFICE.

ABOLIR 11
- La royauté fut abolie par la Convention le 21 septembre 1792 : SUPPRIMER.
- Abolir un arrêt, un décret, un jugement, etc. : ABROGER, ANNULER, CASSER, INFIRMER, INVALIDER, RAPPORTER, RÉSILIER, RÉVOQUER.

ABOMINABLE 12
- Un crime abominable : AFFREUX, ATROCE, ÉPOUVANTABLE, HORRIBLE, MONSTRUEUX.
- Un temps abominable : DÉTESTABLE, EFFROYABLE, EXÉCRABLE, MAUVAIS.

ABONDANCE 13
- Il y a abondance de ... : AFFLUENCE, AFFLUX, FOISON, PLÉTHORE, PROFUSION.
- Vivre dans l'abondance : AISANCE, FORTUNE, LUXE, OPULENCE, PROSPÉRITÉ, RICHESSE.

ABONDER
FOISONNER, FOURMILLER, GROUILLER, PULLULER, REGORGER.

ABORDER 14
1. *v. intr.*
- Le bateau va aborder : ACCOSTER.

2. *v. tr.*
- A cause du courant, le bac a du mal à aborder le quai : APPROCHER DE, ARRIVER À, ATTEINDRE, PARVENIR À, TOUCHER.
- Je vais aborder un nouveau sujet : ENTAMER, EN VENIR À, S'ATTAQUER À.

ABRÉGÉ 15
CONDENSÉ, RACCOURCI, RÉSUMÉ, SOMMAIRE.

ABRÉGER
DIMINUER, ÉCOURTER, RACCOURCIR, RÉDUIRE, RÉSUMER.

ABRI 16
ASILE, CACHE, CACHETTE, COUVERT, GÎTE, PORT, REFUGE, REPAIRE, RETRAITE.

ABRITER
- Quelqu'un ou quelque chose : CACHER, COUVRIR, GARANTIR, PRÉSERVER, PROTÉGER.
- Quelqu'un pour la nuit : HÉBERGER, LOGER.

ABRUPT 17
- Un chemin abrupt : ARDU, ESCARPÉ, RAIDE.
- Un homme abrupt : BOURRU, BRUSQUE, REVÊCHE, RUDE.

ABRUTI 18
IDIOT, IMBÉCILE, STUPIDE, *et en lang. fam. :* CRÉTIN.

ABRUTIR
- Le travail à la chaîne abrutit les gens : ABÊTIR, BÊTIFIER.
- Il m'a abruti de travail : SURCHARGER, SURMENER.
- Le bruit m'abrutit : ABASOURDIR, ÉTOURDIR.

ABSENCE 19
- Votre devoir dénote une absence de travail : CARENCE, DÉFAUT, MANQUE.
- J'ai profité de son absence pour venir vous voir : ÉLOIGNEMENT.
- Ce malade a des absences : DÉFAILLANCE, DISTRACTION, INATTENTION.

S'ABSENTER
PARTIR, S'ÉLOIGNER, SE RETIRER, SORTIR.

ABSOLU 20
- Un silence absolu : COMPLET, ENTIER, INTÉGRAL, TOTAL.
- Un pouvoir absolu : ARBITRAIRE, AUTOCRATIQUE, DESPOTIQUE, DICTATORIAL, TOTALITAIRE, TYRANNIQUE.
- Une personne absolue dans son comportement : AUTORITAIRE, CATÉGORIQUE, ENTIER, IMPÉRIEUX, INTRANSIGEANT, TRANCHANT.

ABSOLUMENT
COMPLÈTEMENT, ENTIÈREMENT, PARFAI-

TEMENT, PLEINEMENT, RADICALEMENT, TOTALEMENT, TOUT À FAIT.

ABSORBER 21
- L'éponge absorbe l'eau : BOIRE, POMPER, S'IMBIBER DE, S'IMPRÉGNER DE.
- Absorber un aliment liquide ou solide : *selon le cas :* AVALER, BOIRE, INGÉRER, INGURGITER, MANGER, PRENDRE.
- Cet achat a absorbé toutes mes économies : ENGLOUTIR.
- Une grosse entreprise qui en absorbe plusieurs petites : PHAGOCYTER.
- Ce travail m'absorbe : ACCAPARER, OCCUPER, RETENIR.

S'ABSORBER
Dans le travail, dans la méditation : S'ABSTRAIRE, S'ISOLER, SE PLONGER.

ABSTENIR (S') 22
- S'abstenir de quelque chose : RENONCER À, SE PASSER DE, SE PRIVER DE.
- S'abstenir de faire quelque chose : ÉVITER, SE DISPENSER, S'EXEMPTER, SE GARDER.

ABSTINENCE 23
DIÈTE, JEÛNE, PRIVATION.

ABSTRACTION 24
1. Se perdre dans les abstractions : ILLUSION, UTOPIE.
2. « Faire abstraction » de... : ÉCARTER, EXCLURE, LAISSER DE CÔTÉ, NÉGLIGER, NE PAS TENIR COMPTE DE, OMETTRE, PASSER SOUS SILENCE.

S'ABSTRAIRE : SE DÉTACHER DE, S'ISOLER.

ABSTRAIT
Un texte abstrait : ABSCONS, ABSTRUS, CONFUS, DIFFICILE, OBSCUR.

ABSURDE 25
ABERRANT, DÉRAISONNABLE, EXTRAVAGANT, FARFELU, ILLOGIQUE, INCOHÉRENT, INCONSÉQUENT, INEPTE, INSENSÉ, RIDICULE, SAUGRENU, STUPIDE.

ABUS 26
- Dans ce tableau, il y a un abus de couleurs : EXAGÉRATION, EXCÈS, OUTRANCE.
- Lutter contre les abus : ILLÉGALITÉ, INJUSTICE.

ABUSER
1. Tu abuses : EXAGÉRER, OUTREPASSER SES DROITS.
2. Elle m'a abusé : BERNER, DUPER, ENJÔLER, LEURRER, MYSTIFIER, TROMPER, *et en lang. fam. :* ATTRAPER, BLOUSER.

ACCABLER 27
- Nous sommes accablés d'impôts : ÉCRASER, SURCHARGER.
- Être accablé de chaleur : ÉPUISER, OPPRESSER.
- Ne l'accable pas de questions : FATIGUER, IMPORTUNER.
- Il m'a accablé d'injures : ABREUVER, COUVRIR.
- Être accablé de douleur : ABATTRE (ÊTRE ABATTU).
- Le témoin a accablé l'accusé dans sa déposition : CHARGER, CONFONDRE.
- Un despote qui accable le peuple : OPPRIMER, TYRANNISER.

ACCÉLÉRER 28
- Accélérer l'allure, le pas : HÂTER, PRÉCIPITER, PRESSER.
- Accélérer l'exécution des travaux : ACTIVER, AVANCER.

ACCEPTER 29
- Accepter de bon gré : ACCUEILLIR, ACQUIESCER À, ADMETTRE, AGRÉER, CONSENTIR À, RECEVOIR.
- Accepter par obligation ou par faiblesse (de caractère) : PERMETTRE, SE RÉSIGNER À, SUPPORTER, TOLÉRER.

ACCIDENT 30
1. Un accident sans conséquences : AVENTURE, INCIDENT.
- Un accident fâcheux : CONTRETEMPS, MALHEUR, MÉSAVENTURE.
- Un accident avec dommages : CATASTROPHE, COLLISION, DÉRAILLEMENT, TAMPONNEMENT.
2. Un accident de terrain : INÉGALITÉ, MOUVEMENT.

ACCIDENTÉ
1. Un accidenté du travail, de la route : BLESSÉ.
2. Un terrain accidenté : INÉGAL, MONTUEUX, MOUVEMENTÉ, VARIÉ.

ACCIDENTEL
CONTINGENT, FORTUIT, IMPRÉVU, INATTENDU, INHABITUEL, OCCASIONNEL.

ACCLIMATER 31
ACCOUTUMER, HABITUER.

S'ACCLIMATER
- *En parlant d'un être animé :* S'ACCOUTUMER, SE FAIRE À, S'HABITUER.
- *En parlant d'une chose :* S'ÉTABLIR, S'IMPLANTER.

ACCOMMODER 32
1. Accommoder quelque chose à une autre : ADAPTER, AJUSTER, APPROPRIER.
2. Accommoder un mets : APPRÊTER, ASSAISONNER, CUISINER, PRÉPARER.

S'ACCOMMODER
- S'accommoder à quelque chose : S'ADAPTER, S'HABITUER.

- S'accommoder de quelque chose : ACCEPTER, ADMETTRE, SE CONTENTER DE, SE SATISFAIRE DE.

ACCOMPAGNER 33

1. Accompagner une personne : CONDUIRE, ESCORTER, FLANQUER, RECONDUIRE, SUIVRE, VENIR AVEC.
2. Accompagner un mets d'une garniture de champignons : AJOUTER À, ASSORTIR DE, COMPLÉTER.

ACCOMPLIR 34

- Accomplir une chose, une action : EFFECTUER, EXÉCUTER, FAIRE, RÉALISER.
- Accomplir un devoir, une obligation : REMPLIR, S'ACQUITTER DE, SATISFAIRE À.

S'ACCOMPLIR

- Un changement s'est accompli : AVOIR LIEU, SE PRODUIRE, SE RÉALISER.

ACCORD 35

- Être en accord : AFFINITÉ, COMMUNION, CONCORDE, ENTENTE, HARMONIE, UNION.
- Donner son accord : ACQUIESCEMENT, ADHÉSION, APPROBATION, AUTORISATION, CONSENTEMENT, PERMISSION.
- Obtenir un large accord : CONSENSUS.
- Un accord entre individus, entre états : ACCOMMODEMENT, ALLIANCE, ARRANGEMENT, CONTRAT, CONVENTION, PACTE, TRAITÉ.
- Un accord secret entre personnes : COLLUSION, COMPLICITÉ, CONNIVENCE.

ACCORDER

- Accorder des crédits, un délai de paiement : ALLOUER, ATTRIBUER, CONCÉDER, DONNER, OCTROYER.
- Je vous accorde de sortir avant l'heure : AUTORISER, PERMETTRE.
- Accorder de l'importance à quelque chose : ATTACHER, ATTRIBUER.
- Accorder des choses entre elles : ACCOMMODER, ADAPTER, AJUSTER, APPARIER, ARRANGER, ASSORTIR, HARMONISER.
- Après leur dispute, j'ai essayé de les accorder : CONCILIER, RAPPROCHER, RÉCONCILIER, *et en lang. fam.* : RACCOMMODER.
- Vous m'accorderez que j'avais raison : ADMETTRE, AVOUER, CONVENIR, RECONNAÎTRE.

S'ACCORDER

- Ils s'accordent bien : S'ENTENDRE.
- Ces deux couleurs s'accordent : SE CONCILIER, S'HARMONISER.
- Je m'accorde un délai de réflexion : SE DONNER.

ACCROCHER 36

- Accrocher quelque chose avec la main ou avec un engin : AGRIPPER, CRAMPONNER, HARPONNER, RETENIR.
- Accrocher quelque chose en hauteur : PENDRE, SUSPENDRE.
- Accrocher deux ou plusieurs papiers entre eux : AGRAFER, ATTACHER.
- Accrocher une voiture en passant près d'elle : HEURTER, TAMPONNER.

S'ACCROCHER

- S'accrocher à quelque chose : S'AGRIPPER, S'ATTACHER, SE CRAMPONNER.
- S'accrocher avec quelqu'un : SE DISPUTER, SE QUERELLER.

ACCUEILLIR 37

Accueillir un ami dans sa maison : HÉBERGER, RECEVOIR.

ACCUMULER 38

AMASSER, AMONCELER, EMPILER, ENTASSER, SUPERPOSER.

ACCUSATEUR 39

CALOMNIATEUR, DÉLATEUR, DÉNONCIATEUR, DIFFAMATEUR, PLAIGNANT.

ACCUSATION

ATTAQUE, BLÂME, CRITIQUE, GRIEF, IMPUTATION, REPROCHE, RÉQUISITOIRE.

ACCUSER

1. Accuser quelqu'un : ATTAQUER, BLÂMER, CRITIQUER, DÉNONCER, INCRIMINER, INCULPER, METTRE EN CAUSE, PORTER PLAINTE CONTRE, POURSUIVRE EN JUSTICE.
2. Une robe trop serrée accuse les formes : ACCENTUER, INDIQUER, MONTRER, RÉVÉLER, SOULIGNER.

S'ACCUSER

AVOUER, CONFESSER, RECONNAÎTRE.

ACHARNÉ 40

- Une lutte acharnée : FAROUCHE, FURIEUX.
- Un adversaire acharné : ENRAGÉ, OBSTINÉ.
- Un travail acharné : OPINIÂTRE.

S'ACHARNER

- S'acharner à faire quelque chose : S'OBSTINER.
- S'acharner contre quelqu'un : HARCELER, PERSÉCUTER.

ACHAT : ACQUISITION, EMPLETTE. 41

ACHETER

1. Acheter quelque chose : ACQUÉRIR, S'OFFRIR, SE PAYER, SE PROCURER.
2. Acheter quelqu'un : CORROMPRE, SOUDOYER, STIPENDIER, SUBORNER.

ACHEMINER 42

CONDUIRE, TRANSPORTER.

S'ACHEMINER

Vers un lieu : AVANCER, SE DIRIGER.

ACHEVÉ 43

ACCOMPLI, CONSOMMÉ, FINI, PARACHEVÉ, TERMINÉ.

ACHEVER

1. Achever une affaire : CONCLURE, FINIR, TERMINER.
2. Achever un animal blessé : TUER.

ACQUITTER 44

1. Acquitter une dette : PAYER, RÉGLER, SE LIBÉRER DE, SOLDER.
2. Acquitter quelqu'un : ABSOUDRE, BLANCHIR, DISCULPER, INNOCENTER.

S'ACQUITTER

D'une tâche : ACCOMPLIR, EXÉCUTER, REMPLIR.

ACTE 45

1. Les divers actes de la vie courante : ACTION, DÉMARCHE, FAIT, GESTE, ŒUVRE, OPÉRATION.
2. Signer un acte : BAIL, CONTRAT, CONVENTION, PACTE, TRAITÉ.

ACTEUR 46

ARTISTE, BALADIN, COMÉDIEN, ÉTOILE, INTERPRÈTE, STAR, TRAGÉDIEN, VEDETTE, *et avec un sens péjoratif :* CABOT, CABOTIN.

ACTIF 47

DYNAMIQUE, EFFICACE, ÉNERGIQUE, ENTREPRENANT, TRAVAILLEUR, ZÉLÉ.

ACTIVITÉ

1. Faire preuve d'activité dans son travail : ALLANT, CÉLÉRITÉ, DILIGENCE, DYNAMISME, PROMPTITUDE, RAPIDITÉ, VIVACITÉ.
- L'activité d'une fourmilière : AGITATION, ANIMATION, MOUVEMENT, VIE.

2. Avoir une activité : OCCUPATION, TRAVAIL, *et en lang. fam. :* JOB.

ACTUEL 48

CONTEMPORAIN, MODERNE, PRÉSENT.

ACTUELLEMENT

À PRÉSENT, AUJOURD'HUI, DE NOS JOURS, DE NOTRE TEMPS, MAINTENANT, PRÉSENTEMENT.

ADAGE 49

APHORISME, AXIOME, DICTON, MAXIME, PENSÉE, PRÉCEPTE, PROVERBE, SENTENCE.

ADDITION 50

- Apporter une addition à quelque chose : ADDITIF, ADJONCTION, AJOUT, APPENDICE, COMPLÉMENT.
- Veuillez préparer mon addition pour demain : COMPTE, DÛ, FACTURE, NOTE.

ADHÉRER 51

- Le sparadrap adhère à la peau : COLLER, TENIR FORTEMENT.
- Elle a adhéré au parti radical : S'AFFILIER, S'INSCRIRE.
- J'adhère à ton opinion : APPROUVER, SOUSCRIRE À.

ADHÉSION

- L'adhésion entre deux choses, deux objets : ADHÉRENCE, COHÉSION, JONCTION, UNION.
- Donner son adhésion : ACCORD, ACQUIESCEMENT, AGRÉMENT, APPROBATION, ASSENTIMENT, CONSENTEMENT.

ADJACENT 52

ATTENANT, AVOISINANT, CONTIGU, JOIGNANT, JUXTAPOSÉ, LIMITROPHE, MITOYEN, PROCHE, VOISIN.

ADMIRABLE 53

BEAU, INCOMPARABLE, MAGNIFIQUE, MERVEILLEUX, PARFAIT, SPLENDIDE, SUBLIME, SUPERBE.

ADMIRATION

ÉBLOUISSEMENT, ÉMERVEILLEMENT, ENGOUEMENT, ENTHOUSIASME, EXALTATION, EXTASE, RAVISSEMENT.

ADMIRER

APPRÉCIER, GOÛTER, S'ÉMERVEILLER, S'ENTHOUSIASMER, S'EXTASIER, SE PASSIONNER.

ADOLESCENTE 54

ÉPHÈBE, JEUNE, JOUVENCEAU *(anc.),* JOUVENCELLE *(anc.).*

ADOPTER 55

- Une méthode, une opinion : CHOISIR, EMBRASSER, PRENDRE.
- Une motion, une loi : VOTER.

ADOUCIR 56

AFFAIBLIR, ALLÉGER, AMORTIR, APAISER, ATTÉNUER, CALMER, ÉDULCORER, LÉNIFIER, MODÉRER, SOULAGER, TEMPÉRER.

ADRESSE 57

1. Montrer de l'adresse dans les mouvements : AGILITÉ, AISANCE, DEXTÉRITÉ, MAÎTRISE, VIRTUOSITÉ.
- Agir avec adresse et finesse d'esprit : ART, DIPLOMATIE, DOIGTÉ, INGÉNIOSITÉ, SAVOIR-FAIRE, TACT, TALENT.

2. Indiquer son adresse : DOMICILE, *et en lang. fam. :* COORDONNÉES.
- Une enveloppe qui ne porte pas d'adresse : SUSCRIPTION.

ADROIT

ASTUCIEUX, CAPABLE, HABILE, INGÉNIEUX, INTELLIGENT, MALIN, RUSÉ.

ADVERSAIRE 58

ANTAGONISTE, CONCURRENT, CONTRADICTEUR, ENNEMI, OPPOSANT, RIVAL.

AÉRER 59
- Aérer une pièce : VENTILER.
- Aérer la présentation d'un écrit : ALLÉGER, ÉCLAIRCIR.

S'AÉRER
PRENDRE L'AIR, S'OXYGÉNER.

AFFABLE 60
ACCUEILLANT, AIMABLE, AMÈNE, BIENVEILLANT, COURTOIS, GRACIEUX, OBLIGEANT, POLI, SERVIABLE.

AFFAIRE 61
1. Cela est une autre affaire : PROBLÈME, QUESTION.
- Avoir une affaire sur les bras : COMPLICATION, DIFFICULTÉ, ENNUI, HISTOIRE.
- L'affaire va passer devant le tribunal : LITIGE, PROCÈS.
- On a voulu étouffer l'affaire : SCANDALE.
- Réaliser une bonne, une mauvaise affaire : MARCHÉ, OPÉRATION, TRANSACTION.
- Être à la tête d'une grosse affaire : COMMERCE, ENTREPRISE, EXPLOITATION, INDUSTRIE.
- Se rendre à ses affaires : ACTIVITÉS, OBLIGATIONS, OCCUPATIONS, TRAVAUX.

2. Prendre ses affaires avant de partir : OBJETS PERSONNELS, VÊTEMENTS.

S'AFFAIRER
S'AGITER, S'EMPRESSER.

AFFECTATION 62
1. L'affectation d'une personne dans son comportement : AFFÉTERIE, GENRE, MANIÉRISME, POSE, PRÉCIOSITÉ, RECHERCHE, SINGULARITÉ, SNOBISME.
2. Recevoir une affectation pour un poste : NOMINATION.
- Changer l'affectation de crédits : DESTINATION, IMPUTATION.

AFFECTER
1. Affecter un sentiment : FEINDRE, SIMULER.
2. Affecter quelqu'un à un poste : DÉSIGNER, NOMMER.
- Affecter quelque chose à un usage : CONSACRER, DESTINER, RÉSERVER.

3. Cette mauvaise nouvelle l'a beaucoup affecté : AFFLIGER, ATTRISTER, ÉMOUVOIR, FRAPPER, IMPRESSIONNER, PEINER, TOUCHER.

AFFERMIR 63
ASSEOIR, ASSURER, CIMENTER, CONSOLIDER, ÉTAYER, FORTIFIER, RENFORCER.

AFFIRMER 64
ALLÉGUER, ASSURER, ATTESTER, AVANCER, CERTIFIER, DÉCLARER, GARANTIR, JURER, PRÉTENDRE, PROCLAMER, SOUTENIR.

AFFOLER 65
APEURER, ATTERRER, BOULEVERSER, EFFRAYER, ÉPOUVANTER, TERRIFIER, TROUBLER.

S'AFFOLER
PRENDRE PEUR, SE TROUBLER, *et en lang. fam. :* PANIQUER.

AFFRANCHIR 66
1. Cicéron affranchit son esclave Tiron : ÉMANCIPER.
- Son accueil bienveillant m'a affranchi de toute crainte : DÉLIVRER, LIBÉRER.

2. *Pop :* Puisqu'il ne sait rien, il faut l'affranchir : INFORMER, INITIER, RENSEIGNER.
3. Affranchir une lettre : TIMBRER.

S'AFFRANCHIR
S'affranchir d'une tutelle : SE DÉBARRASSER, SE DÉLIVRER, S'ÉMANCIPER, SE LIBÉRER.

AFFREUX 67
- Une douleur affreuse : ABOMINABLE, ATROCE, EFFROYABLE, ÉPOUVANTABLE, HORRIBLE, TERRIBLE.
- Un être affreux : DIFFORME, HIDEUX, LAID, MONSTRUEUX, REPOUSSANT, RÉPUGNANT, VILAIN.

AFFRIOLANT 68
- Une jeune femme affriolante : DÉSIRABLE, EXCITANT, SÉDUISANT, *et en lang. fam. :* SEXY.
- Le programme de la soirée n'a rien d'affriolant : ALLÉCHANT, ATTIRANT, ATTRACTIF, PLAISANT, TENTANT.

AFFRIOLER
ATTIRER, CHARMER, SÉDUIRE, TENTER.

AFFRONT 69
Subir un affront : CAMOUFLET, HUMILIATION, INJURE, INSULTE, OFFENSE, OUTRAGE, SOUFFLET.

AFFRONTER
ATTAQUER, BRAVER, DÉFIER, FAIRE FACE À, S'EXPOSER À.

AGACEMENT 70
ÉNERVEMENT, EXASPÉRATION, IMPATIENCE, IRRITATION.

AGACER
- N'agace pas ton frère ! : EMBÊTER, ÉNERVER, ENNUYER, EXASPÉRER, HARCELER, IMPATIENTER, IMPORTUNER, IRRITER, TAQUINER, TRACASSER.
- Elle voulait le séduire et l'agaçait sans cesse : AGUICHER, EXCITER, PROVOQUER.

AGACERIES
AVANCES, COQUETTERIES, MINAUDERIES.

AGENT 71
- Un agent des services publics : EMPLOYÉ, FONCTIONNAIRE.
- Les agents des entreprises privées : COMMIS, COURTIER, MANDATAIRE, REPRÉSENTANT.
- Un agent de police : GARDIEN DE LA PAIX, GENDARME, POLICIER, *et en lang. fam.* : FLIC.

AGILE 72
ALERTE, ALLÈGRE, LESTE, PRESTE, PROMPT, RAPIDE, SOUPLE, VIF.

AGIR 73
- C'est le moment d'agir : TRAVAILLER.
- Il a agi en chef : SE COMPORTER, SE CONDUIRE.
- Agir auprès de quelqu'un, pour obtenir satisfaction : INTERVENIR.
- Ce fait nouveau agira sur ma décision : INFLUENCER.
- Ce poison agit très vite : OPÉRER.

S'AGIR
- De quoi s'agit-il ? : ÊTRE QUESTION DE.
- Il s'agit de travailler maintenant : IL FAUT, IL IMPORTE.

AGITATION 74
- Il y a beaucoup d'agitation dans la rue : ANIMATION, BRUIT, REMUE-MÉNAGE, TOHU-BOHU, TUMULTE.
- L'agitation de mon esprit est extême : BOULEVERSEMENT, ÉMOI, TROUBLE.
- L'agitation d'un malade : EXCITATION, FÉBRILITÉ, FIÈVRE, NERVOSITÉ.
- L'agitation de l'eau qui chauffe : BOUILLONNEMENT.

AGITER
- Le vent agite les branches des arbres : BALANCER, REMUER, SECOUER.
- Les passions qui nous agitent : BOULEVERSER, ÉBRANLER, ÉMOUVOIR, INQUIÉTER, PRÉOCCUPER, TRACASSER, TROUBLER.
- Agiter une question : DISCUTER, SOULEVER.

AGRÉABLE 75
- Une personne agréable : AFFABLE, AIMABLE, CHARMANT, GENTIL, SYMPATHIQUE.
- Une chose agréable à voir, à entendre : ATTRAYANT, BEAU, CHARMANT, GRACIEUX, JOLI, PLAISANT, SÉDUISANT.
- Une chose agréable à manger : DÉLICIEUX, EXQUIS, SAVOUREUX, SUCCULENT.

AGRESSIF 76
MENAÇANT, PROVOCANT, QUERELLEUR.

AGRESSION
ATTAQUE, ATTENTAT.

AIDE 77
1. *n. m.* Être l'aide de quelqu'un : ADJOINT, ASSISTANT, AUXILIAIRE, BRAS DROIT, SECOND.
2. *n. f.* Apporter de l'aide à quelqu'un : APPUI, ASSISTANCE, COLLABORATION, CONCOURS, COOPÉRATION, RENFORT, SECOURS, SOUTIEN, *et en lang. fam.* : COUP DE MAIN.

AIDER
APPUYER, ASSISTER, ÉPAULER, RENDRE SERVICE, SECONDER, SECOURIR, SOUTENIR, SUBVENTIONNER.

AIGRE 78
- Des fruits aigres, une soupe aigre : ACIDE, ÂCRE, AMER, SÛR.
- Adresser un aigre reproche à quelqu'un : ACERBE, AMER, ÂPRE, MORDANT, PIQUANT.

AIGU 79
- Un objet aigu : ACÉRÉ, AFFILÉ, EFFILÉ, POINTU, TRANCHANT.
- Un son aigu : AIGRE, CRIARD, PERÇANT, STRIDENT, VIF.
- Une douleur aiguë : INTENSE, VIF, VIOLENT.
- Une intelligence aiguë : INCISIF, PÉNÉTRANT, SUBTIL.

AIGUISER
1. Le rémouleur aiguise les couteaux : AFFILER, AFFÛTER, ÉMOUDRE, REPASSER.
- J'aiguise mon crayon : APPOINTER.
2. L'odeur du rôti aiguise l'appétit : EXCITER, STIMULER.

AIMABLE 80
ACCUEILLANT, AFFABLE, AGRÉABLE, AMÈNE, BIENVEILLANT, CHARMANT, GENTIL, GRACIEUX, PRÉVENANT, SÉDUISANT, SOURIANT, SYMPATHIQUE.

AIMER
1. Aimer quelqu'un : ADORER, AFFECTIONNER, CHÉRIR, IDOLÂTRER, VÉNÉRER.
- Aimer la musique : GOÛTER, S'INTÉRESSER À.
2. Aimez-vous le cassoulet ? : ÊTRE FRIAND DE, TROUVER BON.

AIR 81
1. Avant un orage, l'air est étouffant : ATMOSPHÈRE.
- Être transi par un air glacial : BRISE, VENT.
- Être rafraîchi par un air léger : BRISE, SOUFFLE, ZÉPHYR *(poèt.)*.
2. Avoir un air décidé, timide, triste, etc. : ALLURE, APPARENCE, ASPECT, ATTITUDE, COMPORTEMENT, EXPRESSION, FAÇON, GENRE, MAINTIEN, MANIÈRE, MINE, PHYSIONOMIE, VISAGE.
3. Fredonner un air : CHANSON, MÉLODIE, REFRAIN.

AISE 82
1. *n. f.* Aimer l'aise : AISANCE, BIEN-ÊTRE, CONFORT.
2. *adj.* Je suis tout aise d'avoir gagné : CONTENT, ENCHANTÉ, HEUREUX, RAVI.

AISÉ
1. Appartenir à un milieu aisé : FORTUNÉ, RICHE.
2. Un annuaire aisé à consulter : COMMODE, FACILE, PRATIQUE, SIMPLE.

AJOURNER 83
1. Ajourner une réunion, un rendez-vous, etc : DIFFÉRER, RECULER, REMETTRE, RENVOYER, REPORTER, RETARDER, SURSEOIR À.
2. Ajourner un candidat : REFUSER, *et en lang. fam. :* COLLER, RECALER.

AJOUTER 84
• Ajouter une chose à une autre : ADDITIONNER, ADJOINDRE, JOINDRE, UNIR.
• Ajouter à une chose un complément de même nature : ACCROÎTRE, ALLONGER, AUGMENTER, COMPLÉTER, ÉTENDRE.

AJUSTEMENT 85
1. L'ajustement d'une chose à une autre : ADAPTATION.
• Apporter quelques ajustements à un projet : AGENCEMENT, ARRANGEMENT.
2. Avant de sortir, elle vérifie son ajustement: ATOUR, HABILLEMENT, MISE, PARURE, TOILETTE.

AJUSTER
1. Ajuster une chose avec une autre : ACCORDER, ADAPTER, AGENCER, ARRANGER, RÉGLER SUR.
2. Un tireur qui ajuste une cible : POINTER VERS, VISER.

ALARME 86
• Sonner l'alarme : ALERTE.
• Ressentir une vive alarme : ANGOISSE, ANXIÉTÉ, CRAINTE, EFFROI, ÉPOUVANTE, FRAYEUR, INQUIÉTUDE, PEUR, TERREUR.

S'ALARMER
S'INQUIÉTER.

ALÉA 87
AVENTURE, CHANCE, HASARD, IMPRÉVU, RISQUE.

ALIMENT 88
DENRÉE, METS, NOURRITURE, SUBSISTANCE, VIVRES, *et en lang. fam. :* MANGEAILLE, PITANCE.

ALIMENTER
1. Alimenter quelqu'un : NOURRIR, SUSTENTER.
2. Alimenter le feu dans la cheminée : APPROVISIONNER, ENTRETENIR.

ALLÉCHANT 89
APPÉTISSANT, ATTIRANT, ATTRAYANT, TENTANT.

ALLÉCHER : APPÂTER, ATTIRER, TENTER.

ALLÉGER 90
• Alléger quelqu'un d'un poids : DÉCHARGER, DÉLESTER.
• Alléger une douleur : ADOUCIR, AMOINDRIR, ATTÉNUER, CALMER, DIMINUER, RÉDUIRE, SOULAGER.

ALLER 91
1. Ils allaient tous vers la ville : S'ACHEMINER VERS, SE DÉPLACER VERS, SE DIRIGER VERS, SE RENDRE À.
• Ce chemin va au village : ABOUTIR À, CONDUIRE À, MENER À.
2. Le moteur va bien : FONCTIONNER, MARCHER, TOURNER.
• Cela me va : CONVENIR, PLAIRE, SEOIR *(Anc.).*
• Comment allez-vous ? : SE PORTER.

ALLIANCE 92
1. Une alliance entre États : ACCORD, ASSOCIATION, COALITION, ENTENTE, FÉDÉRATION, LIGUE, PACTE, TRAITÉ.
• Une alliance entre deux personnes : MARIAGE, UNION.
2. Porter une alliance au doigt : ANNEAU, BAGUE.

ALLIÉ
AMI, ASSOCIÉ, PARTENAIRE, PARTISAN, SATELLITE.

ALLOCUTION 93
DISCOURS, HARANGUE, *et en lang. fam. :* LAÏUS, SPEECH, TOAST, TOPO.

ALLONGER 94
1. Allonger un délai, un trajet, etc. : AGRANDIR, AUGMENTER, PROLONGER, RALLONGER.
• Allonger le bras, la jambe : AVANCER, ÉTENDRE, ÉTIRER, TENDRE.
• « Allonger le pas » : SE HÂTER, SE PRESSER.
2. *Fam :* Allonger un coup de pied à quelqu'un : ASSENER, DONNER, ENVOYER.

S'ALLONGER
• S'allonger sur un lit, sur l'herbe : SE COUCHER, S'ÉTENDRE.
• La réunion s'allonge : TRAÎNER EN LONGUEUR.

ALMANACH 95
AGENDA, ANNUAIRE, CALENDRIER, ÉPHÉMÉRIDE, ORDO.

ALTERCATION 96
ALGARADE, CHICANE, CONTESTATION,

CONTROVERSE, DÉMÊLÉ, DIFFÉREND, DISCUSSION, DISPUTE, EMPOIGNADE, QUERELLE.

ALTÉRER 97
1. L'humidité altère les fruits, les récoltes : ABÎMER, AVARIER, CORROMPRE, DÉTÉRIORER, ENDOMMAGER, GÂTER, VICIER.
- Altérer la vériré : ADULTÉRER *(anc.)*, DÉNATURER, FALSIFIER, FAUSSER, MAQUILLER, TRUQUER.
- La peur altérait son visage : DÉCOMPOSER, DÉFIGURER.
2. Cette longue course m'a altéré : ASSOIFFER.

ALTERNER 98
SE RELAYER, SE REMPLACER, SE SUCCÉDER.

ALTIER 99
Un air altier : ARROGANT, DÉDAIGNEUX, DISTANT, FIER, HAUTAIN, MÉPRISANT, ORGUEILLEUX, SUFFISANT.

AMAS 100
Un amas de choses diverses : ACCUMULATION, AMONCELLEMENT, ENTASSEMENT, FATRAS, MONCEAU, MONTAGNE, PILE, PYRAMIDE, TAS.

AMASSER
ACCUMULER, AMONCELER, EMMAGASINER, EMPILER, ENTASSER, *et en parlant d'argent :* THÉSAURISER.

AMBIANCE 101
- Dans cette ambiance : ATMOSPHÈRE, CLIMAT, MILIEU.
- *Fam. :* À cette fête, il y avait beaucoup d'ambiance : ENTRAIN, GAIETÉ.

AMBIGU 102
CONFUS, DOUTEUX, ÉNIGMATIQUE, ÉQUIVOQUE, INCERTAIN, INDÉCIS, LOUCHE, NÉBULEUX, OBSCUR, SIBYLLIN.

AMBITION 103
- Telle était mon ambition : ASPIRATION, BUT, DÉSIR, IDÉAL, RÊVE, SOUHAIT.
- Se défendre contre les ambitions de quelqu'un : CONVOITISE, PRÉTENTION, VISÉE.

AMBITIONNER
ASPIRER À, BRIGUER, PRÉTENDRE À, VISER À.

ÂME 104
- Elle a l'âme généreuse : CŒUR, ESPRIT.
- Être l'âme d'une entreprise : ANIMATEUR, CERVEAU, MOTEUR, PIVOT.
- Un village de 200 âmes : ÊTRE, HABITANT, INDIVIDU, PERSONNE.

AMÉLIORER 105
- Quelque chose : AMENDER, BONIFIER, EMBELLIR, PERFECTIONNER, RÉGÉNÉRER, RÉNOVER, RÉPARER, RESTAURER.
- Le niveau de vie : AUGMENTER.

AMENER 106
- Quelque chose ou quelqu'un : ACHEMINER, APPORTER, CONDUIRE, FAIRE VENIR, TRANSPORTER.
- Une chose en amène une autre : ATTIRER, CAUSER, DÉTERMINER, ENGENDRER, ENTRAÎNER, OCCASIONNER, PRODUIRE, PROVOQUER, SUSCITER.

AMER 107
- Des souvenirs amers : CRUEL, DOULOUREUX, PÉNIBLE.
- Un goût amer : ÂCRE, AIGRE, ÂPRE, SAUMÂTRE.
- Des reproches amers : DUR, PIQUANT, SÉVÈRE.

AMERTUME
- Avoir de l'amertume : CHAGRIN, DÉCOURAGEMENT, DÉGOÛT, DOULEUR, MÉLANCOLIE, PEINE, TRISTESSE.
- Parler avec amertume : ACRIMONIE, AIGREUR, ÂPRETÉ, FIEL.

AMI, AMIE 108
1. *n.* CAMARADE, COMPAGNON, COMPAGNE, CONNAISSANCE, *et en lang. fam. :* COPAIN, COPINE.
2. *adj. :* AFFECTUEUX, AMICAL, BIENVEILLANT, FAVORABLE.

AMORCE 109
- Attirer avec une amorce : APPÂT, LEURRE, PIÈGE.
- Percuter une amorce : DÉTONATEUR, EXPLOSIF.
- L'amorce d'un roman, d'une affaire : COMMENCEMENT, DÉBUT, ÉBAUCHE, ESQUISSE.

AMORCER
- Le poisson, le gibier : APPÂTER, ATTIRER.
- Quelque chose : COMMENCER, ÉBAUCHER, ENTAMER, ESQUISSER.

AMOUR 110
ADORATION, AFFECTION, AMITIÉ, ATTACHEMENT, INCLINATION, PASSION, PENCHANT, TENDRESSE.

AMPLE 111
COPIEUX, ÉTENDU, GRAND, LARGE, SPACIEUX, VASTE.

AMPLEUR
DÉVELOPPEMENT, ÉTENDUE, EXTENSION, IMPORTANCE, LARGEUR.

AMPLIFIER
ACCROÎTRE, AGRANDIR, AUGMENTER, DÉVELOPPER, ÉLARGIR, ENFLER, ÉTENDRE, GROSSIR, INTENSIFIER.

AMPOULÉ 112
Un style ampoulé : BOURSOUFLÉ, EMPHATIQUE, ENFLÉ, GRANDILOQUENT, MANIÉRÉ, POMPEUX, REDONDANT, RONFLANT.

AMUSEMENT 113
DÉLASSEMENT, DISTRACTION, DIVERTISSEMENT, JEU, PLAISIR, RÉCRÉATION, RÉJOUISSANCE.

AMUSER
- Cela m'amuse : DÉRIDER, DISTRAIRE, DIVERTIR, ÉGAYER, FAIRE RIRE, RÉCRÉER, RÉJOUIR.
- Tu m'amuses, tu me fais perdre du temps : LANTERNER, RETARDER.

S'AMUSER :
- Les enfants s'amusent : JOUER, SE DISTRAIRE, SE DIVERTIR.
- Il se sont amusés en chemin : LAMBINER, MUSARDER, TRAÎNER.
- Elle s'est amusée de moi : RAILLER, RIRE DE, SE MOQUER DE.

ANALOGIE 114
AFFINITÉ, CONFORMITÉ, CORRESPONDANCE, PARENTÉ, RAPPORT, RESSEMBLANCE, SIMILITUDE.

ANCÊTRE 115
Mes ancêtres : AÏEUL (AÏEUX), ASCENDANT(S).

ANCIEN
Un meuble ancien : ANTIQUE, VÉTUSTE, VIEUX.

ANCIENNEMENT : AUTREFOIS, JADIS.

ÂNE 116
- Une charrette tirée par un âne : BAUDET, BOURRICOT, BOURRIQUE, GRISON.
- *Fam.* Quel âne! : BUSE, CRUCHE, IGNORANT, IMBÉCILE, LOURDAUD, SOT, STUPIDE.

ANIMATION 117
- Parler avec animation : ARDEUR, CHALEUR, ENTRAIN, EXALTATION, FLAMME, FOUGUE, VIVACITÉ.
- L'animation dans un quartier populaire : ACTIVITÉ, MOUVEMENT.

ANIMER
- Dans la montée le charretier anime son cheval de la voix : AIGUILLONNER, ENCOURAGER, EXCITER, STIMULER.
- Un orateur qui sait animer un auditoire : ENFLAMMER.
- C'est la charité qui l'anime : GUIDER, INSPIRER, POUSSER.
- Cette émission de télévision sera animée par X... : CONDUIRE, DIRIGER.

S'ANIMER
- Dès son réveil, le bébé s'anime : S'AGITER.
- Dans la colère, son regard s'anime : S'AVIVER.

ANNONCE 118
- Apprendre quelque chose par une annonce : AVERTISSEMENT, AVIS, COMMUNICATION, COMMUNIQUÉ, DÉCLARATION, FAIRE-PART, MESSAGE, NOTIFICATION, PROCLAMATION, PUBLICATION.
- L'annonce du printemps : INDICATION, INDICE, PRÉSAGE, SIGNAL, SIGNE.

ANNONCER
- Quelque chose : APPRENDRE, AVERTIR DE, AVISER DE, COMMUNIQUER, DÉCLARER, INDIQUER, PRÉVENIR DE, PROCLAMER, PUBLIER, SIGNALER.
- Un événement futur : PRÉDIRE, PROPHÉTISER.
- Son attitude annonce de la mauvaise volonté : DÉNOTER, MANIFESTER, MONTRER, PRÉSAGER, PROMETTRE, PROUVER, RÉVÉLER.

S'ANNONCER
L'avenir s'annonce merveilleux : APPARAÎTRE, SE PRÉSENTER.

ANTÉRIEUR 119
- Les membres antérieurs d'un animal : AVANT.
- Les faits antérieurs : ANTÉCÉDENT, PRÉCÉDENT.

ANTICIPER 120
Anticiper les désirs de quelqu'un : DEVANCER, PRÉVENIR.

ANTIPATHIE 121
ALLERGIE, AVERSION, DÉGOÛT, HAINE, HOSTILITÉ, INIMITIÉ, OPPOSITION, RÉPUGNANCE, RÉPULSION.

ANTRE 122
CAVERNE, GROTTE, REPAIRE, TANIÈRE.

ANXIEUX 123
ANGOISSÉ, INQUIET, PRÉOCCUPÉ, SOUCIEUX, TOURMENTÉ, TRACASSÉ.

APAISER 124
- Apaiser quelqu'un : ADOUCIR, AMADOUER, CALMER, RADOUCIR, RASSÉRÉNER.
- Apaiser une douleur : CALMER, SOULAGER.
- Apaiser sa faim, sa soif : ASSOUVIR, CONTENTER, ÉTANCHER, ÉTEINDRE, RASSASIER, SATISFAIRE.

S'APAISER
Le vent s'apaise : DÉCROÎTRE, SE CALMER, TOMBER.

APATHIE 125
INDIFFÉRENCE, INDOLENCE, INERTIE, INSENSIBILITÉ, INSOUCIANCE, LANGUEUR, MOLLESSE, NONCHALANCE, PARESSE, PASSIVITÉ, TORPEUR.

APERCEVOIR 126
- Apercevoir quelque chose au loin : DÉCOUVRIR, DISCERNER, DISTINGUER, ENTREVOIR, REPÉRER.
- Je l'ai aperçu hier dans la rue : ENTREVOIR, VOIR.
- J'aperçois mon erreur : CONSTATER, VOIR.

S'APERCEVOIR
- S'apercevoir de quelque chose : REMARQUER.

APOLOGIE 127
DÉFENSE, ÉLOGE, GLORIFICATION, JUSTIFICATION, PANÉGYRIQUE, PLAIDOYER.

APPARAÎTRE 128
- Ces fruits m'apparaissent mûrs : PARAÎTRE, SEMBLER.
- Elle apparut quelques instants au balcon : SE MONTRER, SE PRÉSENTER.
- Une tête apparut soudain à la fenêtre : SURGIR.
- La vérité apparaîtra plus tard : SE DÉCOUVRIR, SE DÉVOILER.

APPAREIL 129
ENGIN, INSTRUMENT, MACHINE.

APPARENCE 130
- L'apparence de quelqu'un : AIR, ASPECT, MINE, PHYSIONOMIE.
- Sa bonhomie n'est qu'une apparence : FAÇADE, FAUX-SEMBLANT, SIMULACRE.
- Sauver les apparences : CONVENANCES.

APPARENT
- Les raisons de son geste sont apparentes d'altruisme : ÉVIDENT, MANIFESTE, VISIBLE.
- Il a agi sous un motif apparent d'altruisme : FAUX, TROMPEUR.

APPARTENIR 131
- Cette maison lui appartient : ÊTRE À.
- Beaucoup de parents appartiennent à cette association : FAIRE PARTIE DE.

APPELER 132
1. Quelqu'un à haute voix : APOSTROPHER, HÉLER, INTERPELLER.
- Quelqu'un au téléphone : DEMANDER.
- Quelqu'un pour qu'il vienne à votre bureau : CONVOQUER.
- Quelqu'un en justice : ASSIGNER, CITER.
- Quelqu'un à une fonction : CHOISIR, DÉSIGNER, NOMMER.
- Votre conduite appelle une remarque : ENTRAÎNER, EXIGER, NÉCESSITER, RÉCLAMER.

2. Appeler quelqu'un du nom de... : BAPTISER, DÉNOMMER, NOMMER, PRÉNOMMER, QUALIFIER DE, SURNOMMER.

S'APPELER
Comment vous appelez-vous? : SE NOMMER.

APPLAUDIR : 133
ACCLAMER, APPROUVER.

S'APPLAUDIR
- Je m'applaudis d'avoir pris cette décision : SE FÉLICITER DE, SE RÉJOUIR DE.

APPLICATION 134
- L'application dans le travail : ASSIDUITÉ, ATTENTION, CONCENTRATION, EFFORT, RÉFLEXION, SOIN, VIGILANCE, ZÈLE.
- L'application d'une méthode : EMPLOI, USAGE, UTILISATION.
- L'application d'une chose sur une autre : PLACAGE, POSE, SUPERPOSITION.

APPLIQUÉ
- Un élève appliqué : ASSIDU, ATTENTIF, CONSCIENCIEUX, SÉRIEUX, SOIGNEUX, STUDIEUX, TRAVAILLEUR.

APPLIQUER
- Une affiche sur un mur : APPOSER, COLLER, METTRE, PLACER, PLAQUER, POSER.
- Une couche de peinture sur un mur : ÉTENDRE, PASSER SUR.
- Une échelle contre le mur : APPUYER.
- Un transparent sur un dessin pour le reproduire : SUPERPOSER.
- Une méthode : EMPLOYER, UTILISER.
- Une sanction à quelqu'un : INFLIGER.

S'APPLIQUER
- À son travail : SE CONSACRER À, SE DONNER À, S'EMPLOYER À.
- À bien faire : S'ATTACHER À, S'ÉVERTUER À, S'INGÉNIER À.
- Cette règle s'applique à tous : CONCERNER, INTÉRESSER, VISER.
- Votre commentaire ne s'applique pas au sujet proposé : CONVENIR À, CORRESPONDRE À, SE RAPPORTER .

APPRÉCIER 135
- Le prix, le poids, la quantité, la valeur de quelque chose : CALCULER, COTER, ESTIMER, EXPERTISER, ÉVALUER, JAUGER, JUGER, MESURER, PESER.
- C'est un homme que j'apprécie : ESTIMER.
- C'est une chose que j'apprécie : AIMER, GOÛTER, PRISER, SAVOURER.

APPRÉHENDER 136
- Quelque chose : AVOIR PEUR DE, CRAINDRE, REDOUTER.

• Quelqu'un : ARRÊTER, SE SAISIR DE.

APPREHENSION

ANGOISSE, ANXIÉTÉ, CRAINTE, INQUIÉTUDE, PRESSENTIMENT.

APPRENDRE 137

• Un métier, une science : ÉTUDIER, S'INITIER À, S'INSTRUIRE DE.
• Une nouvelle par autrui : AVOIR VENT DE, ÊTRE INFORMÉ DE.
• À quelqu'un une nouvelle : ANNONCER, COMMUNIQUER, FAIRE SAVOIR, INDIQUER, INFORMER DE, RÉVÉLER.

APPRÊTER 138

• Ses affaires pour partir : ARRANGER, DISPOSER, PRÉPARER.
• Une nourriture : ACCOMMODER, ASSAISONNER, CUISINER.
• Un enfant pour sortir : VÊTIR.

S'APPRÊTER :

• À faire quelque chose : SE DISPOSER, SE PRÉPARER.
• Pour sortir : S'HABILLER, SE PARER.

APPRIVOISER 139

• Un animal : DOMESTIQUER, DOMPTER, DRESSER.
• Cette institutrice a su apprivoiser les jeunes enfants : AMADOUER, CHARMER, CONQUÉRIR, SÉDUIRE.

APPROBATION 140

ACCEPTATION, ACCORD, ACQUIESCEMENT, AGRÉMENT, ASSENTIMENT, CONSENTEMENT, PERMISSION, RATIFICATION.

APPROUVER

• Quelque chose : ACCEPTER, ADMETTRE, AGRÉER, AUTORISER, CONFIRMER, ENTÉRINER, HOMOLOGUER, PERMETTRE, RATIFIER.
• Quelqu'un : APPLAUDIR, DONNER RAISON À.

APPROPRIÉ 141

ADAPTÉ, ADÉQUAT, ASSORTI, CONVENABLE.

APPUI 142

• Apporter un appui à quelqu'un : AIDE, ASSISTANCE, SECOURS.
• Compter sur l'appui de quelqu'un : CONCOURS, PROTECTION, RECOMMANDATION, SOUTIEN, *et en lang. fam. :* PISTON.
• Un appui pour la tête : SUPPORT.
• Un appui pour un jeune arbre : TUTEUR.

APPUYER

• Quelqu'un pour un poste : AIDER, RECOMMANDER, *et en lang. fam. :* PISTONNER.
• Sur un bouton de sonnette : PESER SUR, PRESSER SUR.
• Un vieux mur avec des madriers : ÉPAULER, ÉTAYER, SOUTENIR.
• Une chose contre une autre : ACCOTER, ADOSSER, APPLIQUER, METTRE, POSER.
• Sur un mot, sur une idée : INSISTER SUR, SOULIGNER.

S'APPUYER

• Il s'appuie sur une canne pour marcher : S'AIDER DE.
• Ne t'appuie pas au mur : S'ACCOUDER, S'ADOSSER, SE COLLER.
• Je m'appuie sur cet écrit de Voltaire pour affirmer que... : S'AUTORISER DE, SE FONDER SUR, SE RÉFÉRER À.

APTITUDE 143

CAPACITÉ, DISPOSITION, DON, FACULTÉ, PENCHANT, PRÉDISPOSITION, PROPENSION, TALENT.

ARBITRAIRE 144

• Un pouvoir arbitraire : DESPOTIQUE, TYRANNIQUE.
• Une arrestation arbitraire : ABUSIF, ILLÉGAL, INJUSTE, INJUSTIFIÉ, IRRÉGULIER.
• Un choix arbitraire : ARTIFICIEL, CONVENTIONNEL, FANTAISISTE, GRATUIT.

ARDENT 145

• Un soleil ardent : BRÛLANT, CHAUD, TORRIDE.
• Des braises ardentes : ENFLAMMÉ, INCANDESCENT.
• Une personne ardente : BOUILLANT, DYNAMIQUE, ENTHOUSIASTE, EXALTÉ, FOUGUEUX, IMPÉTUEUX, PASSIONNÉ, PÉTULANT, VÉHÉMENT.

ARDEUR

• L'ardeur du soleil : CHALEUR, FEU, FLAMME.
• L'ardeur d'une passion : EXALTATION, FUREUR, IMPÉTUOSITÉ, VÉHÉMENCE, VIOLENCE.
• Travailler avec ardeur : ACHARNEMENT, DYNAMISME, ÉNERGIE, ENTHOUSIASME, ENTRAIN, FOUGUE, VIGUEUR, VITALITÉ.

ARIDE 146

• Une terre aride : DÉSERTIQUE, IMPRODUCTIF, INFERTILE, STÉRILE.
• Un travail aride : INGRAT, RÉBARBATIF.

ARÔME 147

BOUQUET, EFFLUVE, EXHALAISON, FUMET, ODEUR, PARFUM, SENTEUR.

ARRACHER 148

• Arracher un arbre, une dent, etc. : DÉRACINER, EXTIRPER, EXTRAIRE, RETIRER.
• Arracher un aveu, un secret : EXTORQUER.
• Il a réussi à lui arracher le revolver des mains : PRENDRE, RAVIR.
• Arracher quelqu'un à la misère : TIRER DE.
• Arracher quelqu'un à ses habitudes : DÉTACHER DE, DÉTOURNER DE.

ARRANGER 149
- Arranger diverses choses : AGENCER, AMÉNAGER, INSTALLER, ORDONNER.
- Arranger une affaire : RÉGLER, TERMINER.
- Arranger un voyage : ORGANISER, PRÉPARER.
- Arranger un mécanisme endommagé : RÉPARER.
- Cela m'arrange : CONVENIR, SATISFAIRE.
- *Fam. :* Il s'est fait drôlement arranger : MALTRAITER.

S'ARRANGER
- S'arranger de quelque chose : S'ACCOMMODER, SE CONTENTER, SE SATISFAIRE.
- S'arranger entre personnes : S'ACCORDER, S'ENTENDRE.
- Je m'arrangerai pour être disponible : S'ORGANISER.
- Les choses s'arrangent : ALLER MIEUX, SE TERMINER BIEN.

ARRÊT 150
1. Faire un arrêt dans un voyage : ESCALE, ÉTAPE, HALTE, STATION.
- Un arrêt momentané dans le travail : PAUSE, RÉPIT, REPOS.
- Un arrêt complet de travail : GRÈVE.
- Un arrêt dans la distribution d'électricité : COUPURE, INTERRUPTION, PANNE.
2. L'arrêt d'un tribunal : ARRÊTÉ, JUGEMENT, SENTENCE, VERDICT.

ARRÊTER
- Arrêter la circulation : BLOQUER, IMMOBILISER, PARALYSER, RETENIR, STOPPER.
- Arrêter une action : INTERROMPRE, SUSPENDRE.
- Arrêter un compte : CLORE.
- Arrêter son regard sur... : ATTACHER, FIXER.
- Nous avons arrêté l'heure de notre prochain rendez-vous : CONVENIR DE, DÉCIDER DE.
- Arrêter un malfaiteur : APPRÉHENDER, CAPTURER, INTERCEPTER, S'EMPARER DE.

S'ARRÊTER
- S'arrêter quelque part : FAIRE HALTE, STATIONNER, STOPPER.
- S'arrêter de faire quelque chose : CESSER, FINIR.
- S'arrêter à un choix : SE DÉCIDER, SE DÉTERMINER.
- S'arrêter sur un détail : INSISTER, S'ATTARDER.
- L'histoire s'arrête là : CESSER, FINIR, S'ACHEVER, SE TERMINER.

ARRIVÉE 151
- L'arrivée de quelqu'un dans une salle : ENTRÉE, VENUE.
- L'arrivée du printemps : APPARITION, COMMENCEMENT, DÉBUT.
- L'arrivée d'une course : FIN, TERME.

ARRIVER
1. Arriver en un lieu : ATTEINDRE, ÊTRE RENDU À, PARVENIR À.
- J'arrive de Lyon : VENIR DE.
- L'eau arrive au niveau du pont : ATTEINDRE, MONTER À, S'ÉLEVER À.
- La mauvaise saison arrive : APPROCHER, VENIR.
- Un accident arrive très vite : AVOIR LIEU, SE PRODUIRE, SURVENIR.
2. C'est une jeune fille qui arrivera : RÉUSSIR.

ARROGANT 152
Quel air arrogant ! : DÉDAIGNEUX, FIER, HAUTAIN, IMPERTINENT, IMPUDENT, INSOLENT, MÉPRISANT, ORGUEILLEUX, SUFFISANT.

ARROSER 153
1. Se faire arroser : ASPERGER, DOUCHER, MOUILLER, TREMPER.
- Arroser un linge pour le repasser : HUMECTER.
- La Seine arrose le Bassin Parisien : IRRIGUER, TRAVERSER.
2. *Fam. :* Nous allons arroser cet événement : FÊTER.

ASSASSIN 154
CRIMINEL, HOMICIDE, MEURTRIER, TUEUR.

ASSASSINER : ABATTRE, MASSACRER, TUER.

ASSAUT 155
Repousser un assaut de l'ennemi : ATTAQUE, CHARGE, OFFENSIVE.

ASSEMBLÉE 156
- Une assemblée de plusieurs milliers de personnes : RASSEMBLEMENT, RÉUNION.
- Cet orateur passionne l'assemblée : ASSISTANCE, AUDITOIRE, PUBLIC.

ASSEMBLER
1. Assembler des personnes : GROUPER, RASSEMBLER, RÉUNIR.
- Assembler des choses : RAMASSER, RECUEILLIR.
2. Assembler des pièces de bois ou de métal : AJUSTER, CLOUER, COLLER, RACCORDER, RIVER, VISSER.

S'ASSEMBLER
- Les gens s'assemblent : SE GROUPER, SE RÉUNIR.
- Les feuilles s'assemblent sous l'effet du vent : S'ACCUMULER, S'AMONCELER.

ASSEOIR 157
1. Asseoir un bébé sur un siège : INSTALLER, PLACER, POSER.

2. Asseoir une réputation : AFFERMIR, ASSURER, CONSOLIDER.
3. *Fam. :* Son insolence m'assoit : ÉBAHIR, ÉPATER, ESTOMAQUER, RENVERSER, STUPÉFIER.

S'ASSEOIR : S'INSTALLER.

ASSERVIR 158

ASSUJETTIR, DOMPTER, ENCHAÎNER, MAÎTRISER, MATER, SOUMETTRE.

ASSEZ 159

1. Tu as assez mangé : SUFFISAMMENT.
• C'est une somme assez coquette : PASSABLEMENT, PLUTÔT.
2. En avoir assez : ÊTRE EXCÉDÉ, ÊTRE FATIGUÉ, *et en lang. fam. :* EN AVOIR MARRE, EN AVOIR RAS LE BOL.

ASSIDU 160

APPLIQUÉ, EMPRESSÉ, EXACT, PONCTUEL, RÉGULIER, STUDIEUX.

ASSIEGER 161

1. Assiéger une ville ennemie : BLOQUER, CERNER, ENCERCLER, INVESTIR.
• Assiéger un guichet : ASSAILLIR, PRENDRE D'ASSAUT, SE PRESSER À.
2. Être assiégé de coups de téléphone : ACCABLER, HARCELER, IMPORTUNER, OBSÉDER, POURSUIVRE, TOURMENTER.

ASSIMILER 162

• Assimiler deux choses l'une à l'autre : COMPARER, CONFONDRE, IDENTIFIER, RAPPROCHER.
• Assimiler une technique nouvelle : COMPRENDRE, S'IMPRÉGNER DE.
• Assimiler un aliment : DIGÉRER.
• Assimiler un groupe humain à un autre : INTÉGRER.

S'ASSIMILER

Ces étrangers se sont assimilés à la population autochtone : FUSIONNER AVEC, SE FONDRE DANS, S'INCORPORER À, S'INTÉGRER À.

ASSOCIATION 163

• Une association de personnes : AMICALE, CLUB, COMITÉ, COMPAGNIE, CORPORATION, GROUPEMENT, LIGUE, MUTUELLE, PARTI, SOCIÉTÉ, SYNDICAT, TRUST, UNION.
• Une association de mots : AGENCEMENT, ASSEMBLAGE, COMBINAISON, LIAISON.

ASSOCIER

• Associer des personnes : ASSEMBLER, GROUPER, MARIER, RÉUNIR, UNIR.
• Associer quelqu'un à sa tâche : ADJOINDRE, FAIRE COLLABORER.
• Associer des choses entre elles : ALLIER, ASSORTIR, COMBINER, UNIR.

S'ASSOCIER

• S'associer avec quelqu'un : COLLABORER, COOPÉRER, S'ALLIER, SE JOINDRE À, S'UNIR.
• S'associer à la joie de quelqu'un : PARTAGER, PARTICIPER, PRENDRE PART À.
• Cette teinte s'associe bien avec cette autre : S'ACCORDER, S'ASSORTIR, S'HARMONISER.

ASSURANCE 164

• Agir, parler avec assurance : AISANCE, APLOMB, CONFIANCE, FERMETÉ, HARDIESSE, SANG-FROID, SÛRETÉ, *et en lang. fam. :* CULOT, TOUPET.
• Avoir l'assurance que... : CERTITUDE, CONVICTION, PREUVE.
• Prendre une assurance : CAUTION, GARANTIE.

ASSURER

• Assurer la vérité d'un fait : AFFIRMER, ATTESTER, CERTIFIER, JURER, SOUTENIR.
• Assurer ses biens contre les risques : GARANTIR, PRÉSERVER, PROTÉGER.
• Assurer une chose en la mettant dans une position stable : ARRIMER, CALER, CONSOLIDER, FIXER, MAINTENIR.

S'ASSURER

• S'assurer contre un risque : SE GARANTIR, SE PRÉCAUTIONNER, SE PRÉMUNIR, SE PROTÉGER.
• S'assurer la protection de quelqu'un : SE CONCILIER, SE MÉNAGER.
• S'assurer du bon fonctionnement d'une machine : CONTRÔLER, VEILLER À, VÉRIFIER.

ATTACHE 165

1. *Suivant le cas :* AMARRE, CHAÎNE, COURROIE, LAISSE, LIEN, LIGATURE, NŒUD.
• Fermer un vêtement avec une attache : AGRAFE, BOUCLE, BRIDE, CROCHET, ÉPINGLE.
• Relier deux feuilles de papier par une attache : AGRAFE, TROMBONE.
2. Avoir une attache pour quelqu'un : AFFECTION, ATTACHEMENT, INCLINATION, PASSION.

ATTACHER

1. *Suivant le cas :* ACCROCHER, AGRAFER, AMARRER, ENCHAÎNER, ÉPINGLER, FICELER, FIXER, LIER, LIGATURER, LIGOTER, NOUER, SANGLER.
• Attacher quelqu'un à son service : ADJOINDRE, AFFECTER, ENGAGER.
• Attacher de l'importance à... : ACCORDER, ATTRIBUER, DONNER.
2. Le riz a attaché au fond de la casserole : ADHÉRER, COLLER.

S'ATTACHER

• À une grille : S'ACCROCHER, S'ENCHAÎNER.
• À quelqu'un : SE LIER.

- À un travail : S'ADONNER, S'APPLIQUER, SE CONSACRER, SE VOUER.
- À un détail : S'ARRÊTER.
- Aux pas de quelqu'un : SUIVRE.

ATTAQUE 166

1. Une attaque à main armée : AGRESSION, HOLD-UP.
- Lancer une attaque : ASSAUT, OFFENSIVE.
- Les attaques d'un adversaire politique : ACCUSATION, CRITIQUE, INJURE, INSULTE, PROVOCATION.
2. Avoir une attaque : CONGESTION CÉRÉBRALE, *et fam.* : COUP DE SANG.

ATTAQUER

- Attaquer quelqu'un : AGRESSER, ASSAILLIR, FONCER SUR, SE JETER SUR, SE RUER SUR, TOMBER SUR.
- L'orateur a attaqué son adversaire : CALOMNIER, CRITIQUER, DÉNIGRER, S'EN PRENDRE À.
- Le chlore attaque le zinc : ALTÉRER, CORRODER, DÉTÉRIORER, RONGER.
- Attaquer un sujet, un travail : ABORDER, COMMENCER, ENTAMER.

S'ATTAQUER

- À un travail : ENTREPRENDRE, S'ATTELER À, SE METTRE À.
- À des abus : COMBATTRE, CRITIQUER, S'EN PRENDRE À.

ATTENDRE 167

- Attendre le passage du gibier : GUETTER, SE TENIR À L'AFFÛT.
- Il a attendu longtemps : LANGUIR, PATIENTER, SE MORFONDRE.
- Il faut attendre jusqu'à demain avant d'agir : DIFFÉRER, SURSEOIR, TEMPORISER.

S'ATTENDRE

- À quelque chose : COMPTER SUR, ESCOMPTER, ESPÉRER.
- Au pire : CRAINDRE, PRÉVOIR.

ATTRAPER 168

- Il a réussi à attraper la corde qu'on lui tendait : AGRIPPER, EMPOIGNER, PRENDRE, SAISIR.
- Pendant leur vol, les hirondelles attrapent des insectes : HAPPER.
- Attraper quelqu'un par ruse : ABUSER, DUPER, LEURRER, MYSTIFIER, TROMPER.
- Les gendarmes ont attrapé le voleur : ARRÊTER.
- *Fam.* : Elle a attrapé une bonne grippe : CONTRACTER.
- *Fam.* : Il s'est fait attraper par son père : GRONDER, PASSER UN SAVON, RÉPRIMANDER.

ATTRIBUER 169

- Attribuer quelque chose à quelqu'un : ADJUGER, ALLOUER, CONFÉRER, DÉCERNER, DONNER.
- Attribuer une qualité à quelqu'un : ACCORDER, PRÊTER, RECONNAÎTRE, SUPPOSER.
- Attribuer à quelqu'un la responsabilité d'un acte : IMPUTER, REJETER SUR.

S'ATTRIBUER

Quelque chose : ACCAPARER, S'ADJUGER, S'APPROPRIER, S'ARROGER, SE DONNER, USURPER.

ATTRISTER 170

Cela m'attriste: AFFECTER, AFFLIGER, CHAGRINER, CONSTERNER, CONTRISTER (l'), DÉSOLER, FÂCHER, NAVRER, PEINER.

AUGMENTER 171

1. *v. tr.* Augmenter quelque chose : ACCROÎTRE, AGRANDIR, AMPLIFIER, DÉVELOPPER, ÉLARGIR, ENFLER, ÉTENDRE, INTENSIFIER, MAJORER.
2. *v. intr.*
- La tension internationale augmente : CROÎTRE, GRANDIR, MONTER, S'ACCENTUER, S'AGGRAVER, S'INTENSIFIER.
- Mon troupeau de moutons a augmenté : GROSSIR.

AUSSI 172

AUTANT, ÉGALEMENT, EN OUTRE, PAREILLEMENT.

AUSTÈRE 173

- Un homme austère : ASCÉTIQUE, DUR, FROID, GLACIAL, RAIDE, RIGIDE, RIGORISTE, SÉVÈRE, STOÏQUE.
- Une chose austère : DIFFICILE, FROID, GLACIAL, RIGIDE, RIGOUREUX, RUDE, SÉVÈRE, TRISTE.

AUTEUR 174

- Un auteur d'œuvre littéraire : ÉCRIVAIN, FEMME OU HOMME DE LETTRES, POÈTE, PROSATEUR, ROMANCIER.
- L'auteur d'un projet, d'un slogan publicitaire, etc. : CONCEPTEUR, CRÉATEUR, INVENTEUR.
- C'est lui, l'auteur de l'accident : CAUSE, RESPONSABLE.

AUTORITÉ 175

1. Détenir l'autorité : COMMANDEMENT, DOMINATION, PUISSANCE, SOUVERAINETÉ.
- Son autorité est due à ses qualités et à son mérite : ASCENDANT, CRÉDIT, INFLUENCE, POIDS, PRESTIGE.
- L'Autorité officielle : ADMINISTRATION, GOUVERNEMENT, POUVOIR.
2. Les autorités viennent d'arriver : OFFICIELS.

AVANCEMENT 176
• L'avancement des travaux : MARCHE, PROGRESSION.
• L'avancement des connaissances humaines : AMÉLIORATION, DÉVELOPPEMENT, PROGRÈS.
• Un avancement en grade : PROMOTION.

AVANCER
1. *v. tr.*
• Il avançait la main vers moi : APPROCHER, RAPPROCHER DE, TENDRE.
• Il a avancé cette idée que... : ÉNONCER, FORMULER, PRÉSENTER, PROPOSER, SUGGÉRER.
• Elle semblait sûre de ce qu'elle avançait : AFFIRMER, ALLÉGUER, PRÉTENDRE, SOUTENIR.
• J'ai dû avancer mon départ : BRUSQUER, HÂTER, PRÉCIPITER.
• Elle lui a avancé de l'argent : PRÊTER.
2. *v. intr.*
• Le bateau n'avance plus : MARCHER, PROGRESSER.
• Ce balcon avance trop : DÉBORDER, DÉPASSER, SAILLIR, SURPLOMBER.

S'AVANCER
• Elle s'avance vers nous : S'APPROCHER, VENIR.
• Il s'est avancé jusqu'à dire que nous remporterions facilement la victoire : SE HASARDER, SE RISQUER.

AVANTAGE 177
• Tirer un avantage de... : BÉNÉFICE, FRUIT, GAIN, INTÉRÊT, PROFIT, UTILITÉ.
• Profiter de ses avantages : ATOUT, PRÉROGATIVE, PRIVILÈGE.
• Obtenir l'avantage : DESSUS, SUCCÈS, SUPÉRIORITÉ, VICTOIRE.
• Qu'est-ce qui me vaut l'avantage de votre visite ? : BONHEUR, JOIE, PLAISIR, SATISFACTION.

AVANTAGEUX
1. Un prix avantageux : ÉCONOMIQUE, INTÉRESSANT.
• Une affaire avantageuse : FRUCTUEUX, PAYANT, PROFITABLE, RENTABLE.
• Parler de quelqu'un en termes avantageux : ÉLOGIEUX, FAVORABLE, FLATTEUR.
2. Faire l'avantageux : FAT, PRÉSOMPTUEUX, PRÉTENTIEUX, SUFFISANT, VANITEUX.

AVARE 178
1. *adj.*
Être avare : CHICHE, INTÉRESSÉ, LADRE, MESQUIN, PINGRE, REGARDANT, *et en lang. fam. :* RADIN.
2. *nom.*
Un avare : AVARICIEUX, HARPAGON, *et en lang. fam. :* GRIGOU, GRIPPE-SOU.

AVARICE
LADRERIE, LÉSINE, PINGRERIE.

AVENTURE 179
• Il nous est arrivé une drôle d'aventure : AFFAIRE, HISTOIRE, MÉSAVENTURE.
• Une aventure sentimentale : AMOURETTE, FLIRT, IDYLLE, LIAISON, PASSADE.

AVENTUREUX
• Une personne aventureuse : AUDACIEUX, HARDI, IMPRUDENT, TÉMÉRAIRE.
• Une entreprise aventureuse : ALÉATOIRE, DANGEREUX, HASARDEUX, RISQUÉ, TÉMÉRAIRE.

AVENTURIER
• Un aventurier : INTRIGANT, MERCENAIRE, RISQUE-TOUT.

AVERTISSEMENT 180
1. Un simple avertissement : AVIS, CONSEIL, MISE EN GARDE, RECOMMANDATION.
• L'avertissement au début d'un livre : AVANT-PROPOS, PRÉFACE.
• Votre malaise de l'autre jour était un avertissement : PRÉSAGE, SIGNE.
2. Plusieurs élèves ont reçu des avertissements : BLÂME, OBSERVATION, REMONTRANCE, RÉPRIMANDE.

AVIS 181
• Donner son avis : APPRÉCIATION, JUGEMENT, OPINION, PENSÉE, POINT DE VUE, SENTIMENT.
• Lire les avis affichés : ANNONCE, COMMUNIQUÉ, INFORMATION, MESSAGE, NOTIFICATION, RENSEIGNEMENT.

AVOIR 182
1. *verbe*
• Je n'ai pas l'outil qu'il me faudrait : DISPOSER DE, POSSÉDER.
• D'ici, nous avons une belle vue : JOUIR DE.
• Avoir une chose à un bon prix : ACHETER, ACQUÉRIR, OBTENIR, SE PROCURER.
• Avoir de la peine : RESSENTIR.
• Avoir à faire quelque chose d'urgent : DEVOIR.
• C'est le concierge qui a les clefs : DÉTENIR.
• *Fam. :* Se faire avoir : POSSÉDER, ROULER.
2. *nom.*
• Voilà tout mon avoir : BIEN, FORTUNE, PROPRIÉTÉ, RICHESSE.
• Un avoir en banque : ACTIF, CRÉDIT.

AVOUER 183
• J'avoue que tu as raison : ADMETTRE, CONCÉDER, CONVENIR, RECONNAÎTRE.
• Il a avoué sa faute, son forfait : CONFESSER, S'ACCUSER DE, *et en lang. fam. :* SE METTRE A TABLE, VIDER SON SAC.

Bb

BABIL 184
BABILLAGE, BAVARDAGE, CAQUET, GAZOUILLIS, JACASSEMENT.

BABILLARD
BAVARD, JASEUR.

BABILLER
BAVARDER, CAILLETER *(anc)*, CAQUETER, GAZOUILLER, JACASSER, JASER.

BABIOLE 185
Ce n'est qu'une babiole : AMUSETTE, BAGATELLE, BIBELOT, BRICOLE, BROUTILLE, COLIFICHET, FRIVOLITÉ, FUTILITÉ, HOCHET, NIAISERIE, RIEN.

BADAUD 186
CURIEUX, FLÂNEUR, GOBE-MOUCHE.

BADIN 187
- Être d'humeur badine : ENJOUÉ, ESPIÈGLE, FACÉTIEUX, FOLÂTRE, GAI.
- Des propos badins : AMUSANT, LÉGER, PLAISANT, SPIRITUEL.

BADINAGE
AMUSEMENT, BADINERIE, JEU, MARIVAUDAGE, PLAISANTERIE.

BADINER
BLAGUER, JOUER, PLAISANTER, RIRE, S'AMUSER.

BAFOUER 188
Quelqu'un : OUTRAGER, RAILLER, RIDICULISER, SE MOQUER DE.

BAGAGE 189
- Être encombré par ses bagages : AFFAIRES, BARDA, ÉQUIPEMENT, MALLE, PAQUETAGE, SAC, VALISE, *et en lang. fam.* FOURBI.
- Son bagage intellectuel est limité : ACQUIS, CONNAISSANCES, SAVOIR, SCIENCE.

BAGARRE 190
- Une bagarre entre manifestants et policiers : BATAILLE, COMBAT, CORPS À CORPS, ÉCHAUFFOURÉE, LUTTE, MÊLÉE, RIXE.
- Ils ne s'entendent pas, il y a souvent des bagarres entre eux : DISPUTE, QUERELLE.

SE BAGARRER
SE BATTRE, SE QUERELLER.

BAISSER 191
1. *v. tr.*
- Une vitre, un store : ABAISSER, DESCENDRE, RABATTRE.
- La tête : COURBER, INCLINER, PENCHER.
- Le prix d'une denrée : DIMINUER, RÉDUIRE.
- L'intensité d'une lumière : ADOUCIR, ATTÉNUER.

2. *v. intr.*
- La mer baisse : DESCENDRE.
- Le jour baisse : DÉCROÎTRE, DIMINUER.
- Son courage baisse : FAIBLIR, MOLLIR, S'AMENUISER.
- Le malade baisse : DÉCLINER, S'AFFAIBLIR.

SE BAISSER
SE COURBER, S'INCLINER, SE PENCHER.

BALADE 192
Fam. : Faire une balade : EXCURSION, PROMENADE, SORTIE, TOUR, VOYAGE.

SE BALADER
Fam. : Se balader dans les rues : ERRER, FLÂNER, SE PROMENER.

BALANCE 193
- Le camion chargé passe sur la balance : BASCULE.
- La postière dispose d'une balance : PÈSE-LETTRE.
- Une balance pour peser les bébés : PÈSE-BÉBÉ.
- Peser une bague en or sur une balance : TRÉBUCHET.
- La balance, en langage bancaire : BILAN, ÉQUILIBRE.

BALANCEMENT
- Le balancement d'une barque dans les vagues : BALLOTTEMENT, ROULIS, TANGAGE.

- Le balancement d'une crinière au vent : BATTEMENT, FLOTTEMENT, ONDULATION, OSCILLATION.
- Le balancement des hanches en marchant : DANDINEMENT.
- Le balancement d'un bébé dans son lit : BERCEMENT.
- Un mouvement de balancement : VA-ET-VIENT.

BALANCER

1. *v. tr.*
- Le vent balance les arbres : AGITER, FAIRE OSCILLER, REMUER.
- Balancer la tête de côté et d'autre : BRANLER, DODELINER.
- Balancer un bébé pour le faire dormir : BERCER.
- Balancer le pour et le contre : COMPARER, EXAMINER, PESER.
- Ceci balance cela : COMPENSER, CONTREBALANCER, ÉQUILIBRER.
- *Fam. :* balancer quelqu'un : CONGÉDIER, RENVOYER.
- *Fam. :* balancer quelque chose : BAZARDER, JETER, SE DÉBARRASSER DE.

2. *v. intr.*
Balancer entre deux décisions : HÉSITER.

SE BALANCER

- Le pendule du sourcier se balance : OSCILLER.
- Il se balance d'un pied sur l'autre : SE DANDINER.
- Les gains et les pertes se balancent : S'ÉQUILIBRER, SE NEUTRALISER.
- *Pop. :* se balancer de quelqu'un ou de quelque chose : SE MOQUER.

BALBUTIER 194

BAFOUILLER, BREDOUILLER, MARMONNER, MARMOTTER.

BALIVERNE 195

BAGATELLE, ENFANTILLAGE, FADAISE, FARIBOLE, HISTOIRE, NIAISERIE, PUÉRILITÉ, SORNETTE.

BALUSTRADE 196

GARDE-CORPS, GARDE-FOU, PARAPET, RAMBARDE.

BANDE 197

1. Une bande longue et étroite peut-être, *suivant le contexte :* BANDAGE, BANDEAU, BANDELETTE, BANDEROLE, CEINTURE, COURROIE, ÉCHARPE, LANIÈRE, LIEN, RUBAN, SANGLE.
- Une bande qui sert de bordure : BORD, FRANGE, LISIÈRE.

2. Une bande de joyeux copains : ASSOCIATION, COMPAGNIE, ÉQUIPE, GROUPE, TROUPE.
- La bande des mécontents : CLAN, CLIQUE, COTERIE, GANG, MAFIA.
- Une bande d'animaux : COLONIE, HARDE, HORDE, MEUTE.

BANDIT 198

Suivant le contexte, un bandit peut être : ASSASSIN, BRIGAND, COUPE-JARRET, CRIMINEL, FLIBUSTIER, FORBAN, GANGSTER, MALANDRIN, MALFAITEUR, PIRATE, SCÉLÉRAT, TRUAND, VOLEUR.

BANNIR 199

- Bannir une personne : CHASSER, DÉPORTER, EXCLURE, EXILER, EXPULSER, PROSCRIRE, REFOULER, RELÉGUER, RENVOYER.
- Bannir une chose : ÉCARTER, REJETER, REPOUSSER.

BARBARE 200

1. Un homme barbare : CRUEL, FAROUCHE, FÉROCE, IMPITOYABLE, INHUMAIN, SANGUINAIRE.
- C'est un barbare : SAUVAGE, VANDALE.

2. Il manque de culture, il est barbare : BÉOTIEN, GROSSIER, IGNARE, IGNORANT, INCULTE.

BARBARIE

1. Faire preuve de barbarie dans ses actes : ATROCITÉ, BRUTALITÉ, CRUAUTÉ, FÉROCITÉ, INHUMANITÉ, MÉCHANCETÉ, SADISME, SAUVAGERIE, VANDALISME.
2. La barbarie, en tant qu'absence de culture ou de goût : GROSSIÈRETÉ, IGNORANCE.

BARBOTER 201

1. *v. intr.*
Les enfants barbotent dans la petite piscine : PATAUGER, *et en lang. fam. :* PATOUILLER.

2. *v. tr.*
Pop. : Barboter un portefeuille : CHIPER, DÉROBER, FAUCHER, PIQUER, VOLER.

BARBOUILLER 202

GRIBOUILLER, GRIFFONNER, MACULER, PEINTURLURER, SALIR, SOUILLER, TACHER.

BARIOLÉ 203

BIGARRÉ, CHAMARRÉ, DIAPRÉ, PANACHÉ.

BARRE 204

- Une barre de bois ou de métal : BARREAU, CROISILLON, LEVIER, TIGE, TRAVERSE.
- Tracer une barre sur un mot, sur une feuille : LIGNE, RATURE, TRAIT.
- Tenir la barre : GOUVERNAIL.

BARRER

- Barrer une route : BARRICADER, BOUCHER, COUPER, FERMER, OBSTRUER.

- Barrer un mot, un paragraphe : BIFFER, RATURER, RAYER, SABRER.

BARRIÈRE

BARRICADE, ÉCHALIER, GRILLE, HAIE, PALISSADE, TREILLAGE.

BAS 205

- Une action basse : ABJECT, AVILISSANT, DÉGOÛTANT, DÉGRADANT, HONTEUX, IGNOBLE, INDIGNE, INFÂME, LAID, MÉPRISABLE, VIL, VULGAIRE.
- Occuper une situation basse : INFÉRIEUR, SUBALTERNE.
- Ces branches sont trop basses : INCLINÉ, PENCHÉ, PENDANT.
- Cette lumière est trop basse : FAIBLE.
- Les notes basses, en musique : GRAVE.
- Un produit de basse qualité : MAUVAIS, MÉDIOCRE.
- Un prix bas : MODÉRÉ, MODIQUE.

BASSESSE

ABJECTION, AVILISSEMENT, COMPROMISSION, IGNOMINIE, INDIGNITÉ, INFÂMIE, LÂCHETÉ, LAIDEUR, SERVILITÉ, TRAHISON, VILENIE, VULGARITÉ.

BASE 206

- La base de quelque chose : ASSISE, FOND, FONDEMENT, PIED, SOCLE, SOUBASSEMENT, SUPPORT.
- Les bases d'un système : PRINCIPE.
- Être à la base d'une action : ORIGINE, SOURCE.

BASSIN 207

- Mettre de l'eau dans un bassin de porcelaine : BASSINE, CUVETTE, RÉCIPIENT, VASE.
- Construire un bassin devant sa maison : PIÈCE D'EAU, PISCINE.
- Un bassin dans un port : DARSE, DOCK.
- *En lang. géographique :* DÉPRESSION, PLAINE.

BATEAU 208

1. *Selon la forme, la nature, la destination, un bateau peut être :* BAC, BARQUE, BÂTIMENT, CANOT, CARAVELLE, CARGO, EMBARCATION, ESQUIF, NACELLE, NAVIRE, NEF, PAQUEBOT, PÉNICHE, PÉTROLIER, VAISSEAU, VOILIER, YACHT, etc.
2. *Fam. :* Monter un énorme bateau à quelqu'un : ATTRAPE, PLAISANTERIE, SUPERCHERIE.

- *Fam. :* Un sujet bateau : BANAL, REBATTU.

BÂTIMENT 209

1. BÂTISSE, CONSTRUCTION, ÉDIFICE, HABITATION, IMMEUBLE, MAISON.
2. *Fam. :* Tous ceux qui sont du bâtiment me comprendront : MÉTIER.

BÂTIR

- Bâtir une maison, un mur : CONSTRUIRE, ÉDIFIER, ÉLEVER, ÉRIGER.
- Bâtir une fortune : CONSTITUER, ÉTABLIR.
- Bâtir un plan : ÉCHAFAUDER.
- Bâtir une phrase : AGENCER, FAÇONNER.

BÂTON 210

- Un bâton pour s'aider à marcher : ALPENSTOCK, CANNE.
- Se servir d'un bâton comme arme : ÉPIEU, GOURDIN, MASSUE, MATRAQUE, TRIQUE.
- Donner un léger coup de bâton : BADINE, BAGUETTE, VERGE.
- Le bâton du berger : HOULETTE.
- Le bâton de commandement : SCEPTRE.

BATTRE 211

1. *v. tr.*

- Battre quelqu'un avec les mains, les poings, une matraque, etc. : BÂTONNER, BOXER, CALOTTER, CORRIGER, CRAVACHER, FESSER, FLAGELLER, FOUAILLER, FOUETTER, FRAPPER, GIFLER, ROSSER, ROUER DE COUPS, SOUFFLETER, TAPER, *et en lang. fam. :* COGNER, PASSER À TABAC, TABASSER, TALOCHER.
- Battre une troupe ennemie : ENFONCER, DÉFAIRE, TRIOMPHER DE, VAINCRE.
- Battre un adversaire à la course : DÉPASSER, DEVANCER, SURCLASSER.
- Les gendarmes ont battu la campagne : EXPLORER, FOUILLER, PARCOURIR.
- À chaque vague, la mer bat le pied de la falaise : PILONNER.
- Battre des œufs : BROUILLER, MÊLER.

2. *v. intr.*

- Le cœur bat : PALPITER.
- Battre des paupières : REMUER.
- Battre des mains : APPLAUDIR, APPROUVER.
- « Battre en retraite » : ABANDONNER, RECULER, SE RETIRER.
- Un volet qui bat contre le mur : CLAQUER.

BAVARD 212

1. *adj.*

- Être bavard : BABILLARD, LONG, LOQUACE, PROLIXE, VERBEUX, VOLUBILE.
- Un confident bavard : INDISCRET.

2. *nom.*

DISCOUREUR, JASEUR, PHRASEUR, *et en lang. fam. :* COMMÈRE, CONCIERGE, MOULIN À PAROLES, PIE, TAPETTE.

BAVARDAGE

- Un bavardage fatigant : BABIL, BABILLAGE, BAGOUT, CAQUETAGE, CAUSETTE, LOQUACITÉ, PAPOTAGE, PARLOTE, VERBIAGE.
- Des bavardages médisants : CANCAN, COMMÉRAGE, POTIN, RACONTAR, RAGOT.

BAVARDER

- Elle n'arrête pas de bavarder : BABILLER,

CAQUETER, CAUSER, DISCOURIR, JACASSER, JASER, PAPOTER.
- Bavarder méchamment : BAVASSER, CANCANER, POTINER.

BÉAT 213

Un air béat : CALME, ÉPANOUI, HEUREUX, PAISIBLE, PLACIDE, SATISFAIT, SEREIN, TRANQUILLE, *et avec une nuance péjorative :* NIAIS, STUPIDE.

BEAU 214

- Que c'est beau ! : ADMIRABLE, CHARMANT, DÉLICIEUX, ÉLÉGANT, GRACIEUX, HARMONIEUX, JOLI, MAGNIFIQUE, MERVEILLEUX, PARFAIT, PLAISANT, RAVISSANT, SÉDUISANT, SPLENDIDE, SUPERBE.
- Un beau ciel : CLAIR, LIMPIDE, RADIEUX, SEREIN.
- Un beau paysage : ADMIRABLE, GRANDIOSE, PITTORESQUE.
- Une belle intelligence : BRILLANT, PROFOND, REMARQUABLE.
- Une belle âme : GRAND, MAGNANIME, NOBLE, SUBLIME, VERTUEUX.
- De beaux sentiments : ÉLEVÉ, ESTIMABLE, GÉNÉREUX.
- Il jouit d'une belle fortune : GRAND, IMPORTANT.
- Il n'est pas beau de mentir : BIENSÉANT, CONVENABLE, CORRECT, DÉCENT.
- *Avec ironie :* « Et voilà le plus beau de l'histoire ! » : ÉTRANGE, EXTRAORDINAIRE.
- *Avec ironie :* « Ce ne sont que de belles paroles » : FALLACIEUX, MENSONGER, TROMPEUR.

BEAUTÉ

- La beauté d'un paysage, d'un visage, d'une œuvre d'art : CHARME, ÉCLAT, ÉLÉGANCE, ESTHÉTIQUE, GRÂCE, HARMONIE, MAGNIFICENCE, SÉDUCTION, SPLENDEUR.
- La beauté d'une qualité morale ou intellectuelle : ÉLÉVATION, GÉNÉROSITÉ, GRANDEUR, MAGNANIMITÉ, NOBLESSE, PROFONDEUR.

BEAUCOUP 215

ABONDAMMENT, AMPLEMENT, CONSIDÉRABLEMENT, COPIEUSEMENT, ÉNORMÉMENT, EXTRÊMEMENT, FORTEMENT, INTENSÉMENT, LARGEMENT.

BELLIQUEUX 216

- Être belliqueux : BAGARREUR, BATAILLEUR, COMBATIF.
- Un air belliqueux : AGRESSIF, GUERRIER, MARTIAL.

BÉNÉFICE 217

1. Faire de gros bénéfices : GAIN, PROFIT, RAPPORT.
2. Au bénéfice de l'âge : AVANTAGE, FAVEUR, PRIVILÈGE.

BÉNÉVOLE 218

Apporter un concours bénévole : COMPLAISANT, DÉSINTÉRESSÉ, GRACIEUX, GRATUIT, VOLONTAIRE.

BERGE 219

1. Se promener sur la berge d'un fleuve : BORD, RIVAGE, RIVE.
2. *En argot :* Il a bien soixante berges : AN.

BERGER 220

Un troupeau de moutons sous la conduite d'un berger : PASTEUR, PÂTRE.

BESOGNE 221

ACTIVITÉ, OCCUPATION, OUVRAGE, TÂCHE, TRAVAIL.

BESOIN 222

1. Ressentir le besoin de liberté : DÉSIR, ENVIE, FAIM, SOIF.
- C'est pour lui un besoin : NÉCESSITÉ, UTILITÉ.
2. Être dans le besoin : DÉNUEMENT, EMBARRAS, GÊNE, INDIGENCE, MISÈRE, PAUVRETÉ, PÉNURIE.

BÊTISE 223

1. Il ne dit et ne fait que des bêtises : ÂNERIE, BOURDE, IDIOTIE, IMBÉCILLITÉ, INEPTIE, NIAISERIE, SOTTISE, STUPIDITÉ.
2. Acheter une bêtise comme souvenir : BABIOLE, BAGATELLE, BRICOLE.

BÉVUE 224

ERREUR, ÉTOURDERIE, FAUTE, GAFFE, IMPAIR, MALADRESSE, MÉPRISE.

BIEN 225

1. *nom.*

a) Ceci est pour le bien de tous : AVANTAGE, INTÉRÊT, PROFIT, SATISFACTION, UTILITÉ.
- Ce serait un bien lui rendre que de... : BIENFAIT, SERVICE.

b) Protéger ses biens : ARGENT, AVOIR, CAPITAL, DOMAINE, FONDS, FORTUNE, PROPRIÉTÉ, RICHESSE.

2. *adv. et adj. inv.*
- Elle est bien proportionnée : AGRÉABLEMENT, JOLIMENT, MERVEILLEUSEMENT, REMARQUABLEMENT.
- Il s'en est bien tiré : ADROITEMENT, AVANTAGEUSEMENT, FAVORABLEMENT, HABILEMENT, HEUREUSEMENT.
- Elle a bien agi : JUDICIEUSEMENT, LOGIQUEMENT, RAISONNABLEMENT, SAGEMENT.
- Il s'est bien comporté : CORRECTEMENT, DIGNEMENT, HONNÊTEMENT, HONORABLEMENT, NOBLEMENT.

- La citerne est bien remplie : ABSOLUMENT, COMPLÈTEMENT, ENTIÈREMENT, PLEINEMENT, TOTALEMENT.
- Elle est bien trop grande : BEAUCOUP.
- Elle a bien appris ses leçons : CONVENABLEMENT, CORRECTEMENT, PARFAITEMENT.
- Tout cela est bien : BON, EXCELLENT, PARFAIT, SATISFAISANT.
- C'est un homme bien : HONNÊTE, SÉRIEUX.

BIENSÉANCE 226

CONVENANCE, CORRECTION, DÉCENCE, ÉDUCATION, SAVOIR-VIVRE.

BILIEUX 227

ACARIÂTRE, MÉLANCOLIQUE, MOROSE, PESSIMISTE, SOMBRE, SOUCIEUX.

BILLET 228

- Écrire un billet : MISSIVE, MOT.
- Prendre un billet de train : TICKET.
- J'ai payé avec mon dernier billet : COUPURE.

BIZARRE 229

ANORMAL, BAROQUE, CAPRICIEUX, CURIEUX, ÉTONNANT, ÉTRANGE, EXTRAORDINAIRE, EXTRAVAGANT, FANTASQUE, INSOLITE, ORIGINAL, SINGULIER, SURPRENANT.

BLAFARD 230

BLÊME, DÉCOLORÉ, EXSANGUE, HÂVE, LIVIDE, PÂLE, TERNE.

BLAGUE 231

- *Fam.* Tu racontes des blagues : BOBARD, GALÉJADE, HISTOIRE, MENSONGE, PLAISANTERIE.
- *Fam.* Il a encore fait une blague : BOULETTE, GAFFE, SOTTISE.

BLÂME 232

CONDAMNATION, CRITIQUE, DÉSAPPROBATION, DÉSAVEU, RÉPRIMANDE, RÉPROBATION, REPROCHE.

BLÂMER

- Un enfant en faute : ADMONESTER, GRONDER, MORIGÉNER, RÉPRIMANDER, TANCER.
- Quelqu'un ou quelque chose : CENSURER, CONDAMNER, CRITIQUER, DÉSAPPROUVER, DÉSAVOUER, RÉPROUVER.

BLASÉ 233

DÉGOÛTÉ, DÉSABUSÉ, INDIFFÉRENT, SCEPTIQUE.

BLESSER 234

- *Selon le genre de blessure, le synonyme de blesser peut être :* BALAFRER, CONTUSIONNER, COUPER, ÉCORCHER, ÉGRATIGNER, ENTAILLER, ÉRAFLER, ESTROPIER, *et en lang. fam. :* AMOCHER, ARRANGER, ÉCHARPER.
- Mes paroles l'ont blessé : CHOQUER, CONTRARIER, FROISSER, OFFENSER, PEINER, TOUCHER, ULCÉRER, VEXER.

BLESSURE

1. *Selon le cas, une blessure corporelle peut être :* BALAFRE, CONTUSION, COUP, COUPURE, DÉCHIRURE, ECCHYMOSE, ÉCORCHURE, ÉGRATIGNURE, ENTAILLE, ÉRAFLURE, ESTAFILADE, FÊLURE, FRACTURE, LÉSION, LUXATION, MEURTRISSURE, PIQÛRE, PLAIE, TRAUMATISME.
2. Une blessure morale : DOULEUR, PEINE.

- Une blessure d'orgueil : FROISSEMENT.
- Il a ressenti vos propos comme une blessure : OFFENSE, VEXATION.

BLOQUER 235

1. Bloquer des choses en les mettant ensemble : ACCUMULER, GROUPER, MASSER, RÉUNIR.
- Bloquer toutes ses dépenses en début de mois : CONCENTRER.
2. Bloquer une ville : ASSIÉGER, CERNER, ENCERCLER, INVESTIR.
- Bloquer la circulation : ARRÊTER, IMMOBILISER.
- Bloquer un passage : BARRER, OBSTRUER.
- Bloquer des crédits : GELER.

BLOTTIR (SE) 236

SE CACHER, SE CLAPIR, S'ENFOUIR, SE NICHER, SE PELOTONNER, SE RÉFUGIER, SE SERRER, SE TAPIR.

BOIRE 237

- Boire un verre d'eau : ABSORBER, PRENDRE.
- Pour calmer sa soif, elle s'arrêta pour boire à la fontaine : SE DÉSALTÉRER, SE RAFRAÎCHIR.
- Un ivrogne qui boit plusieurs litres de vin par jour : INGURGITER, *et en lang. fam. ou argot :* BIBERONNER, BUVOTER, ENTONNER, LAMPER, LICHER, PICOLER, PINTER, POMPER, SIFFLER, SIROTER.
- Un chat qui boit du lait : LAPER.
- Les vaches boivent dans le ruisseau : S'ABREUVER.
- Boire à la santé de quelqu'un : TRINQUER.
- Boire les paroles de quelqu'un : SAVOURER, SE PÉNÉTRER DE.

BOIS 238

- *Selon l'importance du bois ou sa forme :* BOCAGE, BOQUETEAU, BOSQUET, FORÊT, FOURRÉ, FUTAIE, TAILLIS.
- *Selon l'essence des arbres :* BOULAIE, CHÂTAIGNERAIE, CHÊNAIE, COUDRAIE, ÉRABLIÈRE, FRÊNAIE, HÊTRAIE, ORMAIE, PEUPLERAIE, PINÈDE, ROUVRAIE, SAPINIÈRE, SAULAIE.

BOITER 239
Il boite légèrement : BOITILLER, CLAUDIQUER, CLOCHER, *et en lang. fam. :* CLOPINER.

BOITEUX
1. Un boiteux : ÉCLOPÉ.
2. Un meuble boiteux : BANCAL, BRANLANT, CHANCELANT, INSTABLE.
• Un raisonnement boiteux : ABERRANT, FAUX.

BON 240
L'adjectif « bon » a de très nombreux synonymes, selon le contexte :
• Un bon ouvrier ce peut être un ouvrier : CONSCIENCIEUX, SÉRIEUX, ou bien un ouvrier : ADROIT, EXPERT, HABILE.
• Un élève bon en mathématiques : DOUÉ.
• Passer une bonne soirée : AGRÉABLE, CHARMANT.
• Un bon gâteau : DÉLICIEUX, EXCELLENT, EXQUIS, SAVOUREUX, SUCCULENT, *et en lang. fam. :* FAMEUX.
• Raconter une bonne histoire : AMUSANT, DRÔLE, PLAISANT, SPIRITUEL.
• Un très bon film : INTÉRESSANT, REMARQUABLE.
• Donner un bon conseil : AVISÉ, JUDICIEUX, PRUDENT, RAISONNABLE, SAGE.
• Arriver au bon moment : OPPORTUN.
• Un bon remède : EFFICACE.
• Une bonne année pour la vigne : FAVORABLE.
• Un homme bon : BIENVEILLANT, CHARITABLE, COMPLAISANT, GÉNÉREUX, HUMAIN, INDULGENT, OBLIGEANT, SERVIABLE.
• Un bon serviteur : DÉVOUÉ, FIDÈLE, PARFAIT.
• Cela part d'un bon sentiment : BEAU, ÉLEVÉ.
• Votre excuse n'est pas bonne : VALABLE.
• Le compte n'est pas bon : EXACT, JUSTE.
• Ce n'est pas la bonne solution : VÉRITABLE, VRAI.
• Faire un bon placement : AVANTAGEUX, FRUCTUEUX, LUCRATIF, PROFITABLE, RÉMUNÉRATEUR, RENTABLE.
• Il était bon d'agir ainsi : UTILE.
• Avoir une bonne conduite : CONVENABLE, CORRECT, DIGNE, HONORABLE.
• Faire une bonne action : EXEMPLAIRE, LOUABLE, MÉRITOIRE, VERTUEUX.
• Il nous reste un bon nombre de kilomètres à parcourir : GRAND, IMPORTANT.
• Il lui a fallu une bonne semaine pour faire ce travail : COMPLET, ENTIER.
• Je vous souhaite un bon voyage : HEUREUX.

BONTÉ
• Faire preuve de bonté : ALTRUISME, BIENVEILLANCE, CHARITÉ, CLÉMENCE, COMPASSION, CORDIALITÉ, DOUCEUR, HUMANITÉ, INDULGENCE, MANSUÉTUDE, PHILANTHROPIE, PITIÉ.
• Ayez la bonté de le prévenir : AMABILITÉ, OBLIGEANCE.

BONHEUR 241
• Être en plein bonheur : BÉATITUDE, BIEN-ÊTRE, CONTENTEMENT, EUPHORIE, FÉLICITÉ, JOIE, SATISFACTION.
• Avoir le bonheur de réussir : CHANCE, *et en lang. fam. :* VEINE.
• Je n'ai pas le bonheur de le connaître : AVANTAGE, PLAISIR.

BORD 242
• De la mer : CÔTE, GRÈVE, LITTORAL, PLAGE, RIVAGE.
• D'un fleuve : BERGE, RIVE.
• D'un bois : LISIÈRE, ORÉE.
• D'un puits : BORDURE, CONTOUR, ENTOURAGE, PÉRIPHÉRIE, POURTOUR.

BOUCHER 243
• Une fenêtre, un trou : AVEUGLER, CALFATER, CALFEUTRER, CLORE, COLMATER, FERMER, LUTER, MURER, OBTURER.
• Un passage : BARRER, COUPER, EMBOUTEILLER, OBSTRUER.

BOUCLIER 244
• Les boucliers des chevaliers du Moyen Âge : ÉCU, PAVOIS.
• Servir de bouclier contre quelqu'un ou quelque chose : DÉFENSE, PARAVENT, PROTECTION, REMPART.

BOUE 245
BOURBE, FANGE, GADOUE, VASE.

BOUFFON 246
BALADIN, CLOWN, FARCEUR, HISTRION, PANTIN, PITRE, PLAISANTIN, POLICHINELLE, TURLUPIN.

BOUGON 247
GRINCHEUX, GROGNON, RONCHON, RONCHONNEUR.

BOULEVERSER 248
• Il a tout bouleversé dans ma chambre : DÉRANGER, DÉSORGANISER, RENVERSER, *et en lang. fam. :* CHAMBARDER, CHAMBOULER.
• L'électronique a bouleversé la structure industrielle : MODIFIER, RÉVOLUTIONNER.
• Cet événement a bouleversé l'ordre de la cérémonie : PERTURBER.
• Cette nouvelle l'a bouleversée : ÉBRANLER, ÉMOUVOIR, TROUBLER, *et en lang. fam. :* RETOURNER.

BOURDONNER 249
BRONDIR, BRUIRE, RONFLER, VROMBIR.

BOURG 250
AGGLOMÉRATION, BOURGADE, ÉCART, HAMEAU, LOCALITÉ, VILLAGE, *et en lang. fam. :* PATELIN.

BOURRASQUE 251
CYCLONE, ORAGE, OURAGAN, RAFALE, TEMPÊTE, TORNADE, TOURBILLON, TOURMENTE, TROMBE, TYPHON.

BOURRU 252
BRUSQUE, RECHIGNÉ, RENFROGNÉ, REVÊCHE, RUDE.

BOURSE 253
AUMÔNIÈRE, ESCARCELLE, PORTE-MONNAIE, RÉTICULE, SAC, SACOCHE.

BOUSCULER 254
- Se faire bousculer dans la rue : CULBUTER, HEURTER.
- Ne bousculez pas ! : POUSSER.
- Une patronne qui bouscule sans cesse ses employés : BRUSQUER, MALMENER, PRESSER, RUDOYER.

BOUT 255
- *Avec l'idée de limite :* EXTRÉMITÉ, FIN, LIMITE, POINTE, QUEUE, TERME, TERMINAISON.
- *Avec l'idée de fragment :* BRIBE, BRIN, DÉBRIS, LAMBEAU, MORCEAU, TRANCHE.

BOUTIQUE 256
BAZAR, COMMERCE, ÉCHOPPE, MAGASIN.

BOUTURE 257
ÉCUSSON, GREFFE, GREFFON, MARCOTTE.

BRANCHE 258
- Les branches des arbres : BRANCHAGE, BRINDILLE, PALME, PAMPRE, RAMEAU, RAMÉE, RAMILLE, RAMURE.
- Il est très fort dans sa branche : DISCIPLINE, SPÉCIALITÉ.

BRAVE 259
- Un homme brave : AUDACIEUX, COURAGEUX, CRÂNE, HARDI, HÉROÏQUE, INTRÉPIDE, RÉSOLU, TÉMÉRAIRE, VAILLANT, VALEUREUX.
- Un brave homme : BON, BONASSE, BONHOMME, DÉBONNAIRE, GÉNÉREUX, HONNÊTE, SERVIABLE.

BRAVER
AFFRONTER, DÉFIER, MENACER, MORGUER *(anc),* NARGUER, PROVOQUER, SE MOQUER DE.

BREF 260
CONCIS, COURT, LACONIQUE, LAPIDAIRE, MOMENTANÉ, RAPIDE, SUCCINCT.

BREVET 261
ATTESTATION, CERTIFICAT, DIPLÔME, PARCHEMIN.

BRIDE 262
GUIDE, LICOL, LONGE, RÊNE.

BRIGUE 263
CABALE, COMPLOT, CONJURATION, CONSPIRATION, INTRIGUE.

BRIGUER
AMBITIONNER, CONVOITER, RECHERCHER, SOLLICITER, VISER.

BRILLANT 264
1. *adj.*
- Un objet brillant : CHATOYANT, ÉBLOUISSANT, ÉTINCELANT, LUISANT, LUMINEUX, RAYONNANT, RESPLENDISSANT, RUTILANT, SCINTILLANT.
- Un élève brillant : REMARQUABLE, SURDOUÉ.
- Une brillante cérémonie : FASTUEUX, LUXUEUX, MAGNIFIQUE, SOMPTUEUX, SPLENDIDE.
- Un discours brillant : CAPTIVANT, PASSIONNANT, REMARQUABLE.
- Un esprit brillant : DISTINGUÉ, PÉTILLANT, SPIRITUEL.
- Une santé brillante : FLORISSANT.

2. *nom.*
- Donner du brillant, avoir du brillant : CHATOIEMENT, ÉCLAT, LUSTRE, MAGNIFICENCE, SPLENDEUR.
- *Avec un sens péjoratif :* ce n'est que du brillant : CLINQUANT, VERNIS.

BRILLER
- Un objet qui brille : CHATOYER, ÉBLOUIR, ÉTINCELER, FLAMBOYER, LUIRE, MIROITER, PÉTILLER, RAYONNER, RELUIRE, RESPLENDIR, SCINTILLER.
- Elle a brillé à l'examen, en mathématiques : EXCELLER, SE DISTINGUER.

BRIO 265
Avoir du brio, montrer du brio : AISANCE, ENTRAIN, FOUGUE, MAESTRIA, PANACHE, PÉTULANCE, TALENT, VIRTUOSITÉ, VIVACITÉ.

BROUILLARD 266
- Il y a beaucoup de brouillard dans la vallée : BROUILLASSE, BRUME.
- Cette affaire est compliquée, nous sommes en plein brouillard : OBSCURITÉ, TÉNÈBRES.

BROUILLER 267

- Il brouille tout : COMPLIQUER, EMBROUILLER, EMMÊLER, MÉLANGER, MÊLER.
- Brouiller une émission de radio : PERTURBER, TROUBLER.
- Cette maladie lui a brouillé le teint : ALTÉRER.
- Brouiller deux amies : DÉSUNIR, SÉPARER.

SE BROUILLER

- Ces deux voisins se sont brouillés pour une affaire de clôture : SE FÂCHER.
- Le temps se brouille : SE COUVRIR, SE GÂTER, SE TROUBLER.

BROYER 268

CONCASSER, ÉCRASER, ÉMIETTER, MOUDRE, PILER, PULVÉRISER, TRITURER, *et en lang. fam. :* ÉCRABOUILLER.

BRUIT 269

- *Suivant la nature du bruit, le synonyme peut être :* BOURDONNEMENT, BRUISSEMENT, CLAPOTIS, CLIQUETIS, CRAQUEMENT, CRÉPITEMENT, CRISSEMENT, DÉTONATION, ÉCLATEMENT, EXPLOSION, FROISSEMENT, FRÔLEMENT, GÉMISSEMENT, GRINCEMENT, GROGNEMENT, GRONDEMENT, MUGISSEMENT, MURMURE, PÉTARADE, RONFLEMENT, RONRONNEMENT, ROULEMENT, SIFFLEMENT, VROMBISSEMENT.
- Une réunion houleuse, où il y a eu beaucoup de bruit : CHAHUT, CLAMEUR, CRI, HURLEMENT, TAPAGE, TUMULTE, VACARME, VOCIFÉRATION, *et en lang. fam. :* BOUCAN.
- D'après un bruit qui court en ville : NOUVELLE, ON-DIT, POTIN, RACONTAR, RUMEUR.

BRÛLER 270

1. *v. tr.*

- Brûler quelque chose : CONSUMER, FAIRE FLAMBER, GRILLER, INCENDIER, INCINÉRER.
- Laisser brûler le rôti : CALCINER, CARBONISER.

2. *v. intr.*

- Le bois de sapin brûle bien : FLAMBER.
- Le cigare continue de brûler dans le cendrier : SE CONSUMER.
- « Brûler d'envie » : DÉSIRER, RÊVER DE.
- « Brûler d'impatience » : S'IMPATIENTER.

BRUTAL 271

- Une force brutale : ANIMAL, BESTIAL.
- Un homme brutal : DUR, EMPORTÉ, IRASCIBLE, MÉCHANT, VIOLENT.
- Une réaction brutale : BRUSQUE, DIRECT, FRANC.
- Un choc brutal : PÉNIBLE, RUDE, TERRIBLE.

BRUTALISER

BATTRE, FRAPPER, MALMENER, MALTRAITER, MOLESTER, RUDOYER, TOURMENTER.

BRUTALITÉ

- Faire preuve de brutalité : BESTIALITÉ, CRUAUTÉ, FÉROCITÉ, INHUMANITÉ, SAUVAGERIE.
- Subir des brutalités : ATROCITÉ, VIOLENCE.
- La brutalité d'un événement : BRUSQUERIE, SOUDAINETÉ.

BUISSON 272

BROUSSAILLE, FOURRÉ, HALLIER.

BUT 273

- Manquer le but, dans une épreuve de tir : CIBLE, OBJECTIF.
- La course est près de son but : ARRIVÉE, TERME.
- Avoir pour but de... : DESSEIN, FIN, INTENTION, OBJECTIF.

BUTTE 274

COLLINE, DUNE, MAMELON, MONTICULE, TERTRE.

Cc

CABANE 275
BARAQUE, CAHUTE, CASE, CHAUMIÈRE, HUTTE, MAISONNETTE, MASURE, *et en lang. fam. :* BICOQUE.

CABOTINAGE 276
BLUFF, CHARLATANISME, VANTARDISE, *et en lang. fam. :* ESBROUFE.

CABRER (SE) 277
SE BRAQUER, S'EMPORTER, SE FÂCHER, S'IRRITER, SE RÉVOLTER, *et en lang. fam. :* SE REBIFFER.

CABRIOLE 278
Faire des cabrioles : BOND, CULBUTE, GALIPETTE, GAMBADE, PIROUETTE, SAUT.

CACHER 279
- Cacher son argent dans un lieu secret : CAMOUFLER, DISSIMULER, *et en lang. pop. :* PLANQUER.
- Les nuages cachent le soleil : COUVRIR, MASQUER, RECOUVRIR, VOILER.

SE CACHER
S'ABRITER, SE BLOTTIR, SE DISSIMULER, S'EMBUSQUER, SE TAPIR, SE TERRER.

CACHET 280
1. Mettre un cachet sur une feuille : EMPREINTE, ESTAMPILLE, GRIFFE, MARQUE, SCEAU, TAMPON.
2. Prendre des cachets : COMPRIMÉ, GRANULÉ, PILULE.
3. Le cachet d'un artiste : RÉTRIBUTION.

CADEAU 281
Recevoir un cadeau : DON, ÉTRENNE, GRATIFICATION, PRÉSENT, SOUVENIR.

CADENCE 282
Marcher à bonne cadence : ALLURE, RYTHME.

CADRE 283
1. Le cadre d'un tableau : ENCADREMENT.
- Le cadre d'une porte, d'une fenêtre : BÂTI, CHÂSSIS.
- Le cadre de vie : DÉCOR, ENTOURAGE, MILIEU.
2. Être cadre dans l'administration : CHEF DE SERVICE.
- Les cadres de l'armée : OFFICIER.

CADRER
Votre décision m'étonne, elle ne cadre pas avec votre tempérament : CONCORDER, CORRESPONDRE À, S'ACCORDER, S'ASSORTIR.

CAFÉ 284
Suivant la nature du café : BAR, BISTROT, BRASSERIE, BUVETTE, CABARET, CAFÉTÉRIA, ESTAMINET, GUINGUETTE, TAVERNE, *et en lang. pop. :* CABOULOT, TROQUET.

CAFOUILLER 285
Fam. : Il cafouille dans les extractions de racines carrées : S'EMBROUILLER, S'EMMÊLER, S'EMPÊTRER, *et en lang. fam. :* S'EMBERLIFICOTER.

CAHOT 286
- Les cahots d'une voiture sur une mauvaise route : BOND, SAUT, SECOUSSE, SOUBRESAUT.
- Les cahots de l'existence : DIFFICULTÉ.

CAHOTER
L'autobus cahote les voyageurs : BALLOTTER, BRINGUEBALER, SECOUER.

CAISSE 287
1. Mettre ses livres dans une caisse : COFFRE, MALLE.
- Les voleurs ont emporté l'argent de la caisse : COFFRE-FORT.
- La grosse caisse d'une clique : TAMBOUR.
2. *Pop. :* S'en aller de la caisse : POITRINE.

CALAMITÉ 288
CATACLYSME, CATASTROPHE, DÉSASTRE, FLÉAU, MALHEUR, SINISTRE.

CALCULER 289
- Calculer ses dépenses : CHIFFRER, COMPTER.
- Calculer ses chances de réussir : APPRÉCIER, ESTIMER, ÉVALUER, PRÉVOIR, SUPPUTER.

CALER 290
1. *v. tr.*
Caler une pièce sur une machine-outil : ASSUJETTIR, BLOQUER, FIXER, IMMOBILISER, MAINTENIR, SERRER.
2. *v. intr.*
- Le moteur cale : S'ARRÊTER.
- *Fam. :* Caler devant un adversaire : ABANDONNER, CAPITULER, RENONCER.

CALFEUTRER (SE) 291
Se calfeutrer chez soi : SE CLOÎTRER, S'ENFERMER, *et en lang. fam. :* SE CLAQUEMURER.

CÂLIN 292
Se montrer câlin : AFFECTUEUX, CAJOLEUR, CARESSANT, DOUX, TENDRE.

CÂLINER
Câliner un enfant : CAJOLER, CARESSER, CHOYER, DORLOTER, POUPONNER, *et en lang. fam. :* CHOUCHOUTER.

CALME 293
1. *adj.*
- Un lieu calme : PAISIBLE, TRANQUILLE.
- Être d'humeur calme : IMPASSIBLE, IMPERTURBABLE, PATIENT, PLACIDE, PONDÉRÉ, SEREIN, TRANQUILLE.

2. *nom.*
- Le calme entre deux périodes de mauvais temps : ACCALMIE, BONACE, EMBELLIE.
- Le calme d'une personne : ASSURANCE, FLEGME, MAÎTRISE DE SOI, SANG-FROID, SÉRÉNITÉ.
- Le calme du soir : PAIX, QUIÉTUDE, TRANQUILLITÉ.

CALMER
- Ce cachet calmera votre douleur : ADOUCIR, APAISER, ATTÉNUER, ENDORMIR, SOULAGER.
- Calmez votre passion ! : MODÉRER, TEMPÉRER.
- Calmer sa soif : ÉTANCHER, SATISFAIRE.
- Calmer sa faim : ASSOUVIR, CONTENTER.
- Calmer quelqu'un qui est inquiet : RASSÉRÉNER, TRANQUILLISER.

SE CALMER
- Le vent se calme : CALMIR, S'APAISER.
- La fièvre s'est calmée : TOMBER.
- Elle tremblait de peur, mais elle s'est calmée : SE RASSÉRÉNER, SE REMETTRE.

CALOMNIE 294
C'est une pure calomnie : DÉNIGREMENT, DIFFAMATION, MENSONGE.

CALOMNIER
Calomnier quelqu'un : DÉCRIER, DÉNIGRER, DIFFAMER, MÉDIRE DE, NOIRCIR, *et en lang. fam. :* DÉBINER.

CALOTTE 295
Fam. : Donner une calotte à quelqu'un : CLAQUE, GIFLE, SOUFFLET, *et en lang. pop. :* TALOCHE.

CAMARADE 296
AMI, COLLÈGUE, COMPAGNE, COMPAGNON, CONDISCIPLE, *et en lang. fam. :* COPAIN, COPINE.

CAMELOTE 297
Fam. : C'est un faux bijou, c'est de la camelote : PACOTILLE, TOC.

CAMP 298
1. Rentrer au camp : BIVOUAC, CAMPEMENT, CANTONNEMENT, QUARTIER.
- Passer ses vacances dans un camp : CAMPING.

2. Ils se sont partagés en deux camps : GROUPE, PARTI.

CAMPER
1. *v. intr.*
BIVOUAQUER, CANTONNER, FAIRE DU CAMPING.
3. *v. tr.*
Camper les traits d'un personnage : CROQUER, DESSINER, ESQUISSER.

SE CAMPER
devant quelqu'un : SE DRESSER, SE PLANTER.

CANAILLE 299
1. *nom.*
- Ce n'est qu'une canaille : CRAPULE, FRIPON, GREDIN, VAURIEN, *et en lang. pop. :* FRIPOUILLE.
- *En s'adressant à un jeune enfant :* Petite canaille ! : COQUIN, POLISSON.
- Il fréquente la canaille : PÈGRE, POPULACE, RACAILLE.

2. *adj.*
Avoir un air canaille : VULGAIRE.

CANDEUR 300
- Un enfant plein de candeur : INGÉNUITÉ, INNOCENCE, PURETÉ, SIMPLICITÉ.
- Abuser de la candeur d'une personne : CRÉDULITÉ, NAÏVETÉ, NIAISERIE.

CANDIDE
En affaires, il ne faut pas être trop candide : CRÉDULE, INGÉNU, NAÏF.

CANNIBALE 301
- Ulysse débarqua chez les Lestrygons qui étaient des cannibales : ANTHROPOPHAGE.
- Manger comme un cannibale : OGRE.

CANNIBALISME
ANTHROPOPHAGIE, *et au figuré :* CRUAUTÉ, FÉROCITÉ.

CANONNER 302
Canonner un camp ennemi : BOMBARDER, PILONNER, *et en lang. fam. :* CANARDER.

CANTIQUE 303
Chanter un cantique : ANTIENNE, HYMNE, MOTET, PSAUME.

CANULAR 304
- Faire un canular : BLAGUE, FARCE, MYSTIFICATION, PLAISANTERIE.
- Ce n'était qu'un canular : FAUSSE NOUVELLE, FAUX BRUIT.

CAP 305
- Changer de cap : DIRECTION.
- *En géographie :* BEC, POINTE, PROMONTOIRE.

CAPABLE 306
- Un ouvrier capable : COMPÉTENT, DOUÉ, EXPERT, HABILE, QUALIFIÉ.
- Une femme capable de... : À MÊME DE, APTE À, DE FORCE À, EN ÉTAT DE, PROPRE À.

CAPACITÉ
1. La capacité d'une personne : APTITUDE, COMPÉTENCE, GÉNIE, HABILETÉ, TALENT, VALEUR.
- Avoir des capacités : MOYENS, POSSIBILITÉS.
- Avoir la capacité de... : FACULTÉ, POUVOIR.
- La capacité d'une société commerciale : FORCE, PUISSANCE.
2. La capacité d'un récipient : CONTENANCE, QUANTITÉ, VOLUME.

CAPITULER 307
Je ne capitulerai jamais : ABANDONNER, CÉDER, S'INCLINER, SE RENDRE, SE SOUMETTRE.

CAPRICE 308
- Satisfaire son caprice : DÉSIR, ENVIE, FANTAISIE, FOUCADE *(anc.),* LUBIE, TOQUADE.
- Ce n'est pas de l'amour, ce n'est qu'un caprice ! : AMOURETTE, FLIRT, PASSADE, *et en lang. fam. :* BÉGUIN.

CAPRICIEUX
Être d'humeur capricieuse : CHANGEANT, FANTAISISTE, FANTASQUE, INSTABLE, IRRÉGULIER, LUNATIQUE, VARIABLE, VERSATILE.

CAPTER 309
- Capter l'attention de quelqu'un : ATTIRER, CAPTIVER.
- Capter l'eau d'une rivière : DÉTOURNER.
- Capter une émission de radio : INTERCEPTER, RECEVOIR.

CAPTIVER 310
Un spectacle qui captive : CHARMER, ENCHANTER, ENVOÛTER, FASCINER, PASSIONNER, SÉDUIRE.

SE CAPTIVER
S'ENTHOUSIASMER, SE PASSIONNER.

CAPTIVITÉ 311
Vivre en captivité : ESCLAVAGE, PRISON, SERVITUDE.

CAPTURE 312
- La capture d'un évadé : ARRESTATION, SAISIE.
- Une belle capture : BUTIN, PRISE, PROIE, TROPHÉE.

CAPTURER
- Capturer un assassin : ARRÊTER, SE SAISIR DE.
- Capturer un renard : ATTRAPER, PRENDRE.
- Les corsaires malouins capturèrent une frégate anglaise : SE RENDRE MAÎTRE DE.

CARACTÈRE 313
1. Être d'un bon caractère : HUMEUR, NATUREL, PERSONNALITÉ, TEMPÉRAMENT.
- Avoir du caractère : DÉTERMINATION, ÉNERGIE, FERMETÉ, RÉSOLUTION, VOLONTÉ.
- Le caractère des choses, appartement, rue, ville, etc. : ALLURE, ASPECT, CACHET, MARQUE, NATURE, PARTICULARITÉ, QUALITÉ.
2. Les caractères d'imprimerie : LETTRE, SIGNE, TYPE.

CARACTÉRISTIQUE
1. *adj.*
Une différence caractéristique ; des propriétés, des symptômes, des traits caractéristiques : DÉTERMINANT, DISTINCTIF, ESSENTIEL, PARTICULIER, PERSONNEL, PROPRE, SPÉCIFIQUE, TYPIQUE.
2. *nom.*
- Le tremblement est la caractéristique de la peur : INDICE, MARQUE, SIGNE.
- Les caractéristiques d'un moteur : PROPRIÉTÉ, QUALITÉ.
- C'est l'une des caractéristiques de notre époque : PARTICULARITÉ, TRAIT.

CARENCE 314
- La carence de l'Administration : DÉFICIENCE, IMPUISSANCE.

- Le rachitisme est provoqué par une carence de vitamine D : ABSENCE, DÉFAUT, INSUFFISANCE, MANQUE.

CARESSE 315
- Faire des caresses : CAJOLERIE, CÂLINERIE, FLATTERIE.
- La caresse d'un vent léger : EFFLEUREMENT, FRÔLEMENT.

CARESSER
- Caresser quelqu'un : CAJOLER, CÂLINER, FLATTER.
- Caresser un espoir : ENTRETENIR, NOURRIR.
- Elle caressait le tissu avec sa main : EFFLEURER, FRÔLER.

CARICATURE 316
- Ce n'est pas un portrait, c'est une caricature : CHARGE.
- Ce procès a été une caricature de justice : DÉFORMATION, PARODIE, SIMULACRE.

CARICATURER

CHARGER, PARODIER, RIDICULISER.

CARNAGE 317

Quel carnage ! : BOUCHERIE, MASSACRE, TUERIE.

CARNET 318
- Écrire sur un carnet : AGENDA, CALEPIN, RÉPERTOIRE.
- Un carnet de voyage : JOURNAL.
- Un « carnet de chèques » : CHÉQUIER.

CARREFOUR 319

Selon la nature du carrefour : BIFURCATION, CROISÉE, CROISEMENT, EMBRANCHEMENT, ÉTOILE, FOURCHE, PATTE D'OIE, ROND-POINT.

CAS 320

1. C'est un cas à envisager : ÉVENTUALITÉ, HYPOTHÈSE, POSSIBILITÉ.
- Je réagirai selon le cas : CIRCONSTANCE, CONJONCTURE, ÉVÉNEMENT, OCCASION, OCCURRENCE, SITUATION.
- Exposez votre cas : PROBLÈME.
- En aucun cas : EN AUCUNE FAÇON.
- En tout cas : DE TOUTE FAÇON.

2. *Dans la langue de la justice :* AFFAIRE, CAUSE, DÉLIT, PROCÈS.

CASANIER 321

Un homme très casanier : SÉDENTAIRE, *et en lang. fam. :* PANTOUFLARD, POT-AU-FEU.

CASCADE 322
- Les cascades le long d'un torrent : CATARACTE, CHUTE.
- Une cascade de mots : CHAPELET, KYRIELLE, LITANIE.

CASE 323
- Construire une case : CABANE, CARBET, GOURBI, HUTTE, PAILLOTE.
- Les cases d'une ruche : ALVÉOLE, CELLULE.
- Les cases d'un tiroir : CASIER, COMPARTIMENT.

CASER
- Où vais-je caser tout cela ? : METTRE, PLACER, RANGER.
- *Fam. :* L'hôtelier nous a casés dans une petite chambre : LOGER.

SE CASER

Fam. : Casez-vous là ! : S'INSTALLER, SE LOGER, SE PLACER.

CASSANT 324
- Parler sur un ton cassant : DUR, IMPÉRIEUX, SEC, TRANCHANT.
- Du bois trop cassant : FRAGILE.

CASSER

1. *v. tr.*
- Casser quelque chose : BRISER, BROYER, DÉTÉRIORER, DÉTRUIRE, FRACASSER, FRACTURER, ROMPRE.
- Casser un jugement : ABROGER, ANNULER.
- Casser un fonctionnaire, un officier : DÉGRADER, DESTITUER, LIMOGER, RÉVOQUER.
- *Fam. :* Il me « casse la tête, les oreilles, les pieds » : ENNUYER, ÉTOURDIR, FATIGUER, IMPORTUNER.
- *Fam. :* Elle « casse du sucre sur le dos » de ses amies : CALOMNIER, MÉDIRE DE.
- *Fam. :* « casser la figure » à quelqu'un : ASSOMMER, ROSSER.
- *Fam. :* « casser la croûte » : MANGER.

2. *v. intr.*

Attention ! la corde va casser ! : CÉDER, LÂCHER, SE ROMPRE.

SE CASSER
- Elle s'est cassé la jambe : SE FRACTURER.
- La branche s'est cassée : SE BRISER, SE ROMPRE.
- *Fam. :* « Se casser la figure » : S'AFFALER, TOMBER.
- *Fam. :* « Se casser la tête » : SE TOURMENTER.

CATALOGUE 325

ÉTAT, INVENTAIRE, LISTE, NOMENCLATURE, RECUEIL, RÉPERTOIRE, TABLE, TABLEAU.

CATASTROPHIQUE 326
- Un événement catastrophique : AFFREUX, DÉSASTREUX, EFFROYABLE, ÉPOUVANTABLE, TERRIBLE.
- Des résultats scolaires catastrophiques : DÉPLORABLE, LAMENTABLE, PITOYABLE.

CATÉGORIE 327
Classer en catégories : ESPÈCE, FAMILLE, GENRE, GROUPE, SORTE.

CATÉGORIQUE 328
- Une réponse catégorique : ABSOLU, FORMEL, NET.
- Un ton catégorique : AUTORITAIRE, CASSANT, PÉREMPTOIRE, TRANCHANT.

CATÉGORIQUEMENT
CARRÉMENT, FERMEMENT, FORMELLEMENT, NETTEMENT.

CAUSE 329
- *en lang. philosophique :* FONDEMENT, ORIGINE, PRINCIPE, SOURCE.
- *en lang. courant :* MOBILE, MOTIF, PRÉTEXTE, RAISON.
- *en lang. juridique :* AFFAIRE, CAS, PROCÈS.
- Rallier une cause : PARTI.

CAUSER
1. *v. tr.*
Cela va causer un malheur : AMENER, DÉCLENCHER, ENGENDRER, ENTRAÎNER, OCCASIONNER, PRODUIRE, PROVOQUER, SUSCITER.
2. *v. intr.*
BAVARDER, CONVERSER, DIALOGUER, DISCUTER, PARLER.

CAUSTIQUE 330
- Un produit caustique : ACIDE, CORRODANT, CORROSIF.
- Une remarque caustique : ACERBE, INCISIF, MOQUEUR, MORDANT, PIQUANT, SATIRIQUE.

CAUTION 331
- Prendre une caution : ASSURANCE, CAUTIONNEMENT, GAGE, GARANTIE.
- Cette personne est ma caution : GARANT, RÉPONDANT, TÉMOIN.

CAUTIONNER
PATRONNER, RÉPONDRE DE.

CAVE 332
CAVEAU, CELLIER, CHAI, SOUS-SOL.

CAVITÉ
ANFRACTUOSITÉ, CREUX, EXCAVATION, TROU.

CÉDER 333
1. *v. tr.*
- Céder quelque chose à quelqu'un : CONCÉDER, DONNER, LIVRER, TRANSMETTRE, VENDRE.

2. *v. intr.*
- *Avec un sujet nom de personne :* CAPITULER, FAIBLIR, OBÉIR, RECULER, RENONCER, S'INCLINER, SE PLIER, SE RENDRE, SE SOUMETTRE.
- *Avec un sujet nom de chose :* CASSER, CRAQUER, FLÉCHIR, LÂCHER, MOLLIR, PLOYER, S'AFFAISSER, SE COURBER, SE ROMPRE.

CEINDRE 334
- *Avec un sujet nom de personne :* ATTACHER, REVÊTIR, SANGLER.
- *Avec un sujet nom de chose :* CEINTURER, ENCERCLER, ENSERRER, ENTOURER, ENVELOPPER.

CEINTURE
- *Suivant le cas :* CEINTURON, CORDELIÈRE, CORSET, ÉCHARPE.
- Une ceinture de remparts : ENCEINTE.
- Avoir de l'eau jusqu'à la ceinture : TAILLE.

CÉLÉBRER 335
- Célébrer un anniversaire : FÊTER.
- Célébrer les exploits d'un héros : CHANTER, EXALTER, GLORIFIER, LOUER, VANTER.

CÉLÉBRITÉ
GLOIRE, NOTORIÉTÉ, POPULARITÉ, RENOM, RENOMMÉE, RÉPUTATION.

CELER 336
CACHER, DISSIMULER, TAIRE.

CELLULE 337
1. Les cellules d'un couvent : CHAMBRE, CHAMBRETTE, COMPARTIMENT, LOGE.
- Mettre un voleur en cellule : CACHOT, GEÔLE, PRISON, *et en lang. fam. :* BLOC, CABANON, TAULE, VIOLON.

2. Les cellules d'un parti politique : GROUPE, SECTION.

CENSÉ 338
Je ne suis pas censé la connaître : PRÉSUMÉ, SUPPOSÉ.

CENSEUR : CRITIQUE, JUGE. 339

CENSURE
BLÂME, CONDAMNATION, CRITIQUE, RÉPROBATION.

CENSURER
BLÂMER, CAVIARDER, CONDAMNER, CRITIQUER, DÉFENDRE, INTERDIRE, RÉPROUVER.

CENTRE 340
- Au centre de... : CŒUR, FOYER, MILIEU, NOYAU, SIÈGE.
- Un « centre urbain » : AGGLOMÉRATION, CITÉ, VILLE.

CENTRER
Centrer son activité sur... : AXER, ORIENTER VERS.

CEPENDANT 341
NÉANMOINS, NONOBSTANT, POURTANT, TOUTEFOIS.

CERCLE 342
- Mettez-vous en cercle : ROND.
- Un cercle littéraire : CÉNACLE, CHAPELLE, CLUB, SOCIÉTÉ.
- Élargir le cercle de ses connaissances : DOMAINE, ÉTENDUE, LIMITE.

CÉRÉMONIAL 343
ÉTIQUETTE, PROTOCOLE, RITE, USAGE.

CÉRÉMONIE
1. Assister à une cérémonie : FÊTE, GALA, RÉCEPTION.
2. Faire des cérémonies : COMPLICATIONS, FAÇONS, MANIÈRES.

CÉRÉMONIEUX
Un air cérémonieux : AFFECTÉ, COMPASSÉ, GOURMÉ, GUINDÉ, SOLENNEL.

CERNER 344
- Cerner un ennemi : ASSIÉGER, ENCERCLER, ENTOURER.
- Cerner un quartier : BLOQUER, BOUCLER, INVESTIR.
- Cerner un problème : CIRCONSCRIRE, DÉLIMITER.

CERTAIN 345
1. Des preuves certaines de bonne foi : ÉVIDENT, FLAGRANT, INCONTESTABLE, INDISCUTABLE, INDUBITABLE, IRRÉFUTABLE, MANIFESTE.
- S'il travaille bien, son succès est certain : ASSURÉ, SÛR.
- S'il ne travaille pas, son échec est certain : INÉVITABLE.
- Le fait est certain : RÉEL, SÛR, VRAI.
- Je suis certain de ce que j'avance : CONVAINCU, PERSUADÉ, SÛR.
2. Il me reste certain doute sur son honnêteté : QUELQUE.
- Dans certains cas : QUELQUES.
3. Certains d'entre vous : PLUSIEURS, QUELQUES-UNS.

CERTIFIER
- Certifier quelque chose à quelqu'un : AFFIRMER, ASSURER, ATTESTER, CONFIRMER, GARANTIR, SOUTENIR.
- Certifier la copie d'un acte : AUTHENTIFIER, LÉGALISER.

CERTITUDE
- La certitude d'un fait : ÉVIDENCE, VÉRITÉ.
- J'ai l'entière certitude que... : ASSURANCE, CONVICTION, CROYANCE.

CESSER 346
1. *v. tr.*
Cesser ses fonctions : ABANDONNER, ARRÊTER, INTERROMPRE, SUSPENDRE.
2. *v. intr.*
Les combats ont cessé : S'ARRÊTER, S'INTERROMPRE.

CHAGRIN 347
1. *adj.*
Un air chagrin : ATTRISTÉ, MÉLANCOLIQUE, MOROSE, SOMBRE, TRISTE.
2. *nom.*
Avoir du chagrin : DOULEUR, PEINE, TRISTESSE.

CHAGRINER
Cela me chagrine : AFFLIGER, ATTRISTER, CONTRARIER, DÉSOLER, ENNUYER, MÉCONTENTER, NAVRER, PEINER, SOUCIER.

CHALEUR 348
1. Une période de grande chaleur : CANICULE.
2. Mettre beaucoup de chaleur dans ses applaudissements : ARDEUR, EMPRESSEMENT, ENTHOUSIASME, EXALTATION, FOUGUE, PASSION, VIVACITÉ.

CHALEUREUX
Un accueil chaleureux : ARDENT, EMPRESSÉ, ENTHOUSIASTE.

CHAMBRER 349
Chambrer quelqu'un : *soit* CLOÎTRER, SÉQUESTRER, *soit* ENDOCTRINER, SERMONNER.

CHANCE 350
- Un officier qui a la chance avec lui : *fam. :* BARAKA.
- Avoir la chance de... : AUBAINE, BONHEUR, FORTUNE, *et fam. :* VEINE.
- Tenter la chance : DESTIN, HASARD, SORT.
- Il y a des chances pour que... : ÉVENTUALITÉ, POSSIBILITÉ, PROBABILITÉ.

CHANCEUX
Être chanceux : HEUREUX, *et en lang. fam. :* VEINARD, VERNI.

CHANCELER 351
- FLAGEOLER, TITUBER, TRÉBUCHER, VACILLER.
- Sa volonté chancelle : FAIBLIR, HÉSITER.

CHANGEANT 352
- Un homme au caractère changeant : CAPRICIEUX, FANTASQUE, INCONSTANT, INSTABLE, VERSATILE.
- Un temps changeant : INCERTAIN, VARIABLE.

CHANGEMENT
- Un changement complet : BOULEVERSEMENT, RENOUVELLEMENT, RÉVOLUTION.
- Un changement progressif : ÉVOLUTION, INFLÉCHISSEMENT, MODIFICATION, TRANSITION.
- Un changement de lieu : DÉPLACEMENT, TRANSFERT.
- Un changement de poste : MUTATION.

- Un changement d'idée : REVIREMENT, VOLTE-FACE.
- Le changement d'une chose pour une autre : ÉCHANGE, REMPLACEMENT, SUBSTITUTION, TROC.
- Le changement dans la nature d'une chose : ALTÉRATION, MÉTAMORPHOSE, MODIFICATION, TRANSFORMATION, VARIATION.
- Apporter des changements à un texte : CORRECTION, REMANIEMENT.

CHANGER
1. *v. tr.*
- Une chose pour une autre : ÉCHANGER, REMPLACER, SUBSTITUER, TROQUER.
- Des francs en dollars : CONVERTIR.
- Une chose de place : DÉPLACER, DÉRANGER, TRANSFÉRER.
- La nature d'une chose : ALTÉRER, MÉTAMORPHOSER, MODIFIER, RÉNOVER, TRANSFORMER.
- L'orientation d'une politique : INFLÉCHIR, MODIFIER.
- Sa voix : CONTREFAIRE, DÉFORMER, DÉGUISER.
- Quelqu'un de poste : MUTER

2. *v. tr. ind.*
- D'avis : SE DÉDIRE, SE RAVISER, SE RÉTRACTER.
- De direction : OBLIQUER, TOURNER, VIRER.
- De logement : DÉLOGER, DÉMÉNAGER.
- De place : BOUGER, REMUER, SE DÉPLACER.
- « De couleur », sous l'effet d'une émotion : SE TROUBLER.

3. *v. intr.*
- Les mœurs ont changé : ÉVOLUER, SE MODIFIER, SE TRANSFORMER, VARIER.
- Depuis dix ans, vous n'avez pas changé : VIEILLIR.

CHANT 353
- Le chant des oiseaux : GAZOUILLIS, RAMAGE.
- *Suivant sa nature, un chant peut être :* ARIETTE, BARCAROLLE, BERCEUSE, CANTATE, CANTILÈNE, CANTIQUE, CHANSON, COMPLAINTE, HYMNE, LIED, MÉLODIE, MÉLOPÉE, PSALMODIE.

CHANTER
1. *v. intr.*
- CHANTONNER, FREDONNER, PSALMODIER, ROUCOULER, VOCALISER.
- Il « chante faux » : DÉTONNER.
- Il chante beaucoup trop fort : BEUGLER, BRAILLER, S'ÉGOSILLER.

2. *v. tr.*
- Chanter les mérites de quelqu'un : CÉLÉBRER, EXALTER, LOUER, VANTER.
- Il chante toujours la même chanson : RABÂCHER, RÉPÉTER.
- *Fam.* Qu'est-ce que tu nous chantes encore là ? : DIRE, RACONTER.

CHAOS 354
COHUE, CONFUSION, DÉSORDRE, ENCHEVÊTREMENT, MÊLÉE, PÊLE-MÊLE, TOHU-BOHU.

CHAPITRER 355
Se faire chapitrer par son directeur : GOURMANDER, MORIGÉNER, RÉPRIMANDER, SERMONNER, TANCER.

CHARGE 356
1. *Avec idée de poids :* CARGAISON, CHARGEMENT, FAIX *(anc.),* FARDEAU, FRET.
- *Avec idée d'embarras :* GÊNE, INCOMMODITÉ.
- *Avec idée de responsabilité à assumer :* DIGNITÉ, EMPLOI, FONCTION, MANDAT, MISSION, POSTE, RÔLE.
- *Avec idée d'outrance dans le portrait :* CARICATURE, SATIRE.
- *Avec idée d'attaque :* ASSAUT.
- *En langage judiciaire :* ACCUSATION, INDICE, PRÉSOMPTION, PREUVE.
- *Au pluriel, avec idée de dépenses obligatoires :* IMPOSITIONS, IMPÔTS, OBLIGATIONS, PRESTATIONS, REDEVANCES.

2. Une « charge d'arme à feu » : CARTOUCHE, POUDRE, PROJECTILE.

CHARGER
- Un objet sur un camion : METTRE, PLACER.
- Un objet dans un wagon : EMBARQUER.
- Une arme, une caméra, un stylo : GARNIR, REMPLIR.
- Quelqu'un d'une tâche : CONFIER, DÉLÉGUER.
- Quelqu'un de tâches nombreuses et épuisantes : ACCABLER, ÉCRASER, SURCHARGER.
- Quelqu'un de critiques : ACCUSER, INCRIMINER.
- Sa mémoire de détails : ENCOMBRER.
- les traits d'un portrait : CARICATURER, FORCER, OUTRER.
- Un ennemi ou sur un ennemi : FONCER SUR, S'ÉLANCER SUR, SE JETER SUR, SE RUER SUR.

SE CHARGER
- Elle s'est chargée de cette responsabilité : ASSUMER, ENDOSSER, S'OCCUPER DE.
- Le ciel se charge : SE COUVRIR.

CHARITABLE 357
BON, COMPATISSANT, GÉNÉREUX.

CHARITÉ
- Une personne dont la charité est exemplaire : ALTRUISME, BONTÉ, GÉNÉROSITÉ, PHILANTHROPIE, SOLIDARITÉ.
- Faire la charité : AUMÔNE, DON, SECOURS.
- Une œuvre de charité : BIENFAISANCE.

CHARIVARI 358
CHAHUT, TAPAGE, TUMULTE, VACARME.

CHARLATAN 359
HÂBLEUR, IMPOSTEUR, MENTEUR.

CHARLATANISME
CABOTINAGE, FORFANTERIE, HÂBLERIE.

CHARME 360
- Avoir du charme : AGRÉMENT, ATTRAIT, SÉDUCTION.
- Être sous le charme : ENCHANTEMENT, ENVOÛTEMENT, FASCINATION, SORTILÈGE.

CHARMER
- Le spectacle les a charmés : ATTIRER, CAPTIVER, ÉMERVEILLER, ENCHANTER, RAVIR, SÉDUIRE, SUBJUGUER.
- Charmer des serpents : FASCINER.

CHARPENTE 361
- La charpente d'une maison : ARMATURE, BÂTI.
- La charpente du corps humain : CARCASSE, OSSATURE, SQUELETTE.
- La charpente d'une œuvre littéraire : STRUCTURE.

CHARRIER 362
- Nous avons charrié des cailloux toute la journée : CHARROYER, TRANSPORTER.
- La rivière en crue charrie des troncs d'arbres : EMPORTER, ENTRAÎNER.
- *Très fam. :* charrier quelqu'un : BLAGUER, PLAISANTER, RAILLER, SE GAUSSER DE, SE MOQUER DE, *et sous la forme intransitive :* EXAGÉRER.

CHASSER 363
1. *v. tr.*
- Chasser quelqu'un de la place, de l'endroit où il est : CONGÉDIER, DÉLOGER, ÉCONDUIRE, EXCLURE, EXPULSER, REFOULER, RENVOYER.
- Le vent qui se lève va chasser les nuages : DISPERSER, ÉCARTER, POUSSER.
- Un courant d'air suffira pour chasser cette mauvaise odeur : DISSIPER, FAIRE DISPARAÎTRE, FAIRE PARTIR, SUPPRIMER.

2. *v. intr.*
- Les roues de l'auto ont chassé sur le verglas : DÉRAPER, GLISSER.

CHASTE 364
- Il a été très chaste pendant sa jeunesse : CONTINENT, PUR, SAGE, VERTUEUX.
- Elle porte une robe très chaste : DÉCENT, MODESTE, PUDIQUE.
- Il ne faut pas blesser les chastes oreilles : CANDIDE, INGÉNU, INNOCENT.

CHÂTEAU 365
GENTILHOMMIÈRE, MANOIR, PALAIS.

CHÂTIER 366
- Quelqu'un : PUNIR, RÉPRIMER.
- Son style : CORRIGER, ÉPURER, PERFECTIONNER, POLIR, RETOUCHER.

CHATOUILLER 367
- Chatouiller quelqu'un : CARESSER, TITILLER.
- J'ai chatouillé son orgueil : FLATTER.
- Cela me chatouille dans le bras : DÉMANGER, PICOTER.

CHATOUILLEUX
Être très chatouilleux sur son honneur : IRRITABLE, SUSCEPTIBLE.

CHAUD 368
- De l'eau chaude : BOUILLANT, BRÛLANT.
- Un été très chaud : TORRIDE.
- Un chaud partisan de ce projet : ARDENT, CHALEUREUX, ENTHOUSIASTE, FERVENT, PASSIONNÉ.
- La lutte a été chaude : ACHARNÉ, ÂPRE, DUR, FAROUCHE, SÉVÈRE, VIF, VIOLENT.

CHAUFFER
1. *v. tr.*
- Chauffer de l'eau : FAIRE BOUILLIR.
- Chauffer des aliments : CUIRE, GRILLER.
- *Fam. :* Chauffer un public : EXCITER.
- *Fam. :* Chauffer un candidat : ENCOURAGER, STIMULER.

2. *v. intr.*
- Le soleil chauffe très fort aujourd'hui : BRÛLER, TAPER.
- *Fam. :* Cela va chauffer : BARDER, S'ENVENIMER.

CHAUSSÉE 369
- Il faut marcher sur les trottoirs et non sur la chaussée : ROUTE, RUE.
- Pour traverser ce marécage, on a élevé une chaussée : DIGUE, LEVÉE, REMBLAI.

CHAUSSER 370
- Chausser ses souliers : ENFILER, METTRE.
- Chausser ses lunettes : AJUSTER, METTRE.
- Chausser le pied d'une plante : BUTTER.

CHAUSSON
BABOUCHE, MULE, PANTOUFLE, SAVATE.

CHAUSSURE
Suivant la nature et la forme : BOTTE, BOTTINE, BRODEQUIN, ESCARPIN, ESPADRILLE, MOCASSIN, SABOT, SANDALE, SOCQUE, SOULIER, *et en lang. pop. :* CROQUENOT, GODASSE, GODILLOT, PÉNICHE, POMPE.

CHAVIRER 371
1. *v. tr.*
- Chavirer quelque chose : BASCULER, RENVERSER.

• Cette nouvelle m'a chaviré : BOULEVERSER, RETOURNER, TROUBLER.

2. *v. intr.*
La barque a chaviré : SE RENVERSER, SE RETOURNER.

CHEF 372
• Un chef d'entreprise : DIRECTEUR, DIRIGEANT, MANAGEUR, PATRON, RESPONSABLE, *et en lang. pop. :* BOSS.
• Le chef d'un groupe : ANIMATEUR, GUIDE, LEADER, MENEUR, TÊTE.
• Le chef d'une bande de malfaiteurs : *pop. :* CAÏD.

CHEF-D'ŒUVRE 373
MERVEILLE, ŒUVRE D'ART, PRODIGE.

CHEMIN 374
• Un chemin à travers la forêt : ALLÉE, LAIE, LAYON, PISTE, SENTE, SENTIER, VOIE.
• Avoir un long chemin à parcourir : ITINÉRAIRE, PARCOURS, ROUTE, TRAJET.

CHEMINER
AVANCER, MARCHER, PROGRESSER.

CHENAL 375
CANAL, GRAU, PASSE.

CHEPTEL 376
BÉTAIL, BESTIAUX.

CHER 377
• *Avec idée d'affection pour autrui:* ADORÉ, AIMÉ, CHÉRI.
• *Avec idée d'attachement à une chose :* AGRÉABLE, ESTIMABLE, PRÉCIEUX.
• *Avec idée de prix élevé :* COÛTEUX, DISPENDIEUX, ONÉREUX.

CHÉRIR
• Chérir quelqu'un : ADORER, AFFECTIONNER, AIMER.
• Chérir quelque chose : APPRÉCIER, ESTIMER, PRISER, VÉNÉRER.

CHERCHER 378
• Je t'ai cherché dans la foule : RECHERCHER.
• Chercher en essayant de trouver quelque chose : EXPLORER, FOUILLER, FURETER, PROSPECTER, SCRUTER.
• Chercher à obtenir un bon résultat : ESSAYER DE, S'EFFORCER DE, S'ÉVERTUER À, S'INGÉNIER À, TÂCHER DE, TENDRE À, TENTER DE, VISER À.
• Viendra-t-il nous chercher à la gare avec sa voiture ? : PRENDRE.
• *Fam. :* Cela est faux, que va-t-elle chercher là ? : IMAGINER, INVENTER, SUPPOSER.
• *Pop. :* S'il me cherche, il me trouvera : PROVOQUER.

CHEVAL 379
BIDET, COURSIER, DESTRIER *(anc.)*, HARIDELLE, ROSSE, *en lang. enfantin :* DADA, *et en lang. pop. :* BOURRIN, CANASSON.
• BUCÉPHALE *était le cheval d'Alexandre,* ROSSINANTE *celui de don Quichotte, et dans la mythologie* PÉGASE *un cheval ailé aussi rapide que le vent.*

CHEVALIER
PALADIN, PREUX *(anc).*

CHEVAUCHER
• Chevaucher dans la campagne : ALLER À CHEVAL.
• Chevaucher un tronc d'arbre : ÊTRE À CALIFOURCHON SUR.
• Une maison qui chevauche sur la rue : DÉBORDER, EMPIÉTER, MORDRE.

CHEVELURE 380
Fam. : CRINIÈRE, PERRUQUE, TIFS, TIGNASSE, TOISON.

CHIC 381
1. *nom.*
• Elle a du chic : CARACTÈRE, DISTINCTION, ÉLÉGANCE.
• Il a le chic pour faire cela : ART, DEXTÉRITÉ, HABILETÉ, SAVOIR-FAIRE.

2. *adj.*
• C'est le club le plus chic de Paris : DISTINGUÉ, ÉLÉGANT, *et en lang. fam. :* BATH, CHOUETTE, ÉPATANT, FORMIDABLE.
• C'est un chic garçon : BON, BRAVE, GENTIL.

CHICANE 382
Chercher chicane à quelqu'un : CONTESTATION, DISPUTE, QUERELLE, TRACASSERIE, *et en lang. fam. :* BISBILLE.

CHICANER
CONTESTER, DISCUTER, ERGOTER, POINTILLER, VÉTILLER, *et en lang. fam. :* CHIPOTER.

SE CHICANER
SE CHAMAILLER, SE DISPUTER, SE TAQUINER.

CHICHE 383
• Une personne chiche : AVARE, LADRE, MESQUIN, PARCIMONIEUX, REGARDANT, *et en lang. fam. :* PINGRE, RADIN.
• Une végétation chiche : MAIGRE, MINCE, PAUVRE.

CHIEN 384
1. *Suivant la race :* BASSET, BERGER, BOULEDOGUE, BOUVIER, BOXER, BRAQUE, CANICHE, CARLIN, COCKER, COLLEY, DALMATIEN, DANOIS, DOGUE, ÉPAGNEUL, GRIFFON, LÉVRIER, MÂTIN, MOLOSSE, RATIER, ROQUET, SAINT-BERNARD, SETTER, TECKEL, TERRE-NEUVE...
• *En lang. enfantin :* TOUTOU.

- *En lang. fam. :* CABOT, CLÉBARD, CLEBS.
- *Dans la mythologie,* CERBÈRE *était un chien à trois têtes, gardien de l'entrée des enfers.*

2. *Fam. :* Être chien avec quelqu'un : AVARE.

- *Fam. :* Elle a du chien : ATTRAIT, CHARME.
- Mener une vie « de chien » : DIFFICILE, MISÉRABLE.
- Faire un temps « de chien » : ÉPOUVANTABLE, MAUVAIS.

CHIFFONNER 385

- Chiffonner quelque chose : BOUCHONNER, FRIPER, FROISSER.
- Ton attitude me chiffonne : CHAGRINER, CONTRARIER, EMBÊTER, ENNUYER, TRACASSER.

CHIFFRER 386

- Chiffrer des pages : FOLIOTER, NUMÉROTER, PAGINER.
- Chiffrer le coût des réparations : CALCULER, COMPTER.

CHIMÈRE 387

Vivre dans la chimère : FANTASME, ILLUSION, IMAGINATION, RÊVE, SONGE, UTOPIE, VISION.

CHIMÉRIQUE

- Des projets chimériques : FABULEUX, ILLUSOIRE, IMAGINAIRE, IMPOSSIBLE, IRRÉALISABLE, UTOPIQUE, VAIN.
- Un homme chimérique : RÊVEUR, UTOPISTE, VISIONNAIRE.

CHIQUÉ 388

Fam. : Faire du chiqué : AFFECTATION, BLUFF, CINÉMA, ESBROUFE.

CHLOROFORMER 389

ANESTHÉSIER, ENDORMIR, ENGOURDIR.

CHOC 390

- Un choc entre voitures : CARAMBOLAGE, COLLISION, HEURT, PERCUSSION, TAMPONNEMENT.
- Un choc entre troupes : BATAILLE, COMBAT, LUTTE, MÊLÉE, RENCONTRE.
- Un choc d'idées : ANTAGONISME, CONFLIT, OPPOSITION.
- Un choc moral, nerveux, psychique : COMMOTION, ÉBRANLEMENT, SECOUSSE.

CHOQUER

- Choquer un obstacle : HEURTER.
- Son attitude me choque : DÉPLAIRE, INDIGNER, OFFENSER, OFFUSQUER, SCANDALISER, ULCÉRER.

CHOISIR 391

ADOPTER, DÉSIGNER, ÉLIRE, OPTER POUR, PRÉFÉRER, RETENIR, SE DÉCIDER POUR, SÉLECTIONNER, SE PRONONCER POUR.

CHOIX

- *S'il s'agit de l'action de choisir :* ADOPTION, ÉLECTION.
- *S'il s'agit de la possibilité de choisir :* ALTERNATIVE, DILEMME, OPTION.
- *S'il s'agit d'un ensemble de choses choisies :* ASSORTIMENT, COLLECTION, SÉLECTION.
- Un choix de poèmes : ANTHOLOGIE, FLORILÈGE, RECUEIL.

CHOSE 392

1. Regarder les choses en face : FAIT, RÉALITÉ.

- Expliquez-moi comment la chose s'est passée : AFFAIRE, ÉVÉNEMENT.
- Il répète toujours la même chose : PAROLE, PROPOS.
- Avoir beaucoup de choses dans ses poches : OBJET.
- Une chose dont on ignore le nom : *Fam.* BIDULE, MACHIN, TRUC.

2. Aujourd'hui, il est tout chose : PENSIF, RÊVEUR, SOUCIEUX, TRISTE.

- Aujourd'hui, je me sens tout chose : BIZARRE, MALADE, SOUFFRANT.

CHUCHOTER 393

On chuchote que... : MURMURER, SUSURRER.

CHUTE 394

1. Elle a fait une chute dans l'escalier : GLISSADE, *et en lang. fam. :* BÛCHE, CULBUTE, DÉGRINGOLADE.

- La chute d'un gouvernement : RENVERSEMENT.
- La chute d'un régime politique : ÉCROULEMENT, RUINE.
- La chute d'un homme politique : DÉFAITE, ÉCHEC, FAILLITE.
- Une chute de pierres : AVALANCHE.
- Une chute de sable : ÉBOULEMENT.
- Une chute d'eau sur un fleuve : CASCADE, CATARACTE, SAUT.
- La chute du jour : TOMBÉE.
- La chute de la monnaie : BAISSE, DÉPRÉCIATION, DÉVALUATION.

2. Les chutes d'un tissu : DÉCHET.

- Les chutes d'un métal : ROGNURE.

CICATRICE 395

Il lui reste une cicatrice : BALAFRE, MARQUE, STIGMATE, TRACE.

CICATRISER

Elle a cicatrisé ma peine : ADOUCIR, APAISER, CALMER, GUÉRIR.

CIME 396

À la cime d'un arbre : FAÎTE, POINTE, SOMMET, TÊTE.

CIMETIÈRE 397

Selon la nature et la destination du cimetière : CATACOMBES, COLUMBARIUM, CRYPTE, NÉCROPOLE, OSSUAIRE.

CINGLER 398

1. *v. tr.*
- Cingler quelqu'un avec un objet flexible : CRAVACHER, FLAGELLER.
- Le vent cingle le visage : FOUETTER.

2. *v. intr.*
Le voilier cingle vers la haute mer : FAIRE ROUTE, NAVIGUER, VOGUER.

CINTRE 399
- Le cintre d'une nef d'église : VOÛTE.
- Mettre son chapeau sur un cintre : PATÈRE, PORTEMANTEAU.

CIRCONSCRIRE 400
- Un espace : BORNER, DÉLIMITER.
- Un sujet, une question : CERNER, LIMITER.
- Un incendie : ARRÊTER, ENRAYER, LOCALISER, STOPPER.

CIRCONSPECTION 401

Agir avec circonspection : DISCRÉTION, PRÉCAUTION, PRUDENCE, RETENUE, SAGESSE.

CIRCUIT 402

Selon la nature du circuit : CROISIÈRE, ITINÉRAIRE, PARCOURS, PÉRIPLE, RANDONNÉE, TOUR, TOURNÉE.

CIRCULATION 403
- La circulation des voitures : MOUVEMENT, TRAFIC.
- La circulation des marchandises : COMMERCE, ÉCHANGE.
- La circulation des idées : PROPAGATION, TRANSMISSION.

CIRCULER
- Une personne qui circule : SE DÉPLACER, SE PROMENER.
- Un bruit qui circule : COURIR, SE PROPAGER, SE RÉPANDRE.

CITER 404
- Des exemples, des noms : DONNER, ÉNUMÉRER.
- Les paroles de quelqu'un : MENTIONNER, PRODUIRE, RAPPELER, RAPPORTER.
- L'auteur d'un fait remarquable, d'un exploit : NOMMER, SIGNALER.
- Quelqu'un en justice : ASSIGNER, CONVOQUER.

CIVILITÉ 405
- Faire preuve de civilité : AFFABILITÉ, COURTOISIE, POLITESSE, SAVOIR-VIVRE, URBANITÉ.
- Présenter ses civilités à quelqu'un : COMPLIMENTS, DEVOIRS, HOMMAGES, RESPECTS, SALUTATIONS.

CLAIR 406

1. Un ciel clair, un temps clair : PUR, SEREIN.
- Un appartement clair : ÉCLAIRÉ, ENSOLEILLÉ, LUMINEUX.
- Une flamme claire : BRILLANT, ÉCLATANT, VIF.
- Une eau claire : LIMPIDE, PUR, TRANSPARENT.
- Un son clair, une voix claire : ARGENTIN, DISTINCT, NET.
- Un regard clair : DROIT, FRANC, PUR.
- Un teint clair : BLOND, FRAIS, ROSE.
- Une végétation claire : CLAIRSEMÉ, RARE.
- Un bouillon clair, une sauce claire : FLUIDE, LÉGER.

2. Parler en termes clairs : COMPRÉHENSIBLE, EXPLICITE, INTELLIGIBLE, NET, PRÉCIS, SIMPLE.
- Avoir l'esprit clair : CLAIRVOYANT, LUCIDE, PERSPICACE.
- La conclusion est claire pour tout le monde : CERTAIN, ÉVIDENT, MANIFESTE, NET, SÛR.

CLARIFIER
- Un liquide : DÉCANTER, ÉPURER, FILTRER, PURIFIER.
- Une situation : ÉCLAIRCIR.
- Un problème : ÉLUCIDER.

CLARTÉ
- La clarté du jour : LUMIÈRE, LUMINOSITÉ.
- La clarté de l'eau : LIMPIDITÉ, TRANSPARENCE.
- La clarté du teint : ÉCLAT, PURETÉ.
- La clarté des idées : ÉVIDENCE, NETTETÉ, PRÉCISION.

CLAIRONNER 407

Il claironne partout que... : CARILLONNER, PROCLAMER, PUBLIER, TROMPETER.

CLAIRVOYANCE 408

DISCERNEMENT, FINESSE, FLAIR, INTELLIGENCE, LUCIDITÉ, PERSPICACITÉ, SAGACITÉ.

CLAIRVOYANT

AVISÉ, FIN, INTELLIGENT, LUCIDE, PERSPICACE, SAGACE.

CLASSE 409
- Les classes sociales : CATÉGORIE, GROUPE.
- *Fam. :* cette jeune fille a de la classe : DISTINCTION, ÉLÉGANCE, VALEUR.

CLASSER
- Des objets, des papiers : ARRANGER, ORDONNER, RANGER, SÉRIER, TRIER.
- Une personne dans telle ou telle catégorie : CATALOGUER, ÉTIQUETER.

CLAUSE 410
CONDITION, CONVENTION, DISPOSITION, MODALITÉ, STIPULATION.

CLÉMENCE 411
BIENVEILLANCE, BONTÉ, INDULGENCE, MANSUÉTUDE, MISÉRICORDE.

CLÉMENT
- Une personne clémente : BIENVEILLANT, GÉNÉREUX, INDULGENT, MAGNANIME, MISÉRICORDIEUX.
- Un temps clément : AGRÉABLE, DOUX.

CLICHÉ 412
Un discours plein de clichés : BANALITÉ, LIEU COMMUN, PONCIF, STÉRÉOTYPE.

CLIENT 413
- Les clients d'un magasin : ACHETEUR, CONSOMMATEUR, FIDÈLE, HABITUÉ.
- Les clients d'un médecin : MALADE, PATIENT.
- *Fam. :* c'est un drôle de client ! : INDIVIDU, TYPE.

CLIMAT 414
Vivre dans un excellent climat moral : AMBIANCE, ATMOSPHÈRE, MILIEU.

CLOAQUE 415
BOURBIER, ÉGOUT, SENTINE.

CLOCHE 416
1. Une « grosse cloche » : BOURDON.
- Une « petite cloche » : CLARINE, CLOCHETTE, GRELOT, SONNAILLE, SONNETTE, TIMBRE.

2. *Pop. :* Quelle cloche ! : INCAPABLE, SOT, STUPIDE.

CLORE 417
- Un lieu, une propriété : BARRICADER, CLÔTURER, ENCLORE, FERMER.
- Une discussion, une séance : ACHEVER, ARRÊTER, CONCLURE, FINIR, TERMINER.

CLÔTURE
- La clôture d'un jardin : BARRIÈRE, GRILLAGE, HAIE, PALISSADE, TREILLAGE, TREILLIS.
- La clôture d'un débat : CONCLUSION, FIN.

CLOWN 418
AUGUSTE, BOUFFON, GUIGNOL, PAILLASSE, PITRE, POLICHINELLE.

COALITION 419
ALLIANCE, ASSOCIATION, BLOC, CONFÉDÉRATION, ENTENTE, FRONT, LIGUE.

COCASSE 420
AMUSANT, BOUFFON, BURLESQUE, COMIQUE, DRÔLE, RISIBLE.

CŒUR 421
- Une maison située au cœur d'un bourg : CENTRE, MILIEU.
- Montrer du cœur : AUDACE, BRAVOURE, ÉNERGIE, ENTHOUSIASME, ENTRAIN, VAILLANCE.
- Le cœur d'une mère : AFFECTION, AMOUR, TENDRESSE.

COHÉRENCE 422
La cohérence des diverses parties d'un discours : HARMONIE, LOGIQUE.

COHÉSION 423
La cohésion qui règne dans une équipe : AFFINITÉ, HOMOGÉNÉITÉ, SOLIDARITÉ, UNITÉ.

COIFFER 424
- Coiffer un enfant : PEIGNER, *et aussi* COUVRIR SA TÊTE.
- La neige coiffe les toits : COURONNER, RECOUVRIR.
- Un cadre supérieur qui coiffe plusieurs services : CHAPEAUTER, SUPERVISER.

SE COIFFER
- Se coiffer avant de sortir : SE PEIGNER, *et aussi* SE COUVRIR LA TÊTE.
- *Fam. :* Se coiffer de quelqu'un : S'AMOURACHER, S'ENTICHER, SE TOQUER.

COIFFURE
Une coiffure peut être : BONNET, BÉRET, CALOT, CASQUE, CASQUETTE, CHAPEAU, COIFFE, PERRUQUE, TOQUE, TURBAN.

COIN 425
- Dans un coin de mur : ENCOIGNURE, RECOIN.
- Au coin de la rue : CROISEMENT.
- Le coin des lèvres : COMMISSURE.
- Les commerçants du coin : QUARTIER, SECTEUR.
- Se retirer dans un coin tranquille : ENDROIT, LOCALITÉ, *et en lang. fam. :* PATELIN.

COÏNCIDENCE 426
Se rencontrer par coïncidence : CONCOURS DE CIRCONSTANCES, HASARD.

COL 427
En langue des géographes : BRÈCHE, DÉFILÉ, GORGE, PAS, PORT.

COLÈRE 428
COURROUX, EMPORTEMENT, EXASPÉRATION, FUREUR, IRRITATION, RAGE, *et en lang. fam. :* ROGNE.

COLÉREUX
COLÉRIQUE, EMPORTÉ, IRASCIBLE, IRRITABLE.

COLLABORATEUR 429
ADJOINT, AIDE, ASSISTANT, ASSOCIÉ.

COLLABORER
COOPÉRER À, PARTICIPER À, TRAVAILLER AVEC.

COLLANT 430
- Une matière collante : ADHÉSIF, GLUANT, VISQUEUX.
- Un vêtement collant : AJUSTÉ, MOULANT, SERRÉ.
- *Fam. :* Un individu collant : ASSOMMANT, CASSE-PIEDS, CRAMPON, ENNUYEUX, IMPORTUN.

COLLER
1. *v. tr.*
- Coller une affiche sur un mur : FIXER.
- Coller sa joue contre la vitre : APPUYER, METTRE, PLACER, PLAQUER.
- *Fam. :* Coller une gifle à quelqu'un : DONNER, ENVOYER, FLANQUER.
- *Fam. :* Coller un élève insupportable : CONSIGNER, PUNIR.
- *Fam. :* Coller un candidat : AJOURNER, REFUSER.

2. *v. intr.*
- Le riz a collé au fond de la casserole : ADHÉRER, S'ATTACHER À.
- *Pop. :* Ça colle ! : ALLER, CONVENIR.

COLLECTE 431
QUÊTE, RAMASSAGE.

COLLET 432
1. Le collet d'un habit : COL, COLLERETTE, ENCOLURE.
2. Poser des collets : LACET, LACS, PIÈGE.

COLLINE 433
BUTTE, ÉLÉVATION, ÉMINENCE, HAUTEUR, MAMELON, MONTICULE, TERTRE.

COLLISION 434
- Une collision entre deux véhicules : CHOC, HEURT, TAMPONNEMENT, TÉLESCOPAGE.
- Une collision entre deux groupes d'individus : BAGARRE, ÉCHAUFFOURÉE.

COLLOQUE 435
CONFÉRENCE, DÉBAT, SÉMINAIRE, SYMPOSIUM.

COLLUSION 436
COMPLICITÉ, CONNIVENCE.

COLONNE 437
1. Les colonnes d'un édifice : CONTREFORT, PILASTRE, PILIER, SUPPORT.
- La colonne vertébrale : ÉCHINE, ÉPINE DORSALE.

2. Une colonne d'individus : COHORTE, CORTÈGE, FILE.

COLORER 438
- COLORIER, PEINDRE, TEINDRE, TEINTER.
- Colorer la vérité : EMBELLIR, ORNER.

COLOSSAL 439
DÉMESURÉ, ÉNORME, EXTRAORDINAIRE, FORMIDABLE, GIGANTESQUE, GRANDIOSE, HERCULÉEN, IMMENSE, MONUMENTAL, TITANESQUE.

COLOSSE
GÉANT, HERCULE.

COLPORTER 440
Colporter une nouvelle : DIVULGUER, ÉBRUITER, PROPAGER, PUBLIER, RAPPORTER, RÉPANDRE.

COMBAT 441
- *Suivant son importance et sa nature, un combat peut être :* ACCROCHAGE, BATAILLE, CHOC, ÉCHAUFFOURÉE, ENGAGEMENT, ESCARMOUCHE, MÊLÉE, RENCONTRE.
- Un combat de boxe : MATCH.
- Le combat contre la vie chère : GUERRE, LUTTE.

COMBATIF
ACCROCHEUR, AGRESSIF, BAGARREUR, BATAILLEUR, BELLIQUEUX, PUGNACE.

COMBATIVITÉ
AGRESSIVITÉ, MORDANT, PUGNACITÉ.

COMBATTRE
1. *v. tr.*
- Combattre un ennemi : LUTTER CONTRE, SE BATTRE CONTRE.
- Combattre une opinion : ATTAQUER, CONTREDIRE, RÉFUTER, SE DRESSER CONTRE, S'ÉLEVER CONTRE.

2. *v. intr.* Combattre pour une cause : LUTTER, SE BATTRE.

COMBINAISON 442
1. La combinaison de plusieurs choses entre elles : ALLIANCE, AMALGAME, ARRANGEMENT, ASSEMBLAGE, MÉLANGE, RÉUNION.
- Chercher une combinaison pour sortir d'une difficulté : MACHINATION, MANŒUVRE, STRATAGÈME, *et en lang. fam. :* COMBINE, MANIGANCE, SYSTÈME, TRUC.

2. Mettre une combinaison de travail : BLEU, COTTE, SALOPETTE.

COMBINER
- Combiner des choses entre elles : ALLIER, ARRANGER, ASSEMBLER, ASSOCIER, ASSORTIR, HARMONISER, MARIER, MÉLANGER, MÊLER, RÉUNIR, UNIR.
- Il a combiné un long voyage : ARRANGER, CONCEVOIR, ORGANISER, PRÉPARER.
- Il combine encore un mauvais coup : MACHINER, OURDIR, TRAMER, *et en lang. fam. :* MANIGANCER.

COMBLE 443

1. *nom.*
Être au comble de... : APOGÉE, FAÎTE, MAXIMUM, SOMMET, SUMMUM, ZÉNITH.
2. *adj.*
Le train était comble : BONDÉ, BOURRÉ, COMPLET, PLEIN.

COMBLER

- Combler un creux : BOUCHER, REMBLAYER, REMPLIR.
- Combler les vœux de quelqu'un : CONTENTER, EXAUCER, SATISFAIRE.

COMÉDIE 444

- Une comédie de boulevard : FARCE, VAUDEVILLE.
- Son attitude innocente, c'est de la comédie : BLUFF, HYPOCRISIE, MENSONGE, *et en lang. fam. :* FRIME.
- Quelle comédie nous avons eue pour dix minutes de retard ! : HISTOIRE, SCÈNE, SÉRÉNADE.
- Elle fait des comédies pour tout : CAPRICE, MANIÈRE, SIMAGRÉE, *et en lang. fam. :* CHICHI.

COMMANDEMENT 445

- Exercer le commandement : AUTORITÉ, DIRECTION, POUVOIR.
- Obéir à un commandement : INJONCTION, ORDRE, PRESCRIPTION, SOMMATION.
- Suivre les commandements de la morale : LOI, PRÉCEPTE, RÈGLE.

COMMANDER

- Commander à quelqu'un de faire quelque chose : ENJOINDRE, IMPOSER, ORDONNER, PRESCRIRE, SOMMER.
- Commander une troupe : CONDUIRE, DIRIGER, GUIDER, MENER.
- Commander un plat au restaurant : DEMANDER.
- Commander à ses instincts, à ses passions : DOMINER, GOUVERNER, MAÎTRISER, RÉPRIMER.
- La situation économique commande l'emploi des mesures énergiques : APPELER, DEMANDER, EXIGER, IMPOSER, NÉCESSITER, RÉCLAMER, REQUÉRIR.

COMME 446

- *Suivi d'un verbe :* AINSI QUE, AUTANT QUE, DE MÊME QUE, LORSQUE, PARCE QUE, PUISQUE.
- *Suivi d'un nom :* EN QUALITÉ DE, EN TANT QUE.

COMMENCEMENT 447

- Du monde : CRÉATION, DÉBUT, ORIGINE.
- De la vie : NAISSANCE.
- Du jour : AUBE, AURORE, MATIN.
- D'une saison : APPARITION, ARRIVÉE.
- D'un discours : EXORDE, PRÉAMBULE.
- D'un chapitre : DÉBUT, TÊTE.
- De la guerre, des hostilités : DÉCLENCHEMENT, OUVERTURE.
- D'un bois, d'une forêt : LISIÈRE, ORÉE.
- D'une rue : ENTRÉE.

COMMENCER

1. *v. tr.*
- Commencer une action, un travail, une opération, etc. : AMORCER, ATTAQUER, ÉBAUCHER, ENTAMER, ENTREPRENDRE, INAUGURER, LANCER.
- Commencer un débat, une discussion : ENGAGER, OUVRIR.
- Commencer des hostilités : DÉCLENCHER.

2. *v. intr.*
Quelque chose commence : DÉBUTER, NAÎTRE, PARTIR, S'AMORCER, SE DÉCLENCHER, S'ENGAGER, S'OUVRIR.

COMMENTAIRE 448

- Un commentaire en marge d'un texte : ANNOTATION, NOTE.
- Je voudrais apporter un commentaire à votre exposé : EXPLICATION, OBSERVATION, REMARQUE.
- *Avec un sens péjoratif :* Faire des commentaires : BAVARDAGE, COMMÉRAGE, RACONTAR.

COMMENTER

EXPLIQUER, INTERPRÉTER, PARAPHRASER.

COMMERÇANT 449

- *Suivant la nature et l'importance de l'emploi, un commerçant peut être :* BOUTIQUIER, DÉBITANT, DÉTAILLANT, FOURNISSEUR, GROSSISTE, MARCHAND, MAREYEUR, NÉGOCIANT.
- Un « commerçant malhonnête » : MARGOULIN, MERCANTI, TRAFIQUANT.

COMMERCE

- Le commerce des marchandises : ACHAT, ÉCHANGE, NÉGOCE, TRAFIC, VENTE.
- *En lang. littéraire :* Alceste veut fuir le commerce des hommes : FRÉQUENTATIONS, RELATIONS.

COMMETTRE 450

1. Commettre une erreur, une injustice, etc. : FAIRE.
- Commettre un crime : PERPÉTRER.

2. Commettre un rapporteur, un avocat : DÉSIGNER, NOMMER.
- Commettre une affaire aux soins de quelqu'un : CONFIER.

COMMISSION 451

- Travailler à la commission : POURCENTAGE, PRIME.
- Faire ses commissions : COURSES, EMPLETTES.

- Avoir une commission à faire à quelqu'un : COMMUNICATION, MESSAGE.
- Créer une commission d'étude : COMITÉ, GROUPE DE TRAVAIL.
- Réunir une commission d'examen : JURY.

COMMODE 452

1. *adj.*
- Une chose commode : AISÉ, FACILE, PRATIQUE, SIMPLE.
- Une personne commode : ACCOMMODANT, COMPLAISANT, INDULGENT.

2. *nom.*
Ranger du linge dans une commode : ARMOIRE, CHIFFONNIER.

COMMOTION 453

CHOC, ÉBRANLEMENT, SECOUSSE, TRAUMATISME.

COMMUN 454

1. *adj.*
- L'opinion commune : GÉNÉRAL, PUBLIC, UNIVERSEL.
- Faire œuvre commune : COLLECTIF.
- Avoir des goûts communs : COMPARABLE, IDENTIQUE, SEMBLABLE.
- Devenir d'un usage commun : BANAL, COURANT, FRÉQUENT, HABITUEL, ORDINAIRE, RÉPANDU, USUEL.
- Employer un parfum commun : INFÉRIEUR, MÉDIOCRE, QUELCONQUE.
- Avoir des manières communes : GROSSIER, TRIVIAL, VULGAIRE.

2. *nom*
- Le commun des hommes : MAJORITÉ.
- Les communs d'un château : ANNEXES, DÉPENDANCES.

COMMUNAUTÉ
- Une communauté de goûts, d'idées : AFFINITÉ, IDENTITÉ, SIMILITUDE, UNITÉ.
- Une communauté de personnes : ASSOCIATION, COLLECTIVITÉ, CONFRÉRIE, CORPORATION, GROUPE, SOCIÉTÉ.
- Une communauté de religieux ou religieuses : CONGRÉGATION, ORDRE.

COMMUNICATION 455
- Une communication orale ou écrite : ANNONCE, AVIS, COMMUNIQUÉ, DÉCLARATION, MESSAGE, NOTE, NOUVELLE, RENSEIGNEMENT.
- La communication d'une note de service : TRANSMISSION.
- Entrer en communication avec quelqu'un : CORRESPONDANCE, LIAISON, RAPPORT, RELATION.

COMMUNIQUER

1. *v. tr.*
- Communiquer une information : DIRE, DONNER, PUBLIER, TRANSMETTRE.
- Communiquer un document, un livre : PRÊTER.
- C'est un secret que je ne communiquerai à personne : CONFIER, DÉVOILER, DIVULGUER, LIVRER, RÉVÉLER.

2. *v. intr.*
- Ils ont pu communiquer : CORRESPONDRE, S'ÉCRIRE, SE TÉLÉPHONER.
- Ces deux pièces communiquent par un corridor : ÊTRE RELIÉ.

SE COMMUNIQUER
- Elles se sont communiqué des renseignements : ÉCHANGER.
- L'incendie s'est communiqué aux fermes voisines : SE PROPAGER, SE RÉPANDRE, SE TRANSMETTRE.

COMPACT 456

Un nuage compact de sauterelles : DENSE, ÉPAIS, SERRÉ.

COMPARAISON 457

1. Une comparaison entre deux textes : COLLATIONNEMENT, CONFRONTATION, RAPPROCHEMENT, RECENSION.
2. Un discours rempli de comparaisons : IMAGE, MÉTAPHORE.
3. Mettre en comparaison : EN PARALLÈLE.

- En comparaison de... : PAR RAPPORT À, EN REGARD DE, RELATIVEMENT À, VIS-À-VIS DE.

COMPARER : CONFRONTER, RAPPROCHER.

COMPASSION 458

Faire preuve de compassion : APITOIEMENT, MISÉRICORDE, PITIÉ.

COMPATIR

Compatir à la douleur de quelqu'un : PARTAGER, S'APITOYER SUR, S'ATTENDRIR SUR.

COMPATISSANT

Une personne compatissante : BON, CHARITABLE, HUMAIN, SENSIBLE.

COMPENSATION 459
- Recevoir une compensation : DÉDOMMAGEMENT, INDEMNITÉ, RÉPARATION.
- En compensation : EN CONTREPARTIE, EN ÉCHANGE, EN REVANCHE.

COMPENSER

CONTREBALANCER, CORRIGER, ÉQUILIBRER, PONDÉRER, RACHETER, RÉPARER.

COMPÉTENCE 460
- Cela n'est pas de sa compétence : AUTORITÉ, POUVOIR, RESSORT.
- Elle a la compétence pour... : APTITUDE, CAPACITÉ, QUALIFICATION, SAVOIR, SCIENCE.

COMPÉTENT

APTE, CAPABLE, EXPERT, QUALIFIÉ.

COMPÉTITION 461
- Entrer en compétition avec quelqu'un : CONCURRENCE, RIVALITÉ.
- *En langage sportif, une compétition peut être :* CHALLENGE, CHAMPIONNAT, CONCOURS, COUPE, COURSE, CRITÉRIUM, ÉPREUVE, MATCH, RENCONTRE, TOURNOI.

COMPLAISANCE 462
- Montrer de la complaisance : AMABILITÉ, BIENVEILLANCE, BONTÉ, OBLIGEANCE, PRÉVENANCE, SERVIABILITÉ.
- Regarder avec complaisance : CONTENTEMENT, PLAISIR, SATISFACTION.

COMPLAISANT
- Être complaisant : AIMABLE, ATTENTIONNÉ, BIENVEILLANT, CHARITABLE, EMPRESSÉ, GENTIL, OBLIGEANT, PRÉVENANT, SERVIABLE.
- Un chef trop complaisant : ARRANGEANT, INDULGENT, *et en lang. fam. :* COULANT.
- Regarder d'un œil complaisant : CONTENT, SATISFAIT.

COMPLET 463
- Une journée complète : ENTIER, TOTAL.
- Un silence complet : ABSOLU, PARFAIT, PROFOND.
- Un train complet : BONDÉ, COMBLE, PLEIN, REMPLI.
- L'étude complète d'une question : EXHAUSTIF.
- *Fam. :* C'est un imbécile complet ! : ACCOMPLI, FIEFFÉ, INTÉGRAL, PUR.

COMPLÉTER
AUGMENTER, PARACHEVER, PARFAIRE, PERFECTIONNER, RAJOUTER.

COMPLICE 464
ACOLYTE, COMPARSE, COMPÈRE.

COMPLIMENT 465
CONGRATULATION, ÉLOGE, FÉLICITATION, LOUANGE.

COMPLIQUÉ 466
COMPLEXE, CONFUS, DIFFICILE, EMBROUILLÉ, OBSCUR.

COMPLIQUER
BROUILLER, EMBROUILLER, EMMÊLER, OBSCURCIR.

SE COMPLIQUER
- La maladie se complique : S'AGGRAVER.
- L'affaire se complique : SE CORSER.

COMPLOT 467
CONJURATION, CONSPIRATION, INTRIGUE, MACHINATION.

COMPLOTER
CONSPIRER, INTRIGUER, MACHINER, OURDIR, TRAMER, *et en lang. fam. :* MANIGANCER.

COMPORTEMENT 468
ALLURE, ATTITUDE, CONDUITE, MAINTIEN, MANIÈRE, TENUE.

COMPORTER
- Un appartement qui comporte quatre pièces : COMPRENDRE, SE COMPOSER DE.
- Un devoir qui comporte quelques erreurs : CONTENIR.
- L'émigration, avec ce que cela comporte d'ennuis et de souffrances : IMPLIQUER, INCLURE, RENFERMER.
- Il veut d'un pouvoir qui ne comporte aucune restriction : ADMETTRE, SOUFFRIR, SUPPORTER.

SE COMPORTER
- Une personne qui se comporte mal : AGIR, SE CONDUIRE, SE TENIR.
- Une voiture qui se comporte bien sur la route : FONCTIONNER, MARCHER.

COMPOSER 469

1. *v. tr.*
- Un bouquet : ARRANGER, CONFECTIONNER, DISPOSER.
- Un cocktail : FABRIQUER, PRÉPARER.
- Un numéro de téléphone : FAIRE, FORMER.
- Une grille de Loto : ÉTABLIR, FAIRE.
- Une équipe de football : CONSTITUER, FORMER.
- Un roman, une œuvre musicale : CRÉER, ÉCRIRE, PRODUIRE.
- Son visage, son maintien : ÉTUDIER.

2. *v. intr.*
Avec quelqu'un : NÉGOCIER, S'ACCOMMODER, S'ACCORDER, S'ENTENDRE, TRAITER, TRANSIGER.

COMPOSITION

1. *En pensant à l'action de composer :* AGENCEMENT, ARRANGEMENT, COMBINAISON, CONFECTION, ÉLABORATION, FABRICATION, FORMATION, PRÉPARATION.
- *Du point de vue du résultat de l'action :* CONSTITUTION, CONTEXTURE, DISPOSITION, ORGANISATION, STRUCTURE.
- Les élèves ont fini leur composition : DEVOIR, DISSERTATION, ÉPREUVE, EXERCICE, RÉDACTION.

2. Une personne de bonne composition : CARACTÈRE, TEMPÉRAMENT.
- Refuser toute composition dans un marché, dans un procès : ARRANGEMENT, COMPROMIS, CONCESSION, CONCILIATION, TRANSACTION.

COMPRÉHENSIBLE 470
- Est-ce que mon explication était compréhensible pour tous ? : ACCESSIBLE, CLAIR, INTELLIGIBLE.
- Son chagrin est bien compréhensible : EXPLICABLE, NATUREL, NORMAL.

• Est-il compréhensible qu'elle ne soit pas venue ? : CONCEVABLE, IMAGINABLE.

COMPRÉHENSIF

Une personne compréhensive : BIENVEILLANT, INDULGENT, LARGE D'IDÉES, TOLÉRANT.

COMPRÉHENSION

1. La compréhension d'un texte : CLARTÉ, INTELLIGENCE.
2. Elle a fait preuve de compréhension envers moi : BIENVEILLANCE, INDULGENCE, LARGEUR D'ESPRIT, TOLÉRANCE.

COMPRENDRE

1. Je n'ai pas compris le sens de ses paroles : PÉNÉTRER, SAISIR, *et en lang. fam. :* PIGER.
• Du fond de la salle, je ne comprenais pas ce qu'il disait : ENTENDRE.
• Je comprends son comportement dans cette affaire : ADMETTRE, APPROUVER.
• Je comprends vos difficultés : DEVINER, SENTIR, VOIR.
• Voilà comment je comprends la suite des événements : CONCEVOIR, IMAGINER, SE REPRÉSENTER.
2. Ce représentant de commerce ne comprend pas ses indemnités de repas dans ses revenus : AJOUTER, COMPTER, INCLURE, INCORPORER, INTÉGRER.
• Notre propriété, outre la maison, comprend plusieurs hectares de bois et de prairies : COMPTER, CONTENIR, ENGLOBER.

COMPTE 471

• L'hôtelière préparait les comptes de ses clients : ADDITION, FACTURE, NOTE.
• Le compte des frais à payer : DÉCOMPTE, RELEVÉ.
• Je calcule le compte de mes dépenses : MONTANT, TOTAL.
• Trouver son compte dans une affaire : AVANTAGE, BÉNÉFICE, INTÉRÊT.
• Demander des comptes à quelqu'un : EXPLICATION.
• Un « compte rendu » : EXPOSÉ, RAPPORT, RÉCIT, RELATION.

COMPTER

1. *v. tr.*
• CALCULER, CHIFFRER, DÉNOMBRER, ÉVALUER, INVENTORIER, RECENSER.
• Il compte de nombreux amis : AVOIR, POSSÉDER.
• Je le compte parmi mes amis : RANGER.
• Avez-vous compté le service dans l'addition ? : COMPRENDRE, FACTURER, INCLURE.
• Je compte tout le reste pour rien : CONSIDÉRER, ESTIMER, REGARDER COMME, TENIR POUR.
• Je compte partir demain : ENVISAGER DE, PENSER, PROJETER DE, SE PROPOSER DE, SONGER À.
• Je compte qu'elle viendra demain : ESPÉRER.
2. *v. intr.*
• Elle sait lire, écrire et compter : CALCULER.
• Il compte parmi les plus illustres savants : FAIRE PARTIE DE, FIGURER, SE RANGER.
• Il faut compter avec l'opinion : TENIR COMPTE DE.
• Je compte sur elle : AVOIR CONFIANCE EN, SE FIER À.
• Je compte sur votre discrétion : ESPÉRER, TABLER SUR.
• C'est le résultat qui compte : IMPORTER.
• À compter d'aujourd'hui : À DATER DE, À PARTIR DE.

COMPULSER 472

CONSULTER, EXAMINER, FEUILLETER.

CONCÉDER 473

• Concéder un privilège : ACCORDER, ALLOUER, CONSENTIR, OCTROYER.
• Je concède qu'elle avait raison : ADMETTRE, AVOUER, CONVENIR, RECONNAÎTRE.

CONCENTRATION 474

• Une concentration de troupes : RASSEMBLEMENT.
• La concentration de l'esprit : APPLICATION, ATTENTION, RECUEILLEMENT, RÉFLEXION, TENSION.

CONCENTRÉ

• Du lait concentré : CONDENSÉ.
• Un esprit concentré : ATTENTIF, RÉFLÉCHI.

CONCENTRER

• Concentrer des troupes : ACCUMULER, ASSEMBLER, GROUPER, RASSEMBLER, RÉUNIR.
• Concentrez vos efforts sur ce problème : CANALISER, DIRIGER.

SE CONCENTRER

• Les spectateurs se concentrent au sommet des côtes : SE RASSEMBLER.
• Un athlète qui se concentre : SE RECUEILLIR.
• Son attention se concentre sur ce fait : SE FIXER, *et en lang. fam. :* SE FOCALISER, SE POLARISER.

CONCERNER 475

Cela ne vous concerne pas : INTÉRESSER, REGARDER, S'APPLIQUER À, SE RAPPORTER À, TOUCHER, VISER.

CONCILIANT 476

• Une personne conciliante : ACCOMMODANT, ARRANGEANT, COMMODE, *et en lang. fam. :* COULANT.
• Une mesure conciliante : APAISANT.

CONCILIATION
ACCORD, ARBITRAGE, ARRANGEMENT, COMPROMIS, MÉDIATION, RAPPROCHEMENT.

CONCILIER
- Concilier deux personnes : METTRE D'ACCORD, RACCOMMODER, RÉCONCILIER.
- Concilier deux choses : HARMONISER, RÉUNIR.

SE CONCILIER
Il a su se concilier la bienveillance de son patron : GAGNER, OBTENIR, S'ATTIRER.

CONCIS 477
BREF, CONDENSÉ, COURT, DENSE, DÉPOUILLÉ, LACONIQUE, LAPIDAIRE, PRÉCIS, SOBRE, SUCCINCT.

CONCISION
BRIÈVETÉ, DENSITÉ, LACONISME, SOBRIÉTÉ.

CONCLURE 478
- Conclure un traité : SIGNER.
- Conclure une affaire : ARRÊTER, RÉGLER, RÉSOUDRE.
- Conclure un discours : ACHEVER, FINIR, TERMINER.
- J'en conclus que... : DÉDUIRE.

CONCLUSION
- La conclusion d'un conflit : ISSUE, FIN, TERME.
- La conclusion d'une affaire : RÈGLEMENT, SOLUTION.
- La conclusion d'une œuvre dramatique : DÉNOUEMENT, ÉPILOGUE.
- La conclusion d'un discours : PÉRORAISON.
- Les conclusions d'un syllogisme : CONSÉQUENCE, DÉDUCTION.
- Les conclusions que l'on peut tirer d'un événement, d'une lecture : ENSEIGNEMENT, LEÇON.

CONCORDANCE 479
ACCORD, AFFINITÉ, CONFORMITÉ, CORRESPONDANCE, HARMONIE, RESSEMBLANCE, SIMILITUDE, SYNCHRONISME.

CONCORDER
CADRER, COÏNCIDER, CORRESPONDRE, S'ACCORDER, S'HARMONISER.

CONCOURIR 480
- Concourir à une œuvre commune : AIDER, COLLABORER, COOPÉRER, PARTICIPER À.
- Concourir pour une place, pour un prix : ÊTRE EN CONCURRENCE.
- Deux droites qui concourent en un point : CONVERGER.

CONCOURS
- Apporter son concours : AIDE, APPUI, COLLABORATION, COOPÉRATION.
- Un « concours de circonstances » : COÏNCIDENCE, CONJONCTURE.
- Un grand concours de foule : AFFLUENCE, RASSEMBLEMENT.
- Participer à un concours : COMPÉTITION, EXAMEN, TOURNOI.

CONCURRENCE
Être en concurrence : COMPÉTITION, LUTTE, RIVALITÉ.

CONCURRENT
Un concurrent peut être un : CANDIDAT, PARTICIPANT, *mais aussi un :* ADVERSAIRE, RIVAL.

CONCURRENTIEL : COMPÉTITIF.

CONCRET 481
- Avoir l'esprit concret : PRATIQUE, RÉALISTE.
- Un avantage concret : MATÉRIEL, RÉEL, TANGIBLE.

CONCRÈTEMENT
PRATIQUEMENT.

CONCRÉTISER
MATÉRIALISER, RÉALISER.

CONDAMNATION 482
- Le tribunal lui a infligé une condamnation : PEINE, PUNITION, SANCTION.
- Il s'est lancé dans une sévère condamnation de la politique actuelle : ACCUSATION, BLÂME, CRITIQUE, RÉPROBATION.

CONDAMNER
- Condamner la conduite de quelqu'un : BLÂMER, CRITIQUER, DÉSAPPROUVER, FLÉTRIR, RÉPROUVER, STIGMATISER.
- Ce témoignage le condamne : ACCABLER.
- Une expression condamnée par Vaugelas : BANNIR, PROSCRIRE.
- La loi condamne l'inceste : INTERDIRE, PROHIBER.
- Je vais condamner cette ouverture : BARRER, BOUCHER, MURER, OBSTRUER.
- Le chômage l'a condamné à la misère : ACCULER, RÉDUIRE.
- Un malade condamné à garder la chambre : ASTREINDRE, CONTRAINDRE, FORCER, OBLIGER.
- Un malade condamné par les médecins : DÉCLARER INCURABLE.
- Un quartier insalubre condamné à la démolition : VOUER.

CONDESCENDRE 483
ACCEPTER DE, CONSENTIR À, SE PLIER À, SE PRÊTER À, *et avec un sens péjoratif :* DAIGNER, S'ABAISSER À.

CONDITION 484
- La condition sociale : CLASSE, RANG.

- La condition humaine : DESTINÉE, SORT.
- La condition d'un être, d'une chose : ÉTAT, NATURE, SITUATION.
- Les conditions d'un contrat : CLAUSE, CONVENTION, FORMALITÉ, STIPULATION.
- Les conditions d'un marché : PRIX, TARIF.

CONDITIONNER
- C'est le temps qui conditionnera mon départ ou non : COMMANDER, DÉTERMINER.
- Mon départ est conditionné par le temps : DÉPENDRE DE.
- Conditionner un produit pour la vente : EMBALLER, TRAITER.
- Nous sommes conditionnés par notre entourage : INFLUENCER.

CONDUIRE 485
1. Conduire une personne ou un être animé : ACCOMPAGNER, AMENER, DIRIGER, EMMENER, ESCORTER, GUIDER, MENER.
- Conduire une entreprise, un État : ADMINISTRER, COMMANDER, DIRIGER, GÉRER, GOUVERNER.
- Conduire un véhicule : PILOTER.
2. Ce chemin conduit au village : ABOUTIR À, ALLER À, MENER À.
- Cette décision arbitraire a conduit les ouvriers à la révolte : AMENER À, ENTRAÎNER À, POUSSER À.

SE CONDUIRE : AGIR, SE COMPORTER.

CONDUITE
1. La conduite d'une entreprise : ADMINISTRATION, COMMANDEMENT, DIRECTION, GOUVERNEMENT.
- La conduite d'un bateau, d'un avion : PILOTAGE.
- Sous la conduite d'un guide : AVEC L'ACCOMPAGNEMENT.
2. Sa conduite a été déplorable : AGISSEMENT, ATTITUDE, COMPORTEMENT, FAÇON DE FAIRE, TENUE.
3. Les conduites d'eau, de gaz : CANALISATION, COLLECTEUR, CONDUIT, TUBE, TUYAU, et pour le pétrole : OLÉODUC, PIPELINE.

CONFÉRER 486
1. *v. tr.* Conférer un grade, une décoration : ATTRIBUER, DÉCERNER, DÉFÉRER, OCTROYER.
2. *v. intr.* Conférer avec quelqu'un : CONVERSER, DIALOGUER, PARLER, S'ENTRETENIR.

CONFIANCE 487
- Avoir confiance : FOI.
- Faire confiance : CRÉDIT.
- Agir avec confiance : ASSURANCE.
- Parler en toute confiance : ABANDON, SÉCURITÉ.

CONFIDENCE
- Faire une confidence : AVEU, RÉVÉLATION.
- Être dans la confidence : SECRET.

CONFIER
- Confier les clefs de son appartement à un voisin : LAISSER, REMETTRE.
- Confier un secret : FAIRE PART DE, SOUFFLER À L'OREILLE.
- « Confier une mission » à quelqu'un : DÉLÉGUER, MANDATER.

SE CONFIER
S'ÉPANCHER, SE LIVRER, S'OUVRIR, *et en lang. pop. :* SE DÉBOUTONNER.

CONFIRMATION 488
ATTESTATION, CERTITUDE, ENTÉRINEMENT, HOMOLOGATION, PREUVE, RATIFICATION, VALIDATION, VÉRIFICATION.

CONFIRMER
1. Confirmer un fait, une nouvelle : ASSURER, CERTIFIER, CORROBORER, GARANTIR.
- Confirmer un document, une pièce : ENTÉRINER, HOMOLOGUER, LÉGALISER, RATIFIER, VALIDER.
- Cela me confirme dans mon idée : AFFERMIR, FORTIFIER, RENFORCER.
- Je puis vous confirmer que... : ATTESTER, DÉMONTRER, MONTRER, PROUVER.
2. *Fam. :* Si tu continues à crier, je vais te confirmer : GIFLER, SOUFFLETER.

SE CONFIRMER
Cela s'est confirmé : S'AVÉRER, SE VÉRIFIER.

CONFISQUER 489
ACCAPARER, ENLEVER, RAVIR, SAISIR, SOUSTRAIRE, VOLER.

CONFLIT 490
1. Un conflit entre pays : BATAILLE, COMBAT, GUERRE, LUTTE.
2. Un conflit d'intérêts entre personnes : ANTAGONISME, DÉSACCORD, DIFFÉREND, DISCORDE, DISSENSION, LITIGE, OPPOSITION.

CONFONDRE 491
1. Au confluent, les deux rivières confondent leurs eaux : AMALGAMER, MÉLANGER, MÊLER, RÉUNIR, UNIR.
- Confondre deux choses ou deux personnes entre elles : PRENDRE L'UNE POUR L'AUTRE, SE TROMPER.
2. Son attitude me confond : CONSTERNER, DÉCONCERTER, DÉMONTER, DÉPASSER, DÉROUTER, ÉTONNER, STUPÉFIER.
- Confondre un menteur : DÉMASQUER.
- Confondre un contradicteur : RÉDUIRE AU SILENCE.

SE CONFONDRE
1. Leurs cris se confondent : SE MÊLER.
2. Se confondre en remerciements : MULTIPLIER LES REMERCIEMENTS.

CONFORME 492
• Une signature conforme à l'original : ANALOGUE, IDENTIQUE, PAREIL, SEMBLABLE.
• Cela est conforme à mes souhaits : ADAPTÉ, AJUSTÉ, APPROPRIÉ, ASSORTI.

CONFORMER
ACCORDER, ADAPTER, AJUSTER, ALIGNER, APPROPRIER, ASSORTIR, MODULER.

SE CONFORMER
• Se conformer à un ordre, aux usages : OBÉIR, OBSERVER, RESPECTER, SE PLIER, SE SOUMETTRE, SUIVRE.
• Se conformer aux idées de quelqu'un : S'ALIGNER SUR.

CONFORMISTE
ORTHODOXE, TRADITIONALISTE.

CONFUS 493
1. Un assemblage confus de choses diverses : DÉSORDONNÉ, INDISTINCT.
• Des idées confuses, un style confus : COMPLIQUÉ, EMBROUILLÉ, NÉBULEUX, OBSCUR, VAGUE.
2. Être tout confus : EMBARRASSÉ, GÊNÉ, HONTEUX, PENAUD.
• Je suis confus de vous avoir déplu : DÉSOLÉ, ENNUYÉ, NAVRÉ.

CONFUSION
1. Nous sommes en pleine confusion : ANARCHIE, CHAOS, DÉSORDRE, PÉTAUDIÈRE.
• Que de confusion dans ses idées : COMPLICATION, INCOHÉRENCE, OBSCURITÉ.
2. Il y avait de la confusion dans son attitude : EMBARRAS, GÊNE, HONTE, TROUBLE.
3. Il y a confusion sur l'identité de cette personne : ERREUR, MÉPRISE, QUIPROQUO.

CONGÉDIER 494
• Congédier un importun, un trouble-fête : CHASSER, ÉCONDUIRE, *et en lang. fam. :* VIDER.
• Congédier un salarié : LICENCIER, LIMOGER, REMERCIER, RENVOYER, RÉVOQUER.

CONJECTURE 495
HYPOTHÈSE, PRÉSOMPTION, PRÉVISION, SUPPOSITION.

CONJONCTURE 496
CIRCONSTANCE, CONTEXTE, OCCASION, OCCURRENCE, SITUATION.

CONNAISSANCE 497
1. Les voies de la connaissance : COMPRÉHENSION, DISCERNEMENT, ENTENDEMENT, INTELLIGENCE.
• La somme de ses connaissances est immense : ACQUIS, ÉRUDITION, SAVOIR, SCIENCE.
• Avoir quelques connaissances sur... : CLARTÉ, LUMIÈRE, NOTION.
• Le blessé a-t-il toute sa connaissance ? LUCIDITÉ.
2. Cette personne est pour moi une connaissance : AMI, LIAISON, RELATION.

CONNAÎTRE
• Je connaissais déjà cette nouvelle : SAVOIR.
• Nous avons connu la faim, la misère, un dur hiver : ENDURER, ÉPROUVER, RESSENTIR.
• Je vous connaissais mal : APPRÉCIER, JUGER.
• Il ne connaît que son devoir : CONSIDÉRER, PENSER À, S'OCCUPER DE, SE PRÉOCCUPER DE, TENIR COMPTE DE.

SE CONNAÎTRE
Il s'y connaît en mécanique : S'ENTENDRE À.

CONQUÉRIR 498
• César a conquis la Gaule : ASSUJETTIR, DOMINER, S'EMPARER DE, SOUMETTRE, VAINCRE.
• Un orateur qui sait conquérir toutes les foules : CAPTIVER, CHARMER, ENCHANTER, ENVOÛTER, FASCINER, SÉDUIRE, SUBJUGUER.

CONSACRER 499
• Consacrer une église à la Vierge Marie : DÉDIER, VOUER.
• Elle consacre tout son temps libre aux œuvres charitables : DONNER, EMPLOYER, UTILISER.
• Je n'ai que quelques minutes à vous consacrer : ACCORDER.
• Le temps a consacré cet usage : CONFIRMER, ENTÉRINER, RATIFIER, SANCTIONNER.

SE CONSACRER À
S'ADONNER À, SE DÉVOUER À, S'EMPLOYER À, SE LIVRER À.

CONSCIENCIEUX 500
• Une personne consciencieuse : APPLIQUÉ, HONNÊTE, MÉTICULEUX, SCRUPULEUX, SÉRIEUX, TRAVAILLEUR.
• Un travail consciencieux : MINUTIEUX, SOIGNÉ.

CONSCIENT
Le blessé est-il conscient ? : LUCIDE.

CONSEILLER 501
1. *nom.*
Être le conseiller de quelqu'un : ÉGÉRIE, GUIDE, INSPIRATEUR, MENTOR *(litt.).*

2. *verbe.*
• Conseiller quelque chose à quelqu'un : PRÉCONISER, RECOMMANDER, SUGGÉRER.
• Conseiller quelqu'un : DIRIGER, GUIDER.

CONSENTIR 502
1. Consentir un prêt immobilier : ACCORDER, ALLOUER.
• Consentir un délai de paiement : CONCÉDER, OCTROYER.
2. Consentir à quelque chose : ACCEPTER, ACQUIESCER, ADMETTRE, APPROUVER, AUTORISER, PERMETTRE, SE RÉSIGNER À, SOUSCRIRE À.

CONSÉQUENCE 503
CONCLUSION, DÉDUCTION, EFFET, IMPLICATION, INCIDENCE, RÉPERCUSSION, RÉSULTAT, RETOMBÉE *(surtout au plur.).*

CONSÉQUENT
Être conséquent avec soi-même : LOGIQUE.

CONSERVER 504
• Conserver quelque chose en bon état : ENTRETENIR, MAINTENIR, PRÉSERVER, PROTÉGER.
• Conserver quelque chose pour soi : SE RÉSERVER.
• Conserver son calme : GARDER.

CONSIDÉRATION 505
• Un projet digne de considération : ATTENTION, ÉTUDE, EXAMEN.
• Faire des considérations sur... : OBSERVATIONS, RÉFLEXIONS, REMARQUES.
• Avoir la considération de son patron : ÉGARD, ESTIME.
• Jouir d'une grande considération : AUTORITÉ, PRESTIGE, RENOMMÉE.

CONSIDÉRER
• Je considère le paysage : CONTEMPLER, OBSERVER, REGARDER.
• Elle considère le pour et le contre : ÉTUDIER, EXAMINER, JUGER, PESER.
• Elle me considère comme un ignorant : PRENDRE POUR, TENIR POUR, TRAITER DE.
• Je considère que... : ESTIMER, JUGER, TROUVER.

CONSISTANT 506
DUR, ÉPAIS, FERME, SOLIDE.

CONSISTER
• Sa supériorité consiste dans sa vivacité d'esprit : REPOSER SUR, RÉSIDER DANS, SE TROUVER DANS.
• En quoi consiste votre fortune ? : SE COMPOSER DE.

CONSOLATION 507
APAISEMENT, RÉCONFORT, SOULAGEMENT.

CONSOLER
APAISER, CALMER, RASSURER, RÉCONFORTER, REMONTER, SOULAGER.

CONSOLIDER 508
AFFERMIR, ASSURER, CIMENTER, ÉTAYER, FORTIFIER, RAFFERMIR, RENFORCER, SOUTENIR, STABILISER.

CONSOMMER 509
• *Selon le cas :* BOIRE, MANGER.
• Elle consomme trop de médicaments : ABSORBER, PRENDRE.
• Cette voiture consomme trop d'essence : BRÛLER, UTILISER.
• *En lang. littéraire :* Tout est consommé ! : ACCOMPLIR, ACHEVER, TERMINER.

CONSTANCE 510
• Avoir de la constance dans les idées : FERMETÉ, OBSTINATION, OPINIÂTRETÉ, PERSÉVÉRANCE, RÉSOLUTION.
• Un phénomène météorologique qui se produit avec constance : INVARIABILITÉ, PERMANENCE, PERSISTANCE, RÉGULARITÉ.

CONSTANT
• Être constant dans ses idées : FERME, OBSTINÉ, OPINIÂTRE, PERSÉVÉRANT, RÉSOLU.
• Être constant dans ses amours : FIDÈLE.
• Une rue où la circulation est constante : CONTINUEL, PERMANENT, RÉGULIER.
• Il a toujours eu une position constante vis-à-vis de ce problème : IMMUABLE, INVARIABLE.

CONSTATER 511
• J'ai constaté une erreur dans vos calculs : DÉCOUVRIR.
• C'est un fait que tout le monde a pu constater : NOTER, OBSERVER, REMARQUER, VÉRIFIER, VOIR.

CONSTITUER 512
• Constituer une nouvelle société commerciale : CRÉER, FONDER, FORMER, INSTITUER, MONTER, ORGANISER.
• Constituer un dossier : ÉTABLIR, RASSEMBLER.
• Ces témoignages constituent un ensemble de preuves de sa culpabilité : COMPOSER.
• Cela constitue l'essentiel de mes revenus : REPRÉSENTER.

SE CONSTITUER
• Il s'est constitué prisonnier : SE LIVRER, SE RENDRE.
• Les consommateurs se sont constitués en diverses associations : S'ORGANISER.

CONSTRUIRE 513
• Une maison : BÂTIR, ÉDIFIER, ÉLEVER, ÉRIGER, FAIRE.

- Une œuvre littéraire : COMPOSER, CRÉER, FAIRE, IMAGINER, INVENTER.
- Une phrase : COMPOSER, FAIRE, FORGER.
- Sa vie de telle ou telle façon : AMÉNAGER, ORGANISER.

CONSULTER 514
- Une personne : INTERROGER, QUESTIONNER, S'INFORMER AUPRÈS DE.
- Un livre : COMPULSER, EXAMINER, FEUILLETER, REGARDER.

CONSUMER 515
- L'incendie a consumé tout le quartier : ANÉANTIR, BRÛLER, DÉTRUIRE, DÉVORER.
- La fièvre le consume : ÉPUISER, MINER, RONGER, USER.

CONTE 516
- FABLE, HISTOIRE, LÉGENDE, RÉCIT.
- *Fam. :* Quel conte nous débites-tu là ? : BOBARD, SORNETTE.

CONTER
NARRER, RACONTER, RELATER.

CONTENIR 517
1. *Avec un sujet nom de chose :* COMPORTER, COMPRENDRE, COMPTER, ENGLOBER, MESURER, POSSÉDER, RECÉLER, RENFERMER.
2. Les policiers avaient du mal à contenir la foule : ENDIGUER, MAINTENIR, RETENIR.
- Elle n'a pu contenir son émotion : CONTRÔLER, DOMINER, MAÎTRISER, REFOULER, REFRÉNER.

SE CONTENIR
SE CONTRÔLER, SE DOMINER, SE MAÎTRISER, SE RETENIR.

CONTENT 518
ENCHANTÉ, GAI, HEUREUX, RADIEUX, RAVI, RÉJOUI, SATISFAIT.

CONTENTER
- Contenter les désirs de quelqu'un : COMBLER, EXAUCER, SATISFAIRE.
- Il a un tel appétit que l'on n'arrive pas à le contenter : RASSASIER.

SE CONTENTER
- De quelque chose : S'ACCOMMODER, S'ARRANGER, SE SATISFAIRE.
- De faire quelque chose : SE BORNER À, SE LIMITER À.

CONTESTABLE 519
DISCUTABLE, DOUTEUX, LITIGIEUX.

CONTESTATION
CONTROVERSE, DÉMÊLÉ, DIFFÉREND, DISCUSSION, DISPUTE, LITIGE, OBJECTION, OPPOSITION.

CONTESTER
CONTROVERSER, DISCUTER, NIER, RÉCUSER, REFUSER.

CONTINU 520
INCESSANT, ININTERROMPU, PERMANENT, PERPÉTUEL, PERSISTANT.

CONTINUATION
POURSUITE, PROLONGATION, PROLONGEMENT, SUITE.

CONTINUEL
CHRONIQUE, FRÉQUENT, HABITUEL, RÉPÉTÉ.

CONTINUER
- Dans ce village, on continue la tradition de la fête patronale : PERPÉTUER, POURSUIVRE.
- Malgré mon interdiction, ces garnements continuaient à jeter des cailloux : PERSISTER À, S'OBSTINER À.
- Le bal a continué jusqu'à l'aube : DURER, SE POURSUIVRE, SE PROLONGER.

CONTINUITÉ
- La continuité des idées dans un devoir : ENCHAÎNEMENT.
- Manquer de continuité dans l'effort : CONSTANCE, PERMANENCE, PERSISTANCE.
- Assurer la continuité d'une espèce animale : MAINTIEN, PERPÉTUATION.
- *N.B. L'expression « solution de continuité » signifie :* INTERRUPTION, RUPTURE.

CONTRACTER 521
1. Contracter une maladie : ATTRAPER.
- Contracter une mauvaise habitude : ACQUÉRIR, PRENDRE.
2. Contracter les muscles : BANDER, RAIDIR, TENDRE.
- Contracter les mâchoires : SERRER.

SE CONTRACTER
SE RAIDIR, SE TENDRE.

CONTRADICTION 522
- Apporter une contradiction à... : CONTESTATION, DÉMENTI, OBJECTION, OPPOSITION, RÉFUTATION.
- Il y a contradiction entre ces deux idées : ANTINOMIE, DISCORDANCE, INCOMPATIBILITÉ.

CONTREDIRE
CONTESTER, DÉMENTIR, DÉSAVOUER, RÉFUTER.

CONTRARIER 523
1. La pluie a contrarié notre promenade : GÊNER, NUIRE À.
- Il a contrarié mes projets : CONTRECARRER, ENTRAVER, S'OPPOSER À, *et en lang. fam. :* CONTRER.
2. Sa désinvolture me contrarie : CHAGRINER, DÉPITER, DÉSOLER, ENNUYER, FÂCHER, MÉCONTENTER, NAVRER, *et en lang. fam. :* EMBÊTER.

CONTREFAIRE 524
- Quelqu'un ou quelque chose : CARICATURER, IMITER, MIMER, PARODIER, PASTICHER.
- Sa voix, son écriture : CHANGER, DÉFORMER, DÉGUISER.

CONTREFAIT
Un être contrefait : DIFFORME, MALBÂTI.

CONTRIBUER 525
Contribuer à... : AIDER À, COLLABORER À, COOPÉRER À, PARTICIPER À, PRENDRE PART À.

CONTRÔLE 526
- Exercer un contrôle : EXAMEN, SURVEILLANCE, VÉRIFICATION.
- Perdre le contrôle de ses nerfs : DOMINATION, MAÎTRISE.
- Le contrôle de la presse et des informations par un gouvernement totalitaire : CENSURE.

CONTRÔLER
- *Suivant le contexte :* CENSURER, EXAMINER, INSPECTER, SURVEILLER, VÉRIFIER.
- Contrôler ses nerfs : DOMINER, MAÎTRISER.

SE CONTRÔLER
SE DOMINER, SE MAÎTRISER.

CONVENABLE 527
- Un endroit convenable pour un pique-nique : ADÉQUAT, APPROPRIÉ.
- Il n'a pas choisi le moment convenable : FAVORABLE, OPPORTUN.
- Une tenue convenable : BIENSÉANT, CORRECT, DÉCENT.
- Il n'est pas convenable de... : BIEN, SÉANT.
- Des résultats scolaires convenables : ACCEPTABLE, HONNÊTE, PASSABLE.

CONVENANCE
1. Il faut une certaine convenance de caractères entre mari et femme : ACCORD, ADÉQUATION, AFFINITÉ, ANALOGIE, CONFORMITÉ, HARMONIE, RAPPORT.
- Un congé de convenance personnelle : COMMODITÉ.
- Trouver un menu à sa convenance : GOÛT, GRÉ.
2. Respecter les convenances : BIENSÉANCE, DÉCENCE, HONNÊTETÉ, SAVOIR-VIVRE, USAGE.

CONVENIR
- Comme il vous conviendra : AGRÉER, PLAIRE.
- Convenir d'un rendez-vous : ARRANGER, DÉCIDER DE, S'ENTENDRE SUR.
- Convenir de son erreur : ADMETTRE, AVOUER, CONFESSER, RECONNAÎTRE.
- C'est ce genre de tapisserie qui conviendra à votre mobilier : ALLER AVEC, CADRER AVEC, S'ACCORDER, S'ASSORTIR.
- Il convient de... : FALLOIR, SEOIR.

CONVENTION
- Signer une convention : ACCORD, ARRANGEMENT, CONTRAT, ENTENTE, MARCHÉ, PACTE, TRAITÉ.
- Ce n'est pas dans les conventions de notre bail : CLAUSE, DISPOSITION, STIPULATION.

CONVENTIONNEL
- La valeur conventionnelle d'un billet de banque : ARBITRAIRE.
- La formule conventionnelle d'une fin de lettre : CLASSIQUE, RITUEL, TRADITIONNEL, USUEL.

CONVERSATION 528
Une conversation à deux ou à plusieurs : *selon le cas :* APARTÉ, COLLOQUE, CONCILIABULE, DIALOGUE, ÉCHANGE DE VUES, ENTRETIEN, POURPARLERS, TÊTE-À-TÊTE.

CONVICTION 529
Telle est ma conviction : CERTITUDE, CROYANCE, FOI, PERSUASION.

CONVOITER 530
Convoiter quelque chose : AMBITIONNER, BRIGUER, DÉSIRER, ENVIER, GUIGNER, LORGNER, SOUPIRER APRÈS.

CONVOITISE
AMBITION, AVIDITÉ, CUPIDITÉ, ENVIE.

CONVOQUER 531
- Convoquer quelqu'un dans son bureau : APPELER, FAIRE VENIR.
- Convoquer quelqu'un en justice : ASSIGNER, CITER, MANDER.

COORDONNER 532
Coordonner des choses entre elles : ARRANGER, COMBINER, HARMONISER, LIER, UNIR.

COPIE 533
1. La copie d'un document : AMPLIATION, CALQUE, DOUBLE, DUPLICATA, FAC-SIMILÉ, PHOTOCOPIE, REPRODUCTION.
- Ce n'est pas le tableau original, ce n'est qu'une copie : CONTREFAÇON, FAUX, IMITATION, PLAGIAT.
- Cette jeune fille est la copie de sa mère : RÉPLIQUE.
2. Une copie d'élève : DEVOIR.
- *En lang. d'imprimerie :* MANUSCRIT.

COPIER
- Un écrit : RECOPIER, REPRODUIRE, TRANSCRIRE.
- Une œuvre littéraire : PILLER, PLAGIER.
- Quelqu'un dans ses manières : CONTREFAIRE, IMITER, MIMER.

• Sur son voisin de classe : FRAUDER, TRICHER, *et en argot scolaire :* POMPER.

COPIEUX 534

ABONDANT, AMPLE, GÉNÉREUX, LARGE, PLANTUREUX, RICHE.

COQUET 535

• Avoir une tenue coquette : ÉLÉGANT, FRINGANT, PIMPANT, PLAISANT, SOIGNÉ.
• *Fam. :* J'ai payé une somme coquette pour cette villa : ÉLEVÉ, FORT, GENTIL, IMPORTANT, JOLI, RONDELET.

COQUIN 536

• Petit coquin ! : ESPIÈGLE, FRIPON, GALOPIN, GARNEMENT, LUTIN, POLISSON.
• Cette personne sans scrupule est un vrai coquin : BANDIT, CANAILLE, CRAPULE, ESCROC, FRIPOUILLE, SCÉLÉRAT.
• Un regard coquin, des propos coquins : ÉGRILLARD, GAILLARD, GRIVOIS, LESTE, MALICIEUX.

CORDIAL 537

• Un remède cordial, une boisson cordiale : FORTIFIANT, RÉCONFORTANT, RECONSTITUANT, REMONTANT, STIMULANT, TONIQUE.
• Un accueil cordial, des sentiments cordiaux : AMICAL, BIENVEILLANT, CHALEUREUX, ENTHOUSIASTE, SYMPATHIQUE.

CORDIALITÉ

AFFECTION, AMITIÉ, BIENVEILLANCE, CHALEUR, SYMPATHIE.

CORIACE 538

• Une viande coriace : DUR, FERME, RACORNI.
• Un homme coriace : DIFFICILE, ENTÊTÉ, OBSTINÉ, TENACE.

CORPS 539

• Le corps de la victime a été porté à la morgue : CADAVRE, DÉPOUILLE.
• Les plaisirs du corps : CHAIR.
• Les corps solides, liquides ou gazeux : MATIÈRE, SUBSTANCE.
• Ce vin a du corps : CONSISTANCE.
• Le corps législatif : ASSEMBLÉE.
• Le corps médical : CORPORATION.

CORRECT 540

• Une orthographe correcte : EXACT, FIDÈLE, JUSTE.
• Une attitude correcte : BIENSÉANT, CONVENABLE, DÉCENT, HONNÊTE.
• *Avec une nuance péjorative :* C'est un hôtel correct, sans plus : ACCEPTABLE, MOYEN, PASSABLE.

CORRECTION

• La correction du style, de l'expression : EXACTITUDE, JUSTESSE, PURETÉ, PURISME.
• La correction des manières : BIENSÉANCE, CIVILITÉ, DÉCENCE, HONNÊTETÉ, POLITESSE.
• Les corrections apportées à un manuscrit : MODIFICATION, RECTIFICATION, REMANIEMENT, RETOUCHE.
• Donner une correction à un enfant : CHÂTIMENT, *et en lang. fam. :* RACLÉE, ROSSÉE.

CORRIGER

• Un texte : AMÉLIORER, AMENDER, REMANIER, REPRENDRE, RETOUCHER, RÉVISER.
• Un devoir d'élève : ANNOTER, NOTER.
• Un calcul faux : RECTIFIER.
• Une erreur : REDRESSER.
• Une injustice : RÉPARER.
• Les mœurs, les habitudes : CHANGER, RÉFORMER.
• La dureté d'une critique : ADOUCIR, ATTÉNUER, TEMPÉRER.
• Quelqu'un : BATTRE, CHÂTIER, FESSER, FOUETTER, PUNIR, *et en lang. fam.* ROSSER.

SE CORRIGER

Se corriger d'un défaut : SE DÉFAIRE, SE GUÉRIR.

CORRESPONDRE 541

• Un devoir qui ne correspond pas au sujet proposé : CONCORDER, CONVENIR, RÉPONDRE À, SE RAPPORTER À.
• Il faut une tapisserie qui corresponde à la moquette : RESSEMBLER, S'ACCORDER, S'HARMONISER.
• Un dollar correspond à plus de huit francs : ÉQUIVALOIR.
• Deux salles qui correspondent entre elles : COMMUNIQUER.
• Deux personnes qui correspondent depuis longtemps : S'ÉCRIRE.

CORROMPRE 542

• Un fruit, une viande, l'air, l'eau, etc. : ABÎMER, ALTÉRER, AVARIER, DÉCOMPOSER, GANGRENER, GÂTER, POLLUER, POURRIR, PUTRÉFIER, SOUILLER, VICIER.
• Quelqu'un en l'entraînant vers le vice : AVILIR, DÉBAUCHER, DÉPRAVER, PERVERTIR.
• Un fonctionnaire, un juge : ACHETER, SOUDOYER, STIPENDIER.

CORRUPTION

• D'un fruit, d'une viande : ALTÉRATION, DÉCOMPOSITION, POURRITURE, PUTRÉFACTION.
• De l'air par les fumées d'usines : POLLUTION.
• Des mœurs : AVILISSEMENT, DÉBAUCHE, DÉPRAVATION, PERVERSION.

CÔTÉ 543

- Sur le côté, par le côté : AILE, BORD, FLANC.
- Retourner une question de tous les côtés : ANGLE, ASPECT, FACE, POINT DE VUE, SENS.
- Il se met toujours du côté le plus fort : CAMP, PARTI.
- Le vent vient du côté nord : DIRECTION, RÉGION.

CÔTOYER

- Une route qui côtoie la mer : BORDER, LONGER.
- Votre remarque côtoie le ridicule : CONFINER À, FRISER, FRÔLER.

COUCHE 544

- Mettre une couche de plâtre : ENDUIT, ÉPAISSEUR.
- Le peintre n'a mis qu'une couche très mince : PELLICULE.
- Une couche de bébé : LANGE.
- Les couches sociales : CATÉGORIE, CLASSE.
- S'allonger sur sa couche : LIT.

COUCHER

1. *v. tr.*

- Coucher un blessé sur un brancard : ALLONGER, ÉTENDRE.
- La pluie violente a couché les blés : COURBER, INCLINER, PENCHER, RENVERSER.
- Coucher quelque chose par écrit : CONSIGNER, INSCRIRE, PORTER.

2. *v. intr.*

Coucher à l'hôtel : DORMIR, LOGER.

SE COUCHER

- Il s'est couché parce qu'il était malade : S'ALITER, S'ALLONGER, S'ÉTENDRE.
- Les poules commencent à se coucher : SE JUCHER, SE PERCHER.
- Le soleil se couche à l'horizon : DISPARAÎTRE.

COULER 545

- L'essence coule dans le tuyau : CIRCULER, S'ÉCOULER.
- L'eau coule goutte à goutte : S'ÉGOUTTER.
- La sueur coule de son front : DÉGOULINER, DÉGOUTTER, SUINTER.
- L'orage a été si violent que l'eau coule sur les trottoirs : RUISSELER.
- Le temps coule très vite pendant les vacances : FUIR, PASSER, S'ÉCOULER, S'ENFUIR.
- Le navire a coulé avec ses passagers : S'ABÎMER, S'ENFONCER, S'ENGLOUTIR, SOMBRER.

SE COULER

Le voleur s'est coulé dans la foule : SE FAUFILER, SE GLISSER.

COULEUR 546

- Les couleurs d'une étoffe : COLORIS, NUANCE, TEINTE, TON.
- La couleur du visage : CARNATION, COLORATION, TEINT.
- Mettre de la couleur sur un objet : COLORANT, PEINTURE, TEINTURE.
- Hisser, baisser les couleurs : DRAPEAU, PAVILLON.
- Voir la vie sous de belles couleurs : APPARENCE, ASPECT.

COUP 547

- Ressentir un coup : CHOC, HEURT.
- Donner des coups, recevoir des coups : CLAQUE, GIFLE, HORION, TAPE, *et en lang. fam. ou pop. :* BÂFRE, BEIGNE, CHÂTAIGNE, DÉGELÉE, GNON, MARRON, RACLÉE, ROSSÉE, TALOCHE, TARTE, TREMPE.
- Cette mauvaise nouvelle lui a donné un coup : COMMOTION, ÉBRANLEMENT, SECOUSSE.
- Ce sera un coup pour sa réputation : AFFRONT, OFFENSE.
- À tous les coups, on gagne : FOIS, OCCASION.

COUPER 548

- Couper du fil de fer : CISAILLER.
- Couper une amarre : TRANCHER.
- Couper l'écorce d'un arbre : INCISER.
- Couper un arbre : ABATTRE.
- Couper les branches d'un arbre : TAILLER, *et aussi :* ÉBRANCHER, ÉLAGUER, ÉMONDER.
- Couper du bois : DÉBITER, FENDRE, SCIER.
- Couper de l'herbe : FAUCHER.
- Couper le blé, l'orge, le seigle : MOISSONNER.
- Couper quelque chose en plusieurs morceaux : DÉCOUPER, DIVISER, FRACTIONNER, HACHER, MORCELER, PARCELLISER, PARTAGER, SCINDER, SEGMENTER, TRONÇONNER.
- On a dû lui couper le bras : AMPUTER.
- Un tesson de bouteille lui a coupé le dessous du pied : ENTAILLER, TAILLADER.
- La toupie lui a coupé deux doigts : SECTIONNER.
- La route est coupée : BARRER, OBSTRUER.
- Notre conversation téléphonique a été coupée : INTERROMPRE.
- Il coupe son vin : *Fam. :* BAPTISER.

SE COUPER

- Il s'est coupé au visage : SE BLESSER, S'ENTAILLER, SE TAILLADER.
- Deux rues qui se coupent : SE CROISER.
- *Fam. :* Il s'est coupé dans ses mensonges : SE CONTREDIRE.

COUPURE

- Une coupure au visage : BALAFRE, ENTAILLE, ESTAFILADE, TAILLADE.
- Une coupure dans un film : SUPPRESSION.
- Une coupure d'électricité : ARRÊT, INTERRUPTION, PANNE.

- Une coupure dans une suite de choses : DISCONTINUITÉ, HIATUS.

COURAGE 549
- Montrer du courage devant un danger : AUDACE, BRAVOURE, CRAN, HARDIESSE, HÉROÏSME, INTRÉPIDITÉ, VAILLANCE.
- Montrer du courage dans son travail : ÉNERGIE, FERMETÉ, RÉSOLUTION, VOLONTÉ.

COURAGEUX
- Se montrer courageux : AUDACIEUX, BRAVE, HARDI, HÉROÏQUE, INTRÉPIDE, VAILLANT.
- Elle a eu une réponse courageuse : CRÂNE, FERME, NOBLE.
- Un élève courageux : TRAVAILLEUR.

COURBE 550
1. *adj. :* Une chose qui est courbe : ARQUÉ, ARRONDI, CINTRÉ, COUDÉ, INCURVÉ, RECOURBÉ, VOÛTÉ.
2. *nom :* La courbe d'une voûte : CINTRE, VOUSSURE.
- La courbe d'une amphore : GALBE.
- La courbe des reins : CAMBRURE, COURBURE.
- Le projectile a décrit une courbe : ARC.
- La courbe des températures d'un malade : GRAPHIQUE.

COURBER
- Courber quelque chose : ARQUER, ARRONDIR, BOMBER, CINTRER, COUDER, GAUCHIR, INCLINER, INCURVER, INFLÉCHIR, PLIER, VOÛTER.
- Courber le dos sous une charge : PLOYER.
- « Courber la tête » devant son patron : CÉDER, OBÉIR, SE SOUMETTRE.

SE COURBER
- Se courber pour passer sous une poutre : SE BAISSER, S'INCLINER.
- Se courber devant quelqu'un qui détient l'autorité : S'ABAISSER, S'HUMILIER.

COURIR 551
- On a couru très vite : GALOPER, TROTTER, *en lang. fam. :* DÉTALER, FILER, *et en lang. pop. :* CAVALER, GAZER, PÉDALER, TRACER.
- Je dois courir pour être à l'heure : SE DÉPÊCHER, SE HÂTER, SE PRESSER.
- J'ai couru toute la ville pour trouver cet objet : PARCOURIR, SILLONNER.
- Un bruit qui court : CIRCULER, SE PROPAGER, SE RÉPANDRE.
- L'eau court dans la rue : S'ÉCOULER.
- Ce chemin court jusqu'à la route nationale : SE PROLONGER.
- Courir un 800 mètres en compétition : DISPUTER.
- Un artiste qui court le cachet : POURSUIVRE, RECHERCHER.
- Courir les bals, les théâtres : FRÉQUENTER, HANTER.
- Un homme qui court les femmes : COURTISER, RECHERCHER.
- Il court sur ses quatre-vingts ans : APPROCHER DE.
- Dans l'année qui court : PASSER, S'ÉCOULER.
- Courir un risque : S'EXPOSER À.
- Courir sus à quelqu'un : POURCHASSER, POURSUIVRE.
- *Pop. :* Il me court : ENNUYER, IMPORTUNER.

COURONNEMENT 552
- D'un roi : SACRE.
- D'une carrière : ACCOMPLISSEMENT, ACHÈVEMENT, FAÎTE, SOMMET.

COURS 553
1. *Suivant sa nature un cours d'eau peut être :* AFFLUENT, CANAL, FLEUVE, RIVIÈRE, RUISSEAU, TORRENT.
- Une rivière au cours lent, un torrent au cours rapide : COURANT, ÉCOULEMENT.
- Le cours des événements : DÉROULEMENT, MARCHE, SUCCESSION, SUITE.
- Pendant le cours de sa vie : DURÉE.
2. Elle se promenait sur le cours Dajot en admirant la rade de Brest : ALLÉE, AVENUE, MAIL.
3. Faire un cours d'histoire, etc. : CONFÉRENCE, LEÇON.
- Écrire un cours de littérature : MANUEL, TRAITÉ.
4. Sur le marché de l'or, le cours de l'once a peu varié : COTE, TAUX.

COURT 554
- Faire une courte promenade : PETIT.
- Cela ne dura qu'un court instant : BREF, ÉPHÉMÈRE, FUGITIF.
- Faire un exposé très court sur une question : CONÇIS, LACONIQUE, SOMMAIRE, SUCCINCT.
- Avoir les cheveux très courts : RAS.
- Je n'ai que dix minutes pour faire ce travail, ce sera un peu court : JUSTE.

COÛT 555

Le coût d'une marchandise : MONTANT, PRIX.

COÛTER
- Cela coûte mille francs : REVENIR À, S'ÉLEVER À, SE MONTER À, VALOIR.
- Cela me coûte de te voir partir : PESER.
- Cette imprudence lui a coûté la vie : FAIRE PERDRE.

COUTEAU 556

- Frapper quelqu'un d'un coup de couteau : POIGNARD.
- Un couteau de boucher : COUTELAS.
- Un couteau de poche : CANIF.

COUTUME 557

Suivre les coutumes : HABITUDE, TRADITION, USAGE.

COUVER 558

- Une grand-mère qui couve son petit-fils : CHOYER, DORLOTER, PROTÉGER.
- Couver une vengeance : NOURRIR, PRÉPARER.

COUVERT 559

1. *adj.*

a) Être chaudement couvert : HABILLÉ, VÊTU.

- Avoir la tête couverte : COIFFÉ.
- Un manuscrit couvert de ratures : PLEIN, REMPLI.
- Un terrain vague couvert de débris divers : JONCHÉ.
- Des mains couvertes de piqûres de moustiques : CRIBLÉ.

b) Être couvert par une assurance : GARANTI, PROTÉGÉ.

c) Un temps couvert : BOUCHÉ, BRUMEUX, NUAGEUX, VOILÉ.

2. *nom.*

a) Rechercher le couvert des arbres : ABRI, OMBRAGE.

b) Mettre le couvert pour dîner : TABLE.

COUVERTURE

- Mettre une couverture sur un lit : COUVRE-LIT, ÉDREDON.
- S'entourer dans une couverture : PLAID, *et en lang. fam.* COUVRANTE.
- La couverture d'une maison : TOITURE.
- La couverture d'un livre : JAQUETTE, LISEUSE.
- Il a commis envers nous les pires indélicatesses sous couverture d'amitié : MASQUE, PRÉTEXTE.
- Cette officine n'était qu'une couverture pour un trafic illégal : PARAVENT.
- La banque a exigé que nous versions une couverture : CAUTION, GARANTIE, PROVISION.

COUVRIR

1. Couvrir un livre : RECOUVRIR.

- Couvrir une cargaison pour la protéger : BÂCHER, ENVELOPPER.
- Couvrir quelqu'un de son corps : ABRITER, GARANTIR, PROTÉGER.
- Couvrir un enfant pour sortir : VÊTIR.
- Les nuages couvrent le soleil : CACHER, CAMOUFLER, DISSIMULER, MASQUER, VOILER.
- Couvrir un bifteck de persil haché : PARSEMER, SAUPOUDRER.
- Le bruit de la rue couvre leurs voix : DOMINER, ÉTOUFFER.
- Mes rentrées d'argent ne couvrent pas mes dépenses : COMPENSER.
- Couvrir quelqu'un d'éloges, de cadeaux : CHARGER, COMBLER.

2. Couvrir cent kilomètres en une heure : PARCOURIR.

3. Un lion qui couvre une lionne : S'ACCOUPLER, SAILLIR.

SE COUVRIR

- S'HABILLER, SE VÊTIR.
- Le temps se couvre : S'ASSOMBRIR, SE BOUCHER, SE BROUILLER, S'OBSCURCIR, SE VOILER.
- Il s'est couvert de mon autorité pour imposer cette mesure : S'ABRITER DERRIÈRE, SE RETRANCHER DERRIÈRE.

CRACHER 560

- Cracher des glaires : EXPECTORER, REJETER.
- Cracher sur quelqu'un : INSULTER, OUTRAGER.
- Cracher sur quelque chose : DÉDAIGNER, MÉPRISER.
- Un volcan qui crache des scories : PROJETER, VOMIR.
- *Pop. :* C'est à lui de cracher aujourd'hui : CASQUER, DÉBOURSER, PAYER.

CRAINDRE 561

APPRÉHENDER, AVOIR PEUR DE, REDOUTER, TREMBLER DE.

CRAINTE

ANGOISSE, ANXIÉTÉ, APPRÉHENSION, EFFROI, ÉPOUVANTE, FRAYEUR, PEUR, PHOBIE, TERREUR, *en lang. fam. :* FROUSSE, TRAC, *et en lang. pop. :* TROUILLE.

CRAINTIF

ANGOISSÉ, ANXIEUX, INQUIET, PEUREUX, PUSILLANIME, TIMIDE, TIMORÉ.

CRÂNER 562

FANFARONNER, PLASTRONNER, POSER.

CRAQUER 563

- CLAQUER, ÉCLATER, PÉTILLER.
- Un gâteau qui craque sous les dents : CROQUER.
- Une couture de pantalon qui craque : SE DÉCHIRER.
- La glace de l'étang qui craque : SE BRISER.
- Une corde qui craque : CÉDER, SE ROMPRE.
- Un régime politique qui craque de toutes parts : SE DÉSAGRÉGER, S'ÉCROULER.
- L'athlète a craqué dans le dernier tour

du 10 000 mètres : FLANCHER, S'EFFONDRER.
• *Fam. :* Ce soir, j'ai craqué mille francs : DÉPENSER, GASPILLER.

CRÉATEUR 564
AUTEUR, FONDATEUR, INVENTEUR, PÈRE, PRODUCTEUR.

CRÉATION
CONCEPTION, INVENTION, RÉALISATION, TROUVAILLE.

CRÉER
• Créer quelque chose de nouveau : CONCEVOIR, INVENTER, PRODUIRE.
• Créer une nouvelle entreprise : CONSTITUER, ÉTABLIR, FONDER, INSTITUER.
• Créer des ennuis à quelqu'un : CAUSER, ENGENDRER, OCCASIONNER, PROVOQUER, SUSCITER.

CREUSER 565
• Creuser le sol : AFFOUILLER, EXCAVER, FORER, FOUIR, MINER, TROUER.
• Creuser un tronc d'arbre : ÉVIDER.
• Creuser un tunnel : PERCER.
• Je vais creuser cette question : APPROFONDIR.
• Une promenade au grand air « creuse l'estomac » : DONNER FAIM, OUVRIR L'APPÉTIT.

SE CREUSER
Fam. : « Se creuser la tête » : RÉFLÉCHIR.

CREVER 566
• Un arbre qui crève : MOURIR.
• Un ballon qui crève, un pneu qui crève : ÉCLATER, PERCER.
• Un barrage qui crève sous la poussée d'un torrent : SE ROMPRE.
• *Fam. :* Une personne qui est crevée de fatigue : ÉPUISER, ÉREINTER, VANNER.
• Cela « crève les yeux » : ÊTRE ÉVIDENT.

CRI 567
• Pousser des cris : CLAMEUR, HURLEMENT, VOCIFÉRATION.
• Un cri de douleur : GÉMISSEMENT, LAMENTATION, PLAINTE, SANGLOT.
• Un cri d'approbation : ACCLAMATION, OVATION.
• Les cris d'un nouveau-né : VAGISSEMENT.

CRIANT
• Une injustice criante : CHOQUANT, RÉVOLTANT, SCANDALEUX.
• Ceci est la preuve criante de sa mauvaise foi : ÉVIDENT, FLAGRANT, MANIFESTE.

CRIARD
• Des garçons criards : BRAILLARD, *et en lang. pop. :* GUEULARD.
• Un son criard : AIGRE, DÉSAGRÉABLE, DISCORDANT, PERÇANT, STRIDENT.
• Des couleurs criardes, une toilette criarde : TAPAGEUR, VOYANT.

CRIER
• Il n'arrête pas de crier : CLAMER, HURLER, S'ÉGOSILLER, S'ÉPOUMONER, TONNER, VOCIFÉRER, *en lang. fam. :* BEUGLER, BRAILLER, *et en lang. pop. :* GUEULER.
• Crier son innocence : PROCLAMER.
• Crier son mécontentement : MANIFESTER.
• Crier une nouvelle : ANNONCER, PUBLIER.

CRIBLER 568
1. Cribler du sable, du plâtre, etc. : PASSER, SASSER, TAMISER.
2. Cribler quelqu'un de coups de couteau : PERCER, TRANSPERCER.
• Cribler quelqu'un d'injures : ACCABLER.

CRISE 569
• Un malade qui a eu plusieurs crises : ACCÈS, ATTAQUE.
• Nous sommes en pleine crise économique : MARASME, RÉCESSION.
• Une crise politique, une crise internationale : CONFLIT, TENSION.
• Notre période est riche en crises de toutes sortes : PERTURBATION.
• Ce pays connaît une crise de main-d'œuvre : ABSENCE, PÉNURIE.

CRITÈRE 570
INDICE, PREUVE, SIGNE.

CRITIQUE 571
1. *adj.*
• Être en situation critique : DANGEREUX, DIFFICILE, GRAVE, SÉRIEUX.
• Le moment est critique : CRUCIAL, DÉCISIF.
• Regarder d'un œil critique : OBSERVATEUR, SOUPÇONNEUX.
2. *nom fém.*
• À la radio, le journaliste a fait la critique de la presse hebdomadaire : ANALYSE, EXAMEN, JUGEMENT.
• Recevoir des critiques : BLÂME, REMARQUE, REMONTRANCE, RÉPRIMANDE, REPROCHE.
3. *nom masc.*
• Un critique littéraire : COMMENTATEUR.
• Un homme qui se pose en critique de tout : CENSEUR.

CRITIQUER
• Une œuvre littéraire : ANALYSER, EXAMINER, JUGER.
• Quelqu'un, ses décisions, ses actes : ATTAQUER, BLÂMER, CONDAMNER, DÉSAPPROUVER, RÉPRIMANDER, SEMONCER.

CROIRE 572

- Il est prêt à croire tout ce qu'on lui dit : ADMETTRE, *et en lang. fam. :* AVALER, GOBER.
- Je la crois capable de réussir : ESTIMER, IMAGINER, JUGER, SUPPOSER.
- Elle croyait que je ne viendrais pas : PENSER, SE FIGURER, S'IMAGINER.
- Il est sérieux, on peut le croire : SE FIER À.
- Puis-je croire à votre parole ? : COMPTER SUR.
- Croyez-vous à sa bonne volonté ? : ÊTRE PERSUADÉ.

SE CROIRE

S'ESTIMER, S'IMAGINER, SE JUGER, SE SUPPOSER.

CROYABLE

Cela n'est pas croyable : ADMISSIBLE, IMAGINABLE, POSSIBLE, VRAISEMBLABLE.

CROYANCE

- La croyance en Dieu : FOI.
- Respecter toutes les croyances : CONVICTION.
- La croyance en des jours meilleurs : CERTITUDE, CONFIANCE.
- C'est une croyance commune à beaucoup de gens : OPINION, PENSÉE, SENTIMENT.

CROISSANCE 573

ACCROISSEMENT, AGRANDISSEMENT, AUGMENTATION, DÉVELOPPEMENT, ÉLARGISSEMENT, PROGRESSION.

CROÎTRE

- Un enfant qui croît normalement : GRANDIR, POUSSER, SE DÉVELOPPER.
- Le chômage croît de mois en mois, le nombre de chômeurs croît : AUGMENTER, GROSSIR, S'ACCROÎTRE, S'AGRANDIR, S'ÉTENDRE, S'INTENSIFIER.

CROQUANT 574

1. *adj.*

Un gâteau croquant : CROUSTILLANT.

2. *nom.*

- La révolte des croquants sous Henri IV : PAYSAN.
- *Péj. :* Quel croquant ! : LOURDAUD, RUSTRE.

CROQUER

1. *v. tr.*

a) Le chat croque une souris : DÉVORER, MANGER.

- *Fam. :* Il a croqué sa fortune : DILAPIDER, GASPILLER.

b) Croquer un portrait : CRAYONNER, ÉBAUCHER, ESQUISSER.

2. *v. intr.*

Ce biscuit croque sous les dents : CRAQUER, CROUSTILLER.

CROULER 575

- Un immeuble qui croule : S'ABATTRE, S'AFFAISSER, S'ÉBOULER, S'ÉCROULER, S'EFFONDRER.
- Un régime politique qui a croulé : DISPARAÎTRE, PÉRIR.

CROUPIR 576

- De l'eau qui croupit dans une mare : SE CORROMPRE, STAGNER.
- Un individu qui croupit dans l'ignorance : MOISIR, S'ENCROÛTER.

CRU 577

- Une couleur crue, une lumière crue : AVEUGLANT, INTENSE, VIF, VIOLENT.
- Une vérité crue, une description crue : BRUTAL, RÉALISTE.
- Une plaisanterie crue : ÉGRILLARD, GRIVOIS, LESTE, OSÉ.

CRUAUTÉ 578

- La cruauté d'un tyran : BARBARIE, BRUTALITÉ, DURETÉ, FÉROCITÉ, MÉCHANCETÉ, SADISME, SAUVAGERIE.
- La cruauté du sort : DURETÉ, HOSTILITÉ, RIGUEUR.
- Commettre des cruautés : ATROCITÉS.

CRUEL

- Un homme cruel : BARBARE, FÉROCE, IMPITOYABLE, IMPLACABLE, INHUMAIN, MÉCHANT, SADIQUE, SANGUINAIRE.
- Être dans une cruelle situation : ATROCE, DOULOUREUX, ÉPOUVANTABLE, INSUPPORTABLE, INTOLÉRABLE, PÉNIBLE.
- Que le sort est cruel ! : HOSTILE, RIGOUREUX.

CUEILLIR 579

- En juin, on cueille les cerises : RAMASSER, RÉCOLTER.
- *Fam. :* Le voleur s'est fait cueillir par les gendarmes : ARRÊTER, *et en lang. fam. :* PINCER.

CUIRE 580

- *Suivant le cas, on peut dire :* BRAISER, FRIRE, GRILLER, MIJOTER, MITONNER, RÔTIR.
- Les joues me cuisent : BRÛLER.

CUISANT

- Un froid cuisant : ÂPRE, MORDANT, PIQUANT.
- Une remarque cuisante : BLESSANT, CINGLANT.

CUISINIER

- CHEF, COQ, CORDON BLEU, MAÎTRE-QUEUX, *et en lang. fam. :* CUISTOT.
- *En parlant d'un cuisinier novice :* MARMITON.
- *En parlant d'un mauvais cuisinier :* GÂTE-SAUCE.

CULBUTER 581

1. *v. tr.*
- Il a culbuté un passant : BOUSCULER, RENVERSER.
- Nos troupes ont culbuté l'ennemi : ENFONCER.

2. *v. intr.*
BASCULER, CAPOTER, CHAVIRER, SE RENVERSER.

CULOTTE 582

- *Suivant le cas, on peut dire :* PANTALON, SHORT, SLIP.
- *Fam. :* « Porter la culotte » : COMMANDER.
- *Pop. :* « Ramasser une culotte » au jeu : PERDRE.

CULTIVER 583

- Cultiver la terre : LABOURER, TRAVAILLER.
- Elle cultive ses rosiers : ENTRETENIR, SOIGNER.
- Il faut cultiver son intelligence : ÉDUQUER, FORMER, PERFECTIONNER.
- Cultiver les arts, la musique : PRATIQUER, S'ADONNER À, S'INTÉRESSER À.
- Quand on a de vrais amis, il faut les cultiver : FRÉQUENTER.
- Cultiver l'amitié de quelqu'un : ENTRETENIR.

CUPIDE 584

ÂPRE, AVARE, AVIDE, INSATIABLE, RAPACE.

CUPIDITÉ

ÂPRETÉ, AVARICE, AVIDITÉ, CONVOITISE, RAPACITÉ.

CURIEUX 585

- Elle est trop curieuse : INDISCRET.
- Être curieux de tout savoir : DÉSIREUX.
- Une aventure curieuse, un homme curieux : BIZARRE, DRÔLE, ÉTONNANT, ÉTRANGE, ORIGINAL, SURPRENANT.

CURIOSITÉ

- Faire preuve de curiosité : INDISCRÉTION.
- Visiter les curiosités d'une ville : PARTICULARITÉ, SINGULARITÉ.
- Un magasin de curiosités : RARETÉ.

Dd

DADA 586
- Un dada, *en lang. enfantin :* CHEVAL.
- *Fam. :* C'est son dada : HOBBY, MANIE, MAROTTE, PASSE-TEMPS.

DANGER 587

PÉRIL, RISQUE.

DANGEREUX
- Une situation dangereuse : CRITIQUE, GRAVE, SÉRIEUX.
- Une route dangereuse : DIFFICILE, GLISSANT, MAUVAIS.
- Une expédition dangereuse : AVENTUREUX, PÉRILLEUX, RISQUÉ.
- Des lectures dangereuses : MALSAIN, MAUVAIS, NUISIBLE, SCABREUX.
- Un homme dangereux : MÉCHANT, REDOUTABLE.
- Un poison très dangereux : VIRULENT.

DATER 588
- Cela date du 19ᵉ siècle : REMONTER À.
- Un événement qui date dans une vie : MARQUER.
- À dater du 1er janvier, l'horaire change : COMPTER, PARTIR.

DÉBANDADE 589

DÉBÂCLE, DÉROUTE, DISPERSION, FUITE, SAUVE-QUI-PEUT.

DÉBARQUER 590
- Débarquer des marchandises : DÉCHARGER.
- *Fam. :* Débarquer quelqu'un : CONGÉDIER, DESTITUER, LIMOGER.
- *Fam. :* Débarquer chez quelqu'un : ARRIVER À L'IMPROVISTE.

DÉBARRASSER 591
- Quelqu'un de quelque chose : DÉCHARGER, DÉGAGER, DÉLESTER, DÉLIVRER, LIBÉRER.
- Un grenier : DÉBLAYER, DÉSENCOMBRER, NETTOYER, VIDER.
- Une table après un repas : DESSERVIR.

SE DÉBARRASSER
- D'un vêtement : ENLEVER, ÔTER, QUITTER, SE DÉFAIRE.
- De quelqu'un : ÉLOIGNER, EXPULSER, RENVOYER.
- D'une chose inutile : JETER, *et en lang. fam. :* BALANCER, BAZARDER.

DÉBAT 592

CONTROVERSE, DISCUSSION.

DÉBATTRE
- Un sujet, une question : DÉLIBÉRER SUR, DISCUTER DE, TRAITER.
- Un prix : MARCHANDER, NÉGOCIER.

SE DÉBATTRE
- L'enfant se débattait : S'AGITER, SE DÉMENER.
- Il se débat contre les difficultés : BATAILLER, COMBATTRE, LUTTER, SE BATTRE.

DÉBAUCHE 593

1. Se livrer à la débauche : DÉPRAVATION, DÉVERGONDAGE, IMMORALITÉ, LIBERTINAGE, LUXURE, PROSTITUTION.
2. Une débauche d'énergie, de couleurs, etc. : ABONDANCE, PRODIGALITÉ, PROFUSION.

DÉBAUCHER

1. Débaucher des jeunes gens : CORROMPRE, DÉPRAVER, DÉVERGONDER, PERVERTIR, PROSTITUER.
2. Un patron qui débauche des ouvriers : CONGÉDIER, LICENCIER.

DÉBILE 594
- Un enfant débile : CHÉTIF, FRAGILE, MALADIF, MALINGRE, SOUFFRETEUX.
- Un débile mental : ARRIÉRÉ.

DÉBIT 595

1. Un produit de bon débit : VENTE.
- Un débit de boissons : BAR, CAFÉ, *et en lang. fam. :* BISTRO.

2. Le débit lent d'un orateur : ÉLOCUTION.

DÉBITER
- une marchandise : VENDRE.
- du bois : DÉCOUPER.
- des mensonges, des sottises : CONTER, RACONTER, *et en lang. pop. :* DÉGOISER.

DÉBOIRE 596
CHAGRIN, DÉCEPTION, DÉCONVENUE, DÉSAGRÉMENT, DÉSAPPOINTEMENT, DÉSILLUSION, ENNUI, MÉCOMPTE.

DÉBONNAIRE 597
ACCOMMODANT, BIENVEILLANT, BONASSE, INDULGENT, PACIFIQUE, PATERNEL.

DÉBORDER 598
1. Les eaux de la rivière débordent sur la prairie : SE RÉPANDRE, SUBMERGER.
- Le service d'ordre empêchait la foule des spectateurs de déborder sur la chaussée : ENVAHIR, MORDRE SUR.
- À la veille des fêtes, ce magasin déborde de clients : PULLULER, REGORGER, SURABONDER.
- À l'annonce de son succès, elle a débordé de joie : ÉCLATER, EXPLOSER.
- Vous débordez de votre rôle : SORTIR DE.
- Je suis débordé de travail : SURCHARGER.

2. Votre question déborde le sujet : DÉPASSER.
- L'ailier a débordé la défense adverse : CONTOURNER.

DÉBOUCHER 599
1. Déboucher un évier : DÉGAGER, DÉSENGORGER.
- Déboucher une bouteille : OUVRIR.

2. Une voiture qui débouche d'un chemin : SORTIR DE, SURGIR.
- Une rue qui débouche sur une autre : ABOUTIR À, DONNER SUR.
- Des études qui débouchent sur un métier : MENER À.

DÉBRIS 600
- Les ouvriers ont laissé des quantités de débris sur le chantier : DÉCHETS, DÉTRITUS, GRAVATS, PLATRAS, RÉSIDUS.
- Des débris de métal : ROGNURE.
- Des débris de vase brisé : FRAGMENT, MORCEAU.
- Des débris de bois : COPEAU, SCIURE.
- Des débris de pain : MIETTE.

DÉBROUILLARD 601
ASTUCIEUX, FUTÉ, INGÉNIEUX, MALIN.

DÉBROUILLER
Une question : CLARIFIER, DÉFRICHER, ÉCLAIRCIR, ÉLUCIDER.

SE DÉBROUILLER
S'ARRANGER, S'EN SORTIR, *et en lang. fam. :* SE DÉPATOUILLER.

DÉBUT 602
COMMENCEMENT, DÉPART, ORIGINE, OUVERTURE.

DÉBUTER
COMMENCER, DÉMARRER, SE METTRE À, *et en lang. fam. :* EMBRAYER.

DÉCAMPER 603
DÉGUERPIR, PARTIR, S'ENFUIR, SE SAUVER, *et en lang. fam. :* FILER, SE TAILLER, SE TIRER.

DÉCANTER 604
CLARIFIER, ÉPURER, PURIFIER.

SE DÉCANTER
SE CLARIFIER, S'ÉCLAIRCIR.

DÉCELER 605
- *Avec un sujet nom de personne :* DÉCOUVRIR, DÉTECTER, DEVINER, REMARQUER, REPÉRER.
- *Avec un sujet nom de chose :* ANNONCER, DÉNOTER, INDIQUER, MONTRER, PROUVER, RÉVÉLER, SIGNALER, TRAHIR.

DÉCENCE 606
- Conforme à la décence : BIENSÉANCE, CONVENANCE.
- Être habillé avec décence : DISCRÉTION, MODESTIE, PUDEUR.

DÉCENT
- Une conduite décente, une tenue décente : CONVENABLE, CORRECT, DISCRET, MODESTE, PUDIQUE, SAGE.
- Un salaire décent : ACCEPTABLE, CONVENABLE, HONNÊTE, SUFFISANT.

DÉCEVOIR 607
DÉSAPPOINTER, DÉSENCHANTER, DÉSILLUSIONNER, TROMPER.

DÉCHAÎNER 608
1. Déchaîner un chien : DÉLIVRER, DÉTACHER, LIBÉRER.
2. Cela déchaînera les passions : ALLUMER, DÉCLENCHER, EXALTER, EXCITER, SOULEVER.

DÉCHARGE 609
- Une décharge d'armes à feu : RAFALE, SALVE, VOLÉE.
- Une décharge d'impôts : ABATTEMENT, DÉGRÈVEMENT, EXONÉRATION, RÉDUCTION.
- Recevoir une décharge pour une somme versée : ACQUIT, QUITTANCE, QUITUS, RÉCÉPISSÉ, REÇU.

DÉCHIREMENT 610
1. Le déchirement d'un muscle : CLAQUAGE.
2. « Un déchirement de cœur » : AFFLICTION, CHAGRIN, DOULEUR, TOURMENT.

• Un pays en plein déchirement : DISCORDE, DIVISION, TROUBLE.

DÉCHIRER

1. Le lion déchire sa proie : DÉCHIQUETER.
• Déchirer une affiche : LACÉRER.
• Le chat en colère lui a déchiré la main à coups de griffes : ÉCORCHER, ÉGRATIGNER, ÉRAFLER, GRIFFER, LABOURER.
• Soudain, un cri a déchiré la nuit : PERCER.
2. Avoir le cœur déchiré par les remords : BRISER, FENDRE, MEURTRIR, TORTURER.
• Il prend plaisir à déchirer ses voisins : CALOMNIER, DÉNIGRER, MÉDIRE DE.
• Un pays déchiré par les luttes : DIVISER, TROUBLER.

DÉCHIRURE

• Une déchirure à un vêtement : ACCROC.
• Une déchirure à la peau : COUPURE, ÉCORCHURE, ÉGRATIGNURE, ÉRAFLURE.
• Une déchirure dans les nuages : OUVERTURE, PERCÉE, TROUÉE.

DÉCIDÉ 611

• Une personne décidée : DÉTERMINÉ, HARDI, RÉSOLU, VOLONTAIRE.
• Parler d'un ton décidé : FERME.
• Une affaire décidée : RÉGLÉ, TERMINÉ.

DÉCIDER

• Avez-vous décidé ce que vous allez faire ? : ARRÊTER, RÉSOUDRE.
• La loi décide que... : DÉCRÉTER, ORDONNER.
• Nous avons décidé un accord entre nos deux syndicats : CONCLURE, CONVENIR DE.
• Le tribunal a décidé de son sort : FIXER, STATUER SUR.
• Par ce vote, l'Assemblée a décidé : TRANCHER.
• Je n'ai pas réussi à le décider à venir : CONVAINCRE, DÉTERMINER, PERSUADER.

SE DÉCIDER

CHOISIR, OPTER POUR, SE PRONONCER POUR, SE RÉSOUDRE À.

DÉCISIF

• Une preuve décisive : CONCLUANT, CONVAINCANT, INCONTESTABLE, INDISCUTABLE, IRRÉFUTABLE.
• Il est à un moment décisif de sa vie : CAPITAL, CRITIQUE, CRUCIAL, DÉTERMINANT.

DÉCISION

• Une décision administrative ou judiciaire : ARRÊT, ARRÊTÉ, DÉCRET, JUGEMENT, ORDONNANCE, SENTENCE, VERDICT.
• C'est le moment de la décision : CHOIX.
• Elle a agi avec beaucoup de décision : ASSURANCE, COURAGE, DÉTERMINATION, ÉNERGIE, FERMETÉ, HARDIESSE, VOLONTÉ.
• Prendre la décision de... : PARTI, RÉSOLUTION.

DÉCLARATION 612

AFFIRMATION, ANNONCE, COMMUNICATION, COMMUNIQUÉ, MANIFESTE, PROCLAMATION, RÉVÉLATION.

DÉCLARER

AFFIRMER, ANNONCER, INDIQUER, PRÉTENDRE, PROCLAMER, PUBLIER, RÉVÉLER, SIGNALER.

SE DÉCLARER

• Se déclarer pour ou contre quelqu'un, ou quelque chose : SE PRONONCER.
• La maladie s'est déclarée à son retour de l'étranger : APPARAÎTRE, SE DÉCLENCHER, SURVENIR.
• Le feu s'est déclaré dans les combles : ÉCLATER.

DÉCLENCHER 613

• Déclencher une grève : COMMENCER, LANCER.
• Cela déclenchera une réaction de sa part : ENTRAÎNER, OCCASIONNER, PROVOQUER.

DÉCLIN 614

• Un déclin de popularité : BAISSE, DIMINUTION.
• Le déclin d'un pays : DÉCADENCE.
• Le déclin du jour : CRÉPUSCULE, FIN, SOIR.

DÉCLINER

1. Décliner une invitation : REFUSER, REPOUSSER.
• Je décline toute responsabilité de ma part : ÉCARTER, REJETER.
• Déclinez votre identité ! : ÉNONCER, INDIQUER.
2. Ses forces déclinent : BAISSER, FAIBLIR.
• Le malade décline : S'AFFAIBLIR.
• Le jour décline : BAISSER, DÉCROÎTRE, DIMINUER, TOMBER.

DÉCOLORÉ 615

• Une tenture décolorée : DÉFRAÎCHI, DÉTEINT, FANÉ, PASSÉ, TERNI.
• Un visage décoloré par la peur : BLÊME, PÂLE.

DÉCOMBRES 616

DÉBLAIS, DÉBRIS, GRAVATS, RESTES, RUINES.

DÉCOMPOSER 617

ANALYSER, DISSOCIER, DIVISER, SÉPARER.

SE DÉCOMPOSER

• Le granit se décompose : SE DÉSAGRÉGER.
• La viande se décompose à la chaleur : POURRIR, SE CORROMPRE, SE PUTRÉFIER.
• Son visage s'est décomposé à cette mauvaise nouvelle : S'ALTÉRER, SE DÉFAIRE, SE TROUBLER.

DÉCOMPTER 618

DÉDUIRE, DÉFALQUER, RETRANCHER, SOUSTRAIRE.

DÉCONCERTER 619
DÉCONTENANCER, DÉMONTER, DÉMORALISER, DÉROUTER, DÉSARÇONNER, DÉSORIENTER, INQUIÉTER, INTERLOQUER, SURPRENDRE, TROUBLER, *et en lang. fam. :* DÉBOUSSOLER.

DÉCONTRACTÉ 620
- Un muscle décontracté : DÉTENDU, RELÂCHÉ, SOUPLE.
- Une personne décontractée : INSOUCIANT, NONCHALANT, RELAXÉ, *et en lang. fam. :* RELAX.

DÉCONTRACTER
DÉTENDRE, RELÂCHER.

SE DÉCONTRACTER
SE DÉTENDRE, SE RELAXER, SE REPOSER.

DÉCONVENUE 621
DÉCEPTION, DÉPIT, DÉSAPPOINTEMENT, DÉSILLUSION, MÉCOMPTE.

DÉCORÉ 622
Une personne décorée : MÉDAILLÉ.

DÉCORER
un objet, un lieu : AGRÉMENTER, EMBELLIR, ENJOLIVER, ORNER, PARER.

DÉCOULER 623
- La sueur découle de son front : COULER, DÉGOUTTER.
- Les conséquences qui découleront de cette décision : DÉRIVER, PROVENIR, RÉSULTER, SE DÉDUIRE.

DÉCOUPER 624
COUPER, DÉBITER, PARTAGER, TAILLER.

SE DÉCOUPER
Une montagne se découpe à l'horizon : SE DÉTACHER, SE PROFILER, SE SILHOUETTER.

DÉCOURAGER 625
- Décourager quelqu'un : DÉGOÛTER, DÉMORALISER, ÉCŒURER, LASSER, REBUTER.
- Il m'a découragé de continuer : DÉCONSEILLER, DÉTOURNER, DISSUADER.

DÉCOUVRIR 626
- Découvrir ses épaules : DÉNUDER.
- Il m'a découvert ses intentions : DÉVOILER, EXPOSER.
- Pourrez-vous découvrir ce mystère, ce secret, la vérité ? : DÉCELER, DÉTECTER, DEVINER, PÉNÉTRER, PERCER, TROUVER.
- Je découvre dans le lointain un clocher : APERCEVOIR, DISCERNER, DISTINGUER, REPÉRER.
- Elle a découvert un procédé nouveau : CONCEVOIR, IMAGINER, INVENTER.

SE DÉCOUVRIR
- *Suivant le contexte, se découvrir peut être remplacé par :* SE DÉNUDER, SE DÉSHABILLER, SE DÉVÊTIR, *ou bien par :* ÔTER SON CHAPEAU.
- Le ciel se découvre : SE DÉGAGER, S'ÉCLAIRCIR.

DÉCRASSER 627
DÉBARBOUILLER, LAVER, NETTOYER.

DÉCRIRE 628
DÉPEINDRE, EXPOSER, RACONTER, RETRACER.

DÉDAIGNER 629
MÉPRISER, NÉGLIGER, SE MOQUER DE, SNOBER.

DÉDAIN
ARROGANCE, FIERTÉ, MÉPRIS, ORGUEIL.

DÉDALE 630
Un dédale de petites rues dans une vieille ville : ENCHEVÊTREMENT, LABYRINTHE, LACIS.

DÉDIRE (SE) 631
SE CONTREDIRE, SE DÉSAVOUER, SE RAVISER, SE RÉTRACTER.

DÉDOMMAGER 632
COMPENSER, INDEMNISER, RÉPARER.

DÉFAILLANCE 633
- Être victime d'une défaillance : ÉVANOUISSEMENT, FAIBLESSE, MALAISE, PÂMOISON *(anc.)*, SYNCOPE.
- Une défaillance de mémoire : ABSENCE, DÉFAUT, MANQUE, TROU.

DÉFAILLIR
- S'ÉVANOUIR, SE PÂMER, *et en lang. pop. :* TOMBER DANS LES POMMES, TOURNER DE L'ŒIL.
- Sa mémoire commence à défaillir : DIMINUER, FAIBLIR, S'AFFAIBLIR.

DÉFAIRE 634
- Un ourlet : DÉCOUDRE.
- Un mur : DÉMOLIR.
- Une installation : DÉMONTER.
- Un lacet : DÉNOUER, DÉTACHER.
- Ses cheveux : DÉCOIFFER, DÉPEIGNER, DÉRANGER.
- Un paquet : OUVRIR.
- Une valise : VIDER.
- Ses vêtements : ENLEVER, ÔTER, QUITTER.
- Une armée ennemie : VAINCRE.

SE DÉFAIRE
- D'une personne : CONGÉDIER, RENVOYER, SE DÉBARRASSER DE.
- D'un défaut : SE CORRIGER.

• D'un objet inutile : JETER, SE DÉBARRASSER DE, *et en lang. fam. :* BALANCER, BAZARDER.
• D'une fonction : SE DÉMETTRE.
• D'une marchandise, à bas prix : VENDRE.

DÉFAIT
• Un visage défait : ABATTU, AMAIGRI, PÂLE.
• Un ennemi défait : VAINCU.

DÉFAITE
• Essuyer une défaite électorale : ÉCHEC, REVERS.
• La grande défaite subie par une armée : DÉBÂCLE, DÉBANDADE, DÉROUTE, *et en lang. fam. :* DÉCONFITURE.

DÉFAUT 635
• Un défaut d'attention, de soin, etc. : ABSENCE, CARENCE, FAUTE, MANQUE.
• Un défaut dans un objet fabriqué : DÉFECTUOSITÉ, IMPERFECTION, MALFAÇON.
• Un défaut dans une œuvre littéraire : FAIBLESSE, MALADRESSE.
• Un défaut physique : DIFFORMITÉ, MALFORMATION.
• Un défaut moral : TARE, TRAVERS, VICE.

DÉFAVEUR 636
DISCRÉDIT, DISGRÂCE.

DÉFAVORABLE
• Des conditions défavorables : DÉSAVANTAGEUX, MAUVAIS, NÉFASTE, NUISIBLE.
• Une opinion défavorable : CONTRAIRE, HOSTILE, OPPOSÉ.

DÉFAVORISER
DÉSAVANTAGER, DESSERVIR, FRUSTRER, HANDICAPER, NUIRE.

DÉFECTUEUX 637
• Un appareil défectueux : IMPARFAIT, MAUVAIS.
• Un raisonnement défectueux : BOITEUX, INCORRECT, VICIEUX.

DÉFENDRE 638
• Quelqu'un : ASSISTER, PROTÉGER, SOUTENIR.
• Une cause, un projet : PLAIDER POUR.
• Une position contre un ennemi : GARDER, TENIR.
• De faire quelque chose : INTERDIRE, PROHIBER, PROSCRIRE.

SE DÉFENDRE
• Contre quelqu'un : LUTTER, RÉSISTER.
• Contre des accusations : RÉPONDRE, SE JUSTIFIER.
• Contre les intempéries : SE GARANTIR, SE PROTÉGER.
• De faire quelque chose : ÉVITER, REFUSER, S'INTERDIRE.

DÉFENSE
• Assurer la défense de quelqu'un : PROTECTION.
• Courir à la défense de quelqu'un : AIDE, SECOURS, SOUTIEN.
• Avoir un geste de défense : PARADE, RÉACTION, RIPOSTE.
• Pour sa défense, il a avancé que... : EXCUSE, JUSTIFICATION.
• Défense d'entrer : INTERDICTION.
• Les défenses d'une ville : FORTIFICATION, REMPART.
• *En langue de justice :* Les droits de la défense : AVOCAT, DÉFENSEUR.

DÉFENSEUR
• Le défenseur des opprimés : PROTECTEUR, SOUTIEN.
• Le défenseur d'une cause, d'une opinion : CHAMPION, PARTISAN, SERVITEUR.

DÉFÉRENCE 639
S'adresser avec déférence à quelqu'un : CONSIDÉRATION, ÉGARD, POLITESSE, RESPECT.

DÉFÉRER
1. Déférer quelqu'un en justice : CITER, TRADUIRE.
2. Déférer à l'ordre de quelqu'un : CÉDER, OBÉIR, OBTEMPÉRER.

DÉFI 640
Agir par défi : BRAVADE, PROVOCATION.

DÉFIANCE
CRAINTE, DOUTE, MÉFIANCE, PRUDENCE, RÉSERVE, SUSPICION.

DÉFIANT
MÉFIANT, SOUPÇONNEUX.

DÉFIER
BRAVER, NARGUER, PROVOQUER.

SE DÉFIER (de)
APPRÉHENDER, CRAINDRE, REDOUTER, SE MÉFIER DE.

DÉFICIT 641
INSUFFISANCE, MANQUE.

DÉFILÉ 642
• Un long défilé de personnes : CORTÈGE, PROCESSION, THÉORIE.
• *En géographie :* COULOIR, GORGE, PASSAGE.

DÉFINIR 643
• Définir un mot : EXPLIQUER.
• Définir une politique, un travail : DÉTERMINER, FIXER, INDIQUER, PRÉCISER.
• Définir sa position : EXPOSER.

DÉFINITIF 644
• Un résultat définitif : FIXE, INVARIABLE.
• Une décision définitive : IRRÉVOCABLE.

• La solution définitive : DÉCISIF, FINAL, ULTIME.

DÉFORMER 645
ALTÉRER, DÉFIGURER, DÉNATURER, FAUSSER, MODIFIER, TRAHIR, TRANSFORMER.

DÉFRICHER 646
• Un terrain : DÉBROUSSAILLER, ESSARTER.
• Un problème, une question : DÉBROUILLER, DÉGROSSIR, DÉMÊLER, ÉCLAIRCIR.

DÉGAGÉ 647
• La route est-elle dégagée ? : LIBRE.
• Prendre un air dégagé : DÉCONTRACTÉ, DÉSINVOLTE, DÉTENDU.

DÉGAGER
• Quelqu'un d'une position difficile : DÉLIVRER, LIBÉRER, SORTIR, TIRER.
• Une rue, un passage : DÉBLAYER, DÉSENCOMBRER, DÉSOBSTRUER.
• Les idées importantes d'une œuvre littéraire : EXTRAIRE, ISOLER.
• La conclusion d'un débat : TIRER.
• La parole qu'on avait donnée : RETIRER.
• Des crédits pour une opération : DÉBLOQUER.
• Le ballon : SHOOTER.
• Une odeur : ÉMETTRE, EXHALER, RÉPANDRE.

SE DÉGAGER
• Se dégager de quelque chose : SE DÉBARRASSER, SE DÉLIVRER, SE DÉPÊTRER, SE LIBÉRER.
• La première impression qui se dégage : APPARAÎTRE, RESSORTIR.
• Une mauvaise odeur se dégage de ces lieux : ÉMANER, S'ÉCHAPPER, S'EXHALER, SORTIR.
• Le ciel se dégage : S'ÉCLAIRCIR.

DÉGÂT 648
DÉGRADATION, DESTRUCTION, DÉTÉRIORATION, DOMMAGE, MÉFAIT, RAVAGE.

DÉGELER 649
• Dégeler l'atmosphère d'une réunion : RÉCHAUFFER.
• Dégeler un public : DÉRIDER, RÉVEILLER.

DÉGÉNÉRER 650
• Cette race a dégénéré : S'ABÂTARDIR.
• Les mœurs ont dégénéré : S'AVILIR, SE CORROMPRE, SE DÉGRADER, SE PERVERTIR.
• La discussion a dégénéré en bagarre : SE TRANSFORMER, TOURNER.

DÉGONFLÉ 651
Fam. : Quel dégonflé ! : LÂCHE, PEUREUX.

DÉGORGER 652
1. *v. tr.*
Dégorger une canalisation : DÉBOUCHER, DÉSOBSTRUER.
2. *v. intr.*
Les égouts dégorgent dans la rue : SE DÉVERSER, S'ÉCOULER, SE RÉPANDRE.

DÉGOURDI 653
Un enfant dégourdi : ASTUCIEUX, DÉBROUILLARD, DÉLURÉ, ÉVEILLÉ, MALIN, RUSÉ.

DÉGOURDIR
• Ses doigts : RÉCHAUFFER.
• Quelqu'un : DÉNIAISER, DÉSENCROÛTER.

SE DÉGOURDIR
Les jambes : SE DÉROUILLER.

DÉGOÛT 654
AVERSION, ÉCŒUREMENT, LASSITUDE, NAUSÉE, RÉPUGNANCE, RÉPULSION.

DÉGOÛTANT
• Des lieux dégoûtants : IMMONDE, INFECT, MALPROPRE, NAUSÉABOND, REPOUSSANT, SALE, *et en lang. vulg.* : DÉGUEULASSE.
• Il a eu une attitude dégoûtante envers moi : ABJECT, HONTEUX, IGNOBLE, ODIEUX.
• Il raconte toujours des histoires dégoûtantes : COCHON, GROSSIER, LICENCIEUX, OBSCÈNE.
• C'est dégoûtant de travailler dans des conditions pareilles : DÉCOURAGEANT, DÉMORALISANT, ÉCŒURANT, RÉVOLTANT.

DÉGOÛTÉ
Faire le dégoûté : DIFFICILE, EXIGEANT.

DÉGOÛTER
DÉCOURAGER, DÉMORALISER, ÉCŒURER, FATIGUER, LASSER, REBUTER, RÉVOLTER.

DÉGOUTTER 655
RUISSELER, SUINTER, *et en lang. fam.* : DÉGOULINER.

DÉGRADATION 656
• La dégradation d'un monument public : DÉTÉRIORATION, ENDOMMAGEMENT, MUTILATION.
• La dégradation de la situation de l'emploi : AGGRAVATION.
• La dégradation des mœurs : AVILISSEMENT.
• La dégradation d'un officier : DESTITUTION.

DÉGRADER
• Dégrader un édifice : DÉTÉRIORER, ENDOMMAGER, MUTILER, PROFANER.
• La drogue dégrade l'homme : ABAISSER, AVILIR, DÉSHONORER.
• Dégrader un officier : CASSER, DESTITUER.

SE DÉGRADER
La situation internationale se dégrade : S'AGGRAVER, SE DÉTÉRIORER.

DÉGRISER 657
- *Au sens propre :* DÉSENIVRER, *et en lang. fam. :* DESSOÛLER.
- *Au sens figuré :* DÉSENCHANTER, DÉSILLUSIONNER.

DÉGUERPIR 658
DÉCAMPER, FUIR, S'ESQUIVER, SE RETIRER, SE SAUVER, *et en lang. fam. :* FILER, SE BARRER, SE DÉBINER, SE TAILLER, SE TIRER.

DÉGUISER 659
CAMOUFLER, DISSIMULER, MAQUILLER, MASQUER.

SE DÉGUISER
SE TRAVESTIR.

DÉJOUER 660
- un complot : CONTRECARRER.
- la surveillance de quelqu'un : TROMPER.

DÉLABRÉ 661
- Une maison délabrée : DÉMOLI, DÉTÉRIORÉ, ENDOMMAGÉ.
- Des vêtements délabrés : DÉCHIRÉ, LOQUETEUX.
- Une santé délabrée : CHANCELANT.

DÉLAI 662
PROLONGATION, RÉPIT, SURSIS.

DÉLAISSER 663
ABANDONNER, LAISSER, NÉGLIGER, QUITTER, SE DÉSINTÉRESSER DE.

DÉLASSER 664
DÉTENDRE, DISTRAIRE, REPOSER.

DÉLAYAGE 665
Votre devoir n'est qu'un délayage : REMPLISSAGE, VERBIAGE.

DÉLECTER (SE) 666
GOÛTER, SAVOURER, SE RÉGALER, SE RÉJOUIR, *et en lang. fam. :* DÉGUSTER, SE POURLÉCHER.

DÉLÉGUÉ 667
DÉPUTÉ, MANDATAIRE, REPRÉSENTANT.

DÉLÉGUER
- Quelqu'un : ENVOYER, MANDATER.
- Ses pouvoirs à quelqu'un : CONFIER, REMETTRE, TRANSMETTRE.

DÉLIBÉRATION 668
DÉBAT, DISCUSSION, EXAMEN, RÉFLEXION.

DÉLIBÉRÉMENT
INTENTIONNELLEMENT, RÉSOLUMENT, VOLONTAIREMENT.

DÉLIBÉRER
DÉBATTRE, DISCUTER, ÉTUDIER, EXAMINER, SE CONCERTER, SE CONSULTER.

DÉLICAT 669
- Un mets délicat : DÉLICIEUX, EXQUIS, FIN, SAVOUREUX, SUCCULENT.
- Une peau délicate : FRAGILE, SENSIBLE.
- Un problème délicat : COMPLIQUÉ, DIFFICILE, EMBARRASSANT.
- Une situation délicate : DANGEREUX, ÉPINEUX, PÉRILLEUX.
- Un goût délicat : FIN, RAFFINÉ, SUBTIL.
- Un geste délicat : COURTOIS, GENTIL, PRÉVENANT.
- Une conscience délicate : POINTILLEUX, SCRUPULEUX.
- Faire le délicat : DIFFICILE.

DÉLICATESSE
- La délicatesse d'un parfum : DOUCEUR, SUAVITÉ.
- La délicatesse d'un visage : CHARME, GRÂCE.
- La délicatesse d'un travail d'artiste : ÉLÉGANCE, FINESSE.
- La délicatesse d'un geste, d'un sentiment : GENTILLESSE, PRÉVENANCE.
- La délicatesse d'une affaire compliquée : DIFFICULTÉ, SUBTILITÉ.
- La délicatesse de la conscience : HONNÊTETÉ, PROBITÉ, SCRUPULE.
- Prendre un vase avec délicatesse : ATTENTION, PRÉCAUTION, SOIN.
- Traiter une affaire avec délicatesse : CIRCONSPECTION, PRUDENCE, TACT.

DÉLICE 670
BONHEUR, DÉLECTATION, PLAISIR, RAVISSEMENT, RÉGAL.

DÉLICIEUX
- Un gâteau délicieux : EXQUIS, SAVOUREUX, SUCCULENT.
- Une soirée délicieuse : AGRÉABLE, MERVEILLEUX.
- Une jeune femme délicieuse : CHARMANT, RAVISSANT.

DÉLIMITER 671
- Un champ : BORNER, LIMITER.
- Un sujet à traiter : CIRCONSCRIRE, DÉFINIR.

DÉLIQUESCENCE 672
- Tomber en déliquescence : DÉCOMPOSITION, DÉCRÉPITUDE, DÉGÉNÉRESCENCE, RUINE.

DÉLIRANT 673
Une joie délirante : EXTRAVAGANT, FOU.

DÉLIRE
- Le malade est en plein délire : DIVAGATION, ÉGAREMENT, FOLIE, HALLUCINATION.

- Le délire d'une foule : ENTHOUSIASME, EXALTATION, EXULTATION, FRÉNÉSIE, HYSTÉRIE.

DÉLIRER

DÉRAISONNER, DIVAGUER, *et en lang. fam. :* DÉRAILLER.

DÉLIT 674

FAUTE, INFRACTION, *et par extension de sens :* CRIME, FORFAIT.

DÉLIVRER 675

1. Délivrer quelqu'un : AFFRANCHIR, LIBÉRER.
- Délivrer quelqu'un d'un mal : DÉBARRASSER, SOULAGER.

2. Délivrer une autorisation : DONNER, REMETTRE.

SE DÉLIVRER

S'AFFRANCHIR, SE DÉBARRASSER, SE DÉGAGER, SE LIBÉRER.

DÉLOYAL 676

FOURBE, HYPOCRITE, MALHONNÊTE, PERFIDE, TRAÎTRE.

DÉLOYAUTÉ

DUPLICITÉ, FOURBERIE, HYPOCRISIE, MALHONNÊTETÉ, PERFIDIE, TRAÎTRISE.

DÉLUGE 677

Un déluge de paroles, d'injures : AVALANCHE, FLOT, TORRENT.

DEMANDE 678

- Exprimer une demande : DÉSIR, SOUHAIT.
- Une demande impérative : EXIGENCE, ORDRE.
- Une demande respectueuse : PRIÈRE, SUPPLIQUE.
- Remplir une demande pour obtenir quelque chose : FORMULAIRE, QUESTIONNAIRE.
- J'ai répondu à votre demande : INTERROGATION, QUESTION.
- La demande de ce qui est dû : RÉCLAMATION, REVENDICATION.
- Il y a actuellement une grosse demande sur le fuel : COMMANDE.

DEMANDER

1. Tout le monde demande la paix : DÉSIRER, SOUHAITER.
- Demander une faveur : SOLLICITER.
- Demander quelque chose de façon impérative : COMMANDER, ENJOINDRE, EXIGER, ORDONNER, PRESCRIRE, SOMMER.
- Demander son dû avec insistance : RÉCLAMER, REVENDIQUER.
- Demander un emploi : POSTULER.
- Demander une aumône : MENDIER.
- Je lui ai demandé la route à suivre : INTERROGER SUR, QUESTIONNER SUR, S'ENQUÉRIR DE, SE RENSEIGNER SUR.
- Je vous demande d'attendre un peu : PRIER.
- On vous demande au téléphone : APPELER.
- « Demander pardon » à quelqu'un : S'EXCUSER AUPRÈS DE.

2. Ce travail demande une heure : EXIGER, NÉCESSITER.
- Cette recherche demande beaucoup de soin : REQUÉRIR.

(SE) DEMANDER

Je me demande pourquoi elle est en retard : S'INTERROGER.

DÉMANGEAISON 679

- Ressentir une démangeaison : CHATOUILLEMENT, IRRITATION, PICOTEMENT, PRURIT, *et en lang. fam. :* DES FOURMIS.
- *Fam. :* J'ai la démangeaison de tout lui dire : DÉSIR, ENVIE.

DÉMANGER

PICOTER, PIQUER.

DÉMARCHE 680

- Il a une démarche lourde : ALLURE, MARCHE, PAS.
- Il est arrivé à la même solution par une démarche différente : CHEMINEMENT, MÉTHODE.
- Faire une démarche auprès de quelqu'un pour obtenir quelque chose : INTERVENTION, SOLLICITATION, TENTATIVE.

DÉMARRER 681

COMMENCER, PARTIR.

DÉMASQUER 682

- Démasquer ses véritables intentions : DÉCOUVRIR, DÉVOILER, RÉVÉLER.
- Démasquer un menteur : CONFONDRE.

DÉMÊLER 683

- Démêler un cordon, des fils : DÉBROUILLER, DÉSENTORTILLER.
- Démêler une affaire compliquée : ÉCLAIRCIR.
- Démêler le vrai du faux : DISCERNER, DISTINGUER, SÉPARER.

DÉMEMBREMENT 684

Le démembrement des terres : DIVISION, MORCELLEMENT, PARTAGE.

DÉMENCE 685

DÉRAISON, EXTRAVAGANCE, FOLIE.

DÉMENT

1. *adj.* Ce qu'il dit est dément : EXTRAVAGANT, INSENSÉ.
2. *nom.* Les déments : ALIÉNÉ, FOU.

DÉMENER (SE) 686
- L'enfant se démenait : S'AGITER, SE DÉBATTRE.
- Se démener pour finir un travail à temps : SE DÉPENSER, SE MULTIPLIER, *et en lang. fam. :* SE DÉCARCASSER.

DÉMENTI 687
CONTESTATION, DÉNÉGATION, DÉSAVEU, INFIRMATION.

DÉMENTIR
- Démentir quelqu'un : CONTREDIRE, DÉDIRE, DÉSAVOUER.
- Démentir quelque chose : CONTESTER, INFIRMER, NIER.
- Ses actes démentent ses paroles : CONTREDIRE, INFIRMER.

(SE) DÉMENTIR
Sa générosité ne se dément pas : CESSER, S'ARRÊTER.

DÉMESURE 688
EXAGÉRATION, EXCÈS, OUTRANCE.

DÉMESURÉ
- Une tour d'une hauteur démesurée : EXAGÉRÉ, EXCESSIF, EXTRAORDINAIRE.
- Une passion démesurée : DÉRAISONNABLE, EFFRÉNÉ, EXORBITANT, IMMODÉRÉ.

DÉMETTRE (SE) 689
- Se démettre le genou, l'épaule : SE DÉBOÎTER, SE LUXER.
- Se démettre de ses fonctions : ABANDONNER, DÉMISSIONNER, RÉSIGNER, *et en lang. fam. :* DÉCROCHER.

DEMEURE 690
- Voici ma demeure : DOMICILE, HABITATION, LOGEMENT, MAISON, RÉSIDENCE.
- La dernière demeure : SÉPULTURE, TOMBEAU.
- Une « mise en demeure » : EXIGENCE, SOMMATION.

DEMEURER
- Je demeure dans cette rue : HABITER, LOGER, RÉSIDER, *et en lang. très fam. :* CRÉCHER, NICHER, PERCHER.
- Quand je viens ici, je demeure à l'hôtel : SÉJOURNER.
- Ne demeurez pas trop longtemps à l'ombre, vous attraperiez froid : RESTER, S'ARRÊTER, S'ATTARDER, STATIONNER.
- Et surtout, demeurez calme : RESTER.
- Le souvenir de cet événement demeure dans ma mémoire : DURER, PERSISTER, RESTER, SE MAINTENIR, SUBSISTER.

DÉMISSION 691
ABANDON, ABDICATION, RENONCIATION, RÉSIGNATION.

DÉMOCRATISER 692
GÉNÉRALISER, POPULARISER, VULGARISER.

DÉMODÉ 693
ARCHAÏQUE, DÉPASSÉ, DÉSUET, PÉRIMÉ, SURANNÉ, VIEILLOT.

DEMOISELLE 694
1. JEUNE FILLE.
2. Paver une rue avec une demoiselle : DAME, HIE.
3. Le vol gracieux d'une demoiselle : LIBELLULE.

DÉMOLIR 695
- Démolir un mur, une construction : DÉMANTELER, DÉTRUIRE, RASER, RENVERSER.
- Démolir un jouet, un appareil : BRISER, CASSER, *et en lang. fam. :* BOUSILLER, DÉGLINGUER, DÉTRAQUER.
- Démolir un personnage public par des calomnies : DISCRÉDITER.
- *Pop. :* Démolir quelqu'un : ASSOMMER, TUER.

DÉMONSTRATIF 696
Une personne démonstrative : EXPANSIF, EXUBÉRANT.

DÉMONSTRATION
- La démonstration de l'efficacité d'une méthode : JUSTIFICATION, PREUVE.
- Des démonstrations d'amitié, de joie : MANIFESTATION, MARQUE, PROTESTATION, TÉMOIGNAGE.

DÉMONTRER
- J'ai pu démontrer qu'il avait tort : ÉTABLIR, PROUVER.
- Cette panne démontre la nécessité d'une révision de votre voiture : INDIQUER, MONTRER, PROUVER, RÉVÉLER.

DÉMONTER 697
- Démonter un cavalier : DÉSARÇONNER, RENVERSER.
- Démonter les pièces d'un mécanisme : DÉSASSEMBLER, ENLEVER.
- Il se laisse facilement démonter par l'adversité : DÉCONCERTER, DÉCONTENANCER, DÉMORALISER, DÉROUTER, DÉSORIENTER, TROUBLER.

SE DÉMONTER : S'AFFOLER, SE TROUBLER.

DÉMORDRE 698
Elle ne veut pas démordre de son idée : RENONCER À, SE DÉPARTIR DE.

DÉMUNIR 699
DÉGARNIR, DÉPOUILLER, PRIVER.

SE DÉMUNIR
SE DÉPOUILLER DE, SE DESSAISIR DE, SE SÉPARER DE.

DÉNATURÉ 700
- Un enfant dénaturé : INDIGNE, INGRAT.
- Des goûts dénaturés : CORROMPU, DÉPRAVÉ, PERVERS.

DÉNICHER 701
Un objet rare : DÉCOUVRIR, TROUVER.

DÉNIER 702
- Dénier un fait : CONTESTER, NIER.
- Dénier à quelqu'un le droit de parler : REFUSER.

DÉNOMBREMENT 703
COMPTE, ÉNUMÉRATION, INVENTAIRE, RECENSEMENT, STATISTIQUE.

DÉNOMBRER
COMPTER, INVENTORIER, RECENSER.

DÉNONCER 704
- Dénoncer un contrat : ANNULER, ROMPRE.
- Dénoncer un coupable : ACCUSER, *et en lang. fam. :* CAFARDER, DONNER, MOUCHARDER, VENDRE.
- Dénoncer un scandale : DÉVOILER.
- Ses tics dénoncent une grande nervosité : DÉNOTER, INDIQUER, MONTRER, RÉVÉLER, TRAHIR.

DÉNONCIATEUR
ACCUSATEUR, DÉLATEUR, INDICATEUR, *et en lang. fam. :* MOUCHARD, MOUTON.

DÉNONCIATION
- La dénonciation d'un contrat : ANNULATION, RUPTURE.
- La dénonciation d'un coupable : ACCUSATION, DÉLATION, *et en lang. fam. :* MOUCHARDAGE.

DENSE 705
- Un brouillard dense : ÉPAIS.
- Une foule dense : COMPACT, NOMBREUX, TASSÉ.
- Un métal dense : LOURD, PESANT.
- Un feuillage dense : ABONDANT, TOUFFU.
- Un style dense : CONCIS, CONDENSÉ, RAMASSÉ.

DÉNUÉ 706
DÉMUNI, DÉPOURVU, PRIVÉ DE.

DÉPANNER 707
- Dépanner un moteur, un appareil : RÉPARER.
- Dépanner quelqu'un : AIDER, TIRER D'EMBARRAS.

DÉPAREILLÉ 708
Des serviettes de table dépareillées : DÉSASSORTI.

DÉPASSER 709
- Dépasser une voiture sur la route : DOUBLER, *et en lang. fam. :* GRATTER.
- Dépasser un concurrent dans une compétition : DEVANCER, DISTANCER, SURCLASSER, SURPASSER.
- Dépasser les bornes, les limites : EXCÉDER, FRANCHIR, OUTREPASSER.
- Cette maison dépasse l'alignement : DÉBORDER.
- *Fam. :* Cela me dépasse : DÉCONCERTER, ÉTONNER.

SE DÉPASSER
Pour ce travail, il s'est dépassé : SE SURPASSER.

DÉPÊCHE 710
CÂBLE, MESSAGE, TÉLÉGRAMME.

SE DÉPÊCHER
SE HÂTER, SE PRESSER, *et en lang. pop. :* SE GROUILLER.

DÉPENDANCE 711
1. La dépendance entre deux choses : CORRÉLATION, LIAISON, RAPPORT, RELATION.
- Vivre en état de dépendance : ASSERVISSEMENT, SERVITUDE, SOUMISSION, SUBORDINATION, SUJÉTION, VASSALITÉ.
- Être sous la dépendance de quelqu'un : COUPE, DOMINATION, JOUG, POUVOIR.

2. Les dépendances d'un château : ANNEXES, COMMUNS.

DÉPENDRE
1. Les résultats dépendront de votre travail : DÉCOULER, REPOSER SUR, VENIR DE.
- Cette affaire ne dépend pas de mon service : RELEVER DE, RESSORTIR À, SE RATTACHER À.

2. Dépendre du linge : DÉCROCHER, DÉTACHER.

DÉPENSE 712
- Les dépenses excèdent les recettes : DÉBOURS, FRAIS, PAIEMENT.
- Une grande dépense d'énergie : CONSOMMATION.

DÉPENSER
- Voilà ce que j'ai dépensé dans la journée : DÉBOURSER, PAYER.
- Il a dépensé sa fortune au jeu : DILAPIDER, DISSIPER, GASPILLER, *et en lang. fam. :* CROQUER, MANGER.
- Elle a dépensé beaucoup d'efforts pour réussir : DÉPLOYER, PRODIGUER.
- Cette voiture dépense peu d'essence : CONSOMMER.

DÉPÉRIR 713
- Un vieillard qui dépérit : DÉCLINER, S'AFFAIBLIR.
- Une plante qui dépérit : S'ÉTIOLER, SE FANER.

• Une entreprise commerciale qui dépérit : PÉRICLITER.

DÉPISTER 714
1. Dépister un évadé : DÉCOUVRIR, RETROUVER.
• Dépister une maladie : DÉCELER, DÉTECTER.
2. Le renard a dépisté les chiens lancés à sa poursuite : DÉROUTER, ÉGARER, *et en lang. fam. :* SEMER.

DÉPIT 715
AIGREUR, AMERTUME, CONTRARIÉTÉ, DÉSAPPOINTEMENT, IRRITATION, RANCŒUR, RESSENTIMENT.

DÉPITÉ
CHAGRINÉ, CONTRARIÉ, DÉÇU, DÉSAPPOINTÉ, VEXÉ.

DÉPLACÉ 716
• Poser une question déplacée : INCONVENANT, INCORRECT, MALSÉANT.
• J'ai jugé que ma présence à cette réunion serait déplacée : INOPPORTUN.

DÉPLACER
• Quelque chose : BOUGER, DÉMÉNAGER, DÉRANGER, REMUER.
• Un fonctionnaire : MUTER.

SE DÉPLACER
CIRCULER, MARCHER, SE MOUVOIR, VOYAGER.

DÉPLAIRE 717
• Ce travail me déplaît : DÉGOÛTER, REBUTER, RÉPUGNER.
• Sa remarque m'a déplu : CHOQUER, INDISPOSER, OFFENSER, PEINER, VEXER.

SE DÉPLAIRE
Je me déplais à la campagne : S'ENNUYER.

DÉPLAISANT
• Un homme déplaisant : ANTIPATHIQUE, DÉSAGRÉABLE, IRRITANT.
• Une aventure déplaisante : CONTRARIANT, ENNUYEUX, FÂCHEUX.
• Avoir une attitude déplaisante envers quelqu'un : BLESSANT, DÉSOBLIGEANT.

DÉPLORABLE 718
• Une situation déplorable : ATTRISTANT, NAVRANT, PÉNIBLE, TRISTE.
• Un incident déplorable : FÂCHEUX, REGRETTABLE.
• Une conduite déplorable : BLÂMABLE, DÉTESTABLE, RÉPRÉHENSIBLE, SCANDALEUX.
• Un temps déplorable : DÉSASTREUX, EXÉCRABLE, LAMENTABLE.

DÉPLORER
REGRETTER, SE LAMENTER.

DÉPORTATION 719
• Un criminel condamné à la déportation : BANNISSEMENT, RELÉGATION.
• La déportation en camp de concentration : INTERNEMENT.

DÉPORTÉ
Un camp de déportés politiques : INTERNÉ.

SE DÉPORTER
L'auto s'est déportée vers la gauche : DÉVIER, OBLIQUER.

DÉPOSER 720
1. *v. tr.*
• Déposer ses lunettes sur la table : METTRE, PLACER.
• Déposer ses clefs chez le concierge : CONFIER, REMETTRE.
• Déposer des rideaux : ENLEVER, ÔTER.
• Déposer un roi, un empereur : DESTITUER.
2. *v. intr.*
Déposer en justice : TÉMOIGNER.

DÉPÔT
• Faire un dépôt à la banque : VERSEMENT.
• Donner un dépôt de garantie : CAUTIONNEMENT, PROVISION.
• Un dépôt de marchandises : ENTREPÔT, RÉSERVE.
• Le dépôt au fond d'une bouteille de vin : LIE.
• Un dépôt d'ordures : DÉCHARGE, DÉPOTOIR.
• Les dépôts du Nil après une crue : ALLUVIONS, LIMON.

DÉPOUILLER 721
• Dépouiller un animal : ÉCORCHER, *et en lang. fam. :* DÉPIAUTER.
• Dépouiller ses vêtements : ENLEVER, ÔTER, QUITTER, RETIRER.
• Dépouiller quelqu'un de ses habits : DÉSHABILLER, DÉVÊTIR.
• Dépouiller quelqu'un de son argent : DÉVALISER, RANÇONNER, VOLER, *et en lang. fam. :* PLUMER, TONDRE.
• Dépouiller quelqu'un d'un héritage : DÉPOSSÉDER, DÉSHÉRITER, SPOLIER.
• La tempête a dépouillé les arbres : DÉFEUILLER, EFFEUILLER.

DÉPRAVER 722
CORROMPRE, DÉBAUCHER, PERVERTIR.

SE DÉPRAVER
S'AVILIR, SE PERVERTIR.

DÉPRÉCIER 723
DÉCRIER, DÉNIGRER, DISCRÉDITER, MÉJUGER, MÉSESTIMER, MINIMISER, RABAISSER, SOUS-ESTIMER.

SE DÉPRÉCIER
L'or ne se déprécie pas : SE DÉVALORISER, SE DÉVALUER.

DÉPRÉDATION 724
DÉGRADATION, DESTRUCTION, DÉTÉRIORATION, DÉVASTATION, SAC, SACCAGE, VANDALISME.

DÉPRESSION 725
- Une dépression mentale, nerveuse : ABATTEMENT, ACCABLEMENT, DÉCOURAGEMENT, MÉLANCOLIE, NEURASTHÉNIE, SPLEEN.
- Une dépression économique : CRISE, RÉCESSION.
- *En géographie :* BASSIN, CUVETTE.

DÉPRIMANT
- Un climat déprimant : AFFAIBLISSANT, AMOLLISSANT, DÉBILITANT.
- Un livre déprimant : DÉMORALISANT.

DÉRACINER 726
ARRACHER, EXTIRPER, EXTRAIRE.

DÉRAISONNABLE 727
ABSURDE, EXTRAVAGANT, ILLOGIQUE, INSENSÉ, IRRATIONNEL.

DÉRAISONNER
DÉLIRER, DIVAGUER, *et en lang. fam. :* DÉBLOQUER, DÉMÉNAGER, DÉRAILLER, RADOTER.

DÉRANGEMENT 728
- Avec ce déménagement, la maison est en plein dérangement : BOULEVERSEMENT, DÉSORDRE, *et en lang. fam. :* CHAMBARDEMENT, PAGAILLE.
- Le dérangement dans les habitudes de quelqu'un : DÉSORGANISATION, PERTURBATION.
- Ma visite vous cause-t-elle du dérangement ? : ENNUI, GÊNE.
- Cette curiosité vaut le dérangement : DÉPLACEMENT.
- Un dérangement des intestins : COLIQUE, DIARRHÉE.
- Un dérangement du cerveau : DÉSÉQUILIBRE, TROUBLE.

DÉRANGER
- Ne dérange pas tout ! : BOULEVERSER, BOUSCULER, DÉSORGANISER, PERTURBER, *et en lang. fam. :* CHAMBARDER, CHAMBOULER.
- Il est venu me déranger dans mes occupations : DISTRAIRE, ENNUYER, GÊNER, IMPORTUNER, TROUBLER.
- Cet incident a dérangé mes plans : CONTRARIER, CONTRECARRER.
- Avoir le cerveau dérangé : DÉSÉQUILIBRÉ, DÉTRAQUÉ, FOU.

SE DÉRANGER
Se déranger pour aller prendre quelque chose : SE DÉPLACER.

DÉRÈGLEMENT 729
- Le dérèglement d'un mécanisme : DÉRANGEMENT, DÉTRAQUEMENT.
- Le dérèglement du temps : PERTURBATION.
- Le dérèglement des mœurs : DÉBAUCHE, DÉVERGONDAGE, LIBERTINAGE.

DÉRÉGLER
- Il a déréglé l'horloge : DÉTRAQUER.
- Cela a déréglé mes habitudes : DÉRANGER, PERTURBER, TROUBLER.

DÉRISION 730
DÉDAIN, IRONIE, MÉPRIS, MOQUERIE, RAILLERIE, SARCASME.

DÉRISOIRE
INSIGNIFIANT, MINIME, NÉGLIGEABLE, PIÈTRE, RIDICULE, VAIN.

DERNIER 731
- La semaine dernière : PASSÉ, PRÉCÉDENT.
- D'après les dernières nouvelles : RÉCENT.
- Faire un dernier effort : SUPRÊME, ULTIME.
- C'est le dernier de mes soucis : MOINDRE.
- Un produit de dernier choix : INFÉRIEUR.
- C'est mon dernier prix : DÉFINITIF.
- J'arrive à la dernière ligne : FINAL.
- À la dernière limite : EXTRÊME.

DÉROBER 732
- Dérober quelque chose : PRENDRE, RAVIR, SUBTILISER, VOLER, *et en lang. fam. :* BARBOTER, CHAPARDER, CHIPER, FAUCHER, PIQUER, RAFLER.
- Les arbres dérobent le château à nos yeux : CACHER, DISSIMULER.

SE DÉROBER
- Se dérober devant quelqu'un : ÉVITER, FUIR, S'ÉCLIPSER, SE SAUVER.
- Se dérober à la vue d'autrui : SE CACHER, SE DISSIMULER.
- Se dérober à des poursuites : ÉCHAPPER.
- Se dérober à ses obligations : MANQUER À, SE SOUSTRAIRE À.
- Se dérober à une question gênante : ÉLUDER, ESQUIVER.
- Ses jambes se dérobèrent sous lui : FAIBLIR, FLÉCHIR.

DÉROGATION 733
- Je ne peux tolérer aucune dérogation au règlement : INFRACTION, MANQUEMENT.
- Obtenir une dérogation : EXCEPTION.

DÉROGER
- Déroger à la loi : ENFREINDRE.
- « Déroger à l'honneur » : DÉCHOIR, S'ABAISSER.

DÉROULER 734
DÉBOBINER, DÉPLOYER, ÉTALER, ÉTENDRE.

SE DÉROULER
Les événements se sont déroulés ainsi : SE PASSER.

DÉROUTANT 735
Une question déroutante : DÉCONCERTANT, EMBARRASSANT, INATTENDU.

DÉROUTÉ
Être dérouté par les questions d'un examinateur : DÉCONCERTÉ, DÉCONTENANCÉ, DÉSEMPARÉ.

DERRIÈRE 736
ARRIÈRE-TRAIN, CROUPE, FESSIER, POSTÉRIEUR, SÉANT, *en lang. fam. :* PÉTARD, POPOTIN, *en lang. enfantin :* LUNE, *et en lang. vulg. :* CUL.

DÉSABUSÉ 737
Un air désabusé : DÉÇU, DÉGOÛTÉ, DÉSENCHANTÉ, DÉSILLUSIONNÉ.

DÉSABUSER
Désabuser quelqu'un : DÉMYSTIFIER, DÉTROMPER.

DÉSACCORD 738
- Un désaccord entre personnes : BROUILLE, DIFFÉREND, DISCORDE, DISSENSION, MÉSENTENTE, ZIZANIE.
- Un désaccord entre choses : CONTRADICTION, CONTRASTE, DISCORDANCE, DIVERGENCE, OPPOSITION.

DÉSAGRÉABLE 739
- Une personne désagréable : AGAÇANT, ANTIPATHIQUE, DÉTESTABLE, INSUPPORTABLE, ODIEUX.
- Des propos désagréables : BLESSANT, DÉSOBLIGEANT, INJURIEUX, INSOLENT, OFFENSANT.
- Une nouvelle désagréable : CONTRARIANT, DÉPLAISANT, ENNUYEUX, FÂCHEUX.
- Une situation désagréable : DOULOUREUX, PÉNIBLE.
- Une odeur désagréable : INCOMMODANT, NAUSÉABOND.
- Un goût désagréable : AIGRE, SAUMÂTRE.

DÉSAGRÉMENT
CONTRARIÉTÉ, DÉPLAISIR, ENNUI, SOUCI, *et en lang. fam. :* EMBÊTEMENT, EMPOISONNEMENT.

DÉSAGRÉGER 740
DÉCOMPOSER, DÉTRUIRE, DISLOQUER, DISSOCIER, PULVÉRISER.

DÉSARMER 741
- Désarmer la colère de quelqu'un : APAISER, CALMER.
- Sa haine ne désarme pas : CÉDER, FLÉCHIR.
- Sa gentillesse me désarme : TOUCHER.

DÉSARROI 742
ANGOISSE, DÉTRESSE, TROUBLE.

DÉSASTRE 743
- Les désastres causés par la sécheresse au Sahel : CALAMITÉ, CATASTROPHE, FLÉAU.
- Le désastre subi par une armée : DÉFAITE, DÉROUTE.

DÉSAVANTAGE 744
- Avoir un désavantage sur les autres : HANDICAP.
- Cette solution présente des désavantages : INCONVÉNIENT.
- L'affaire a tourné à son désavantage : DÉTRIMENT, PRÉJUDICE.

DÉSAVANTAGER
DÉFAVORISER, HANDICAPER, LÉSER.

DESCENDRE 745
1. Descendre d'une voiture : SORTIR.
- Descendre d'un bateau : DÉBARQUER.
- Descendre très vite d'un lieu élevé : DÉGRINGOLER, TOMBER.
- Le torrent descend de la montagne : DÉVALER.
- Elle descend d'une famille illustre : ÊTRE ISSU.
- La mer descend : BAISSER, SE RETIRER.
- La nuit descend : TOMBER.
- Les prix ne descendent pas : BAISSER, DIMINUER.
- Chaque fois qu'il vient à Paris, il descend dans le même hôtel : LOGER, SÉJOURNER.
- Il est descendu jusqu'à nous calomnier : S'ABAISSER, S'AVILIR, SE RAVALER.

2. Descendre un avion : ABATTRE.

DESCRIPTION 746
- La description d'une personne : PORTRAIT, SIGNALEMENT.
- La description d'un événement : EXPOSÉ, RÉCIT.
- La description d'un paysage : IMAGE, PEINTURE, TABLEAU.

DÉSERT 747
- Une maison déserte : ABANDONNÉ, INHABITÉ.
- Au mois d'août, Paris est désert : DÉPEUPLÉ, VIDE.

DÉSERTION
- La désertion des campagnes par les paysans : ABANDON.
- Un soldat coupable de désertion : INSOUMISSION.
- On a enregistré quelques désertions parmi les membres de ce parti : DÉFECTION.

DÉSHONNEUR 748
HONTE, IGNOMINIE, INFAMIE, OPPROBRE.

DÉSHONORER
AVILIR, DÉGRADER, FLÉTRIR, SALIR, SOUILLER.

DÉSIGNER 749
- Désigner quelqu'un ou quelque chose : INDIQUER, MONTRER, SIGNALER.
- Désigner quelqu'un pour une fonction : CHOISIR, ÉLIRE, NOMMER.
- Les idéogrammes des tablettes sumériennes désignent des objets ou des idées : REPRÉSENTER, SIGNIFIER, SYMBOLISER.

DÉSINTÉRESSÉ 750
- Une personne désintéressée : ALTRUISTE, GÉNÉREUX.
- Donner un conseil désintéressé : IMPARTIAL, OBJECTIF.
- Apporter un concours désintéressé : BÉNÉVOLE, GRATUIT.

DÉSINTÉRESSER
Désintéresser celui envers lequel on a des dettes : DÉDOMMAGER, INDEMNISER.

SE DÉSINTÉRESSER
De quelqu'un ou de quelque chose : DÉDAIGNER, MÉPRISER, NÉGLIGER, SE MOQUER DE.

DÉSINTÉRÊT
DÉSAFFECTION, DÉTACHEMENT, INDIFFÉRENCE.

DÉSINVOLTURE 751
Agir, parler, se conduire avec désinvolture : FAMILIARITÉ, IMPERTINENCE, LÉGÈRETÉ, SANS-GÊNE.

DÉSIR 752
- Avoir le désir d'être le premier : AMBITION, ASPIRATION, ENVIE, INTENTION, VOLONTÉ.
- Son seul désir est de ne pas occuper la dernière place : ESPOIR, SOUHAIT.
- Le désir de gloire : APPÉTIT, SOIF.
- N'éprouver aucun désir : BESOIN.
- Toutes ces richesses étalées attisent le désir de ceux qui n'ont rien : CONVOITISE, TENTATION.

DÉSIRABLE
Avoir les qualités désirables pour un poste : REQUIS, SOUHAITABLE, VOULU.

DÉSIRER
ASPIRER À, BRÛLER DE, CONVOITER, ENVIER, ESPÉRER, RECHERCHER, SOUHAITER, VISER À, VOULOIR.

DÉSISTER (SE) 753
RENONCER À, SE RETIRER DE.

DÉSOBÉIR 754
- À quelqu'un : RÉSISTER À, S'OPPOSER À, SE REBELLER CONTRE, SE RÉVOLTER CONTRE.
- À un ordre, à un règlement : CONTREVENIR À, ENFREINDRE, TRANSGRESSER, VIOLER.

DÉSOBÉISSANCE
INDISCIPLINE, INSUBORDINATION, RÉBELLION, RÉVOLTE.

DÉSOBÉISSANT
INDISCIPLINÉ, INDOCILE, INSOUMIS, INSUBORDONNÉ, REBELLE, RÉCALCITRANT, RÉFRACTAIRE.

DÉSŒUVRÉ 755
INACTIF, INOCCUPÉ, OISIF.

DÉSŒUVREMENT
INACTION, INACTIVITÉ, OISIVETÉ.

DÉSORDONNÉ 756
- Agir de façon désordonnée : ANARCHIQUE, CONFUS, INCOHÉRENT.
- Un élève désordonné : BROUILLON.
- Mener une vie désordonnée : DÉBAUCHÉ, DÉRÉGLÉ, DISSOLU, LICENCIEUX.

DÉSORDRE
- Nous sommes en plein déménagement, excusez le désordre de la maison : BOULEVERSEMENT, *et en lang. fam. :* CAPHARNAÜM, PAGAILLE.
- Il y a du désordre dans ce cagibi : BRIC-À-BRAC, FATRAS, FOUILLIS.
- Les perturbateurs ont provoqué un grand désordre pendant la réunion : CHAHUT, TAPAGE, TUMULTE, VACARME, *et en lang. fam. :* CHAMBARD.
- De graves désordres se sont produits dans la ville : ÉMEUTES, TROUBLES.
- Son intervention n'a fait qu'augmenter le désordre dans les esprits : CONFUSION, DÉSARROI.
- Le désordre dans une administration mal gérée : ANARCHIE, DÉSORGANISATION, GABEGIE.
- Il paie le désordre de sa vie passée : DÉRÈGLEMENT.

DESPOTE 757
DICTATEUR, TYRAN.

DESSERVIR 758
1. Desservir une table : DÉBARRASSER.
- Desservir quelqu'un auprès d'une autre personne : NUIRE À.
- Desservir les projets, les intérêts de quelqu'un : CONTRECARRER, ENTRAVER, GÊNER.

2. Ce train dessert Le Mans, Chartres et Versailles : S'ARRÊTER À.

DESSIN 759
- Faire un rapide dessin d'un bateau :

CROQUIS, ÉBAUCHE, ESQUISSE, REPRÉSENTATION.
- Un livre rempli de dessins : ILLUSTRATION.
- Le dessin des jardins de Versailles : PLAN.
- Un visage au dessin très pur : CONTOUR, LIGNE, PROFIL.
- Les dessins d'une frise : ARABESQUES, ORNEMENTS, VOLUTES.

DESSINER
- Dessiner un paysage : REPRÉSENTER.
- Dessiner quelque chose à grands traits : CRAYONNER, CROQUER, ÉBAUCHER, ESQUISSER.
- Ce pantalon dessine les formes : ACCUSER, MOULER, SOULIGNER.
- Le fleuve dessine des méandres : FORMER, TRACER.

SE DESSINER
- Une montagne se dessine à l'horizon : SE DÉCOUPER, SE PROFILER.
- Un sourire se dessine sur ses lèvres : APPARAÎTRE, S'ESQUISSER.
- Ce projet commence à se dessiner : SE PRÉCISER.

DESSOUS 760
- Avoir le dessous : DÉSAVANTAGE, INFÉRIORITÉ.
- Le dessous d'une étoffe : ENVERS.
- Des dessous bordés de dentelle de Calais : LINGERIE, SOUS-VÊTEMENT.
- Les dessous d'une affaire mystérieuse : SECRET.

DESSUS 761
- Avoir le dessus : AVANTAGE, SUPÉRIORITÉ.
- Le dessus d'un tapis : ENDROIT.

DESTIN 762
- On ne peut rien contre le destin : DESTINÉE, FATALITÉ.
- Le destin nous a permis de nous rencontrer : CHANCE, FORTUNE, HASARD.
- Cet événement a profondément modifié son destin : EXISTENCE, VIE.
- Le destin de cet enfant n'est pas assuré : AVENIR, SORT.

DESTINATION
- Ce n'était pas la destination première de cet édifice : AFFECTATION, USAGE, UTILISATION.
- Ils sont partis à destination de l'Italie : EN DIRECTION.
- Ont-ils atteint la destination de leur voyage ? : BUT.

DESTINER
- Destiner quelque chose à quelqu'un, quelque chose à un usage : AFFECTER, ASSIGNER, ATTRIBUER, RÉSERVER.
- Les parents voulaient destiner leur fille à une carrière d'ingénieur : ORIENTER VERS.

DESTITUER 763

Destituer quelqu'un : CASSER, DÉMETTRE, DÉPOSER, DÉTRÔNER, RÉVOQUER.

DESTRUCTION 764
- La destruction d'un édifice : DÉMOLITION.
- La destruction des récoltes par la grêle : ANÉANTISSEMENT, DÉVASTATION, RUINE.
- La destruction d'une population : EXTERMINATION, MASSACRE, TUERIE.
- La destruction d'un régime politique : ÉCROULEMENT, EFFONDREMENT, RENVERSEMENT.

DÉTRUIRE
- Détruire une construction : ABATTRE, DÉMANTELER, DÉMOLIR, RASER, RENVERSER.
- Les troupes ennemies ont détruit toute la région : DÉVASTER, RAVAGER, RUINER, SACCAGER.
- Les pesticides ont détruit tous les oiseaux : EXTERMINER, SUPPRIMER, TUER.
- Le feu a détruit toutes les récoltes : ANÉANTIR, CONSUMER, DÉVORER.
- De colère, il a tout détruit chez lui : BRISER, CASSER, DÉMOLIR.
- Ce contretemps a détruit tous mes espoirs, toutes mes illusions : ANNIHILER, DISSIPER.

DÉTACHEMENT 765
1. Montrer du détachement pour quelque chose : DÉSAFFECTION, INDIFFÉRENCE.
2. Envoyer un détachement en reconnaissance : COMMANDO, PATROUILLE.
3. Le détachement d'un fonctionnaire dans un autre poste : AFFECTATION.

DÉTACHER
1. *Suivant le contexte, on peut dire :* DÉBOUCLER, DÉBOUTONNER, DÉCROCHER, DÉGRAFER, DÉLIER, DÉNOUER, DÉPENDRE, DÉSENCHAÎNER, DÉTELER, LIBÉRER.
- Détacher une feuille d'un carnet : ARRACHER, ENLEVER.
- Détacher une patelle d'un rocher : DÉCOLLER, SÉPARER.
- Détacher un fruit de l'arbre : CUEILLIR.
- Détacher un passage d'un ouvrage : EXTRAIRE.
- Détacher les yeux d'un spectacle : DÉTOURNER.
- Ne gardez pas les bras collés au corps, détachez-les ! : ÉCARTER, ÉLOIGNER.
2. Détacher un fonctionnaire dans une autre administration : AFFECTER.
3. Détacher un vêtement : DÉGRAISSER, NETTOYER.

SE DÉTACHER
- Se détacher de ses liens : SE DÉFAIRE, SE LIBÉRER.
- Se détacher de ses amis : ABANDONNER, DÉLAISSER, NÉGLIGER, S'ÉCARTER, S'ÉLOIGNER, SE SÉPARER.
- Un coureur s'est détaché du peloton : SE DÉGAGER, S'ÉCHAPPER.
- Se détacher d'une mauvaise habitude : RENONCER À, SE DÉTOURNER DE.
- Les fruits se détachent de l'arbre : TOMBER.
- Cet objet très vif se détache sur un fond sombre : RESSORTIR, TRANCHER.

DÉTAIL 766
- Insister sur les détails d'une histoire : CIRCONSTANCE, PARTICULARITÉ.
- Cela n'a aucune importance, ce n'est qu'un détail : BAGATELLE, BROUTILLE.

DÉTAILLÉ
Un récit détaillé : CIRCONSTANCIÉ, MINUTIEUX, PRÉCIS.

DÉTAILLER
- De la viande : DÉBITER, DÉCOUPER.
- Tous les faits d'une histoire : DÉCRIRE, EXPOSER, RACONTER.
- Une personne en l'examinant : DÉVISAGER.

DÉTENDRE (SE) 767
- Se détendre après l'effort : SE DÉLASSER, SE DISTRAIRE, SE REPOSER.
- Leurs rapports se sont détendus : S'APAISER, SE CALMER.

DÉTENIR 768
Elle détient le record du 100 mètres en crawl : AVOIR, POSSÉDER.

DÉTENTION
- Être arrêté pour détention d'armes : POSSESSION.
- Être en détention préventive : EMPRISONNEMENT, INCARCÉRATION, INTERNEMENT.

DÉTERMINATION 769
1. La détermination d'un lieu : CARACTÉRISATION, INDICATION, LOCALISATION.
- La détermination par le carbone 14 de l'âge d'un fossile : DATATION.
2. Elle a fait preuve de détermination : DÉCISION, FERMETÉ, RÉSOLUTION, VOLONTÉ.

DÉTERMINÉ
- Une chose est déterminée : ARRÊTÉ, DÉFINI, FIXÉ, PRÉCISÉ, RÉGLÉ.
- Une personne est déterminée : DÉCIDÉ, FERME, RÉSOLU.

DÉTERMINER
- Déterminer quelque chose : CARACTÉRISER, DÉFINIR, DÉLIMITER, ÉVALUER, FIXER, LOCALISER, MESURER, PRÉCISER, RÉGLER, SPÉCIFIER.
- Déterminer quelqu'un à faire quelque chose : DÉCIDER, ENCOURAGER, ENGAGER, INCITER, PERSUADER, POUSSER.
- Le choc entre les deux voitures a déterminé leur explosion : AMENER, CAUSER, DÉCLENCHER, ENGENDRER, ENTRAÎNER, OCCASIONNER, PROVOQUER.

SE DÉTERMINER
SE DÉCIDER À, SE RÉSOUDRE À.

DÉTONER 770
Faire détoner un pétard : EXPLOSER.

DÉTONNER 771
Son ensemble rouge vif détonnait parmi les tenues sombres : CONTRASTER, JURER, TRANCHER.

DÉTOUR 772
- Les détours d'une route : LACET, TOURNANT, VIRAGE.
- Les détours d'une rivière : BOUCLE, COURBE, MÉANDRE.
- Faire un détour pour rendre visite à quelqu'un : CROCHET.
- La route étant barrée, nous avons dû prendre un détour : DÉVIATION.
- User de détours pour éviter de répondre à une question gênante : BIAIS, FAUX-FUYANT, SUBTERFUGE.
- Employer des détours pour s'exprimer : CIRCONLOCUTION, PÉRIPHRASE.

DÉTOURNER
- Détourner quelqu'un de sa route : DÉROUTER, DÉVIER.
- Détourner quelqu'un de faire quelque chose : DISSUADER, EMPÊCHER.
- Il a réussi à détourner le coup : DÉVIER, ESQUIVER, PARER.
- Elle a détourné les soupçons : ÉCARTER, ÉLOIGNER.
- Elle est habile à détourner la conversation : CHANGER.
- Détourner le cours d'une rivière : DÉRIVER.
- Détourner le sens des paroles de quelqu'un : DÉNATURER, FALSIFIER.
- Détourner des fonds, de l'argent : SOUSTRAIRE, VOLER.

DEVANCER 773
- Devancer un concurrent : DÉPASSER, DISTANCER, SURPASSER, *et en lang. fam. :* SEMER.
- Devancer une échéance : ANTICIPER.
- Vous avez devancé mon désir : PRÉVENIR.
- Tous ceux qui nous ont devancés sur terre : PRÉCÉDER.

DEVANCIER
PRÉCURSEUR, PRÉDÉCESSEUR.

DÉVELOPPEMENT 774
- À cet âge, il est en plein développement : CROISSANCE, ÉVOLUTION, FORMATION.
- L'entreprise a connu un bon développement : ESSOR, EXPANSION, PROGRÈS.
- Le développement d'une action : DÉROULEMENT, MARCHE.
- Cette affaire aura de nombreux développements : PROLONGEMENTS, RÉPERCUSSIONS.
- Faire un long développement sur une question : DISCOURS, EXPOSÉ.

DÉVELOPPER
- Développer un paquet : DÉBALLER, DÉFAIRE.
- Développer une banderole : DÉPLIER, DÉPLOYER, ÉTALER.
- Développer une entreprise commerciale : AGRANDIR, ÉTENDRE.
- Les deux pays ont développé leurs relations culturelles : ACCROÎTRE, AUGMENTER.
- Développer ses connaissances : ENRICHIR.
- Développer une idée, un sujet : DÉTAILLER, EXPLIQUER.

SE DÉVELOPPER
- La plaine russe se développe jusqu'à l'horizon : SE DÉPLOYER, S'ÉTALER.
- Cet enfant s'est bien développé : GRANDIR, *et en lang. fam. :* POUSSER.
- Cette mode s'est rapidement développée : S'ÉTENDRE, SE PROPAGER, SE RÉPANDRE.

DEVIN 775
AUGURE, PROPHÈTE, VISIONNAIRE, VOYANT.

DEVINER
- Deviner l'avenir : PRÉDIRE, PRÉVOIR, PROPHÉTISER.
- Deviner la vérité : DÉCOUVRIR, ENTREVOIR, PRESSENTIR, SOUPÇONNER, SUBODORER, TROUVER.

DÉVISAGER 776
Dévisager quelqu'un : EXAMINER, OBSERVER, TOISER, *et en lang. fam. :* RELUQUER.

DEVOIR 777
- Remplir son devoir : CHARGE, OBLIGATION, RESPONSABILITÉ, TÂCHE.
- Faire un devoir, corriger un devoir : COMPOSITION, COPIE, ÉPREUVE, EXERCICE.

DÉVORER 778
- Il ne mange pas, il dévore : AVALER, ENGLOUTIR, ENGOUFFRER, *et en lang. fam. :* S'EMPIFFRER.
- Dévorer quelque chose des yeux : CONVOITER.
- L'incendie a dévoré les maisons : DÉTRUIRE, RAVAGER.
- Il a dévoré sa fortune : DILAPIDER, GASPILLER, MANGER.
- Être dévoré de remords : RONGER, TOURMENTER.

DÉVOTION 779
- Une personne d'une grande dévotion : MYSTICITÉ, PIÉTÉ.
- Il a beaucoup de dévotion pour sa mère : ADORATION, VÉNÉRATION.

DIABLE 780
1. Le curé d'Ars se disait tourmenté par le diable : DÉMON, LUCIFER, SATAN.
2. Un pauvre diable : BOUGRE, MALHEUREUX, MISÉRABLE.
- C'est un diable d'homme : DRÔLE.
- Un enfant diable : TURBULENT.

DIABOLIQUE
- Un rire diabolique : MÉPHISTOPHÉLIQUE, SARCASTIQUE, SARDONIQUE, SATANIQUE.
- Une ruse diabolique : DÉMONIAQUE.
- Une machine diabolique : ENSORCELÉ, INFERNAL.

DIALOGUER 781
CONVERSER, DISCUTER, PARLER, S'ENTRETENIR.

DIAMANT 782
BRILLANT, SOLITAIRE.

DIAPHANE 783
L'opaline est diaphane : TRANSLUCIDE.

DIATRIBE 784
LIBELLE, PAMPHLET, SATIRE.

DICTATURE 785
ABSOLUTISME, CÉSARISME, DESPOTISME, TOTALITARISME, TYRANNIE.

DICTER 786
- Dicter ses volontés à quelqu'un : IMPOSER.
- Prendre une attitude dictée par les circonstances : INSPIRER, PROVOQUER, SUGGÉRER.

DIEU 787
L'ÊTRE SUPRÊME, LA PROVIDENCE, LE TOUT-PUISSANT.

DIFFÉRENCE 788
- Il y a une grande différence entre leurs points de vue : CONTRASTE, DISCORDANCE, DISPARITÉ, DIVERGENCE, OPPOSITION.
- Faire la différence entre deux choses : DISTINCTION, *et en langage soutenu :* DÉPART.
- Il y a deux ans de différence entre eux : ÉCART.

- Une différence dans les résultats : INÉGALITÉ.
- Nous devons cinquante francs, j'en paie quarante, et c'est à vous de donner la différence : COMPLÉMENT, RESTE.

DIFFÉRENT
1. C'est un problème différent : AUTRE, DISTINCT.
- Nous avons des points de vue différents : CONTRAIRE, DISSEMBLABLE, DIVERGENT, OPPOSÉ.
- Il a allégué différentes raisons pour ne pas venir : DIVERS, PLUSIEURS.
2. Depuis sa maladie, il est différent : CHANGÉ, MÉCONNAISSABLE, TRANSFORMÉ.

DIFFÉRER
1. Nos avis diffèrent : DIVERGER, SE DIFFÉRENCIER, SE DISTINGUER, S'OPPOSER.
2. Elle a différé sa décision, sa réponse, son départ : AJOURNER, RECULER, REPORTER, REPOUSSER, RETARDER.

DIFFICILE 789
- Une tâche difficile : ARDU, DÉLICAT, ÉPINEUX, INGRAT, MALAISÉ, PÉNIBLE.
- Un texte difficile, un problème difficile : COMPLEXE, COMPLIQUÉ, OBSCUR, SUBTIL.
- Elle a emprunté un chemin difficile pour atteindre la maison sur la falaise : DANGEREUX, ESCARPÉ, RAIDE.
- Un homme difficile, un caractère difficile : ACARIÂTRE, INSUPPORTABLE, IRASCIBLE, OMBRAGEUX, *et en lang. fam. :* IMPOSSIBLE, INVIVABLE.

DIFFICULTÉ
- La difficulté d'un problème : COMPLEXITÉ, SUBTILITÉ.
- Rencontrer des difficultés dans l'exécution d'un projet : ENNUI, ENTRAVE, OBSTACLE, OPPOSITION, RÉSISTANCE, *et en lang. fam. :* OS, PÉPIN.
- Il s'arrête à la moindre difficulté : ACCROC, ANICROCHE, COMPLICATION.
- Avoir eu des difficultés dans sa vie : CONTRARIÉTÉ, SOUCI, TRACAS.
- Avoir de la difficulté à s'exprimer : GÊNE, MAL, PEINE.
- Avoir des difficultés financières : EMBARRAS.
- Avoir constamment des difficultés avec ses voisins : CONTESTATION, DISCUSSION, QUERELLE.
- Je ne vois aucune difficulté à ce que vous preniez vos vacances pendant le mois d'août : EMPÊCHEMENT, OBJECTION.

DIFFORMITÉ 790
ANOMALIE, DÉFORMATION, INFIRMITÉ.

DIFFUS 791
- Une clarté diffuse : TAMISÉ.
- Un orateur diffus : PROLIXE, REDONDANT, VERBEUX, *et en lang. fam. :* FILANDREUX.

DIFFUSER
- Diffuser une nouvelle : PROPAGER, RÉPANDRE.
- Diffuser un match de rugby en direct : TRANSMETTRE.
- Diffuser un livre : DISTRIBUER.

DIFFUSION
- Une diffusion à la radio : ÉMISSION, TRANSMISSION.
- La diffusion des idées, d'une doctrine : PROPAGATION, VULGARISATION.

DIGNE 792
- Une sainte et digne femme : HONORABLE, RESPECTABLE.
- Cela n'est pas digne de toi : CONVENABLE POUR.
- *Avec un sens ironique :* Prendre un air digne : AFFECTÉ, COMPASSÉ, GRAVE, GUINDÉ.

DIGNITÉ
1. La dignité de la nature humaine : GRANDEUR, NOBLESSE.
- Il a perdu toute dignité : FIERTÉ, RESPECT DE SOI.
- Dans cette affaire, elle s'est conduite avec beaucoup de dignité : GRAVITÉ, RETENUE.
2. Il est parvenu aux plus hautes dignités : CHARGE, FONCTION.

DIGUE 793
- Une digue dans un port : ESTACADE, JETÉE, MÔLE.
- Une digue sur un fleuve : BARRAGE, CHAUSSÉE, LEVÉE.
- Élever une digue contre les désordres : BARRIÈRE, MUR, OBSTACLE.

DILATER 794
AGRANDIR, ÉLARGIR, ENFLER, GONFLER.

DILIGENT 795
ACTIF, APPLIQUÉ, EMPRESSÉ, PROMPT, ZÉLÉ.

DIMENSION 796
- *Suivant le cas, une dimension peut être :* ÉPAISSEUR, GRANDEUR, HAUTEUR, LARGEUR, LONGUEUR, MENSURATION, MESURE, PROFONDEUR, TAILLE.
- La dimension d'une chaussure : POINTURE.
- Les dimensions d'un livre : FORMAT.
- Il n'y a pas beaucoup d'hommes de cette dimension : IMPORTANCE.

DIMINUER 797
1. *v. tr.*
- Diminuer la longueur : RACCOURCIR, RAPETISSER.

- Diminuer la largeur : RÉTRÉCIR.
- Diminuer l'épaisseur : AMENUISER, AMINCIR.
- Diminuer la hauteur : ABAISSER, ÉCRÊTER.
- Diminuer le poids : ALLÉGER.
- Diminuer la vitesse : MODÉRER, RALENTIR, RÉDUIRE.
- Diminuer un texte : ABRÉGER, ÉCOURTER, RACCOURCIR.
- Diminuer l'autorité de quelqu'un : AMOINDRIR, RÉDUIRE, RESTREINDRE.
- Diminuer une souffrance : ADOUCIR, APAISER, ATTÉNUER, CALMER, ENDORMIR.
- Diminuer les prix : ABAISSER, BAISSER, RÉDUIRE.
- Il prend plaisir à diminuer ses camarades : DÉNIGRER, DÉPRÉCIER, DISCRÉDITER, HUMILIER, RABAISSER.

2. *v. intr.*

- La pression atmosphérique diminue depuis hier : BAISSER, DESCENDRE, S'AFFAIBLIR.
- Ses chances de réussite diminuent : S'AMENUISER.
- Mon pull a diminué au lavage : RACCOURCIR, RAPETISSER, RÉTRÉCIR.
- Les forces du malade diminuent : DÉCLINER, FAIBLIR.
- En période de gel, les marchandises diminuent sur les marchés : SE RARÉFIER.

DIMINUTION

- La diminution de la température : ABAISSEMENT, AFFAIBLISSEMENT, BAISSE, DÉCROISSEMENT.
- La diminution des jours : RACCOURCISSEMENT.
- La diminution d'une douleur : ATTÉNUATION.
- La diminution du pouvoir d'achat : AMOINDRISSEMENT, BAISSE.
- La diminution du temps de travail, des inégalités, des impôts, du déficit budgétaire, etc. : RÉDUCTION.
- Obtenir une diminution sur un prix : ABATTEMENT, RABAIS, RÉDUCTION, REMISE, RISTOURNE.
- La diminution des offres d'emploi : RARÉFACTION.

DIPLOMATE 798

Dans cette affaire, il a su se montrer diplomate : ADROIT, CIRCONSPECT, HABILE, PRUDENT, SOUPLE.

DIRE 799

- Il n'a dit qu'un seul mot pendant toute la réunion : ARTICULER, EXPRIMER, PRONONCER.
- Je vous dis que... : ANNONCER, DÉCLARER, INFORMER, SIGNALER.
- Pouvez-vous nous dire si... ? : INDIQUER, PRÉCISER.
- Dire son opinion sur un sujet : DONNER, ÉMETTRE, ÉNONCER.
- Dites-nous ce qui s'est passé ? : EXPLIQUER, EXPOSER, RACONTER.
- Je vais te dire un secret : DÉVOILER, RÉVÉLER.
- Je ne le dirai qu'à vous : CONFIER.
- Que dites-vous de cela ? : PENSER.
- On pourrait dire que... : CROIRE.
- Allez-lui dire que je l'attends : AVERTIR, PRÉVENIR.
- Il m'a dit de me taire et de circuler : COMMANDER, ORDONNER.
- Je vous avais dit d'être prudent : CONSEILLER, DEMANDER, RECOMMANDER.
- La presse n'a rien dit de cette affaire : DIVULGUER, PUBLIER.
- Si tu m'ennuies, je vais le dire à tes parents : RAPPORTER.
- Qu'avez-vous à dire à cela ? : OBJECTER, RÉPONDRE.
- Elle n'ose pas dire qu'elle a raison : AFFIRMER, ASSURER.
- Qui l'eût dit ? : IMAGINER.
- Que dit la loi ? : STIPULER.
- Que veut dire ce mot ? : SIGNIFIER.
- Que voulez-vous dire ainsi ? : INSINUER, SOUS-ENTENDRE.
- Allez, dites votre leçon : RÉCITER.
- Dites votre prix : PROPOSER.
- Dire la messe : CÉLÉBRER.
- Cela me dit quelque chose : RAPPELER.
- Ses yeux disent sa colère : EXPRIMER, INDIQUER, MONTRER.
- Il se dit savant : SE PRÉTENDRE.
- Eh bien ! voilà qui est dit ! : CONVENU, ENTENDU.

DIRECTION 800

1. Avoir la direction d'une entreprise : ADMINISTRATION, COMMANDEMENT, MANAGEMENT, PRÉSIDENCE.

- Travailler sous la direction de quelqu'un : AUTORITÉ, CONDUITE.

2. Choisir la bonne direction : ORIENTATION.

- Changer de direction : CAP.
- Cette circulaire préconise plusieurs directions de travail : AXE.

DIRIGER

- Diriger un État : GOUVERNER.
- Diriger une entreprise : ADMINISTRER, GÉRER, MANAGER, RÉGIR.
- Diriger une assemblée : PRÉSIDER.
- Diriger une troupe : COMMANDER.
- Diriger un débat : ANIMER, CONDUIRE, MENER.
- Diriger une campagne de protestation : ORCHESTRER.

- Il nous a dirigés vers cet endroit : EMMENER, ENTRAÎNER, GUIDER, POUSSER.
- Elle dirigea ses regards sur moi : ORIENTER, PORTER, TOURNER.
- Diriger son arme vers une cible : BRAQUER, POINTER.

SE DIRIGER

Vers un lieu : MARCHER, S'ACHEMINER, S'AVANCER.

DISCIPLINE 801

1. Respecter la discipline : RÈGLE, RÈGLEMENT.
- Faire preuve de discipline : OBÉISSANCE.
2. Les disciplines littéraires, scientifiques : ÉTUDE, MATIÈRE.

DISCIPLINÉ

Un élève discipliné : DOCILE, OBÉISSANT.

DISCIPLINER

- Discipliner ses passions : MAÎTRISER.
- Discipliner les eaux d'un fleuve : CANALISER, ENDIGUER.

DISCONTINU 802

INTERMITTENT, IRRÉGULIER.

DISCORDANT 803

- Des avis discordants : CONTRADICTOIRE, DIVERGENT, INCOMPATIBLE, OPPOSÉ.
- Des sons discordants : CACOPHONIQUE, DISSONANT.

DISCRET 804

- Une personne discrète : RÉSERVÉ.
- N'en parlez pas ! soyez discret ! : MUET, SILENCIEUX.
- Une robe discrète : SOBRE.
- Faire une discrète allusion à quelque chose : LÉGER.
- Jeter un regard discret : FURTIF, RAPIDE.

DISCRÉTION

1. Agir avec discrétion : DÉLICATESSE, RÉSERVE, RETENUE, TACT.
- Je vous demande la plus grande discrétion : SILENCE.
- S'habiller avec discrétion : SIMPLICITÉ, SOBRIÉTÉ.
2. Être à la discrétion de quelqu'un : DISPOSITION.

DISCULPER (SE) 805

SE BLANCHIR, S'INNOCENTER, SE JUSTIFIER, *et en lang. fam. :* SE DÉDOUANER.

DISCUSSION 806

- Une discussion vive avec quelqu'un : ACCROCHAGE, ALTERCATION, CONTROVERSE, DISPUTE, POLÉMIQUE, QUERELLE.
- Ce n'était qu'une simple discussion : CONVERSATION.
- Une discussion interminable : PALABRE.
- Entamer la discussion d'un projet : DÉBAT, EXAMEN.

DISCUTER

1. *v. tr.*
- Discuter un projet de loi : DÉBATTRE DE, DÉLIBÉRER DE.
- Discuter une affaire : TRAITER.
- Discuter un ordre : CONTESTER, CRITIQUER, PROTESTER CONTRE.
2. *v. intr.*
- Discuter sur un détail : CHICANER, ERGOTER.
- Ils discutaient sans fin : PALABRER.
- Discuter avec un ennemi : NÉGOCIER, PARLEMENTER.

DISETTE 807

- Une grande disette : FAMINE.
- Vivre dans la disette : DÉNUEMENT, PAUVRETÉ, PÉNURIE.

DISGRACIEUX 808

- Un visage disgracieux : DIFFORME, INGRAT, LAID.
- Un accueil disgracieux : DÉPLAISANT, DÉSAGRÉABLE, DISCOURTOIS.

DISLOCATION 809

- La dislocation d'une épaule : DÉBOÎTEMENT, DÉSARTICULATION, LUXATION.
- La dislocation d'un défilé : DISPERSION.
- La dislocation de l'empire d'Attila, après sa mort : DÉMEMBREMENT, DÉSAGRÉGATION.

DISLOQUER

- Disloquer un poignet : DÉBOÎTER, DÉMETTRE, DÉSARTICULER.
- Disloquer un cortège : DISPERSER.
- Disloquer une serrure : BRISER, CASSER, DÉMOLIR, *et en lang. fam. :* DÉGLINGUER, DÉMANTIBULER.

SE DISLOQUER

- Se disloquer un bras : SE DÉBOÎTER, SE DÉMETTRE, SE DÉSARTICULER, SE LUXER, *et en lang. fam. :* SE DÉMANCHER.
- Un acrobate qui se disloque : SE CONTORSIONNER.

DISPARAÎTRE 810

- Le soleil disparaît sous les nuages : SE CACHER, SE DISSIMULER.
- La police le recherche, mais il a disparu : PARTIR, S'ÉCLIPSER, S'ENFUIR, S'ESQUIVER, SE SAUVER, *et en lang. fam. :* DÉCAMPER, FILER.
- Chaque homme doit disparaître un jour : EXPIRER, MOURIR.
- Le navire a disparu corps et biens : SOMBRER.

- Le brouillard va bientôt disparaître : SE DISSIPER.
- Mes papiers ont disparu : S'ENVOLER, SE VOLATILISER.
- L'usage du café n'est pas près de disparaître : SE PERDRE.

DISPARITION
- Les gardiens ont constaté la disparition du prisonnier : DÉPART, ÉVASION, FUGUE, FUITE.
- Les espèces animales en voie de disparition : EXTINCTION.
- La disparition d'un être cher : DÉCÈS, MORT.

DISPENSE 811

EXEMPTION, PERMISSION.

DISPENSER

1. Dispenser quelqu'un d'une tâche, d'une corvée, d'impôts : DÉCHARGER, DÉGAGER, EXEMPTER, EXONÉRER, LIBÉRER.
- Je lui écris, cela me dispensera de lui rendre visite : ÉPARGNER.
- Dispensez-vous à l'avenir de faire des remarques : S'ABSTENIR.

2. Dispenser des soins, des bienfaits : ACCORDER, DISTRIBUER, DONNER.

DISPERSER 812
- Le vent disperse les feuilles : DISSÉMINER, ÉPARPILLER.
- Le général a dispersé ses troupes aux points vulnérables de la défense : RÉPARTIR.

SE DISPERSER
- Après la réunion, la foule s'est dispersée : S'ÉGAILLER, S'ÉPARPILLER.
- À notre première attaque, les troupes ennemies se sont dispersées : SE DÉBANDER.

DISPONIBLE 813
- Des places disponibles : INOCCUPÉ, LIBRE, VACANT, VIDE.
- Aujourd'hui je suis occupé, demain je serai disponible : LIBRE.

DISPOS 814

ALERTE, ALLÈGRE, GAILLARD.

DISPOSER 815

1. *v. tr. et tr. ind.*
- Disposer une chose, plusieurs choses : AGENCER, AMÉNAGER, ARRANGER, INSTALLER, ORGANISER, PLACER, RANGER.
- Je l'ai disposé à entendre la mauvaise nouvelle que vous apportez : PRÉPARER.
- Nous n'avons pas pu le disposer à vous rendre visite : DÉCIDER, DÉTERMINER, INCITER.
- Disposer de quelque chose : EMPLOYER, SE SERVIR DE, UTILISER.

2. *v. intr.*
- L'article 2 du Code Civil indique que la loi ne dispose que pour l'avenir : ORDONNER, PRESCRIRE.
- La réunion est terminée, vous pouvez disposer : PARTIR.

SE DISPOSER

À faire quelque chose : S'APPRÊTER, SE PRÉPARER.

DISPOSITION
- La disposition des pièces dans un appartement : AGENCEMENT, ARRANGEMENT, DISTRIBUTION, ORDONNANCE, PLAN, RÉPARTITION.
- Prendre toutes les dispositions pour... : MESURE, PRÉCAUTION.
- Avoir des dispositions pour... : APTITUDE, DON, PRÉDISPOSITION, TENDANCE.
- Tout, ici, est à votre disposition : DISPONIBILITÉ, SERVICE, USAGE.
- Quelles sont leurs dispositions à notre égard ? : INTENTION, SENTIMENT.
- En vertu des dispositions de la présente loi : CLAUSE, PRESCRIPTION.

DISPUTER 816
- Ils disputent la première place : LUTTER POUR.
- Disputer le terrain contre quelqu'un : DÉFENDRE.
- Disputer un match : LIVRER.
- Disputer quelqu'un : GRONDER, RÉPRIMANDER, *et en lang. pop. :* ENGUEULER.
- Je ne lui dispute pas sa sincérité : CONTESTER.
- Disputer de quelque chose : DÉBATTRE, DISCUTER.
- Le disputer en adresse avec quelqu'un : RIVALISER DE.

SE DISPUTER

SE CHAMAILLER, SE QUERELLER, *et en lang. pop. :* S'ENGUEULER.

DISSIDENCE 817
- Entrer en dissidence : RÉBELLION, RÉVOLTE, SÉCESSION.
- Avoir une dissidence d'opinion avec quelqu'un : DISSENTIMENT, DIVERGENCE.

DISSIMULATION 818

DUPLICITÉ, HYPOCRISIE, SOURNOISERIE.

DISSIPATION 819
- La dissipation des nuages : DISPARITION, DISPERSION.
- La dissipation d'une fortune : GASPILLAGE.
- La dissipation de l'attention : ÉPARPILLEMENT.

- La dissipation d'un élève : INDISCIPLINE, TURBULENCE.
- La dissipation des mœurs : DÉBAUCHE, LICENCE.

DISSIPER
- Le vent dissipe les nuages : CHASSER.
- La police dissipe un attroupement : DISPERSER.
- Cet élève dissipe ses camarades : DISTRAIRE.
- Cet homme a dissipé sa fortune : DILAPIDER, GASPILLER.
- Dissiper son temps en bavardages : PERDRE.

SE DISSIPER
- Les nuages se dissipent : DISPARAÎTRE.
- Mes craintes se dissipent : S'ÉVANOUIR.
- Les élèves se dissipent : DEVENIR AGITÉ, TURBULENT.

DISSOLUTION 820
- La dissolution d'un empire : ÉCROULEMENT, RUINE.
- La dissolution d'un mariage : ANNULATION, RUPTURE.
- La dissolution d'une association : SUPPRESSION.
- La dissolution des mœurs : CORRUPTION, DÉBAUCHE, DÉPRAVATION.

DISSOUDRE
- Dissoudre un mariage : ANNULER, ROMPRE.
- Dissoudre une assemblée : METTRE FIN À SES FONCTIONS.

SE DISSOUDRE

Le chlorure de sodium se dissout dans l'eau : FONDRE.

DISSUADER 821

DÉCONSEILLER, DÉCOURAGER.

DISTANCE 822
- La distance entre deux arbres : ÉCART, ÉLOIGNEMENT, INTERVALLE.
- Avoir une longue distance à faire : CHEMIN, PARCOURS, TRAJET.

DISTANT
- Deux villes distantes de cent kilomètres : ÉLOIGNÉ.
- Une personne distante : FROID, HAUTAIN, RÉSERVÉ.

DISTINCT 823
- Des objets distincts : DIFFÉRENT.
- Des traces très distinctes : NET, VISIBLE.
- Une perception distincte des sons : CLAIR, PRÉCIS.

DISTINCTION
- Faire une distinction entre deux personnes, deux choses : DÉMARCATION, DIFFÉRENCE, DISCRIMINATION, SÉPARATION.
- Avoir de la distinction : ÉLÉGANCE.
- Recevoir une distinction : DÉCORATION.

DISTINGUER
- Ce qui distingue ce politicien, c'est son honnêteté : CARACTÉRISER.
- Distinguer le vrai du faux : DISCERNER, SÉPARER.
- Il est difficile de distinguer ces jumeaux l'un de l'autre : DIFFÉRENCIER.
- On distingue facilement sa voix parmi les autres : RECONNAÎTRE.
- Par temps de brume, on ne distingue pas le sommet de la tour Eiffel : APERCEVOIR, VOIR.
- Se faire distinguer par un acte de bravoure : REMARQUER.

SE DISTINGUER
- Ces deux nuances de bleu ne se distinguent guère : DIFFÉRER, SE DIFFÉRENCIER.
- Il se distingue par son accent : SE CARACTÉRISER, SE PARTICULARISER, SE SINGULARISER.
- Se distinguer par une action d'éclat : S'ILLUSTRER, SE SIGNALER.
- Maintenant le clocher se distingue au loin : APPARAÎTRE.

DISTRACTION 824
- Rechercher des distractions : AMUSEMENT, DIVERTISSEMENT, PASSE-TEMPS.
- Sur autoroute, toute distraction peut être fatale : INATTENTION.
- Faire une erreur par distraction : ÉTOURDERIE, INADVERTANCE, INAPPLICATION.

DISTRAIRE
1. Elle sait distraire les enfants : AMUSER, DÉSENNUYER, DIVERTIR, ÉGAYER, RÉCRÉER.
- Il me distrait sans cesse : DÉRANGER.
2. Distraire une somme d'un budget pour une nouvelle affectation : PRÉLEVER.

SE DISTRAIRE

S'AMUSER, SE DÉLASSER, SE DÉTENDRE, SE DIVERTIR.

DISTRAIT
- Une personne distraite : ÉTOURDI, INATTENTIF.
- Avoir l'air distrait : ABSENT, RÊVEUR.

DISTRIBUER 825
- Chaque matin, le contremaître distribue le travail entre les ouvriers : PARTAGER, RÉPARTIR.
- L'architecte a mal distribué les pièces de l'appartement : DISPOSER, ORDONNER.
- Cette nouvelle ligne permettra de distribuer le courant aux hameaux les plus reculés : FOURNIR.

DISTRIBUTION
- Une distribution équitable : PARTAGE, RÉPARTITION.
- Une distribution de prix : REMISE.
- Une distribution fonctionnelle des pièces d'un appartement : AMÉNAGEMENT, ARRANGEMENT, DISPOSITION.
- Le circuit de distribution des livres : DIFFUSION.
- La distribution des cartes aux joueurs : DONNE.

DIVERS 826
1. La télévision s'adresse à un public très divers : COMPOSITE, DISPARATE, HÉTÉROCLITE, HÉTÉROGÈNE, MÊLÉ, VARIÉ.
- Les opinions les plus diverses ont été émises : DIFFÉRENT, DISSEMBLABLE, DISTINCT, VARIÉ.
2. Diverses personnes ont pris la parole : PLUSIEURS, QUELQUES.

DIVERSITÉ
HÉTÉROGÉNÉITÉ, MULTIPLICITÉ, PLURALITÉ, VARIÉTÉ.

DIVIN 827
- Une musique divine : CÉLESTE, SUBLIME.
- Dans sa robe blanche, elle était divine : ADMIRABLE, MERVEILLEUX, SPLENDIDE.

DIVISER 828
- Diviser quelque chose en plusieurs parties : DÉCOUPER, FRACTIONNER, FRAGMENTER, MORCELER, PARTAGER, SCINDER, SECTIONNER, SEGMENTER, SÉPARER, TRONÇONNER.
- Un problème d'héritage les a divisés : BROUILLER, DÉSUNIR, OPPOSER.

SE DIVISER
- Le fleuve se divise en plusieurs bras : SE RAMIFIER.
- Ce livre se divise en trois chapitres : COMPRENDRE, SE COMPOSER DE.
- Les historiens se divisent sur l'interprétation des faits : S'OPPOSER.

DIVISION
- La division d'une chose en plusieurs parties : FRACTIONNEMENT, FRAGMENTATION, MORCELLEMENT, PARTAGE, SCISSION, SEGMENTATION, SÉPARATION.
- La division de la France en départements : DÉCOUPAGE.
- Semer la division dans une famille : DISCORDE, ZIZANIE.

DIVORCE 829
- Une procédure de divorce entre époux : RUPTURE, SÉPARATION.
- Il y a divorce entre ses dits et ses faits : CONTRADICTION, DÉSACCORD, DISCORDANCE, DIVERGENCE, OPPOSITION.

DIVORCER
Ils ont divorcé : ROMPRE, SE SÉPARER.

DIVULGUER 830
COLPORTER, DÉVOILER, ÉBRUITER, PROPAGER, RÉPANDRE, RÉVÉLER.

DOCILE 831
- Être docile : DISCIPLINÉ, OBÉISSANT, SAGE, SOUMIS.
- Être d'un tempérament docile : FACILE, SOUPLE.

DOCILITÉ
OBÉISSANCE, SAGESSE, SOUMISSION, SOUPLESSE.

DOCTEUR 832
MÉDECIN, *et en lang. fam. :* TOUBIB.

DOCTRINE 833
- Une doctrine religieuse : DOGME.
- Une doctrine économique, politique, scientifique... : SYSTÈME, THÉORIE.
- Je me suis fait une doctrine sur la question : JUGEMENT, OPINION.

DOCUMENT 834
Il est arrivé avec tous ses documents : DOSSIER, PAPIER, PIÈCE.

DOCUMENTER
INFORMER.

DOGMATIQUE 835
- Une personne dogmatique : DOCTRINAIRE.
- Un ton dogmatique : DOCTORAL, PÉREMPTOIRE, SENTENCIEUX, TRANCHANT.

DOIGT 836
Je ne prendrai qu'un doigt de vin : UNE GOUTTE, UN PEU.

DOLÉANCES 837
PLAINTES, RÉCLAMATIONS, RÉCRIMINATIONS.

DOMAINE 838
- Régir un grand domaine : PROPRIÉTÉ.
- Le domaine de la science : MONDE, UNIVERS.
- Cette question n'est pas de mon domaine : COMPÉTENCE, RAYON, RESSORT, SECTEUR.
- L'économie politique, c'est son domaine : MATIÈRE, PARTIE, SPÉCIALITÉ.

DOMINANT 839
- La bonté est sa qualité dominante : PRÉPONDÉRANT, PRINCIPAL.
- Jouer un rôle dominant : DÉTERMINANT, ESSENTIEL.
- Occuper une position dominante dans une entreprise : ÉLEVÉ, ÉMINENT, SUPÉRIEUR.

DOMINATION

AUTORITÉ, EMPIRE, MAÎTRISE, POUVOIR, SUPRÉMATIE.

DOMINER

1. *v. tr.*
- Hitler a voulu dominer le monde : COMMANDER, DIRIGER, GOUVERNER, RÉGENTER, SOUMETTRE.
- Dominer ses concurrents : L'EMPORTER SUR, SURCLASSER, SURPASSER, TRIOMPHER DE.
- Dominer ses passions : CONTRÔLER, DOMPTER, MAÎTRISER, RÉPRIMER, SURMONTER.
- La ville domine la vallée : SURPLOMBER.
- Le bruit de la rue dominait nos voix : COUVRIR.

2. *v. intr.*
- Notre équipe a dominé en fin de match : S'IMPOSER.
- La culture du maïs domine dans cette région : PRÉDOMINER.

SE DOMINER

SE CONTRÔLER, SE MAÎTRISER, SE POSSÉDER.

DOMMAGE 840

1. Causer un dommage à quelqu'un : PRÉJUDICE, TORT.
- Les dommages causés aux récoltes : DÉGÂTS.
- Le dommage subi par une marchandise : AVARIE.
- Le dommage subi par un édifice : DÉGRADATION, DÉTÉRIORATION.

2. C'est bien dommage que vous n'ayez pas été là : ENNUYEUX, FÂCHEUX, REGRETTABLE.

DON 841

- Faire un don : CADEAU, OFFRANDE, PRÉSENT.
- Les dieux l'ont comblé de tous les dons : AVANTAGE, FAVEUR.
- Avoir des dons pour les langues : APTITUDE, DISPOSITION, FACILITÉ.
- Avoir le don des mathématiques : GÉNIE, *et en lang. fam. :* BOSSE.
- Elle a le don d'amuser les enfants : TALENT.

DONNÉE

Avez-vous toutes les données nécessaires pour trouver la solution ? : ÉLÉMENT, INFORMATION, PRÉCISION, RENSEIGNEMENT.

DONNER

- Donner des étrennes : OFFRIR.
- Donner quelque chose par testament : LÉGUER.
- Donner l'aumône à quelqu'un : FAIRE.
- C'est une qualité qu'on lui donne : ATTRIBUER.
- J'ai donné mes clefs au concierge : DÉPOSER, LAISSER.
- Puis-je vous donner une lettre à porter à votre mère ? : CONFIER, REMETTRE.
- Donner une permission : ACCORDER.
- Je vais vous donner mon numéro de téléphone : COMMUNIQUER.
- Donner son avis : EXPRIMER.
- Donner des preuves de sa bonne foi : FOURNIR.
- Donner un rendez-vous : FIXER.
- La municipalité donne un bal pour le 14 juillet : ORGANISER.
- Cette horloge donne l'heure exacte : INDIQUER.
- Une lampe qui donne une lumière rose : RÉPANDRE.
- Il donne des signes de fatigue : MANIFESTER.
- Elle a donné la grippe à ses collègues : COMMUNIQUER, TRANSMETTRE.
- Donner une gifle : ADMINISTRER.
- Donner une punition : IMPOSER, INFLIGER.
- Donner un salaire : PAYER, VERSER.
- Donner un délai : ACCORDER, OCTROYER.
- À notre arrivée, elle nous a donné à manger : SERVIR.
- Donner une chaise à un visiteur : APPORTER, AVANCER, PRÉSENTER.
- Donner le bras à quelqu'un : OFFRIR, TENDRE.
- Donner une décoration à quelqu'un : DÉCERNER.
- Donner à quelqu'un les moyens de..., l'occasion de... : FOURNIR, PROCURER.
- Je vais vous donner mes raisons : ÉNONCER, EXPOSER.
- Cela me donne de l'inquiétude : CAUSER, PROVOQUER.
- Donner une couche de peinture sur un mur : APPLIQUER, ÉTENDRE, PASSER.
- Donner tout son temps aux œuvres charitables : CONSACRER, EMPLOYER, VOUER.
- C'est à toi de donner les cartes : DISTRIBUER.
- Je donnerais n'importe quoi pour la revoir : RENONCER À, SACRIFIER.
- Voulez-vous me donner le sel ? : PASSER.
- *Fam. :* Ce cinéma donne un Tarzan : JOUER, PASSER.
- *Fam. :* Il a donné son complice à la police : DÉNONCER, LIVRER.
- Cette voiture d'occasion m'a été donnée pour presque rien : CÉDER, VENDRE.
- Cela donne à réfléchir : PORTER À.
- Cela donne à rire : PRÊTER À.

- À cause du verglas, ce camion a donné contre le mur : FRAPPER, HEURTER.
- Les poiriers ont bien donné cette année : PRODUIRE, RAPPORTER.
- La fenêtre donne sur le jardin : OUVRIR SUR.
- Cette ruelle donne dans l'avenue : DÉBOUCHER SUR.

SE DONNER
- Se donner à une cause : SE CONSACRER, SE VOUER.
- Se donner à son travail : S'ADONNER.
- Se donner de la peine : SE DÉPENSER, *et en lang. fam. :* SE DÉCARCASSER.
- Se donner un air : AFFECTER, AFFICHER.
- Se donner une entorse : SE FAIRE.
- Se donner en spectacle : S'OFFRIR.
- Ils se sont donné le mot : S'ENTENDRE.

DORMIR 842
- Le grand-père dort : REPOSER, SOMMEILLER, SOMNOLER, *et en lang. pop. :* PIONCER, ROUPILLER.
- Le feu dort sous la cendre : COUVER.

DOSE 843
- Ne pas dépasser la dose prescrite par le médecin : QUANTITÉ.
- Une dose d'urée trop élevée : TAUX.
- *Fam. :* Avoir une bonne dose de bêtise : COUCHE.

DOSSIER 844
1. Ranger des papiers dans un dossier : CHEMISE, CLASSEUR.
2. Un dossier délicat à plaider : AFFAIRE, CAUSE.

DOUCEUR 845
- La douceur d'une personne, de son comportement : AFFABILITÉ, AMÉNITÉ, GENTILLESSE, MANSUÉTUDE, TENDRESSE.
- La douceur d'un geste, d'une caresse : DÉLICATESSE, LÉGÈRETÉ.
- La douceur de la peau : VELOUTÉ.
- La douceur de vivre : AGRÉMENT, BONHEUR, JOIE.
- La douceur d'un parfum : SUAVITÉ.
- La douceur du temps : CLÉMENCE, MODÉRATION, TIÉDEUR.

DOUX
- Une personne douce, au comportement doux : AFFABLE, BIENVEILLANT, CALME, COMPLAISANT, CONCILIANT, DÉBONNAIRE, GENTIL, INDULGENT, PATIENT.
- Avoir une vie douce : CALME, PAISIBLE, TRANQUILLE.
- Un doux souvenir : AGRÉABLE, ATTENDRISSANT.
- Doux à l'oreille : HARMONIEUX, MÉLODIEUX.
- Doux au toucher : MOELLEUX, SATINÉ, SOYEUX, VELOUTÉ.
- Doux au goût : AGRÉABLE, ONCTUEUX, SUAVE, SUCRÉ.
- Une lumière douce : TAMISÉ.
- Un temps doux : CLÉMENT, TEMPÉRÉ.
- Une pente douce : FAIBLE, MODÉRÉ.

DOUILLET 846
- Un fauteuil douillet : CONFORTABLE, MOELLEUX.
- Un garçon douillet : DÉLICAT, FRAGILE, SENSIBLE.

DOULEUR 847
- Une douleur physique : MAL, SOUFFRANCE.
- Une douleur morale : AFFLICTION, CHAGRIN, ÉPREUVE, PEINE.

DOULOUREUX
- Avoir un point douloureux au genou : SENSIBLE.
- Avoir les doigts douloureux : ENDOLORI.
- Souffrir de façon douloureuse : CUISANT, INTOLÉRABLE.
- Subir une perte douloureuse : AFFLIGEANT, ATROCE, CRUEL, PÉNIBLE.
- Assister à une scène douloureuse : ATTRISTANT, LAMENTABLE, NAVRANT, PITOYABLE.

DOUTE 848
- Être dans le doute : HÉSITATION, INCERTITUDE, INDÉCISION, PERPLEXITÉ.
- Avoir des doutes sur... : CRAINTE, SOUPÇON.

DOUTER
De quelqu'un : SE DÉFIER, SE MÉFIER.

SE DOUTER
De quelque chose : PRESSENTIR, SOUPÇONNER, SUBODORER, *et en lang. fam. :* FLAIRER.

DOUTEUX
- Le succès de l'opération est douteux : ALÉATOIRE, HYPOTHÉTIQUE, INCERTAIN, PROBLÉMATIQUE.
- Une réponse douteuse : AMBIGU, ÉQUIVOQUE.
- Un individu douteux : LOUCHE, SUSPECT.
- *Iron. :* Des ongles douteux, un col de chemise douteux : SALE.

DRAMATIQUE 849
- Une situation dramatique : ANGOISSANT, CRITIQUE, DANGEREUX, GRAVE.
- Une scène dramatique dans la rue : ÉMOUVANT, POIGNANT, SAISISSANT.

DRAME
CATASTROPHE, TRAGÉDIE.

DRAPEAU 850
BANNIÈRE, EMBLÊME, ÉTENDARD, FANION, ORIFLAMME, PAVILLON.

DRESSER 851
1. Dresser la tête : LEVER.
• Dresser un mât : PLANTER.
• Dresser un monument : ÉLEVER, ÉRIGER.
• Dresser une tente : MONTER.
• Dresser la table : METTRE.
• Dresser un plan : ÉTABLIR.
• Dresser quelqu'un contre une autre personne : BRAQUER, EXCITER, MONTER.
2. Dresser un animal : DOMESTIQUER, DOMPTER.
• *Fam. :* Si tu es insupportable, tu vas te faire dresser : CORRIGER, MATER.

SE DRESSER
• Sur ses jambes : SE LEVER.
• Contre quelqu'un : S'OPPOSER, SE RÉVOLTER.

DROIT 852
1. *adj.*
• Une route droite : DIRECT, RECTILIGNE.
• Un mur droit : VERTICAL.
• Un homme droit : FRANC, HONNÊTE, IMPARTIAL, JUSTE, LOYAL, PROBE, RÉGULIER.
2. *nom.*
• Avoir le droit pour soi : JUSTICE, LOI.
• Avoir le droit de sortir : AUTORISATION, PERMISSION.
• Son expérience lui donne le droit de... : POSSIBILITÉ, POUVOIR.
• Les droits seigneuriaux : PRÉROGATIVE, PRIVILÈGE.
• Les droits d'inscription, de douane, etc. : REDEVANCE, TAXE.

DROITURE
ÉQUITÉ, FRANCHISE, HONNÊTETÉ, IMPARTIALITÉ, JUSTICE, LOYAUTÉ, PROBITÉ.

DRÔLE 853
• Raconter des histoires drôles : AMUSANT, COCASSE, COMIQUE, PLAISANT, *et en lang. fam. :* MARRANT, TORDANT.
• Il est drôle qu'elle ne soit pas encore arrivée : CURIEUX, ÉTONNANT, SURPRENANT.

DRU : DENSE, ÉPAIS, TOUFFU. 854

DUPERIE 855
ESCROQUERIE, FOURBERIE, LEURRE, MYSTIFICATION, TROMPERIE.

DUR 856
• Un objet dur : RÉSISTANT, RIGIDE, SOLIDE.
• Une viande dure : CORIACE, FERME.
• Du pain dur : RASSIS.
• Un dur hiver : RIGOUREUX, RUDE.
• Une côte dure à monter : RAIDE.
• Un travail dur : DIFFICILE, PÉNIBLE.
• Un dur combat : ACHARNÉ, FAROUCHE, IMPITOYABLE, IMPLACABLE, SAUVAGE, TERRIBLE, VIOLENT.
• Un homme dur au travail : ENDURANT, ÉNERGIQUE.
• Un enfant dur : DÉSOBÉISSANT, INDISCIPLINÉ, TURBULENT.
• Un père dur pour ses enfants : EXIGEANT, INTRANSIGEANT.
• Avoir un cœur dur : IMPITOYABLE, INFLEXIBLE, INSENSIBLE.
• Recevoir une dure réprimande : BLESSANT, CINGLANT, SÉVÈRE.
• Répondre sur un ton dur : CASSANT, GLACIAL.

DURCIR
• Durcir les muscles : CONTRACTER, RAIDIR.
• Durcir son caractère : AFFERMIR, ENDURCIR.
• Durcir sa position : RADICALISER.
• Le ciment est en train de durcir : SE SOLIDIFIER.

DUREMENT
• Traiter durement quelqu'un : BRUTALEMENT, SÉVÈREMENT.
• Répondre durement à quelqu'un : MÉCHAMMENT, SÈCHEMENT.
• Travailler durement : ÉNERGIQUEMENT.
• Heurter durement une porte avec le front : RUDEMENT, VIOLEMMENT.
• Ressentir durement la perte de quelqu'un : DOULOUREUSEMENT.

DURETÉ
• La dureté d'un fauteuil, d'un lit : INCONFORT, RIGIDITÉ.
• La dureté d'un climat : RIGUEUR, RUDESSE.
• La dureté d'une punition : SÉVÉRITÉ.
• La dureté de cœur : INSENSIBILITÉ, SÉCHERESSE.

DURABLE 857
CONSTANT, PERMANENT, PERSISTANT, STABLE, TENACE, VIVACE.

DURÉE
Une rue interdite pendant la durée des travaux : PÉRIODE, TEMPS.

DURER
• Cette coutume dure encore dans certaines régions : CONTINUER, DEMEURER, PERSISTER, SE MAINTENIR, SE PERPÉTUER, SE POURSUIVRE.
• Le spectacle a duré jusqu'à minuit : SE PROLONGER.
• Ces fleurs ne durent que deux jours : SE CONSERVER, TENIR.
• Ce sont des souliers faits pour durer : RÉSISTER, TENIR.

Ee

EAU-DE-VIE 858
ALCOOL, *et en lang. fam. :* GNÔLE, GOUTTE.

ÉBAHI 859
ABASOURDI, AHURI, ÉBERLUÉ, ÉMERVEILLÉ, ÉTONNÉ, INTERLOQUÉ, MÉDUSÉ, STUPÉFAIT, *et en lang. fam. :* ÉPATÉ, ÉPOUSTOUFLÉ, ESTOMAQUÉ, SOUFFLÉ.

ÉBATTRE (S') 860
FOLÂTRER, GAMBADER, *et en lang. fam. :* BATIFOLER.

ÉBLOUIR 861
- Les phares de cette voiture éblouissent : AVEUGLER.
- Il a voulu nous éblouir par l'étalage de son luxe : ÉMERVEILLER, FASCINER, SÉDUIRE, *et en lang. fam. :* ÉPATER.

ÉBLOUISSANT
- Un soleil éblouissant, une neige éblouissante : AVEUGLANT, ÉCLATANT, ÉTINCELANT.
- Une fête éblouissante : BRILLANT, MERVEILLEUX, SPLENDIDE.

ÉBRANLEMENT 862
- Un ébranlement du sol : SECOUSSE, TREMBLEMENT.
- Un ébranlement nerveux : CHOC, COMMOTION, TROUBLE.

ÉBRANLER
- L'explosion a ébranlé les vitres, la maison : FAIRE OSCILLER, FAIRE TREMBLER, FAIRE VIBRER, SECOUER.
- Rien ne peut ébranler sa foi, sa confiance : AFFAIBLIR, ENTAMER, SAPER.
- Il est si déterminé que nous n'avons pas réussi à l'ébranler : ÉMOUVOIR, FLÉCHIR, TOUCHER, TROUBLER.
- Les excès ébranlent la santé : COMPROMETTRE, DIMINUER.

S'ÉBRANLER
Le train s'ébranle, le cortège s'ébranle : DÉMARRER, PARTIR.

ÉBULLITION 863
À l'approche des vacances, les esprits des élèves sont en ébullition : AGITATION, EFFERVESCENCE, SUREXCITATION.

ÉCAILLE 864
- Certains animaux ont la peau recouverte d'écailles : LAMELLE, PLAQUE, SQUAME.
- Des écailles d'huîtres : COQUILLE.

ÉCAILLER
Des huîtres : OUVRIR.

S'ÉCAILLER
Un vernis qui s'écaille : S'EFFRITER.

ÉCART 865
- Être à deux mètres d'écart de quelqu'un ou de quelque chose : DISTANCE, ÉCARTEMENT, ÉLOIGNEMENT.
- Un gros écart de température : VARIATION.
- J'ai dû faire exécuter un écart par ma voiture pour éviter le piéton : EMBARDÉE.
- Un écart de langage : INCONVENANCE, INCORRECTION.
- Des écarts de jeunesse : FRASQUE, FREDAINE, INCARTADE.

ÉCARTER
- Écarter l'une de l'autre deux choses jointes : DÉSUNIR, ESPACER, SÉPARER.
- Écarter une armoire du mur : ÉLOIGNER.
- Écarter une objection, une opinion : REPOUSSER.
- Écarter les mouches : CHASSER.
- Il dut écarter la foule pour passer : FENDRE.
- Être écarté d'un groupe : ÉLIMINER, ÉVINCER, EXCLURE.
- Écarter quelqu'un de sa route normale : DÉTOURNER, DÉVIER.

S'ÉCARTER
S'ÉLOIGNER, SE RECULER.

ÉCHANGE 866
- Un échange de postes entre deux fonctionnaires : PERMUTATION.
- Un échange d'objets entre deux enfants : TROC.
- L'échange de lettres entre Madame de Sévigné et sa fille : CORRESPONDANCE.
- En échange : EN COMPENSATION, EN CONTREPARTIE, EN RETOUR.

ÉCHANTILLON 867
APERÇU, EXEMPLE, SPÉCIMEN.

ÉCHAPPATOIRE 868
Répondre à une question embarrassante par une échappatoire : DÉROBADE, FAUX-FUYANT, SUBTERFUGE, *et en lang. fam. :* PIROUETTE.

ÉCHAPPER
- Vous ne pourrez pas échapper à cette corvée : ÉVITER, SE DÉROBER À, SE SOUSTRAIRE À, *et en lang. fam. :* COUPER À.
- Le plat de crème lui a échappé des mains : GLISSER, TOMBER.
- Elle sent que ses enfants lui échappent de plus en plus : SE DÉTACHER.
- Cela échappe à l'entendement : DÉPASSER.
- Il ne faut pas laisser échapper cette occasion : MANQUER, PERDRE.
- Un correcteur ne doit laisser échapper aucune faute : OUBLIER.

S'ÉCHAPPER
- Le prisonnier s'est échappé : S'ENFUIR, S'ÉVADER, SE SAUVER.
- Je vais essayer de m'échapper quelques instants du bureau pour aller vous voir : S'ÉCLIPSER, S'ESQUIVER.
- Un peu de fuel s'échappe chaque jour de l'épave : COULER, SORTIR.
- Le lait s'échappe de la casserole : DÉBORDER, SE SAUVER.
- Il a vu s'échapper sa dernière chance : DISPARAÎTRE, S'ENVOLER.

ÉCHAUFFER 869
- Les esprits sont échauffés : ENFLAMMER, EXALTER, EXCITER.
- *Fam. :* Tu commences à m'échauffer les oreilles : IMPATIENTER, IRRITER.

S'ÉCHAUFFER
- Ne le poussez pas à bout, il s'échauffe facilement : S'EMPORTER, S'ENFLAMMER, S'EXCITER, *et en lang. fam. :* S'EMBALLER.

ÉCHÉANCE 870
- Nous sommes arrivés à l'échéance du contrat : EXPIRATION, TERME.
- J'ai une forte échéance à payer à la fin du mois : RÈGLEMENT, SOMME.
- À brève échéance : DÉLAI.

ÉCHEC 871
- Subir un échec : DÉFAITE, FAILLITE, INSUCCÈS, REVERS, *et en lang. fam. :* BIDE, FIASCO, FOUR.
- Faire échec à un projet : FAIRE OBSTACLE.

ÉCHELLE 872
- L'échelle sociale, l'échelle des valeurs : HIÉRARCHIE.
- Un vent de force 7 selon l'échelle de Beaufort : GRADUATION.
- Une entreprise d'échelle mondiale : DIMENSION, TAILLE.
- La dérive des continents se fait à l'échelle des temps géologiques et non à celle du temps humain : MESURE.

ÉCHELON
- Les divers échelons d'une carrière, d'une hiérarchie : DEGRÉ, ÉTAPE, PALIER, STADE.
- À l'échelon départemental : NIVEAU.

ÉCHELONNER
ESPACER, ÉTALER, RÉPARTIR.

ÉCHEVELÉ 873
Un garçon échevelé : ÉBOURIFFÉ, HIRSUTE.

ÉCHINER (S') 874
S'ÉPUISER, S'ÉREINTER, S'EXTÉNUER, SE FATIGUER, *et en lang. fam. :* SE CREVER, S'ESQUINTER, SE TUER.

ÉCHO 875
- J'en ai entendu quelques échos en ville : BRUIT, RUMEUR.
- Le journal publie les échos de la semaine : INFORMATION, NOUVELLE.
- Cette proposition n'a reçu aucun écho : RÉPONSE.
- L'œuvre de ce disciple n'est que l'écho de celle de son maître : IMAGE, IMITATION, REFLET, REPRODUCTION.

ÉCHOUER 876
1. Échouer à un examen : MANQUER, *et en lang. fam. :* SE FAIRE ÉTENDRE, SE FAIRE RECALER.
   - Cette tentative de mutinerie échoua : AVORTER, RATER.
2. Tous les restaurants étant fermés, nous avons échoué dans une gargote : ABOUTIR À, ATTERRIR.

S'ÉCHOUER
- Le bateau s'est échoué dans les sables : S'ENLISER, S'ENSABLER.
- La barque s'est échouée dans la vase : S'ENVASER.

- Le sous-marin s'est échoué sur le fond : S'IMMOBILISER, SE POSER.

ÉCLABOUSSER 877
- Éclabousser les piétons : ARROSER, ASPERGER, SALIR, TACHER.
- Le scandale va éclabousser toute sa famille : REJAILLIR SUR, RETOMBER SUR.

ÉCLABOUSSURE
SALISSURE, TACHE.

ÉCLAIRAGE 878
1. L'éclairage n'est pas suffisant dans cette pièce : LUMIÈRE.
2. Étudier une question sous un nouvel éclairage : ANGLE, JOUR.

ÉCLAIRER
1. L'incendie éclairait tous les environs : ILLUMINER.
- Cette lampe éclaire trop : BRILLER, ÉTINCELER, LUIRE.
2. Cette conversation m'éclaire sur vos projets : INFORMER, INSTRUIRE, RENSEIGNER.

ÉCLAIRCIR 879
- Éclaircir un mystère, une affaire embrouillée, etc. : CLARIFIER, DÉBROUILLER, DÉBROUSSAILLER, DÉFRICHER, DÉGROSSIR, DÉMÊLER, ÉLUCIDER, EXPLIQUER, TIRER AU CLAIR.
- Éclaircir une forêt : DÉSÉPAISSIR.
- Éclaircir une sauce : ALLONGER, ÉTENDRE.

S'ÉCLAIRCIR
- Le temps s'éclaircit : SE DÉGAGER.
- La situation s'éclaircit : SE CLARIFIER, SE DÉCANTER.
- Ses cheveux s'éclaircissent : SE RARÉFIER.

ÉCLAT 880
1. Recevoir un éclat de grenade : FRAGMENT, MORCEAU.
- Un éclat de bois : ÉCLISSE.
- Un éclat d'os : ESQUILLE.
2. L'éclat du tonnerre : BRUIT, CLAQUEMENT, CRAQUEMENT, FRACAS.
- Des éclats de voix pendant une dispute : CRI.
- La première marche de l'homme sur la lune a eu beaucoup d'éclat dans l'opinion publique : RETENTISSEMENT.
- Il a fait un éclat : ESCLANDRE, SCANDALE.
3. L'éclat du soleil : LUMIÈRE, SPLENDEUR.
- L'éclat du diamant : BRILLANT, FEU, FLAMBOIEMENT, SCINTILLEMENT.
- L'éclat du regard : FLAMME, PÉTILLEMENT, VIVACITÉ.
- L'éclat du teint d'une jeune femme : BEAUTÉ, FRAÎCHEUR.
- L'éclat d'une intelligence : BRIO, VIVACITÉ.
- L'éclat des couleurs : BRILLANT, VIVACITÉ.
- L'éclat du satin, de la soie : LUSTRE.
- L'éclat d'une cérémonie : FASTE, LUXE, MAGNIFICENCE, POMPE, SOMPTUOSITÉ, SPLENDEUR.
- Une « action d'éclat » : EXPLOIT.

ÉCLATANT
- Elle porte une toilette éclatante : LUXUEUX, MAGNIFIQUE, RICHE, SOMPTUEUX.
- Un rire éclatant : SONORE, STRIDENT.
- Une voix éclatante : RETENTISSANT, TONITRUANT, TONNANT.
- Une lumière éclatante : ÉBLOUISSANT, ÉTINCELANT, VIF.
- Il a fourni des preuves éclatantes : FLAGRANT, IRRÉCUSABLE, MANIFESTE, NOTOIRE.
- Une victoire éclatante : REMARQUABLE, RETENTISSANT, TOTAL.
- Elle est éclatante de santé : RESPLENDISSANT.

ÉCLATEMENT
- L'éclatement d'une bombe : DÉFLAGRATION, DÉTONATION, EXPLOSION.
- L'éclatement d'un ballon en caoutchouc : CREVAISON.
- L'éclatement d'une canalisation : RUPTURE.

ÉCLATER
- Une mine qui éclate : EXPLOSER, SAUTER, *et en lang. fam. :* PÉTER.
- Un tuyau qui éclate : CREVER, SE ROMPRE.
- Des applaudissements qui éclatent : CRÉPITER, RETENTIR.
- Éclater de joie : DÉBORDER, RAYONNER.
- Éclater de rire : POUFFER, S'ESCLAFFER.
- Éclater de colère : FULMINER, S'EMPORTER, SE DÉCHAÎNER.
- Un plumage qui éclate de couleurs : FLAMBOYER, RESPLENDIR.
- Une guerre éclate : COMMENCER, SE DÉCLENCHER.
- Un incendie éclate : SE DÉCLARER.
- Sa mauvaise foi éclate dans tous ses propos : SE MANIFESTER.

ÉCLECTIQUE 881
Des goûts éclectiques : DIVERS, VARIÉ.

ÉCLIPSER 882
- Les nuages éclipsent le soleil : CACHER, MASQUER, OCCULTER, VOILER.
- Éclipser ses concurrents : SURCLASSER, SURPASSER.

S'ÉCLIPSER
Il s'est éclipsé avant la fin de la cérémonie : PARTIR, SE DÉROBER, S'ESQUIVER, SE RETIRER, *et en lang. fam. :* FILER.

ÉCŒURANT 883
- Une nourriture écœurante : DÉGOÛTANT, INFECT.
- Une odeur écœurante : FÉTIDE, NAUSÉABOND, REPOUSSANT.
- Un travail écœurant : DÉGOÛTANT, REBUTANT.
- Employer des procédés écœurants : RÉPUGNANT, SORDIDE.
- Malgré mes efforts, j'ai eu une mauvaise note, c'est écœurant ! : DÉCOURAGEANT, DÉMORALISANT.

ÉCŒURER
DÉCOURAGER, DÉGOÛTER, RÉVOLTER.

ÉCOLE 884
- Un camarade d'école : CLASSE.
- L'école classique, l'école romantique, etc. : DOCTRINE, SYSTÈME.

ÉCONOME 885
1. *adj.*
- Une personne économe : REGARDANT.
- Il est économe de félicitations : AVARE, CHICHE.

2. *nom.*
- L'économe d'une communauté : GESTIONNAIRE, INTENDANT.

ÉCONOMIE
1. Être obligé à l'économie la plus stricte : ÉPARGNE, PARCIMONIE.
- Avoir de petites économies pour faire face aux dépenses imprévues : PÉCULE, RÉSERVE.
- Une économie de temps : GAIN.

2. La science de l'économie domestique : ADMINISTRATION, GESTION.
- L'économie d'une pièce de théâtre : ORGANISATION, PLAN.

ÉCONOMISER
Économiser l'essence : ÉPARGNER, MÉNAGER.

ÉCOULER 886
Écouler une marchandise : PLACER, VENDRE.

S'ÉCOULER
- L'eau de la gouttière s'écoule dans la rue : COULER, SE DÉVERSER, SE RÉPANDRE.
- Après le match, la foule s'écoula lentement : SE RETIRER, SORTIR.
- Le temps s'écoule : FUIR, PASSER, S'ENVOLER.
- Ce produit s'écoule facilement : SE VENDRE.

ÉCRAN 887
- Ces arbres nous serviront d'écran : ABRI, PARAVENT, PROTECTION.
- Les vedettes de l'écran : CINÉMA.
- Le « petit écran » : TÉLÉVISION.

ÉCRASANT 888
- Accomplir une tâche écrasante : ACCABLANT, LOURD.
- Subir une défaite écrasante : HUMILIANT.
- Avoir une écrasante supériorité sur quelqu'un : ÉNORME.

ÉCRASER
- Écraser quelque chose : APLATIR, BROYER, *et en lang. fam. :* ÉCRABOUILLER.
- Nous sommes écrasés d'impôts : ACCABLER, SURCHARGER.
- Se faire écraser par une voiture : TUER.
- Nos troupes ont écrasé l'ennemi : ANÉANTIR, DÉTRUIRE.
- Cet élève écrase tous ses camarades : DOMINER, ÉCLIPSER, SURCLASSER.

S'ÉCRASER
- Un avion qui s'écrase au sol : SE BRISER, SE DISLOQUER.
- Les gens s'écrasaient à la porte du stade : S'ENTASSER, SE PRESSER.
- *Pop. :* Je m'écrase : SE TAIRE.

ÉCRIRE 889
- Ce mot est mal écrit : ORTHOGRAPHIER.
- Il faut écrire votre nom sur le registre : INSCRIRE, NOTER.
- Écrire une lettre, un roman : RÉDIGER, *et en lang. fam. :* PONDRE.
- Voltaire écrit que... : AFFIRMER, AVANCER, DIRE, SOUTENIR.

S'ÉCRIRE
Ils s'écrivent régulièrement : CORRESPONDRE.

ÉCRITEAU
AFFICHE, PANCARTE, PANNEAU, PLACARD.

ÉCRITURE
1. L'écriture arabe, l'écriture gothique : GRAPHIE.
- Cet écrivain a une écriture très lyrique : STYLE.

2. Un passage tiré de l'Écriture : BIBLE.

ÉCROUER 890
EMPRISONNER, INCARCÉRER, *et en lang. fam. :* COFFRER.

ÉCUEIL 891
- Un écueil en mer : BRISANT, RÉCIF, ROCHER.
- Pour réussir une carrière politique, il faut savoir éviter tous les écueils : OBSTACLE, PIÈGE.

ÉCULÉ 892
- Des souliers éculés : DÉFORMÉ, USÉ.
- Une plaisanterie éculée : RESSASSÉ, USÉ.

ÉDICTER 893
DÉCRÉTER, PROMULGUER.

ÉDIFIANT 894
• Une conduite édifiante : EXEMPLAIRE, VERTUEUX.
• Un livre édifiant : MORALISATEUR, PIEUX.

ÉDIFIER
1. Édifier un mur, un monument : BÂTIR, CONSTRUIRE, ÉLEVER, ÉRIGER.
• Édifier un système philosophique, une fortune... : CONSTITUER, CRÉER, ÉTABLIR, FONDER.
2. Écoutez-le, vous serez alors édifié sur ses intentions : ÉCLAIRER, INSTRUIRE, RENSEIGNER.

ÉDITER 895
FAIRE PARAÎTRE, PUBLIER.

ÉDUCATION 896
• Recevoir une bonne éducation : ENSEIGNEMENT, FORMATION, INSTRUCTION.
• L'éducation des gestes, du goût, de la mémoire... : APPRENTISSAGE, EXERCICE.
• Faire preuve d'éducation : POLITESSE, SAVOIR-VIVRE, URBANITÉ.

ÉDUQUER
• Éduquer un enfant : ÉLEVER, FORMER, INSTRUIRE.
• Éduquer sa mémoire : CULTIVER, ENTRAÎNER, EXERCER.

EFFACÉ 897
• Une couleur effacée : PASSÉ, TERNE.
• Une personne effacée : INSIGNIFIANT, MODESTE.
• Jouer un rôle effacé : OBSCUR.

EFFACER
• Effacer un mot, une inscription : GOMMER, GRATTER.
• Effacer un nom sur une liste : BARRER, BIFFER, RAYER, SUPPRIMER.
• Effacer un passage dans une publication : CAVIARDER.
• Effacer une tache : LAVER, NETTOYER.
• Le temps efface les souvenirs : ÉTEINDRE, FAIRE OUBLIER.
• Le soleil efface les couleurs : FAIRE PASSER, TERNIR.
• Par sa beauté, elle efface toutes ses voisines : ÉCLIPSER.

S'EFFACER
• Ce souvenir commence à s'effacer dans ma mémoire : DISPARAÎTRE, S'ESTOMPER, S'ÉTEINDRE, S'OBSCURCIR.
• Une personne s'efface devant une autre : S'ÉCARTER, SE RETIRER.

EFFARÉ 898
Avoir l'air effaré : AFFOLÉ, AHURI, EFFRAYÉ, ÉPOUVANTÉ, HAGARD, TERRIFIÉ.

EFFAROUCHER (S') 899
Elle s'effarouche pour un rien : SE CHOQUER, SE FORMALISER, S'OFFUSQUER.

EFFECTIF 900
1. *adj.*
Il m'a apporté un secours effectif : CONCRET, RÉEL, POSITIF, TANGIBLE.
2. *nom.*
L'effectif des élèves : NOMBRE.

EFFÉMINÉ 901
Un garçon efféminé : AMOLLI, DÉLICAT, DOUILLET.

EFFET 902
1. Quels ont été les effets de la dévaluation sur le commerce extérieur ? : CONSÉQUENCE, INFLUENCE, RÉPERCUSSION, RÉSULTAT, SUITE.
• Subir l'effet indirect de quelque chose : CONTRECOUP.
• Par ses idées originales, il a fait son effet pendant la réunion : IMPRESSION, SENSATION.
• Agir sous l'effet de la colère : ACTION, EMPIRE, EMPRISE, INFLUENCE.
• La loi « prend effet » à partir du 1er janvier : S'APPLIQUER.
2. Mettre ses effets : VÊTEMENTS.

EFFICACE 903
• Voilà un remède efficace contre le mal de tête : ACTIF, ÉNERGIQUE, INFAILLIBLE, PUISSANT, SOUVERAIN.
• Un ouvrier efficace : CAPABLE, COMPÉTENT, EFFICIENT.

EFFICACITÉ
• L'efficacité d'un remède : ACTION, POUVOIR, PUISSANCE.
• L'efficacité d'un travailleur : PRODUCTIVITÉ, RENDEMENT.

EFFLANQUÉ 904
Un cheval efflanqué : DÉCHARNÉ, ÉTIQUE, MAIGRE, OSSEUX.

EFFLEUREMENT 905
ATTOUCHEMENT, CARESSE, FRÔLEMENT.

EFFLEURER
• Effleurer avec la main : CARESSER.
• Le coup d'épée lui a effleuré le bras : ÉGRATIGNER, ÉRAFLER.
• La balle lui a effleuré la joue : FRISER, FRÔLER, RASER.
• Il n'a fait qu'effleurer cette question : ÉVOQUER, SURVOLER.

EFFONDRÉ 906

Un homme effondré : ATTERRÉ, CONSTERNÉ, PROSTRÉ, *et en lang. fam. :* CATASTROPHÉ.

EFFONDREMENT

- L'effondrement d'un pont : ÉBOULEMENT, ÉCROULEMENT.
- L'effondrement d'un régime politique : ANÉANTISSEMENT, CHUTE, DESTRUCTION, RENVERSEMENT, RUINE.
- L'effondrement d'une personne : ABATTEMENT, ACCABLEMENT, PROSTRATION.

EFFORCER (S') 907

- Les policiers s'efforçaient de contenir la foule : S'ÉVERTUER À, *et en lang. fam. :* S'ESCRIMER À.
- Elle s'efforce de contenter tout le monde : ESSAYER, S'APPLIQUER À, S'INGÉNIER À, TÂCHER DE, TENTER DE.

EFFORT

- L'effort de cet élève est soutenu : APPLICATION.
- L'effort musculaire d'un haltérophile au moment de l'arraché : TENSION.
- L'effort de l'esprit : CONTENTION.
- Vous n'aurez rien sans effort : PEINE, TRAVAIL.
- Et la tempête redoubla d'efforts : FORCE, VIOLENCE.
- *Fam. :* Ce prix est trop élevé pour moi, aussi faites un effort ! : SACRIFICE.

EFFRAYANT 908

- Des cris effrayants : EFFROYABLE, ÉPOUVANTABLE, HORRIBLE, TERRIFIANT.
- Un homme effrayant : REDOUTABLE.
- *Fam. :* Il est d'une paresse effrayante : AFFOLANT, EFFARANT.
- *Fam. :* Une chaleur effrayante : ÉPOUVANTABLE, HORRIBLE, TERRIBLE.
- *Fam. :* Il a abattu un travail effrayant : CONSIDÉRABLE, EXTRAORDINAIRE, FORMIDABLE.

EFFRAYER

AFFOLER, ALARMER, ANGOISSER, EFFARER, EFFAROUCHER, ÉPOUVANTER, INQUIÉTER, TERRIFIER.

EFFRÉNÉ 909

- Une ambition effrénée : DÉMESURÉ, EXAGÉRÉ, EXCESSIF, ILLIMITÉ.
- Une course effrénée : ENDIABLÉ, FOU, FRÉNÉTIQUE, IMPÉTUEUX.

EFFRONTÉ 910

Un garçon effronté : CYNIQUE, ÉHONTÉ, IMPERTINENT, IMPUDENT, INSOLENT, OUTRECUIDANT, SANS-GÊNE, *et en lang. fam. :* CULOTTÉ.

ÉGAL 911

- Des parts égales : ÉQUIVALENT, IDENTIQUE, PAREIL, SEMBLABLE.
- Deux villes à égale distance de Paris : MÊME.
- Avancer d'un pas toujours égal : CONSTANT, INVARIABLE, RÉGULIER, UNIFORME.
- Être d'une humeur égale : PAISIBLE, PONDÉRÉ.
- Le terrain n'est pas très égal : PLAT, UNI.
- Donnez-moi l'un ou l'autre, cela m'est égal : INDIFFÉRENT.

ÉGALER

- Nos ventes à l'étranger n'égalent pas nos achats : CONTREBALANCER, ÉQUILIBRER.
- Pour bien expliquer, rien n'égale un dessin : ÉQUIVALOIR À, VALOIR.
- Un record difficile à égaler : ATTEINDRE.

ÉGALISER

- Égaliser des parts lors d'un partage : HARMONISER, UNIFORMISER.
- Égaliser un terrain : APLANIR, NIVELER.

ÉGALITÉ

- L'égalité des salaires masculins et féminins : IDENTITÉ, PARITÉ.
- L'égalité des diplomes : ÉQUIVALENCE.
- L'égalité du pouls : RÉGULARITÉ, UNIFORMITÉ.
- L'égalité d'humeur : ÉQUILIBRE, PONDÉRATION.

ÉGARD 912

Vous auriez pu avoir des égards pour mon âge : CONSIDÉRATION, DÉFÉRENCE, RESPECT.

ÉGARER 913

- Égarer ses poursuivants : DÉROUTER, FOURVOYER.
- Il a encore égaré son parapluie : PERDRE.
- J'ai pu égarer ses soupçons : DÉTOURNER.
- Les mauvaises fréquentations l'ont égaré : PERVERTIR.
- La passion vous égare : AVEUGLER.

S'ÉGARER

- S'égarer dans un dédale de petites rues : SE FOURVOYER, SE PERDRE.
- Sa raison s'égare : DIVAGUER, SE DÉRÉGLER.

ÉGLISE 914

Suivant la nature ou l'importance de l'édifice : ABBATIALE, BASILIQUE, CATHÉDRALE, CHAPELLE, COLLÉGIALE, TEMPLE.

ÉGOÏSTE 915

ÉGOCENTRIQUE, INDIVIDUALISTE, PERSONNEL, SANS-CŒUR.

ÉLABORER 916

Un plan : CONSTRUIRE, ÉCHAFAUDER, FORMER, PRÉPARER.

ÉLAN 917

- Le camion dans son élan a percuté le mur : COURSE, VITESSE.
- Les élans de la jeunesse, de la passion : ARDEUR, EMPORTEMENT, FOUGUE, TRANSPORT.
- Dans un élan d'enthousiasme, de tendresse, etc. : ACCÈS, MOUVEMENT, POUSSÉE.
- Donner un nouvel élan à une entreprise commerciale : ESSOR, IMPULSION.

ÉLANCÉ

Une jeune fille élancée : MINCE, SVELTE.

S'ÉLANCER

- S'élancer vers quelqu'un ou quelque chose : BONDIR, FONCER, SE JETER, SE PRÉCIPITER, SE RUER.
- Le clocher s'élance vers le ciel : SE DRESSER, S'ÉLEVER, POINTER.

ÉLARGISSEMENT 918

1. L'élargissement d'une ouverture : AGRANDISSEMENT.
- L'élargissement des connaissances par l'étude : ACCROISSEMENT, AUGMENTATION, DÉVELOPPEMENT, EXTENSION.
2. L'élargissement d'un prisonnier : LIBÉRATION, RELÂCHEMENT, RELAXATION.

ÉLECTRISER 919

Électriser un auditoire, une foule : ENFLAMMER, ENTHOUSIASMER, EXALTER, EXCITER, GALVANISER, SURVOLTER, TRANSPORTER.

ÉLÉGANCE 920

- L'élégance d'une personne : DISTINCTION, *et en lang. fam. :* CLASSE.
- L'élégance d'un geste : BEAUTÉ, GRÂCE.
- L'élégance dans les manières de se comporter : AISANCE, COURTOISIE, DÉLICATESSE, POLITESSE, SAVOIR-VIVRE.
- L'élégance dans la présentation d'une opinion : HABILETÉ.
- L'élégance d'un vêtement : CHIC.

ÉLÉGANT

- Une jeune femme élégante : DISTINGUÉ, JOLI.
- Une toilette élégante : CHIC, COQUET, GRACIEUX, SEYANT.
- Une solution élégante : HABILE, INGÉNIEUX.
- Se comporter de façon élégante : COURTOIS, DÉLICAT.

ÉLÉMENT 921

- Les divers éléments d'un ensemble : DÉTAIL, MORCEAU, PARTIE.
- Les premiers éléments d'une science : NOTION, PRINCIPE, RUDIMENT.
- Notre nouvel employé est un élément de valeur : INDIVIDU, SUJET.

ÉLÉMENTAIRE

- Les règles élémentaires de la grammaire : ESSENTIEL, FONDAMENTAL.
- Il n'a que des notions élémentaires du code de la route : RUDIMENTAIRE, SOMMAIRE.
- Vous n'avez pas trouvé ! C'était pourtant élémentaire : ENFANTIN, FACILE, SIMPLE.
- Être au stade élémentaire de son évolution : PREMIER.
- Répondre à une lettre constitue la plus élémentaire des politesses : INDISPENSABLE.

ÉLÉVATION 922

1. L'élévation d'une muraille, d'une fortification : CONSTRUCTION, ÉDIFICATION.
- L'élévation des prix : AUGMENTATION, HAUSSE, MAJORATION.
- L'élévation de quelqu'un au grade supérieur : ACCESSION, PROMOTION.
- L'élévation des sentiments : GRANDEUR, NOBLESSE.
2. *Une élévation de terrain peut être :* BUTTE, ÉMINENCE, HAUTEUR, MONTICULE.

ÉLÈVE

- Suivant le niveau de l'école fréquentée, un élève est : COLLÉGIEN, ÉCOLIER, ÉTUDIANT, LYCÉEN, *et en lang. fam. :* POTACHE.
- Torricelli fut l'élève de Galilée : DISCIPLE.

ÉLEVÉ

- Un monument d'une taille élevée : HAUT, IMPOSANT.
- Une résidence secondaire d'un prix élevé : CONSIDÉRABLE, EXORBITANT.
- Un cadre qui occupe une position élevée dans sa société : ÉMINENT, SUPÉRIEUR.
- Une œuvre littéraire d'un style élevé : NOBLE, SOUTENU, SUBLIME.

ÉLEVER

1. Élever un monument : BÂTIR, CONSTRUIRE, DRESSER, ÉDIFIER, ÉRIGER.
- Ce mur est trop bas, il faut l'élever : EXHAUSSER, SURÉLEVER.
- Élever l'eau au moyen d'une vis d'Archimède : MONTER.
2. Élever le niveau de ses connaissances : ACCROÎTRE, AUGMENTER.
- Élever quelqu'un à un grade supérieur : PROMOUVOIR.
- Élever une objection, une critique : ÉMETTRE, FORMULER, SOULEVER.

- Élever un cri : FAIRE ENTENDRE, POUSSER.
- La lecture des Livres Saints élève l'esprit : ÉDIFIER, ENNOBLIR, GRANDIR.

3. Il a élevé les enfants de son frère tué dans un accident : ENTRETENIR, NOURRIR, S'OCCUPER DE.

- Elle a élevé ses enfants dans le respect d'autrui : ÉDUQUER, FORMER, INSTRUIRE.

S'ÉLEVER

- À partir d'ici, la route s'élève jusqu'au col : GRIMPER, MONTER.
- Le phare s'élève au-dessus de la falaise : SE DRESSER.
- À propos de cette affirmation, une contestation s'élève dans la salle : NAÎTRE, SURGIR, SURVENIR.
- Il faut s'élever contre les injustices : COMBATTRE, PROTESTER, S'INSURGER, SE SOULEVER.
- Il s'est élevé à cette situation par sa propre valeur : ARRIVER, ATTEINDRE, PARVENIR À.
- Le hululement de la chouette s'éleva dans la nuit : RETENTIR.

ÉLIMINER 923

- Éliminer quelqu'un d'un groupe : ÉCARTER, ÉVINCER, EXCLURE, EXPULSER, REJETER.
- Éliminer un candidat : REFUSER, *et en lang. fam. :* COLLER, RECALER.

ÉLITE 924

- Il fait partie de l'élite de la société : FLEUR, *et en lang. fam. :* CRÈME, GRATIN.
- Les élites : LES AUTORITÉS, LES RESPONSABLES, *et en lang. pop. :* LES HUILES.

ÉLOCUTION 925

L'avocat doit avoir une grande facilité d'élocution : ARTICULATION, DICTION, PRONONCIATION.

ÉLOGE 926

- Faire l'éloge de... : APOLOGIE, LOUANGE, PANÉGYRIQUE.
- Recevoir de nombreux éloges : COMPLIMENTS, CONGRATULATIONS, FÉLICITATIONS.

ÉLOGIEUX

DITHYRAMBIQUE, FLATTEUR, LAUDATIF, LOUANGEUR.

ÉLOIGNER 927

ÉCARTER, RECULER, REPOUSSER.

S'ÉLOIGNER

- Je l'ai vu s'éloigner : PARTIR, S'EN ALLER.
- Éloigne-toi, tu me gênes : S'ÉCARTER, SE RECULER.
- Ils se sont éloignés l'un de l'autre : SE DÉTACHER, SE SÉPARER.
- Vous vous éloignez du sujet de notre débat : S'ÉCARTER, SORTIR.
- Un bruit qui s'éloigne : DIMINUER, S'ATTÉNUER.
- Un souvenir qui s'éloigne : S'EFFACER, S'ESTOMPER.

ÉLOQUENT 928

- Il s'est montré très éloquent : CONVAINCANT, PERSUASIF.
- Un regard éloquent : EXPRESSIF, PARLANT, RÉVÉLATEUR, SIGNIFICATIF.
- Un conteur éloquent : DISERT.

ÉMANATION 929

1. Les émanations d'une roseraie : ARÔME, EFFLUVE, FRAGRANCE, ODEUR, PARFUM, SENTEUR.

- Des émanations malsaines : MIASME.

2. Le vote est l'émanation de la volonté populaire : EXPRESSION, MANIFESTATION.

ÉMANER

- L'odeur qui émane de cette rose : SE DÉGAGER, S'EXHALER.
- Cette note de service émane de la direction du personnel : PROVENIR DE, VENIR DE.

ÉMANCIPATION 930

AFFRANCHISSEMENT, INDÉPENDANCE, LIBÉRATION.

EMBALLER 931

- Emballer des marchandises : CONDITIONNER, EMPAQUETER, ENVELOPPER.
- *Fam. :* Ce projet m'emballe : ENTHOUSIASMER, RAVIR.
- *Pop. :* Il s'est fait emballer par les policiers : ARRÊTER, CUEILLIR, PINCER, RAMASSER.

S'EMBALLER

- Mon cheval s'est emballé : S'ÉCHAPPER.
- *Fam. :* S'emballer pour une idée : S'ENTHOUSIASMER, SE PASSIONNER.
- *Fam. :* De tempérament coléreux, il s'emballe souvent : S'EMPORTER.

EMBARGO 932

L'embargo sur une marchandise : CONFISCATION, SAISIE.

EMBARQUER 933

1. *v. tr.*

- Embarquer des marchandises : CHARGER, PRENDRE.
- Il s'est laissé embarquer dans une drôle d'histoire : ENTRAÎNER, *et en lang. fam. :* EMBRINGUER.
- *Pop. :* Les policiers l'ont embarqué : ARRÊTER.

2. *v. intr.*

- J'embarque à Marseille pour Alger : PRENDRE LE BATEAU.

S'EMBARQUER
Dans une aventure : SE LANCER.

EMBARRAS 934
- Un embarras de voitures : EMBOUTEILLAGE, ENCOMBREMENT.
- Cette affaire nous a créé beaucoup d'embarras : DIFFICULTÉ, EMBÊTEMENT, ENNUI, TRACAS, *et en lang. fam. :* TINTOUIN.
- Depuis qu'il est au chômage, sa famille vit dans un grand embarras : DÉNUEMENT, GÊNE, PAUVRETÉ, PÉNURIE, *et en lang. fam. :* PÉTRIN.
- Votre question me met dans l'embarras : HÉSITATION, INDÉCISION, PERPLEXITÉ.
- L'embarras d'une personne qui manque d'assurance : CONFUSION, GAUCHERIE, TIMIDITÉ, TROUBLE.
- Faire des embarras pour accepter un cadeau : FAÇONS, MANIÈRES, SIMAGRÉES, *et en lang. fam. :* CHICHIS.
- *Fam. :* Un garçon qui fait beaucoup d'embarras : CHIQUÉ, ÉPATE, ESBROUFE.

EMBARRASSANT
- Un paquet embarrassant : ENCOMBRANT, GÊNANT.
- Une question embarrassante : DÉLICAT, DIFFICILE, ÉPINEUX.

EMBARRASSÉ
- Pour s'excuser de son retard, il a fourni des explications embarrassées : CONFUS, OBSCUR, VAGUE, *et en lang. fam. :* EMBERLIFICOTÉ, ENTORTILLÉ.
- Je suis bien embarrassé pour vous indiquer ce qu'il faut faire : HÉSITANT, INDÉCIS, PERPLEXE.
- Il a eu l'air embarrassé de nous rencontrer dans la rue : GÊNÉ, TROUBLÉ, *et en lang. fam. :* EMBÊTÉ.
- Avoir l'estomac embarrassé : ALOURDI, LOURD, *et en lang. fam. :* EMBARBOUILLÉ.

EMBARRASSER
- N'embarrassez pas le couloir avec vos valises ! : ENCOMBRER, OBSTRUER.
- Si votre manteau vous embarrasse, enlevez-le : GÊNER.
- Je suis venu vous voir à l'improviste, mais si je vous embarrasse, je m'en vais : DÉRANGER, ENNUYER, IMPORTUNER, *et en lang. fam. :* EMBÊTER.
- L'examinateur a bien embarrassé le candidat par ses questions : DÉCONCERTER, DÉCONTENANCER, DÉSARÇONNER, DÉSORIENTER.
- Ce qui m'embarrasse, c'est d'être toujours surveillé : INQUIÉTER, PRÉOCCUPER, TROUBLER.

S'EMBARRASSER
- Ne vous embarrassez pas de tous ces détails : S'INQUIÉTER, SE PRÉOCCUPER, SE SOUCIER.
- Il s'est embarrassé dans des explications interminables : S'EMBROUILLER, S'EMMÊLER, S'EMPÊTRER, *et en lang. fam. :* PATAUGER, S'EMBERLIFICOTER, S'ENTORTILLER.
- Le chien s'est embarrassé dans sa chaîne : S'EMPÊTRER, S'ENTRAVER.
- Il fait beau, donc je ne vais pas m'embarrasser d'un parapluie : SE CHARGER, S'ENCOMBRER.

EMBAUCHER 935
ENGAGER, ENRÔLER, RECRUTER.

EMBÊTER 936
- Laisse ta sœur tranquille, tu l'embêtes toujours : AGACER, CONTRARIER, ENNUYER, *et en lang. fam. :* ENQUIQUINER.
- *Fam. :* Ah ! ce qu'il peut nous embêter avec toutes ses histoires : IMPORTUNER, *en lang. fam. :* ASSOMMER, BARBER, RASER, *et en lang. trivial :* EMMERDER.

EMBONPOINT 937
CORPULENCE, GROSSEUR, OBÉSITÉ, ROTONDITÉ.

EMBRASER 938
- L'incendie a embrasé les récoltes : ENFLAMMER, INCENDIER.
- Le soleil couchant embrase le ciel : ÉCLAIRER, ILLUMINER.
- L'orateur a embrasé l'auditoire : ENFLAMMER, EXALTER, PASSIONNER.

EMBRASSER 939
- Embrasser quelqu'un : BAISER, ENLACER, ÉTREINDRE, *et en lang. fam. :* BÉCOTER, BISER.
- Embrasser une carrière : CHOISIR, PRENDRE.
- Embrasser une opinion : ADOPTER, SUIVRE.
- Les flammes embrassaient la maison sans la toucher : CEINTURER, ENTOURER, ENVIRONNER.
- Du haut de la colline, on embrasse toute la ville : APERCEVOIR, DÉCOUVRIR, VOIR.
- L'autorité du maire embrasse de nombreux domaines : COMPRENDRE, ENGLOBER, S'ÉTENDRE À, TOUCHER À.

EMBRYON 940
Dans un sens figuré : COMMENCEMENT, DÉBUT, GERME.

ÉMEUTE 941
INSURRECTION, MUTINERIE, RÉVOLTE, SÉDITION, SOULÈVEMENT, TROUBLES.

ÉMIGRER 942
S'EXILER, S'EXPATRIER.

ÉMINENT 943
Un professeur éminent : ÉMÉRITE, EXCEPTIONNEL, REMARQUABLE, SUPÉRIEUR.

ÉMONDER 944
Un arbre : ÉBRANCHER, ÉLAGUER, TAILLER.

ÉMOTIF 945
Un garçon émotif, une fille émotive : IMPRESSIONNABLE, SENSIBLE.

ÉMOTION
- L'accident provoqua une grande émotion chez les passagers : AFFOLEMENT, AGITATION, BOULEVERSEMENT, DÉSARROI, SECOUSSE, TROUBLE.
- L'émotion était très vive parmi les otages : ANGOISSE, CRAINTE, ÉMOI, PEUR, SAISISSEMENT.
- Certaines musiques font naître une émotion agréable : PLAISIR, RAVISSEMENT.

ÉMOUVANT
- Le spectacle de ces enfants amaigris et décharnés est émouvant : APITOYANT, BOULEVERSANT, IMPRESSIONNANT, PATHÉTIQUE, POIGNANT, SAISISSANT, TROUBLANT.
- La vue d'un beau bébé est émouvante : ATTENDRISSANT, RÉJOUISSANT, TOUCHANT.

ÉMOUVOIR
- L'horreur de l'accident d'autocar a ému toute la population du village : APITOYER, ATTRISTER, BOULEVERSER, CONSTERNER, IMPRESSIONNER, SAISIR.
- L'orateur a ému l'auditoire par des prévisions pessimistes : ALARMER, TROUBLER.
- La gentillesse de l'enfant émouvait les deux grands-mères : ATTENDRIR, TOUCHER.

S'ÉMOUVOIR
- S'émouvoir sur le sort des malheureux : S'APITOYER.
- Il ne s'émeut de rien : S'ALARMER, S'INQUIÉTER, SE TROUBLER.

EMPARER (S') 946
- L'armée ennemie s'est emparée d'une partie de notre territoire : CONQUÉRIR, ENVAHIR, PRENDRE.
- S'emparer de ce qui ne vous appartient pas : ACCAPARER, DÉROBER, ENLEVER, PRENDRE, S'APPROPRIER, S'ATTRIBUER, USURPER, VOLER, *et en lang. fam. :* FAUCHER, RAFLER.
- Les gendarmes se sont emparés du voleur : CAPTURER, SE SAISIR DE, *et en lang. fam. :* ÉPINGLER.
- Une violente colère s'empara de lui : ENVAHIR, GAGNER, SE SAISIR DE.

EMPÊCHEMENT 947
Je n'ai pas pu venir, parce que j'ai eu un empêchement : CONTRETEMPS, OBSTACLE.

EMPÊCHER
- Une violente tempête empêcha la sortie des bateaux : S'OPPOSER À.
- Tu ne peux pas m'empêcher de passer : DÉFENDRE, INTERDIRE.

S'EMPÊCHER
Elle ne peut s'empêcher de répondre : S'ABSTENIR, SE RETENIR.

EMPHATIQUE 948
Employer un ton emphatique : DÉCLAMATOIRE, GRANDILOQUENT, POMPEUX, SOLENNEL.

EMPILER (S') 949
Les spectateurs s'empilent sur les gradins : S'AMONCELER, S'ENTASSER.

EMPIRER 950
La situation empire : S'AGGRAVER, SE DÉGRADER, SE DÉTÉRIORER, S'ENVENIMER.

EMPLOI 951
1. L'emploi de ce procédé s'est généralisé : USAGE, UTILISATION.
2. Gérard a un bon emploi : PLACE, POSTE, SITUATION, TRAVAIL.
- En quoi consiste votre emploi ? : CHARGE, FONCTION, MÉTIER, TRAVAIL, SERVICE.

EMPLOYÉ
- *Suivant l'emploi occupé, un employé peut s'appeler :* AGENT, COMMIS, FONCTIONNAIRE, PRÉPOSÉ.
- Un employé de bureau : BUREAUCRATE, SECRÉTAIRE, *et avec une nuance péjorative :* GRATTE-PAPIER, ROND-DE-CUIR, SCRIBOUILLARD.

EMPLOYER
1. Employer une méthode : APPLIQUER, SE SERVIR DE, USER DE, UTILISER.
- Je n'ai employé que deux heures pour ce travail : METTRE, PASSER.
2. Cet artisan emploie neuf ouvriers : FAIRE TRAVAILLER, OCCUPER.

S'EMPLOYER
- Elle s'emploie à faire le bien autour d'elle : S'APPLIQUER, SE CONSACRER.
- Je m'emploierai en votre faveur : INTERVENIR.

EMPOISONNEMENT 952
1. Un empoisonnement alimentaire : INTOXICATION.
2. *Fam. :* J'ai eu beaucoup d'empoisonnements dans ma vie : EMBÊTEMENT, ENNUI, SOUCI, TRACAS, *et en lang. trivial :* EMMERDEMENT.

EMPOISONNER
1. Il a été empoisonné par des amanites phalloïdes : INTOXIQUER.
• La marquise de Brinvilliers fut accusée d'avoir empoisonné quatre membres de sa famille : SUPPRIMER, TUER.
• Les fumées d'usines empoisonnent l'atmosphère : EMPESTER, EMPUANTIR, INFECTER, POLLUER.
2. Cet incident a empoisonné notre voyage : GÂTER, TROUBLER.
• *Fam. :* Il n'a cessé de m'empoisonner en m'empêchant de travailler : EMBÊTER, ENNUYER, IMPORTUNER.

EMPORTEMENT 953
Parler avec emportement : COLÈRE, FOUGUE, FUREUR, IRRITATION, PASSION, VÉHÉMENCE.

EMPORTER
• J'emporte ces livres pour les lire en vacances : EMMENER, PRENDRE.
• Les malfaiteurs ont tout emporté : ENLEVER, PRENDRE, RAVIR, VOLER, *et en lang. fam. :* RAFLER.
• Le torrent a tout emporté sur son passage : ARRACHER, ENTRAÎNER.
• Cette entreprise a emporté le marché : ENLEVER, OBTENIR.
• Il l'a emporté sur son adversaire : DOMINER, TRIOMPHER DE, VAINCRE.
• La douceur finit toujours par l'emporter sur la violence : PRÉVALOIR, TRIOMPHER DE.
• Les épidémies de peste emportaient les gens par milliers : EXTERMINER, TUER.

S'EMPORTER
contre quelqu'un : ÉCLATER, FULMINER, SE DÉCHAÎNER.

EMPREINT 954
Un visage empreint de mélancolie : MARQUÉ, PLEIN DE.

EMPREINTE
Relever des empreintes : MARQUE, TRACE.

EMPRESSEMENT 955
• Faire quelque chose avec empressement : ARDEUR, CÉLÉRITÉ, DILIGENCE, HÂTE, PROMPTITUDE, ZÈLE.
• Accueillir une idée avec empressement : ENTHOUSIASME, SATISFACTION.
• Il la servait avec empressement : COMPLAISANCE, PRÉVENANCE.

S'EMPRESSER
De faire quelque chose : SE DÉPÊCHER, SE HÂTER, SE PRESSER.

EMPRISE 956
Se libérer de l'emprise de son entourage : ASCENDANT, AUTORITÉ, EMPIRE, INFLUENCE.

EMPRUNT 957
Les emprunts d'un auteur à un autre : IMITATION, PLAGIAT.

EMPRUNTÉ
Avoir l'air emprunté : CONTRAINT, EMBARRASSÉ, GAUCHE, GÊNÉ, *et en lang. fam. :* EMPOTÉ, GODICHE.

EMPRUNTER
• Emprunter de l'argent à quelqu'un : *Fam. :* TAPER.
• Est-ce que je peux emprunter ta voiture ? : PRENDRE, SE SERVIR DE, UTILISER.
• Le français a emprunté beaucoup de mots au latin : PUISER DANS, TIRER DE.
• Un imitateur qui sait emprunter les voix des hommes politiques : COPIER, IMITER.

ÉMULATION 958
Un sentiment d'émulation : COMPÉTITION, CONCURRENCE, RIVALITÉ.

ENCAISSER 959
• Encaisser de l'argent : RECEVOIR, TOUCHER, *et en lang. fam. :* EMPOCHER.
• *Fam. :* Il a dû encaisser toutes mes critiques : ACCEPTER, ADMETTRE, SUBIR.
• *Fam. :* Ne pas pouvoir encaisser quelqu'un : SENTIR, SUPPORTER.

ENCASTRER 960
EMBOÎTER, ENCHÂSSER, SERTIR.

ENCENSER 961
Quelqu'un : FLATTER, GLORIFIER, LOUANGER, LOUER.

ENCHAÎNER 962
• Enchaîner quelqu'un ou quelque chose : ATTACHER, LIER.
• Enchaîner un peuple : ASSERVIR, ASSUJETTIR, OPPRIMER, TYRANNISER.

S'ENCHAÎNER
Vos idées s'enchaînent mal : S'ASSOCIER, SE SUCCÉDER, SE SUIVRE, S'UNIR.

ENCHANTEMENT 963
• Être sous l'enchantement de... : CHARME, ENSORCELLEMENT, ENVOÛTEMENT, FASCINATION, SORTILÈGE.
• Recevoir une nouvelle avec enchantement : ÉMERVEILLEMENT, RAVISSEMENT.

ENCHANTER
• Enchanter quelqu'un : CHARMER, ENSORCELER, ENVOÛTER, FASCINER.
• La lecture des contes l'enchantait : CAPTIVER, RAVIR, SÉDUIRE.

ENCHANTEUR
- Un enchanteur : MAGICIEN, SORCIER.
- Un petit coin enchanteur : CHARMANT, MERVEILLEUX, PARADISIAQUE, RAVISSANT.

ENCHEVÊTREMENT 964
- Un enchevêtrement de choses diverses : EMMÊLEMENT, FOUILLIS, MÉLANGE.
- L'enchevêtrement des idées : CONFUSION, DÉSORDRE, IMBROGLIO.

ENCHEVÊTRER
EMBROUILLER, EMMÊLER, ENTRELACER.

S'ENCHEVÊTRER
- Il s'enchevêtra dans des explications confuses : S'EMBROUILLER, S'EMPÊTRER, SE PERDRE.
- Les branches du lierre s'enchevêtrent : S'ENTRELACER.

ENCLIN 965
Un élève enclin à la dissipation : PORTÉ À, PRÉDISPOSÉ À.

ENCOURAGEMENT 966
- Après son discours, il a reçu de nombreux encouragements : APPLAUDISSEMENT, APPROBATION, COMPLIMENT, ÉLOGE.
- Faire des signes d'encouragement : EXHORTATION, INCITATION.
- Votre présence est un encouragement : RÉCONFORT, STIMULANT.

ENCOURAGER
- Encourager quelqu'un à poursuivre ses efforts : AIGUILLONNER, EXCITER, EXHORTER, INCITER, POUSSER, STIMULER.
- Encourager un projet : AIDER, FAVORISER, SOUTENIR.

ENCOURIR 967
Si vous continuez à agir ainsi, vous allez encourir une sanction : S'ATTIRER, S'EXPOSER À.

ENCROÛTER (S') 968
Dans la routine, dans la médiocrité : CROUPIR, VÉGÉTER.

ENCYCLOPÉDIQUE 969
- Un savoir encyclopédique : UNIVERSEL.
- Une personne encyclopédique : OMNISCIENT.

ENDÉMIQUE 970
Une maladie endémique, un chômage endémique : CHRONIQUE, PERMANENT.

ENDIGUER 971
- Endiguer une foule : CONTENIR, RETENIR, STOPPER.
- Il sera difficile pour le gouvernement d'endiguer les revendications syndicales : ENRAYER, FREINER, JUGULER.

ENDOCTRINER 972
Certains affirment que la radio et la télévision endoctrinent les gens : CATÉCHISER, CIRCONVENIR, INFLUENCER, *et en lang. fam. :* EMBOBINER, ENTORTILLER.

ENDORMI 973
Un élève endormi : AMORPHE, INDOLENT, LENT, NONCHALANT.

ENDORMIR
- Endormir quelqu'un avant de l'opérer : ANESTHÉSIER.
- Endormir une douleur : APAISER, CALMER.
- Cet orateur endort son auditoire : ASSOMMER, ENNUYER, *et en lang. fam. :* RASER.
- Il a essayé d'endormir ma vigilance : TROMPER.

S'ENDORMIR
- Il s'endort après un bon dîner : S'APPESANTIR, S'ASSOUPIR, SOMNOLER.
- La douleur s'est endormie : S'ATTÉNUER, SE CALMER.
- Le travail est pressé, ce n'est plus le moment de vous endormir : FAIBLIR, FLANCHER, MOLLIR, S'AMOLLIR.

ENDOSSER 974
- Endosser un manteau : METTRE, REVÊTIR.
- Endosser une responsabilité : ASSUMER, PRENDRE, SE CHARGER DE.

ENDROIT 975

1. Voici l'endroit que j'ai choisi : EMPLACEMENT, LIEU, PLACE.
- Les gens de l'endroit sont sympathiques : BOURG, COIN, LOCALITÉ, QUARTIER, VILLAGE.
- Certains endroits du livre sont très bons : PARTIE, PASSAGE.

2. Pour juger de la qualité d'un tapis, il ne faut pas se contenter de regarder l'endroit : DESSUS.

ENDUIRE : BADIGEONNER, COUVRIR. 976

ENDUIT : COUCHE, REVÊTEMENT.

ENDURANCE 977
Faire preuve d'endurance : FERMETÉ, RÉSISTANCE, VITALITÉ.

ENDURER
- Les coups que cet enfant martyr a endurés : SOUFFRIR, SUBIR.
- Je n'endurerai pas plus longtemps vos critiques : ACCEPTER, SUPPORTER, TOLÉRER.

ENDURCI 978
- Un cœur endurci : IMPITOYABLE, INSENSIBLE.

- Un ouvrier endurci : ENDURANT, RÉSISTANT.

ENDURCIR
- Elle était craintive, mais son stage d'équitation lui a endurci le caractère : AGUERRIR, FORTIFIER, TREMPER.
- Un député que les joutes politiques ont endurci contre les attaques : CUIRASSER, *et en lang. fam. :* BLINDER.

S'ENDURCIR
Il s'est endurci peu à peu au froid : S'ACCOUTUMER, S'HABITUER.

ÉNERGIE 979
- Elle a mis toute son énergie à finir le travail dans les temps : ARDEUR, COURAGE, FERMETÉ, RÉSOLUTION, VOLONTÉ.
- Ce matin, je me sens plein d'énergie : FORCE, VIGUEUR, VITALITÉ.

ÉNERGIQUE
- Un chef énergique : AUTORITAIRE, DÉCIDÉ, FERME, RÉSOLU, VOLONTAIRE.
- Il a fallu une intervention énergique de la police, pour arrêter les manifestants : BRUTAL, MUSCLÉ, PUISSANT, VIGOUREUX, VIOLENT.
- Le gouvernement est-il capable de prendre des mesures énergiques pour juguler la hausse des prix ? : DRACONIEN, DRASTIQUE, RIGOUREUX, SÉVÈRE.

ÉNERGUMÈNE 980
Une bande d'énergumènes est venue troubler la fête : EXCITÉ, FANATIQUE, FORCENÉ, FOU.

ÉNERVEMENT 981
- L'énervement de la foule était à son comble : AGITATION, EFFERVESCENCE, EXCITATION, NERVOSITÉ.
- Dans un moment d'énervement, je l'ai giflé : AGACEMENT, IMPATIENCE, IRRITATION.

ÉNERVER
Le bruit de ce marteau-piqueur commence à m'énerver : AGACER, CRISPER, EXASPÉRER, EXCÉDER, HORRIPILER, IMPATIENTER.

S'ÉNERVER
S'EXCITER, S'IMPATIENTER.

ENFANCE 982
1. Son enfance n'a pas été heureuse : JEUNESSE.
- Quand le monde était en son enfance : COMMENCEMENT, DÉBUT, ORIGINE.
2. Ce vieillard tombe en enfance : GÂTISME.

ENFANT
1. Un jeune enfant : BÉBÉ, NOURRISSON, POUPON *et en lang. fam. ou pop. :* BAMBIN, GAMIN, GOSSE, LOUPIOT, MARMOT, MIOCHE, MÔME, MOUTARD, etc.
- Nous sommes tous les enfants d'Adam et d'Ève : DESCENDANT.
2. Il a eu tort de nous prendre pour des enfants : IDIOT, IMBÉCILE, NAÏF.
- Allons ! ne faites-pas l'enfant ! : INNOCENT.
3. Le crime est un enfant du vice : FRUIT, PRODUIT, RÉSULTAT.

ENFANTER
ACCOUCHER, METTRE AU MONDE.

ENFER 983
Sa vie a été un enfer : CALVAIRE, MARTYRE, SUPPLICE.

ENFERMER 984
CLAQUEMURER, ÉCROUER, EMPRISONNER, RENFERMER, SÉQUESTRER, *et en lang. fam. :* BOUCLER, COFFRER.

S'ENFERMER
- Le forcené s'est enfermé dans son logement : SE BARRICADER.
- Il s'enferme dans son bureau pour travailler : SE CALFEUTRER, SE CLOÎTRER, S'ISOLER.
- Il s'enfermait dans un mutisme réprobateur : SE CLAUSTRER.
- Cette jeune comédienne n'a pas voulu s'enfermer dans le rôle de soubrette de ses débuts : SE CANTONNER, SE CONFINER.

ENFERRER (S') 985
- S'enferrer dans des explications compliquées : S'EMBROUILLER.
- L'accusé, en voulant se défendre, s'est enferré : S'ENFONCER, SE PERDRE.

ENFILADE 986
Pour arriver jusqu'à son bureau, il faut parcourir une enfilade de couloirs : SUCCESSION, SUITE.

ENFILER
- Enfiler des bas : METTRE, PASSER.
- Enfiler une ruelle, une porte : PRENDRE.

S'ENFILER
Pop. : S'enfiler une bière : S'ENVOYER, SE TAPER, SIFFLER.

ENFLAMMÉ 987
- Des joues enflammées : COLORÉ, EMPOURPRÉ, ENLUMINÉ.
- Une plaie enflammée : ENVENIMÉ, INFECTÉ, IRRITÉ.
- Des paroles enflammées : ARDENT, PASSIONNÉ.

ENFLAMMER
1. Enflammer de vieux papiers : ALLUMER, BRÛLER, EMBRASER, INCENDIER.

2. Un orateur qui enflamme les foules : ÉLECTRISER, ENFIÉVRER, ENTHOUSIASMER, GALVANISER.
- Napoléon savait enflammer le courage de ses grognards : ATTISER, EXCITER, STIMULER, SURVOLTER.
- Par un simple regard, elle enflamme les cœurs : ENSORCELER, SÉDUIRE.

ENFLÉ 988
1. Avoir le visage enflé : BOUFFI, BOURSOUFLÉ, GONFLÉ.
- Avoir le ventre enflé : BALLONNÉ.

2. *Pop. :* Espèce d'enflé ! : ABRUTI, ENFLURE, IMBÉCILE.

ENFLER
La presse a enflé cet incident : EXAGÉRER, GONFLER, GROSSIR.

ENFLURE
- Une enflure des jambes : BOURSOUFLURE, GONFLEMENT, ŒDÈME.
- L'enflure du style : EMPHASE, EXAGÉRATION, GRANDILOQUENCE.

ENFONCER 989
1. Enfoncer un pieu, un clou : FICHER, PLANTER.
- Enfoncer la tête de quelqu'un dans l'eau : PLONGER.
- Enfoncer les mains dans les poches de son manteau : INTRODUIRE, METTRE.

2. Enfoncer une porte : DÉFONCER, FORCER.
- Enfoncer un adversaire : BATTRE, ÉCRASER, SURPASSER, VAINCRE.

3. *Fam. :* Enfoncez-vous cette idée dans le crâne ! : METTRE.

S'ENFONCER
1. S'enfoncer dans la vase : S'EMBOURBER.
- S'enfoncer dans les sables mouvants : S'ENLISER.
- Le bateau s'est enfoncé dans la mer : COULER, S'ENGLOUTIR, SOMBRER.

2. S'enfoncer une côte : SE BRISER, SE ROMPRE.
3. Je l'ai vu s'enfoncer dans les bois et disparaître : AVANCER, ENTRER, PÉNÉTRER, S'ENGAGER.

ENFREINDRE 990
Un réglement, une loi : CONTREVENIR À, TRANSGRESSER, VIOLER.

ENGAGEANT 991
- Une personne engageante : AFFABLE, CORDIAL, SYMPATHIQUE.
- Un aspect engageant : ATTIRANT, PLAISANT, SÉDUISANT.

ENGAGEMENT
1. Renier ses engagements : PAROLE, PROMESSE, SERMENT, SIGNATURE.
2. L'engagement d'un match : COUP D'ENVOI.

ENGAGER
- Engager sa parole : DONNER.
- Engager sa responsabilité : EXPOSER, RISQUER.
- Engager des crédits dans une affaire : INVESTIR.
- Engager une nouvelle secrétaire : EMBAUCHER, RECRUTER.
- Engager la clef dans la serrure : ENFONCER, INTRODUIRE, METTRE.
- Engager des négociations, des poursuites, etc. : COMMENCER, ENTAMER, ENTREPRENDRE.
- Engager de nouvelles troupes dans la bataille : LANCER.
- Engager quelqu'un à faire quelque chose : EXHORTER, INCITER, INVITER, POUSSER, PRESSER.
- Cela ne vous engage à rien : OBLIGER.

S'ENGAGER
- En signant, vous vous engagez à... : PROMETTRE DE.
- Il s'est engagé dans la marine : S'ENRÔLER.
- La voiture s'est engagée sur la mauvaise route : PRENDRE.
- Dans le choc, l'avant de l'auto s'est engagé sous le camion : S'EMBOÎTER, S'ENCASTRER, S'ENFONCER.

ENGENDRER 992
- Saül engendra Jonathan : PROCRÉER.
- L'oisiveté engendre l'ennui : CAUSER, ENTRAÎNER, OCCASIONNER, PRODUIRE, PROVOQUER.

ENGIN 993
APPAREIL, INSTRUMENT, OUTIL, *et en lang. fam. :* BIDULE, MACHIN, TRUC.

ENGLOUTIR 994
- Il ne mâche pas la viande, il l'engloutit : AVALER, DÉVORER, ENFOURNER, ENGOUFFRER.
- Il a englouti toute sa fortune dans cette affaire : DILAPIDER, DISSIPER, GASPILLER.
- Les flots engloutirent la cité d'Ys : NOYER, SUBMERGER.

ENGOUEMENT 995
L'engouement pour une nouvelle mode, pour une idée : ADMIRATION, EMBALLEMENT, ENTHOUSIASME, PASSION, *et en lang. fam. :* TOQUADE.

ENGOUFFRER (S') 996
- Le barrage se rompit, aussitôt l'eau s'engouffra par la brèche : SE PRÉCIPITER.
- Aux heures de pointe, les Parisiens s'engouffrent dans le métro : S'ENFOURNER.

ENGOURDI 997
- Avoir les doigts engourdis par le froid : GELÉ, GOURD, TRANSI.
- Avoir le bras engourdi pour être resté longtemps dans une mauvaise position : ANKYLOSÉ, PARALYSÉ.
- Avoir l'esprit engourdi : ENDORMI, LENT, ROUILLÉ.
- *Fam.* Quel engourdi : EMPOTÉ.

ENGOURDISSEMENT
- Un engourdissement des doigts : ONGLÉE.
- Un engourdissement du bras : RAIDEUR, RIGIDITÉ.
- L'engourdissement du corps : ASSOUPISSEMENT, SOMNOLENCE.
- L'engourdissement de l'esprit : HÉBÉTUDE, TORPEUR.
- L'engourdissement de certains animaux pendant l'hiver : HIBERNATION.

ENGRAISSER 998
- Engraisser des oies : GAVER, GORGER.
- Engraisser une terre : FUMER.
- Je ne l'avais pas vu depuis six mois, je trouve qu'il a engraissé : ÉPAISSIR, GROSSIR, S'EMPÂTER.

ENGUEULER 999
- *Pop. :* Quand il a bu, il engueule tout le monde : INJURIER, INSULTER.
- *Pop. :* Se faire engueuler par son chef de service : ADMONESTER, RÉPRIMANDER, TANCER, *et en lang. fam. :* ENGUIRLANDER, SAVONNER.

ENHARDIR (S') 1000

Je me suis enhardi jusqu'à lui dire que... : OSER, SE PERMETTRE.

ÉNIGMATIQUE 1001
- Un homme énigmatique : ÉTRANGE, IMPÉNÉTRABLE, MYSTÉRIEUX.
- Un sourire énigmatique : AMBIGU, ÉQUIVOQUE.
- Un langage énigmatique : ABSCONS, HERMÉTIQUE, OBSCUR, SIBYLLIN.

ÉNIGME
- Avez-vous trouvé le mot de l'énigme ? : CHARADE, DEVINETTE.
- Son comportement dans cette affaire est une énigme pour moi : MYSTÈRE.

ENIVRANT 1002
- Un parfum enivrant : CAPITEUX, EXCITANT, GRISANT, TROUBLANT.
- Un succès enivrant : ENTHOUSIASMANT, EXALTANT.

ENIVRER
- Un vin qui enivre : ÉTOURDIR, GRISER, *et en lang. fam. :* SOÛLER.
- La gloire, les éloges peuvent enivrer : ENORGUEILLIR, EXALTER, TRANSPORTER.

S'ENIVRER
- Un homme qui s'enivre : BOIRE, *et en lang. fam. :* SE SOÛLER.
- S'enivrer de ses succès : SE GRISER.

ENJÔLER 1003

DUPER, LEURRER, TROMPER, *et en lang. fam. :* EMBOBINER.

ENLEVER 1004
- Enlever ses gants, ses souliers, etc. : ÔTER, QUITTER, RETIRER.
- Enlever une tache : EFFACER, FAIRE DISPARAÎTRE.
- Enlever une faute dans un texte : SUPPRIMER.
- Il s'est fait enlever une dent : ARRACHER, EXTRAIRE.
- La crue a enlevé le pont : DÉTRUIRE, EMPORTER.
- Les éboueurs ont enlevé les ordures : RAMASSER.
- Les cambrioleurs ont tout enlevé : DÉROBER, EMPORTER, PRENDRE, VOLER.
- Le fils d'un banquier a été enlevé contre rançon : KIDNAPPER, RAVIR.
- Enlever une position ennemie : CONQUÉRIR, PRENDRE, S'EMPARER DE.
- Ce coureur a enlevé deux étapes de la course : GAGNER, REMPORTER.
- La maladie l'a enlevé en quelques jours : EMPORTER.

S'ENLEVER
- Le ballon s'enleva dans les airs : S'ÉLEVER.
- En bout de piste, l'avion-cargo s'enleva : DÉCOLLER, S'ENVOLER.
- Un vêtement qui s'enlève facilement : SE DÉFAIRE, SE RETIRER.
- Une marchandise qui s'enlève bien : SE VENDRE.

ENNUI 1005
- Il traîne son ennui de la vie partout où il va : DÉGOÛT, LASSITUDE, MÉLANCOLIE, NEURASTHÉNIE, *et en lang. fam. :* CAFARD.
- Ses enfants ne lui ont donné que des ennuis : DÉSAGRÉMENT, INQUIÉTUDE, PRÉOCCUPATION, SOUCI, TRACAS.
- Ce sont les ennuis du métier : INCONVÉNIENT.
- Nous avons eu quelques ennuis à la douane : DIFFICULTÉ.
- Je n'ai eu que des ennuis avec cette voiture : DÉBOIRES, *et en lang. fam. :* EMBÊTEMENT, PÉPIN, TUILE.

ENNUYER
- Son retard m'ennuie beaucoup : INQUIÉTER, PRÉOCCUPER, TRACASSER.
- Il raconte toujours les mêmes histoires, il nous ennuie : FATIGUER, LASSER, *et en lang. fam. :* ASSOMMER, BARBER, RASER.

- Cela m'ennuie qu'il ne suive pas mes conseils : CONTRARIER, DÉPLAIRE, DÉSOLER.

S'ENNUYER
Fam. : SE BARBER, S'EMBÊTER, S'EMPOISONNER.

ENNUYEUX
- Une affaire ennuyeuse : DÉPLAISANT, DÉSAGRÉABLE, PÉNIBLE, *et en lang. fam.* : EMBÊTANT.
- Un incident ennuyeux : CONTRARIANT, FÂCHEUX, MALENCONTREUX.
- Une question ennuyeuse : EMBARRASSANT.
- Un travail ennuyeux : FASTIDIEUX, RÉBARBATIF.
- Un discours ennuyeux : *Fam.* : ASSOMMANT, BARBANT, ENDORMANT, RASANT, SOPORIFIQUE.

ÉNONCER 1006
Énoncer quelque chose : DIRE, ÉMETTRE, EXPOSER, EXPRIMER, FORMULER, PRONONCER.

ÉNORME 1007
- Une énorme muraille : COLOSSAL, GIGANTESQUE, IMMENSE, MONUMENTAL.
- Un énorme succès : EXTRAORDINAIRE, FORMIDABLE.
- Une énorme fortune : CONSIDÉRABLE, FANTASTIQUE.

ENQUÊTE 1008
- L'enquête n'a rien donné : EXAMEN, RECHERCHE.
- Une enquête sur les goûts des consommateurs : SONDAGE.

ENRAGÉ 1009
C'est un enragé du rugby : ACHARNÉ, FANATIQUE, PASSIONNÉ.

ENRAYER 1010
Pourra-t-on enrayer la hausse du coût de la vie ? : ARRÊTER, FREINER, JUGULER, STOPPER.

ENREGISTRER 1011
- Faire enregistrer un acte de vente : INSCRIRE, TRANSCRIRE.
- Ce fait est enregistré dans les Mémoires de Metternich : CONSIGNER, MENTIONNER.
- On a enregistré hier une baisse de la température : NOTER, OBSERVER, RELEVER.

ENRÔLER 1012
EMBRIGADER, ENRÉGIMENTER, INCORPORER, RECRUTER.

ENSEIGNANT 1013
Suivant le contexte : INSTITUTEUR, MAÎTRE, PÉDAGOGUE, PROFESSEUR.

ENSEIGNEMENT
Tirer des enseignements des événements passés : CONCLUSION, LEÇON, MORALE.

ENSEIGNER
- Enseigner quelque chose à quelqu'un : APPRENDRE.
- Elle enseigne à l'Institut des Langues orientales : PROFESSER.
- L'expérience m'a enseigné que... : MONTRER, PROUVER.
- Cet accident t'enseignera à prendre des précautions : INCITER, POUSSER.

ENSEMBLE 1014
1. *adv.*
- Nous avons agi ensemble : CONJOINTEMENT, DE CONCERT, EN COMMUN.
- Si vous parlez tous ensemble... : EN MÊME TEMPS, SIMULTANÉMENT.
- Chantons tous ensemble : EN CHŒUR.
- Les deux bateaux ont rallié ensemble le port : DE CONSERVE.

2. *nom.*
- Du haut de la tour, on voit l'ensemble de la ville : INTÉGRALITÉ, TOTALITÉ.
- Un ensemble de personnes : GROUPE, RÉUNION.
- Un ensemble de choses : ASSORTIMENT, COLLECTION.
- Ils patinent avec un ensemble parfait : CONCORDANCE, HARMONIE.
- L'action du gouvernement est, dans l'ensemble, positive : GLOBALEMENT.

ENSUITE 1015
Faites d'abord vos devoirs, ensuite vous irez jouer : APRÈS, ULTÉRIEUREMENT.

ENTENDRE 1016
- Je n'entends pas bien ce qu'il dit : COMPRENDRE, DISCERNER, DISTINGUER, SAISIR.
- Je l'ai entendu avant de prendre une décision : ÉCOUTER.
- J'entends que vous m'obéissiez : EXIGER, VOULOIR.

S'ENTENDRE
- Ils s'entendent bien : SE COMPRENDRE, SYMPATHISER.
- Je me suis entendu avec lui pour le prix : S'ACCORDER, S'ARRANGER.
- La mécanique, il s'y entend : SE CONNAÎTRE.

ENTERRER 1017
- Quelqu'un : ENSEVELIR, INHUMER.
- Une affaire : CLASSER, ÉTOUFFER.
- Une conduite d'eau : ENFOUIR.

S'ENTERRER
Pendant les vacances, nous nous enterrons au fond des bois : S'ISOLER, SE RETIRER.

ENTÊTEMENT 1018
Faire preuve d'entêtement : OBSTINATION, OPINIÂTRETÉ, PERSÉVÉRANCE, TÉNACITÉ.

ENTÊTER
Ce parfum entête : ÉTOURDIR.

S'ENTÊTER
SE BUTER, S'OBSTINER.

ENTHOUSIASMER 1019
Ce chanteur enthousiasme les jeunes : ÉLECTRISER, ENFLAMMER, EXALTER, GALVANISER, PASSIONNER, TRANSPORTER, *et en lang. fam. :* EMBALLER.

S'ENTHOUSIASMER
S'ENFLAMMER, S'EXALTER, SE PASSIONNER, *et en lang. fam. :* S'EMBALLER, S'ENGOUER, S'ENTICHER, SE TOQUER.

ENTIER 1020
- L'article occupe une page entière du journal : COMPLET, INTÉGRAL.
- J'ai une entière confiance en vous : ABSOLU, PLEIN, TOTAL.
- Son honneur reste entier : INTACT.
- Un homme au caractère entier : AUTORITAIRE, INFLEXIBLE, OBSTINÉ, OPINIÂTRE.

ENTOURER 1021
- Il a entouré sa propriété d'un mur de deux mètres : CLORE, CLÔTURER, ENCEINDRE, ENCLORE, FERMER.
- L'écharpe qui entoure la taille d'un maire : CEINDRE, CEINTURER.
- Des bois entourent le village : BORDER, ENSERRER, ENVELOPPER, ENVIRONNER.
- Les policiers ont réussi à entourer les émeutiers : CERNER, ENCERCLER.
- Le président est toujours entouré de gardes du corps : ENCADRER.

ENTRAIDER (S') 1022
S'ÉPAULER, SE SECOURIR, SE SOUTENIR.

ENTRAÎNEMENNT 1023
1. Dans l'entraînement de cette discussion orageuse, il s'est laissé aller à des écarts de langage : ARDEUR, CHALEUR, FEU.
- Résister à l'entraînement de ses passions : ÉLAN, FORCE, IMPULSION.
2. Les joueurs de football sont soumis à un entraînement intensif : PRÉPARATION.

ENTRAÎNER
1. La mère entraînait ses enfants vers la sortie : CONDUIRE, EMMENER, TIRER.
- Le courant entraînait le bateau vers les rochers : DROSSER, POUSSER.
- Il se laisse entraîner par sa passion : EMPORTER.
- Le chômage entraîne de graves difficultés pour les familles : AMENER, APPORTER, ENGENDRER, OCCASIONNER, PRODUIRE, PROVOQUER.
2. Elle entraîne son cheval au saut d'obstacle : DRESSER, EXERCER.

S'ENTRAÎNER
Cette nageuse s'entraîne quatre heures par jour : S'EXERCER.

ENTRAÎNEUR
- Les joueurs sont satisfaits de leur nouvel entraîneur : MANAGER, MONITEUR.
- C'est un excellent entraîneur d'hommes : MENEUR.

ENTRAVER 1024
Les travaux entravent la circulation : EMPÊCHER, FREINER, GÊNER, PARALYSER.

ENTRÉE 1025
- Son entrée dans la salle fut très remarquée : APPARITION, ARRIVÉE.
- Entrée interdite à toute personne étrangère au service : ACCÈS.
- L'entrée du Portugal dans le Marché Commun : ADHÉSION, ADMISSION.
- Je vous attendrai dans l'entrée de l'immeuble : HALL, VESTIBULE.
- Il était assis à l'entrée de sa maison : PORTE, SEUIL.
- Nous sommes à l'entrée de la mauvaise saison : COMMENCEMENT, DÉBUT.

ENTRER
- Entrer quelque part : PÉNÉTRER, SE GLISSER, S'INTRODUIRE.
- Le train entre en gare : ARRIVER.
- Il est entré au parti en 1980 : ADHÉRER, S'INSCRIRE.
- Elle entre dans sa vingtième année : COMMENCER.
- La voiture est entrée dans un mur : PERCUTER.
- Cela n'entre pas dans mes préoccupations : FAIRE PARTIE DE.

ENTREMETTRE (S') 1026
Entre deux personnes : INTERVENIR, S'INTERPOSER.

ENTREMISE
- Voulez-vous de mon entremise pour obtenir un rendez-vous ? : INTERVENTION, MÉDIATION.
- Par l'entremise de... : INTERMÉDIAIRE.

ENTREPÔT 1027
DOCK, HANGAR, MAGASIN.

ENTREPRENANT 1028
- Une personne entreprenante : AUDACIEUX, DYNAMIQUE, HARDI *et en lang. fam. comme nom :* FONCEUR, FONCEUSE.
- Elle a changé de place parce que son voisin était trop entreprenant : GALANT.

ENTREPRENDRE
- Entreprendre un travail : COMMENCER, ENTAMER.
- J'avais entrepris de le convaincre : ESSAYER, TENTER.

ENTREPRISE
- Il est à la tête d'une grosse entreprise : AFFAIRE, COMMERCE, ÉTABLISSEMENT, INDUSTRIE.
- Ce sera une entreprise de longue haleine : OPÉRATION, TRAVAIL.
- C'est une entreprise hasardeuse : AVENTURE.
- Le gouvernement s'est lancé dans une entreprise de division des syndicats : ATTAQUE, MANŒUVRE, TENTATIVE.

ENTRETENIR 1029
1. Entretenir une maison en bon état : CONSERVER, GARDER, MAINTENIR.
- Entretenir de bons rapports avec ses voisins : AVOIR, CONSERVER, CULTIVER.
- Les parents entretiennent leurs enfants : ÉLEVER, NOURRIR.
2. Je vous entretiendrai plus tard de cette affaire : PARLER.

S'ENTRETENIR
1. Elle est si faible qu'elle n'a plus la force de s'entretenir : S'ALIMENTER, SE NOURRIR.
- Il s'entretient d'illusions : SE REPAÎTRE.
- Un chirurgien qui s'entretient la main : S'EXERCER.
2. S'entretenir avec quelqu'un : BAVARDER, CAUSER, CONVERSER, DIALOGUER, PARLER.

ENTREVUE 1030
Avoir une entrevue avec quelqu'un : ENTRETIEN, RENDEZ-VOUS, TÊTE-À-TÊTE.

ENVELOPPER 1031
- Envelopper un objet dans du papier : EMBALLER, EMPAQUETER, ENTOURER DE, RECOUVRIR DE.
- Envelopper un bébé dans des langes : EMMAILLOTER, EMMITOUFLER.
- Comme il a bien su envelopper la vérité, pour se tirer d'affaire ! : CAMOUFLER, DISSIMULER, ENROBER, VOILER.

S'ENVELOPPER
Dans des couvertures pour dormir : S'ENROULER.

ENVENIMER (S') 1032
- La blessure s'est envenimée : S'INFECTER.
- La situation s'envenime : SE DÉTÉRIORER, SE GÂTER.

ENVERGURE 1033
- Un chef de grande envergure : CLASSE.
- Son commerce a pris une certaine envergure : AMPLEUR, EXTENSION.

ENVIABLE 1034
Il est dans une situation bien peu enviable : DÉSIRABLE, SOUHAITABLE, TENTANT.

ENVIE
CONVOITISE, DÉSIR, JALOUSIE.

ENVIER
- Envier quelque chose : CONVOITER, DÉSIRER.
- Envier quelqu'un : JALOUSER.

ENVIEUX
Être envieux de la gloire des autres : AVIDE, JALOUX.

ENVISAGER 1035
- Envisager une situation sous tous ses aspects : CONSIDÉRER, REGARDER.
- J'envisage de partir demain : PRÉVOIR, PROJETER, SONGER À.

ENVOYER 1036
- Je t'ai déjà envoyé plusieurs lettres : ADRESSER, EXPÉDIER, POSTER.
- Je vais vous envoyer mon meilleur dépanneur : DÉPÊCHER.
- Mon administration m'a envoyé pour la représenter : DÉLÉGUER.
- Les gamins envoyaient des cailloux sur les voitures : JETER, LANCER.

ÉPAIS 1037
- Une taille épaisse : EMPÂTÉ, GROS.
- Une pâte épaisse : COMPACT, CONSISTANT.
- Un gazon épais : ABONDANT, DRU, FOURNI, SERRÉ.
- Des bois épais : TOUFFU.
- Une fumée épaisse : DENSE, OPAQUE.
- Il a l'esprit aussi épais qu'un béotien : GROSSIER, LOURD, OBTUS, PESANT.

ÉPAISSEUR
- L'épaisseur de la taille : EMPÂTEMENT.
- L'épaisseur de la nuit : OPACITÉ.
- L'épaisseur du brouillard : DENSITÉ.
- L'épaisseur d'une forêt : PROFONDEUR.
- L'épaisseur de son esprit : LOURDEUR.

ÉPANOUI 1038
Un visage épanoui : JOYEUX, RADIEUX, RÉJOUI.

S'ÉPANOUIR
- Les fleurs commencent à s'épanouir : ÉCLORE, FLEURIR, S'OUVRIR.
- A l'annonce de son succès, son visage s'est épanoui : S'ÉCLAIRER, S'ILLUMINER.

ÉPANOUISSEMENT
- L'épanouissement des fleurs : ÉCLOSION, FLORAISON.
- À dix-huit ans, ce fut l'épanouissement de sa beauté : ÉCLAT, PLÉNITUDE.

ÉPARGNER 1039
- Épargner de l'argent : ÉCONOMISER.
- Épargner quelque chose à quelqu'un : ÉVITER, EXEMPTER DE, PRÉSERVER DE.
- Épargner quelqu'un dans ses critiques : MÉNAGER.
- Épargner un condamné : GRACIER.

ÉPARS 1040
Des fermes éparses dans la campagne : DISPERSÉ, DISSÉMINÉ, ÉPARPILLÉ.

ÉPHÉMÈRE 1041
Ce médicament n'a qu'une action éphémère : MOMENTANÉ, PASSAGER, PROVISOIRE, TEMPORAIRE.

ÉPIER 1042
ESPIONNER, GUETTER, OBSERVER, SURVEILLER.

ÉPINE 1043
Les épines de la vie *(litt.)* : CONTRARIÉTÉ, DIFFICULTÉ, SOUCI, TRACAS.

ÉPISODE 1044
Les divers épisodes de notre voyage : AVENTURE, INCIDENT, PÉRIPÉTIE.

ÉPLUCHER 1045
- Éplucher une orange : PELER.
- Éplucher un texte difficile : DÉCORTIQUER, ÉTUDIER.
- Elle épluchait ma tenue : EXAMINER, INSPECTER.

ÉPOQUE 1046
- C'est l'époque des vendanges : DATE, MOMENT, PÉRIODE, SAISON, TEMPS.
- Aux diverses époques de sa vie : ÂGE, ÉTAPE.
- Il faut vivre avec son époque : SIÈCLE, TEMPS.
- Les grandes époques géologiques : ÈRE.

ÉPOUSER 1047
- Épouser quelqu'un : SE MARIER AVEC.
- Épouser les idées de quelqu'un : EMBRASSER, PARTAGER, SOUTENIR.
- Un pull qui épouse les formes du corps : MOULER, S'ADAPTER, SUIVRE.

ÉPREUVE 1048
- Soumettre un nouveau matériau à une épreuve de résistance : ESSAI, EXPÉRIENCE, TEST.
- Les épreuves de la vie : MALHEUR, MISÈRE, PEINE, SOUFFRANCE.
- Les diverses épreuves d'un examen : COMPOSITION, DEVOIR, INTERROGATION.
- Les épreuves sportives : COMPÉTITION, RENCONTRE.
- Tirer plusieurs épreuves d'un original : COPIE, PHOTOCOPIE, REPRODUCTION.

ÉPROUVER
- Éprouver la résilience d'un matériau : ESSAYER, EXPÉRIMENTER, TESTER.
- Éprouver de la joie, de la peine, etc. : RESSENTIR.
- Éprouver des difficultés pour réussir : RENCONTRER, SE HEURTER À.
- Il a été fortement éprouvé par la mort de sa mère : ÉBRANLER, TOUCHER.

ÉPUISER 1049
- À force de trop pomper, ils ont épuisé la source : ASSÉCHER, TARIR, VIDER.
- L'agriculture intensive épuise la terre : APPAUVRIR.
- J'ai épuisé mes derniers francs pour cet achat : DÉPENSER.
- La marathon l'a épuisé : EXTÉNUER, HARASSER.
- Son bavardage m'épuise : EXCÉDER, FATIGUER, LASSER.

S'ÉPUISER
- Elle s'épuise au travail ménager : S'ÉREINTER, SE FATIGUER, SE TUER *et en lang. fam. :* S'ÉCHINER, S'ESQUINTER.
- La première édition de ce roman s'est épuisée en quelques jours : S'ÉCOULER, SE VENDRE.

ÉPURATION 1050
- L'épuration des liquides : ASSAINISSEMENT, CLARIFICATION, FILTRAGE, PURIFICATION.
- Une épuration dans un parti politique : PURGE.

ÉPURER
- Épurer des huiles : CLARIFIER, DÉCANTER, FILTRER, PURIFIER, RAFFINER.
- Épurer les mœurs : AMÉLIORER, ASSAINIR.
- Épurer son style : CHÂTIER, PERFECTIONNER.
- Épurer une administration : PURGER.

ÉQUILIBRE 1051
- L'équilibre du bébé qui fait ses premiers pas n'est guère assuré : STABILITÉ.
- Le cavalier doit avoir un bon équilibre : ASSIETTE.
- L'équilibre entre recettes et dépenses : BALANCE.
- L'équilibre de l'esprit : PONDÉRATION, SÉRÉNITÉ.
- Le malade n'a retrouvé son équilibre qu'au bout de longs mois : SANTÉ.

ÉQUILIBRÉ
Un caractère équilibré, un esprit équilibré : PONDÉRÉ, RAISONNABLE, SENSÉ.

ÉQUILIBRER
- Équilibrer une chose par une autre : COMPENSER, CONTREBALANCER, NEUTRALISER.
- Équilibrer les deux plateaux d'une balance : STABILISER.

ÉQUIPER 1052
- Équiper un bateau : ARMER, GRÉER.
- Équiper une maison de tout le confort : MUNIR, POURVOIR.

ÉQUITABLE 1053
Une personne équitable : IMPARTIAL, JUSTE, OBJECTIF.

ÉQUITÉ
DROITURE, IMPARTIALITÉ, JUSTICE.

ÉQUIVALENCE 1054
ÉGALITÉ, IDENTITÉ.

ÉQUIVALENT
1. *adj.*
- Faire deux parts équivalentes : ÉGAL, IDENTIQUE.
- Ce sont deux mots équivalents : SYNONYME.
- Ils ont deux situations équivalentes : COMPARABLE, SEMBLABLE.

2. *nom.*
Voilà un objet unique, qui n'a pas son équivalent : PAREIL, SEMBLABLE.

ÉQUIVALOIR
- Un are équivaut à cent mètres carrés : ÉGALER, VALOIR.
- Son mutisme équivaut à un aveu : REVENIR À, SIGNIFIER.

ÉQUIVOQUE 1055
1. *adj.*
- Le sens de cette phrase est équivoque : AMBIGU, OBSCUR.
- J'ai rencontré un homme à l'allure équivoque : INQUIÉTANT, LOUCHE, SUSPECT.

2. *nom.*
Ses actes ne laissent subsister aucune équivoque sur ses intentions : AMBIGUÏTÉ, DOUTE.

ÉREINTER 1056
- Ce travail m'a éreinté : ÉPUISER, EXTÉNUER, *et en lang. fam. :* CLAQUER, CREVER.
- Le maire s'est fait éreinter par un journaliste local : CRITIQUER, DÉNIGRER, MALTRAITER.

ERGOTER 1057
Il ne cesse d'ergoter sur tout : CHICANER, DISCUTER, *et en lang. fam. :* CHINOISER, PINAILLER.

ERMITE 1058
Vivre en ermite : ANACHORÈTE, SOLITAIRE.

ÉROTIQUE 1059
- Des pensées érotiques : SENSUEL, VOLUPTUEUX.
- Un film érotique : LICENCIEUX, PORNOGRAPHIQUE.

ERRANT 1060
- Mener une vie errante : AMBULANT, NOMADE, VAGABOND.
- Un chien errant : ÉGARÉ, PERDU.
- Un regard errant : VAGUE.

ERRER
1. Il aimait errer dans la campagne : DÉAMBULER, FLÂNER, MARCHER, SE BALADER, SE PROMENER, TRAÎNER, VAGABONDER, *et en lang. pop. :* VADROUILLER.
- Laisser errer son imagination : S'ÉGARER, VAGUER.

2. Il arrive souvent aux écrivains d'errer lorsqu'ils portent des jugements politiques : SE TROMPER.

ERREUR
- Il y a une erreur dans vos comptes : INEXACTITUDE.
- Sauf erreur de ma part, ce n'est pas lui qui a dit cela : CONFUSION, MÉPRISE.
- Si je l'ai dit, c'est par erreur, car je ne le pense pas : INADVERTANCE, INATTENTION, MÉGARDE.
- Ce n'est pas le sens de mes paroles, vous faites une erreur : BÉVUE, MALENTENDU, QUIPROQUO.
- Une erreur de traduction peut provoquer un incident diplomatique : CONTRESENS, FAUTE.
- Ne commettez pas l'erreur de lui demander son âge : GAFFE, IMPAIR, MALADRESSE.
- Une erreur de la police : BAVURE.
- Une erreur de langage : LAPSUS.
- L'erreur des sens : ILLUSION.
- Les préjugés conduisent souvent à une grossière erreur de jugement : ABERRATION, AVEUGLEMENT.
- Les Cathares étaient-ils vraiment dans l'erreur ? : HÉRÉSIE.
- Faut-il lui pardonner ses erreurs de jeunesse ? : ÉGAREMENTS, FOLIES.

ERRONÉ
Un calcul erroné : FAUX, INEXACT.

ÉRUDIT 1061
CULTIVÉ, DOCTE, INSTRUIT, LETTRÉ, SAVANT.

ÉRUDITION
CULTURE, SAVOIR, SCIENCE.

ESCALADE 1062
1. Tenter l'escalade d'un pic : ASCENSION.

2. L'escalade des prix, de la violence, etc. : AUGMENTATION.

ESCALADER
• Escalader un sommet : GRAVIR, MONTER.
• Escalader une clôture : FRANCHIR.

ESCAPADE 1063
Faire une escapade : ÉCHAPPÉE, FUGUE.

ESCARGOT 1064
COLIMAÇON, LIMAÇON.

ESCLAVAGE 1065
• L'esclavage auquel ce peuple est soumis : ASSERVISSEMENT, DÉPENDANCE, JOUG, OPPRESSION, SERVITUDE.
• Le travail ne devrait pas être un esclavage : CONTRAINTE, SUJÉTION.

ESCLAVE
• Je ne veux pas être votre esclave : CHOSE, DOMESTIQUE, SERF.
• Être l'esclave de ses passions, de son travail : PRISONNIER.

ESCORTE 1066
• Le prisonnier était sous bonne escorte : GARDE.
• Le prélat était accompagné d'une brillante escorte : CORTÈGE, SUITE.

ESCORTER
• Escorter des prisonniers : CONDUIRE, CONVOYER.
• Escorter une personnalité : ACCOMPAGNER, SUIVRE.

ESCROC 1067
AIGREFIN, FILOU, VOLEUR.

ESCROQUERIE
CARAMBOUILLAGE, FILOUTERIE, FRIPONNERIE, MALVERSATION, VOL.

ÉSOTÉRIQUE 1068
Un langage ésotérique : ABSCONS, HERMÉTIQUE, MYSTÉRIEUX, OBSCUR, SIBYLLIN.

ESPACE 1069
• L'espace entre deux arbres : DISTANCE, ÉCARTEMENT, INTERVALLE.
• L'espace entre deux lattes d'un parquet : INTERSTICE.
• Dans un texte imprimé, l'espace entre deux mots, entre deux lignes : BLANC, INTERLIGNE.
• L'espace parcouru par une fusée avant qu'elle ne retombe : DISTANCE, TRAJET.
• L'espace est suffisant pour un terrain de football : ÉTENDUE, SUPERFICIE, SURFACE.
• La conquête de l'espace : COSMOS, UNIVERS.
• Les mouettes remplissaient l'espace de leurs cris : AIR, ATMOSPHÈRE, CIEL.
• Un court espace de temps : INTERVALLE, LAPS.

ESPACER
• Espacer les tables dans une salle de restaurant : ÉLOIGNER, SÉPARER.
• Espacer ses paiements : ÉCHELONNER, ÉTALER.

ESPÈCE 1070
1. Il y a dans ce magasin des marchandises de toute espèce : NATURE, QUALITÉ, SORTE.
• Nous avons eu des difficultés de toute espèce pour arriver jusqu'ici : GENRE, NATURE, ORDRE.
• Les diverses espèces de pommes : VARIÉTÉ.
• Ce bois est formé de plusieurs espèces d'arbres : ESSENCE.
• Nous n'élevons des lapins que de cette espèce : RACE.
• C'est un fainéant de la pire espèce : ACABIT, ENGEANCE.
• Cet homme est une espèce de fou dangereux : SORTE.

2. Payez-vous par chèque ou en espèces ? : ARGENT, NUMÉRAIRE.

ESPÉRER 1071
• On peut espérer une amélioration du temps pour demain : COMPTER SUR, ESCOMPTER, PRÉVOIR, S'ATTENDRE À, TABLER SUR.
• Qu'espériez-vous de plus ? : SOUHAITER.
• J'espère arriver vers dix heures : COMPTER, PENSER.
• J'espère qu'elle viendra : CROIRE.

ESPOIR
• Vivre dans l'espoir de... : ATTENTE, DÉSIR, ESPÉRANCE.
• Avoir le ferme espoir de... : CERTITUDE, CONVICTION, CROYANCE.
• Cela dépasse tous mes espoirs : ASPIRATION, ESPÉRANCE, PRÉVISION.

ESPION 1072
AGENT SECRET, INDICATEUR, *en lang. fam. :* MOUCHARD, *et en argot :* MOUTON, TAUPE.

ESPRIT 1073
• L'esprit par opposition au corps : ÂME.
• Croire aux esprits : FANTÔME, REVENANT.
• C'est une femme a l'esprit bien organisé : CERVEAU, TÊTE.
• Cet élève a l'esprit vif : COMPRÉHENSION, ENTENDEMENT, INTELLIGENCE.
• Perdre l'esprit : RAISON.
• Un homme d'esprit sûr : JUGEMENT.
• Aujourd'hui je n'ai pas l'esprit au travail : CARACTÈRE, HUMEUR.
• Un élève qui a un bon esprit : MENTALITÉ.

- Avoir l'esprit du commerce : SENS.
- Il a fait preuve d'un grand esprit de famille : ATTACHEMENT, SENTIMENT.
- Je vois déjà en esprit ce qui va se passer : IMAGINATION, PENSÉE.
- L'orateur a multiplié les traits d'esprit : HUMOUR.
- Quel est l'esprit de ce journal ? : ORIENTATION, TENDANCE.
- C'est l'esprit même de la loi : SENS.
- Je n'ai fait cette proposition que dans un esprit de conciliation : BUT, INTENTION.
- Tous les esprits ont été frappés par l'horreur du drame : GENS, HOMMES, PERSONNES.
- Charlemagne s'entoura des meilleurs esprits de son temps : LETTRÉ, SAVANT.

ESSAI 1074

1. Faire l'essai d'une nouvelle machine : EXPÉRIENCE, EXPÉRIMENTATION, TEST.
- Faire un essai contre le record du monde : TENTATIVE.
- Faire ses premiers essais dans un métier : DÉBUT.
2. Écrire un essai sur le management des entreprises : ÉTUDE, OUVRAGE, TRAITÉ.

ESSAYER

- Essayer un moteur : EXPÉRIMENTER, TESTER.
- Essayer d'obtenir un résultat : CHERCHER À, S'EFFORCER DE, S'ÉVERTUER À, S'INGÉNIER À, TÂCHER DE, TENTER DE.

ESSAIM 1075

Un essaim de... : MULTITUDE, NUÉE, QUANTITÉ.

ESSENTIEL 1076

- Il est essentiel de... : INDISPENSABLE, NÉCESSAIRE, OBLIGATOIRE, VITAL.
- C'est la raison essentielle de mon action : CAPITAL, FONDAMENTAL, PRIMORDIAL, PRINCIPAL.

ESSOR 1077

- Les hirondelles, groupées sur les fils électriques, sont prêtes à prendre leur essor : ENVOL, ENVOLÉE.
- L'industrie du tourisme est en plein essor : CROISSANCE, DÉVELOPPEMENT, EXTENSION, PROGRESSION.

ESTIMATION 1078

Faire une estimation : APPRÉCIATION, ÉVALUATION, EXPERTISE.

ESTIME

Avoir de l'estime pour quelqu'un : CONSIDÉRATION, DÉFÉRENCE, ÉGARD, RESPECT.

ESTIMER

- Le gouvernement a fait estimer les dommages causés par la marée noire : CALCULER, ÉVALUER, EXPERTISER.
- C'est un ami que j'estime beaucoup : AIMER, APPRÉCIER, PRISER.
- J'estime qu'il est indispensable de... : CONSIDÉRER, CROIRE, JUGER, PENSER, TROUVER.

ESTUAIRE 1079

L'estuaire d'un fleuve : EMBOUCHURE.

ÉTABLIR 1080

- Établir de nouveaux usages, de nouveaux impôts, etc. : CRÉER, FONDER, INSTAURER, INSTITUER.
- Établir un barrage sur une route : INSTALLER, PLACER.
- Établir un procès-verbal : DRESSER, RÉDIGER.
- Il a établi toute sa réputation sur un seul livre : ASSEOIR, BÂTIR, ÉDIFIER.
- Établir des relations avec quelqu'un : NOUER.
- Établir un dossier : CONSTITUER.
- Établir sa démonstration sur des arguments solides : APPUYER, BASER, FONDER.
- Je puis établir qu'il est le vrai coupable : DÉMONTRER, PROUVER.

S'ÉTABLIR

Il s'est établi en province : SE FIXER, S'INSTALLER.

ÉTABLISSEMENT

1. L'établissement d'un nouveau régime politique, de nouveaux règlements, etc. : CONSTITUTION, CRÉATION, FONDATION, INSTALLATION, INSTAURATION, INSTITUTION.
- L'établissement d'une nouvelle usine dans la zone industrielle : CONSTRUCTION, ÉDIFICATION, ÉRECTION, IMPLANTATION, INSTALLATION.
2. Les divers établissements commerciaux et industriels d'une ville : COMMERCE, ENTREPRISE, FIRME, INDUSTRIE, USINE.
- Les divers établissements scolaires d'une ville : COLLÈGE, ÉCOLE, LYCÉE.

ÉTALAGE 1081

- Toutes nos nouveautés sont à l'étalage : DEVANTURE, VITRINE.
- Faire étalage de sa force, etc. : DÉMONSTRATION, EXHIBITION, PARADE.

ÉTALEMENT

L'étalement des paiements sur une année : ÉCHELONNEMENT.

ÉTALER

- Des marchandises sur le trottoir : DÉBALLER.
- Une carte routière : DÉPLOYER, ÉTENDRE.

- De la confiture sur une biscotte : TARTINER.
- Du fard sur ses joues : APPLIQUER, ÉTENDRE.
- Sa force, sa richesse : MONTRER.
- Ses charmes : EXHIBER.
- Ses paiements : ÉCHELONNER.

S'ÉTALER
- S'étaler dans un fauteuil : S'AFFALER, SE VAUTRER.
- S'étaler sur l'herbe : S'ALLONGER, S'ÉTENDRE.
- En glissant sur le pavé, il s'est étalé par terre : TOMBER.
- Il s'étale partout avec insolence : S'AFFICHER, SE MONTRER.
- Les départs en vacances se sont étalés sur toute la nuit : S'ÉCHELONNER, SE RÉPARTIR.

ÉTAPE 1082
- Nous voilà enfin arrivés à l'étape : ESCALE, HALTE.
- Nous avons fait une longue étape avant de nous arrêter : PARCOURS, ROUTE, TRAJET.
- Les diverses étapes de la vie : ÉPOQUE, PÉRIODE, PHASE, STADE.

ÉTAT 1083
1. L'état de santé d'un malade, l'état des finances de quelqu'un : CONDITION, SITUATION.
- En quel état d'esprit est-il ? : DISPOSITION.
2. Être satisfait de son état social : CONDITION, POSITION.
- Il était charpentier de son état : MÉTIER, PROFESSION.
3. Dresser l'état du personnel d'une entreprise : LISTE, TABLEAU.
- Établir l'état des marchandises en magasin : INVENTAIRE.
4. L'État subventionne les collectivités locales : ADMINISTRATION, GOUVERNEMENT.
- L'organisation des Nations-Unies regroupe plus de 150 États : NATION, PAYS, PUISSANCE.

ETEINDRE 1084
- Éteindre un incendie : ARRÊTER.
- Éteindre une douleur : APAISER, CALMER, ENDORMIR.
- Éteindre une dette : ANNULER.

S'ÉTEINDRE
- Le feu s'éteint : MOURIR.
- Cette famille s'est éteinte au siècle dernier : DISPARAÎTRE.
- Ce vieillard est en train de s'éteindre : AGONISER, EXPIRER, MOURIR.

ÉTENDRE 1085
- Étendre les jambes : ALLONGER, ÉTIRER.
- Étendre les bras : OUVRIR, TENDRE.
- Étendre sa serviette de table : DÉPLIER.
- Étendre une couverture sur ses jambes : ÉTALER.
- L'aigle étend ses ailes : DÉPLOYER.
- Étendre une couche de peinture sur un mur : APPLIQUER, ÉTALER.
- Étendre un blessé sur un brancard : ALLONGER, COUCHER.
- Étendre son savoir, son pouvoir, etc. : ACCROÎTRE, AGRANDIR, AUGMENTER, ÉLARGIR.
- Étendre une sauce : DILUER.
- *Fam.* : Étendre un candidat à un examen : COLLER, RECALER, REFUSER.

S'ÉTENDRE
- S'étendre sur un lit : S'ALLONGER, SE COUCHER.
- Le brouillard s'étend sur toute la plaine : COUVRIR, RECOUVRIR.
- L'épidémie de rage s'étend : SE PROPAGER.
- La guérilla s'étend dans le pays : PROGRESSER, SE DÉVELOPPER.
- D'ici, la vue s'étend très loin : ALLER, PORTER.
- Le Moyen Âge s'est étendu sur plusieurs siècles : DURER, SE PROLONGER.
- Il s'est beaucoup étendu sur ces détails : INSISTER, S'ATTARDER.

ÉTENDUE
- L'étendue de la vie : DURÉE.
- L'étendue des connaissances : CHAMP, DOMAINE.
- L'étendue des ailes d'un aigle : ENVERGURE.
- Une propriété d'une grande étendue : DIMENSION, SURFACE.
- Le ministre est venu constater l'étendue du désastre : AMPLEUR, IMPORTANCE.

ÉTERNEL 1086
- Rien n'est éternel : DURABLE, IMPÉRISSABLE, INDESTRUCTIBLE.
- L'homme se voudrait éternel : IMMORTEL.
- Il nous fallait supporter ses éternelles jérémiades : CONTINUEL, INCESSANT, INTERMINABLE, PERPÉTUEL, SEMPITERNEL.

ÉTERNISER

Ce monument éternisera la mémoire de nos héros : IMMORTALISER, PERPÉTUER.

S'ÉTERNISER
- La conversation s'éternise : TRAÎNER.
- S'éterniser quelque part : S'ATTARDER.

ÉTINCELLE 1087
- Son regard jette des étincelles : ÉCLAIR, FEU, FLAMME.

• Avoir une étincelle d'intelligence, de raison : ÉCLAIR, LUEUR.

ÉTOILE 1088
• La clarté des étoiles : ASTRE.
• Croire en son étoile : CHANCE, DESTIN, SORT.
• Les étoiles de la chanson, du cinéma : STAR, VEDETTE.

ÉTONNANT 1089
• Une chose étonnante vient de nous arriver : AHURISSANT, DÉCONCERTANT, INCONCEVABLE, INCROYABLE, INOUÏ, INSOLITE, STUPÉFIANT, SURPRENANT.
• Il nous a raconté une étonnante histoire d'extra-terrestres : BIZARRE, ÉTRANGE, EXTRAORDINAIRE, FANTASTIQUE, PRODIGIEUX, SENSATIONNEL, SINGULIER.
• Ce soir-là, elle était d'une étonnante beauté : ADMIRABLE, ÉBLOUISSANT, MERVEILLEUX.
• Ce disque a eu un étonnant succès auprès des jeunes : ÉNORME, FORMIDABLE.
• Il est étonnant qu'elle ne soit pas encore ici : ANORMAL, CURIEUX, DRÔLE.

ÉTONNEMENT
• Cette rencontre inattendue a provoqué mon étonnement : SURPRISE.
• Ressentir de l'étonnement devant un beau spectacle : ADMIRATION, ÉMERVEILLEMENT.
• L'étonnement dû à une mauvaise nouvelle : CONSTERNATION, STUPÉFACTION, STUPEUR.

ÉTONNER
AHURIR, ÉBAHIR, ÉMERVEILLER, FRAPPER, SAISIR, STUPÉFIER, SURPRENDRE, *et en lang. fam. :* ÉPATER, ESTOMAQUER, SOUFFLER.

ÉTOUFFANT 1090
• Une chaleur étouffante : ACCABLANT, LOURD, OPPRESSANT, SUFFOCANT.
• Un climat étouffant règne dans ce service : PESANT.

ÉTOUFFER
1. *v. intr.*
• On étouffe ici ! : SUFFOQUER.
• Étouffer de rire, de rage, de colère : S'ÉTRANGLER.
2. *v. tr.*
• La fumée de l'incendie nous étouffait : ASPHYXIER, OPPRESSER.
• La neige qui tombait étouffait les bruits : AMORTIR, ASSOURDIR.
• Elle avait du mal à étouffer ses sanglots : CONTENIR, REFOULER, RETENIR.
• Étouffer un scandale : DISSIMULER, ENTERRER.
• L'armée a étouffé la révolte ouvrière : MATER, RÉPRIMER.
• Étouffer un feu : ÉTEINDRE.
• *Avec ironie* : Le remords ne l'étouffe pas : GÊNER, PARALYSER.

ÉTOURDERIE 1091
• Agir avec étourderie : INATTENTION, IRRÉFLEXION, LÉGÈRETÉ.
• Commettre une étourderie : BÉVUE, IMPRUDENCE, MALADRESSE.

ÉTOURDI
• Un garçon étourdi : DISTRAIT, INATTENTIF, IRRÉFLÉCHI.
• Quel étourdi ! : ÉCERVELÉ, HURLUBERLU.

ÉTOURDIR
• Son caquet incessant m'étourdit : ABASOURDIR, FATIGUER.
• Ce parfum m'étourdit : ENIVRER, GRISER.
• Étourdir quelqu'un de coups de poing : ASSOMMER, *et en lang. fam. :* SONNER.

ÉTOURDISSANT
• Le bruit étourdissant des motos : ASSOURDISSANT.
• Elle fut étourdissante de verve et de brio : ÉBLOUISSANT, ÉTONNANT, MERVEILLEUX, SENSATIONNEL.

ÉTOURDISSEMENT
• Avoir des étourdissements : ÉVANOUISSEMENT, MALAISE, SYNCOPE, VERTIGE.
• Il n'a pas su résister à l'étourdissement de la victoire : ENIVREMENT, GRISERIE, IVRESSE.

ÉTRANGER 1092
• Les traits de cet homme ne me sont pas étrangers : INCONNU.
• Il est resté étranger à ce complot : ÉLOIGNÉ DE, HORS DE.
• Il est étranger aux idées modernes : IMPERMÉABLE, INDIFFÉRENT, INSENSIBLE.
• L'école ne doit plus rester étrangère au monde : IGNORANT DE.

ÊTRE 1093
1. *verbe.*
• Le bonheur d'être : EXISTER, VIVRE.
• Ce cadeau sera un souvenir : CONSTITUER, REPRÉSENTER.
• Le patron est dans son bureau : SE TROUVER.
• Je suis bien ce matin : ALLER, SE PORTER.
• Cette voiture est à moi : APPARTENIR À.
• Serez-vous de notre groupe de travail ? : PARTICIPER À.
• Les prix sont à la hausse : TENDRE VERS.
2. *nom.*
• La perte d'un être aimé : PERSONNE.
• Quel drôle d'être ! : INDIVIDU, TYPE.

ÉTROIT 1094
• Un passage étroit : ÉTRANGLÉ, RESSERRÉ.

- Une jupe trop étroite : COLLANT, ÉTRIQUÉ, SERRÉ.
- Un logement trop étroit : EXIGU, PETIT, RÉDUIT.
- Le cercle étroit de mes amis : LIMITÉ, RESTREINT.
- Avoir des relations étroites avec ses voisins : FAMILIER, INTIME.
- L'étroite observation du code de la route : RIGOUREUX, SCRUPULEUX, STRICT.
- Un esprit étroit : BORNÉ, BUTÉ, MESQUIN.
- Mener une vie étroite : DIFFICILE, MÉDIOCRE.

ÉTROITESSE
- L'étroitesse d'un logement : EXIGUÏTÉ.
- L'étroitesse d'un esprit : MESQUINERIE, PETITESSE.

ÉTUDIÉ 1095
- Avoir un langage très étudié : RECHERCHÉ, SOIGNÉ.
- Prendre un air étudié : AFFECTÉ, APPRÊTÉ, COMPOSÉ, FEINT, SIMULÉ.
- Nos prix sont très étudiés : CALCULÉ AU PLUS JUSTE.

ÉTUDIER
- Étudier les mathématiques, etc. : APPRENDRE, TRAVAILLER, *et en lang. fam. :* BÛCHER, PIOCHER, POTASSER.
- Étudier les coutumes, les caractères, les passions, etc. : ANALYSER, EXAMINER, OBSERVER.
- Je vais étudier cette question : RÉFLÉCHIR À.

EUPHORIE 1096

Un moment d'euphorie : BONHEUR, ENTHOUSIASME, JOIE, SATISFACTION.

ÉVACUATION 1097
- L'évacuation d'un fort, d'une position intenable : ABANDON.
- L'évacuation des troupes d'occupation : DÉPART, REPLI, RETRAIT.
- L'évacuation des eaux usées dans l'égout : DÉVERSEMENT, ÉCOULEMENT.

ÉVACUER
- Évacuer une salle : SORTIR DE, VIDER.
- Évacuer un poste avancé : ABANDONNER, QUITTER, SE RETIRER DE.
- Évacuer des gens d'un lieu sinistré : FAIRE SORTIR.
- Évacuer l'eau de la baignoire : VIDANGER, VIDER.
- Le malade a évacué beaucoup de bile : ÉLIMINER, VOMIR.

ÉVAPORÉ 1098

Cette jeune fille est une évaporée : ÉCERVELÉ, ÉTOURDI, FOLÂTRE.

S'ÉVAPORER
- L'eau s'évapore : SE VAPORISER.
- Ce parfum s'évapore dans la pièce : SE RÉPANDRE.
- Le brouillard s'évapore : DISPARAÎTRE, SE DISSIPER.
- *Fam.* : Les voleurs se sont évaporés dans la nature : S'ÉCLIPSER, S'ÉVANOUIR, SE VOLATILISER.

ÉVASIF 1099

Une réponse évasive : AMBIGU, ÉQUIVOQUE, VAGUE.

ÉVEILLÉ 1100

Un enfant très éveillé : INTELLIGENT, MALICIEUX, VIF.

ÉVEILLER
- Éveiller quelqu'un : RÉVEILLER.
- L'étude de la musique classique éveille le goût du beau : STIMULER.
- Cela a éveillé ma curiosité : EXCITER, PIQUER, PROVOQUER, SUSCITER.
- Son attitude a éveillé mes soupçons : FAIRE NAÎTRE.
- Cette photo éveille en moi l'idée du bonheur passé : ÉVOQUER.

ÉVÉNEMENT 1101
- Les événements de la semaine : FAIT.
- Il raconte dans son livre les divers événements de son tour du monde : AVENTURE, ÉPISODE, INCIDENT, PÉRIPÉTIE.
- *Fam.* : Pour cette vieille personne, c'était un événement de prendre l'avion pour la première fois : AFFAIRE, HISTOIRE.

ÉVENTAIL 1102
- Ce magasin présente un large éventail de machines à laver : CHOIX, GAMME.
- L'éventail des salaires : ÉCHELLE.

ÉVENTER 1103
- Éventer un complot : DÉCOUVRIR, DÉTECTER.
- Éventer un secret : DIVULGUER.

S'ÉVENTER

Elle s'éventait avec son mouchoir : SE RAFRAÎCHIR.

ÉVENTRER 1104
- Éventrer un animal : ÉTRIPER.
- Éventrer un sac de farine, un matelas : CREVER, FENDRE, PERCER.

ÉVENTUALITÉ 1105

Un conflit entre ces deux pays est une éventualité à envisager : CAS, HYPOTHÈSE, POSSIBILITÉ.

ÉVENTUEL

Son succès n'est qu'éventuel : ALÉATOIRE, HYPOTHÉTIQUE, INCERTAIN, POSSIBLE.

ÉVIDEMMENT 1106
ASSURÉMENT, CERTAINEMENT, INCONTESTABLEMENT, INDUBITABLEMENT, NATURELLEMENT, SÛREMENT, VISIBLEMENT.

ÉVITER 1107
- Éviter un coup : DÉTOURNER, ÉCARTER, ESQUIVER, PARER, SE GARER DE.
- Éviter une maladie : ÉCHAPPER À.
- J'ai pu éviter cette corvée : SE DÉROBER À, SE SOUSTRAIRE À.
- Éviter de faire quelque chose : S'ABSTENIR, SE DISPENSER.
- Éviter un obstacle sur la route : CONTOURNER.
- Quand il nous voit, il nous évite : FUIR, S'ÉCARTER DE, S'ÉLOIGNER DE.
- Je vais vous éviter cette fatigue : ÉPARGNER.
- Éviter que quelque chose ne se produise : EMPÊCHER.

ÉVOLUÉ 1108
- C'est un esprit évolué : CULTIVÉ, RAFFINÉ.
- Les pays évolués : INDUSTRIALISÉ, MODERNE.

ÉVOLUER
La situation n'a pas évolué depuis hier : CHANGER, SE MODIFIER, SE TRANSFORMER.

ÉVOLUTION
- Les évolutions d'une troupe : MANŒUVRE, MOUVEMENT.
- L'évolution des événements : MARCHE, TOURNURE.
- C'est une maladie à évolution rapide : PROCESSUS, PROGRESSION.
- Les pays en voie d'évolution : CHANGEMENT, DÉVELOPPEMENT, MÉTAMORPHOSE, TRANSFORMATION.

ÉVOQUER 1109
- Ce mage évoque les esprits : INVOQUER.
- Il aime évoquer le passé : FAIRE REVIVRE, RAPPELER.
- Nous avons eu à peine le temps d'évoquer cette question : ABORDER, EFFLEURER.
- Il s'est bien gardé d'évoquer le nom de ce traître : CITER, MENTIONNER.
- Qu'est-ce que ce dessin évoque pour vous ? : REPRÉSENTER, SUGGÉRER.

EXACT 1110
- Le fait est exact : CERTAIN, RÉEL, SÛR, VRAI.
- Votre calcul est exact : CORRECT, JUSTE.
- Avez-vous l'heure exacte ? : PRÉCIS.
- Vous avez dit le mot exact : PROPRE.
- C'est la citation exacte de ses propos : FIDÈLE, LITTÉRAL, TEXTUEL.
- Je suis resté dans une exacte neutralité : RIGOUREUX, SCRUPULEUX, STRICT.
- Soyez exact au rendez-vous ! : PONCTUEL.
- Une secrétaire très exacte dans son travail : CONSCIENCIEUX, MINUTIEUX.

EXACTITUDE
- L'exactitude d'un récit : FIDÉLITÉ, VÉRITÉ.
- L'exactitude d'un calcul : CORRECTION, PRÉCISION.
- L'exactitude d'un raisonnement : JUSTESSE, RECTITUDE.
- L'exactitude à un rendez-vous : PONCTUALITÉ.
- L'exactitude dans l'accomplissement d'une tâche : CONSCIENCE, SOIN.

EXACTION 1111
- Les exactions commises par un fonctionnaire : CONCUSSION, EXTORSION, MALVERSATION.
- Les exactions commises par des troupes d'occupation : DÉPRÉDATION, PILLAGE, VOL.

EXAGÉRER 1112
- Il exagère ses qualités : SURESTIMER, SURFAIRE.
- Un chasseur qui exagère ses succès : AMPLIFIER, GONFLER, GROSSIR.
- Une jeune fille qui exagère son maquillage : FORCER, OUTRER.
- Son pessimisme l'entraîne à tout exagérer : DRAMATISER.
- Il est toujours en retard, vraiment il exagère ! : ABUSER, *et en lang. pop. :* CHARRIER.

S'EXAGÉRER
Elle s'exagère les dangers d'un tel voyage : SURÉVALUER.

EXALTANT 1113
Une lecture exaltante : ENTHOUSIASMANT, PASSIONNANT, STIMULANT.

EXALTÉ
1. *adj.*
Un tempérament exalté : ARDENT, ENTHOUSIASTE, PASSIONNÉ.
2. *nom.*
Des exaltés sont venus troubler la réunion : EXCITÉ, FANATIQUE, FOU, TÊTE BRÛLÉE.

EXAMEN 1114
1. L'examen d'un dossier : ANALYSE, ÉTUDE.
- L'examen des lieux : EXPLORATION, INSPECTION, OBSERVATION.
- Je dois me soumettre à un examen médical : CONTRÔLE, VISITE.
- Un examen toxicologique a été demandé par le juge : ANALYSE, EXPERTISE, INVESTIGATION, RECHERCHE.

2. Elle a réussi à l'examen du permis de conduire : ÉPREUVE.

EXAMINER
1. Examiner un dossier : ANALYSER, ÉTUDIER, *et en lang. fam. :* ÉPLUCHER.
• Elle examinait la tenue de son visiteur : INSPECTER, OBSERVER, REGARDER.
• Nous avons examiné cette question à la dernière réunion : DÉBATTRE, DISCUTER.
• Le médecin m'a examiné : AUSCULTER.
• Je vais examiner ce que je dois faire : RÉFLÉCHIR À.
2. Examiner un candidat : INTERROGER.

EXASPÉRANT 1115
• Un garçon exaspérant : AGAÇANT, ÉNERVANT, EXCÉDANT, INSUPPORTABLE.
• Il est exaspérant d'être puni sans raison : IRRITANT, RAGEANT, RÉVOLTANT.

EXASPÉRER
• Exaspérer une douleur, une haine : ACCENTUER, ACCROÎTRE, AVIVER, EXACERBER.
• Ses récriminations continuelles m'exaspèrent : AGACER, ÉNERVER, IMPATIENTER, IRRITER.

EXCÉDENT 1116
• Les excédents de vin seront distillés : EXCÈS, SURPLUS.
• J'ai dû payer cent francs pour un excédent de bagages : SUPPLÉMENT, SURCHARGE.

EXCÉDER
1. Les dépenses ne doivent pas excéder les recettes : DÉPASSER.
• Un patron qui excède ses pouvoirs : OUTREPASSER.
2. Être excédé de fatigue, de travail : ACCABLER, ÉPUISER, EXTÉNUER.
• Être excédé par le bruit des voitures : EXASPÉRER, IRRITER.

EXCEPTER 1117
ÉCARTER, ÉLIMINER, EXCLURE, OUBLIER, RETRANCHER.

EXCEPTION
• Pouvez-vous faire une exception pour moi ? : DÉROGATION, ENTORSE.
• L'exception ne doit pas être la règle : ANOMALIE, PARTICULARITÉ, SINGULARITÉ.

EXCEPTIONNEL
ÉTONNANT, EXTRAORDINAIRE, RARE.

EXCESSIF 1118
• Le caractère excessif de ses prétentions : ABUSIF, DÉMESURÉ, EXAGÉRÉ, EXORBITANT.
• Un homme excessif dans ses jugements : OUTRANCIER.

EXCITANT 1119
1. *adj.*
• Un projet excitant : ATTRAYANT, SÉDUISANT, TENTANT.
• Avoir un charme excitant : GRISANT, PROVOCANT, TROUBLANT.
2. *nom.*
Prendre des excitants : REMONTANT, STIMULANT, TONIQUE.

EXCITATION
• Son discours n'a été qu'une excitation à la violence : ENCOURAGEMENT, EXHORTATION, INCITATION, PROVOCATION.
• L'excitation des esprits était à son comble : AGITATION, EFFERVESCENCE, EXALTATION, EXASPÉRATION, NERVOSITÉ.

EXCITER
• Les épices excitent l'appétit : AIGUISER.
• Ce premier succès m'excite : AIGUILLONNER, ENCOURAGER, STIMULER.
• Exciter quelqu'un à la lutte : EXHORTER, INCITER, POUSSER.
• Cela excite ma curiosité : ÉVEILLER, PIQUER, SUSCITER.
• Ce gag excita le rire des spectateurs : DÉCHAÎNER, DÉCLENCHER.
• Il est préférable de ne pas exciter ce molosse : AGACER, ÉNERVER, IRRITER.
• Exciter les passions, les désirs : ÉCHAUFFER, EMBRASER, EXACERBER, EXALTER.
• Elle a une démarche qui excite les hommes : AGUICHER, ÉMOUSTILLER, PROVOQUER.

EXCLAMER (S') 1120
S'ÉCRIER, SE RÉCRIER.

EXCLUSION 1121
ÉLIMINATION, EXPULSION, RENVOI, RÉVOCATION.

EXCUSER 1122
• Excuser quelqu'un : ABSOUDRE, BLANCHIR, DISCULPER, INNOCENTER.
• Excuser une faute, une maladresse, un oubli, etc. : PARDONNER.
• Rien ne peut excuser sa conduite : JUSTIFIER.

EXÉCUTION 1123
1. L'exécution d'une tâche : ACCOMPLISSEMENT, RÉALISATION.
• L'exécution d'un morceau de musique : INTERPRÉTATION.
2. L'exécution d'un condamné : MISE À MORT.

EXEMPLAIRE 1124
Une conduite exemplaire : IRRÉPROCHABLE, PARFAIT, REMARQUABLE.

EXEMPLE
- Peut-on prendre les héros et les saints comme exemples ? : MODÈLE.
- La cathédrale de Reims est un bel exemple d'art gothique : SPÉCIMEN.
- Voulez-vous un exemple de son impertinence ? : APERÇU, ÉCHANTILLON, PREUVE.
- Son devoir est rempli d'exemples d'auteurs : CITATION.

EXEMPT 1125
- Qui ne voudrait être exempt d'impôts ? : DÉCHARGÉ, DISPENSÉ, EXONÉRÉ.
- Une personne exempte de défauts : DÉPOURVU.

EXERCER 1126

1. Exercer son chien, son cheval : DRESSER, ENTRAÎNER.
- Exercer son corps au froid : HABITUER.
- Exercer sa mémoire : CULTIVER, DÉVELOPPER, PERFECTIONNER.

2. Exercer un métier : FAIRE, PRATIQUER.
- Exercer les fonctions de maire, d'huissier, etc. : REMPLIR.
- Il ne sait pas exercer tous ses dons : EMPLOYER, UTILISER.

S'EXERCER
- Elle s'exerce à la course à pied : S'ENTRAÎNER.
- Sur le magnétisme terrestre, s'exercent des influences perturbatrices d'origine solaire : AGIR, SE FAIRE SENTIR.

EXERCICE
- L'exercice illégal de la médecine : PRATIQUE.
- Un exercice à la barre fixe : MOUVEMENT.
- La perfection du geste n'est obtenue que par un long exercice : APPRENTISSAGE, ENTRAÎNEMENT, TRAVAIL.
- Un exercice de grammaire, d'algèbre, etc. : DEVOIR.

EXHAUSTIF 1127

Une liste exhaustive : COMPLET, ENTIER.

EXIGEANT 1128
- Un chef exigeant : DIFFICILE, DUR, POINTILLEUX, SÉVÈRE.
- Un métier exigeant : ABSORBANT, ASTREIGNANT.

EXIGENCE
- Les exigences du corps : BESOIN, NÉCESSITÉ.
- Les syndicats ont présenté leurs exigences : RÉCLAMATION, REVENDICATION.
- Il a vraiment trop d'exigences : PRÉTENTION.
- Ce sont les exigences du métier : CONTRAINTE, IMPÉRATIF, OBLIGATION, SERVITUDE.

EXIGER
- Exiger son dû : DEMANDER, RÉCLAMER, REVENDIQUER.
- Exiger le silence : IMPOSER, ORDONNER.
- Les circonstances exigent que... : DEMANDER, IMPOSER, NÉCESSITER, RÉCLAMER, REQUÉRIR.

EXIL 1129

BANNISSEMENT, DÉPORTATION, EXPATRIATION, EXPULSION, PROSCRIPTION, RELÉGATION.

EXILER

BANNIR, DÉPORTER, EXPATRIER, EXPULSER, PROSCRIRE, RELÉGUER.

EXODE 1130

L'exode d'une population : FUITE, MIGRATION.

EXORDE 1131

L'exorde d'un discours : DÉBUT, INTRODUCTION, PRÉAMBULE, PROLOGUE.

EXPANSION 1132
- L'expansion d'une industrie : DÉVELOPPEMENT, ESSOR, EXTENSION.
- L'expansion des idées : DIFFUSION, PROPAGATION, RAYONNEMENT.

EXPECTATIVE 1133

Être dans l'expectative : ATTENTE, ESPÉRANCE.

EXPÉDIENT 1134

Il est à la recherche de tous les expédients pour se tirer d'affaire : ÉCHAPPATOIRE, MOYEN, *et en lang. fam.* : TRUC.

EXPÉDIER 1135
- Expédier une lettre : ENVOYER.
- Expédier un gêneur, un importun : CONGÉDIER, SE DÉBARRASSER DE.
- Expédier un travail : *fam.* : BÂCLER.
- *Fam.* : Expédier quelqu'un « ad patres » : TUER.

EXPÉDITIF
- Une secrétaire expéditive : DILIGENT, PRESTE, PROMPT, RAPIDE.
- Traiter une affaire de façon expéditive : RAPIDE, SOMMAIRE.

EXPÉDITION
- L'expédition du courrier : ENVOI.
- Se livrer à une expédition de représailles : RAID.
- Il a dirigé plusieurs expéditions au pôle nord : MISSION, VOYAGE.
- L'expédition des affaires courantes : EXÉCUTION.
- *Fam.* : Quelle expédition ! : AVENTURE, ÉQUIPÉE.

EXPÉRIENCE 1136
- Il a une longue expérience de... : HABITUDE, PRATIQUE.
- Elle a acquis une grande expérience : CONNAISSANCE, SAVOIR, SCIENCE.
- Une expérience scientifique : EXPÉRIMENTATION.
- Faire une expérience de vie en communauté : ESSAI, TENTATIVE.

EXPÉRIMENTÉ
Une personne expérimentée : AVERTI, COMPÉTENT, EXERCÉ, EXPERT, QUALIFIÉ.

EXPIER 1137
Il a expié sa faute : PAYER, RÉPARER.

EXPIRER 1138
1. *v. tr.*
- Il expira bruyamment l'air de ses poumons : EXHALER, SOUFFLER.

2. *v. intr.*
- Il a expiré ce matin : DÉCÉDER, MOURIR, S'ÉTEINDRE.
- Le délai expire le premier janvier : FINIR, SE TERMINER.

EXPLICATION 1139
- Une explication de texte : COMMENTAIRE, PARAPHRASE.
- Il m'a donné des explications sur le fonctionnement de l'appareil : ÉCLAIRCISSEMENT, RENSEIGNEMENT.
- Voilà les explications de mon retard : CAUSE, MOTIF, RAISON.
- J'attends une explication de votre geste : JUSTIFICATION.
- Il y a eu entre eux une explication orageuse : ALTERCATION, DISCUSSION, DISPUTE.

EXPLIQUER
- Expliquer un texte : COMMENTER.
- Il a réussi à expliquer ce mystère : DÉMÊLER, ÉCLAIRCIR.
- Expliquer le fonctionnement d'un appareil : MONTRER.
- Il nous a expliqué ses projets d'avenir : DÉVELOPPER, EXPOSER.
- Comment pouvez-vous expliquer votre comportement ? : JUSTIFIER, MOTIVER.

EXPLICITE 1140
- C'est ma volonté explicite : EXPRÈS, FORMEL.
- Ses paroles ont été très explicites : CLAIR, NET, PRÉCIS.

EXPLOIT 1141
Réaliser un exploit : PERFORMANCE, PROUESSE, RECORD.

EXPLOITER 1142
- Exploiter une ferme, un champ : CULTIVER, FAIRE VALOIR.
- Un patron qui exploite son personnel : ABUSER DE, PRESSURER.
- Un commerçant qui exploite les clients : VOLER, *et en lang. fam. :* ÉCORCHER, ESTAMPER, ÉTRILLER.
- Les syndicats ont su exploiter la situation : PROFITER DE, TIRER PARTI DE, UTILISER.

EXPOSER 1143
- Sur la plage, des baigneurs exposaient leur nudité aux yeux de tous : ÉTALER, EXHIBER, MONTRER.
- Une maison dont la façade principale est exposée au midi : ORIENTER, TOURNER VERS.
- Ce médecin est exposé au danger des radiations : SOUMETTRE.
- Il expose sa réputation dans cette aventure : COMPROMETTRE, HASARDER, JOUER, RISQUER.
- Je vais vous exposer tous les événements qui se sont produits : CONTER, DÉCRIRE, RACONTER, RETRACER.

S'EXPOSER
- Il n'a pas hésité à s'exposer au danger : AFFRONTER, BRAVER.
- En ne mettant pas votre ceinture de sécurité, vous vous exposez à une contravention : ENCOURIR, RISQUER.

EXPRESSIF 1144
- Le bras d'honneur est un geste très expressif : ÉLOQUENT, ÉVOCATEUR, PARLANT, SIGNIFICATIF, SUGGESTIF.
- Un visage expressif : ANIMÉ, VIVANT.

EXPRESSION
- Votre devoir fourmille d'expressions incorrectes : LOCUTION, TERME, TOUR, TOURNURE.
- Un testament est l'expression des dernières volontés de celui qui le rédige : MANIFESTATION.
- Son visage prit une expression de morne tristesse : AIR, APPARENCE, MINE.

EXPRIMER
- C'est une chose difficile à exprimer : DIRE.
- Ce mot exprime bien ce que je veux dire : TRADUIRE.
- À sa façon, le chien exprime sa joie quand j'arrive : EXTÉRIORISER, MANIFESTER, MONTRER.
- Ai-je le droit d'exprimer mon avis ? : EXPOSER, FAIRE CONNAÎTRE.

EXTASE 1145
Tomber en extase devant un beau

paysage : ADMIRATION, CONTEMPLATION, ÉMERVEILLEMENT, RAVISSEMENT.

EXTÉRIEUR 1146

1. *adj.*

- La partie extérieure d'une chose : EXTERNE.
- Les signes extérieurs de richesse : APPARENT, MANIFESTE, VISIBLE.
- Sa piété est tout extérieure : SUPERFICIEL.
- La politique extérieure d'un pays : ÉTRANGER.

2. *nom.*

- Ma maison est à l'extérieur de la ville : PÉRIPHÉRIE.
- En été on déjeune à l'extérieur de la maison : DEHORS.
- Une personne à l'extérieur avenant : AIR, ALLURE, APPARENCE, ASPECT, MINE, PHYSIQUE.

EXTRAIRE 1147

- Extraire une dent : ARRACHER, ENLEVER.
- Extraire du kaolin d'une carrière : SORTIR, TIRER.
- Extraire le jus d'une orange : EXPRIMER.
- Extraire des citations d'un ouvrage : PRENDRE, TIRER.

EXTRAIT

- Le journal télévisé a donné des extraits de son discours : CITATION, FRAGMENT, PASSAGE.
- Une eau de Cologne parfumée à l'extrait de fougère : ESSENCE.

EXTRAORDINAIRE 1148

- Sa venue ici est une chose extraordinaire : ANORMAL, EXCEPTIONNEL, INHABITUEL, INSOLITE, RARE.
- Il nous a raconté des histoires extraordinaires : ABRACADABRANT, BIZARRE, ÉTRANGE, EXTRAVAGANT, INCROYABLE, INVRAISEMBLABLE, *et en lang. fam. :* ÉPOUSTOUFLANT, MIROBOLANT.
- La « Belle au bois dormant » a des aventures extraordinaires : FABULEUX, FANTASTIQUE, FÉERIQUE, MERVEILLEUX, PRODIGIEUX, SURNATUREL.
- Il nous a fait une peur extraordinaire : AFFREUX, ÉPOUVANTABLE, TERRIBLE.
- Nous avons gagné au Loto ! c'est extraordinaire : *Fam. :* ÉPATANT, FORMIDABLE, SENSATIONNEL.

EXTRAVAGANT 1149

- Une personne extravagante : BIZARRE, CURIEUX, ÉTRANGE, EXCENTRIQUE, FANTASQUE, FARFELU.
- Des idées extravagantes : ABSURDE, DÉMENT, INCOHÉRENT, *et en lang. fam. :* BISCORNU.
- Ce bibelot est d'un prix extravagant : ABUSIF, DÉMESURÉ, EXAGÉRÉ, EXORBITANT, INABORDABLE.

EXTRÊME 1150

- À l'extrême limite : DERNIER, ULTIME.
- Nous avons pris un plaisir extrême : IMMENSE, SUPRÊME.
- La mesure du disque solaire est d'une extrême difficulté : ÉNORME, EXTRAORDINAIRE.
- Un froid extrême : INSUPPORTABLE, INTENSE.
- Une personne extrême en tout : EXCESSIF, OUTRANCIER.
- Pour le sauver, il faut employer les moyens extrêmes : DÉSESPÉRÉ, HÉROÏQUE.
- Il est partisan des solutions extrêmes : RADICAL, VIOLENT.

EXUBÉRANCE 1151

- L'exubérance de la végétation : LUXURIANCE, SURABONDANCE.
- L'exubérance du langage : FACONDE, VOLUBILITÉ.

EXUBÉRANT

- Une végétation exubérante : LUXURIANT, SURABONDANT.
- Une personne exubérante : COMMUNICATIF, DÉBORDANT, DÉMONSTRATIF, EXPANSIF.

EXUTOIRE 1152

- Il considère les « mots croisés » comme un excellent exutoire : DÉRIVATIF.

Ff

FABLE 1153

- Les fables d'Ésope : APOLOGUE.
- L'histoire de Romulus et de Rémus est-elle une fable ? : LÉGENDE, MYTHE.
- Le bruit qui court sur lui n'est qu'une fable : INVENTION, MENSONGE.

FABRIQUER 1154

- Fabriquer un objet, un outil, un appareil, etc. : CONFECTIONNER, FAIRE, PRODUIRE, USINER.
- Il a fabriqué toute cette histoire pour se disculper : FORGER, INVENTER.
- *Fam. :* Qu'est-ce que tu fabriques encore ? : FAIRE, FICHE.

FACE 1155

- Être blessé à la face : FIGURE, VISAGE.
- La face principale d'un édifice : DEVANT, FAÇADE.
- Il faut examiner le problème, la situation sous toutes ses faces : ANGLE, ASPECT, CÔTÉ, *et en lang. fam. :* COUTURES.
- Il a réussi à sauver la face : APPARENCES.
- Faire face à l'adversité : FRONT.

FÂCHÉ 1156

- Avoir l'air fâché : CONTRARIÉ, MÉCONTENT.
- Je suis fâché de son échec : ATTRISTÉ, CHAGRINÉ, DÉSOLÉ, ENNUYÉ, NAVRÉ, PEINÉ.

FÂCHER

Ses propos m'ont fâché : CONTRARIER, MÉCONTENTER, PEINER.

SE FÂCHER

- Se fâcher contre quelqu'un : S'EMPORTER, S'IRRITER.
- Se fâcher avec quelqu'un : ROMPRE, SE BROUILLER.

FÂCHERIE

- Une fâcherie entre deux amoureux : BOUDERIE, BROUILLE.

FÂCHEUX

1. *adj.*
- Une fâcheuse nouvelle : DÉSAGRÉABLE, ENNUYEUX, *et en lang. fam. :* EMBÊTANT.
- Son intervention pendant le débat fut particulièrement fâcheuse : DÉPLORABLE, INOPPORTUN, INTEMPESTIF, MALENCONTREUX, REGRETTABLE.

2. *nom.*

Éloigner un fâcheux : GÊNEUR, IMPORTUN, INDISCRET, *et en lang. très fam. :* CASSE-PIEDS.

FACILE 1157

- Un travail facile : AISÉ, COMMODE, ENFANTIN.
- C'est une chose facile à comprendre : CLAIR, INTELLIGIBLE, SIMPLE.
- Avoir un caractère facile : ACCOMMODANT, COMMODE, TOLÉRANT.
- C'est une femme facile : LÉGER.

FACILEMENT

AISÉMENT, COMMODÉMENT, NATURELLEMENT.

FACILITÉ

1. La facilité d'un travail : SIMPLICITÉ.
- La facilité des transports urbains : COMMODITÉ.
- Le contremaître m'a laissé la facilité d'organiser mon travail : LATITUDE, LIBERTÉ, POSSIBILITÉ.
- Cet élève n'a aucune facilité pour les mathématiques : APTITUDE, DISPOSITION, DON.
- Elle a résolu le problème avec beaucoup de facilité : AISANCE, HABILETÉ.
- Une personne qui est d'une grande facilité de caractère : COMPLAISANCE, DOUCEUR, INDULGENCE, SOUPLESSE.

2. Un commerçant qui accorde des facilités de paiement : DÉLAI.

FAÇON 1158

1. Sa façon de s'habiller, de travailler, etc., ne me plaît pas : MANIÈRE.
- Il a des façons de grand seigneur : AIR, COMPORTEMENT.
2. La façon d'une veste, d'une robe : COUPE, FORME.

FAÇONNER

1. Façonner un tronc d'arbre pour en faire une poutre : TRAVAILLER.
- Façonner un outil, une pièce : FABRIQUER, USINER.
2. L'école et la famille façonnent chacun de nous : ÉDUQUER, FORMER, MODELER.

FACTEUR 1159

Le travail et la chance sont des facteurs importants du succès : ÉLÉMENT.

FACTICE 1160

- Une chevelure factice : ARTIFICIEL, FAUX, POSTICHE.
- Un enthousiasme factice, un sourire factice : FEINT, FICTIF, FORCÉ.

FACTION 1161

1. Un parti déchiré par des factions rivales : CLAN, COTERIE.
2. Un policier est de faction devant la porte : GARDE, GUET.

FACULTÉ 1162

- D'après la loi, un mineur n'a pas la faculté de disposer de ses biens : DROIT, LIBERTÉ, POSSIBILITÉ, POUVOIR.
- Un élève brillant qui n'utilise pas toutes ses facultés : APTITUDE, CAPACITÉ, DON, FACILITÉ, TALENT.
- Un vieillard qui ne jouit plus de toutes ses facultés : INTELLIGENCE, LUCIDITÉ, RAISON.

FADE 1163

- Une soupe fade : INSIPIDE, PLAT.
- Un goût fade : DOUCEÂTRE.
- Une couleur fade : PÂLE, TERNE.
- Un visage aux traits fades : INEXPRESSIF.
- Un roman fade, un spectacle fade : ENNUYEUX, FASTIDIEUX.
- Des propos fades : BANAL, INSIGNIFIANT.

FAGOTER 1164

Fam. : Comment es-tu fagoté aujourd'hui ? : ACCOUTRER, AFFUBLER, HABILLER.

FAIBLE 1165

1. *adj.*
- Une personne faible, de santé faible : ANÉMIQUE, ASTHÉNIQUE, CHÉTIF, DÉBILE, DÉFICIENT, DÉLICAT, FRAGILE, MALINGRE, SOUFFRETEUX.
- Je me sens faible ce matin : AFFAIBLI, FATIGUÉ, LAS.
- Un élève faible : INSUFFISANT, MAUVAIS, NUL.
- Une personne faible, de caractère faible : APATHIQUE, LÂCHE, MOU, VELLÉITAIRE, VEULE.
- Un père faible avec ses enfants : BONASSE, DÉBONNAIRE.
- Un gouvernement faible devant les attaques de l'opposition : DÉSARMÉ, IMPUISSANT.
- Parler d'une voix faible : BAS, FLUET, GRÊLE.
- Un bruit faible : ÉTOUFFÉ, IMPERCEPTIBLE, LÉGER.
- Une lueur faible : BLAFARD, BLÊME, PÂLE.
- Avoir de faibles ressources : MINIME, MODESTE, MODIQUE.
- Prendre une faible quantité de... : PETIT.

2. *nom.*
Avoir un faible pour... : FAIBLESSE, GOÛT, INCLINATION, PENCHANT, PRÉFÉRENCE.

FAIBLEMENT

DOUCEMENT, LÉGÈREMENT, MOLLEMENT, VAGUEMENT.

FAIBLESSE

- La faiblesse physique : ANÉMIE, ASTHÉNIE, DÉBILITÉ, DÉFICIENCE, FATIGUE.
- La faiblesse des membres, des os : DÉLICATESSE, FRAGILITÉ.
- Avoir une faiblesse soudaine : ÉTOURDISSEMENT, ÉVANOUISSEMENT, MALAISE, SYNCOPE.
- La faiblesse de volonté : APATHIE, IRRÉSOLUTION, LÂCHETÉ, MOLLESSE, VEULERIE.
- La faiblesse d'un roman, d'un spectacle, d'un devoir, etc. : INSIGNIFIANCE, MÉDIOCRITÉ, NULLITÉ, PAUVRETÉ.
- Son raisonnement présente des faiblesses : DÉFAUT, INSUFFISANCE, LACUNE.
- La faiblesse de mes ressources ne me permet pas cet achat : MODICITÉ, PETITESSE.

FAILLIR 1166

- Il a failli à son devoir : MANQUER À.
- Il a failli tomber : MANQUER DE.

FAILLITE

- Une entreprise qui subit une faillite : BANQUEROUTE, DÉBÂCLE, DÉCONFITURE, KRACH, RUINE.
- C'est la faillite de la politique de concertation : ÉCHEC.

FAIM 1167

- Une faim insatiable : BOULIMIE.
- Une faim pressante : *Fam. :* FRINGALE.
- Le problème de la faim dans le monde : DISETTE, FAMINE.

• Avoir une grande faim de liberté : DÉSIR, ENVIE.

FAIRE 1168

1. Une usine qui fait des moteurs d'avions : FABRIQUER, PRODUIRE.
• Un agriculteur qui fait du blé, du maïs : CULTIVER, RÉCOLTER.
• Un commerçant qui fait de la bonneterie : VENDRE.
• Une école qui fait des ingénieurs électroniciens : FORMER.
2. Faire un mur, une maison : BÂTIR, CONSTRUIRE, ÉDIFIER, ÉLEVER, ÉRIGER.
• Faire un travail : EFFECTUER, EXÉCUTER.
• Faire un métier : EXERCER.
• Faire une œuvre littéraire : COMPOSER, CRÉER, ÉCRIRE.
• Faire un discours : PRONONCER.
• Faire un sport : PRATIQUER.
• Faire de l'anglais, du chinois : APPRENDRE, ÉTUDIER.
• Faire de la politique : S'OCCUPER DE.
• Faire un rôle dans une pièce : INTERPRÉTER, JOUER.
• Faire le déjeuner, le dîner : APPRÊTER, PRÉPARER.
• Faire une chambre : ARRANGER, NETTOYER.
• Faire une faute, une infraction : COMMETTRE.
• Faire des progrès : ACCOMPLIR.
• Je me contente de le regarder faire : AGIR, TRAVAILLER.
• Je fais des provisions pour l'hiver : AMASSER.
• J'ai fait des bénéfices : ACQUÉRIR, OBTENIR.
3. Cela va lui faire du mal : CAUSER, OCCASIONNER, PROVOQUER.
• Cette robe vous fait la taille fine : DONNER.
• C'est la langue qui fait le ciment d'une nation : CONSTITUER.
4. Cinq et cinq font dix : ÉGALER, ÉQUIVALOIR À.
• Cette échelle fait six mètres : MESURER.
• Mes bagages font vingt kilos : PESER.
• Combien fait cet article ? : COÛTER, VALOIR.
• Une voiture qui fait sept litres aux cent kilomètres : CONSOMMER.
• Il a fait deux kilomètres à pied : PARCOURIR.
5. Ils ne firent pas attention à ce bruit : PRÊTER.
• Elle fait plus jeune que son âge : PARAÎTRE.
6. Ces deux couleurs font bien ensemble : S'ASSORTIR.
7. Je ne fais qu'exécuter les ordres reçus : SE BORNER À, SE CONTENTER DE.
• Elle ne fait que d'arriver : VENIR DE.
8. Bien faire et laisser dire : AGIR, SE COMPORTER, SE CONDUIRE.

SE FAIRE

• Je me fais vieux : DEVENIR.
• Ce vin se fera : S'AMÉLIORER, SE BONIFIER.
• Cela s'est fait en deux jours : SE RÉALISER.
• Ce modèle ne se fait plus : SE FABRIQUER.
• Labourer avec des bœufs, cela ne se fait plus guère : SE PRATIQUER.
• Il s'est fait des ennemis : S'ATTIRER.
• Elle s'est faite à l'idée de... : S'ACCOUTUMER, S'HABITUER, SE RÉSIGNER.
• *Fam. :* Il se fait sept mille francs par mois : GAGNER.

FAIT

1. *adj.*
• Une jeune femme bien faite : BÂTI, *et en lang. fam. :* BALANCÉ, ROULÉ.
• Un homme fait : MÛR.
• Un fromage trop fait : AVANCÉ.
2. *nom.*
• Des faits étranges se sont passés dans cette maison : AVENTURE, CHOSE, ÉVÉNEMENT, INCIDENT, PHÉNOMÈNE.
• C'est un fait qu'on ne peut pas nier : ÉVIDENCE, RÉALITÉ.

FALLACIEUX 1169

• Un raisonnement fallacieux : CAPTIEUX, FAUX, SPÉCIEUX.
• Une promesse fallacieuse : IMAGINAIRE, MENSONGER, TROMPEUR.
• Un commentateur fallacieux, un esprit fallacieux : FOURBE, HYPOCRITE, PERFIDE.

FALSIFIER 1170

• Falsifier du vin, du lait, etc. : FRELATER, TRAFIQUER.
• Falsifier un passeport, etc. : MAQUILLER, TRUQUER.
• Falsifier une date de naissance : CHANGER.
• Falsifier une signature, un billet de banque : CONTREFAIRE.
• Falsifier la vérité : ALTÉRER, DÉFORMER, DÉNATURER, FAUSSER, TRAVESTIR.

FAMÉLIQUE 1171

• Un mendiant famélique : AFFAMÉ, MISÉREUX.
• Un chat famélique : ÉTIQUE, SQUELETTIQUE.

FAMEUX 1172

• Bayard est un héros fameux : CÉLÈBRE, ILLUSTRE, LÉGENDAIRE.
• Une région fameuse pour ses vins, etc. : RENOMMÉ, RÉPUTÉ.
• Cette sauce est fameuse : DÉLICIEUX, EXCELLENT, EXQUIS.
• Cet homme est une fameuse canaille : FIEFFÉ, *et en lang. fam. :* SACRÉ.

FAMILIARITÉ 1173
- La familiarité entre anciens condisciples : CAMARADERIE, INTIMITÉ.
- Parler à quelqu'un avec une trop grande familiarité : DÉSINVOLTURE, LIBERTÉ.
- Une jeune femme qui ne supporte pas les familiarités : PRIVAUTÉS.

FAMILIER
1. *adj.*
- C'est un geste qui lui est familier : COUTUMIER, HABITUEL.
- J'entends une voix familière : CONNU.
- Avoir une attitude familière avec quelqu'un : AMICAL, CORDIAL.
- Des manières trop familières, des propos trop familiers : CAVALIER, DÉSINVOLTE, LIBRE.
- Ce mot fait partie du langage familier : COURANT, USUEL.

2. *nom.*
C'est un familier de notre maison : AMI, HABITUÉ.

FAMILLE
- Ce village comprend quinze familles : FOYER, MÉNAGE.
- Toute la famille était réunie pour les noces d'or des grands-parents : PARENTÉ.
- Elle élève sa nombreuse famille : *Fam. :* COUVÉE, NICHÉE, PROGÉNITURE, SMALA, TRIBU.
- Henri IV appartient à la famille des Bourbons : DYNASTIE, LIGNÉE, MAISON, RACE, SANG.
- Une plante de la famille des cryptogames : CLASSE, ESPÈCE, GENRE, GROUPE.

FANATISME 1174
Faire preuve de fanatisme : INTOLÉRANCE, SECTARISME.

FANFARON 1175
Faire le fanfaron : BRAVACHE, CRÂNEUR, HÂBLEUR, MATAMORE, RODOMONT *(litt.)*, VANTARD.

FANFARONNADE
BRAVADE, CRÂNERIE, FORFANTERIE, GASCONNADE, HÂBLERIE, RODOMONTADE, VANTARDISE.

FANTASME 1176
HALLUCINATION, VISION.

FANTOCHE 1177
PANTIN, POLICHINELLE.

FAROUCHE 1178
- Un animal farouche : INDOMPTÉ, SAUVAGE.
- Un homme farouche : INSOCIABLE, MISANTHROPE.
- Une haine farouche : VIOLENT.
- Un air farouche : FÉROCE, HOSTILE, INTIMIDANT.
- Il est un farouche défenseur de cette idée : ACHARNÉ, TENACE, VIGOUREUX.

FASCINANT 1179
Un être fascinant, une beauté fascinante : CAPTIVANT, CHARMANT, ENVOÛTANT, SÉDUISANT.

FATAL 1180
- C'était fatal : INÉVITABLE, OBLIGATOIRE.
- Un coup fatal : MORTEL.
- Une erreur fatale : FUNESTE, NÉFASTE, NUISIBLE.

FATALISME
PASSIVITÉ, RÉSIGNATION.

FATALITÉ
DESTIN, DESTINÉE, SORT.

FATIGANT 1181
- Un métier fatigant : ÉPUISANT, ÉREINTANT, EXTÉNUANT, HARASSANT, PÉNIBLE, *et en lang. très fam. :* CREVANT, TUANT.
- Une conversation fatigante : ASSOMMANT, ENNUYEUX, LASSANT, *et en lang. fam. :* BARBANT.

FATIGUE
ÉPUISEMENT, LASSITUDE, SURMENAGE.

FATIGUÉ
- Une personne fatiguée : ÉPUISÉ, ÉREINTÉ, EXTÉNUÉ, FOURBU, HARASSÉ, LAS, MOULU, ROMPU, SURMENÉ, *et en lang. très fam. :* CLAQUÉ, CREVÉ, ESQUINTÉ, FLAPI, LESSIVÉ, RENDU, VANNÉ, VIDÉ.
- Avoir les traits fatigués : AMAIGRI, CREUSÉ, TIRÉ.
- Des souliers fatigués : DÉFORMÉ, ÉCULÉ, USÉ, *et en lang. fam. :* AVACHI.
- Des vêtements fatigués : DÉFRAÎCHI, USAGÉ.

FATIGUER
- Un travail qui fatigue : ÉPUISER, ÉREINTER, EXTÉNUER, HARASSER, *et en lang. très fam. :* CREVER, ESQUINTER, VANNER.
- Un moteur qui fatigue en côte : PEINER.
- Tu me fatigues avec tes questions continuelles : ENNUYER, IMPORTUNER, LASSER, *et en lang. fam. :* TUER.

SE FATIGUER
1. Elle s'est beaucoup fatiguée pour finir le travail à temps : SE SURMENER, *et en lang. très fam. :* SE CREVER.
- Je me suis fatigué à lui faire comprendre cette chose toute simple : S'ÉCHINER, S'ÉPUISER.
- *Fam. :* En voilà un qui ne se fatigue pas beaucoup ! : SE CASSER, SE FOULER.

2. Il s'est fatigué de manger du riz à tous les repas : SE DÉGOÛTER.

FAUSSETÉ 1182

Une attitude pleine de fausseté : DUPLICITÉ, FOURBERIE, HYPOCRISIE, JÉSUITISME, TARTUFERIE.

FAUX

1. *adj.*
- Un calcul faux, une date fausse, etc. : ERRONÉ, INEXACT.
- Un faux passeport, une fausse signature, etc. : CONTREFAIT, FALSIFIÉ, MAQUILLÉ, TRUQUÉ.
- De faux cils, une fausse barbe, etc. : POSTICHE.
- Une fausse espérance : CHIMÉRIQUE, VAIN.
- Il a une position fausse dans cette affaire : AMBIGU, ÉQUIVOQUE.
- Faire une fausse manœuvre : MAUVAIS.
- Une fausse pudeur, une fausse naïveté : FEINT, SIMULÉ.
- Tout ce que vous dites est faux : INEXACT, INVENTÉ, MENSONGER.
- Une personne fausse : FOURBE, HYPOCRITE, MENTEUR, SOURNOIS.

2. *nom.*
- Séparer le vrai du faux : ERREUR.
- Ce document est un faux : CONTREFAÇON, COPIE.

FAUTE 1183
- Commettre une faute de gourmandise : PÉCHÉ.
- Commettre une faute contre la loi : DÉLIT, INFRACTION.
- Commettre une faute de conduite : ERREUR.
- Votre dictée est pleine de fautes : ERREUR, INCORRECTION.
- Commettre une « faute de psychologie » : BÉVUE, GAFFE, IMPAIR, MALADRESSE, *et en lang. fam.* : BOULETTE.

FAUTIF

1. *adj.*
   Cette citation de Balzac est fautive : ERRONÉ, FAUX, INCORRECT, INEXACT.
2. *nom.*
   C'est lui le fautif : COUPABLE, RESPONSABLE.

FAVEUR 1184
- Faites-moi la faveur de me croire : AMITIÉ, BIENVEILLANCE, BONTÉ, GRÂCE.
- Solliciter une faveur : PRIVILÈGE, SERVICE.
- Combler de faveurs : AVANTAGE, BIENFAIT.
- Un auteur qui a la faveur du public : CONSIDÉRATION, CRÉDIT, ESTIME, SYMPATHIE.

FAVORABLE
- Le sort nous est favorable : BIENVEILLANT, INDULGENT.
- Le temps est favorable à la promenade : PROPICE.
- Le moment est favorable pour agir : OPPORTUN.
- Se montrer sous un jour favorable : AVANTAGEUX, HEUREUX.

FAVORI

Le dernier-né est parfois le favori des parents : PRÉFÉRÉ, *et en lang. fam.* : CHOUCHOU.

FAVORISER
- Favoriser quelqu'un : AVANTAGER, PRIVILÉGIER.
- La nuit a favorisé sa fuite : FACILITER, SERVIR.

FAVORITISME

NÉPOTISME, PARTIALITÉ.

FÉCOND 1185
- La femelle du brochet est très féconde : PROLIFIQUE.
- Une terre féconde : FERTILE, PRODUCTIF.
- Un esprit fécond : CRÉATEUR, INVENTIF.
- L'année a été féconde en événements : RICHE.

FÉCONDITÉ
- La fécondité d'un sol : FERTILITÉ, PRODUCTIVITÉ.
- La fécondité d'une idée, de l'imagination : RICHESSE.

FÉLICITER 1186

Féliciter quelqu'un : COMPLIMENTER, CONGRATULER.

SE FÉLICITER

Se féliciter de quelque chose : SE RÉJOUIR DE.

FEMME 1187

Je vous présente la femme de monsieur Dupont : ÉPOUSE.

FENÊTRE 1188
- Les fenêtres d'une maison : BAIE, CROISÉE, OUVERTURE.
- Une petite fenêtre : LUCARNE, ŒIL-DE-BŒUF.

FENTE 1189
- Les fentes de l'écorce terrestre : CASSURE, CREVASSE, DÉCHIRURE, FAILLE.
- Les fentes d'un mur : FISSURE, LÉZARDE.
- Les fentes d'un vernis, de l'émail : CRAQUELURE.
- Les fentes de la peau provoquées par le froid : CREVASSE, GERÇURE.

FERME 1190

1. *adj.*
- Un terrain ferme : DUR, RÉSISTANT, SOLIDE.
- Une pâte ferme : COMPACT, CONSISTANT.
- Un vieillard encore ferme sur ses jambes : SOLIDE, STABLE.
- Avancer d'un pas ferme : ASSURÉ, DÉCIDÉ.
- Avoir la ferme espérance de... : CERTAIN, SÛR.
- Être ferme dans ses résolutions : CONSTANT, INÉBRANLABLE, INFLEXIBLE.
- Être ferme devant le danger : IMPASSIBLE, IMPAVIDE, INTRÉPIDE, STOÏQUE.
- Pour être déménageur, il faut avoir les reins fermes : FORT, SOLIDE, VIGOUREUX.
- Des parents fermes avec leurs enfants : AUTORITAIRE, SÉVÈRE.
- J'ai reçu des instructions très fermes à ce sujet : FORMEL, NET.
- Nos prix sont fermes : DÉFINITIF, FIXE, INVARIABLE, STABLE.

2. *adv.*
- Frapper ferme : FORT.
- Travailler ferme : BEAUCOUP.
- Tenir ferme : BON, SOLIDEMENT.
- Parler ferme : DUREMENT, SÈCHEMENT.

FERMETÉ
- La fermeté d'un terrain : DURETÉ, RÉSISTANCE, SOLIDITÉ.
- La fermeté d'un agrégat : COMPACITÉ, CONSISTANCE.
- La fermeté de la voix : ASSURANCE.
- La fermeté de la main : SÛRETÉ, VIGUEUR.
- La fermeté du style : CONCISION, RIGUEUR.
- Faire preuve de fermeté : COURAGE, DÉTERMINATION, ÉNERGIE, RÉSOLUTION, VOLONTÉ.
- Diriger un groupe, une entreprise, etc., avec fermeté : AUTORITÉ, SÉVÉRITÉ, *et en lang. fam. :* POIGNE.

FERMÉ 1191
- Un visage fermé : BUTÉ, IMPASSIBLE, IMPÉNÉTRABLE.
- Une société fermée, un club fermé : SELECT, SNOB.
- Un individu fermé à toute pitié : INSENSIBLE, SOURD.

FERMER
- Fermer une porte à double tour : CADENASSER, VERROUILLER.
- Fermer les rideaux : TIRER.
- Fermer un col à la circulation pendant l'hiver : INTERDIRE.
- Fermer un passage : BARRER, BARRICADER, CONDAMNER, OBSTRUER.
- Fermer une propriété, un jardin : CLÔTURER, ENCLORE.
- Fermer sa veste, son manteau : BOUTONNER.
- Fermer l'eau, le gaz avant de partir en vacances : COUPER.
- Fermer le poste de télévision : ÉTEINDRE.
- Fermer une lettre : CACHETER, CLORE.
- Fermer une valise : *Fam. :* BOUCLER.

SE FERMER

La plaie, la blessure se ferme : SE CICATRISER.

FERMETURE
1. Un dispositif de fermeture de porte : LOQUET, SERRURE, VERROU.
2. La fermeture des bureaux à lieu à 16 heures : CLÔTURE.

FERMENT 1192
1. Incorporer du ferment à une pâte pour la faire monter : LEVAIN, LEVURE.
2. Le partage entre héritiers est quelquefois un ferment de discorde : CAUSE, GERME, SOURCE.

FERMENTATION

La fermentation des esprits : AGITATION, EFFERVESCENCE, EXCITATION.

FERVEUR 1193
- Prier Dieu avec ferveur : DÉVOTION, RECUEILLEMENT.
- Travailler avec ferveur : ARDEUR, ENTHOUSIASME, ZÈLE.
- Accueillir quelqu'un avec ferveur : CHALEUR, EFFUSION.

FESTIN 1194

La fête se termine par un grand festin : BANQUET, REPAS, *et en lang. pop. :* GUEULETON.

FÊTE 1195
1. *Suivant sa nature, une fête peut être :* GALA, KERMESSE, SOLENNITÉ.
- Les fêtes données à l'occasion d'un grand événement : DIVERTISSEMENTS, FESTIVITÉS, RÉJOUISSANCES.
2. Se faire une fête de... : JOIE.
- *Fam. :* Faire la fête : FOIRE, NOCE.

FÉTICHE 1196

AMULETTE, GRI-GRI, MASCOTTE, PORTE-BONHEUR, TALISMAN.

FEU 1197
1. Allumer un feu de brindilles dans la cheminée : FLAMBÉE.
- Le feu a dévoré une partie de la forêt : INCENDIE.
2. Les feux d'un port : FANAL, PHARE.
- Les feux d'une voiture : ÉCLAIRAGE, LUMIÈRE.
- Le feu vient de passer au rouge : SIGNAL.

- Les feux d'un diamant, le feu du regard : ÉCLAT.

3. Essuyer le feu de l'ennemi : TIR.
- Monter au feu : COMBAT, GUERRE.

4. Dans le feu de l'action, dans le feu de la colère : ARDEUR, EXALTATION, EXCITATION.
- Un esprit plein de feu, le feu de l'imagination : VIVACITÉ.

FEUILLAGE 1198

FEUILLES, FRONDAISON, RAMURE, VERDURE.

FEUTRÉ 1199

- Un bruit feutré : ASSOURDI, ÉTOUFFÉ.
- Avancer à pas feutrés : DISCRET, SILENCIEUX.

FICELLE 1200

- Les ficelles du métier : ASTUCE, PROCÉDÉ, TRUC.
- *Fam. :* Cet homme est une vieille ficelle : RETORS, ROUBLARD.
- *Fam. :* Un sous-lieutenant qui attend sa deuxième ficelle : GALON.

FICHER 1201

1. Ficher un piquet en terre, un clou dans le mur : ENFONCER, PLANTER.
2. Ficher quelqu'un sur une liste : INSCRIRE.
3. *Fam. :* Il ne fiche rien : FAIRE.
- *Fam. :* Ficher ou fiche quelque chose par terre : JETER, METTRE.
- *Fam. :* Ficher ou fiche une claque à quelqu'un : ADMINISTRER, FLANQUER.
- *Fam. :* Cela me fiche le trac : DONNER.

N.B. Dans tous les cas, en lang. pop. : FOUTRE.

SE FICHER

- *Fam. :* Se ficher ou se fiche à l'eau : SE JETER.
- *Fam. :* Se ficher ou se fiche par terre : TOMBER.
- *Fam. :* Se ficher ou se fiche en colère : SE METTRE.
- *Fam. :* Se ficher ou se fiche de quelqu'un ou de quelque chose : SE MOQUER, *et en lang. pop. :* SE BALANCER, SE FOUTRE.
- *Fam. :* Se ficher dedans : SE TROMPER.

FICHU

1. *adj.*
- *Fam. :* Voilà mille francs de fichus : PERDU.
- *Fam. :* Quel fichu caractère ! : MAUVAIS, SALE.
- *Fam. :* Il n'est pas fichu de le faire : CAPABLE.

N.B. Dans tous les cas, en lang. pop. : FOUTU.

2. *nom.*

Mettre un fichu sur sa tête : CHÂLE, ÉCHARPE, FOULARD, MANTILLE, POINTE.

FICTIF 1202

- Un personnage fictif : IMAGINAIRE, INVENTÉ, IRRÉEL.
- La valeur fictive d'un billet de banque : CONVENTIONNEL.

FICTION

Un roman de fiction : IMAGINATION.

FIDÈLE 1203

1. *adj.*
- Un ami fidèle : DÉVOUÉ, LOYAL, SINCÈRE, SÛR.
- Être fidèle à la parole donnée : RESPECTUEUX DE.
- Un récit fidèle des événements : EXACT.

2. *nom.*

Le curé s'adressait aux fidèles réunis dans l'église : CROYANT, PAROISSIEN.

FIEL 1204

Un langage plein de fiel : ANIMOSITÉ, HAINE, MALVEILLANCE, VENIN.

FIER 1205

1. Une personne fière : ARROGANT, DÉDAIGNEUX, DISTANT, HAUTAIN, ORGUEILLEUX, PRÉTENTIEUX.
- Un air fier : ALTIER, SUPÉRIEUR.
- Faire le fier : IMPORTANT.
- Avoir l'âme fière : DIGNE, NOBLE.

2. Être fier de quelqu'un ou de quelque chose : CONTENT, HEUREUX, SATISFAIT.

FIÈREMENT

BRAVEMENT, COURAGEUSEMENT, CRÂNEMENT, DIGNEMENT.

FIERTÉ

- C'est par fierté qu'il ne nous a pas salués : ARROGANCE, DÉDAIN, MORGUE, ORGUEIL.
- Les pauvres mettent souvent beaucoup de fierté à cacher leurs misères : DIGNITÉ.
- Avoir la fierté de voir ses enfants réussir : JOIE, SATISFACTION.

FIÈVRE 1206

- Le malade a-t-il encore de la fièvre ? : TEMPÉRATURE.
- Dans la fièvre du départ, j'ai oublié de fermer le gaz : AGITATION, ÉNERVEMENT, FÉBRILITÉ.
- La fièvre des chercheurs d'or du siècle dernier : DÉLIRE, EXCITATION, FOLIE, FRÉNÉSIE, PASSION.

FIÉVREUX

- Être dans un état fiévreux : FÉBRILE.
- Une foule fiévreuse attendait depuis longtemps : AGITÉ, EXCITÉ, NERVEUX.

FIGER 1207
- Un brusque froid fige l'huile : CONGELER, GELER, SOLIDIFIER.
- La mort l'a figé dans cette attitude : RAIDIR.
- Être figé par la peur : IMMOBILISER, PARALYSER, PÉTRIFIER.

FIGNOLER 1208
Fignoler un travail : PARFAIRE, PEAUFINER, PERFECTIONNER, POLIR, SOIGNER, *et en lang. fam. :* LÉCHER.

FIGURE 1209
1. Avoir une belle, une bonne, une jolie, etc., figure : FACE, FACIÈS, MINOIS, VISAGE, *en lang. fam. :* BINETTE, BOUILLE, FRIMOUSSE, *et en lang. pop. :* GUEULE, TROGNE, TRONCHE.
- Prendre une figure de circonstance : AIR, ATTITUDE, MINE, PHYSIONOMIE, TÊTE.
- Faire bonne figure : CONTENANCE.
2. Pasteur est l'une des plus grandes figures du 19e siècle : PERSONNAGE, PERSONNALITÉ.
3. Un livre d'enfant rempli de figures : DESSIN, GRAVURE, ILLUSTRATION, IMAGE, VIGNETTE.
- Une figure de danse : ENCHAÎNEMENT DE PAS.
4. *Parmi les figures de style, on peut citer :*
- Les figures de mots ou tropes : MÉTAPHORE, MÉTONYMIE.
- Les figures de pensée : ANTITHÈSE, COMPARAISON, LITOTE, PRÉTÉRITION.
- Les figures de construction : ANACOLUTHE, ELLIPSE, INVERSION, PLÉONASME.

FIGURER
1. *v. tr.*
- Les enfants avaient disposé des cailloux pour figurer les buts : REPRÉSENTER, SYMBOLISER.
- Figurer un personnage sur un tableau : DESSINER, PEINDRE.
2. *v. intr.*
- Son nom figure sur la liste : ÊTRE, SE TROUVER.
- Il a figuré d'une manière honorable : PARTICIPER.

SE FIGURER
- Elle se figure malade : SE CROIRE, S'IMAGINER.
- Je me le figurais plus petit : SE REPRÉSENTER, VOIR.
- Certains parents se figurent leurs enfants plus intelligents que les autres élèves : CROIRE, IMAGINER, PENSER.

FIL 1210
1. Un fil de laine, de soie : BRIN.
2. Donner un coup de fil : TÉLÉPHONE.
3. La barque suit le fil de l'eau : COURANT.
- Le fil des idées, du discours : ENCHAÎNEMENT, PROGRESSION, SUCCESSION, SUITE.
4. Le fil d'un couteau : TRANCHANT.

FILANDREUX
Un discours filandreux, des explications filandreuses : CONFUS, EMBROUILLÉ, ENCHEVÊTRÉ, FUMEUX, NÉBULEUX.

FILE
- Une file de personnes, de voitures : COLONNE.
- Une longue file de spectateurs attendait l'ouverture des portes du stade : QUEUE.
- Une file de maisons : ENFILADE, RANGÉE, SUCCESSION, SUITE.

FILER
1. *v. tr.*
- Filer un suspect : SUIVRE.
- *Fam. :* File-moi ton stylo pour signer : DONNER, PASSER, PRÊTER.
2. *v. intr.*
- Un cordage qui file : SE DÉROULER.
- Ce navire file à vingt nœuds à l'heure : MARCHER À.
- *Fam. :* Le voleur vient de filer par la porte de derrière : PARTIR, S'ÉCHAPPER, S'ENFUIR.

FILLE 1211
- Mes deux filles ont moins de dix ans : ENFANT.
- Une jeune fille : ADOLESCENTE, JOUVENCELLE, *et en lang. fam. :* POULETTE, TENDRON.
- Mon fils sort avec une fille de la faculté des lettres : ÉTUDIANTE, *et en lang. très fam. :* NANA, NÉNETTE.

FILS 1212
- Voilà mon dernier fils : ENFANT, *et en lang. fam. :* FISTON, HÉRITIER, REJETON.
- Elle a eu trois fils d'un premier mariage : GARÇON.
- Beaucoup d'ouvriers des villes sont des fils de paysans : DESCENDANT.
- André Gide a eu de nombreux fils spirituels : DISCIPLE.

FILTRER 1213
1. *v.tr.*
- Filtrer de l'eau, de l'huile : ÉPURER, PURIFIER.
- La tenture filtre la lumière du soleil : TAMISER.
- Filtrer les entrées dans une salle : CONTRÔLER.
2. *v. intr.*
- Le café filtrait très lentement : COULER, PASSER.

- Un rayon de lumière filtre sous la porte : PASSER, SE GLISSER.
- Aucun renseignement sur les propos tenus n'a filtré : TRANSPIRER.

FIN, *nom.* 1214

1. La fin d'un voyage, de l'année, etc. : BOUT, TERME.
- C'est ici, la fin de ma propriété : LIMITE.
- À la fin du jour : DÉCLIN, TOMBÉE.
- À la fin de son mandat électoral : EXPIRATION.
- Nous vous attendrons à la fin de l'autoroute : EXTRÉMITÉ, SORTIE.
- La fin des débats parlementaires : CLÔTURE.
- La fin des hostilités : ARRÊT, CESSATION.
- La fin d'un roman policier : CONCLUSION, DÉNOUEMENT.
- C'est la fin de toutes ses illusions : ENTERREMENT, RUINE.
- Il a eu une fin tragique : MORT, TRÉPAS.
- La fin du monde est-elle proche ? : ANÉANTISSEMENT, DESTRUCTION.

2. Ce n'est pas la fin que je poursuivais : BUT, DESSEIN, RÉSULTAT.

FINAL

- C'est le point final de mon travail : DERNIER.
- La formule finale d'une lettre : TERMINAL.
- La phase finale d'une maladie : ULTIME.

FINIR

1. *v. tr.*
- Finir un travail : ACHEVER, TERMINER.
- Allons ! finis de pleurer ! : ARRÊTER, CESSER.

2. *v. intr.*
- Nos cours finissent le 30 juin : S'ACHEVER, SE TERMINER.
- La pluie vient de finir : CESSER, S'ARRÊTER.

FIN, *adj.* 1215

- De l'or fin : PUR.
- Un repas fin : DÉLICAT, RAFFINÉ.
- De la dentelle fine : ARACHNÉEN, LÉGER, VAPOREUX.
- Avoir la taille fine : ÉLANCÉ, MINCE, SVELTE.
- Son ouïe incroyablement fine percevait le moindre bruit : SENSIBLE.
- Un esprit fin : PERSPICACE, SAGACE, SUBTIL.
- Une plaisanterie fine : SPIRITUEL.
- Du sable fin : MENU, PETIT.

FINESSE

- Une grande finesse d'esprit : ACUITÉ, CLAIRVOYANCE, PÉNÉTRATION, PERSPICACITÉ, SAGACITÉ, SUBTILITÉ.
- Un style d'une grande finesse : ÉLÉGANCE.
- La finesse de la taille : MINCEUR, SVELTESSE.
- La finesse de touche d'un pianiste : DÉLICATESSE, LÉGÈRETÉ.
- La finesse de l'ouïe : SENSIBILITÉ.
- La finesse d'un fil : TÉNUITÉ.

FINANCE 1216

- Les finances de cette entreprise sont très saines : TRÉSORERIE.
- Mes finances sont actuellement au plus bas : FONDS, RESSOURCES.

FINANCER

- Un mécène qui finance une opération, une construction, etc. : COMMANDITER.
- *Fam.* C'est toi qui finances aujourd'hui : PAYER.

FINANCIER

1. *adj.*

   Avoir des ennuis financiers : BUDGÉTAIRE, PÉCUNIAIRE.

2. *nom.*

   Faire appel à un financier : BANQUIER.

FIXE 1217

- Être sans domicile fixe : PERMANENT.
- S'accrocher à quelque chose de fixe : SOLIDE, STABLE.
- Avoir les yeux fixes : IMMOBILE.
- Travailler à heures fixes : INVARIABLE, RÉGULIER.
- Avoir un revenu fixe, un traitement fixe : ASSURÉ, RÉGULIER.
- Un prix fixe : DÉFINITIF, FERME.

FLAGORNEUR 1218

ADULATEUR, FLATTEUR, *et en lang. fam.* : LÈCHE-BOTTES.

FLAIRER 1219

- Notre chien flaire tout nouvel arrivant : HUMER, RENIFLER, SENTIR.
- Je flaire un danger, un piège, etc. : DEVINER, PRESSENTIR, PRÉVOIR, SOUPÇONNER, SUBODORER.

FLATTER 1220

- Le jockey flatte son cheval après la course : CARESSER.
- Flatter un supérieur pour obtenir des avantages : COURTISER, ENCENSER, FLAGORNER, *et en lang. fam.* : LÉCHER.
- Vos compliments flattent ma vanité : CHATOUILLER.
- Votre présence ici me flatte : HONORER.
- Ce portrait la flatte beaucoup : AVANTAGER, EMBELLIR.

SE FLATTER

- Il se flatte de pouvoir courir le cent mètres en moins de dix secondes : PRÉTENDRE, SE FAIRE FORT DE.

• On n'a pas à se flatter de sa naissance : SE GLORIFIER, SE PRÉVALOIR, SE TARGUER, SE VANTER.

FLATTERIE
• La flatterie d'un courtisan : ADULATION, FLAGORNERIE.
• Cessez vos flatteries, je ne les mérite pas : COMPLIMENT, ÉLOGE, LOUANGE, *et en lang. fam. :* POMMADE.

FLÉCHIR 1221
1. *v. tr.*
• Fléchir une branche pour attraper des fruits : COURBER, INCLINER, PENCHER, PLOYER.
• Cet enfant essaie de fléchir son père, pour qu'il le laisse sortir : ADOUCIR, ATTENDRIR, DÉSARMER, ÉBRANLER, ÉMOUVOIR.
2. *v. intr.*
• Ses genoux fléchissent : PLIER.
• Le tablier du pont a fléchi sous le poids du camion : S'ARQUER, S'INCURVER, S'INFLÉCHIR.
• Son courage ne fléchit pas : CÉDER, FAIBLIR, MOLLIR.
• Les prix ont tendance à fléchir : BAISSER, DIMINUER.

FLEGMATIQUE 1222
Avoir l'air flegmatique : CALME, FROID, IMPASSIBLE, IMPERTURBABLE, PLACIDE.

FLEGME
CALME, FROIDEUR, IMPASSIBILITÉ, PLACIDITÉ.

FLÉTRI 1223
• De l'herbe flétrie, des roses flétries : FANÉ, SÉCHÉ.
• Une peau flétrie, un visage flétri : FRIPÉ, RATATINÉ, RIDÉ.
• Une couleur flétrie : DÉFRAÎCHI, PASSÉ, TERNE.

FLÉTRISSURE
Vos soupçons sont une flétrissure pour mon honneur : SOUILLURE, TACHE.

FLORISSANT 1224
• Un commerce florissant : PROSPÈRE.
• Un teint florissant : ÉCLATANT, RESPLENDISSANT.

FLOT 1225
1. Le patron du bateau attendait le flot pour rentrer au port : FLUX, MARÉE.
• La fureur des flots : MER, VAGUES.
2. Verser un flot de larmes : RUISSEAU, TORRENT.
• Un flot d'ouvriers sortait de l'usine : FOULE, MASSE, MULTITUDE.

FLOTTER
1. Des poussières qui flottent dans un rayon de lumière : VOLTIGER.
• Un drapeau, une bannière, une crinière qui flottent au vent : ONDOYER, ONDULER.
2. Depuis qu'il a maigri, il flotte dans ses vêtements : NAGER.
• Son esprit flotte entre deux décisions : BALANCER, HÉSITER.
3. *Fam. :* Il flotte depuis hier : PLEUVOIR.

FLOU 1226
• Tout était flou autour de moi : BRUMEUX, INDISTINCT, VAPOREUX.
• Une pensée floue : IMPRÉCIS, INDÉCIS, VAGUE.

FLUCTUATION 1227
Les fluctuations du climat, de la monnaie, des prix, de l'opinion, etc. : CHANGEMENTS, VARIATIONS.

FOLÂTRE 1228
Être d'humeur folâtre : GAI, GUILLERET.

FOLÂTRER
BATIFOLER, CABRIOLER, S'AMUSER, S'ÉBATTRE.

FOLICHON
Fam. : Ce spectacle n'est pas folichon, ma vie n'est pas folichonne : AMUSANT, GAI, PLAISANT.

FOLIE
• Être atteint de folie : ALIÉNATION, DÉLIRE, DÉMENCE, DÉRAISON.
• Courir un tel risque, c'est de la folie : EXTRAVAGANCE, INCONSCIENCE.
• Il a fait la folie de vendre sa maison : ABSURDITÉ, BÊTISE, SOTTISE.
• Chacun a sa petite folie : MANIE, MAROTTE, PASSION.

FOU
1. *nom.*
Je vis au milieu des fous : ALIÉNÉ, DÉMENT, NÉVROSÉ, *et en lang. très fam. :* CINGLÉ, DÉTRAQUÉ, DINGUE, FADA, LOUFOQUE, MABOUL.
2. *adj.*
• Il est à moitié fou : DÉSÉQUILIBRÉ, *et en lang. très fam. :* PIQUÉ, SONNÉ, TAPÉ, TIMBRÉ, TOQUÉ.
• Il faut être fou pour agir ainsi : INCONSCIENT.
• Un regard fou : ÉGARÉ, HAGARD, HALLUCINÉ.
• Une pensée folle, une idée folle : ABSURDE, DÉRAISONNABLE, IDIOT, *et en lang. fam. :* BISCORNU.
• Un fol espoir, une folle espérance : CHIMÉRIQUE, INSENSÉ.

- Il a dépensé une somme folle : ÉNORME, EXCESSIF.
- Elle a obtenu un succès fou : FANTASTIQUE, PRODIGIEUX.
- Il y avait un monde fou sur la route : CONSIDÉRABLE, EXTRAORDINAIRE.
- Elle est folle de joie : ÉPERDU.
- Il est fou de rage : IVRE.
- Elle est folle de jazz : ENRAGÉ, FANATIQUE.

FONDÉ 1229
- Mes soupçons étaient fondés : JUSTE, JUSTIFIÉ, LÉGITIME.
- Je suis fondé à vous dire que... : ÊTRE EN DROIT DE.

FORCE 1230
1. Avoir de la force : ÉNERGIE, RÉSISTANCE, ROBUSTESSE, VIGUEUR.
- La force de la jeunesse : DYNAMISME, VITALITÉ.
- La force de caractère : FERMETÉ, VOLONTÉ.
- La force du vent : VIOLENCE, VITESSE.
- La force d'un remède : EFFICACITÉ, PUISSANCE.
- La force de l'éloquence : POUVOIR, VERTU.
- La force d'un argument : VALEUR.
- La force d'un sentiment : INTENSITÉ.
- La force d'une digue, d'un mur : RÉSISTANCE, ROBUSTESSE, SOLIDITÉ.
2. Les deux équipes sont de même force : NIVEAU.
- L'épreuve de mathématiques était audessus de la force d'un élève de terminale : CAPACITÉ.
3. La force de l'Église a été autrefois considérable dans ce pays : INFLUENCE, POUVOIR, PUISSANCE.
4. Recourir à la force armée : TROUPE.
- Faire appel à la force publique : GENDARMERIE, POLICE.
5. Ils sont arrivés en force : EN NOMBRE.
- J'ai écrit force lettres dans la soirée : BEAUCOUP DE.
- Il veut réussir à toute force : ABSOLUMENT, À TOUT PRIX.
- Par la force des choses : PAR NÉCESSITÉ, PAR OBLIGATION.

FORCÉ
- Prendre un bain forcé : INVOLONTAIRE.
- Condamner aux travaux forcés : OBLIGATOIRE.
- Il va échouer, c'est forcé : INÉVITABLE.
- Elle riait, mais d'un rire forcé : CONTRAINT, FAUX.

FORCER
1. Forcer une serrure : CROCHETER, FRACTURER.
- Forcer une porte : BRISER, ENFONCER.
- Forcer une position ennemie : ENLEVER.
- Forcer la consigne : ENFREINDRE.
- Forcer le pas, l'allure : ACCÉLÉRER, PRESSER.
- Forcer la dose d'un médicament : AUGMENTER.
- Forcer une note de restaurant : EXAGÉRER, GROSSIR.
2. Forcer quelqu'un à faire quelque chose : ASTREINDRE, CONTRAINDRE, OBLIGER.

FORT
1. *adj.*
- Un homme fort : ATHLÉTIQUE, MUSCLÉ, RÉSISTANT, ROBUSTE, SOLIDE, VIGOUREUX, *et en lang. fam. :* COSTAUD.
- Avoir la taille un peu forte : ÉPAIS, GROS.
- Être fort en anglais, en mathématiques, etc. : DOUÉ, EXCELLENT, *et en lang. fam. :* CALÉ.
- Se montrer fort dans l'adversité : COURAGEUX, FERME.
- Un gouvernement fort : AUTORITAIRE, DICTATORIAL.
- Critiquer quelqu'un en termes forts : ÉNERGIQUE.
- Parler d'une voix forte : ÉCLATANT, PUISSANT, SONORE.
- Avoir une forte personnalité : ACCENTUÉ, ACCUSÉ, MARQUÉ.
- Avoir de fortes chances de réussir : GRAND.
- Avoir de fortes raisons pour dire que... : SÉRIEUX, SOLIDE.
- Dépenser une forte somme : GROS, IMPORTANT.
- La pente est forte : ABRUPT, RAIDE.
- Une forte chaleur : INTENSE.
- Un vent fort : VIOLENT.
- Le début de janvier a été marqué par de fortes chutes de neige : ABONDANT, IMPORTANT.
- Cette sauce au curry est trop forte : ÉPICÉ, PIQUANT, RELEVÉ.
- Avoir une forte crise de foie : AIGU.
- Eh bien ! voilà qui est fort : ÉTONNANT, INCROYABLE.
- Et maintenant le plus fort est fait : DIFFICILE.

2. *adv.*
- Frapper fort, taper fort : DUR, VIGOUREUSEMENT, VIOLEMMENT.
- Le patron est fort occupé : TRÈS.
- Je doute fort qu'elle vienne : BEAUCOUP.
- Si vous voulez être entendu, il faut parler plus fort : HAUT.

3. *nom*

a) L'écrasement des faibles par les forts : PUISSANT.

b) Les forts de la ligne Maginot : BLOCKHAUS, BUNKER, CASEMATE, FORTIFICATION, FORTIN.

FORTIFIANT
- Prendre un fortifiant : CORDIAL, RÉCONFORTANT, RECONSTITUANT, REMONTANT.
- Un bain fortifiant : STIMULANT, TONIQUE, VIVIFIANT.

FORTIFIER
- Il faut fortifier ce mur : CONSOLIDER, RENFORCER.
- Un tel spectacle fortifie l'âme : TONIFIER, VIVIFIER.
- Ces paroles m'ont fortifié dans ma résolution : AFFERMIR, CONFORTER, RAFFERMIR.
- Les résultats de ces nouvelles expériences fortifient mes théories : CONFIRMER, CORROBORER, RENFORCER.

FORMALISTE 1231
- Le président de séance s'est montré très formaliste pendant les débats : POINTILLEUX, VÉTILLEUX.
- Les invités étaient placés autour de la table de façon très formaliste : CONFORMISTE, PROTOCOLAIRE.

FORMALITÉ
- Agir selon les formalités prescrites : PROCÉDURE, RÈGLE.
- Nous avons dû subir les formalités d'une administration tatillonne : CHINOISERIE, TRACASSERIE.

FORME

1. La forme d'un objet, d'une montagne, d'un visage, etc. : APPARENCE, ASPECT, CONFIGURATION, CONTOUR.
- La forme d'un vêtement : COUPE, FAÇON, LIGNE.
- Les différentes formes de courage, de passion, etc. : SORTE, TYPE, VARIÉTÉ.
- Les diverses formes de gouvernement : ORGANISATION, RÉGIME, STRUCTURE.
- Séparer, dans un texte, le fond de la forme : EXPRESSION, STYLE.
- Une jeune femme aux formes agréables : PLASTIQUE *(au sing.)*.

2. Respecter les formes de la vie en société : CONVENTIONS, USAGES, RÈGLES.
- Une cérémonie officielle qui se déroule selon les formes : ÉTIQUETTE, PROTOCOLE.

3. Aujourd'hui, je suis en bonne forme : CONDITION, SANTÉ.

FORMATION 1232

1. L'entraîneur vient de communiquer la formation de l'équipe qui affrontera la Belgique : COMPOSITION, CONSTITUTION.
- La formation du monde, des montagnes : CRÉATION, ÉLABORATION.
- Un enfant qui est à l'âge de la formation : PUBERTÉ.
- Les diverses formations politiques : GROUPE, GROUPEMENT, PARTI.
- Plusieurs formations militaires sont intervenues dans la bataille : UNITÉ.

2. La formation professionnelle est trop délaissée en France : ÉDUCATION, INSTRUCTION.
- Elle a une bonne formation scientifique : BAGAGE, CULTURE, SAVOIR.

FORMER
- Former un nouveau gouvernement : COMPOSER, CONSTITUER.
- Former un nouveau service dans un bureau : CRÉER, ÉTABLIR, INSTITUER, ORGANISER.
- Former un plan, un projet : CONCEVOIR, ÉLABORER, IMAGINER.
- Former le caractère de quelqu'un : ÉDUQUER, FAÇONNER.
- La route forme des courbes, le fleuve forme des méandres : DESSINER.

SE FORMER
- Un abcès s'est formé : APPARAÎTRE, SE CRÉER.
- La troupe s'est formée en ligne : SE DISPOSER, SE METTRE.
- L'apprenti se forme au contact des compagnons : S'INSTRUIRE, SE PERFECTIONNER.

FORMULE 1233
- Il a trouvé une formule heureuse pour expliquer la chose : EXPRESSION, TOURNURE.
- Le cyclotourisme est la meilleure formule pour découvrir un pays : MÉTHODE, MOYEN, SOLUTION.
- Cette banque lance une nouvelle formule de crédit à la consommation : PROCÉDÉ, SYSTÈME.
- Une formule publicitaire : MAXIME, SLOGAN.
- Une formule de demande de passeport : FORMULAIRE, QUESTIONNAIRE.
- Il est champion du monde des pilotes de formule 1 : CATÉGORIE.

FORMULER
- Le Conseil d'État n'a pas encore formulé son jugement : ÉTABLIR, PRONONCER.
- Puis-je formuler un vœu, une objection, etc. ? : ÉMETTRE, EXPRIMER.

FOSSE 1234
- Creuser une fosse : EXCAVATION, TROU.
- Descendre une bière dans la fosse : TOMBE.

FOSSÉ
- Notre propriété est entourée d'un large

fossé souvent plein d'eau : DOUVE, TRANCHÉE.
- Il est difficile de combler le fossé qui sépare deux générations : DISTANCE, ÉCART, *et par exagération :* ABÎME.

FOUDRE 1235

1. L'éclat de la foudre : TONNERRE.
- Il est prompt comme la foudre : ÉCLAIR.
- Je vais aller affronter les foudres du patron : COLÈRE, COURROUX *(litt.)*, CRITIQUE, REPROCHE.

2. Un foudre de vin : FUTAILLE, TONNEAU.

FOUDROYER
- Le poison l'a foudroyé en un instant : TERRASSER, TUER.
- Cette mauvaise nouvelle l'a foudroyé : PÉTRIFIER, SIDÉRER, STUPÉFIER.
- Foudroyer quelqu'un du regard : FUSILLER.

FOUILLE 1236
- La fouille des bagages par les douaniers : EXAMEN, INSPECTION, VISITE.
- Des fouilles archéologiques : RECHERCHES.

FOUILLER

1. *v. tr.*
- La taupe fouille la terre : CREUSER, FOUIR.
- Les gendarmes ont fouillé tous les bois de la région : EXAMINER, EXPLORER, INSPECTER, SCRUTER, SONDER, VISITER.
- La police est en train de fouiller la maison : PERQUISITIONNER.
- Je vous demande de fouiller cette question : APPROFONDIR, CREUSER.

2. *v. intr.*
Un clochard qui fouille dans les poubelles : CHERCHER, FOUINER, FURETER, *et en lang. fam. :* FARFOUILLER, FOURGONNER, FOURRAGER, TRIFOUILLER.

SE FOUILLER
Pop. : Il peut se fouiller, il ne l'aura pas : SE BROSSER.

FOULE 1237
- Une foule de gens : MASSE, MULTITUDE.
- Une foule énorme s'écrasait sur les gradins du stade : AFFLUENCE, ASSISTANCE, MONDE, PUBLIC.
- J'ai une foule d'idées sur la question : QUANTITÉ, TAS, *et en lang. fam. :* FLOPÉE.
- Mépriser la foule : PEUPLE, *et en lang. fam. :* POPULO.

FOULER
- Ne foulez pas l'herbe ! : ÉCRASER, MARCHER SUR, PIÉTINER.
- Fouler des vêtements dans une valise pour pouvoir la fermer : PRESSER, TASSER.
- Fouler aux pieds les usages, les convenances : DÉDAIGNER, MÉPRISER.

SE FOULER
Fam. : En voilà un qui ne se foule pas au travail : S'ÉREINTER, SE FATIGUER.

FOULURE
Une foulure de la cheville, du poignet : ENTORSE, LUXATION.

FOUR 1238

1. La chaleur est intolérable dans cette salle, c'est un four : ÉTUVE, FOURNAISE.
2. Un auteur de théâtre qui n'a connu que des fours : ÉCHEC, INSUCCÈS.

FOURBIR 1239
Fourbir des armes, des cuivres : FROTTER, NETTOYER, *et en lang. fam. :* ASTIQUER, BRIQUER.

FOURNIR 1240

1. *v. tr.*
- Fournir quelque chose à quelqu'un : DONNER, PROCURER.
- Fournir une station-service en essence : APPROVISIONNER, LIVRER, RAVITAILLER.
- Vous me fournirez un certificat médical pour justifier votre absence d'hier : APPORTER, PRÉSENTER, PRODUIRE.
- Elle a fourni un gros travail : ACCOMPLIR.

2. *v. intr.*
Je n'arrive plus à fournir à ses besoins : SATISFAIRE, SUBVENIR.

SE FOURNIR
Depuis dix ans, je me fournis chez les mêmes commerçants : S'APPROVISIONNER, SE RAVITAILLER.

FOURNITURE
Notre succursale n'a pas reçu sa fourniture hebdomadaire d'eaux minérales : APPROVISIONNEMENT, LIVRAISON.

FOURRER 1241

1. Fourrer un vêtement : DOUBLER, MOLLETONNER, OUATER, OUATINER.
- Fourrer un gâteau de crème : GARNIR.

2. *Fam. :* Où ai-je fourré mes lunettes ? : METTRE.

SE FOURRER
Fam. : Cet individu se fourre partout : SE GLISSER, S'INSINUER, S'INTRODUIRE.

FOYER 1242

1. Le chat passe sa journée auprès du foyer : ÂTRE, CHEMINÉE, FEU.
2. Après une longue absence, il a retrouvé son foyer : FAMILLE, MAISON, *et en lang. fam. :* PÉNATES.
3. Le foyer de l'épidémie se trouve en Asie : CENTRE, SOURCE.

FRAÎCHEUR 1243
- La fraîcheur d'une rose, d'un teint de jeune fille : ÉCLAT.
- Elle a conservé une grande fraîcheur d'âme : INGÉNUITÉ, NAÏVETÉ, PURETÉ.
- Il nous a reçus avec fraîcheur : FROIDEUR.

FRAIS
1. *adj.*
- Un petit vent frais : *fam.* : FRISQUET.
- Un teint frais : ÉCLATANT.
- Des nouvelles fraîches : RÉCENT.
- Un souvenir frais à la mémoire : PRÉSENT, VIVANT.
- À l'arrivée de la course, il était aussi frais qu'au départ : DISPOS.
- Nous avons reçu un accueil plutôt frais : FROID, RÉSERVÉ.

2. *nom.*
Goûter le frais des soirs de septembre : FRAÎCHEUR.

3. *n. m. pl.*
Des frais de réparation : DÉPENSES.

FRANC 1244
1. Une personne franche : DROIT, HONNÊTE, LOYAL, SINCÈRE.
- Une conversation franche : DIRECT, SPONTANÉ.
- Un visage franc : OUVERT.
- Une situation franche : CLAIR, NET.
- Ce garçon est un franc polisson : VÉRITABLE, VRAI.

2. Il vous reste deux jours francs pour payer vos impôts : COMPLET, ENTIER.

FRANCHISE
1. Faire preuve de franchise : DROITURE, LOYAUTÉ, SINCÉRITÉ.
2. La correspondance avec la Sécurité sociale bénéficie de la franchise postale : GRATUITÉ.
- Acheter des parfums en franchise à l'aéroport : HORS TAXES.
- Les franchises universitaires : DROIT, PRIVILÈGE.

FRAPPANT 1245
- Une ressemblance frappante : ÉVIDENT, INDISCUTABLE.
- Un constraste frappant : ÉTONNANT, SAISISSANT.

FRAPPÉ
Une boisson frappée : RAFRAÎCHI.

FRAPPER
1. Frapper quelqu'un : BATTRE, TAPER, *et en lang. fam.* : COGNER, ROSSER.
- Frapper des coups violents : ASSENER, DONNER, PORTER.

2. Être frappé d'une lourde amende : CONDAMNER, PÉNALISER, PUNIR.
- Être frappé de paralysie : ATTEINDRE.
- Être frappé de frayeur : SAISIR.
- Être frappé par un coup du sort : AFFLIGER.
- Être frappé par la beauté du paysage : ÉMOUVOIR, IMPRESSIONNER.
- La mort de son frère jumeau l'a frappé : BOULEVERSER, CHOQUER, COMMOTIONNER, SECOUER, TRAUMATISER, TROUBLER.

3. Frapper un texte à la machine : DACTYLOGRAPHIER, TAPER.

SE FRAPPER
Fam. : Il ne faut pas se frapper pour si peu : S'INQUIÉTER, SE TOURMENTER, SE TRACASSER.

FRASQUE 1246
Je ne peux plus supporter tes frasques : EXTRAVAGANCE, FOLIE, FREDAINE, INCONDUITE.

FRATERNITÉ 1247
CONCORDE, ENTENTE, SOLIDARITÉ, UNION.

FRAUDE 1248
ESCROQUERIE, FALSIFICATION, TRICHERIE, TRUQUAGE.

FRAUDULEUX
Des manœuvres frauduleuses : ILLÉGAL, ILLICITE.

FREINER 1249
- Il n'a pas freiné assez vite pour éviter le piéton : DÉCÉLÉRER, RALENTIR.
- Freiner l'ardeur, l'enthousiasme : DIMINUER, MODÉRER, TEMPÉRER.
- Freiner la hausse des prix, l'évolution d'une maladie : ENDIGUER, ENRAYER, JUGULER, STOPPER.

FRÊLE 1250
- Des jambes frêles, des doigts frêles : FLUET, GRACILE, MAIGRE, MENU, MINCE.
- Une voix frêle : FLUET, TÉNU.
- Une santé frêle : DÉLICAT, FRAGILE.
- Je n'ai eu qu'un frêle espoir : FUGITIF, PASSAGER.

FRÉMIR 1251
Frémir de peur : FRISSONNER, TREMBLER.

FRÉMISSEMENT
- Le frémissement des feuilles : BRUISSEMENT, MURMURE.
- Un frémissement dû à la peur : FRISSON, TREMBLEMENT, TRESSAILLEMENT.

FRÉNÉSIE 1252
- Se battre avec frénésie : ACHARNEMENT, FUREUR, RAGE, VIOLENCE.
- Une véritable frénésie s'empara de la foule : DÉLIRE, EXALTATION, FOLIE, HYSTÉRIE.

FRÉNÉTIQUE
- Une foule frénétique : DÉCHAÎNÉ.
- Des cris frénétiques : EXALTÉ, HYSTÉRIQUE.
- Des applaudissements frénétiques : ENTHOUSIASTE.
- Une danse frénétique : ENDIABLÉ.

FRÉQUEMMENT 1253
Ils viennent fréquemment nous voir : SOUVENT.

FRÉQUENCE
- La fréquence d'un événement, d'un phénomène : PÉRIODICITÉ, RÉPÉTITION.

FRÉQUENT
- Des absences fréquentes : NOMBREUX, RÉPÉTÉ.
- Des pluies fréquentes : CONTINUEL, PÉRIODIQUE.
- Une maladie fréquente chez les enfants : COURANT, HABITUEL, ORDINAIRE.
- C'est une opinion très fréquente : RÉPANDU.

FRÉQUENTATION
- Avoir de bonnes fréquentations : RELATION.
- La fréquentation des bons auteurs, des livres, etc. : COMMERCE, CONTACT, PRATIQUE, USAGE.

FRÉQUENTER
- Il fréquente les mauvais lieux : HANTER.
- Elle fréquente tous les bals : COURIR.
- Je ne fréquente pas n'importe qui : FRAYER AVEC.
- Elle ne fréquente que les gens de la haute société : PRATIQUER.

SE FRÉQUENTER
Ils ne se fréquentent plus : SE VOIR.

FRIAND 1254
- Être friand de... : AMATEUR, AVIDE, GOURMAND.
- Un mets friand : DÉLICIEUX, EXQUIS.

FRIANDISE
BONBON, DOUCEUR, GÂTERIE, SUCRERIE.

FRICTION 1255
- Une friction du cuir chevelu : MASSAGE.
- Avoir une friction avec quelqu'un : ACCROCHAGE.

FRICTIONNER
FROTTER, MASSER.

FRINGANT 1256
Avoir un air fringant : ALERTE, GUILLERET, PIMPANT, SÉMILLANT.

FRINGUER
Pop. : Il est drôlement fringué : HABILLER, NIPPER, VÊTIR.

FRISÉ 1257
Des cheveux frisés : BOUCLÉ, CRÊPÉ, ONDULÉ.

FRISER
- La balle m'a frisé l'oreille : EFFLEURER, FRÔLER, RASER.
- Son attitude frise le ridicule : CONFINER À, CÔTOYER.

FRIVOLE 1258
- Une chose frivole : FUTILE, INSIGNIFIANT, PUÉRIL.
- Une personne frivole : INCONSTANT, LÉGER, SUPERFICIEL, VOLAGE.

FRIVOLITÉ
1. La frivolité d'une personne : INSOUCIANCE, LÉGÈRETÉ, PUÉRILITÉ.
- La frivolité des occupations, des plaisirs : FUTILITÉ, INANITÉ, VANITÉ.
2. Un commerce de frivolités : BABIOLES, COLIFICHETS, FANFRELUCHES.

FROID 1259
1. *adj.*
a) Un vent très froid : GLACIAL.
- Avoir les pieds froids : GLACÉ.
b) Un homme qui reste froid en toutes circonstances : IMPASSIBLE, IMPERTURBABLE.
- Elle est d'un abord très froid : DISTANT, GLACIAL.
- Mes remarques ne l'ont pas laissé froid : INDIFFÉRENT.
- Parler avec un ton froid : AUSTÈRE, DUR, SÉVÈRE.
- J'ai trouvé le spectacle froid : ENNUYEUX, INSIPIDE.
2. *nom.*
a) Le froid hivernal : FROIDURE.
b) Il y a un froid entre nous : DÉSACCORD, MÉSENTENTE.

FROISSER 1260
- Froisser un vêtement : CHIFFONNER, FRIPER.
- Froisser quelqu'un : FÂCHER, HEURTER, INDISPOSER, OFFENSER, VEXER.

SE FROISSER
Elle se froisse pour un rien : SE FÂCHER, SE FORMALISER, S'OFFENSER, SE VEXER.

FRONT 1261
1. Le front d'un édifice : FAÇADE.
2. Ils ont formé un front des mécontents : BLOC, COALITION.
3. Aller, partir au front : COMBAT, GUERRE.
4. Il a eu le front de nier l'évidence : AUDACE, HARDIESSE, IMPUDENCE.

FRUIT 1262
1. Les fruits de la terre : PRODUCTIONS, RÉCOLTES.
2. Cette œuvre est le fruit de mon travail : PRODUIT, RÉSULTAT.
• Il n'a tiré aucun fruit de sa victoire : AVANTAGE, BÉNÉFICE, PROFIT.

FUGACE 1263
• Une lueur fugace, un parfum fugace, une impression fugace : BREF, ÉPHÉMÈRE, FUGITIF, PASSAGER.
• Être d'humeur fugace : CHANGEANT, VERSATILE.

FUIR 1264
• Il a réussi à fuir : S'ÉCHAPPER, S'ENFUIR, S'ESQUIVER, S'ÉVADER, SE SAUVER, *et en lang. fam. :* DÉCAMPER, DÉTALER, FILER.
• Le temps fuit : PASSER, S'ÉCOULER, S'ENVOLER.
• Le robinet fuit : COULER.
• Il ne faut pas laisser fuir cette occasion : ÉCHAPPER.
• Fuir une corvée : SE DÉROBER À, SE SOUSTRAIRE À.
• Pourquoi me fuis-tu ? : ÉVITER.

SE FUIR
Autrefois ils étaient amis, maintenant ils se fuient : S'ÉVITER.

FUITE
• La fuite d'un prisonnier : ÉVASION.
• La fuite d'un enfant hors du milieu familial : ESCAPADE, FUGUE.
• La fuite d'un coureur hors du peloton : ÉCHAPPÉE.
• La fuite générale d'une troupe : DÉBANDADE, SAUVE-QUI-PEUT.
• La fuite du temps, des heures : ÉCOULEMENT, ENVOL.
• Chercher une fuite pour éviter une corvée, des ennuis, etc. : DÉROBADE, ÉCHAPPATOIRE, FAUX-FUYANT, SUBTERFUGE.
• La réunion était secrète, mais il y a eu des fuites : INDISCRÉTION.

FUYANT
Un regard fuyant : INSAISISSABLE.

FUYARD
La police recherche les fuyards : ÉVADÉ, FUGITIF.

FULMINER 1265
Fulminer contre quelqu'un, contre les injustices : EXPLOSER, PESTER, SE DÉCHAÎNER, S'EMPORTER, TEMPÊTER, TONNER.

FUMER 1266
1. Fumer une cigarette : GRILLER.
2. Fumer de la viande : BOUCANER.
3. Fumer une terre, un champ : ENGRAISSER, FERTILISER.
4. *Fam. :* Fumer de colère : PESTER, RAGER.

FUMEUX
Un esprit fumeux, des idées fumeuses : CONFUS, NÉBULEUX, OBSCUR, VAGUE.

FUMISTE
Fam. : Quel drôle de fumiste ! : FANTAISISTE, FARCEUR, PLAISANTIN.

FUNÈBRE 1267
• Une cérémonie funèbre : FUNÉRAIRE, MORTUAIRE.
• Parler d'une voix funèbre : LUGUBRE, SÉPULCRAL, SINISTRE.

FUNESTE 1268
• Un accident funeste : FATAL, MEURTRIER, MORTEL.
• Une décision aux conséquences funestes : CATASTROPHIQUE, DÉSASTREUX, MALHEUREUX, NÉFASTE, TRAGIQUE.
• La gelée matinale a été funeste aux jeunes plants : NUISIBLE, PRÉJUDICIABLE.

FUREUR 1269
• Être en fureur : COLÈRE, RAGE.
• La fureur d'un combat : ACHARNEMENT, VIOLENCE.
• Ce nouveau produit « fait fureur » : ÊTRE EN VOGUE.

FURIE
• Mettre quelqu'un en furie : COLÈRE, RAGE.
• La furie de la tempête, des vagues : DÉCHAÎNEMENT, VIOLENCE.
• *Fam. :* C'est une vraie furie : HARPIE, MÉGÈRE.

FURIEUX
• Avoir l'air furieux : FURIBOND, *et en lang. fam. :* FURIBARD.
• C'est un fou furieux : ENRAGÉ.
• Un combat furieux : ACHARNÉ.
• Un vent furieux : VIOLENT.
• *Fam. :* Il a un furieux appétit : EXTRAORDINAIRE, FANTASTIQUE, PRODIGIEUX.

FUSION 1270
• La fusion de la glace, d'un métal : FONTE.
• La fusion de deux sociétés sportives en une seule : RÉUNION.
• La fusion de deux entreprises industrielles : CONCENTRATION, UNION.
• La fusion des races : MÉLANGE, MÉTISSAGE.

FUTUR 1271
1. *adj.*
Dans les siècles futurs : POSTÉRIEUR, ULTÉRIEUR.
2. *nom.*
Dans le futur : AVENIR.

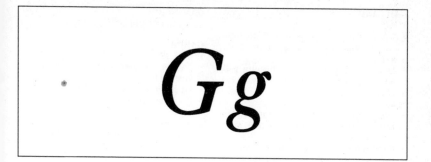

Gg

GABARIT 1272
- Construire selon un gabarit : MODÈLE.
- Mettre au gabarit : DIMENSION.
- *Fam.* : Un athlète d'un beau gabarit : CARRURE, STATURE, TAILLE.

GABEGIE 1273

Il y a une belle gabegie dans cette administration : DÉSORDRE, GÂCHIS, GASPILLAGE, PAGAILLE.

GÂCHER 1274

1. Gâcher du plâtre : DÉLAYER.
2. Gâcher un travail : BÂCLER, SABOTER, *et en lang. pop. :* COCHONNER, SALOPER.
- Gâcher son argent : DILAPIDER, DISSIPER, GASPILLER.
- Gâcher son talent, ses dons : GALVAUDER, GASPILLER.
- Gâcher une belle occasion de... : MANQUER, PERDRE, RATER.
- Cela va gâcher mon plaisir : CONTRARIER, GÂTER.

GAGE 1275
- Laisser quelque chose en gage : CAUTION, GARANTIE.
- Donner des gages de sa bonne volonté : PREUVE, TÉMOIGNAGE.
- Recevoir ses gages : APPOINTEMENTS, RÉTRIBUTION, SALAIRE.

GAGER

Je gage que... : PARIER.

GAGEURE
- Accepter une gageure : PARI.
- C'est une gageure : DÉFI.

GAGNER 1276

1. Il a gagné beaucoup d'argent : PERCEVOIR, TOUCHER, *et en lang. fam. :* EMPOCHER, ENCAISSER, RAMASSER.
- Gagner un prix, une course : ENLEVER, REMPORTER, *et en lang. fam. :* DÉCROCHER.

2. Ce médecin a gagné en peu de temps une solide réputation : ACQUÉRIR, OBTENIR.
- Gagner la confiance de quelqu'un : CONQUÉRIR, S'ATTIRER.
- Gagner quelqu'un à sa cause : RALLIER, SE CONCILIER.
- À sortir sans manteau, j'ai gagné un rhume : ATTRAPER, CONTRACTER, *et en lang. fam. :* RÉCOLTER.
- Des vacances bien gagnées : MÉRITER.
- C'est une personne qui gagne à être connue : AVOIR AVANTAGE.

3. Le nageur a eu du mal à gagner la rive : ATTEINDRE, REJOINDRE.
- L'incendie gagnait de tous côtés : PROGRESSER, S'ÉTENDRE, SE PROPAGER.
- L'eau a gagné les bas quartiers de la ville : ENVAHIR.
- Je sens que le sommeil me gagne : S'EMPARER DE.

GAIN
- Le gain d'un match, d'une bataille : SUCCÈS, VICTOIRE.
- Un gain de temps : ÉCONOMIE.
- Tirer un gain appréciable de... : AVANTAGE.
- Le gain mensuel d'un ouvrier : RÉMUNÉRATION, SALAIRE, TRAITEMENT.
- Les gains d'un commerçant : BÉNÉFICE, PROFIT.

GAI 1277
- Un homme gai, un caractère gai : ENJOUÉ, JOVIAL, JOYEUX, RÉJOUI, SOURIANT.
- Raconter une histoire gaie : AMUSANT, COMIQUE, DRÔLE.
- Ce que vous nous annoncez n'est pas très gai : ENCOURAGEANT, RÉJOUISSANT, *et en lang. fam. :* FOLICHON.
- Après le champagne, tout le monde était assez gai : ÉMOUSTILLÉ.

GAIETÉ

ALLÉGRESSE, ENJOUEMENT, JOIE, JOVIALITÉ.

GAILLARD 1278

1. *adj.*
- Un vieillard encore gaillard : INGAMBE, SOLIDE, VAILLANT, VALIDE, VERT, VIGOUREUX.
- Des propos gaillards, une histoire gaillarde : CRU, ÉGRILLARD, GAULOIS, GRIVOIS, LESTE, LICENCIEUX.

2. *nom.*
- Un grand gaillard barbu est soudain entré : COLOSSE, HERCULE, *et en lang. fam. :* COSTAUD.
- *Fam. :* Vous êtes un drôle de gaillard, mon ami ! : BONHOMME, LASCAR, LOUSTIC, TYPE.

GALANT 1279
- Se conduire en homme galant : COURTOIS, POLI.
- Des garçons trop galants : COUREUR, ENTREPRENANT.
- Une aventure galante : AMOUREUX, LIBERTIN.

GALANTERIE
- Faire preuve d'une grande galanterie : COURTOISIE, DÉLICATESSE, POLITESSE.
- Elle subit avec énervement les galanteries de ce garçon : ASSIDUITÉ, COUR, *et en lang. fam. :* BARATIN.

GALÈRE 1280

Ce métier est une vraie galère : BAGNE.

GALERIE 1281

1. Une galerie extérieure : BALCON, PORTIQUE, VÉRANDA.
- Une galerie intérieure : CORRIDOR, COULOIR.
- Creuser une galerie : SOUTERRAIN, TUNNEL.

2. La galerie d'une voiture : PORTE-BAGAGES.
3. Amuser la galerie : AUDITOIRE, PUBLIC, SPECTATEURS.

GALIMATIAS 1282

AMPHIGOURI, BARAGOUIN, CHARABIA, JARGON, PATHOS.

GALON 1283

1. Une robe ornée de galons : PASSEMENTERIE, RUBAN.
2. Un militaire qui fête son deuxième galon : *Fam. :* FICELLE, SARDINE.

GALOPIN 1284

Fam. : Cet enfant est un méchant galopin : CHENAPAN, GARNEMENT, POLISSON, VAURIEN.

GAMBADER 1285

Un poulain qui gambade autour de sa mère : BONDIR, SAUTER, SAUTILLER, S'ÉBATTRE.

GAMINERIE 1286

ENFANTILLAGE, ESPIÈGLERIE, FACÉTIE.

GARDE 1287

1. *nom. fém.*
- Assurer la garde de... : PROTECTION, SURVEILLANCE.
- La garde d'un chef d'État : ESCORTE.
- Le pharmacien de garde, l'officier de garde : SERVICE.

2. *nom masc.*
- Les gardes d'un jardin public, d'un musée, etc. : GARDIEN, SURVEILLANT, VIGILE.
- Les gardes du corps d'un chef d'État : *Fam. :* GORILLE.

GARDER

1. Garder un enfant malade, un troupeau, etc. : SURVEILLER, VEILLER SUR.
- Le médecin lui a conseillé de garder la chambre : DEMEURER À, RESTER À.
- Dieu m'en garde ! : PRÉSERVER, PROTÉGER.

2. Garder de la nourriture au frigidaire, garder le double d'une lettre, garder son manteau à cause du froid, garder son sérieux, etc. : CONSERVER.
- Garder le meilleur vin pour le dessert : RÉSERVER.
- Garder quelqu'un à dîner : RETENIR.
- Il faut garder la mesure en tout : OBSERVER, RESPECTER.

SE GARDER

1. Il faut se garder des compliments trop élogieux : SE DÉFIER, SE MÉFIER.
- Gardez-vous bien du froid : SE DÉFENDRE CONTRE, SE PROTÉGER.
- Je me suis gardé de donner mon opinion : ÉVITER, S'ABSTENIR.

2. Ces fruits ne se gardent pas longtemps : SE CONSERVER.

GARE 1288

1. *nom.*
- Le train s'arrête à toutes les gares : HALTE, STATION.
- Une gare aérienne : AÉROPORT.

2. *Interj.*

Gare au loup ! : ATTENTION.

GARER

Garer sa voiture : PARQUER, RANGER.

SE GARER

1. Il est interdit de se garer dans les rues piétonnes : SE PARQUER, STATIONNER.
2. Se garer d'un danger, des voitures : ÉVITER, S'ÉCARTER.

GARGARISER (SE) 1289

Fam. : Il se gargarise de grands mots : SE DÉLECTER, SE RÉGALER.

GARGOUILLEMENT 1290
BORBORYGME, GARGOUILLIS, GLOUGLOU.

GARNIR 1291
• Garnir un frigidaire de provisions : REMPLIR.
• Garnir un meuble d'étagères : ÉQUIPER, MUNIR, POURVOIR.
• Faire garnir un fauteuil de reps : RECOUVRIR.
• Garnir un coussin de kapok : BOURRER.
• Garnir une robe de dentelle : ORNER.
• Garnir des chaussons de peluche : DOUBLER, FOURRER.
• Garnir une volaille de marrons : FARCIR, TRUFFER.

GÂTÉ 1292
• Des dents gâtées : CARIÉ.
• Des fruits gâtés : ABÎMÉ, AVARIÉ, POURRI.

GÂTER
1. Ce château d'eau gâte le paysage : DÉPARER, ENLAIDIR.
• Le mauvais temps a gâté nos vacances : EMPOISONNER, GÂCHER.
2. Gâter un enfant : CHOYER.
• Ce cadeau est trop beau, vous nous gâtez : COMBLER.

SE GÂTER
• Les fraises se gâtent rapidement : MOISIR, POURRIR, S'ABÎMER.
• La situation se gâte : SE DÉGRADER, SE DÉTÉRIORER, S'ENVENIMER.
• Le temps se gâte : S'ASSOMBRIR, SE BROUILLER.

GAUCHE 1293
• Se montrer gauche dans son travail : MALADROIT, MALHABILE.
• Avoir un air gauche : EMBARRASSÉ, EMPRUNTÉ, LOURDAUD, *et en lang. fam. :* EMPOTÉ, GODICHE, GOURDE.

GAUCHERIE
INHABILETÉ, MALADRESSE.

GAUCHIR
Cette porte a gauchi : GONDOLER, SE BOMBER, SE DÉFORMER.

GAULOISERIE 1294
GAILLARDISE, GAUDRIOLE, GRIVOISERIE, PAILLARDISE.

GAVROCHE 1295
GAMIN, *et en lang. fam. :* TITI.

GAZOUILLER 1296
• Un oiseau qui gazouille : CHANTER.
• Un enfant qui gazouille : BABILLER.
• Une source qui gazouille : BRUIRE, MURMURER.

GAZOUILLIS
Le gazouillis des oiseaux : GAZOUILLEMENT, RAMAGE.

GÉMIR 1297
GEINDRE, PLEURER, PLEURNICHER, SE LAMENTER, SE PLAINDRE.

GÉMISSEMENT
LAMENTATION, PLAINTE, PLEUR, SANGLOT, *et en lang. fam. :* JÉRÉMIADE.

GÊNANT 1298
• Être dans une situation gênante : DÉPLAISANT, DÉSAGRÉABLE, EMBARRASSANT, ENNUYEUX, INCOMMODE.
• Un objet gênant : ENCOMBRANT.

GÊNE
• Avoir de la gêne à marcher : DIFFICULTÉ, INCOMMODITÉ.
• Les travaux sous notre fenêtre sont une gêne qu'il nous faut supporter : CONTRAINTE, DÉRANGEMENT, EMBARRAS, ENNUI.
• Il réussit à dissiper la gêne qui s'était manifestée chez ses invités : MALAISE, TROUBLE.
• Vivre dans la gêne : BESOIN, PAUVRETÉ, PÉNURIE.

GÊNER
• Est-ce que la fumée de tabac vous gêne ? : DÉRANGER, INCOMMODER, INDISPOSER.
• Un camion en livraison qui gêne la circulation : BLOQUER, ENTRAVER.
• Il semble que ma présence le gêne : CONTRARIER, DÉPLAIRE, IMPORTUNER.
• Son regard me gêne : INTIMIDER.

SE GÊNER
Il ne se gêne guère pour les autres : SE CONTRAINDRE, SE DÉRANGER.

GÉNÉRAL 1299
• D'une manière générale : COURANT, HABITUEL.
• L'intérêt général : COLLECTIF, COMMUN.
• La tendance générale est à la hausse des prix : DOMINANT.
• Un mécontentement général : TOTAL, UNANIME.
• S'exprimer en termes généraux : INDÉCIS, VAGUE.

GÉNÉRALISER
Un procédé, une méthode : ÉTENDRE, UNIVERSALISER.

GÉNÉRALITÉ
• Dans la généralité des cas : LA MAJORITÉ, LA PLUPART.
• Il s'en est tenu à des généralités : BANALITÉ, LIEU COMMUN.

GÉNIAL 1300
- Une idée géniale : ASTUCIEUX, INGÉNIEUX, LUMINEUX.
- *Fam.* : C'est génial ! : FORMIDABLE, SENSATIONNEL.

GENS 1301
- Il y avait beaucoup de gens à la fête : MONDE, PERSONNES.
- Les gens du pays : HABITANT.

GENTILLESSE 1302
- Une personne d'une grande gentillesse : AMABILITÉ, BIENVEILLANCE, COMPLAISANCE, DÉLICATESSE, OBLIGEANCE.
- Je m'attendais à plus de gentillesses de sa part : ATTENTIONS, ÉGARDS, PRÉVENANCES.

GENTLEMAN 1303
Se conduire en gentleman : GENTILHOMME, HOMME DISTINGUÉ.

GÉRANT 1304
ADMINISTRATEUR, FONDÉ DE POUVOIR, GESTIONNAIRE, MANDATAIRE, SYNDIC.

GÉRER
ADMINISTRER, DIRIGER, RÉGIR.

GESTION
ADMINISTRATION, DIRECTION, GÉRANCE, RÉGIE.

GESTE 1305
- Un geste de la main : MOUVEMENT, SIGNE.
- Faire un beau geste en faveur de... : ACTION.

GIFLER 1306
- Gifler quelqu'un : SOUFFLETER, *et en lang. fam.* : CALOTTER, CONFIRMER, TALOCHER.
- Avoir le visage giflé par la pluie : CINGLER, FOUETTER.

GLACER 1307
- Mettre un produit à glacer : CONGELER, REFROIDIR.
- Une bise froide qui vous glace le corps : GELER, TRANSIR, TRANSPERCER.
- Cet homme a un air froid qui glace tous ceux qui l'approchent : INTIMIDER, PARALYSER, RÉFRIGÉRER.
- Être glacé d'horreur : PÉTRIFIER.

GLACIÈRE
FRIGIDAIRE, FRIGORIFIQUE, RÉFRIGÉRATEUR.

GLISSER 1308
- Les roues ont glissé sur le verglas : CHASSER, DÉRAPER, PATINER.
- Un objet qui glisse des mains : ÉCHAPPER, TOMBER.
- La couleuvre glisse entre les herbes : RAMPER, SE FAUFILER.
- La porte en s'ouvrant glisse dans une rainure : COULISSER.
- Tous les arguments glissent sur son entêtement : COULER.
- Il a glissé dans son discours quelques allusions à ce projet : INSINUER, INTRODUIRE.
- Glisser un mot à l'oreille de quelqu'un : SOUFFLER.
- Glisser rapidement sur une question embarrassante : PASSER.
- Elle a glissé son bras sous le mien : ENGAGER, PASSER.

SE GLISSER
PÉNÉTRER, SE FAUFILER, S'INFILTRER, S'INSINUER, S'INTRODUIRE.

GLOIRE 1309
- Une grande gloire : CÉLÉBRITÉ, NOTORIÉTÉ, RENOM, RENOMMÉE, RÉPUTATION.
- Il s'est couvert de gloire : HONNEUR, LAURIERS.
- Toute la gloire lui en revient : HONNEUR, MÉRITE.
- Rendre gloire au courage de quelqu'un : HOMMAGE.
- Être dans toute sa gloire : ÉCLAT, RAYONNEMENT, SPLENDEUR.
- C'est l'une des gloires de notre pays : LUMIÈRE, PHARE.

GLORIEUX
1. Les glorieux exploits de Bayard : CÉLÈBRE, FAMEUX, ILLUSTRE, MAGNIFIQUE, SPLENDIDE.
2. *Avec une nuance péjorative :* Faire le glorieux, prendre un air glorieux : AVANTAGEUX, FIER, PRÉSOMPTUEUX, SUFFISANT, VANITEUX.

GLORIFIER
CÉLÉBRER, EXALTER, HONORER, LOUER, MAGNIFIER, VANTER.

SE GLORIFIER
S'ENORGUEILLIR, SE FÉLICITER, SE FLATTER, SE PRÉVALOIR, SE TARGUER, SE VANTER.

GLORIOLE
ORGUEIL, OSTENTATION, SUFFISANCE, VANITÉ.

GLOUTON 1310
GOINFRE, GOULU, GOURMAND, VORACE.

GLOUTONNERIE
AVIDITÉ, GOINFRERIE, VORACITÉ.

GOÉMON 1311
ALGUE, FUCUS, LAMINAIRE, VARECH.

GOGUENARD 1312
Un air goguenard, un rire goguenard : IRONIQUE, MOQUEUR, NARQUOIS, RAILLEUR.

GOGUENARDISE
IRONIE, MOQUERIE, RAILLERIE.

GOLFE 1313
ANSE, BAIE, FJORD.

GONFLER 1314
- Le vent gonfle les voiles : BOMBER, RENFLER.
- L'orage a gonflé le ruisseau : GROSSIR.
- Les piqûres d'abeilles ont fait gonfler son visage : ENFLER.
- Avoir le cœur gonflé d'espoir : REMPLIR.

GOSIER 1315
- Avoir une arête dans le gosier : GORGE, *et en lang. fam. :* KIKI.
- *Pop. :* Avoir le gosier bien en pente : DALLE, SIFFLET.

GOUJAT 1316
Quel goujat ! : BUTOR, IMPOLI, MALAPPRIS, MALOTRU, MAROUFLE *(anc.)*, MUFLE, RUSTRE.

GOURMANDISE 1317
1. Manger avec gourmandise : AVIDITÉ, GLOUTONNERIE.
2. Elle nous a préparé quelques gourmandises : DOUCEUR, FRIANDISE, GÂTERIE, *et en lang. fam. :* CHATTERIE.

GOURMET 1318
Savourer un plat en gourmet : CONNAISSEUR, GASTRONOME.

GOÛT 1319
1. Un aliment qui n'a pas de goût : SAVEUR.
- Manger quelque chose avec goût : APPÉTIT.
2. Une femme habillée avec goût : ÉLÉGANCE, GRÂCE.
- Avoir du goût pour quelqu'un ou quelque chose : ATTIRANCE, ATTRAIT, FAIBLE.
3. Se mettre au goût du jour : MODE, STYLE.

GOÛTER
1. *verbe.*
- Goûter lentement un vin : DÉGUSTER, SAVOURER.
- Goûter les plaisirs de la campagne : AIMER, APPRÉCIER, JOUIR DE, SE DÉLECTER DE.
- Elle a à peine goûté au dessert : PRENDRE, TOUCHER À.
- Goûter de quelque chose : ESSAYER, EXPÉRIMENTER, TÂTER DE.

2. *nom.*
Prendre un léger goûter : COLLATION, LUNCH.

GRÂCE 1320
1. Solliciter une grâce : AVANTAGE, FAVEUR.
- Faites-moi la grâce de me croire : AMABILITÉ, GENTILLESSE, HONNEUR.
- Demander grâce, faire grâce : INDULGENCE, MISÉRICORDE, PARDON, SURSIS.
- Rendre grâce au ciel : REMERCIER.
2. La grâce d'une jeune fille : BEAUTÉ, CHARME, ÉLÉGANCE, VÉNUSTÉ.
3. Grâce à... : À L'AIDE DE, AVEC, AU MOYEN DE.
- Accepter de bonne grâce : DE BON GRÉ, VOLONTIERS.

GRACIER
Un condamné : AMNISTIER.

GRADE 1321
Il est arrivé au plus haut grade de la hiérarchie : ÉCHELON, RANG.

GRAND 1322
1. Une personne de grande taille : ÉLEVÉ, HAUT, *et en lang. fam., en parlant d'une personne grande et mince :* ASPERGE, ÉCHALAS, ESCOGRIFFE, PERCHE.
- Très grand : GÉANT, GIGANTESQUE, IMMENSE.
- Un grand travailleur : ACHARNÉ.
- De grandes mains, un grand fleuve : LONG.
- Une grande plaine : AMPLE, ÉTENDU, LARGE, SPACIEUX, VASTE.
- Un grand édifice : COLOSSAL, MONUMENTAL.
- De grandes dépenses : CONSIDÉRABLE, ÉNORME.
- Une grande foule : NOMBREUX.
- Un grand vent : FORT, VIOLENT.
- Une grande chaleur : CANICULAIRE, ÉTOUFFANT.
- Un grand froid : GLACIAL, INTENSE, VIF.
- De grands soucis : IMPORTANT.
- Les grandes villes du pays : PRINCIPAL.
- Les grandes dates de notre histoire : MARQUANT, MÉMORABLE.
- Un grand choix d'articles : VARIÉ.
- C'est une grande nouvelle : SENSATIONNEL.
- Accomplir de grandes actions : BEAU, GRANDIOSE, MAGNIFIQUE, NOBLE.
- C'est l'un des plus grands savants du siècle : ÉMINENT, GLORIEUX, ILLUSTRE, PRESTIGIEUX, REMARQUABLE.
- Il est arrivé à un grand âge : AVANCÉ.
2. Les grandes personnes : LES ADULTES.

GRANDEUR
1. La grandeur d'une maison : DIMENSION, TAILLE.

- La grandeur d'un danger : GRAVITÉ, IMPORTANCE.
- La grandeur d'une action : DIGNITÉ, NOBLESSE, VALEUR.
- Une politique qui manque de grandeur : ÉLÉVATION, FORCE, PUISSANCE.

2. Mépriser les grandeurs : DISTINCTIONS, HONNEURS.

GRAS 1323

1. *adj.*

- Suivant le contexte, une personne grasse peut être : ADIPEUX, DODU, EMPÂTÉ, GRASSOUILLET, GROS, OBÈSE, PLANTUREUX, POTELÉ, REPLET, RONDELET.
- Avoir les mains grasses : GRAISSEUX, HUILEUX, POISSEUX.
- Écrire en caractères gras : ÉPAIS.
- Glisser sur un pavé gras : GLUANT, VISQUEUX.
- Les terres grasses de la Normandie : FÉCOND, FERTILE.
- Les gras pâturages : ABONDANT.
- Une plaisanterie grasse : GAULOIS, GRAVELEUX, GRIVOIS, LICENCIEUX, OBSCÈNE, POLISSON, SCATOLOGIQUE.

2. *nom.*
Le gras du porc : GRAISSE, LARD.

GRATIFIER 1324

- Gratifier quelqu'un d'une récompense, d'un pourboire, etc. : ALLOUER, DONNER, DOTER, FAVORISER, HONORER.
- *Fam.* : Gratifier quelqu'un d'une paire de claques : APPLIQUER, DONNER, FLANQUER.

GRATIS 1325

GRACIEUSEMENT, GRATUITEMENT.

GRATUIT

- Apporter un concours gratuit : BÉNÉVOLE, GRACIEUX.
- L'entrée est gratuite : LIBRE.
- Une accusation gratuite : ARBITRAIRE, INJUSTIFIÉ.

GRATITUDE 1326

Un sentiment de gratitude envers quelqu'un : RECONNAISSANCE.

GRATTER 1327

- Gratter une casserole pour la récurer : FROTTER, RACLER.
- Des poules qui grattent le fumier : FOUILLER, REMUER.
- Gratter une inscription sur un mur : EFFACER, ENLEVER.
- *Fam. :* C'est une affaire dans laquelle il n'y a rien à gratter : GRAPPILLER.

SE GRATTER

Un animal qui se gratte contre un arbre : SE FROTTER.

GRAVE 1328

- Prendre un air grave, employer un ton grave : AUSTÈRE, DIGNE, SÉRIEUX, SÉVÈRE, SOLENNEL.
- Avoir de graves raisons pour... : IMPORTANT, SÉRIEUX.
- La situation est grave : ALARMANT, CRITIQUE, DANGEREUX, DRAMATIQUE, INQUIÉTANT, TRAGIQUE.
- Une grave nouvelle : PÉNIBLE, TRISTE.
- Une faute grave : LOURD.

GRAVEMENT

- Être gravement blessé : GRIÈVEMENT, SÉRIEUSEMENT.
- Parler gravement : DIGNEMENT, POSÉMENT, SOLENNELLEMENT.
- Il s'est trompé gravement : CONSIDÉRABLEMENT, FORTEMENT, LOURDEMENT.

GRAVITÉ

- Une attitude pleine de gravité : AUSTÉRITÉ, COMPONCTION, DIGNITÉ, SOLENNITÉ.
- La gravité de la situation : DANGER, SÉRIEUX.

GRAVER 1329

- Graver un nom sur une plaque : SCULPTER, TRACER.
- Ce souvenir est resté gravé dans ma mémoire : IMPRIMER, INCRUSTER, MARQUER.

GRÉ 1330

1. Agissez à votre gré : CONVENANCE, FANTAISIE, GOÛT, GUISE, VOLONTÉ.

- A mon gré, ce n'est pas la meilleure solution : OPINION, SENTIMENT.

2. Je vous « sais gré » de... : REMERCIER.

GREFFER 1331

Greffer un jeune pommier : ÉCUSSONNER, ENTER.

SE GREFFER

Sur ce premier procès s'en est greffé un second : S'AJOUTER À.

GRIFFE 1332

1. Les griffes d'un aigle : SERRE.

- Elle est tombée sous la griffe de ce sinistre individu : DOMINATION, POUVOIR.

2. La griffe d'un grand couturier : EMPREINTE, MARQUE, SIGNATURE.

GRIFFER

ÉCORCHER, ÉGRATIGNER, ÉRAFLER.

GRIFFONNER

BARBOUILLER, CRAYONNER, GRIBOUILLER.

GRIMACE 1333

1. Une grimace de dépit : MOUE.

- Une grimace de colère : RICTUS.
- Faire une grimace pour amuser un enfant : SINGERIE.

2. Ne fais pas tant de grimaces pour accepter ce cadeau : CÉRÉMONIES, MANIÈRES, MINAUDERIES, SIMAGRÉES.

GRIMPER 1334

ESCALADER, GRAVIR, MONTER, S'ÉLEVER, SE HISSER.

GROMMELER 1335

BOUGONNER, GROGNER, GRONDER, MAUGRÉER, MURMURER, RONCHONNER.

GROS 1336

1. *adj.*

a) Une grosse personne : CORPULENT, FORT, GRAS, MASSIF, OBÈSE, REPLET, *et en lang. fam.* : BEDONNANT, VENTRIPOTENT, VENTRU.

- Un gros bébé : JOUFFLU, POTELÉ.
- Une grosse poitrine : GÉNÉREUX, OPULENT.
- De grosses lèvres : CHARNU, ÉPAIS.
- De gros yeux : GLOBULEUX, SAILLANT.
- De grosses joues : BOUFFI, BOURSOUFLÉ, MAFFLU, REBONDI.
- De grosses chevilles : FORT.
- Un gros appétit : GRAND, SOLIDE.
- Une grosse colère : VIOLENT.
- Un gros propriétaire : GRAND, IMPORTANT, PUISSANT, RICHE.
- Une grosse fortune : CONSIDÉRABLE, IMMENSE, IMPORTANT.
- Une grosse situation : ÉLEVÉ, ÉMINENT, HAUT.
- Une grosse faute : GRAVE, LOURD, SÉRIEUX.
- De gros dégâts : ÉNORME, IMPORTANT, SÉRIEUX.
- Une grosse pluie : ABONDANT.
- Un gros paquet : ÉNORME, VOLUMINEUX.
- De la grosse toile : ÉPAIS, GROSSIER.
- Une grosse plaisanterie : VULGAIRE.
- Un gros mot : GROSSIER, TRIVIAL.
- Une grosse mer : FORT, HOULEUX.
- Un gros bruit : ASSOURDISSANT, FORT.
- Une grosse chaleur : CANICULAIRE, ÉTOUFFANT, FORT, INSUPPORTABLE, INTENSE.

b) Une femme grosse : ENCEINTE.

2. *nom.*

- Le gros de la troupe est arrivé : ESSENTIEL, PRINCIPAL.
- *Fam.* : Les gros s'en tireront toujours : RICHE.

3. *adv.*

- Risquer gros : BEAUCOUP.
- Coûter gros : CHER.
- En gros, ce que vous dites est vrai : GLOBALEMENT, GROSSO MODO.

GROSSIER :

- Un visage aux traits grossiers : ÉPAIS, LOURD.
- Avoir une idée grossière de... : APPROXIMATIF, IMPARFAIT, IMPRÉCIS, SOMMAIRE, VAGUE.
- Être d'une ignorance grossière : CRASSE, LOURD, PROFOND.
- Des gens grossiers : ARRIÉRÉ, FRUSTE, INCULTE, RUSTRE.
- Des manières grossières : INÉLÉGANT, VULGAIRE.
- Tenir des propos grossiers : CHOQUANT, INCONVENANT, OBSCÈNE, ORDURIER, SCATOLOGIQUE, *et en lang. fam.* : COCHON.
- Se montrer grossier envers quelqu'un : EFFRONTÉ, IMPOLI, INCORRECT, INSOLENT.
- Une imitation grossière : MALADROIT.
- Se servir d'instruments grossiers pour travailler la terre : PRIMITIF, RUDIMENTAIRE.

GROSSIÈREMENT

- Voilà grossièrement ce qu'il a dit : APPROXIMATIVEMENT, GROSSO MODO, SOMMAIREMENT.
- Un travail grossièrement fait : IMPARFAITEMENT, MALADROITEMENT.
- Se tromper grossièrement : LOURDEMENT.
- Répondre grossièrement à ses parents : EFFRONTÉMENT, INSOLEMMENT.

GROSSIÈRETÉ

- La grossièreté d'un tissu : RUDESSE.
- La grossièreté d'un mensonge : ÉNORMITÉ.
- La grossièreté des mœurs : BARBARIE, BRUTALITÉ, RUSTICITÉ.
- La grossièreté d'une personne : GOUJATERIE, IMPOLITESSE, INSOLENCE, MUFLERIE, VULGARITÉ.
- Dire des grossièretés : COCHONNERIE, OBSCÉNITÉ, ORDURE, SALETÉ.

GROSSIR

1. *v. tr.*

- Grossir sa note de frais : AUGMENTER, ENFLER, GONFLER.
- La télévision a tendance à grossir les faits : AMPLIFIER, EXAGÉRER.

2. *v. intr.*

- Elle mange peu par peur de grossir : ENGRAISSER, ÉPAISSIR, S'EMPÂTER.
- La foule des manifestants grossissait à vue d'œil : AUGMENTER, S'ACCROÎTRE.

GROSSISSEMENT

Suivant le contexte : ACCROISSEMENT, AMPLIFICATION, AUGMENTATION, DÉVELOPPEMENT, EXAGÉRATION.

GROTESQUE 1337

BURLESQUE, COCASSE, COMIQUE, RIDICULE, RISIBLE.

GUENILLE 1338

Être vêtu de guenilles : DÉFROQUE, HAILLONS, HARDES, LOQUES, NIPPES, ORIPEAUX.

GUÉRIR 1339

- Beaucoup des oiseaux touchés par la marée noire ne guériront pas : SE REMETTRE, SE RÉTABLIR.
- Une blessure qui guérit vite : SE CICATRISER, SE FERMER.
- Guérir un malade du cancer : SAUVER.
- Le temps guérit les douleurs morales : APAISER, CALMER.
- Peut-on guérir quelqu'un de la timidité ? : DÉBARRASSER, DÉLIVRER.

GUÉRISON

- La guérison d'un malade : RÉTABLISSEMENT.
- La guérison d'une blessure : CICATRISATION.
- La guérison d'une souffrance morale : APAISEMENT.

GUERRE 1340

- La guerre entre deux pays : CONFLIT, HOSTILITÉ, LUTTE.
- La guerre des partisans : GUÉRILLA.
- Un soldat qui va à la guerre : BATAILLE, COMBAT, *et en lang. fam.* : BAGARRE, BAROUD, CASSE-PIPE.

GUERRIER

1. *nom.*

Décorer un guerrier : COMBATTANT, SOLDAT.

2. *adj.*

- La force guerrière d'un pays : MILITAIRE.
- Avoir l'esprit guerrier : BELLIQUEUX.
- Prendre un air guerrier : MARTIAL.

GUERROYER

BATAILLER, COMBATTRE, SE BATTRE.

GUEUX 1341

CLOCHARD, MENDIANT, VAGABOND, VA-NU-PIEDS.

GUILLOTINE 1342

La guillotine, sur laquelle monta Louis XVI, était dressée sur la place de la Concorde : ÉCHAFAUD.

GUILLOTINER

DÉCAPITER, EXÉCUTER.

Hh

HABILLER 1343

- Habiller un enfant : VÊTIR.
- Habiller un fauteuil d'une housse : COUVRIR, ENVELOPPER, RECOUVRIR.
- Comme tu es mal habillé aujourd'hui ! : ACCOUTRER, AFFUBLER, *et en lang. fam. :* ATTIFER, FAGOTER, FICELER, HARNACHER.
- Cette robe vous habille à merveille : ALLER, CONVENIR.

S'HABILLER

- Il est en train de s'habiller : SE VÊTIR, *et en lang. fam. :* SE FRINGUER, SE NIPPER, SE SAPER.
- Habillez-vous chaudement pour affronter le froid : SE COUVRIR, S'ÉQUIPER.
- S'habiller en clown : SE COSTUMER, SE DÉGUISER.

HABIT

- Il a mis son plus bel habit : COSTUME, TENUE, VÊTEMENT.
- Ranger ses habits dans une penderie : AFFAIRES, EFFETS, VÊTEMENTS, *et en lang. fam. :* FRINGUES, FRUSQUES, HARDES, NIPPES.

HABITUDE 1344

- Le touriste doit s'adapter aux habitudes du pays qu'il visite : COUTUME, MŒURS, TRADITION, USAGE.
- Avoir des habitudes de vieux garçon : MANIE, MAROTTE, TIC.
- Mon travail n'est qu'une affaire d'habitude : ACCOUTUMANCE, ADAPTATION, ENTRAÎNEMENT, EXPÉRIENCE, PRATIQUE.
- D'habitude, je me lève tôt : D'ORDINAIRE, GÉNÉRALEMENT.

HABITUEL

- Un geste habituel : COUTUMIER, FAMILIER, MACHINAL.
- C'est ma place habituelle : ACCOUTUMÉ.
- C'est l'une des formules habituelles de fin de lettre : COURANT, FRÉQUENT, ORDINAIRE, USUEL.
- Elle n'avait pas sa voix habituelle : NATUREL, NORMAL.

HABITUER

Nous avons habitué nos enfants à prendre leurs responsabilités : ACCOUTUMER, APPRENDRE À, ÉDUQUER, ENTRAÎNER, EXERCER, FORMER.

S'HABITUER

- On peut s'habituer à tout : S'ACCOMMODER DE, S'ADAPTER À.
- Son séjour en Angleterre lui a permis de s'habituer à la langue anglaise : S'ACCOUTUMER À, SE FAMILIARISER AVEC.

HAINEUX 1345

Tenir des propos haineux : FIELLEUX, MALVEILLANT, VENIMEUX.

HÂLÉ 1346

Avoir le teint hâlé : BRONZÉ, BRUNI, CUIVRÉ, DORÉ.

HALEINE 1347

Reprendre son haleine : RESPIRATION, SOUFFLE.

HALETANT 1348

- Un chien haletant : ESSOUFFLÉ, PANTELANT.
- Avoir la respiration haletante : COURT, PRÉCIPITÉ.
- Parler d'une voix haletante : HACHÉ, HEURTÉ, SACCADÉ.

HALETER : PANTELER, SOUFFLER, SUFFOQUER.

HALLE 1349

ENTREPÔT, HANGAR, MAGASIN, MARCHÉ.

HARDI 1350

- Se montrer hardi devant un danger : AUDACIEUX, BRAVE, COURAGEUX, DÉCIDÉ, DÉTERMINÉ, ÉNERGIQUE, ENTREPRENANT, INTRÉPIDE, RÉSOLU.
- Un projet hardi : AUDACIEUX, AVENTUREUX, RISQUÉ, TÉMÉRAIRE.

- Une comparaison hardie : AUDACIEUX, ORIGINAL.
- Avoir un air hardi : EFFRONTÉ, IMPERTINENT, IMPUDENT, INSOLENT.
- Tenir des propos hardis : GAILLARD, LESTE, OSÉ.
- Une robe au décolleté hardi : IMPUDIQUE, PROVOCANT.

HARDIESSE
- Montrer de la hardiesse : AUDACE, BRAVOURE, COURAGE, ÉNERGIE, INTRÉPIDITÉ, TÉMÉRITÉ.
- La hardiesse d'un style : ORIGINALITÉ, VIGUEUR.
- Il a eu la hardiesse de me tenir tête : EFFRONTERIE, IMPERTINENCE, IMPUDENCE, INSOLENCE, *et en lang. fam. :* CULOT, TOUPET.
- On n'a pas, en public, des gestes d'une telle hardiesse : IMPUDICITÉ, INCONVENANCE, INDÉCENCE.

HARMONIE 1351
- L'harmonie ne règne pas entre eux : ACCORD, CONCORDE, ENTENTE, PAIX, UNION.
- L'harmonie des couleurs dans un tableau : ÉQUILIBRE.
- L'harmonie de la phrase de Chateaubriand : MÉLODIE.
- Elle a un corps d'une harmonie parfaite : ÉLÉGANCE, GRÂCE.
- Il vit en harmonie avec ses idées : CONFORMITÉ.

HARMONIEUX
- Des sons harmonieux : DOUX, MÉLODIEUX, SUAVE.
- Des formes harmonieuses : ÉLÉGANT, GRACIEUX.
- L'ensemble de nos meubles forme un tout harmonieux : COHÉRENT, ÉQUILIBRÉ.

HASARD 1352
- Le hasard a bien fait les choses : CHANCE, DESTIN, FATALITÉ, FORTUNE, SORT.
- Je profite de ce hasard pour... : CIRCONSTANCE, COÏNCIDENCE, OCCASION.

HASARDER
- Il ne faut pas hasarder sa vie inutilement : AVENTURER, EXPOSER, RISQUER.
- Je vais hasarder une dernière démarche : ESSAYER, TENTER.
- Pour éviter de me tromper, je ne hasarderai aucun chiffre : AVANCER.

HÂTIF 1353
- Un printemps hâtif : PRÉCOCE, PRÉMATURÉ.
- Un travail hâtif : BÂCLÉ, PRÉCIPITÉ.

HAUSSER 1354
- Un mur : EXHAUSSER, REHAUSSER, SURÉLEVER, SURHAUSSER.
- La voix : ÉLEVER, FORCER.
- La tête : DRESSER, LEVER, SOULEVER.
- Les prix : AUGMENTER, MAJORER, MONTER, RELEVER.

HAUT

1. *adj.*
- C'est la maison la plus haute du village : ÉLEVÉ.
- Un haut personnage : ÉMINENT, IMPORTANT.
- Je vous tiens en haute estime : GRAND.
- Lire à haute voix : FORT.
- Il faut remonter à la plus haute antiquité pour... : ÉLOIGNÉ, RECULÉ.

2. *nom.*
- Une tour de cinquante mètres de haut : HAUTEUR.
- L'écureuil est sur le haut de l'arbre : CIME, FAÎTE, SOMMET.

3. *adv.*
- Parler haut : FORT.
- Je vous annonce bien haut que... : NETTEMENT, OUVERTEMENT, PUBLIQUEMENT.

HAUTEUR
- La hauteur d'une montagne : ALTITUDE.
- Les hauteurs qui dominent la ville : COLLINE.
- Une personne qui a une hauteur de vues exceptionnelle : GRANDEUR, NOBLESSE.
- *Dans un sens péjoratif :* Parler avec hauteur : ARROGANCE, DÉDAIN, FIERTÉ, MORGUE, ORGUEIL.

HÉCATOMBE 1355

CARNAGE, MASSACRE, TUERIE.

HÉMORRAGIE 1356
- Une hémorragie cérébrale : CONGESTION.
- Une « hémorragie nasale » : ÉPISTAXIS.
- L'hémorragie des capitaux vers les paradis fiscaux : FUITE.

HERBE 1357
- Tondre l'herbe : GAZON, PELOUSE.
- Un déjeuner sur l'herbe : PRAIRIE, PRÉ.

HÉRÉDITAIRE 1358
- Une tare héréditaire : ATAVIQUE, CONGÉNITAL.
- La haine héréditaire entre ces deux peuples : SÉCULAIRE, TRADITIONNEL.

HÉRÉDITÉ

Une lourde hérédité : ATAVISME.

HÉRÉSIE 1359
- L'hérésie cathare : HÉTÉRODOXIE, SCHISME.
- Certains disent que c'est une hérésie de servir frais un bordeaux : SACRILÈGE.

HÉRÉTIQUE
Jeanne d'Arc était-elle hérétique ? : APOSTAT, RELAPS, RENÉGAT.

HÉRISSÉ 1360
- Avoir les cheveux hérissés : DRESSÉ, ÉBOURIFFÉ, HIRSUTE.
- Une tâche hérissée de difficultés : GARNI, REMPLI, TRUFFÉ.

HÉRISSER
Son attitude me hérisse : EXASPÉRER, HORRIPILER, IRRITER.

SE HÉRISSER
- Les poils du chat se hérissent : SE DRESSER.
- Je me hérisse à cette idée : SE CABRER, S'INDIGNER, S'IRRITER.

HÉRITAGE 1361
Convoiter un héritage : SUCCESSION.

HÉRITER
C'est une qualité qu'elle a héritée de sa mère : RECEVOIR.

HÉRITIER
- Il est mort sans héritier : ENFANT.
- Les héritiers se réunirent chez le notaire : LÉGATAIRE.
- Être l'héritier spirituel de quelqu'un : CONTINUATEUR, DISCIPLE, SUCCESSEUR.

HÉSITATION 1362
ATERMOIEMENT, EMBARRAS, INCERTITUDE, INDÉCISION, TERGIVERSATION.

HÉSITER
- Il n'y a plus à hésiter : ATTENDRE, TERGIVERSER.
- Il a beaucoup hésité avant de prendre une décision : BALANCER, SE TÂTER, TÂTONNER.

HEURE 1363
Les heures agréables de la vie : ÉPOQUE, INSTANT, MOMENT, PÉRIODE.

HEURTER 1364
1. Heurter une voiture, un arbre, un mur : EMBOUTIR, PERCUTER, TAMPONNER, TÉLESCOPER.
- Sa tête a heurté la porte vitrée : BUTER CONTRE, TAPER DANS.
- Heurter à la porte de quelqu'un : COGNER, FRAPPER.
2. Cette méthode heurte les usages : BOULEVERSER, BOUSCULER.
- Ne dites pas cela, vous allez la heurter : CHOQUER, FROISSER, OFFENSER, SCANDALISER.
- C'est un homme irascible qu'il est préférable de ne pas heurter de front : AFFRONTER, ATTAQUER, COMBATTRE.

SE HEURTER
- Ces deux adversaires politiques se sont heurtés au cours d'une réunion : S'AFFRONTER, *et en lang. fam. :* S'ACCROCHER.
- Se heurter à des difficultés : BUTER SUR, RENCONTRER.

HILARE 1365
Avoir une face hilare : ÉPANOUI, RADIEUX, RÉJOUI.

HILARITÉ : ALLÉGRESSE, JUBILATION, RIRE.

HISSER 1366
Hissez les couleurs ! : ENVOYER.

SE HISSER
GRIMPER, MONTER, S'ÉLEVER, SE HAUSSER.

HISTOIRE 1367
- L'histoire d'un homme, d'un roi, etc. : BIOGRAPHIE, VIE.
- Raconter une histoire : ANECDOTE, RÉCIT.
- Inventer des histoires : FABLE, MENSONGE, ROMAN.
- Oh ! quelle histoire ! : AFFAIRE, AVENTURE.
- S'attirer des histoires : DIFFICULTÉ, ENNUI.

HISTORIEN : ANNALISTE, CHRONIQUEUR, MÉMORIALISTE.

HISTORIQUE
- C'est un fait historique : RÉEL, VRAI.
- Un mot historique : CÉLÈBRE, FAMEUX.
- Nous venons de vivre une journée historique : INOUBLIABLE, MÉMORABLE, REMARQUABLE.

HOMÉLIE 1368
DISCOURS, PRÊCHE, PRÉDICATION, PRÔNE, SERMON.

HOMMAGE 1369
- Présenter ses hommages : CIVILITÉS, DEVOIRS, RESPECTS.
- Faire hommage de quelque chose à quelqu'un : DON, OFFRANDE.
- En hommage de ma reconnaissance : TÉMOIGNAGE.

HOMME
- L'homme : L'ÊTRE HUMAIN.
- Les hommes : L'HUMANITÉ.
- Un homme est venu rôder autour de la maison : INDIVIDU, PERSONNE, QUIDAM.
- Quel drôle d'homme ! : CRÉATURE, TYPE.
- Une patrouille comprenant quatre hommes et un caporal : SOLDAT.
- *Pop.* : Elle sort avec son homme : AMANT, COMPAGNON, MARI.

HOMOGÈNE 1370
- Former une équipe homogène : COHÉRENT, HARMONIEUX, UNIFORME.
- Un tout composé d'éléments homogènes : IDENTIQUE, SEMBLABLE, SIMILAIRE.

HOMONYME 1371
- « Cahot » et « chaos » sont des homonymes : HOMOPHONE.
- Le mot « noyer » qui désigne un arbre est homonyme du verbe « noyer » : HOMOGRAPHE.

HOMOSEXUEL 1372
INVERTI, PÉDÉRASTE, *et pour une femme :* LESBIENNE.

HONNÊTE 1373
- Une personne honnête : CONSCIENCIEUX, DROIT, INCORRUPTIBLE, INTÈGRE, LOYAL, PROBE, SCRUPULEUX.
- Une femme honnête : CHASTE, VERTUEUX.
- Une conduite honnête : LOUABLE, MORAL.
- Est-ce que vos motifs sont honnêtes ? : AVOUABLE.
- Est-il bien honnête de... ? : CONVENABLE, DÉCENT.
- Un élève qui se maintient dans une honnête moyenne : ACCEPTABLE, CORRECT, SATISFAISANT.

HONNÊTETÉ
- L'honnêteté d'un juge, d'un commerçant, etc. : DROITURE, INTÉGRITÉ, PROBITÉ.
- Une personne d'une très grande honnêteté : CONSCIENCE, LOYAUTÉ, MORALITÉ.
- Un film contraire à l'honnêteté : BIENSÉANCE, DÉCENCE, MORALE, PUDEUR.
- L'honnêteté d'une femme mariée : FIDÉLITÉ, VERTU.

HONNEUR 1374
- L'honneur de la famille est en jeu : CONSIDÉRATION, DIGNITÉ, FIERTÉ, RÉPUTATION.
- Cette victoire lui a apporté de l'honneur : ESTIME, GLOIRE.
- Tout l'honneur lui en revient : MÉRITE.
- Il s'en est tiré avec honneur : BONHEUR, SUCCÈS.
- J'ai l'honneur d'être de ses amis : FAVEUR, PRIVILÈGE.
- Une fête donnée en l'honneur du vainqueur : HOMMAGE.
- Il a été reçu avec les honneurs dus à son rang : ÉGARD.
- Mépriser les honneurs : DÉCORATIONS, DIGNITÉS, DISTINCTIONS.

HONORABLE
- Une famille honorable : ESTIMABLE, RESPECTABLE.
- Mener une vie honorable : DIGNE.
- Une fortune honorable, un salaire honorable : CONVENABLE, HONNÊTE, SUFFISANT.

HONORER
- Honorer Dieu et ses saints : ADORER, GLORIFIER.
- Honorer la mémoire des héros : CÉLÉBRER.
- Honorer ses parents : RESPECTER, RÉVÉRER, VÉNÉRER.
- Il ne m'a même pas honoré d'un regard : GRATIFIER.
- Je suis très honoré de votre présence : FLATTER.

S'HONORER
Je m'honore de l'estime qu'il me porte : S'ENORGUEILLIR, SE FLATTER, SE GLORIFIER.

HONTE 1375
- Vivre dans la honte : ABJECTION, BASSESSE, DÉSHONNEUR, HUMILIATION, IGNOMINIE, INFAMIE, OPPROBRE, TURPITUDE.
- Recevoir la honte d'un démenti : AFFRONT, FLÉTRISSURE, HUMILIATION.
- Ressentir de la honte devant la misère d'autrui : EMBARRAS, GÊNE.
- Il étale sans honte toutes ses richesses : PUDEUR, RÉSERVE, RETENUE, SCRUPULE, VERGOGNE.

HONTEUX
1. Une action honteuse, un crime honteux : ABJECT, AVILISSANT, DÉGOÛTANT, DÉGRADANT, DÉSHONORANT, IGNOBLE, IGNOMINIEUX, INFÂME, SCANDALEUX.
- Une honteuse pensée : INAVOUABLE.
- Les maladies honteuses : VÉNÉRIEN.
2. Je suis honteux de ce qui est arrivé par ma faute : CONFUS, CONSTERNÉ, EMBARRASSÉ.
- Avoir l'air honteux : CRAINTIF, PENAUD, TIMIDE.

HORIZON 1376
1. Du haut de cette colline, on découvre un vaste horizon : ÉTENDUE, PANORAMA, PAYSAGE, VUE.
2. Cette découverte ouvre de nouveaux horizons : PERSPECTIVE.
- L'horizon économique s'assombrit : AVENIR.

HORLOGE : CARILLON, PENDULE. 1377

HORREUR 1378
1. Un cri d'horreur, un mouvement d'horreur : EFFROI, ÉPOUVANTE, FRAYEUR, PEUR, RÉPULSION, TERREUR.
- Avoir de l'horreur pour... : AVERSION, DÉGOÛT, EXÉCRATION, HAINE, RÉPUGNANCE.
- L'horreur d'un crime : ABJECTION, INFAMIE, MONSTRUOSITÉ, NOIRCEUR.
- Ce tableau est une horreur : LAIDEUR.
2. Les horreurs de la guerre : ATROCITÉS.
- Raconter des horreurs sur quelqu'un : CALOMNIES, MÉDISANCES.
- Écrire des horreurs sur les murs : GROSSIÈRETÉS, OBSCÉNITÉS, *et en lang. fam. :* COCHONNERIES.

HOSPICE : ASILE, HÔPITAL. 1379

HOSPITALIER : ACCUEILLANT, CHARITABLE.

HOSPITALITÉ

Je l'ai remercié de son hospitalité : ACCUEIL.

HOSTILE 1380

- Deux peuples hostiles : ENNEMI.
- Se montrer hostile à un projet : DÉFAVORABLE, OPPOSÉ.
- L'attitude hostile d'un chien de garde : AGRESSIF, MENAÇANT.
- Lancer un regard hostile : INAMICAL.
- Tenir des propros hostiles : DÉSOBLIGEANT, MALVEILLANT.
- Une région au climat hostile : INHOSPITALIER.

HÔTE 1381

1. La maîtresse de maison s'occupe de chacun de ses hôtes : CONVIVE, INVITÉ.
- Il a été un hôte parfait pour ses invités : AMPHITRYON.
2. Les hôtes successifs d'un appartement meublé : LOCATAIRE, OCCUPANT.

HÔTEL 1382

1. Suivant la nature et l'importance de l'hôtel, on pourra dire : AUBERGE, HÔTELLERIE, PALACE, PENSION DE FAMILLE.
2. L'hôtel de ville : MAIRIE.
- Il s'est fait construire un somptueux hôtel particulier : CHÂTEAU, PALAIS.

HOULEUX 1383

Une réunion houleuse : AGITÉ, MOUVEMENTÉ, ORAGEUX, TUMULTUEUX.

HUÉE 1384

L'orateur a quitté la salle sous les huées du public : SIFFLETS, TOLLÉS.

HUER

Se faire huer : CONSPUER, SIFFLER.

HUILER 1385

Huiler des pièces mécaniques : GRAISSER, LUBRIFIER.

HUMAIN 1386

1. Se montrer humain : BIENVEILLANT, CHARITABLE, COMPATISSANT, GÉNÉREUX, INDULGENT, SENSIBLE.
2. Les humains : LES HOMMES.

HUMANISER : ADOUCIR, CIVILISER, POLICER.

HUMANITAIRE

Dans un but humanitaire : ALTRUISTE, PHILANTHROPE.

HUMANITÉ

Faire preuve d'humanité : BIENVEILLANCE, CHARITÉ, COMPASSION, GÉNÉROSITÉ, INDULGENCE, PITIÉ, SENSIBILITÉ.

HUMBLE 1387

- Une personne humble : EFFACÉ, MODESTE, RÉSERVÉ, TIMIDE.
- Une humble demeure : PAUVRE, SIMPLE.
- Ne remplir que d'humbles fonctions : BAS, MODESTE, OBSCUR, PETIT, SUBALTERNE.
- Adresser une humble prière : RESPECTUEUX.

HUMILITÉ

EFFACEMENT, MODESTIE, TIMIDITÉ.

HUMECTER 1388

Humecter du linge pour le repasser : ASPERGER, HUMIDIFIER, MOUILLER.

HUMEUR 1389

1. Une incompatibilité d'humeur entre deux personnes : CARACTÈRE, NATURE, TEMPÉRAMENT.
- Agir selon son humeur : CAPRICE, FANTAISIE.
- Un mouvement d'humeur : COLÈRE, IRRITATION.
- Être d'humeur à... : DISPOSÉ À, ENCLIN À.
2. Être de bonne humeur : CONTENT, JOYEUX, *et en lang. fam. :* BIEN LUNÉ.
- Être de mauvaise humeur : MÉCONTENT, *et en lang. fam. :* MAL LUNÉ.

HUMIDE 1390

- Un sol humide : DÉTREMPÉ.
- Des vêtements humides : MOUILLÉ, TREMPÉ.
- Des mains humides : MOITE.
- Des yeux humides de larmes : EMBUÉ.

HYGIÈNE 1391

PROPRETÉ, SALUBRITÉ, SOINS.

HYPERBOLE 1392

L'hyperbole dans le langage : EMPHASE, EXAGÉRATION, GRANDILOQUENCE.

HYPERBOLIQUE

- Un style hyperbolique : AMPOULÉ, DÉCLAMATOIRE, EMPHATIQUE, GRANDILOQUENT, POMPEUX.
- Des louanges hyperboliques : EXAGÉRÉ, EXCESSIF, OUTRÉ.

HYPNOTISER 1393

Être hypnotisé par un spectacle : CAPTIVER, ÉBLOUIR, FASCINER.

HYPOCRITE 1394

1. *nom.* Quel hypocrite ! : FOURBE, IMPOSTEUR, JÉSUITE *(péj.)*, SOURNOIS, TARTUFE.
2. *adj.*
- Un langage hypocrite, des flatteries hypocrites : CAUTELEUX, FAUX, MENSONGER, SOURNOIS, TROMPEUR.
- Des procédés hypocrites : ARTIFICIEUX, JÉSUITIQUE, RETORS, TORTUEUX.

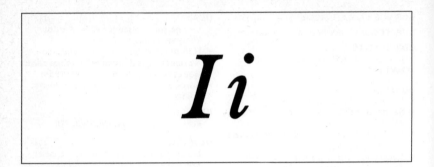

I i

IDÉAL 1395

1. *adj.*

- Rêver d'un monde idéal : IMAGINAIRE.
- Un bonheur idéal, un lieu idéal pour se reposer : MERVEILLEUX, PARFAIT.
- C'est la vie idéale : RÊVÉ.

2. *nom.*

- Dans l'idéal, on pourrait... : ABSOLU.
- Travailler sans idéal : BUT.
- La fraternité entre tous les hommes est un bel idéal : RÊVE, UTOPIE.
- Cet employé est l'idéal du fonctionnaire : MODÈLE, PARANGON.

IDÉALISER

EMBELLIR, ENNOBLIR, FLATTER, MAGNIFIER.

IDÉALISTE

1. *nom.*

C'est un idéaliste : RÊVEUR.

2. *adj.*

Elle a une conception très idéaliste de son avenir : CHIMÉRIQUE, IRRÉALISTE, UTOPIQUE.

IDÉE 1396

- L'idée du Bien, l'idée du Mal : CONCEPT, NOTION.
- Veuillez exposer vos idées sur cette question : AVIS, OPINION, SENTIMENT, VUES.
- Pouvez-vous me donner une idée du travail que j'aurai à faire ? : APERÇU, EXEMPLE.
- Elle est triste à l'idée de quitter ces lieux : PENSÉE, PERSPECTIVE.
- Soudain une idée me vint : INSPIRATION.
- Il ne démord pas de son idée : INTENTION, PROJET.
- Agissez selon votre idée : DÉSIR, GRÉ, VOLONTÉ.
- Quelle idée de sortir par un temps pareil ! : FANTAISIE.
- Il me vient à l'idée que... : ESPRIT.
- Avoir une idée fixe : OBSESSION.
- Il a pris l'idée de ce film dans un roman de Simenon : SUJET, THÈME.
- Les idées de Montaigne sur l'éducation : DOCTRINE, THÉORIE.

IGNORANCE 1397

- L'ignorance du savoir-vivre, des usages : MÉCONNAISSANCE.
- Faire preuve d'une grande ignorance dans son métier : INCAPACITÉ, INCOMPÉTENCE, NULLITÉ.
- Je suis venu ici, comme un enfant, en toute ignorance : INGÉNUITÉ, NAÏVETÉ.

IGNORANT

ANALPHABÈTE, IGNARE, ILLETTRÉ, INCOMPÉTENT, INCULTE, NUL, PROFANE.

IGNORÉ

INCONNU, MÉCONNU.

IGNORER

MÉCONNAÎTRE.

ILLÉGAL 1398

ILLICITE, INTERDIT, IRRÉGULIER, PROHIBÉ.

ILLÉGALITÉ

- L'illégalité d'une décision administrative : IRRÉGULARITÉ.
- Un gouvernement qui commet des illégalités : ABUS, ARBITRAIRE, INIQUITÉ, INJUSTICE.

ILLIMITÉ 1399

- Le pouvoir illimité d'un dictateur : ÉNORME, IMMENSE, INFINI, TOTAL.
- Être en congé de maladie pour une durée illimitée : INDÉFINI, INDÉTERMINÉ.

ILLISIBLE 1400

L'écriture presque illisible d'un médecin : INDÉCHIFFRABLE.

ILLUSION 1401

- Les illusions des sens : ERREUR.

- On est souvent victime d'illusions dans le désert : MIRAGE.
- Il a vite perdu ses belles illusions de jeunesse : CHIMÈRE, RÊVE, SONGE, UTOPIE.

S'ILLUSIONNER
S'ABUSER, SE LEURRER, SE TROMPER.

ILLUSOIRE
Mon espoir était illusoire : CHIMÉRIQUE, UTOPIQUE, VAIN.

ILLUSTRATION 1402
Diverses illustrations ornent ce livre d'enfant : DESSIN, FIGURE, GRAVURE, IMAGE, PHOTOGRAPHIE, REPRODUCTION, VIGNETTE.

IMAGINABLE 1403
- Il n'est pas imaginable que... : CONCEVABLE.

IMAGINAIRE
- Les enfants se créent souvent un monde imaginaire : FICTIF, IRRÉEL, ROMANESQUE.
- Des êtres imaginaires : FABULEUX, FANTASMAGORIQUE, FANTASTIQUE.
- Un danger imaginaire : FAUX, INEXISTANT.
- Un récit imaginaire : FANTAISISTE, INVENTÉ.
- C'est un projet imaginaire : CHIMÉRIQUE, UTOPIQUE.

IMAGINATIF
Avoir l'esprit imaginatif : INVENTIF, RÊVEUR, ROMANESQUE.

IMAGINATION
- Une œuvre de pure imagination : FANTAISIE, FICTION, INVENTION.
- Ce danger n'existe que dans ton imagination : ESPRIT, IDÉE, PENSÉE.
- Il lui aurait fallu de l'imagination pour se tirer d'affaire : INTELLIGENCE.
- Elle se complaît dans ses imaginations : CHIMÈRE, RÊVE, SONGE.

IMAGINER
- Imaginons que vous rencontriez un Martien, que feriez-vous ? : ADMETTRE, SUPPOSER.
- On ne peut rien imaginer de plus extraordinaire : CONCEVOIR, ENVISAGER.
- Je l'imaginais plus grand : CROIRE, PENSER, SE REPRÉSENTER.
- Vous ne pouvez imaginer à quel point je suis troublé : SE FIGURER.
- Avez-vous imaginé un moyen de communiquer avec lui ? : INVENTER, TROUVER.
- Qu'allez-vous imaginer là ? : CHERCHER, PENSER, SUPPOSER.

S'IMAGINER
- Cet enfant s'imagine déjà en amiral : SE VOIR.
- Elles se sont imaginé qu'elles couraient un danger : CROIRE.

IMBRIQUER (S') 1404
S'EMBOÎTER, S'ENCHEVÊTRER, S'ENTREMÊLER.

IMITATEUR 1405
- Un imitateur dans un music-hall : MIME.
- Ce peintre n'a eu que de pâles imitateurs : COPISTE, PASTICHEUR, PLAGIAIRE.

IMITATION
- Un artiste de café-concert qui a un véritable talent d'imitation : CARICATURE, MIMÉTISME, PARODIE.
- Cette œuvre n'est qu'une imitation : CONTREFAÇON, COPIE, PASTICHE, PLAGIAT.
- Ce n'est pas un vrai diamant, c'est de l'imitation : FAUX, SIMILI, *et en lang. fam. :* TOC.

IMITER
- Imiter quelqu'un dans ses gestes : CARICATURER, COPIER, MIMER, *et en lang. fam. :* SINGER.
- Imiter la conduite de quelqu'un, en le prenant pour modèle : ADOPTER, SUIVRE.
- Imiter une signature : CONTREFAIRE, REPRODUIRE.
- Imiter un auteur, une œuvre : COPIER, PASTICHER, PLAGIER, S'INSPIRER DE.
- Le comblanchien imite le marbre : RAPPELER, RESSEMBLER À.

IMMÉDIAT 1406
- C'est la conséquence immédiate de ton imprudence : DIRECT.
- Le départ est immédiat : IMMINENT.
- L'évacuation immédiate d'un blessé : PROMPT, RAPIDE.
- La mort a été immédiate : SUBIT.
- Sa réplique a été immédiate : INSTANTANÉ.
- C'est notre voisin immédiat : LE PLUS PROCHE.

IMMÉDIATEMENT
AUSSITÔT, INCONTINENT, INSTANTANÉMENT, SUR-LE-CHAMP, SANS DÉLAI, TOUT DE SUITE, *et en lang. fam. :* ILLICO.

IMMISCER (S') 1407
S'immiscer dans les affaires d'autrui : INTERVENIR, S'INGÉRER, SE MÊLER DE, S'OCCUPER DE.

IMMOBILE 1408
- Les astres ne sont pas immobiles dans l'espace : FIXE.
- Un regard immobile : ATONE, INEXPRESSIF, MORNE.
- Des eaux immobiles : STAGNANT.

- Rester immobile à cause de la peur : PARALYSÉ, PÉTRIFIÉ, SIDÉRÉ, *et en lang. fam. :* CLOUÉ AU SOL.

IMMOBILITÉ
- Un malade condamné à l'immobilité : INACTIVITÉ, REPOS.
- L'immobilité d'un visage, des yeux : FIXITÉ, IMPASSIBILITÉ.

IMMODÉRÉ 1409

Faire un usage immodéré de... : ABUSIF, EXCESSIF, OUTRÉ.

IMMOLER 1410
- Les Romains immolaient des bœufs blancs en l'honneur de Jupiter : ÉGORGER, SACRIFIER.
- Les nazis ont immolé de nombreux innocents pendant la seconde guerre mondiale : EXTERMINER, MASSACRER, TUER.

IMMORAL 1411
- Un individu immoral : CORROMPU, DÉBAUCHÉ, DÉPRAVÉ, VICIEUX.
- Une conduite immorale : DISSOLU, INCONVENANT, INDÉCENT, LICENCIEUX, OBSCÈNE.

IMMUNISER 1412

GARANTIR, PROTÉGER, VACCINER.

IMMUNITÉ
- La vaccine assure l'immunité variolique : PRÉSERVATION, PROTECTION.
- Les immunités accordées aux seigneurs féodaux : DISPENSE, EXEMPTION, PRIVILÈGE.

IMPARFAIT 1413

APPROXIMATIF, DÉFECTUEUX, IMPRÉCIS, INCOMPLET, INSUFFISANT, MÉDIOCRE.

IMPATIENCE 1414
- Donner des signes d'impatience : AGACEMENT, ÉNERVEMENT, EXASPÉRATION, IRRITATION, NERVOSITÉ.
- Attendre quelqu'un avec impatience : FÉBRILITÉ, INQUIÉTUDE.
- L'impatience de la jeunesse : FOUGUE, IMPÉTUOSITÉ, VIVACITÉ.

IMPATIENT
- Un caractère impatient : IRRITABLE, NERVEUX.
- Ne sois pas si impatient : PRESSÉ.
- Il était impatient de connaître la fin de l'histoire : AVIDE, CURIEUX, DÉSIREUX.

IMPÉNÉTRABLE 1415
- Une forêt impénétrable : INACCESSIBLE, TOUFFU.
- Avoir un air impénétrable : ÉNIGMATIQUE, HERMÉTIQUE, IMPASSIBLE, SECRET.
- Les raisons de sa conduite sont impénétrables : INCOMPRÉHENSIBLE, INEXPLICABLE, MYSTÉRIEUX, OBSCUR.

IMPÉRIEUX 1416
- Une personne impérieuse : AUTORITAIRE, TYRANNIQUE.
- Prendre un ton impérieux : CASSANT, IMPÉRATIF, PÉREMPTOIRE, TRANCHANT.
- Avoir un besoin impérieux de... : IRRÉSISTIBLE, PRESSANT.

IMPERMÉABLE 1417

1. *adj.*
- Une toiture imperméable : ÉTANCHE.
- Être imperméable à la pitié : INACCESSIBLE, INSENSIBLE.

2. *nom.*
- Il pleut, prends ton imperméable : CIRÉ, GABARDINE.

IMPERTINENCE 1418

ARROGANCE, EFFRONTERIE, IMPOLITESSE, IMPUDENCE, INCONVENANCE, INCORRECTION, INSOLENCE, IRRESPECT, IRRÉVÉRENCE, OUTRECUIDANCE.

IMPÉTUEUX 1419
- Être d'un tempérament impétueux : ARDENT, BOUILLANT, EMPORTÉ, FOUGUEUX, PÉTULANT, VIOLENT, VOLCANIQUE.
- Un vent impétueux : DÉCHAÎNÉ, VIOLENT.
- Les eaux impétueuses d'un torrent : FURIEUX, TUMULTUEUX.

IMPIE 1420

1. *adj.*
Un geste impie : PROFANATEUR, SACRILÈGE, SCANDALEUX.

2. *nom.*
C'est un impie : ATHÉE, INCROYANT, MÉCRÉANT, PAÏEN.

IMPLACABLE 1421
- Un juge implacable : IMPITOYABLE, INEXORABLE, INFLEXIBLE, INTRAITABLE, RIGOUREUX, SÉVÈRE.
- Une répression implacable : BARBARE, CRUEL, DUR, FÉROCE, TERRIBLE.
- Un destin implacable : FATAL, INÉLUCTABLE, INÉVITABLE, INEXORABLE.

IMPOLI 1422

1. *adj.*
- Il s'est montré impoli envers moi : DISCOURTOIS, IMPERTINENT, INCORRECT, INSOLENT, IRRESPECTUEUX.
- Quelle personne impolie ! : GROSSIER, INCONVENANT.

2. *nom.*
C'est un impoli : MALAPPRIS, MALOTRU, *et en lang. fam. :* MUFLE.

IMPORTANCE 1423

1. C'est une affaire sans aucune importance : INTÉRÊT, PORTÉE, VALEUR.
- Étant donné l'importance des travaux, le chantier durera au moins cinq ans : AMPLEUR, ÉTENDUE.
- Une ville d'importance moyenne : TAILLE.
2. Son poste élevé dans l'Administration lui donne de l'importance : CRÉDIT, INFLUENCE, PRESTIGE.
- Je n'aime pas le ton d'importance qu'il prend pour nous parler : ARROGANCE, ORGUEIL, SUFFISANCE, VANITÉ.

IMPORTANT

- Elle a un rôle important dans son entreprise : CAPITAL, ESSENTIEL, PRIMORDIAL.
- Une maladie importante : GRAVE, SÉRIEUX.
- Je n'ai rien d'important à vous signaler : INTÉRESSANT, NOTABLE.
- Elle a réalisé des progrès importants : GRAND, GROS.
- Une somme importante : CONSIDÉRABLE, ÉLEVÉ, FORT, GROS.
- Son témoignage a été important pour la suite des débats : DÉCISIF.
- C'est l'événement le plus important de la semaine : MARQUANT.
- Un personnage important : INFLUENT, PUISSANT.
- Je déteste les airs importants qu'il se donne : AVANTAGEUX, FAT, PRÉTENTIEUX, SUFFISANT.

IMPORTER

1. Ce qui importe, c'est d'être présent : COMPTER.
2. Les Romains ont importé en Gaule de nouveaux usages : AMENER, APPORTER, IMPLANTER, INTRODUIRE.

IMPOSANT 1424

- Un service d'ordre imposant : CONSIDÉRABLE, ÉNORME, IMPORTANT, IMPRESSIONNANT.
- Un monument imposant : GRANDIOSE.
- Louis XIV avait, dit-on, un air imposant : MAJESTUEUX, SOLENNEL.

IMPOSER

1. Le vainqueur a imposé ses conditions : DICTER, FIXER, PRESCRIRE.
- L'État impose lourdement les automobilistes : TAXER.
- Imposer une punition : INFLIGER.
- Cette déviation nous a imposé un long détour : CONTRAINDRE À, FORCER À, OBLIGER À.
2. C'est une femme qui impose le respect : INSPIRER.
- Il en impose par sa prestance : IMPRESSIONNER.

IMPÔT

Les impôts indirects : CHARGE, CONTRIBUTION, DROIT, IMPOSITION, REDEVANCE, TAXE.

IMPOSSIBLE 1425

- Un travail impossible : INEXÉCUTABLE, INFAISABLE, IRRÉALISABLE.
- Un problème impossible : INSOLUBLE.
- Être dans une situation impossible : INEXTRICABLE.
- Qu'elle ait pu commettre une telle erreur, cela est vraiment impossible : IMPENSABLE, INCONCEVABLE, INCROYABLE, INIMAGINABLE, INVRAISEMBLABLE.
- *Fam.* : Il a des goûts impossibles : ABSURDE, BIZARRE, EXTRAVAGANT.
- Depuis sa maladie, il est devenu impossible : INSUPPORTABLE, INVIVABLE.

IMPOSTURE 1426

- Quelle imposture dans son attitude ! : FAUSSETÉ, HYPOCRISIE, MENSONGE, TROMPERIE.

IMPOTENT 1427

Un vieillard impotent : ESTROPIÉ, INFIRME, INVALIDE, PARALYTIQUE, PERCLUS.

IMPRATICABLE 1428

A cause des crues, le pont était devenu impraticable : INACCESSIBLE, INFRANCHISSABLE.

IMPRESSION 1429

1. L'impression des pas sur le sable mouillé : EMPREINTE, MARQUE, TRACE.
2. J'ai ressenti une impression de tristesse : SENSATION, SENTIMENT.
- Nous avons échangé nos impressions sur cette question : APPRÉCIATION, AVIS, OPINION, PENSÉE.

IMPRESSIONNER

- Elle a été fortement impressionnée par cette mort : AFFECTER, ÉBRANLER, ÉMOUVOIR, FRAPPER, TOUCHER.
- Ne te laisse pas impressionner par ses belles paroles : ÉBLOUIR, INFLUENCER.
- Il a essayé de m'impressionner : INTIMIDER.

IMPRÉVOYANCE 1430

Une faute due à l'imprévoyance : ÉTOURDERIE, INSOUCIANCE, IRRÉFLEXION, LÉGÈRETÉ, NÉGLIGENCE.

IMPRÉVOYANT

Il s'est montré bien imprévoyant : ÉTOURDI, INSOUCIANT, IRRÉFLÉCHI, LÉGER, NÉGLIGENT.

IMPRÉVU 1431

- Un succès imprévu : INATTENDU, INESPÉRÉ.
- Une rencontre imprévue : FORTUIT, INOPINÉ.
- Une objection imprévue : DÉCONCERTANT, DÉROUTANT.
- Une mort imprévue : IMPRÉVISIBLE, SOUDAIN, SUBIT.

IMPRIMÉ 1432

Notre boîte à lettres est toujours remplie d'imprimés : BROCHURE, CATALOGUE, DÉPLIANT, PROSPECTUS, TRACT.

IMPRIMER

1. Ce souvenir reste imprimé dans ma mémoire : FIXER, GRAVER.
- Imprimer un sceau sur de la cire : EMPREINDRE.
- La vitesse que le vent imprime à un trimaran : COMMUNIQUER, TRANSMETTRE.

2. Un livre imprimé en caractères très lisibles : COMPOSER.

IMPROPRE 1433

- Un mot impropre : INADÉQUAT, INCORRECT.
- Une personne impropre à un travail de précision : INAPTE, INCAPABLE DE.

IMPROPRIÉTÉ

Une impropriété de langage : BARBARISME, INCORRECTION, SOLÉCISME.

IMPRUDENT 1434

- Il s'est montré bien imprudent : AUDACIEUX, AVENTUREUX, ÉCERVELÉ, ÉTOURDI, INCONSCIENT, TÉMÉRAIRE, *et en lang. fam. :* CASSE-COU.
- Un geste imprudent : DANGEREUX, HASARDEUX, INCONSIDÉRÉ.

IMPUDENCE 1435

- Après ce qu'il a fait, il a eu l'impudence de se présenter devant moi : CYNISME, EFFRONTERIE, HARDIESSE, IMPERTINENCE, INSOLENCE, *et en lang. fam. :* CULOT, TOUPET.

IMPULSIF 1436

Avoir un caractère impulsif : EMPORTÉ, FOUGUEUX, VIOLENT.

IMPULSION

- Il ne sait pas résister à ses impulsions : INSTINCT, PENCHANT.
- Le nouveau directeur a donné une forte impulsion à l'entreprise : ÉLAN, ESSOR.

IMPUTATION 1437

Vos propos sont remplis d'imputations mensongères à mon égard : ACCUSATION, ALLÉGATION.

IMPUTER

- On lui a imputé ce crime : ATTRIBUER.
- Cette somme doit être imputée sur le compte des frais généraux : AFFECTER, PORTER.

INABORDABLE 1438

- Un sous-bois inabordable : IMPÉNÉTRABLE, INACCESSIBLE.
- Le prix des asperges est inabordable : EXCESSIF, EXORBITANT.

INACCEPTABLE 1439

- Vos propos sont inacceptables : INADMISSIBLE, INTOLÉRABLE.
- Parce qu'elle ne se présente pas sous la forme légale, votre demande est inacceptable : IRRECEVABLE.

INACTION 1440

Un malade réduit à l'inaction : DÉSŒUVREMENT, INACTIVITÉ, OISIVETÉ, REPOS.

INALTÉRABLE 1441

- Une matière inaltérable à l'air : IMPUTRESCIBLE, INATTAQUABLE, INOXYDABLE.
- Des principes, des règles inaltérables : IMMUABLE, INVARIABLE.
- Être d'un calme inaltérable : CONSTANT, PERMANENT, PERPÉTUEL.

INAPPRÉCIABLE 1442

Vous m'avez rendu un service inappréciable : CONSIDÉRABLE, INESTIMABLE, PRÉCIEUX.

INATTENTIF 1443

DISTRAIT, ÉTOURDI, INAPPLIQUÉ, IRRÉFLÉCHI.

INATTENTION

DISTRACTION, ÉTOURDERIE, INADVERTANCE, INSOUCIANCE, IRRÉFLEXION, NÉGLIGENCE.

INCAPACITÉ 1444

- Faire preuve d'incapacité : IGNORANCE, IMPÉRITIE *(litt.)*, INCOMPÉTENCE, INHABILETÉ.
- Être dans l'incapacité de... : IMPOSSIBILITÉ, IMPUISSANCE, INAPTITUDE.
- Un accidenté du travail qui est en incapacité temporaire : INVALIDITÉ.

INCENDIAIRE 1445

1. *nom.*

   De nombreux feux de forêt sont provoqués par des incendiaires : PYROMANE.

2. *adj.*

   Tenir des propos incendiaires : RÉVOLUTIONNAIRE, SÉDITIEUX.

INCERTAIN 1446
- L'heure de la mort est incertaine : INDÉTERMINÉ.
- Votre réussite à l'examen est incertaine : DOUTEUX, ÉVENTUEL, HYPOTHÉTIQUE, PROBLÉMATIQUE.
- La démarche incertaine du bébé qui fait ses premiers pas : CHANCELANT, VACILLANT.
- Dans le brouillard, les contours sont incertains : FLOU, IMPRÉCIS, INDISTINCT, VAGUE, VAPOREUX.
- Le temps sera incertain : VARIABLE.
- Une personne qui demeure incertaine devant une décision à prendre : HÉSITANT, INDÉCIS, IRRÉSOLU, PERPLEXE.

INCERTITUDE
- Les incertitudes de la vie : ALÉA, HASARD.
- Son témoignage est plein d'incertitudes : AMBIGUÏTÉ, CONFUSION, OBSCURITÉ.
- Être dans l'incertitude : DOUTE, HÉSITATION, INDÉCISION, INDÉTERMINATION, IRRÉSOLUTION, PERPLEXITÉ.

INCIDENCE 1447

Les incidences de l'augmentation des prix sur la vie des Français : CONSÉQUENCE, EFFET, INFLUENCE, RÉPERCUSSION.

INCIDENT

1. *nom.*
- Les divers incidents survenus au cours d'un voyage : AVENTURE, ÉVÉNEMENT, PÉRIPÉTIE.
- Cela s'est passé sans incident : ACCROC, ANICROCHE, DIFFICULTÉ, *et en lang. fam. :* PÉPIN.

2. *adj.*

Une remarque incidente : ACCESSOIRE.

INCISIF 1448

Parler sur un ton incisif : ACERBE, CAUSTIQUE, MORDANT, TRANCHANT.

INCLINATION 1449

1. Avoir une inclination pour quelque chose : PENCHANT, PRÉFÉRENCE, PROPENSION, TENDANCE.
- Avoir de l'inclination pour quelqu'un : AFFECTION, AMITIÉ, AMOUR, SYMPATHIE.

2. Faire une inclination de tête : SALUT.

INCLINER
- Incliner la tête : BAISSER, COURBER, PENCHER.
- Mon amitié pour toi m'incline au pardon de ta faute : INCITER, PORTER, POUSSER.

S'INCLINER
- Les arbres s'inclinent sous la force du vent : SE COURBER, SE PENCHER.
- Il s'est incliné devant plus fort que lui : CAPITULER, CÉDER, SE RÉSIGNER.
- Puisque c'est un ordre, je m'incline : OBÉIR, OBTEMPÉRER, SE SOUMETTRE.
- S'incliner devant Dieu, devant un autel : SE PROSTERNER.

INCLURE 1450
- À notre insu, le propriétaire a inclus une clause supplémentaire dans le contrat : GLISSER, INSÉRER, INTRODUIRE, METTRE.
- L'entraîneur a refusé d'inclure ce joueur dans l'équipe : INTÉGRER À.
- Est-ce que le service est inclus ? : COMPRENDRE.

INCOMBER 1451
- Les frais qui incombent au locataire : PESER SUR.
- Il vous incombe de prendre vos responsabilités : APPARTENIR, REVENIR.

INCOMMODE 1452
- Être dans une position incommode : INCONFORTABLE.
- Être d'humeur incommode : INSUPPORTABLE.

INCOMMODITÉ

DÉSAGRÉMENT, ENNUI, GÊNE, IMPORTUNITÉ, INCONFORT, INCONVÉNIENT.

INCOMPATIBILITÉ 1453

Une incompatibilité d'idées, d'humeur entre deux personnes : ANTAGONISME, CONTRADICTION, DÉSACCORD, DISCORDANCE, INCONCILIABILITÉ, OPPOSITION.

INCOMPATIBLE

Deux choses incompatibles : CONTRADICTOIRE, DISCORDANT, INCONCILIABLE, OPPOSÉ.

INCOMPRÉHENSIBLE 1454
- Son absence est incompréhensible : INEXPLICABLE, MYSTÉRIEUX.
- Un récit incompréhensible : ININTELLIGIBLE, OBSCUR.
- Il est incompréhensible qu'elle ait pu agir ainsi : INCONCEVABLE.
- C'est un homme au comportement incompréhensible : BIZARRE, CURIEUX, DÉCONCERTANT, ÉTRANGE.

INCOMPRÉHENSIF

Se montrer incompréhensif : INTOLÉRANT, INTRANSIGEANT.

INCOMPRÉHENSION

Une incompréhension est la cause de leur séparation : MÉSENTENTE, MÉSINTELLIGENCE.

INCONCEVABLE 1455

C'est vraiment inconcevable ! : ÉTONNANT, EXTRAORDINAIRE, IMPENSABLE, INADMISSIBLE, INCOMPRÉHENSIBLE, IN-

CROYABLE, INEXPLICABLE, INIMAGINABLE, INOUÏ, INVRAISEMBLABLE, STUPÉFIANT, SURPRENANT.

INCONGRU 1456

Nos invités ont eu une attitude vraiment incongrue envers nous : DÉPLACÉ, INCONVENANT, INCORRECT.

INCONGRUITÉ

Dire ou faire des incongruités : GROSSIÈRETÉ, IMPOLITESSE, INCONVENANCE, INCORRECTION.

INCONNU 1457

- Les causes de l'accident sont inconnues : IGNORÉ.
- Pour des raisons inconnues : MYSTÉRIEUX, OBSCUR, SECRET.
- Un auteur qui est resté longtemps inconnu : MÉCONNU.
- Les terres inconnues sont rares : INEXPLORÉ.
- La tombe du Soldat Inconnu : ANONYME.
- Je n'ouvre pas ma porte à des personnes inconnues : ÉTRANGER.
- Un premier voyage en avion donne des sensations inconnues : NOUVEAU.

INCONSÉQUENCE 1458

Quelle inconséquence dans sa conduite ! : ILLOGISME, INCOHÉRENCE, IRRÉFLEXION, LÉGÈRETÉ.

INCONSÉQUENT

- Un raisonnement inconséquent : ILLOGIQUE, INCOHÉRENT, IRRATIONNEL.
- Une démarche inconséquente : DÉRAISONNABLE, INCONSIDÉRÉ, IRRÉFLÉCHI.
- Une personne inconséquente : ÉCERVELÉ, ILLOGIQUE, IRRÉFLÉCHI, MALAVISÉ.

INCONSISTANCE 1459

- L'inconsistance d'un témoignage : FAIBLESSE, FRAGILITÉ.
- L'inconsistance d'un caractère : VERSATILITÉ, VEULERIE.

INCONSISTANT

1. C'est un homme inconsistant, au caractère inconsistant : AMORPHE, CHANGEANT, MOU, VELLÉITAIRE, VERSATILE.
- Des espoirs inconsistants : FRAGILE.
2. Une purée inconsistante : FLUIDE, LIQUIDE.

INCONSTANCE 1460

- L'inconstance d'un Don Juan : INFIDÉLITÉ, VERSATILITÉ.
- L'inconstance du temps : INSTABILITÉ, VARIABILITÉ.
- L'inconstance de la mode féminine : CHANGEMENTS, VARIATIONS, VICISSITUDES.

INCONSTANT

- Un amant inconstant : INFIDÈLE, VOLAGE.
- Être d'humeur inconstante : CHANGEANT, FLOTTANT, FLUCTUANT, INSTABLE, LUNATIQUE, VERSATILE.

INCONVÉNIENT 1461

- Chaque métier a ses avantages et ses inconvénients : DÉSAGRÉMENT, DÉSAVANTAGE, ENNUI.
- Je ne vois aucun inconvénient à ce que vous partiez plus tôt aujourd'hui : EMPÊCHEMENT, OBJECTION, OBSTACLE.
- Puis-je prendre ce médicament sans inconvénient ? : DANGER, RISQUE.

INCORPORER 1462

- Incorporer un produit à un autre : AMALGAMER, COMBINER, MÉLANGER.
- Incorporer un nouveau membre dans une société : ADJOINDRE, ASSOCIER, INTÉGRER, INTRODUIRE.
- Incorporer une recrue dans l'armée : ENRÔLER.

INCORRECT 1463

1. Une expression incorrecte : IMPROPRE, VICIEUX.
- Une interprétation incorrecte des événements : FAUX, INEXACT.
2. Une attitude incorrecte, une tenue incorrecte : IMPUDIQUE, INCONVENANT, INDÉCENT.
- Tenir des propos incorrects : CHOQUANT, DÉPLACÉ, GROSSIER, INCONGRU, MALSÉANT.
3. Un adversaire incorrect dans un match : DÉLOYAL, IRRÉGULIER.

INCRÉDULE 1464

- Être incrédule, en matière de foi : ATHÉE, INCROYANT, IRRÉLIGIEUX.
- Il avait l'air incrédule devant mon affirmation : SCEPTIQUE.

INCRÉDULITÉ

- Faire profession d'incrédulité : ATHÉISME, INCROYANCE, IRRÉLIGION, MÉCRÉANCE.
- Elle eut un geste d'incrédulité : DOUTE, SCEPTICISME.

INCROYABLE 1465

- C'est une nouvelle incroyable : ÉTRANGE, FABULEUX, INVRAISEMBLABLE, PRODIGIEUX, SURPRENANT.
- Il a fait des progrès incroyables : EXTRAORDINAIRE, FANTASTIQUE, INOUÏ, PRODIGIEUX.
- Il est d'une incroyable bêtise : EFFROYABLE, STUPÉFIANT, *et en lang. fam.* PHÉNOMÉNAL.
- Mais cela représente une dépense incroyable : EFFARANT, EFFRAYANT.

• Elle portait un incroyable chapeau à plumes : ÉTRANGE, BIZARRE, GROTESQUE, RIDICULE.
• Il est vraiment incroyable que... : INCONCEVABLE, INIMAGINABLE, INVRAISEMBLABLE.

INCULTE 1466
• Des terres incultes : ARIDE, DÉSERT, INFERTILE, STÉRILE.
• Une chevelure inculte : ÉBOURIFFÉ, HIRSUTE, NÉGLIGÉ.
• Un esprit inculte : GROSSIER, IGNARE, IGNORANT.

INCURABLE 1467
• Une maladie incurable : INGUÉRISSABLE.
• Il est d'une paresse incurable : INCORRIGIBLE.

INCURIE 1468
Être accusé d'incurie : INSOUCIANCE, LAISSER-ALLER, MOLLESSE, NÉGLIGENCE.

INCURSION 1469
• Les incursions des barbares en Gaule : INVASION, RAID, RAZZIA.
• Tous les matins, les enfants font une incursion bruyante dans ma chambre : IRRUPTION.

INDÉCENCE 1470
• L'indécence d'un maillot de bain : IMMODESTIE, IMPUDICITÉ, INCONVENANCE.
• Il a eu l'indécence de me traiter de malhonnête devant mes amis : IMPUDEUR, INCORRECTION, *et en lang. fam. :* CULOT.
• Ce riche commerçant étale sa richesse avec indécence : INSOLENCE.

INDÉFINI 1471
• Elle resterait un temps indéfini à écouter de la musique : ILLIMITÉ, INFINI.
• J'ai reçu une mission, mais elle est encore indéfinie : IMPRÉCIS, INDÉTERMINÉ, VAGUE.

INDÉFINIMENT
ÉTERNELLEMENT, PERPÉTUELLEMENT.

INDÉFINISSABLE
• Des bonbons au goût indéfinissable : INDÉTERMINABLE.
• Ressentir un bonheur indéfinissable : INDESCRIPTIBLE, INDICIBLE, INEFFABLE, INEXPRIMABLE.
• C'est un personnage indéfinissable : ÉNIGMATIQUE, IMPÉNÉTRABLE, INSAISISSABLE, MYSTÉRIEUX.

INDÉLÉBILE 1472
• La marque indélébile d'un tatouage : INEFFAÇABLE.
• J'ai gardé un souvenir indélébile de cet événement : IMPÉRISSABLE, INDESTRUCTIBLE, INOUBLIABLE.

INDÉLICAT 1473
• Des manières indélicates : GROSSIER, IMPOLI.
• Un commerçant indélicat : MALHONNÊTE, VÉREUX.

INDÉLICATESSE
• Il s'est conduit avec indélicatesse : GOUJATERIE, GROSSIÈRETÉ, IMPOLITESSE, *et en lang. fam. :* MUFLERIE.
• Ce maquignon n'est pas à une indélicatesse près : ESCROQUERIE, FILOUTERIE, MALHONNÊTETÉ, MALPROPRETÉ.

INDÉNIABLE 1474
Un fait indéniable, une preuve indéniable, il est indéniable que... : CERTAIN, ÉVIDENT, FLAGRANT, FORMEL, INCONTESTABLE, INDISCUTABLE, INDUBITABLE, IRRÉFUTABLE, MANIFESTE.

INDÉPENDANCE 1475
• Je rêve d'indépendance : LIBERTÉ.
• George Sand faisait preuve de beaucoup d'indépendance à l'égard de la mode : NON-CONFORMISME.
• L'indépendance des États-Unis fut reconnue par l'Angleterre au traité de Versailles en 1783 : AUTONOMIE, SOUVERAINETÉ.

INDÉPENDANT
1. En vacances, nous menons une vie indépendante : LIBRE, NON-CONFORMISTE.
• Ce garçon est très indépendant : il n'obéit jamais : INDOCILE.
• Chacun des peuples de la Gaule formait un État indépendant : AUTONOME, SOUVERAIN.
2. Il a été condamné pour deux affaires indépendantes l'une de l'autre : DISTINCT, SÉPARÉ.

INDICATEUR 1476
• Un indicateur de police : ESPION, INFORMATEUR, *et en lang. fam. :* MOUCHARD.
• Un indicateur des chemins de fer : GUIDE, HORAIRE.

INDICATION
• Je vais suivre vos indications : AVIS, RECOMMANDATION, SUGGESTION.
• Pouvez-vous me donner une indication sur la meilleure route à suivre ? : RENSEIGNEMENT, *et en lang. fam. :* TUYAU.
• Les indications formulées par le médecin sur son ordonnance : PRESCRIPTION.
• Chaque objet exposé en vitrine doit porter l'indication de son prix : MARQUE.

- Il y avait des traces de pas dans le jardin, c'est une indication pour les enquêteurs : INDICE, PREUVE, SIGNE.

INDIQUER
- Je vais vous indiquer l'adresse d'un bon restaurant : DONNER, SIGNALER.
- Il m'a indiqué du doigt l'endroit où il fallait regarder : DÉSIGNER, MONTRER.
- L'horloge de la mairie indique quatre heures : MARQUER.
- Ce guide touristique indique toutes les curiosités de la ville : DONNER, ÉNUMÉRER, FOURNIR, MENTIONNER.
- Cette décision du gouvernement indique un infléchissement de politique : ANNONCER, DÉNOTER, RÉVÉLER, SIGNIFIER.

INDIFFÉRENCE 1477
- Elle a accueilli cette nouvelle avec une grande indifférence : DÉSINTÉRESSEMENT, DÉTACHEMENT, IMPASSIBILITÉ.
- Elle me montre beaucoup d'indifférence : FROIDEUR.
- L'indifférence devant la souffrance d'autrui : INSENSIBILITÉ.
- L'indifférence en matière de religion : INCRÉDULITÉ, SCEPTICISME.

INDIFFÉRENT
1. Cela m'est indifférent : ÉGAL.
- Tout le laisse indifférent : FROID, IMPASSIBE, INSENSIBLE.
- Un homme indifférent : BLASÉ, DÉSINTÉRESSÉ, DÉTACHÉ.
2. Dans sa famille, on le considérait comme un personnage indifférent : FALOT, INSIGNIFIANT, TERNE.
- Une chose indifférente : BANAL, ININTÉRESSANT, QUELCONQUE.

INDIGENCE 1478
Vivre dans l'indigence : DÉNUEMENT, MISÈRE, PAUVRETÉ, PÉNURIE.

INDIGENT
Les indigents :MALHEUREUX, MISÉRABLE, NÉCESSITEUX, PAUVRE.

INDIGÈNE 1479
Les indigènes d'Australie : ABORIGÈNE, AUTOCHTONE.

INDIGNATION 1480
L'indignation contre une mesure injuste : COLÈRE, RÉVOLTE.

INDIGNE
- Des parents indignes : INFÂME, MÉPRISABLE.
- Une chose indigne : ABJECT, AVILISSANT, DÉSHONORANT, IGNOBLE, ODIEUX, RÉVOLTANT, SCANDALEUX, VIL.

INDIGNÉ
Une personne indignée : OUTRÉ, RÉVOLTÉ, SCANDALISÉ.

INDIGNER
Ce jugement inique m'indigne : ÉCŒURER, EXASPÉRER, IRRITER, RÉVOLTER, SCANDALISER.

INDIRECT 1481
- Par des moyens indirects : DÉTOURNÉ.
- Il m'a mis en cause de manière indirecte : ALLUSIF, ÉVASIF, VOILÉ.

INDISCRET 1482
- Un regard indiscret : CURIEUX, FURETEUR, *et en lang. fam. :* FOUINEUR.
- Une personne indiscrète : BAVARD, CANCANIER.

INDISCRÉTION
- Faire preuve d'indiscrétion : CURIOSITÉ.
- Je l'ai appris par une indiscrétion de sa secrétaire : BAVARDAGE, RÉVÉLATION.
- Les indiscrétions d'une concierge : COMMÉRAGE, *et en lang. fam. :* CANCAN, RACONTAR, RAGOT.

INDISPOSÉ 1483
Une personne indisposée : FATIGUÉ, INCOMMODÉ, SOUFFRANT.

INDISPOSER
- Le moindre bruit l'indispose : AGACER, ÉNERVER, GÊNER, IMPORTUNER, INCOMMODER.
- Ses manières prétentieuses indisposent son entourage : DÉPLAIRE À, HÉRISSER.

INDISPOSITION
FATIGUE, MALAISE.

INDISSOLUBLE 1484
IMMUABLE, INDÉFECTIBLE, INDESTRUCTIBLE, PERPÉTUEL.

INDIVIDU 1485
- Une foule de plusieurs milliers d'individus : PERSONNE.
- C'est un drôle d'individu : CRÉATURE, PERSONNAGE, *et en lang. fam. :* CITOYEN, ÉNERGUMÈNE, OISEAU, OLIBRIUS, PARTICULIER, PHÉNOMÈNE, TYPE, ZÈBRE.

INDIVIDUALISTE
ÉGOÏSTE, INDÉPENDANT, NON-CONFORMISTE.

INDIVIDUALITÉ
- L'individualité d'une œuvre, d'un style : ORIGINALITÉ, PARTICULARITÉ.
- Un chef qui a une forte individualité : PERSONNALITÉ.

INDIVIDUEL
- Ces prix sont trop élevés pour les bourses

individuelles des jeunes : PERSONNEL, PROPRE.
• Une propriété individuelle : PRIVÉ.
• Tous les cas individuels seront examinés en fin de séance : PARTICULIER, PERSONNEL, SPÉCIAL.

INDOLENT 1486
• Un garçon indolent : AMORPHE, APATHIQUE, ENDORMI, MOU, MONCHALANT, PARESSEUX, *et en lang. fam. :* MOLLASSON.
• Une démarche indolente : ALANGUI, LANGUISSANT.

INDÛMENT 1487
ILLÉGALEMENT, ILLÉGITIMEMENT, INJUSTEMENT, IRRÉGULIÈREMENT.

INÉDIT 1488
Une expression inédite : NOUVEAU, ORIGINAL.

INEFFICACE 1489
• Un remède inefficace : INOPÉRANT.
• Tous ses efforts ont été inefficaces : IMPUISSANT, INFRUCTUEUX, INUTILE, VAIN.
• Un employé inefficace : INCAPABLE.

INÉGAL 1490
• Deux joueurs d'échecs de force inégale : DIFFÉRENT, DISPROPORTIONNÉ.
• Un sol inégal : BOSSELÉ, RABOTEUX, RUGUEUX.
• Un pouls inégal : IRRÉGULIER.
• Elle est d'humeur inégale : CAPRICIEUX, CHANGEANT, FANTAISISTE, FANTASQUE, INSTABLE, VERSATILE.

INÉGALABLE
Dans l'art de conter, il est inégalable : INCOMPARABLE, UNIQUE.

INÉGALITÉ
• Ce terrain présente des inégalités : BOSSE.
• L'inégalité des salaires : DIFFÉRENCE, DISPARITÉ, DISPROPORTION.
• L'inégalité des températures : CHANGEMENT, FLUCTUATION, IRRÉGULARITÉ, SAUTE, VARIATION.

INÉNARRABLE 1491
Ce fut une scène inénarrable : COMIQUE, RISIBLE, *et en lang. fam. :* IMPAYABLE.

INERTE 1492
• Il resta inerte : IMMOBILE, INANIMÉ.
• Avoir l'esprit inerte : APATHIQUE, ENGOURDI, PASSIF.

INERTIE
• Faire preuve d'inertie : APATHIE, IMMOBILISME, INDOLENCE, NONCHALANCE, PARESSE, PASSIVITÉ.
• Opposer une force d'inertie : RÉSISTANCE PASSIVE.

INÉVITABLE 1493
FATAL, FATIDIQUE, FORCÉ, IMMANQUABLE, INÉLUCTABLE.

INEXCUSABLE 1494
IMPARDONNABLE, INJUSTIFIABLE.

INEXPÉRIENCE 1495
IGNORANCE, INCOMPÉTENCE, MALADRESSE, NAÏVETÉ.

INEXPÉRIMENTÉ
• Un jeune ouvrier inexpérimenté : INEXPERT, NOVICE.
• Une méthode inexpérimentée : NOUVEAU.

INFAILLIBLE 1496
L'effet de ce remède est infaillible : ASSURÉ, CERTAIN, SÛR.

INFAILLIBLEMENT
CERTAINEMENT, FATALEMENT, FORCÉMENT, IMMANQUABLEMENT, INÉLUCTABLEMENT, INÉVITABLEMENT, NÉCESSAIREMENT, OBLIGATOIREMENT, SÛREMENT.

INFATIGABLE 1497
C'est un bûcheron infatigable : INLASSABLE, RÉSISTANT, ROBUSTE, *et en lang. fam. :* INCREVABLE.

INFATUÉ 1498
Prendre un air infatué : FAT, FIER, HAUTAIN, ORGUEILLEUX, PRÉTENTIEUX, SUFFISANT, VANITEUX.

INFÉRER 1499
• De l'âge de la Terre, on ne peut pas inférer celui de l'Univers : DÉDUIRE.
• De tous ces faits, je peux inférer que... : ARGUER, CONCLURE, INDUIRE.

INFÉRIEUR 1500
1. *adj.*
• Un produit de qualité inférieure : BAS, MÉDIOCRE.
• Être dans une situation inférieure : SUBALTERNE.

2. *nom.*
Il a rejeté la faute sur ses inférieurs : SUBALTERNE, SUBORDONNÉ, *et en lang. fam. :* SOUS-FIFRE.

INFERNAL 1501
• Les scènes infernales de la Danse macabre : DÉMONIAQUE, DIABOLIQUE.
• Ces motos font un bruit infernal : DÉMENTIEL, ENDIABLÉ, FORCENÉ, INTOLÉRABLE, TERRIBLE.
• Quel enfant infernal ! : INSUPPORTABLE.

INFESTER 1502
• Les pirates infestaient toutes les côtes : DÉVASTER, PILLER, RAVAGER.

• En été, les moustiques infestent la région : ENVAHIR, PULLULER DANS.

INFIDÈLE 1503

1. Un mari infidèle : ADULTÈRE, FRIVOLE, INCONSTANT, VOLAGE, *et en lang. fam. :* COUREUR.
• Un récit infidèle : ERRONÉ, INEXACT, MENSONGER.
2. La lutte de l'Église contre les Infidèles : HÉRÉTIQUE, PAÏEN.

INFIDÉLITÉ

• L'infidélité d'une épouse ou d'un époux : INCONSTANCE, LÉGÈRETÉ.
• L'infidélité d'un récit historique : INEXACTITUDE.

INFIRMER 1504

• Ce fait nouveau infirme votre témoignage : AFFAIBLIR, ATTÉNUER, DÉMENTIR, DÉTRUIRE, RÉFUTER, RUINER.
• Infirmer un jugement de tribunal : ANNULER, CASSER.

INFIRMITÉ 1505

DIFFORMITÉ, IMPOTENCE, INVALIDITÉ.

INFLUENÇABLE 1506

Un caractère influençable : FLEXIBLE, MALLÉABLE, MANIABLE.

INFLUENCE

• L'influence du climat sur les genres de vie : EFFET, INCIDENCE, RÉPERCUSSION.
• Il a beaucoup d'influence sur moi : ASCENDANT, EMPIRE, EMPRISE, PRESTIGE.
• Je compte sur votre influence pour obtenir cette faveur : AUTORITÉ, CRÉDIT, POUVOIR.
• L'influence de la France dans le monde : RAYONNEMENT.

INFLUENCER

• La publicité influence les consommateurs : AGIR SUR, INFLUER SUR.
• Elle s'est laissée influencer : ENTRAÎNER.

INFLUENT

Un personnage influent : IMPORTANT, PUISSANT.

INFORMATION 1507

• Le juge a demandé un complément d'information : ENQUÊTE.
• Être chargé d'une mission d'information : ÉTUDE, RECHERCHE.
• D'après les informations données à la radio : INDICATION, NOUVELLE, RENSEIGNEMENT.

INFORMÉ

Un renseignement puisé à une source bien informée : DOCUMENTÉ.

INFORMER

ANNONCER, AVERTIR, AVISER, FAIRE CONNAÎTRE, FAIRE PART DE, FAIRE SAVOIR, INSTRUIRE DE, METTRE AU COURANT, PRÉVENIR, RENSEIGNER, TENIR AU COURANT.

S'INFORMER

ENQUÊTER, SE DOCUMENTER, S'ENQUÉRIR, SE RENSEIGNER.

INFORME 1508

• Un travail informe : GROSSIER, IMPARFAIT, INCOMPLET.
• Un meuble informe : DISGRACIEUX, LAID.

INFORTUNE 1509

ADVERSITÉ, MALCHANCE, MALHEUR, MÉSAVENTURE, *et en lang. fam. :* COUP DUR, PÉPIN.

INFORTUNÉ

MALCHANCEUX, MALHEUREUX, MISÉRABLE, PAUVRE.

INFUSION 1510

Une infusion de menthe : DÉCOCTION, MACÉRATION, TISANE.

INGÉRENCE 1511

Une ingérence dans les affaires d'autrui : IMMIXTION, INTERVENTION, INTRUSION.

INGRAT 1512

• Un enfant ingrat : ÉGOÏSTE, OUBLIEUX.
• Une terre ingrate : ARIDE, IMPRODUCTIF, STÉRILE.
• Une tâche ingrate : DIFFICILE, PÉNIBLE.
• Un visage ingrat : DÉPLAISANT, DÉSAGRÉABLE, DISGRACIEUX, LAID.

INHABITUEL 1513

ACCIDENTEL, ANORMAL, INACCOUTUMÉ, INSOLITE.

INITIAL 1514

• La cause initiale : PREMIER.
• Le noyau initial de l'Univers : ORIGINEL, PRIMITIF.

INITIATEUR

CRÉATEUR, INNOVATEUR, NOVATEUR, PRÉCURSEUR, PROMOTEUR.

INITIATION

APPRENTISSAGE, FORMATION, INSTRUCTION.

INITIER

APPRENDRE, ENSEIGNER, FORMER, INSTRUIRE.

INJURE 1515

• Il m'a fait l'injure de... : AFFRONT, OFFENSE, OUTRAGE.

- Crier des injures à quelqu'un : GROSSIÈRETÉ, INSOLENCE, INSULTE, INVECTIVE.
- Les injures des ans, du temps : DOMMAGE.

INJURIER

AGONIR, INSULTER, INVECTIVER, *en lang. fam.* : INCENDIER, *et en lang. pop.* : ENGUEULER.

INJURIEUX

BLESSANT, INSULTANT, OFFENSANT, OUTRAGEANT.

INJUSTE 1516

- Une décision injuste : ARBITRAIRE, ILLÉGAL, INIQUE, PARTIAL.
- Des soupçons injustes : IMMOTIVÉ, INJUSTIFIÉ.

INJUSTICE

ARBITRAIRE, INIQUITÉ, PARTIALITÉ, PASSE-DROIT.

INNÉ 1517

CONGÉNITAL, INFUS, NATUREL.

INNOCENT 1518

- Il est innocent comme un jeune enfant : CANDIDE, INGÉNU, NAÏF.
- Je ne suis pas asez innocent pour croire son histoire : CRÉDULE, NIAIS.
- As-tu fini de faire l'innocent ? : IDIOT, IMBÉCILE.
- Il est innocent de l'accident dont on l'accuse : IRRESPONSABLE.
- Se livrer à des jeux innocents : ANODIN, BÉNIN, INOFFENSIF.

INNOCENTER

- Dreyfus a été innocenté : BLANCHIR, DISCULPER, RÉHABILITER.
- Les parents ont innocenté leurs enfants : EXCUSER, JUSTIFIER.

INOCCUPÉ 1519

- Une personne inoccupée : DÉSŒUVRÉ, INACTIF, OISIF.
- Une maison inoccupée : INHABITÉ.
- Une place inoccupée : LIBRE, VACANT, VIDE.

INONDATION 1520

- Les fréquentes inondations de la Saône : DÉBORDEMENT.
- L'inondation de la basse plaine garonnaise : SUBMERSION.
- Une inondation de touristes sur la Côte d'Azur : DÉFERLEMENT, INVASION.

INONDER

- Le Mississipi, en 1927, inonda une surface égale au Bénélux : NOYER, SUBMERGER.
- Nous nous sommes faits inonder par une violente averse : ARROSER, ASPERGER, DOUCHER, MOUILLER, TREMPER.
- Le marché est inondé de produits inutiles : ENVAHIR, REMPLIR, SUBMERGER.

INOPPORTUN 1521

- Ma présence serait inopportune à une telle réunion : DÉPLACÉ, IMPORTUN, INCONVENANT.
- Une décision inopportune : FÂCHEUX, INTEMPESTIF, MALVENU.

INQUALIFIABLE 1522

Un acte inqualifiable, une conduite inqualifiable : INDIGNE, INNOMMABLE, ODIEUX.

INQUIET 1523

- Il est toujours inquiet, lorsque je ne suis pas rentré à 8 heures : ALARMÉ, ANGOISSÉ, ANXIEUX, SOUCIEUX, TOURMENTÉ, TROUBLÉ.
- Une attente inquiète : FIÉVREUX, IMPATIENT.

INQUIÉTANT

- Un bruit inquiétant : ALARMANT, ANGOISSANT, EFFRAYANT.
- L'état du blessé est inquiétant : GRAVE, SÉRIEUX.
- Les perspectives d'avenir sont inquiétantes : SOMBRE.
- Un individu à la mine inquiétante : LOUCHE, MENAÇANT, PATIBULAIRE, SINISTRE.

INQUIÉTER

Tout l'inquiète : ALARMER, ANGOISSER, EFFRAYER, PRÉOCCUPER, TOURMENTER, TRACASSER, TROUBLER.

S'INQUIÉTER

1. Il s'inquiète pour un rien : S'ALARMER, S'ÉMOUVOIR, SE TOURMENTER, SE TRACASSER, *et en lang. fam.* : SE BILER, SE FRAPPER.
2. Elle ne s'est pas inquiétée de l'heure du train, aussi est-elle en retard : S'ENQUÉRIR, SE PRÉOCCUPER, SE SOUCIER.

INQUIÉTUDE

- L'inquiétude devant un avenir incertain : ANGOISSE, ANXIÉTÉ, APPRÉHENSION, CRAINTE, PEUR.
- Ses enfants lui donnent quelques inquiétudes : ENNUI, SOUCI.

INSAISISSABLE 1524

- La différence entre ces deux teintes est insaisissable : IMPERCEPTIBLE, INDÉCELABLE, INDISCERNABLE, INSENSIBLE, INVISIBLE.
- Son regard est insaisissable : FUYANT, IMPÉNÉTRABLE.

INSATIABLE 1525
- Une faim insatiable, une soif insatiable : INAPAISABLE, INASSOUVISSABLE, INEXTINGUIBLE.
- Un avare insatiable : AVIDE, CUPIDE, VORACE.

INSATISFAIT 1526
- Ma curiosité est insatisfaite : INAPAISÉ, INASSOUVI.
- Il est insatisfait de sa nouvelle recrue : MÉCONTENT.

INSCRIPTION 1527
- Une inscription sur une tombe : ÉPITAPHE.
- Des inscriptions sur les murs : GRAFFITI.
- C'est la période des inscriptions en faculté : IMMATRICULATION.
- Si vous avez déménagé, il faut prévoir votre inscription sur la liste électorale de votre nouvelle commune : ENREGISTREMENT, TRANSCRIPTION.

INSCRIRE
- Inscrire des noms sur une liste : ÉCRIRE, NOTER, TRANSCRIRE.
- Inscrire un étudiant en faculté : IMMATRICULER.
- Ces faits sont inscrits dans ma mémoire : ENREGISTRER, GRAVER.
- Cette question n'est pas inscrite à l'ordre du jour : INCLURE.
- Mon intervention n'est pas inscrite dans le procès-verbal de la réunion : MENTIONNER, NOTER, PORTER.

S'INSCRIRE
- S'inscrire à un parti politique : ADHÉRER, S'AFFILIER.
- Cette décision s'inscrit dans le cadre de la nouvelle politique : SE SITUER.
- « S'inscrire en faux contre » une affirmation : CONTREDIRE, DÉMENTIR, NIER.

INSÉCURITÉ 1528
- L'insécurité dans les villes, après dix heures du soir : DANGER, RISQUE.
- L'insécurité de l'emploi en période de chômage : INSTABILITÉ, PRÉCARITÉ.

INSIGNE 1529

1. *adj.*
- C'est pour moi un honneur insigne de... : ÉCLATANT, ÉMINENT, REMARQUABLE.

2. *nom.*
- L'insigne d'un grade : MARQUE, SIGNE, SYMBOLE.
- Sa poitrine est recouverte d'insignes militaires : DÉCORATION, MÉDAILLE, RUBAN.

INSIGNIFIANT 1530
- Elle n'a prononcé que des paroles insignifiantes : BANAL, FUTILE.
- C'est un détail insignifiant : INFIME, MINCE, NÉGLIGEABLE, PETIT.
- J'ai eu ce bibelot pour une somme insignifiante : MINIME, MODESTE, MODIQUE.
- Il n'a écrit que des romans insignifiants : INSIPIDE, MÉDIOCRE.
- Une personne insignifiante : EFFACÉ, FALOT, QUELCONQUE, TERNE.

INSINUATION 1531

Il ne parle que par insinuations : ALLUSION, SOUS-ENTENDU.

INSINUER

Que voulez-vous insinuer ? : DIRE, PRÉTENDRE, SUGGÉRER.

S'INSINUER
- Un arriviste qui réussit à s'insinuer dans tous les milieux influents : ENTRER, SE FAUFILER, SE GLISSER, S'INFILTRER.
- La méfiance s'insinuait peu à peu dans mon esprit : ENVAHIR, PÉNÉTRER.

INSISTANCE 1532

OBSTINATION, PERSÉVÉRANCE.

INSISTER
- Il a trop insisté sur cette remarque : APPUYER SUR, S'APPESANTIR SUR, SOULIGNER.
- Si vous voulez réussir, il faut insister : PERSÉVÉRER, PERSISTER, S'ACHARNER, S'OBSTINER.

INSOLEMMENT 1533

EFFRONTÉMENT, GROSSIÈREMENT, IMPERTINEMMENT, IMPUDEMMENT, IRRESPECTUEUSEMENT.

INSOLENCE
- L'insolence d'un enfant vis-à-vis de ses parents : EFFRONTERIE, IMPERTINENCE, IRRESPECT, IRRÉVÉRENCE.
- Parler avec insolence : ARROGANCE, MORGUE, ORGUEIL.
- Il m'a lancé quelques insolences : GROSSIÈRETÉ, IMPOLITESSE, INJURE, INSULTE.

INSOLENT
- Un garçon insolent : EFFRONTÉ, IMPERTINENT, IMPOLI, IRRÉVÉRENCIEUX.
- Des propos insolents : CYNIQUE, GROSSIER, INCONVENANT, IRRESPECTUEUX.
- Cette famille riche affiche un luxe insolent : IMPUDENT, INDÉCENT, PROVOCANT.

INSOUTENABLE 1534
- Cette lumière est si vive qu'elle est insoutenable : INSUPPORTABLE, INTOLÉRABLE.

• Il s'est mis dans une position insoutenable : INDÉFENDABLE, INJUSTIFIABLE.

INSPIRATION 1535
1. À chaque inspiration, les côtes inférieures se serrent : ASPIRATION.
2. J'ai eu la bonne inspiration de venir te voir : IDÉE, INTUITION, PENSÉE.
• C'est sur mon inspiration qu'elle a accompli cette démarche : CONSEIL, INSTIGATION, SUGGESTION.
• On dirait que tu attends l'inspiration divine : GRÂCE, ILLUMINATION.

INSPIRÉ
• J'ai été bien mal inspiré d'agir ainsi : AVISÉ.
• Il a toujours un air inspiré : ILLUMINÉ, MYSTIQUE.

INSPIRER
1. Inspirez, puis expirez : ASPIRER.
• Par le bouche à bouche, on inspire de l'air dans les poumons du blessé : INSUFFLER, SOUFFLER.
2. C'est lui qui m'a inspiré de venir vous voir : CONSEILLER, SUGGÉRER.
• Ce documentaire m'a inspiré l'idée d'un voyage aux Maldives : DONNER.
• Cette scène violente m'a inspiré du dégoût : PROVOQUER.
• Ce sujet ne m'inspire guère : PLAIRE.

S'INSPIRER
Je me suis inspiré de votre exemple : IMITER, SUIVRE.

INSTIGATEUR 1536
• Ce ministre a été l'instigateur d'une nouvelle politique : INSPIRATEUR, PIONNIER, PROMOTEUR, PROTAGONISTE.
• Ce responsable syndical a été l'instigateur de la grève : INCITATEUR, MENEUR, MOTEUR.

INSTINCT 1537
• Mon instinct m'a poussé à prendre ce chemin plutôt que l'autre : INTUITION, *et en lang. fam. :* FLAIR.
• Il a l'instinct des bonnes affaires à réaliser : SENS.
• Son instinct maternel lui faisait prévoir le danger : PRÉMONITION, PRESSENTIMENT.
• Son attitude révèle des instincts cruels : PENCHANT, TENDANCE.

INSTINCTIF
Un geste instinctif : AUTOMATIQUE, INCONSCIENT, INVOLONTAIRE, IRRÉFLÉCHI, MACHINAL, MÉCANIQUE, NATUREL, RÉFLEXE, SPONTANÉ.

INSTITUTION 1538
• Une institution scolaire : ÉTABLISSEMENT.
• Les institutions d'un pays : CONSTITUTION, RÉGIME.

INSTRUCTION 1539
1. L'instruction civique est souvent délaissée : ÉDUCATION, ENSEIGNEMENT, FORMATION.
• Elle a beaucoup d'instruction : CONNAISSANCES, CULTURE, SAVOIR.
2. Je vous prie de suivre à la lettre mes instructions : CONSIGNES, DIRECTIVES, ORDRES, PRESCRIPTIONS, RECOMMANDATIONS.

INSTRUIT
Un homme instruit, une femme instruite : CULTIVÉ, ÉRUDIT, SAVANT, *et en lang. fam. :* CALÉ, FERRÉ, FORT.

INSUFFISANCE 1540
• L'insuffisance des ressources énergétiques d'un pays : CARENCE, DÉFAUT, MANQUE, PAUVRETÉ, PÉNURIE.
• Un employé qui fait preuve d'insuffisance : IMPÉRITIE, INAPTITUDE, INCAPACITÉ, INCOMPÉTENCE.
• Votre devoir présente des insuffisances : DÉFICIENCE, FAIBLESSE, LACUNE.

INSUFFISANT
• Ses connaissances étaient trop insuffisantes pour qu'il soit reçu à l'examen : FAIBLE, IMPARFAIT, MÉDIOCRE.
• Elle s'est montrée insuffisante dans ce rôle : INAPTE, INCAPABLE, INCOMPÉTENT.

INSURGÉ 1541
ÉMEUTIER, MUTIN, REBELLE, RÉVOLTÉ.

S'INSURGER
SE CABRER, SE DRESSER, SE REBELLER, SE RÉVOLTER, SE SOULEVER.

INTANGIBLE 1542
Un principe intangible : INTOUCHABLE, INVIOLABLE, SACRÉ.

INTARISSABLE 1543
Une source intarissable, un conteur intarissable : INÉPUISABLE.

INTÉGRATION 1544
ASSIMILATION, FUSION, INCORPORATION, UNIFICATION.

INTELLIGENCE 1545
• Faire preuve d'intelligence : DISCERNEMENT, INGÉNIOSITÉ, JUGEMENT, LUCIDITÉ, PERSPICACITÉ.
• Faire un signe d'intelligence à quelqu'un : COMPLICITÉ, CONNIVENCE.
• Vivre en bonne intelligence avec ses voisins : ACCORD, ENTENTE.

INTEMPÉRANCE 1546
Les intempérances de la table : ABUS, EXCÈS.

INTEMPÉRANT
Suivant le cas : GOURMAND, IVROGNE.

INTENSITÉ 1547
- L'intensité d'une douleur : ACUITÉ.
- L'intensité du vent : FORCE, PUISSANCE.
- L'intensité d'un combat : VÉHÉMENCE, VIOLENCE.

INTENTION 1548
- Je ne connais pas vos intentions : DÉSIR, DESSEIN, IDÉE, PROJET.
- Je l'ai fait dans cette intention : BUT, FIN.

INTERCALER 1549
ENCHÂSSER, INSÉRER, INTERPOLER, INTERPOSER.

INTERDIT 1550
1. *nom.*
Prononcer l'interdit contre quelqu'un : EXCLUSIVE.
2. *adj.*
a) Devant tant de mauvaise foi, je suis resté interdit : CONFONDU, DÉCONCERTÉ, PANTOIS, STUPÉFAIT, *et en lang. fam. :* INTERLOQUÉ, MÉDUSÉ, SIDÉRÉ.
b) Baignade interdite : DÉFENDU.

INTÉRESSANT 1551
- Une histoire intéressante : CAPTIVANT, PASSIONNANT, *et en lang. fam. :* PALPITANT.
- Ce témoignage apporte une précision intéressante : IMPORTANT.
- J'ai découvert quelques détails intéressants sur l'affaire : CURIEUX, PIQUANT.
- Conclure un marché intéressant avec quelqu'un : AVANTAGEUX, RÉMUNÉRATEUR, RENTABLE.

INTÉRESSER
1. Cette décision vous intéresse : CONCERNER, REGARDER, S'APPLIQUER À, TOUCHER.
- Un patron qui intéresse son personnel aux bénéfices de l'entreprise : ASSOCIER.
2. Ce jeu télévisé intéresse les petits et les grands : CAPTIVER, PASSIONNER, PLAIRE À.

S'INTÉRESSER
- Je m'intéresse à tes études : SE PRÉOCCUPER DE, SE SOUCIER DE, SUIVRE.
- Il ne s'intéresse qu'au football : AIMER, SE PASSIONNER POUR.

INTÉRÊT
1. En agissant ainsi, elle recherche surtout son intérêt : AVANTAGE, PROFIT.
2. Il n'a pas manifesté le moindre intérêt à mon égard : BIENVEILLANCE, SOLLICITUDE, SYMPATHIE.
- Ce conteur sait éveiller l'intérêt des auditeurs : ATTENTION, CURIOSITÉ.
- C'est une chose sans intérêt : IMPORTANCE, UTILITÉ.
- Une conversation banale, dénuée de tout intérêt : ORIGINALITÉ.

INTÉRIEUR 1552
- L'intérieur d'une malle, d'une armoire, etc. : DEDANS.
- Vous avez un gentil intérieur : APPARTEMENT, LOGEMENT.

INTERMÈDE 1553
ENTRACTE, INTERLUDE.

INTERMÉDIAIRE
- Servir d'intermédiaire : INTERPRÈTE, MÉDIATEUR, RELAIS.
- Par l'intermédiaire de... : CANAL, ENTREPRISE, MOYEN, TRUCHEMENT.
- Les petits commerçants ne peuvent se passer des intermédiaires : COMMISSIONNAIRE, COURTIER, REPRÉSENTANT.

INTERNE 1554
1. *adj.*
L'oreille interne porte le nom de labyrinthe : INTÉRIEUR.
2. *nom.*
Être interne dans un lycée : PENSIONNAIRE.

INTERNEMENT
CAPTIVITÉ, DÉTENTION, EMPRISONNEMENT, INCARCÉRATION.

INTERNER
EMPRISONNER, ENFERMER, INCARCÉRER.

INTERPRÉTATION 1555
- Votre interprétation de ce texte est tendancieuse : COMMENTAIRE, EXPLICATION.
- L'interprétation d'une œuvre musicale : EXÉCUTION, JEU.

INTERPRÈTE
- Cette langue m'est inconnue, aussi ai-je besoin d'un interprète : TRADUCTEUR.
- Soyez mon interprète auprès de vos parents pour les remercier : INTERMÉDIAIRE, PORTE-PAROLE.
- Il a été un excellent interprète de la Bible : COMMENTATEUR, EXÉGÈTE.
- L'interprète d'un film : ACTEUR, ACTRICE.

INTERPRÉTER
- Interpréter un texte : COMMENTER, EXPLIQUER.
- Interpréter une œuvre musicale : EXÉCUTER, JOUER.
- Comment interprétez-vous son silence ? : COMPRENDRE, EXPLIQUER.

INTERROGATEUR 1556

1. *nom.*
Répondre à un interrogateur : EXAMINATEUR.
2. *adj.*
Un regard interrogateur : INTERROGATIF.

INTERROGER

- Les gendarmes interrogent les témoins de l'accident : QUESTIONNER.
- Les journalistes interrogent le ministre sur sa politique : INTERVIEWER, SONDER.
- Interroger le ciel, pour savoir quel temps il fera : CONSULTER, ÉTUDIER, EXAMINER, SCRUTER.

INTERROMPRE 1557

- Interrompre un travail, un voyage : ARRÊTER, SUSPENDRE.
- La distribution de gaz sera interrompue de 8 h à 12 h : COUPER.
- Ne m'interrompez pas tout le temps : COUPER LA PAROLE.

INTERRUPTEUR

- Un interrupteur de courant électrique : COMMUTATEUR, DISJONCTEUR.
- L'orateur a continué malgré les interrupteurs : CONTRADICTEUR.

INTERSTICE 1558

FENTE, FISSURE, INTERVALLE.

INTERVALLE 1559

L'intervalle entre deux maisons : DISTANCE, ÉCART, ESPACE.

INTERVENIR 1560

- Je vous promets d'intervenir en sa faveur : AGIR, INTERCÉDER, PARLER POUR.
- Ils se battaient, je suis intervenu pour les séparer : S'INTERPOSER.
- Je n'aime pas qu'on intervienne dans ma vie privée : SE MÊLER DE.
- Intervenir dans un débat : PRENDRE LA PAROLE.
- Les pompiers sont intervenus : ENTRER EN ACTION.
- L'état du blessé était tel que le chirurgien ne pouvait intervenir : OPÉRER.
- Des faits nouveaux sont intervenus : SE PRODUIRE, SURVENIR.

INTERVENTION

- Il m'a proposé son intervention : AIDE, APPUI, CONCOURS, INTERCESSION, MÉDIATION, SOUTIEN.
- Une intervention dans les affaires d'autrui : IMMIXTION, INGÉRENCE, INTRUSION.
- Une intervention chirurgicale : OPÉRATION.

INTERVERTIR 1561

INVERSER, PERMUTER, TRANSPOSER.

INTIME 1562

1. *adj.*
- Avoir une conviction intime : PROFOND.
- Avoir la satisfaction intime de... : INTÉRIEUR.
- Respecter la vie intime des autres : PERSONNEL, PRIVÉ.
- Elle tenait un journal intime : SECRET.
- Ce sont deux amis intimes : INSÉPARABLE.
- Être en liaison intime avec quelqu'un : ÉTROIT.

2. *nom.* Je n'ai invité que des intimes : AMI, FAMILIER.

INTIMITÉ : AMITIÉ, FAMILIARITÉ.

INTIMIDATION 1563

Des mesures d'intimidation sur autrui : CHANTAGE, MENACE, PRESSION.

INTIMIDER

- Rien ne l'intimide : APEURER, EFFRAYER.
- Il a un regard qui intimide ses interlocuteurs : GLACER, IMPRESSIONNER, PARALYSER, TROUBLER.

INTOLÉRANT 1564

FANATIQUE, INTRANSIGEANT, SECTAIRE.

INTOXIQUÉ 1565

DROGUÉ, TOXICOMANE.

INTRAITABLE 1566

- Avoir un caractère intraitable : INSOCIABLE, INVIVABLE.
- Se montrer intraitable : IMPITOYABLE, INÉBRANLABLE, INTRANSIGEANT, IRRÉDUCTIBLE.

INTRÉPIDE 1567

Se montrer intrépide devant le danger : AUDACIEUX, COURAGEUX, IMPAVIDE, *et en lang. fam.* : CRÂNE.

INTRIGANT 1568

ARRIVISTE, AVENTURIER.

INTRIGUE

1. Il a multiplié les intrigues pour obtenir ce poste : COMBINAISON, MACHINATION, MANIGANCE, MANŒUVRE.
- Un homme politique qui est victime des intrigues de ses adversaires : BRIGUE, CABALE, COMPLOT.

2. L'intrigue d'un roman, d'un film : ACTION, SCÉNARIO, TRAME.

INTRIGUER

- Il a intrigué pour se faire élire maire : CABALER *(anc.)*, COMPLOTER, MANŒUVRER.
- Son retard inhabituel m'intrigue : INQUIÉTER, TRACASSER.

INTRODUCTION 1569

1. Il a favorisé mon introduction dans ce club : ADMISSION, ENTRÉE.
- Je vais vous donner une lettre d'introduction : RECOMMANDATION.
- L'introduction d'un nouveau procédé de culture : IMPLANTATION.

2. L'introduction d'un roman, d'un discours, etc. : EXPOSITION, PRÉAMBULE, PRÉFACE.

INTRODUIRE
- Elle n'arrivait pas à introduire la clef dans la serrure : ENFONCER, ENGAGER, *et en lang. fam. :* FOURRER.
- On a introduit, à mon insu, une nouvelle clause dans le contrat : GLISSER, INCLURE, INSÉRER.
- La vigne a été introduite en Gaule par les Romains : IMPLANTER, IMPORTER.
- L'hôtesse introduit les visiteurs dans la salle d'attente : CONDUIRE.
- C'est lui qui m'a indroduit dans ce cercle privé : PARRAINER, PRÉSENTER.

S'INTRODUIRE
- Les voleurs se sont introduits par la fenêtre : ENTRER, PÉNÉTRER.
- Il avait du mal à s'introduire dans sa combinaison de plongée : ENFILER, SE GLISSER.

INTRUS 1570

GÊNEUR, IMPORTUN, INDÉSIRABLE.

INUTILE 1571

1. *adj.*
- Toute résistance de votre part serait inutile : SUPERFLU, VAIN.
- Tenir des propros inutiles : CREUX, OISEUX, VIDE.

2. *nom.*
C'est un inutile : PARASITE.

INUTILITÉ
- Il s'est rendu compte de l'inutilité de ses efforts : INANITÉ, INEFFICACITÉ, VANITÉ.
- Un récit plein d'inutilités : BALIVERNE, FUTILITÉ.

INVENTER 1572
- L'anglais Bessemer inventa une technique permettant de transformer la fonte en acier : CRÉER, DÉCOUVRIR, IMAGINER, TROUVER.
- C'est une histoire qu'il a inventée pour se tirer d'affaire : BÂTIR, BRODER, FABRIQUER, FORGER, IMAGINER.

INVENTIF
Avoir l'esprit inventif : IMAGINATIF, INGÉNIEUX.

INVENTION

1. L'invention de la lampe électrique par Edison, en 1879 : CRÉATION.
- Une invention technique : DÉCOUVERTE, INNOVATION, TROUVAILLE.

2. Ces histoires sont de pures inventions : FABLE, MENSONGE.

INVERSE 1573

1. *adj.*
Prendre la direction inverse : OPPOSÉ.
2. *nom.*
C'est l'inverse qu'il fallait faire : CONTRAIRE.

INVESTIR 1574

1. Le gouvernement a investi notre ambassadeur de pouvoirs extraordinaires : CONFÉRER À, DOTER.
- La forteresse a été investie : ASSIÉGER, ENCERCLER.

2. Il a investi tous ses fonds dans cette affaire : METTRE, PLACER.

INVESTISSEMENT

1. L'investissement de Léningrad par les troupes allemandes dura 900 jours : BLOCUS, ENCERCLEMENT, SIÈGE.
2. Un investissement de capitaux : PLACEMENT.

INVINCIBLE 1575
- Une équipe invincible : IMBATTABLE.
- Un obstacle invincible : INFRANCHISSABLE, INSURMONTABLE.
- Un courage invincible : INDOMPTABLE.
- Être pris d'un invincible sommeil : IRRÉSISTIBLE.

INVISIBLE 1576
- Un détail invisible : IMPERCEPTIBLE, INDÉCELABLE, INDISCERNABLE.
- Une nuance invisible : INSAISISSABLE.

INVITATION 1577
- J'ai reçu une invitation pour leur mariage : FAIRE-PART.
- Je ne suis venu que sur son invitation : APPEL, PRIÈRE.
- Le président de séance a lancé plusieurs invitations au calme : APPEL, EXHORTATION.
- Ce beau temps est une invitation à une sortie en mer : INCITATION.

INVITER
- Ils nous ont invités à leurs noces d'or : CONVIER.
- Je vous invite à vous taire : ENJOINDRE, ORDONNER.
- Ma mère m'invite toujours à la prudence : ENGAGER, EXHORTER, RECOMMANDER.
- Le soleil invite au farniente : INCITER, PORTER À.

IRONIE 1578
HUMOUR, MOQUERIE, PERSIFLAGE, RAILLERIE, SARCASME.

IRONIQUE
- Un sourire ironique : MOQUEUR, NARQUOIS.
- Cet homme est si ironique qu'il en est blessant : PERSIFLEUR, RAILLEUR, SARCASTIQUE.

IRONISER
RAILLER, SE GAUSSER DE, SE MOQUER DE.

IRRÉALITÉ 1579
J'éprouvai un sentiment de totale irréalité : CHIMÈRE, ILLUSION, RÊVE, RÊVERIE, SONGE.

IRRÉCUSABLE 1580
Un témoignage irrécusable : INATTAQUABLE, INCONTESTABLE, INDISCUTABLE, IRRÉFRAGABLE.

IRRÉGULARITÉ 1581
- L'irrégularité d'un visage : ASYMÉTRIE.
- L'irrégularité d'un sol : INÉGALITÉ.
- L'irrégularité d'une décision : ILLÉGALITÉ.
- Le jugement a été cassé par suite d'irrégularité de procédure : ANOMALIE, ERREUR, FAUTE.

IRRÉLIGION 1582
ATHÉISME, IMPIÉTÉ, INCRÉDULITÉ, INCROYANCE.

IRRÉMÉDIABLE 1583
Une perte irrémédiable : DÉFINITIF, IRRÉPARABLE.

IRRÉPROCHABLE 1584
- Une conduite irréprochable : HONNÊTE, IRRÉPRÉHENSIBLE, PARFAIT.
- Sa mise est irréprochable : IMPECCABLE.

IRRÉSISTIBLE 1585
- Une poussée irrésistible : INCOERCIBLE, INVINCIBLE, IRRÉPRESSIBLE.
- Elle est d'un charme irrésistible : ENSORCELANT, ENVOÛTANT.

IRRITANT 1586
Un bruit irritant : AGAÇANT, CRISPANT, ÉNERVANT, EXASPÉRANT, *et en lang. fam. :* HORRIPILANT.

IRRITÉ
- Un homme irrité : ÉNERVÉ, EXASPÉRÉ, EXCÉDÉ.
- Avoir la gorge irritée : ENFLAMMÉ.
- Le bateau luttait contre une mer irritée : DÉCHAÎNÉ, FURIEUX.

IRRITER
AGACER, COURROUCER, ÉNERVER, EXASPÉRER, EXCÉDER.

S'IRRITER
- Elle est très susceptible, elle s'irrite pour un rien : S'EMPORTER.
- Il a la gorge qui s'irrite, parce qu'il fume trop : S'ENFLAMMER.

ISOLATION 1587
- L'isolation thermique : CLIMATISATION.
- L'isolation acoustique : INSONORISATION.

ISOLÉ
- Un lieu isolé : ÉCARTÉ, PERDU, RECULÉ, RETIRÉ.
- Vivre isolé : SEUL, SOLITAIRE.
- C'est un cas isolé : PARTICULIER, UNIQUE.

ISOLEMENT
- Un vieillard qui vit dans l'isolement : ABANDON, SOLITUDE.
- L'isolement d'un malade contagieux : QUARANTAINE.
- Les auteurs du rapt ont maintenu leur victime dans l'isolement le plus complet : CLAUSTRATION, SÉQUESTRATION.

ISOLÉMENT
Ils ont travaillé isolément, mais sont arrivés au même résultat : SÉPARÉMENT.

ISOLER
ÉCARTER, ÉLOIGNER, SÉPARER.

ISSUE 1588
- Toutes les issues étaient obstruées : OUVERTURE, PASSAGE, PORTE, SORTIE.
- Personne ne peut prévoir l'issue du combat : ABOUTISSEMENT, CONCLUSION, DÉNOUEMENT, FIN, RÉSULTAT.
- La situation est sans issue : SOLUTION.

ITINÉRAIRE 1589
L'autobus a changé d'itinéraire : PARCOURS, TRAJET.

IVRE 1590
1. Il a trop bu, il est ivre : ÉMÉCHÉ, GRIS, *et en lang. pop. :* NOIR, PAF, PLEIN, POMPETTE, ROND, SOÛL.
2. J'étais ivre de rage : FOU.

IVRESSE
1. Être en état d'ivresse : ÉBRIÉTÉ, *et en lang. pop. :* CUITE.
2. Dans l'ivresse de la victoire : ENIVREMENT, ENTHOUSIASME, EXALTATION, GRISERIE, RAVISSEMENT.

IVROGNE
ALCOOLIQUE, BUVEUR, ÉTHYLIQUE, *et en lang. pop. :* POCHARD, POIVROT, SOÛLARD, SOÛLAUD.

IVROGNERIE
ALCOOLISME, INTEMPÉRANCE.

Jj Kk

JACHÈRE 1591
FRICHE, GUÉRET.

JAILLIR 1592
• Soudain le pétrole jaillit du trou de forage : FUSER, GICLER.
• Tout à coup, des flammes jaillirent du brasier : S'ÉLANCER, SORTIR, SURGIR.
• Des cris de haine jaillirent dans la salle : ÉCLATER, FUSER.

JAILLISSEMENT
ÉRUPTION, SURGISSEMENT.

JALON 1593
BALISE, REPÈRE.

JALONNER
BALISER, PIQUETER, SIGNALISER, TRACER.

JAMBE 1594
Avoir de longues jambes : *en lang. fam. :* ÉCHASSES, FLÛTES, PATTES, *et en lang. pop. :* GAMBETTES, GUIBOLES, QUILLES.

JAMBIÈRE
GUÊTRE, LEGGIN(G)S, MOLLETIÈRE.

JAPPER : ABOYER, GLAPIR. 1595

JARDIN 1596
• Il travaille dans le jardin : POTAGER, VERGER.
• Se promener dans un jardin public : PARC, SQUARE.

JARGON 1597
ARGOT, GALIMATIAS, JAVANAIS, SABIR.

JATTE 1598
• Mettre du lait dans une jatte : BOL, COUPE.
• Manger une jatte de compote : JATTÉE.

JAUGER 1599
ÉVALUER, MESURER.

JAUNE 1600
• Des fruits bien jaunes : DORÉ.
• Elle est fatiguée, elle a le teint jaune : CIREUX, TERREUX.

JAUNIR
• Les blés commencent à jaunir : SE DORER.
• Les couleurs de la tapisserie ont jauni : PASSER, SE DÉCOLORER, SE FANER.

JET 1601
• Un jet de pierres : LANCEMENT, PROJECTION.
• Être éclaboussé par des jets d'eau : GERBE, GICLÉE.

JETER
• Les enfants ont jeté le ballon par-dessus le mur : ENVOYER, LANCER.
• Elle a jeté ses bras en avant pour s'appuyer au mur : PROJETER.
• Elle jeta un cri : POUSSER, PROFÉRER.
• Le navire a été jeté à la côte : DROSSER.
• Je vais jeter ces vieux journaux : SE DÉBARRASSER DE, *et en lang. fam. :* BALANCER.
• Cette lampe jette une lumière trop vive : ÉMETTRE, RÉPANDRE.
• Cette nouvelle a jeté la consternation : PRODUIRE, PROVOQUER.
• Cela m'a jeté dans l'angoisse : PLONGER.
• Je vais aller jeter cette lettre dans la boîte : METTRE.
• Nous avons jeté les bases d'un accord : ÉTABLIR, POSER.
• Le général a jeté de nouvelles troupes dans la bataille : ENGAGER, LANCER.
• Il s'est fait jeter dehors : CHASSER, *et en lang. fam. :* FLANQUER.

SE JETER
• Le chien s'est jeté sur le facteur : SAUTER SUR, S'ÉLANCER, SE PRÉCIPITER, SE RUER.
• Il s'est jeté à genoux pour demander pardon : TOMBER.
• Le Rhône se jette dans la Méditerranée par un delta : DÉBOUCHER, SE DÉVERSER.

JEU 1602
- Les enfants, il est temps de rentrer, ramassez vos jeux ! : JOUET.
- Sur cette plage, on peut se livrer à toutes sortes de jeux : AMUSEMENT, DISTRACTION, DIVERTISSEMENT, PASSE-TEMPS.
- Ne craignez rien, ce n'était qu'un jeu : PLAISANTERIE.
- Elle dispose de tout un jeu d'aiguilles à tricoter : ASSORTIMENT, CHOIX.
- Le jeu d'un violoniste : INTERPRÉTATION.
- Les instructions que l'on m'a données me laissent très peu de jeu pour agir : LIBERTÉ, MARGE.
- Elle avait très bien caché son jeu : INTENTION.
- Un « jeu de mots » : CALEMBOUR.

JOUER
- Les enfants, allez jouer ! : S'AMUSER.
- Dans la pièce, elle jouait le personnage d'Andromaque : INTERPRÉTER.
- Elle a joué dans ce film : TOURNER.
- Il a très bien joué cette sonate : EXÉCUTER, INTERPRÉTER.
- Qu'est-ce que la télévision joue ce soir ? : DONNER.
- Elle a joué l'étonnement : FEINDRE, SIMULER.
- Il joue l'homme important : POSER À.
- Il a joué beaucoup d'argent sur ce cheval : MISER, PARIER, SPÉCULER.
- Elle joue sa vie dans cette aventure : EXPOSER, RISQUER.
- Cela a joué en votre faveur : INFLUER, INTERVENIR.
- Les charnières de la fenêtre jouent mal : FONCTIONNER, MARCHER.
- Avec l'humidité, le bois de la porte a joué : GAUCHIR, SE GONDOLER.
- J'ai été joué dans cette affaire : MYSTIFIER, TROMPER, *et en lang. fam. :* ROULER.
- Il joue du pipeau pour attirer les oiseaux : SE SERVIR DE.
- Il joue de son autorité pour obtenir des avantages : USER DE, UTILISER.

SE JOUER
- Il s'est joué de toutes les difficultés : JONGLER AVEC, SURMONTER.
- Je n'aime pas que l'on se joue de moi : SE MOQUER DE.

JOUET
1. Bébé a laissé tomber son jouet : HOCHET, *et en lang. enfantin :* JOUJOU.
2. Cet enfant est le jouet de ses camarades : SOUFFRE-DOULEUR, VICTIME.

JEUNE 1603
1. *adj.*
- Tu es encore tout jeune : *en lang. fam. :* JEUNET, JEUNOT.
- Elle a gardé un visage très jeune : JUVÉNILE.
- Un quinquagénaire encore jeune : VERT.
- Ce sont de jeunes mariés : NOUVEAU.
- C'est un ouvrier encore très jeune : INEXPÉRIMENTÉ, NOVICE.
- Il s'est montré bien jeune dans cette affaire : CANDIDE, NAÏF.

2. *nom.*
- Ils s'amusent entre jeunes : ADOLESCENT.
- Les jeunes d'aujourd'hui : JEUNESSE.

JEUNESSE
- La jeunesse des sentiments : FRAÎCHEUR.
- Malgré son âge, il a conservé toute sa jeunesse physique : ARDEUR, VERDEUR, VIGUEUR.

JOAILLIER 1604

BIJOUTIER, ORFÈVRE.

JOIE 1605
- Son triomphe la fit éclater de joie : ALLÉGRESSE, BONHEUR, CONTENTEMENT, EXALTATION, EXULTATION, GAIETÉ, JUBILATION, PLAISIR, RAVISSEMENT, SATISFACTION.
- Une foule en joie : LIESSE.
- Goûter les joies de la vie : AGRÉMENT, DOUCEUR, PLAISIR.

JOINDRE 1606
- Joindre deux choses l'une à l'autre : ACCOLER, ASSEMBLER, ATTACHER, LIER, RELIER, RÉUNIR, SOUDER, UNIR.
- Joindre un fil électrique à un autre : BRANCHER, CONNECTER, RACCORDER.
- Joindre les deux bouts d'un cordage : ÉPISSER.
- Ils ont joint leurs efforts pour sortir la voiture du fossé : CONJUGUER, UNIR.
- Ce document est à joindre au dossier : AJOUTER, ANNEXER, INCLURE, INSÉRER.
- As-tu pu le joindre pour lui annoncer la nouvelle ? : ATTEINDRE, CONTACTER, RENCONTRER, TOUCHER.

SE JOINDRE
- Nous sous sommes joints au défilé : SE MÊLER À.
- Tous les ouvriers se sont joints au mouvement de grève : PARTICIPER À, PRENDRE PART À, S'ALLIER, S'ASSOCIER, S'UNIR.

JOINTURE

ARTICULATION, ASSEMBLAGE, JOINT.

JONCTION
- La jonction de deux fils électriques : LIAISON, RACCORDEMENT.
- Nous nous retrouverons à la jonction des deux routes : CROISÉE, CROISEMENT, RENCONTRE.

JONGLEUR 1607
- Les jongleurs du Moyen Âge : MÉNESTREL, TROUBADOUR, TROUVÈRE.
- Un jongleur de cirque : ACROBATE, BALADIN, BATELEUR, ÉQUILIBRISTE, FUNAMBULE, SALTIMBANQUE.

JOUFFLU 1608
BOUFFI, MAFFLU.

JOUIR 1609
- Jouir des plaisirs de la vie : GOÛTER, PROFITER DE, SAVOURER.
- Jouir d'une bonne retraite : BÉNÉFICIER DE, DISPOSER DE, POSSÉDER.

JOUISSANCE
- Éprouver une grande jouissance : DÉLECTATION, PLAISIR, SATISFACTION.
- Avoir la jouissance de quelque chose : POSSESSION, PROPRIÉTÉ, USAGE, USUFRUIT.

JOUISSEUR
ÉPICURIEN, NOCEUR, SYBARITE *(litt.)*, VIVEUR.

JOUR 1610
1. C'est par une lucarne que le jour pénètre dans cette chambre mansardée : CLARTÉ, LUMIÈRE.
- Il fait encore jour : CLAIR.
- Il y a un jour entre ces deux planches : FENTE, FISSURE.
- Percer un jour dans un mur : OUVERTURE.
- Les faits me sont apparus sous un jour nouveau : ANGLE, APPARENCE, ASPECT, ÉCLAIRAGE, OPTIQUE, PERSPECTIVE.
2. Cinq jours de travail suivis de deux jours de repos : JOURNÉE.
- Dans ces jours de deuil national : ÉPOQUE, MOMENT, PÉRIODE, TEMPS.

JOURNAL
- J'ai lu dans le journal que... : QUOTIDIEN, *et en lang. fam. :* CANARD, GAZETTE.
- Le journal d'un parti politique : ORGANE.
- Un journal littéraire : BULLETIN, MAGAZINE, REVUE.

JOURNALIER
Le travail journalier : QUOTIDIEN.

JOURNALISTE
CHRONIQUEUR, CORRESPONDANT, ENVOYÉ SPÉCIAL, RÉDACTEUR, REPORTER.

JOYAU 1611
BIJOU, DIAMANT, PERLE.

JUDAS 1612
1. Se conduire comme un judas : FÉLON *(anc.)*, RENÉGAT, TRAÎTRE.
2. Le gardien surveille le prisonnier par le judas : GUICHET, MOUCHARD.

JUGE 1613
- Le juge d'un match : ARBITRE.
- C'est un excellent juge en matière de films : CENSEUR, CRITIQUE, EXPERT.

JUGEMENT
- Le jugement d'un tribunal : ARRÊT, DÉCISION, ORDONNANCE, SENTENCE, VERDICT.
- Je me fie à votre jugement : APPRÉCIATION, AVIS, IDÉE, OPINION, POINT DE VUE, SENTIMENT.
- Il manque de jugement : BON SENS, CLAIRVOYANCE, DISCERNEMENT, INTELLIGENCE, PERSPICACITÉ, *et en lang. fam. :* JUGEOTE.

JUGER
- Le tribunal jugera : CONCLURE, DÉCIDER, SE PRONONCER, STATUER, TRANCHER.
- J'ai jugé leur différend : ARBITRER, RÉGLER.
- Dès que je l'ai vu, je l'ai jugé : CATALOGUER, ÉVALUER, JAUGER.
- L'inspecteur est venu juger tous les fonctionnaires de l'établissement : APPRÉCIER, COTER, NOTER.
- Je juge que la situation est dangereuse : CONSIDÉRER, CROIRE, ESTIMER, PENSER, TROUVER.
- Vous pouvez juger de ma surprise, quand il est revenu après dix ans d'absence : IMAGINER, SE REPRÉSENTER.

JUIF 1614
HÉBREU, ISRAÉLITE.

JURER 1615
1. Je jure de le faire : PROMETTRE, S'ENGAGER À.
- Je jure que ce n'est pas moi : AFFIRMER, ASSURER, DÉCLARER, SOUTENIR.
- Il a juré de se venger : DÉCIDER, RÉSOUDRE.
2. C'est un mécréant, il jure sans cesse : BLASPHÉMER.
- Le patron jurait contre son apprenti : CRIER, PESTER.
3. Cette tour en béton jure dans le paysage : CONTRASTER, DÉTONNER, HURLER.

JURON
BLASPHÈME.

JUSTE 1616
1. *adj.*
- Une personne juste : DROIT, IMPARTIAL, INTÈGRE.
- Un juste partage : ÉQUITABLE.
- De justes réclamations : FONDÉ, LÉGITIME, MOTIVÉ.
- Une sanction juste : JUSTIFIÉ, MÉRITÉ.
- Un calcul juste : CORRECT, EXACT.
- Je vais vous donner l'heure juste : EXACT, PRÉCIS.

• Estimer quelqu'un ou quelque chose à sa juste valeur : RÉEL, VÉRITABLE, VRAI.
• Ce que vous dites est juste : AUTHENTIQUE, EXACT, VRAI.
• C'est le mot juste : APPROPRIÉ, PROPRE.
• Une remarque juste : JUDICIEUX, PERTINENT.
• Un raisonnement juste : LOGIQUE, RATIONNEL, SENSÉ.
• Ma veste est un peu juste : ÉTROIT, SERRÉ.
• Les parts du gâteau étaient trop justes : INSUFFISANT, PETIT.
• Ce portrait est juste : FIDÈLE.

2. *adv.*
• Deviner juste : EXACTEMENT.
• Avoir juste assez pour vivre : SEULEMENT.

JUSTEMENT
• C'est justement ce qu'il vous faut : EXACTEMENT, PRÉCISÉMENT.
• Elle était justement inquiète de ce retard : LÉGITIMEMENT.

JUSTESSE
• La justesse de son coup d'œil : ACUITÉ, FINESSE, SÛRETÉ.
• La justesse d'une argumentation : LOGIQUE, RECTITUDE.
• La justesse d'une balance : EXACTITUDE, PRÉCISION.
• La justesse d'une expression : CONVENANCE, CORRECTION, PROPRIÉTÉ.

JUSTICE
• Dans cette affaire, la justice est pour moi : DROIT, LOI.
• Il a toujours agi avec justice : DROITURE, ÉQUITÉ, IMPARTIALITÉ, INTÉGRITÉ, PROBITÉ.

JUSTIFIABLE 1617
Son attitude n'est pas justifiable : DÉFENDABLE, EXCUSABLE, EXPLICABLE.

JUSTIFICATION
• Il faudra apporter une justification de votre absence : EXPLICATION, RAISON.
• Que dites-vous pour votre justification ? : DÉFENSE, EXCUSE.
• Voilà les justifications de mon versement : PREUVE.

JUSTIFIER
• Son avocat n'a pas réussi à le justifier : DISCULPER, INNOCENTER, *et en lang. fam.* : BLANCHIR.
• Pouvez-vous justifier votre alibi ? : PROUVER.
• Rien ne justifie votre attitude : EXCUSER, EXPLIQUER, LÉGITIMER, MOTIVER.
• Les faits ont justifié mes craintes : CONFIRMER, VÉRIFIER.
• Ses espoirs ne sont pas justifiés : FONDER.

KIDNAPPING 1618
ENLÈVEMENT, KIDNAPPAGE, RAPT.

KIOSQUE 1619
• Un kiosque à journaux : BOUTIQUE, ÉCHOPPE, ÉDICULE.
• Un kiosque de jardin : GLORIETTE, PAVILLON.

KLAXON 1620
AVERTISSEUR.

L l

LABORIEUX 1621
- Une tâche laborieuse : DIFFICILE, DUR, FATIGANT, PÉNIBLE.
- Le style de ce texte est laborieux : EMBARRASSÉ, LOURD.
- Un élève laborieux : ACTIF, APPLIQUÉ, DILIGENT, STUDIEUX, TRAVAILLEUR, *et en lang. fam. :* BOSSEUR, BÛCHEUR, PIOCHEUR.
- Les classes laborieuses : OUVRIER.

LABOUR 1622
Faire un labour : LABOURAGE.

LABOURABLE
Une terre labourable : CULTIVABLE.

LABOURER
- Les Anciens ne disposaient que de l'araire pour labourer la terre : RETOURNER.
- En s'écrasant, l'avion a labouré le sol sur une centaine de mètres : CREUSER, DÉFONCER.
- De grosses ronces lui ont labouré le visage : DÉCHIRER, ÉCORCHER, ÉGRATIGNER, LACÉRER, TAILLADER.

LABOUREUR
AGRICULTEUR, CULTIVATEUR.

LÂCHE 1623
1. Un cordage lâche : DÉTENDU, MOU.
- Un manteau trop lâche : FLOTTANT, LARGE, VAGUE.

2. Devant le danger, il s'est montré lâche : COUARD, PEUREUX, PLEUTRE, POLTRON, *en lang. fam. :* FROUSSARD, *et en lang. pop. :* DÉGONFLÉ.
- Dire du mal d'autrui en son absence, c'est lâche : BAS, IGNOBLE, MÉPRISABLE, VIL.

LÂCHER
- Le câble du téléférique a lâché : CÉDER, SE CASSER, SE ROMPRE.
- Le marteau lui a lâché des mains : ÉCHAPPER, TOMBER.
- Lâcher sa ceinture d'un cran : DESSERRER, DÉTENDRE, RELÂCHER.
- Les bombardiers ont lâché leurs bombes sur la ville : LARGUER.
- Un avion publicitaire a lâché des tracts sur la foule : JETER, LANCER.
- Le chien ne lâche pas la piste du lièvre : ABANDONNER, QUITTER.
- Un coureur s'est détaché, il a lâché facilement le peloton : DISTANCER, SEMER.

LÂCHETÉ
- C'est par lâcheté que tu refuses la discussion : FAIBLESSE, MOLLESSE, VEULERIE.
- La lâcheté de celui qui fuit devant l'ennemi : COUARDISE, PLEUTRERIE, POLTRONNERIE.
- C'est une lâcheté que de ne pas secourir un blessé : BASSESSE, VILENIE.

LACUNE 1624
CARENCE, DÉFICIENCE, MANQUE, OMISSION, TROU, VIDE.

LAID 1625
- Quasimodo était laid : AFFREUX, HIDEUX, HORRIBLE, REPOUSSANT, RÉPUGNANT, VILAIN.
- Son visage n'est pas laid : DISGRACIEUX, INGRAT.
- Une maison laide : INESTHÉTIQUE, *et en lang. fam. :* MOCHE.
- Une action laide : BAS, DÉGOÛTANT, HONTEUX, LÂCHE, MALHONNÊTE, VIL.

LAIDEUR
- La laideur physique : DIFFORMITÉ, DISGRÂCE, HIDEUR.
- La laideur morale : BASSESSE, TURPITUDE.

LAISSER 1626
- Je ne laisse pas mon chien quand je pars en vacances : ABANDONNER.
- Je te laisse ma vieille moto pour mille francs : CÉDER, VENDRE.
- Ses parents lui ont laissé une belle fortune : LÉGUER, TRANSMETTRE.

- Je t'ai laissé la meilleure part : GARDER, RÉSERVER.
- L'hôtesse a demandé qu'on lui laisse les passeports : CONFIER, REMETTRE.
- Bien que j'aie relu mon devoir, j'ai laissé plusieurs fautes : OUBLIER.
- Il ne faut pas laisser les enfants jouer dans la rue : PERMETTRE.

LAISSER-ALLER
Il y a du laisser-aller : DÉSORDRE, INCURIE, NÉGLIGENCE, RELÂCHEMENT.

LAISSEZ-PASSER
Montrer son laissez-passer : COUPE-FILE, SAUF-CONDUIT.

LAME 1627
1. Une lame de verre : FEUILLE, LAMELLE, PLAQUE.
2. Sortir la lame du fourreau : ÉPÉE, POIGNARD.
3. La lame déferle sur la plage : VAGUE.

LANCINANT 1628
Une musique lancinante : AGAÇANT, CRISPANT, ÉNERVANT, OBSÉDANT.

LANCINER
Ce remords le lancine depuis des mois : HANTER, OBSÉDER, TOURMENTER.

LANGUE 1629
- Un dictionnaire de langue : LANGAGE, VOCABULAIRE.
- Les langues régionales : DIALECTE, IDIOME, PARLER.

LANGUIR 1630
- Un malade qui languit : DÉCLINER, S'AFFAIBLIR.
- Des fleurs qui languissent : DÉPÉRIR, S'ÉTIOLER.
- Cette jeune fille languit d'ennui : SE MORFONDRE.
- Ne me fais pas languir trop longtemps : ATTENDRE, *et en lang. fam. :* POIREAUTER.
- La conversation languit : TRAÎNER.

LANGUISSANT
- Un regard languissant : LANGOUREUX, LANGUIDE.
- Une conversation languissante : ENNUYEUX, MORNE, TRAÎNANT.

LANTERNE 1631
FALOT, FANAL, FEU, LAMPION.

LANTERNER
1. *v. intr.*
Il lanterne dans la rue : BADAUDER *(anc.)*, BAGUENAUDER, FLÂNER, MUSARDER, MUSER, TRAÎNER, *en lang. fam. :* LAMBINER, TRAÎNAILLER, TRAÎNASSER, *et en lang. pop. :* GLANDER, GLANDOUILLER.
2. *v. tr.*
Elle m'a lanterné pendant plusieurs jours : FAIRE ATTENDRE, RETARDER.

LAPALISSADE 1632
ÉVIDENCE, TAUTOLOGIE, TRUISME.

LARBIN 1633
DOMESTIQUE, LAQUAIS, SERVITEUR, VALET.

LARGE 1634
1. *adj.*
- Une jupe large : AMPLE, ÉVASÉ.
- Une large plaine : ÉTENDU, GRAND, VASTE.
- Prendre une large part du gâteau : ABONDANT, COPIEUX, IMPORTANT.
- Un esprit large : LIBÉRAL, OUVERT, TOLÉRANT.
- Un professeur large dans ses notes : GÉNÉREUX.
- Une conscience large : ÉLASTIQUE.
- Mener une vie large : AISÉ.

2. *nom.*
- Un tissu de quatre-vingts centimètres de large : LARGEUR.
- Vous avez assez de large pour reculer : ESPACE.
- Le vent qui vient du large : MER.
- « Prendre le large » : PARTIR, S'ENFUIR.

LARGESSE
Distribuer ses biens avec largesse : GÉNÉROSITÉ, LIBÉRALITÉ, MUNIFICENCE, PRODIGALITÉ.

LARGEUR
- La largeur des épaules : CARRURE.
- La largeur des ailes déployées d'un aigle : ENVERGURE.
- Faire preuve d'une grande largeur de vues : AMPLEUR, ÉLÉVATION.

LARME 1635
- Verser des larmes : PLEUR.
- Je ne prendrai qu'une larme de cognac : GOUTTE.

LARMOYANT
- L'enfant est tout larmoyant : ÉPLORÉ.
- Un ton larmoyant : PLEURARD, PLEURNICHARD.

LASCIF 1636
LIBIDINEUX, LUBRIQUE, LUXURIEUX, PAILLARD, SALACE, SENSUEL, VOLUPTUEUX.

LASCIVITÉ
ÉROTISME, LUBRICITÉ, SALACITÉ, SENSUALITÉ, VOLUPTÉ.

LATENT 1637
CACHÉ, LARVÉ, OCCULTE, SECRET.

LAVAGE 1638
LESSIVAGE, NETTOYAGE.

LAVER
DÉCRASSER, LESSIVER, NETTOYER.

SE LAVER
• Se laver la figure : SE NETTOYER, *et en lang. fam. :* SE DÉBARBOUILLER.
• Se laver d'une accusation : SE DISCULPER, SE JUSTIFIER.

LAVERIE
BLANCHISSERIE.

LAVEUSE
Les laveuses battaient le linge en cadence : BLANCHISSEUSE, LAVANDIÈRE.

LAXISME 1639
Faire preuve de laxisme : COMPLAISANCE, TOLÉRANCE.

LAXISTE
Une attitude laxiste : LATITUDINAIRE *(litt.)*, TOLÉRANT.

LEÇON 1640
• Le professeur a fait une brillante leçon d'histoire : COURS.
• Un élève qui prend des leçons en dehors du lycée : RÉPÉTITION.
• C'est la leçon qu'il faut tirer de cette histoire : ENSEIGNEMENT, MORALE.
• Cette insolence mérite une sévère leçon : ADMONESTATION, CORRECTION, PUNITION, RÉPRIMANDE.

LÉGER 1641
1. Marcher d'un pas léger : AGILE, ALERTE, LESTE, PRESTE, SOUPLE, VIF.
• Se sentir léger après avoir bien dormi : ALLÈGRE, DISPOS, GUILLERET.
• L'allure légère d'une danseuse : ÉLÉGANT, GRACIEUX.
• Avoir la taille légère : ÉLANCÉ, MENU, SVELTE.
• Mettre une légère couche de peinture : FIN, MINCE.
• Le toucher léger d'un violoniste : DÉLICAT.
• Un voile léger : DIAPHANE, TRANSPARENT, VAPOREUX.
• Une soierie légère : ARACHNÉEN.
• Une brise légère : DOUX, FAIBLE.
• Il y a une légère différence : INFIME, PETIT.
• Ce n'est qu'une faute légère : ANODIN, INSIGNIFIANT, NÉGLIGEABLE, VÉNIEL.
• Je n'ai qu'une légère idée de cette question : SOMMAIRE, SUPERFICIEL.
• Prendre un repas léger : FRUGAL.
• S'accorder un léger repos : COURT.
2. Un homme léger, une femme légère : INCONSTANT, INFIDÈLE, VOLAGE.
• Un esprit léger : FRIVOLE, FUTILE, SUPERFICIEL.
• Une gaieté légère : BADIN, FOLÂTRE.
• Une décision légère : INCONSÉQUENT, INCONSIDÉRÉ, IRRÉFLÉCHI.
• Une conduite légère : DÉRAISONNABLE, ÉTOURDI.
• Un caractère léger : CHANGEANT, INSTABLE, VERSATILE.
• Il s'est montré bien léger en s'engageant dans cette affaire : IMPRÉVOYANT, IMPRUDENT.
• Tenir des propos légers : ÉGRILLARD, GRIVOIS, LESTE, OSÉ, POLISSON.

LÉGÈRETÉ
• Elle danse avec légèreté : AGILITÉ, ÉLÉGANCE, GRÂCE, SOUPLESSE.
• La légèreté d'un style : AISANCE, FACILITÉ, VIVACITÉ.
• Il a agi avec beaucoup de légèreté : IMPRUDENCE, INCONSCIENCE, INCONSÉQUENCE, IRRÉFLEXION.
• La légèreté de ses arguments ne m'a pas convaincu : FRIVOLITÉ, FUTILITÉ.

LÉGION 1642
• Les chercheurs d'or arrivaient en Californie par légions : BANDE, COHORTE, TROUPE.
• Il y en avait une légion : ARMÉE, FOULE, MULTITUDE, NUÉE.

LÉGITIME 1643
• Le pouvoir légitime : LÉGAL.
• Notre revendication est tout à fait légitime : FONDÉ, JUSTIFIÉ, MOTIVÉ, NORMAL, RAISONNABLE.
• Il est légitime de... : ÉQUITABLE, JUSTE, LICITE, PERMIS.

LÉGITIMITÉ
• La légitimité d'un pouvoir : LÉGALITÉ.
• La légitimité d'une réclamation : BIEN-FONDÉ, BON DROIT.

LEGS 1644
DONATION, HÉRITAGE.

LÉGUER
DONNER, TRANSMETTRE.

LENT 1645
• Un ouvrier lent : INDOLENT, MOU, NONCHALANT, *et en lang. fam. :* LAMBIN, TRAÎNARD.
• Il est lent à se décider : LONG.
• Des gestes lents : CALME, POSÉ.
• Avancer à pas lents : MESURÉ, TRANQUILLE.

LENTEMENT
DOUCEMENT, MOLLEMENT, POSÉMENT, PRÉCAUTIONNEUSEMENT, TRANQUILLEMENT, *et en lang. fam. :* PIANO.

LENTEUR
• Travailler avec lenteur : MOLLESSE, NONCHALANCE.

- La lenteur de l'action dans un film : LONGUEUR.
- Les lenteurs de l'Administration sont condamnables : ATERMOIEMENT, RETARD, TERGIVERSATION.

LÉSINER 1646

Il lésine sur tout : ÉCONOMISER, ÉPARGNER, ROGNER, *et en lang. fam. :* GRATTER.

LESSIVE 1647

- Faire sa lessive : LAVAGE.
- Un marchand de lessives : DÉTERGENT, DÉTERSIF.
- *Fam. :* Les nouveaux dirigeants ont procédé à une grande lessive dans l'Administration : ÉPURATION, PURGE.

LESSIVER

LAVER, NETTOYER.

LÉTHARGIE 1648

- Tomber en léthargie : CATALEPSIE, SOMMEIL.
- L'après-midi, le professeur avait des difficultés à faire sortir les élèves de leur léthargie : ASSOUPISSEMENT, ENGOURDISSEMENT, SOMNOLENCE, TORPEUR.

LETTRE 1649

1. Elle nous a envoyé une courte lettre : BILLET, MESSAGE, MISSIVE, MOT, *et en lang. pop. :* BAFOUILLE.
- Il nous a écrit une longue lettre : ÉPÎTRE.
2. Il sait beaucoup de choses, il a des lettres : CULTURE, ÉRUDITION.
- Les belles-lettres, les lettres : LITTÉRATURE.

LEVER 1650

1. *v. tr.*
- Lever la tête pour mieux voir : DRESSER, HAUSSER.
- Ne regarde pas à tes pieds, lève la tête : REDRESSER, RELEVER.
- Lever des fardeaux avec une grue : ÉLEVER, HISSER, MONTER, SOULEVER.
- Lever des scellés : ENLEVER, ÔTER, RETIRER.
- Le courrier n'est pas encore levé : RAMASSER.
- Lever des filets sur une limande, une sole : COUPER, DÉCOUPER.
- Lever une punition : ANNULER, SUPPRIMER.
- Lever des impôts : PERCEVOIR, PRÉLEVER.
- Lever des troupes : ENRÔLER, RECRUTER.
- « Lever le camp » : S'EN ALLER.

2. *v. intr.*
- La pâte du pain lève : FERMENTER, GONFLER, MONTER.
- Les haricots commencent à lever : POUSSER, SORTIR.

3. *nom.*
- Le lever du jour : AUBE, AURORE, DÉBUT, NAISSANCE.
- Le lever du soleil : APPARITION.

SE LEVER

1. Le jour commence à se lever : POINDRE.
- Le temps se lève : SE DÉGAGER, S'ÉCLAIRCIR.
- Le vent se lève : FRAÎCHIR.
2. À mon arrivée, ils se sont tous levés : SE DRESSER, SE REDRESSER.

LÈVRE 1651

- Il a de grosses lèvres : *en lang. fam. :* BABINES.
- La lèvre inférieure : LIPPE.
- Rapprocher les lèvres d'une plaie : BORD.

LEXIQUE 1652

DICTIONNAIRE, GLOSSAIRE, INDEX, VOCABULAIRE.

LIAISON 1653

- La liaison entre deux pièces d'un mécanisme : ASSEMBLAGE, JONCTION, UNION.
- La liaison entre les idées, entre les parties d'un discours : ASSOCIATION, ENCHAÎNEMENT, FILIATION, SUITE, TRANSITION.
- La liaison entre ces deux faits n'est pas évidente : CONNEXION, CONNEXITÉ, CORRÉLATION, CORRESPONDANCE, LIEN, RAPPORT.
- Rester en liaison avec quelqu'un : COMMUNICATION, CONTACT.
- Avoir de bonnes liaisons avec quelqu'un : FRÉQUENTATION, RELATION.

LIEN

- Entourer quelque chose d'un lien : ATTACHE, CORDE, CORDON, FICELLE.
- Serrer avec un lien : CORDELETTE, FIL, HART *(anc.)*, LACET, LASSO.
- Il n'y a plus aucun lien entre eux : ATTACHEMENT, NŒUD.
- Un galérien qui brise ses liens : CHAÎNES, FERS.

LIER

- Ils lièrent le prisonnier à un arbre : ATTACHER, ENCHAÎNER, FICELER, GARROTTER, LIGATURER, LIGOTER.
- Lier deux bœufs avant de les atteler : ENJUGUER.
- Lier deux briques : CIMENTER.
- La farine sert à lier une sauce : ÉPAISSIR.
- Lier deux idées : COORDONNER, RELIER.
- Je lie ce fait à l'événement qui s'est passé hier : RAPPROCHER, RATTACHER.
- Lier amitié avec quelqu'un : CONTRACTER, NOUER.
- Le contrat qui nous lie : ASSOCIER, UNIR.
- Ce serment me lie : ENGAGER, OBLIGER.

LIBELLE : PAMPHLET, SATIRE. 1654

LIBÉRATION 1655
- La libération d'un prisonnier : DÉLIVRANCE, ÉLARGISSEMENT, RELAXATION.
- La libération d'un soldat, après son temps de service : DÉMOBILISATION.
- La libération d'un esclave : AFFRANCHISSEMENT.
- La libération des femmes : ÉMANCIPATION.
- La libération des prix : DÉBLOCAGE.

LIBÉRER
- Un prisonnier : DÉLIVRER, ÉLARGIR, RELÂCHER, RELAXER.
- Un soldat à la fin de son exercice actif : DÉMOBILISER.
- Quelqu'un de ses liens : DÉGAGER, DÉLIER, DÉTACHER.
- Quelqu'un de la servitude : AFFRANCHIR, ÉMANCIPER.
- Quelqu'un d'une tâche : DÉCHARGER, DISPENSER, EXEMPTER.
- Quelqu'un d'un engagement : RELEVER.
- Quelqu'un d'un souci : DÉBARRASSER.
- Des crédits : DÉBLOQUER.
- Un passage encombré : DÉBLAYER, DÉGAGER.

SE LIBÉRER
- Il a pu se libérer de ses liens : SE DÉFAIRE, SE DÉLIER, SE DÉLIVRER.
- Se libérer d'une tutelle : S'AFFRANCHIR, S'ÉMANCIPER.
- Se libérer d'une tâche : SE DÉGAGER.
- Se libérer d'une responsabilité : SE DÉCHARGER.
- Se libérer d'une dette : S'ACQUITTER.

LIBERTAIRE
Les théories libertaires : ANARCHISTE.

LIBERTÉ
- Un pays colonisé qui a reconquis sa liberté : AUTONOMIE, INDÉPENDANCE.
- Le greffier procède à la mise en liberté du prisonnier : ÉLARGISSEMENT, RELAXATION.
- Lutter contre un envahisseur pour la liberté de son pays : LIBÉRATION.
- Un mineur qui n'a pas la liberté de disposer de ses biens : DROIT, FACULTÉ, POUVOIR.
- Vous avez la liberté de choisir : FACILITÉ, LATITUDE, POSSIBILITÉ.
- Je vous demande la liberté de me retirer : AUTORISATION, PERMISSION.
- Je n'ai pas eu un instant de liberté : DISPONIBILITÉ, LOISIR.
- Ce vêtement vous donnera de la liberté dans les mouvements : AISANCE.
- Il a montré un peu trop de liberté en me contredisant : DÉSINVOLTURE, IMPERTINENCE, SANS-GÊNE.
- Il s'est permis des libertés avec elle : FAMILIARITÉ, PRIVAUTÉ.
- Parler avec trop de liberté : FRANCHISE, HARDIESSE.
- Un poète qui prend des libertés avec l'orthographe : LICENCE.

LIBERTIN
- Cet homme est un libertin : DÉBAUCHÉ, DÉPRAVÉ, DÉVERGONDÉ, SARDANAPALE *(litt.)*.
- Des mœurs libertines : DÉPRAVÉ, DISSOLU, LICENCIEUX, VICIEUX.

LIBRE
- Une nation libre : AUTONOME, INDÉPENDANT, SOUVERAIN.
- Son aveu a été libre : SPONTANÉ, VOLONTAIRE.
- La voie est libre : DÉGAGÉ.
- Cette place est-elle libre ? : INOCCUPÉ, VACANT, VIDE.
- Êtes-vous libre demain ? : DISPONIBLE.
- Elle laisse sa chevelure libre au vent : FLOTTANT.
- Pour ce match, l'entrée sera libre : GRATUIT.
- L'accès à toutes les plages du littoral devrait être libre : AUTORISÉ, PERMIS, POSSIBLE.
- Je suis assez libre avec elle pour lui dire cela : FAMILIER.
- Depuis quelque temps, elle prend des airs libres : CAVALIER, DÉSINVOLTE, HARDI, SANS-GÊNE.
- Par ses propos libres, il a choqué une partie de l'assemblée : CRU, ÉGRILLARD, GAULOIS, GRAVELEUX, GRIVOIS, INCONVENANT, LESTE, OSÉ, POLISSON, *et en lang. fam. :* SALÉ.

LIBREMENT
- Vous pouvez parler librement : CARRÉMENT, FRANCHEMENT.
- S'entretenir librement avec quelqu'un : FAMILIÈREMENT.
- Agir librement : SPONTANÉMENT, VOLONTAIREMENT.

LICENCE 1656
1. La licence dans les mœurs : DÉBAUCHE, DÉRÈGLEMENT, DÉVERGONDAGE, IMMORALITÉ, LIBERTINAGE, LUXURE.
- La licence dans les propos : INCONVENANCE, OBSCÉNITÉ.
2. Obtenir une licence d'importation de produits exotiques : AUTORISATION.

LIEU 1657
1. Voilà le lieu idéal pour pique-niquer : COIN, EMPLACEMENT, ENDROIT, PLACE.

• Nous nous sommes arrêtés dans un lieu charmant : CONTRÉE, PAYS, RÉGION, SITE.
• Ce village a été le lieu d'événements extraordinaires : THÉÂTRE.
• Ce n'est pas le lieu d'évoquer ce problème : ENDROIT, MOMENT.
• Avant de louer, nous avons visité les lieux : APPARTEMENT, HABITATION, MAISON, PROPRIÉTÉ.
• *En langage euphémique :* « Aller dans les lieux » : CABINETS, LATRINES, TOILETTES, WATER-CLOSETS.
2. Cela donnera lieu à contestation : MATIÈRE, SUJET.
• Cela me donnera lieu de m'expliquer : OCCASION.

LIGNE 1658
1. Tracer des lignes parallèles : DROITE, TRAIT.
• La ligne qui sépare les deux pays a été déplacée de plusieurs kilomètres : FRONTIÈRE, LIMITE.
• Construire une ligne de chemin de fer : VOIE.
• Prendre la ligne la plus courte pour aller d'un point à un autre : CHEMIN, ROUTE.
• Pour aller à la tour Eiffel, prenez l'autobus qui fait la ligne Luxembourg-Neuilly : ITINÉRAIRE, TRAJET.
• La route est bordée de deux lignes de platanes : ALIGNEMENT, FILE, RANGÉE.
• Un jardinier qui tend sa ligne avant de planter : CORDEAU.
• Mettre deux choses sur la même ligne : NIVEAU, RANG.
• Présenter les lignes essentielles d'un projet : POINT.
• Il ne s'est pas écarté de la ligne de conduite qu'il s'était fixée : RÈGLE.
• Elle a toujours suivi la même ligne politique : ORIENTATION.
• Une voiture de sport qui a une ligne élégante : FORME, PROFIL, SILHOUETTE.
2. Après un repos de quelques jours, les soldats sont remontés en ligne : COMBAT, FRONT.

LIGNÉE
• Les grands-parents admirent leur lignée : DESCENDANCE, FAMILLE.
• Elle est d'une noble lignée : ASCENDANCE, EXTRACTION, SOUCHE.

LIMITATION 1659
• La limitation des importations : CONTINGENTEMENT.
• La limitation de la vitesse dans les villes : RESTRICTION.
• La limitation des naissances : CONTRÔLE.

LIMITE
• Cette rivière sert de limite entre les deux départements : FRONTIÈRE, SÉPARATION.
• Les hommes se sont installés jusqu'aux limites du désert : BORD, BORDURE, CONFINS, LISIÈRE.
• Voici les limites de mon champ : BORNE.
• Elle n'a pas dépassé les limites de ses fonctions : CADRE, DOMAINE.
• Le match de boxe n'a pas atteint la limite réglementaire : FIN, TERME.
• La liberté peut-elle avoir des limites ? : ENTRAVE, FREIN, RESTRICTION.
• Il a échoué parce qu'il n'a pas tenu compte de ses limites : MOYEN, POSSIBILITÉ.
• Voilà un cas limite : EXTRÊME.

LIMITÉ
• Notre espace est limité : ÉTROIT, RESTREINT.
• Mes ressources sont limitées : MODESTE, MODIQUE.
• Les débouchés dans ce métier sont limités : FAIBLE, RÉDUIT.

LIMITER
• Limiter une propriété : BORNER, CIRCONSCRIRE, DÉLIMITER.
• Il lui faut limiter ses dépenses : RÉDUIRE, RESTREINDRE.
• Limitez un peu votre ardeur ! : FREINER, MODÉRER, TEMPÉRER.

SE LIMITER
• Il s'est limité au simple exposé des faits : SE CANTONNER, S'EN TENIR À.
• Ses connaissances se limitent à bien peu de choses : SE BORNER.

LIQUEUR 1660
ALCOOL, DIGESTIF, FINE, SPIRITUEUX.

LIQUIDATION 1661
• La liquidation d'une succession : PARTAGE.
• La liquidation d'une pension de retraite : RÈGLEMENT.
• La liquidation de marchandises : SOLDE, VENTE.
• La liquidation de valeurs boursières : RÉALISATION.
• La liquidation d'un individu dangereux : MEURTRE.

LIQUIDE
1. *adj.*
Une huile très liquide : FLUIDE.
2. *nom.*
• Un malade qui ne peut prendre que du liquide : BOISSON.
• Manquer de liquide pour acheter : ARGENT, LIQUIDITÉS.

LIQUIDER
- Liquider ses biens : RÉALISER, VENDRE.
- Ce magasin liquide les articles démodés : SOLDER.
- J'ai pu liquider cette affaire difficile : RÉGLER, RÉSOUDRE, TERMINER.
- *Fam. :* Liquider un visiteur importun : SE DÉBARRASSER DE.
- *Pop. :* La police n'avait pas d'autre solution que de liquider ce terroriste : ABATTRE, ÉLIMINER, SUPPRIMER, TUER.

LIRE 1662
- Cet enfant n'en est encore qu'à lire les premiers mots : ÂNONNER, DÉCHIFFRER, ÉPELER.
- Voilà tous les livres qu'il a lus pour sa thèse : COMPULSER, CONSULTER, DÉPOUILLER, FEUILLETER, PARCOURIR, *et en lang. fam. :* BOUQUINER, DÉVORER.
- Elle ne parle pas le russe, mais elle le lit : COMPRENDRE.
- On ne sait pas encore lire les textes étrusques : DÉCHIFFRER, DÉCODER, DÉCRYPTER.
- Elle prétend lire mon avenir dans les astres : DÉCOUVRIR, DEVINER.
- Son visage impassible ne permet pas de lire ses intentions : DEVINER, DISCERNER, PÉNÉTRER, PERCER.

LISEUR
LECTEUR.

LISIBLE
- Une écriture à peine lisible : DÉCHIFFRABLE.
- La fatigue était lisible sur son visage : VISIBLE.

LISSE 1663
DOUX, GLACÉ, LUSTRÉ, POLI, SATINÉ, UNI.

LISSER
APLANIR, LUSTRER, POLIR.

LIT 1664
1. *Suivant le cas, on pourra dire :* COUCHE, COUCHETTE, DIVAN, GRABAT, SOFA, *en lang. enfantin :* DODO, *et en lang. argot. :* PADDOCK, PAGEOT, PIEU, PLUMARD, PUCIER.
- Un lit de feuilles sèches : MATELAS, TAPIS.
2. La Durance a varié de lit au cours des siècles : COURS.

LITOTE 1665
ATTÉNUATION, EUPHÉMISME.

LIVRE 1666
- BROCHURE, ÉCRIT, OPUSCULE, OUVRAGE, PLAQUETTE, PUBLICATION, TOME, VOLUME, *et en lang. fam. :* BOUQUIN.
- Le livre de bord : REGISTRE.

LIVRET
CAHIER, CARNET, FASCICULE.

LIVRER 1667
1. Livrer une marchandise à domicile : FOURNIR, PORTER, REMETTRE.
- Livrer un coupable à la justice : DÉFÉRER, REMETTRE.
- Il a livré tous ses complices : DÉNONCER, DONNER, TRAHIR, VENDRE.
- Elle m'a livré son secret : CONFIER, DÉVOILER.
2. Ils s'apprêtent à livrer un combat : ENGAGER.

SE LIVRER
- Le forcené a fini par se livrer : SE RENDRE.
- Je me livre à ta discrétion : S'ABANDONNER, SE CONFIER, S'EN REMETTRE À.
- Sa vie durant, elle s'est livrée à des œuvres de bienfaisance : S'ADONNER, SE CONSACRER, SE VOUER.
- Tous les matins, elle se livre à son sport favori : PRATIQUER, S'EXERCER.
- Nous allons nous livrer à une analyse approfondie de la situation : PROCÉDER À.
- Les terroristes se sont livrés à un odieux attentat : COMMETTRE.

LOCAL 1668
1. *adj.*
- La répartition locale des végétaux sur la Terre : RÉGIONAL.
- Cela fait très « couleur locale » : PITTORESQUE.
2. *nom.*
- Les divers locaux d'une ferme : BÂTIMENT.
- Un local de réunion : SALLE.
- Ce local est trop petit pour nous contenir tous : PIÈCE.
- Ils disposent d'un local spacieux : APPARTEMENT, LOGEMENT.
- Le local à balais : CAGIBI, RÉDUIT, SOUPENTE.

LOCALISER
- Avez-vous pu localiser le bruit ? : SITUER.
- Ils ont réussi à localiser le conflit : LIMITER.

LOGEMENT 1669
- *Suivant le cas, on pourra dire :* APPARTEMENT, DEMEURE, HABITATION, LOGIS, MAISON, TOIT.
- Nous pouvons vous assurer la nourriture, mais pas le logement : GÎTE, HÉBERGEMENT.

LOGER
1. *v. intr.*
- C'est là que je loge : DEMEURER, HABITER,

RÉSIDER, *et en lang. très fam. :* CRÉCHER, GÎTER, NICHER, PERCHER.
- Pendant les vacances, je loge à l'hôtel : DESCENDRE, SÉJOURNER.

2. *v. tr.*
- On a logé les réfugiés dans une cité provisoire : HÉBERGER, INSTALLER, *et en lang. fam. :* CASER.
- L'auberge de jeunesse ne peut loger que vingt personnes : ACCUEILLIR, RECEVOIR.
- J'ai logé toutes mes balles dans la cible : METTRE, PLACER.

LOGIQUE 1670

1. *adj.*
- Un esprit logique : CARTÉSIEN, MÉTHODIQUE.
- Une argumentation très logique : COHÉRENT, SUIVI.
- Ayez une conduite logique : CONSÉQUENT, JUDICIEUX, RAISONNABLE, RATIONNEL, SENSÉ.
- C'est dans l'ordre logique des choses : NATUREL, NORMAL, RÉGULIER.

2. *nom.*
- Il l'a emporté dans le débat à cause de sa logique oratoire : DIALECTIQUE.
- Sa démonstration manque de logique : COHÉRENCE, MÉTHODE.

LOI 1671
- La loi est la même pour tous : RÈGLE.
- Subir la loi de quelqu'un : AUTORITÉ, DOMINATION, POUVOIR.
- Se faire une loi d'être toujours exact à un rendez-vous : DEVOIR, IMPÉRATIF, OBLIGATION, PRINCIPE.
- Les lois de la chevalerie : CODE.

LOIN 1672

L'hiver n'est plus loin maintenant : ÉLOIGNÉ.

LOINTAIN

1. À une époque très lointaine : ANCIEN, RECULÉ.
- C'est la cause lointaine de son échec : INDIRECT.
- Cela n'a qu'un très lointain rapport avec le sujet : APPROXIMATIF, VAGUE.
- Soudain il prit un air lointain : DISTANT, DISTRAIT.

2. Dans le lointain : À L'HORIZON, AU LOIN.

LONG 1673

1. *adj.*
- Elle avait de longs cheveux : GRAND.
- Le fût long et mince d'un bouleau : ÉLANCÉ.
- Elle a les doigts longs et grêles : EFFILÉ.
- Le chiendent possède une souche longue et rampante : ALLONGÉ.
- La longue plaine qui s'étend de l'Allemagne à la Russie : IMMENSE, VASTE.
- Le temps m'a paru long : ÉTERNEL, INTERMINABLE.
- Un orateur qui a été long : BAVARD, PROLIXE, VERBEUX.
- Un discours un peu long : *Fam. :* LONGUET.
- Il a une longue expérience de son métier : GRAND, VIEUX.

2. *nom.*
Un banc de 2 mètres de long : LONGUEUR.

3. *adv.*
Il en sait long sur la question : BEAUCOUP.

LONGUEMENT
- Elle a longuement mûri sa décision : LONGTEMPS.
- Il a traité longuement cette question : ABONDAMMENT, AMPLEMENT, MINUTIEUSEMENT.

LONGUEUR
- La longueur des jours : DURÉE.
- Une course de demi-fond d'une longueur de 800 mètres : DISTANCE.
- Il y a des longueurs inutiles dans ce roman : DÉVELOPPEMENT, DIGRESSION.
- Le propriétaire était impatienté par la longueur des travaux dans sa maison : LENTEUR.

LORGNER 1674
- Il lorgne sa voisine : DÉVISAGER, REGARDER, *et en lang. très fam. :* RELUQUER, ZIEUTER.
- Il lorgne cette sinécure : AMBITIONNER, CONVOITER, GUIGNER, *et en lang. fam. :* LOUCHER SUR.

LORGNETTE

LUNETTE.

LORGNON

BINOCLE, FACE-À-MAIN, PINCE-NEZ.

LOT 1675

1. Diviser en lots : PARCELLE, PART, PORTION.
2. Ce magasin offre tout un lot de marchandises diverses : ASSORTIMENT, STOCK.
3. La pauvreté a été son lot : DESTIN, SORT.

LOTERIE

TOMBOLA.

LOTIR

PARTAGER, RÉPARTIR.

LOUABLE 1676
- Pour de louables motifs : ESTIMABLE.
- Elle a fait de louables efforts : MÉRITOIRE.

LOUANGE

APOLOGIE, COMPLIMENT, DITHYRAMBE, ÉLOGE, GLORIFICATION, PANÉGYRIQUE.

LOUANGEUR
1. *adj.*
Des propos louangeurs : ÉLOGIEUX, FLATTEUR, LAUDATIF.
2. *nom.*
Se comporter en louangeur : ADULATEUR, APOLOGISTE, ENCENSEUR, LAUDATEUR, THURIFÉRAIRE *(litt.)*.

LOUER
1. Louer quelqu'un, ses mérites, etc. : ADULER, CÉLÉBRER, COMPLIMENTER, ENCENSER, EXALTER, FÉLICITER, FLATTER, GLORIFIER, LOUANGER, MAGNIFIER, VANTER.
2. Louer un champ pour agrandir ses terres : AFFERMER.
• Louer une couchette dans le train Paris-Rome : RÉSERVER, RETENIR.

SE LOUER DE
S'APPLAUDIR DE, SE FÉLICITER DE, SE VANTER DE.

LOUCHE 1677
• Son comportement est louche : AMBIGU, ÉQUIVOQUE, ÉTRANGE, INQUIÉTANT, SUSPECT, TROUBLANT.
• C'est un établissement louche : BORGNE, INTERLOPE.
• Des mœurs louches : DOUTEUX.

LOUCHER
1. Un individu qui louche : *Fam. :* BIGLER.
2. *Fam. :* Loucher sur quelque chose : CONVOITER.

LOURD 1678
• Une valise lourde : PESANT.
• C'est une lourde tâche : DIFFICILE, PÉNIBLE, RUDE.
• Une chaleur lourde : ACCABLANT, ÉTOUFFANT, ORAGEUX.
• Un lourd sommeil : PROFOND.
• Un aliment lourd : INDIGESTE.
• Le terrain sera lourd pour le prix de l'Arc de Triomphe : COLLANT.
• Elle laissait derrière elle un lourd parfum : ENTÊTANT.
• Nos impôts sont lourds : ÉCRASANT.
• Donner une lourde gifle : FORT, VIOLENT.
• C'est une lourde faute : GRAVE, GROSSIER.
• La situation est lourde des plus graves dangers : CHARGÉ, PORTEUR.
• La mort est lourde de symboles : PLEIN, REMPLI.
• Un esprit lourd : BALOURD, BÉOTIEN, ÉPAIS, LOURDAUD, OBTUS, STUPIDE.
• Une plaisanterie lourde : GROSSIER, MALADROIT.
• Il a une démarche lourde : LOURDAUD, PATAUD.
• Une silhouette lourde : MASSIF, *et en lang. fam. :* MASTOC.
• Un style lourd : EMBARRASSÉ, LABORIEUX.

LOURDEMENT
FORTEMENT, GROSSIÈREMENT, MALADROITEMENT, PESAMMENT.

LOURDEUR
• La lourdeur d'une malle pleine : POIDS.
• La lourdeur d'une faute : GRAVITÉ.
• Ressentir après un copieux repas une lourdeur d'estomac : ALOURDISSEMENT, SURCHARGE.
• Avoir de la lourdeur dans les gestes et les mouvements : GAUCHERIE, MALADRESSE.

LOUVOYER 1679
• Il louvoyait en marchant : TITUBER, ZIGZAGUER.
• Quand on lui pose une question précise, il répond en louvoyant : BIAISER, TERGIVERSER.

LOYALISME 1680
DÉVOUEMENT, FIDÉLITÉ.

LUCARNE 1681
ŒIL-DE-BŒUF, TABATIÈRE.

LUCRATIF 1682
Une occupation lucrative : FRUCTUEUX, RÉMUNÉRATEUR, RENTABLE.

LUCRE
Le goût du lucre : GAIN, PROFIT.

LUMIÈRE 1683
1. Une lumière faible : HALO, LUEUR.
• Être aveuglé par la lumière d'un flash : ÉCLAIR, ÉCLAT.
• Cette pièce manque de lumière : CLARTÉ, ÉCLAIRAGE.
• Sortons du bois pour être en pleine lumière : JOUR.
• La cave n'est pas éclairée, apporte une lumière : BOUGIE, CHANDELLE, LAMPE.
• Avant de sortir, éteins la lumière : ÉLECTRICITÉ.
• Les lumières de la ville au moment de Noël : ILLUMINATION.
2. Je n'ai que de faibles lumières sur la question : CONNAISSANCE, NOTION, SAVOIR.
• Peux-tu me donner quelque lumière sur tes projets ? : ÉCLAIRCISSEMENT, EXPLICATION, INDICATION, INFORMATION, PRÉCISION, RENSEIGNEMENT.
3. Pasteur a été une lumière de la science : FLAMBEAU, GLOIRE, PHARE, SOMMITÉ.

LUMINEUX
• Un objet lumineux : BRILLANT, ÉBLOUISSANT, ÉCLATANT, ÉTINCELANT.
• Les aiguilles lumineuses d'un réveil : FLUORESCENT, LUMINESCENT, PHOSPHORESCENT.

• Elle avait un sourire lumineux : RADIEUX, RAYONNANT.
• Son explication a été lumineuse : CLAIR, LIMPIDE.

LUNETTES 1684
Je vais changer de lunettes : VERRES, *et en lang. fam. :* BESICLES.

LURON 1685
C'est un joyeux luron : COMPÈRE, DRILLE, GAILLARD, *et en lang. fam. :* BOUGRE.

LUTIN 1686
DJINN, EFRIT, ELFE, FARFADET, GÉNIE, KOBOLD, KORRIGAN, TROLL.

LUTTE 1687
• Une lutte entre deux pays ennemis : BATAILLE, COMBAT, CONFLIT, GUERRE.
• Ces deux champions sont en lutte pour la première place : COMPÉTITION, CONCURRENCE.
• Une lutte oratoire : DUEL, JOUTE.

LUTTER
• Les deux armées ont lutté pour la possession de ce fort : BATAILLER, COMBATTRE, GUERROYER, S'AFFRONTER.
• Ils ont lutté de générosité envers moi : RIVALISER.
• Elle luttait contre le vent : SE DÉBATTRE, SE DÉFENDRE, RÉSISTER À.
• Il est trop fort, personne ne veut lutter avec lui : SE MESURER À.
• Lutter pour la cause de la paix : MILITER.

LUXATION 1688
DÉBOÎTEMENT, ENTORSE, FOULURE.

LUXE 1689
• Le luxe d'une cérémonie : APPARAT, FASTE, MAGNIFICENCE, POMPE, SOMPTUOSITÉ, SPLENDEUR.
• Vivre dans le luxe : OPULENCE, RICHESSE.
• N'achète pas d'autres vêtements, ce serait du luxe : SUPERFLU.
• Il a pris un luxe de précautions pour lui annoncer cette nouvelle : ABONDANCE, PROFUSION.

LUXUEUX
FASTUEUX, MAGNIFIQUE, SOMPTUEUX.

LYCÉE 1690
• Je ne me plais pas dans ce lycée : *en lang. fam. :* BAHUT, BOÎTE.
• Elle fréquente un lycée en Suisse : GYMNASE.

LYMPHATIQUE 1691
APATHIQUE, INDOLENT, MOU.

LYNCHER 1692
Se faire lyncher par la foule : ÉCHARPER, LAPIDER, TUER.

M m

MACABRE 1693

FUNÈBRE, LUGUBRE, SINISTRE.

MACÉRER 1694

1. Les saints macéraient leur corps par des jeûnes : MORTIFIER.
2. Mettre un râble de lièvre à macérer pendant huit jours : MARINER.

MÂCHER 1695

1. Il faut mâcher la viande, avant de l'avaler : MASTIQUER.
   - Il a la mauvaise habitude de mâcher le bout de son crayon : MÂCHONNER, MÂCHOUILLER.
   - Le vieux marin mâchait du tabac : CHIQUER.
2. Je t'ai mâché le travail : PRÉPARER, SIMPLIFIER.

MACHIAVÉLIQUE 1696

Un projet machiavélique : DIABOLIQUE, PERFIDE.

MACHIAVÉLISME

FOURBERIE, PERFIDIE, RUSE.

MACHINE 1697

1. La machine d'un train : LOCOMOTIVE, MOTRICE.
   - La salle des machines d'un navire : MACHINERIE.
   - Le règne de la machine a commencé au siècle dernier : MACHINISME.
2. *Le mot* MACHINE *peut s'employer pour un véhicule :* AUTOMOBILE, BICYCLETTE, MOTO, VÉLOMOTEUR, *et aussi pour une machine-outil :* ALÉSEUSE, ÉTAU-LIMEUR, FRAISEUSE, PERCEUSE, RECTIFIEUSE, TOUR, etc.

MAGASIN 1698

- Un magasin de bonneterie : BOUTIQUE.
- Un « grand magasin » : SUPERMARCHÉ.
- Cette société a créé une chaîne de magasins : SUCCURSALE.
- Cette pièce de rechange manque au magasin de l'atelier : ENTREPÔT, RÉSERVE.

MAGE 1699

ASTROLOGUE, DEVIN, PROPHÈTE.

MAGICIEN

ENCHANTEUR, ENSORCELEUR, NÉCROMANCIEN, SORCIER, THAUMATURGE.

MAGICIENNE

FÉE.

MAGIE

CHARME, DIVINATION, ENCHANTEMENT, ENSORCELLEMENT, ENVOÛTEMENT, MALÉFICE, OCCULTISME, SORCELLERIE, SORTILÈGE.

MAGIQUE

- Un pouvoir magique : SURNATUREL.
- Une formule magique : CABALISTIQUE.
- Une baguette magique : ENCHANTÉ.
- Un spectacle magique : FÉERIQUE, MERVEILLEUX.

MAGISTRAL 1700

- Parler sur un ton magistral : IMPOSANT, PÉDANT, SOLENNEL.
- Son exposé était magistral : REMARQUABLE, SENSATIONNEL.

MAGNÉTISER 1701

FASCINER, HYPNOTISER.

MAGNÉTISME

- Le magnétisme que cette chanteuse exerce sur son public : CHARME, FASCINATION.

MAIGRE 1702

- Une petite fille maigre : FLUET, MAIGRELET, *et en lang. fam. :* MAIGRICHON, MAIGRIOT.
- Un visage maigre : ÉMACIÉ, HÂVE.
- Un cheval maigre : DÉCHARNÉ, EFFLANQUÉ, ÉTIQUE, SQUELETTIQUE.

- La végétation est maigre au Sahel : CHÉTIF, CLAIRSEMÉ, PAUVRE, RABOUGRI.
- Une terre maigre : ARIDE, IMPRODUCTIF, INFÉCOND, INFERTILE, INGRAT, STÉRILE.
- Avoir un maigre salaire : MÉDIOCRE, MODESTE, PETIT.
- Il a avancé de maigres raisons pour ne pas venir : FAIBLE, FUTILE, MINCE, PIÈTRE.

MAIGREUR
- Sa pâleur et sa maigreur font peur : ÉMACIATION.
- La maigreur d'une pension de retraite : MODICITÉ.

MAIGRIR
- On ne le reconnaît plus, tellement il a maigri : DÉPÉRIR, *et en lang. fam. :* DÉCOLLER, FONDRE.
- Suivre un régime pour maigrir : AMINCIR, MINCIR.

MAILLON 1703
ANNEAU, CHAÎNON, MAILLE.

MAILLOT 1704
CHANDAIL, PULL, PULL-OVER, TRICOT.

MAIN 1705
- L'enfant mit sa petite main dans celle de son père : MENOTTE.
- Ils se sont serré la main : *en lang. argot. :* CUILLER, PATTE, PINCE, POGNE.
- Les élèves lèvent la main pour répondre : BRAS.
- Une main de toilette : GANT.
- C'est par la main du hasard que j'ai gagné : ACTION, EFFET.
- Nous sommes entre les mains des technocrates : AUTORITÉ, DÉPENDANCE.
- Dans ce meuble de style on reconnaît la main d'un bon artisan : ART, MANIÈRE.
- Un chirurgien qui n'exerce plus perd la main : ADRESSE, HABILETÉ.
- C'est une voiture qui a changé plusieurs fois de mains : PROPRIÉTAIRE.

MAIN-D'ŒUVRE
Cette entreprise recherche de la main-d'œuvre : EMPLOYÉS, OUVRIERS, TRAVAILLEURS.

MAIN-FORTE
Prêter main-forte à quelqu'un : AIDE, APPUI, ASSISTANCE, SECOURS.

MAINTENIR 1706
- Cette poutre maintient la charpente : SOUTENIR, SUPPORTER.
- Il a maintenu ses livres scolaires en bon état : CONSERVER, ENTRETENIR, GARDER.
- Le service d'ordre essayait de maintenir la foule : CONTENIR, RETENIR, TENIR.
- Il faut maintenir les bonnes traditions : CONSERVER, CONTINUER, PERPÉTUER.
- Il lui faut maintenir sa réputation : PRÉSERVER, SAUVEGARDER.
- Je maintiens que c'est vrai : CONFIRMER, SOUTENIR.

SE MAINTENIR
- Cet usage se maintient : DEMEURER, DURER, PERSISTER, SUBSISTER.
- Le cavalier a réussi à se maintenir en selle : RESTER, TENIR.

MAINTIEN
- Il y a quelque chose de rigide dans son maintien : ALLURE, ATTITUDE, CONTENANCE, TENUE.
- Le maintien des traditions : CONSERVATION, CONTINUITÉ.
- Il faut veiller au maintien de notre patrimoine culturel : PRÉSERVATION, SAUVEGARDE.

MAISON 1707
- Les maisons qui servent de résidences secondaires s'étagent sur le flanc de la colline : CHALET, PAVILLON, VILLA.
- Le marin après une longue campagne de pêche hauturière est heureux de retrouver sa maison : CHEZ-SOI, FOYER, LOGIS, TOIT.
- Elle tient bien sa maison : INTÉRIEUR, MÉNAGE.
- Une maison de commerce : ÉTABLISSEMENT, FIRME.

MAÎTRE 1708

1. Agir comme un maître tout puissant : SEIGNEUR.
- Les biens sans maîtres sont réputés appartenir au domaine public : POSSESSEUR, PROPRIÉTAIRE.
- C'est lui, le maître ici : CHEF, DIRECTEUR, PATRON.
- Certains pensent que le peuple n'a pas besoin de maîtres : DIRIGEANT, GOUVERNANT.
- Je me souviens de tous les maîtres qui m'ont formé : ÉDUCATEUR, INSTITUTEUR, PROFESSEUR.

2. Je le laisse maître de faire ce qu'il veut : LIBRE.
- C'est lui, le maître de la situation : ARBITRE.
- Il est passé maître dans l'art de parler pour ne rien dire : EXPERT.

MAÎTRESSE

1. *adj.*

a) C'est une maîtresse femme : ÉNERGIQUE.
b) Les idées maîtresses d'un discours : ESSENTIEL, PRIMORDIAL, PRINCIPAL.

2. *nom.*

a) Une maîtresse d'école : INSTITUTRICE.

b) Il emmène sa maîtresse dans toutes les réunions : AMANTE, AMIE, CONCUBINE, FAVORITE.

MAÎTRISE
- Il n'a pas su garder sa maîtrise : CALME, SANG-FROID.
- Avoir la maîtrise de la situation : CONTRÔLE.
- L'aviation ennemie n'a plus la maîtrise dans les airs : DOMINATION, SUPÉRIORITÉ, SUPRÉMATIE.
- Un morceau musical exécuté avec maîtrise : HABILETÉ, MAESTRIA, VIRTUOSITÉ.

MAÎTRISER
- Elle a maîtrisé son agresseur : DOMPTER, SOUMETTRE, TRIOMPHER DE, VAINCRE.
- Il avait du mal à maîtriser son émotion : CONTENIR, REFOULER, RÉPRIMER, SURMONTER.
- Les Russes maîtrisent la technologie des rendez-vous dans l'espace : CONTRÔLER, DOMINER, POSSÉDER.

SE MAÎTRISER
SE CONTENIR, SE CONTRÔLER, SE DOMINER.

MAJESTÉ 1709
- Il s'avançait avec majesté : DIGNITÉ.
- La majesté d'un paysage : BEAUTÉ, GRANDEUR.

MAJESTUEUX
AUGUSTE, GRANDIOSE, IMPOSANT, ROYAL, SOLENNEL.

MAJEUR 1710
Dans un débat, la facilité d'élocution est un atout majeur : CAPITAL, ESSENTIEL, EXCEPTIONNEL, IMPORTANT.

MAJORATION 1711
AUGMENTATION, HAUSSE, RELÈVEMENT.

MAJORER
AUGMENTER, ÉLEVER, HAUSSER, RELEVER.

MAL 1712
1. *nom.*
- Ressentir un mal au genou : DOULEUR, SOUFFRANCE.
- Si tu sors par ce temps, tu vas attraper du mal : MALADIE.
- Avoir du mal à marcher : DIFFICULTÉ, PEINE.
- Il ne s'en est pas tiré sans mal : DOMMAGE.
- Quel mal vous ai-je fait ? : PRÉJUDICE, TORT.
- Les maux dont il a souffert pendant sa vie : ÉPREUVE, MALHEUR, PEINE.
- Il n'y a aucun mal à cela : ENNUI, INCONVÉNIENT.
- Cet enfant insupportable a le mal dans la peau : MÉCHANCETÉ.
- Avoir le « mal du pays » : NOSTALGIE.

2. *adv.*
- Je me sens mal, ce matin : MALADE.
- Comme il parle mal ! : INCORRECTEMENT.
- Il s'y est mal pris : MALADROITEMENT.
- Je comprends mal qu'il ait agi ainsi : DIFFICILEMENT.
- Une écriture qui se lit mal : MALAISÉMENT, PÉNIBLEMENT.
- Elle est mal remise de sa maladie : IMPARFAITEMENT, INCOMPLÈTEMENT.
- Les événements ont mal tourné : DANGEREUSEMENT, FÂCHEUSEMENT, MALENCONTREUSEMENT.

MALADE
1. *adj.*
- Elle est malade : INCOMMODÉ, INDISPOSÉ, SOUFFRANT, *et en lang. fam. :* PATRAQUE.
- Avoir l'esprit malade : DÉRANGÉ.

2. *nom.*
Un médecin qui a de nombreux malades : PATIENT.

MALADIE
- Sa maladie est grave : AFFECTION, MAL.
- Avoir la maladie de la persécution : HANTISE, OBSESSION.
- Collectionner des timbres est chez lui une véritable maladie : MANIE, PASSION.

MALADIF
- Un tempérament maladif : CHÉTIF, FRAGILE, MALINGRE, SOUFFRETEUX, VALÉTUDINAIRE.
- Un vieillard maladif : CACOCHYME.
- Une peur maladive : MALSAIN, MORBIDE.

MALAISE
- Ce n'est qu'un malaise passager : INDISPOSITION, MAL, TROUBLE.
- Le malaise grandit parmi le personnel de l'usine : DÉSARROI, INQUIÉTUDE.
- Les commerçants se plaignent du malaise des affaires : MARASME.

MALCHANCE 1713
MALHEUR, MÉSAVENTURE, *et en lang. fam. :* DÉVEINE, GUIGNE, POISSE, TUILE.

MÂLE 1714
- Un bébé de sexe mâle : MASCULIN.
- Avoir une figure mâle : VIRIL.
- Faire preuve d'un mâle caractère : COURAGEUX, ÉNERGIQUE, HARDI, MARTIAL, VIGOUREUX.

MALÉDICTION 1715
- Proférer des malédictions : ANATHÈME, EXÉCRATION, IMPRÉCATION, RÉPROBATION.
- Tous ces ennuis qui nous arrivent, quelle malédiction ! : FATALITÉ, MALCHANCE.

MALFAISANT 1716
MALÉFIQUE, MAUVAIS, MÉCHANT, NUISIBLE.

MALHEUR 1717
- Le malheur le poursuit : ADVERSITÉ, FATALITÉ, INFORTUNE, MALCHANCE.
- Cette année, elle n'a pas été épargnée par les malheurs : DEUIL, ÉPREUVE, PEINE.
- Avec ce tremblement de terre, un grand malheur s'est abattu sur la ville : CALAMITÉ, CATASTROPHE, DÉSASTRE, FLÉAU, RUINE.
- Le malheur se lisait sur le visage des réfugiés : DÉTRESSE, MISÈRE.
- Ils ne sont pas encore arrivés ! je crains un malheur : ACCIDENT.
- Le malheur, c'est que cette lettre soit arrivée après son départ : ENNUI, INCONVÉNIENT.

MALHEUREUX

1. *adj.*
- Avoir l'air malheureux : DÉSESPÉRÉ, MISÉRABLE, PITOYABLE, TRISTE.
- Un enfant malheureux d'avoir perdu son chat : ATTRISTÉ, CHAGRINÉ, DÉSOLÉ, PEINÉ.
- Il y a plus malheureux que nous : ÉPROUVÉ, INFORTUNÉ, PAUVRE.
- Il a eu une vie malheureuse : MISÉRABLE, PÉNIBLE.
- Cet incident a eu une influence malheureuse sur la suite des événements : FUNESTE, NÉFASTE.
- C'est malheureux d'en être arrivé là : AFFLIGEANT, LAMENTABLE, REGRETTABLE.
- Un concurrent malheureux : MALCHANCEUX.
- Son attitude désinvolte a eu sur le jury le plus malheureux effet : DÉPLORABLE, DÉSASTREUX, FÂCHEUX, MALENCONTREUX, PRÉJUDICIABLE.
- Il n'a reçu qu'une malheureuse récompense : DÉRISOIRE, INSIGNIFIANT.

2. *nom.*
Les malheureux : INDIGENT, MISÉREUX, PAUVRE.

MALICE 1718
- Ne cherchez aucune malice dans ce que j'ai fait : MALIGNITÉ, MALVEILLANCE, MÉCHANCETÉ.
- Il y avait une pointe de malice dans sa réponse : MOQUERIE, RAILLERIE.

MALICIEUX
- Un enfant malicieux : ESPIÈGLE, FARCEUR, TAQUIN.
- Une remarque malicieuse : MOQUEUR, NARQUOIS, RAILLEUR.

MALIN 1719
- Ce garçon est malin comme un singe : ASTUCIEUX, FIN, FUTÉ, MADRÉ, MATOIS *(litt.)*, RUSÉ.
- Avoir un air malin : DÉBROUILLARD, DÉGOURDI, ÉVEILLÉ, MALICIEUX, ROUBLARD.
- Faire le malin : FANFARON, FARAUD *(anc.)*.
- Tu peux monter cette maquette, ce n'est pas malin à faire : COMPLIQUÉ, DIFFICILE.
- Ce n'est pas malin d'avoir oublié ton parapluie : FIN, INTELLIGENT.
- Il éprouve un malin plaisir à nous faire enrager : MÉCHANT.

MALLE 1720
BAGAGE, CANTINE, COFFRE.

MALPROPRE 1721

1. *adj.*
- Il vit seul dans une cabane malpropre : CRASSEUX, DÉGOÛTANT, INFECT, RÉPUGNANT, SALE, SORDIDE.
- Raconter des histoires malpropres : GRAVELEUX, GROSSIER, IMMORAL, INCONVENANT, INDÉCENT, OBSCÈNE.
- Avoir une conduite malpropre : IGNOBLE, INFÂME, MALHONNÊTE.

2. *nom.*
Vous n'êtes qu'un malpropre : *en lang. pop. :* SALAUD, SALIGAUD, SALOPARD.

MALSAIN 1722
- Un climat malsain : INSALUBRE, NOCIF, PERNICIEUX.
- Une curiosité malsaine : MORBIDE, PERVERS.
- Il a une influence malsaine sur ses camarades : MAUVAIS, NUISIBLE.
- Des fruits malsains : POLLUÉ, POURRI.

MALTRAITER 1723
- Maltraiter quelqu'un : BRUTALISER, FRAPPER, HOUSPILLER, MALMENER, MOLESTER, ROSSER, RUDOYER, *et en lang. fam. :* TARABUSTER.
- Les auditeurs ont maltraité l'orateur : CONSPUER, HUER, SIFFLER.
- Ce roman a été maltraité par la critique : ÉREINTER, ÉTRILLER, VILIPENDER.

MALVEILLANCE 1724
ANIMOSITÉ, ANTIPATHIE, DÉSOBLIGEANCE, HOSTILITÉ, MÉCHANCETÉ.

MALVEILLANT
DÉSOBLIGEANT, HAINEUX, HOSTILE, MALINTENTIONNÉ, MÉCHANT, VENIMEUX.

MANDAT 1725
- Donner mandat à quelqu'un : MISSION, POUVOIR, PROCURATION.
- Il s'est démis de ses mandats électifs : CHARGE, FONCTION.

MANGER 1726
- *Suivant le contexte, on pourra dire :* ABSORBER, AVALER, INGÉRER, INGURGITER, S'ALIMENTER, SE NOURRIR, SE RESTAURER,

SE SUSTENTER, *et en lang. pop. :* BECQUETER, BOUFFER, BOULOTTER, CROÛTER.
• On m'a invité à manger : *suivant l'heure du repas :* DÉJEUNER, DÎNER, SOUPER, *et en lang. pop. :* GUEULETONNER.
• S'il fait beau dimanche, nous irons manger sur l'herbe : PIQUE-NIQUER, *et en lang. pop. :* CASSE-CROÛTER, SAUCISSONNER.
• Elle mange une pomme : CROQUER, GRIGNOTER.
• Le lion mange la gazelle : DÉVORER.
• À cause de la sécheresse, les vaches n'ont plus rien à manger dans les prés : BROUTER, PAÎTRE.
• Les mites ont mangé ce manteau : RONGER.
• Cette vieille serrure est mangée par la rouille : CORRODER.
• Il a mangé toute sa fortune : DÉPENSER, DILAPIDER, DISSIPER.
• Votre voiture mange trop d'essence : BRÛLER, CONSOMMER.
• Elle a mangé la consigne : OUBLIER.

MANIABLE 1727
• Un parapluie très maniable : COMMODE, PRATIQUE.
• Avoir un caractère maniable : DOCILE, FACILE, OBÉISSANT, SOUPLE.

MANIEMENT
• Un outil d'un maniement facile : EMPLOI, MANIPULATION, USAGE, UTILISATION.
• Le maniement des affaires : ADMINISTRATION, GESTION.
• Le maniement des hommes : CONDUITE, DIRECTION.

MANIER
• As-tu fini de manier cet appareil ? : MANIPULER, MANŒUVRER, *et en lang. fam. :* TRIPOTER.
• Savoir manier une arme : SE SERVIR DE, UTILISER.
• Un cheval difficile à manier : CONDUIRE, DIRIGER, GUIDER, MENER.

MANIAQUE 1728
1. *adj.*
• Faire le ménage avec un soin maniaque : MÉTICULEUX, POINTILLEUX.
• Une vieille personne maniaque : ORIGINAL.
2. *nom.*
• La police recherche le maniaque qui s'attaque aux jeunes femmes : FOU, OBSÉDÉ.

MANIFESTER 1729
• Il a manifesté sa surprise en me voyant : DÉCLARER, EXPRIMER, EXTÉRIORISER, MONTRER.
• Ses gestes manifestaient son impatience : INDIQUER, RÉVÉLER, TÉMOIGNER DE, TRAHIR.

SE MANIFESTER
• La vérité se manifestera un jour : APPARAÎTRE, ÉCLATER, SE DÉCOUVRIR, SE DÉGAGER, SURGIR.
• Aucun candidat ne s'est encore manifesté : SE DÉCLARER, SE PRÉSENTER.

MANŒUVRE 1730
1. La manœuvre d'une arme : MANIEMENT.
• La manœuvre d'un véhicule : CONDUITE.
• Faire une manœuvre : ÉVOLUTION, MOUVEMENT.
2. Je n'ai pas été dupe de ses manœuvres : AGISSEMENTS, MACHINATION, MANÈGE, MANIGANCES.

MANQUER 1731
1. *v. tr.*
• Il a manqué la cible : RATER, *et en lang. fam. :* LOUPER.
• Ne manquez pas cette occasion : GÂCHER, LAISSER ÉCHAPPER, PERDRE.
• En juin, beaucoup d'élèves manquent les cours : *fam. :* SÉCHER.
2. *v. tr. ind.*
• Ne manque pas de rendre visite à ta tante : NÉGLIGER, OMETTRE, OUBLIER.
• Elle a manqué de perdre l'équilibre : FAILLIR, RISQUER.
• Je manque d'argent : ÊTRE DÉPOURVU.
• Il a manqué au code de la route : ENFREINDRE, VIOLER.
• Il a manqué aux lois de l'honneur : CONTREVENIR À, DÉROGER, TRAHIR.
3. *v. intr.*
• Le temps me manque : FAIRE DÉFAUT.
• Personne ne manque : ÊTRE ABSENT.
• Sa tentative a manqué : ÉCHOUER.
• Pendant le tremblement de terre, je sentais le sol manquer sous mes pieds : S'AFFAISSER, SE DÉROBER.

MANTEAU 1732
BURNOUS, CABAN, CAPE, CAPOTE, GABARDINE, HOUPPELANDE, MANTE, PARDESSUS, PÈLERINE, PELISSE, PONCHO, RAGLAN, ULSTER *(anc.)*.

MAQUILLAGE 1733
FARD, GRIMAGE.

MAQUILLER
• Maquiller un engin militaire : CAMOUFLER.
• Maquiller une carte d'identité : FALSIFIER, TRUQUER.
• Maquiller la vérité : ALTÉRER, DÉFORMER, DÉGUISER, DÉNATURER, FAUSSER.

SE MAQUILLER
SE FARDER, SE GRIMER.

MARCHE 1734
1. Il s'arrêtait à chaque marche de l'escalier : DEGRÉ.
2. Ta marche est trop rapide : ALLURE, PAS, TRAIN.
• Faire une longue marche : PROMENADE.
• La marche du train a été ralentie par des travaux sur la voie : PROGRESSION.
• La marche de l'épidémie de rage se poursuit vers la région ouest : AVANCE, PROGRESSION, PROPAGATION.
• Suivre sur une carte la marche d'un cyclone : ROUTE, TRAJET.
• La marche des événements : COURS, DÉROULEMENT, ÉVOLUTION.
• Quelle est la meilleure marche à suivre ? : MÉTHODE, TACTIQUE, VOIE.
• Cette voiture n'est pas en état de marche : FONCTIONNEMENT.

MARCHER
1. Marcher dans la campagne : CHEMINER, DÉAMBULER, SE PROMENER.
• Ne marchez pas sur la pelouse : FOULER, PIÉTINER.
• Le cyclone marche rapidement vers le golfe du Mexique : AVANCER, PROGRESSER, SE DÉPLACER, SE DIRIGER.
• Ce moteur marche à merveille : FONCTIONNER, TOURNER.
• Les autobus ne marchent pas le dimanche : ROULER.
• Est-ce que vos affaires marchent ? : PROSPÉRER.
2. *Fam. :* Il m'a proposé un accord, mais je n'ai pas marché : ACCEPTER, CONSENTIR.
• *Fam. :* Il est têtu, mais je saurai bien le faire marcher : OBÉIR.
• *Fam. :* Est-ce que vous essayez de me « faire marcher » ? : ABUSER, BERNER, TROMPER.

MARCHÉ 1735
• C'est dans ce magasin que je fais mon marché : ACHATS, EMPLETTES.
• Conclure un marché : ACCORD, AFFAIRE, TRANSACTION.
• Un marché aux enchères : VENTE.
• Il se dirigea vers le marché aux bestiaux : FOIRAIL, FOIRE.
• Il entra dans le marché aux grains : HALLE.
• L'industrie française doit conquérir de nouveaux marchés : CLIENTÈLE, DÉBOUCHÉ.

MARE 1736
• Une petite mare : FLAQUE.
• Une grande mare assez profonde : ÉTANG, LAGUNE.

MARÉCAGE 1737
MARAIS, MAREMME, PALUD *(anc.).*

MARGE 1738
• La marge d'une page de livre : BORD, BORDURE.
• Se réserver une marge de réflexion : DÉLAI.
• Prévoir une marge de sécurité : VOLANT.
• Laisser beaucoup de marge à quelqu'un dans son travail : LATITUDE, LIBERTÉ.
• La marge d'erreur est très petite : TOLÉRANCE.
• Il n'y avait que quatre doigts de marge entre la coque du navire et le quai : ÉCART.

MARGINAL
Une œuvre marginale : ACCESSOIRE, SECONDAIRE.

MARI 1739
CONJOINT, ÉPOUX.

MARIAGE
• Bénir un mariage : ALLIANCE, UNION.
• Le mariage de deux couleurs : ASSOCIATION, ASSORTIMENT, COMBINAISON, MÉLANGE.

MARIER
• Le maire les a mariés : UNIR.
• Marier des couleurs : ASSORTIR.

SE MARIER
• Ils viennent de se marier : S'ÉPOUSER.
• Le style de la maison se marie bien avec le paysage : S'ALLIER, S'APPARIER, S'ASSOCIER, S'ASSORTIR, SE COMBINER, S'HARMONISER.

MARIN 1740
1. *adj.*
• La ville d'Ys était une cité marine : MARITIME.
2. *nom.*
• La Bretagne a toujours fourni d'excellents marins : NAVIGATEUR.
• Duguay-Trouin fut un hardi marin : CORSAIRE.
• Les marins de l'équipage : MATELOT.

MARINE
Les navires de la marine de commerce : FLOTTE.

MARINIER
Le marinier sondait le fleuve avec une perche : BATELIER.

MARIONNETTE 1741
AUTOMATE, FANTOCHE, GUIGNOL, PANTIN, POLICHINELLE.

MARMELADE 1742
- De la marmelade de fruits : COMPOTE.
- Mettre quelque chose en marmelade : BOUILLIE, CAPILOTADE.

MARQUANT 1743
- Les traits marquants du règne de Louis XIV : CARACTÉRISTIQUE, IMPORTANT, NOTABLE, REMARQUABLE, SAILLANT.
- Il a été l'homme le plus marquant de son siècle : CÉLÈBRE, ÉMINENT, ILLUSTRE, PRESTIGIEUX.

MARQUE
- Cette robe porte la marque d'un grand couturier : GRIFFE, SIGNATURE.
- La marque d'origine d'un produit : CACHET, ESTAMPILLE, SCEAU.
- Une marque de qualité a été attribuée à ce fromage : LABEL.
- La marque apposée sur une montre en or : POINÇON.
- Les marques sur la peau dues à un choc : BLEU, CONTUSION, ECCHYMOSE, MEURTRISSURE.
- Vous le reconnaîtrez grâce à la marque de naissance qu'il a sur le dos de la main : ENVIE, NAEVUS, TACHE.
- Les marques d'une opération chirurgicale : CICATRICE, COUTURE, STIGMATE.
- Les marques faites par un bûcheron sur un arbre : COCHE, ENCOCHE, ENTAILLE.
- La marque des pas sur la neige : EMPREINTE, TRACE.
- Faire des marques dans la marge d'une page de livre : SIGNE, TRAIT.
- Laisser une marque dans un livre pour retrouver la page : SIGNET.
- Le sauteur à la perche prend ses marques : REPÈRE.
- Son visage porte des marques de fatigue : INDICE, SIGNE, TRACE.
- Son geste est une marque d'amitié : MANIFESTATION, PREUVE, TÉMOIGNAGE.
- La couronne est la marque du pouvoir royal : EMBLÈME, INSIGNE, SYMBOLE.
- À la fin du match, la marque était de 1 à 0 : SCORE.

MARQUER

1. *v. tr.*
- Marquer un rendez-vous sur un agenda : INSCRIRE, NOTER.
- Ma montre marque midi : INDIQUER.
- Cette borne marque la limite de mon champ : DÉSIGNER, INDIQUER, SIGNALER.
- Marquer un chemin avec des repères : BALISER, JALONNER.
- Marquer des oiseaux migrateurs : BAGUER.
- Marquer les moutons d'un troupeau : TATOUER.
- Ce professeur a marqué de son influence tous ses élèves : IMPRÉGNER.
- Cette robe marque trop la taille : ACCUSER, DESSINER.
- Elle a marqué sa satisfaction : EXPRIMER, MANIFESTER, MONTRER, TÉMOIGNER.
- Ses paroles marquent toute l'estime qu'il a pour vous : ATTESTER, DÉNOTER, PROUVER, RÉVÉLER.
- Notre équipe a marqué trois buts : RÉUSSIR.
- Marquer un adversaire : SURVEILLER.

2. *v. intr.*
- Un roman qui marque parmi tous les autres : ÉMERGER, SE DISTINGUER.
- Voilà une décision qui marquera : DATER.

MARQUETÉ

BIGARRÉ, JASPÉ, MOUCHETÉ, PIQUETÉ, TACHETÉ, TAVELÉ.

MARTYRE 1744
- Sa vie a été un long martyre : CALVAIRE, SUPPLICE, TORTURE, TOURMENT.

MARTYRISER

PERSÉCUTER, SUPPLICIER, TORTURER, TOURMENTER.

MASCARADE 1745

CARNAVAL, DÉGUISEMENT, TRAVESTISSEMENT.

MASQUE
- Porter un masque : CAGOULE, DÉGUISEMENT, DOMINO, LOUP, TRAVESTI.
- Un visage qui a le masque de la douleur : AIR, APPARENCE, EXPRESSION.

MASSACRE 1746

CARNAGE, DESTRUCTION, EXTERMINATION, GÉNOCIDE, HÉCATOMBE, POGROM, TUERIE.

MASSACRER
- Les terroristes ont massacré les otages : ASSASSINER, EXTERMINER, TUER.
- Les grêlons ont massacré les grappes de raisins : ABÎMER, DÉTRUIRE, SACCAGER.
- *Fam. :* En conduisant comme un fou, il a massacré sa moto : DÉMOLIR, *et en lang. pop. :* BOUSILLER, ESQUINTER.
- *Fam. :* De mauvais acteurs qui massacrent une pièce de théâtre : DÉFIGURER.

MASSE 1747

1. Une masse de cailloux : AMAS, MONCEAU, TAS.
- Une masse de gens : FOULE, MULTITUDE.
- Il est impossible d'embrasser la masse des connaissances humaines : SOMME, TOTALITÉ.

2. Assommer quelqu'un avec une masse : CASSE-TÊTE, GOURDIN, MASSUE, MATRAQUE, TRIQUE.

MASSER
1. Masser des gens, des troupes : AGGLOMÉRER, CONCENTRER, GROUPER, RASSEMBLER, RÉUNIR.
2. Se faire masser les jambes : FRICTIONNER, FROTTER, PÉTRIR.

MASSIF
1. *adj.*
COMPACT, ÉPAIS, IMPOSANT, LOURD, PESANT, VOLUMINEUX, *et en lang. fam. :* MASTOC.
2. *nom.*
• Un massif d'arbres : BOSQUET.
• Un massif de fleurs : PARTERRE.

MATÉRIEL 1748
1. *adj.*
• Des preuves matérielles : CONCRET, PALPABLE, RÉEL, TANGIBLE.
• Recevoir des secours matériels : FINANCIER, PÉCUNIAIRE.
• Aimer son confort matériel : CORPOREL, PHYSIQUE.
• Notre époque est bien matérielle : MATÉRIALISTE.
• Ne voir que le côté matériel des choses : PRAGMATIQUE, PROSAÏQUE, RÉALISTE, UTILITAIRE.
• Ne rechercher que les plaisirs matériels : CHARNEL, SENSUEL.
2. *nom.*
• Le plombier est venu avec son matériel : ATTIRAIL, OUTILLAGE.
• Apporte ton matériel de camping : ÉQUIPEMENT.

MATIÈRE
1. Le bois est une matière combustible : SUBSTANCE.
• Le titane est devenu une matière indispensable : MATÉRIAU.
2. Voilà la matière de mon prochain discours : FOND, OBJET, SUJET, THÈME.
• L'histoire est une matière qui me plaît : DISCIPLINE.
• Je suis incompétent en cette matière : CHAPITRE, DOMAINE, POINT, QUESTION, SUJET, TERRAIN.
• Il y a là matière à discussion : MOTIF, OBJET, PRÉTEXTE, SUJET.

MÂTINÉ 1749
CROISÉ, MÉLANGÉ, MÊLÉ, MÉTISSÉ.

MATRAQUAGE 1750
Un matraquage publicitaire : BATTAGE.

MATRAQUER
1. Matraquer quelqu'un : ASSOMMER, ROSSER.
2. *Fam. :* Un restaurant où l'on matraque le client : EXPLOITER, VOLER, *et en lang. fam. :* ÉCORCHER, ESTAMPER.

MATURITÉ 1751
• La maturité de l'âge : FORCE, PLÉNITUDE.
• Manquer de maturité : EXPÉRIENCE.

MAUDIRE 1752
ANATHÉMATISER, CONDAMNER, EXÉCRER, HAÏR, PESTER CONTRE, RÉPROUVER.

MAUDIT
1. *adj.*
Quel maudit métier ! : DÉTESTABLE, *et en lang. fam. :* SACRÉ, SALE, SATANÉ.
2. *nom.*
Nous sommes les maudits de la terre : DAMNÉ, PARIA, RÉPROUVÉ.

MAUGRÉER 1753
GROGNER, PESTER, *et en lang. fam. :* BOUGONNER, GROMMELER, RÂLER, RONCHONNER, ROUSPÉTER.

MAUSSADE 1754
• Il a toujours un air maussade : BOURRU, CHAGRIN, GRINCHEUX, GROGNON, MOROSE, RECHIGNÉ, RENFROGNÉ, REVÊCHE.
• Tenir des propos maussades : DÉSABUSÉ, PESSIMISTE.
• Un temps maussade : SOMBRE, TRISTE.

MAUVAIS 1755
• Les résultats de vos calculs sont mauvais : ERRONÉ, FAUX, INEXACT.
• Le mauvais fonctionnement d'une machine : DÉFECTUEUX, IMPARFAIT.
• Un mauvais rendement : INSUFFISANT.
• Une mauvaise façon de parler : INCORRECT.
• Avoir une mauvaise mémoire : INFIDÈLE.
• Avoir une mauvaise vue : DÉFICIENT, FAIBLE.
• Avoir une mauvaise mine : FATIGUÉ, PÂLE, TRISTE.
• Employer une mauvaise méthode pour réussir : IMPROPRE, INADAPTÉ, INADÉQUAT.
• Cela arrive au mauvais moment : INOPPORTUN.
• Nous avons fait un bien mauvais repas : DÉTESTABLE, INFECT.
• Ce vin a mauvais goût : DÉSAGRÉABLE.
• Elle fait une mauvaise maladie : GRAVE, SÉRIEUX.
• La mer est mauvaise : AGITÉ, DANGEREUX.
• Ce climat est mauvais pour sa santé : MALSAIN, NOCIF, NUISIBLE, PERNICIEUX.
• Quel mauvais temps ! : AFFREUX, ÉPOUVANTABLE, VILAIN.
• Un mauvais présage : FUNESTE, SINISTRE.
• Une mauvaise nouvelle : FÂCHEUX, INQUIÉTANT, PÉNIBLE.

- Ce n'est qu'un mauvais moment à passer : DÉSAGRÉABLE, DIFFICILE, RUDE.
- Il est dans une bien mauvaise situation : DÉPLORABLE, DÉSASTREUX, FÂCHEUX.
- Un mauvais employé : INCAPABLE, INCOMPÉTENT.
- Un élève très mauvais en mathématiques : FAIBLE, LAMENTABLE, NUL.
- Il m'a fait une mauvaise impression : DÉFAVORABLE, DÉSAGRÉABLE.
- Je n'ai aucune mauvaise intention à votre égard : MALVEILLANT, MÉCHANT, PERFIDE.
- Quel mauvais cœur, tu as ! : CRUEL, DUR, IMPITOYABLE.
- Tenir de mauvais propos sur quelqu'un : CALOMNIEUX, DÉSOBLIGEANT, MÉDISANT.
- Donner de mauvais conseils à quelqu'un : NÉFASTE, NUISIBLE, PERNICIEUX.
- Avoir une mauvaise influence sur quelqu'un : MALÉFIQUE, MALFAISANT.
- Avoir un mauvais caractère : DÉTESTABLE, INSUPPORTABLE, ODIEUX.
- Avoir une mauvaise conduite : BLÂMABLE, COUPABLE, CRITIQUABLE, RÉPRÉHENSIBLE.
- Avoir de mauvais instincts : CORROMPU, DÉPRAVÉ, IMMORAL, PERVERS.
- Il n'a pas été un mauvais fils : INDIGNE.
- *Fam. :* Je la trouve mauvaise : SAUMÂTRE.

MAXIME 1756

- J'ai toujours suivi cette maxime : PRÉCEPTE, PRINCIPE, RÈGLE.
- Un livre de maximes : ADAGE, APHORISME, DICTON, PENSÉE, PROVERBE, SENTENCE.

MÉANDRE 1757

- Les méandres d'un fleuve : COURBE, SINUOSITÉ.
- Les méandres d'un chemin de campagne : CONTOUR, COUDE, DÉTOUR, LACET, ZIGZAG.

MÉCANIQUE 1758

1. *adj.*
   Un geste mécanique : AUTOMATIQUE, MACHINAL.
2. *nom.*
- La mécanique d'une horloge : MÉCANISME.
- Une belle mécanique : MACHINE.

MÉCANISME

- Le mécanisme de fermeture d'une porte : DISPOSITIF, SYSTÈME.
- Peut-on arrêter le mécanisme de l'inflation ? : PROCESSUS.

MÉCHANCETÉ 1759

- Faire preuve de méchanceté : CRUAUTÉ, DURETÉ, MALIGNITÉ, MALVEILLANCE, NOIRCEUR, PERFIDIE, PERVERSITÉ.
- Faire des méchancetés : MISÈRE, VILENIE, *et en lang. pop. :* CRASSE, ROSSERIE, SALETÉ, SALOPERIE, VACHERIE.

MÉCHANT

1. Un individu méchant : BRUTAL, CRUEL, PERVERS, SADIQUE.
- Une bête méchante : DANGEREUX, FÉROCE.
- Tenir des propos méchants : FIELLEUX, MALVEILLANT, MÉDISANT, VENIMEUX.
- Lancer un regard méchant : HAINEUX.
- Un rire méchant : SARCASTIQUE, SARDONIQUE.
- Les enfants ont été bien méchants aujourd'hui : INDISCIPLINÉ, INDOCILE, INSUPPORTABLE, TURBULENT.
2. Être en méchante posture : MAUVAIS.
- Être de méchante humeur : MAUSSADE.
- Elle jeta sur ses épaules une méchante cape tout usée : MISÉRABLE, PAUVRE.
- Ce n'est qu'une méchante erreur : INSIGNIFIANT, NÉGLIGEABLE.

MÉCONNAÎTRE 1760

- Tu méconnais les difficultés que j'ai rencontrées : IGNORER, NÉGLIGER, OUBLIER.
- Ne méconnais pas la valeur de ton adversaire : DÉDAIGNER, MÉSESTIMER.

MÉCONTENTEMENT 1761

CONTRARIÉTÉ, INSATISFACTION, IRRITATION.

MÉDECINE 1762

Prendre une médecine : MÉDICAMENT, REMÈDE, *et avec un sens péjoratif :* DROGUE.

MÉDIATEUR 1763

ARBITRE, CONCILIATEUR, INTERMÉDIAIRE, NÉGOCIATEUR.

MÉDIATION

ARBITRAGE, CONCILIATION, ENTREMISE, INTERVENTION.

MÉDIOCRE 1764

- N'avoir que de médiocres revenus : MAIGRE, MODESTE, MODIQUE, PIÈTRE.
- Ce roman est d'un médiocre intérêt : FAIBLE, MINCE, MINIME, PIÈTRE.
- Mener une existence médiocre : ÉTRIQUÉ.
- Un élève médiocre : FAIBLE, INSUFFISANT.

MÉDIOCRITÉ

1. Son discours était d'une grande médiocrité : BANALITÉ, PLATITUDE.
- La médiocrité de mes ressources ne me permet pas cet achat : FAIBLESSE, INSUFFISANCE, MODICITÉ, PAUVRETÉ, PETITESSE.
2. Le président n'a pour collaborateurs que des médiocrités : INCAPABLE, MÉDIOCRE, NULLITÉ.

MÉDIRE 1765

Ils médisent sans arrêt de leurs voisins : DAUBER SUR *(anc.)*, DÉCRIER, DÉNIGRER,

DÉTRACTER, DISCRÉDITER, *et en lang. fam. :* BÊCHER, CANCANER SUR, DÉBINER, DÉBLATÉRER CONTRE, TAPER SUR.

MÉDISANCE

De sa part, on peut s'attendre à toutes les médisances : DÉNIGREMENT, DÉTRACTION, DIFFAMATION, *et en lang. fam. :* COMMÉRAGE, DÉBINAGE.

MÉDISANT

1. *adj.*

Des propos médisants : DIFFAMATOIRE.

2. *nom.*

Méfiez-vous des médisants : CALOMNIATEUR, DÉTRACTEUR, DIFFAMATEUR.

MÉDITER 1766

1. *v. tr.*

- C'est une question que je vais méditer : APPROFONDIR, RÉFLÉCHIR À.
- Qu'est-ce que tu médites encore ? : ÉCHAFAUDER, MÛRIR, PRÉPARER, PROJETER, RUMINER, *et en lang. fam. :* MIJOTER.

2. *v. intr.*

Il s'isole pour méditer : PENSER, RÉFLÉCHIR, SE CONCENTRER, SE RECUEILLIR, SONGER.

MÉFIANCE 1767

J'éprouve quelque méfiance à son égard : DÉFIANCE, SOUPÇON, SUSPICION.

MÉFIANT

Se montrer méfiant : CRAINTIF, DÉFIANT, OMBRAGEUX, SOUPÇONNEUX.

SE MÉFIER

Se méfier de quelqu'un ou de quelque chose : DOUTER DE, SE DÉFIER DE, SE GARDER DE, SOUPÇONNER.

MÉLANCOLIE 1768

- Sa mélancolie fait peine à voir : ABATTEMENT, CHAGRIN, *et en lang. fam. :* CAFARD.
- Un regard plein de mélancolie : NOSTALGIE, TRISTESSE.
- Sombrer dans la mélancolie : NEURASTHÉNIE, PESSIMISME, SPLEEN.

MÉLANCOLIQUE

Être d'humeur mélancolique : MOROSE, NEURASTHÉNIQUE, NOSTALGIQUE, PESSIMISTE, SOMBRE, TÉNÉBREUX, TRISTE, *et en lang. fam. :* CAFARDEUX.

MÉLANGE 1769

- Un mélange de couleurs : ASSOCIATION, ASSORTIMENT, COMBINAISON.
- Un mélange de métaux : ALLIAGE, AMALGAME, FUSION.
- Un mélange de choses disparates : ENCHEVÊTREMENT, FATRAS, FOUILLIS, MÉLIMÉLO, PÊLE-MÊLE, SALMIGONDIS.
- Un mélange de liqueurs : COCKTAIL, MIXTURE.
- Un mélange de légumes : MACÉDOINE, RATATOUILLE, SALADE.
- Un mélange de morceaux de musique : POT-POURRI.
- Le mélange des races : BRASSAGE, MÉTISSAGE.

MELANGER

- Une tapisserie où sont mélangés les tons chauds et les tons froids : ALLIER, AMALGAMER, ASSOCIER, COMBINER, MARIER, MÊLER, UNIR.
- Mélanger peu à peu de l'eau à de la farine pour obtenir une bouillie : INCORPORER.
- Mélanger du thon émietté avec de la purée de pommes de terre : MALAXER, MÊLER.
- Mélanger son vin avec de l'eau : COUPER, ÉTENDRE.
- Il a mélangé tous mes papiers : BOULEVERSER, BROUILLER, EMBROUILLER, MÊLER.
- Un tiroir où toutes les affaires sont mélangées : EMMÊLER, ENCHEVÊTRER, ENTREMÊLER.
- Il mélange toutes les dates : CONFONDRE.

MÊLER

1. Nous allons mêler nos intérêts dans cette entreprise : ASSOCIER, UNIR.

- Mêler l'utile à l'agréable : ALLIER, JOINDRE, UNIR.
- Deux arbres voisins mêlent leurs racines : ENTRELACER.
- L'Ille et la Vilaine mêlent leurs eaux à Rennes : CONFONDRE, MÉLANGER, RÉUNIR.

2. Être mêlé à un scandale : COMPROMETTRE DANS, IMPLIQUER DANS.

SE MÊLER

- Les souvenirs se mêlent dans mon esprit : SE BROUILLER, S'EMBROUILLER, SE MÉLANGER.
- Elle ne s'est pas mêlée à la conversation : PARTICIPER, PRENDRE PART, S'ASSOCIER, SE JOINDRE.
- Ne vous mêlez pas de cela ! : S'OCCUPER.
- Il se mêle de ce qui ne le regarde pas : INTERVENIR DANS, S'IMMISCER, S'INGÉRER.

MEMBRE 1770

Les membres d'un club : ADHÉRENT, AFFILIÉ, SOCIÉTAIRE.

MÊME 1771

1. *adj.*

- Une même aventure m'est arrivée : ANALOGUE, IDENTIQUE, PAREIL, SEMBLABLE, SIMILAIRE.
- Ils sont de même taille : ÉGAL, IDENTIQUE.

- C'est à ce moment même que l'explosion a eu lieu : EXACT, PRÉCIS.
- Ce sont ses paroles mêmes : PROPRE, STRICT.

2. *adv.*
- C'est ici même que je suis né : EXACTEMENT, PRÉCISÉMENT.
- Elle est bonne, et même généreuse : AUSSI, ENCORE.

MÉMOIRE 1772

1. *nom fém.*
- Si ma mémoire est exacte : SOUVENIR.
- Laisser après soi une bonne mémoire : RENOMMÉE, RÉPUTATION.
- En mémoire de... : COMMÉMORATION.

2. *nom masc.*
- Un mémoire de frais : COMPTE, FACTURE, NOTE, RELEVÉ.
- Écrire un mémoire sur une question, sur un auteur : ESSAI, ÉTUDE, EXPOSÉ, MONOGRAPHIE, TRAITÉ.

MÉMOIRES
- Écrire ses mémoires : AUTOBIOGRAPHIE, JOURNAL, SOUVENIRS.
- Les Mémoires de Saint-Simon : ANNALES, CHRONIQUES.

MÉMORABLE

Un jour mémorable : FAMEUX, HISTORIQUE, INOUBLIABLE, MARQUANT, REMARQUABLE.

MENAÇANT 1773
- Un ton menaçant : COMMINATOIRE.
- Un air menaçant : AGRESSIF.
- Un regard menaçant : FULMINANT.
- Un danger menaçant : IMMINENT.
- L'avenir est menaçant : ALARMANT, ANGOISSANT, INQUIÉTANT.

MENACE
- Je ne crains pas ses menaces : AVERTISSEMENT, FULMINATION, PROVOCATION.
- Obtenir quelque chose par la menace : CHANTAGE, INTIMIDATION.
- Une menace de guerre pèse sur le monde : DANGER, RISQUE.

MENACER
- Il m'a menacé : BRAVER, DÉFIER, PROVOQUER.
- L'épidémie menace de s'étendre : RISQUER.
- La pluie menace : ÊTRE IMMINENT.

MÉNAGEMENT 1774
- Agir avec ménagement : CIRCONSPECTION, PRÉCAUTION, PRUDENCE, RÉSERVE.
- User de ménagements envers quelqu'un : ATTENTIONS, ÉGARDS, PRÉVENANCES, SOINS.

MÉNAGER
- Je t'ai ménagé un rendez-vous avec lui : ARRANGER, ORGANISER, PRÉPARER.
- Il n'a pas ménagé sa peine pour réussir : ÉCONOMISER, ÉPARGNER, MESURER.

MENDIANT 1775

CHEMINEAU, CLOCHARD, GUEUX, *et en lang. pop. :* MENDIGOT.

MENDIER

QUÉMANDER, QUÊTER, *et en lang. pop. :* MENDIGOTER.

MENSONGE 1776

CONTREVÉRITÉ, FABLE, HISTOIRE, INVENTION, TROMPERIE, *et en lang. fam. :* BOBARD, CRAQUE, MENTERIE.

MENSONGER

CAPTIEUX, CONTROUVÉ, FALLACIEUX, FAUX, TROMPEUR.

MENTEUR

HÂBLEUR, IMPOSTEUR, MYTHOMANE, VANTARD.

MENTIR

INVENTER, MYSTIFIER, TROMPER, *et en lang. fam. :* BLAGUER, GALÉJER.

MÉPRIS 1777

Regarder avec mépris : ARROGANCE, DÉDAIN, DÉGOÛT, HAUTEUR, INDIFFÉRENCE, MORGUE.

MÉPRISABLE
- Un homme méprisable : ABJECT, DÉTESTABLE, IGNOBLE, INDIGNE, VIL.
- Tout ceci est bien méprisable : NÉGLIGEABLE.

MÉPRISANT

Un air méprisant : ARROGANT, DÉDAIGNEUX, FIER, HAUTAIN.

MÉPRISER

DÉDAIGNER, IGNORER, MÉSESTIMER, NÉGLIGER, SE MOQUER DE.

MERDE 1778
- *Merde est un terme vulgaire pour désigner :* DÉJECTIONS, EXCRÉMENTS, SELLES, *et en lang. enfantin :* CACA.
- *Pour les animaux, on dit, selon l'espèce :* BOUSE, CHIURE, CROTTE, CROTTIN, ÉTRON, FIENTE.

MÈRE 1779

L'oisiveté est la mère de tous les vices : CAUSE, ORIGINE, SOURCE.

MÉRITE 1780

QUALITÉ, TALENT, VALEUR, VERTU.

MÉRITER
- Elle mérite une récompense : ÊTRE DIGNE DE.

- Il mérite une amende : ENCOURIR.
- Cette nouvelle mérite confirmation : DEMANDER, RÉCLAMER.
- Cela ne mérite pas qu'on en parle : VALOIR.

MÉRITOIRE
Des efforts méritoires : LOUABLE.

MERVEILLE 1781
1. Ce spectacle est une merveille : ENCHANTEMENT.
- On est toujours étonné par les merveilles de la nature : MIRACLE, PRODIGE.
2. Ils s'entendent à merveille : ADMIRABLEMENT, PARFAITEMENT.

MERVEILLEUX
- Elle aime les contes merveilleux : FABULEUX, FANTASTIQUE, FÉERIQUE, SURNATUREL.
- Il lui est arrivé une histoire merveilleuse : ADMIRABLE, ÉTONNANT, EXTRAORDINAIRE, MAGNIFIQUE, MIRACULEUX, MIRIFIQUE, PRODIGIEUX, *et en lang. fam. :* MIROBOLANT.

MESSAGER 1782
- Je vous fais parvenir ce paquet par un messager : COMMISSIONNAIRE, PORTEUR.
- Être le messager de quelqu'un : ENVOYÉ.
- Un messager chargé d'un pli secret : ÉMISSAIRE, ESTAFETTE, EXPRÈS.
- L'annonce fut lue par un messager : HÉRAUT.
- Les hirondelles sont les messagères du printemps : ANNONCIATEUR.
- Ce vent souffle en messager de l'orage : AVANT-COUREUR, PRÉCURSEUR.

MESURE 1783
1. Le palmer permet de vérifier les mesures d'une pièce en cours d'usinage : COTE, DIMENSION.
- Une erreur de mesure : CALCUL, ÉVALUATION.
- Indiquer les mesures de quelqu'un sur une fiche signalétique : MENSURATION.
- Forcer la mesure en salant un plat : DOSE, RATION.
- Tu dépasses la mesure ! : BORNE, LIMITE.
- Dans une certaine mesure, il a raison : LIMITE, PROPORTION.
- Dans ce poste, elle a donné toute sa mesure : CAPACITÉ, VALEUR.
- Danser en mesure : CADENCE, RYTHME.
2. Agir avec mesure : CIRCONSPECTION, MODÉRATION, PRÉCAUTION, PRUDENCE, RÉSERVE, RETENUE.
- Manquer de mesure : ÉQUILIBRE.
- Prendre une sage mesure : DÉCISION, DISPOSITION, INITIATIVE.

MESURER
- Mesurer un champ : ARPENTER, MÉTRER.
- Mesurer la capacité d'un réservoir : CUBER, JAUGER.
- Mesurer les conscrits : TOISER.
- Mesurer la longueur d'un couloir : CALCULER.
- Mesurer des yeux la hauteur d'une tour : ESTIMER, ÉVALUER.
- La laborantine mesure le taux de cholestérol dans le sang : DOSER.
- Mesurer une sanction à l'importance de la faute : PROPORTIONNER, RÉGLER.
- Mesurer le pour et le contre : JUGER, PESER.
- On ne mesure pas la nourriture à un affamé : COMPTER, LIMITER.
- Mesurer son amitié à quelqu'un : MARCHANDER.
- Mesurer ses paroles devant quelqu'un : MODÉRER.

MÉTAMORPHOSE 1784
- Les diverses métamorphoses de Vishnu : AVATAR, INCARNATION.
- Croyez-vous en la métamorphose des métaux en or ? : CONVERSION, TRANSMUTATION.
- Depuis qu'il est marié, quelle métamorphose ! : CHANGEMENT, ÉVOLUTION, TRANSFORMATION.

MÉTÉORE 1785
Passer comme un météore : BOLIDE, ÉTOILE FILANTE.

MÉTHODE 1786
- Agir avec méthode : LOGIQUE, ORDRE.
- Ce n'est pas la bonne méthode pour réussir : MANIÈRE, MOYEN, PROCÉDÉ, SYSTÈME, TECHNIQUE.
- Chaque artisan a sa propre méthode : HABITUDE, RECETTE, SECRET.

MÉTHODIQUE
Procédons de façon méthodique : ORDONNÉ, RATIONNEL, SCIENTIFIQUE, SYSTÉMATIQUE.

MÉTIER 1787
1. Les divers métiers du bâtiment : PROFESSION.
- Choisir le métier des armes : CARRIÈRE.
- Changer de métier : OCCUPATION, TRAVAIL, *et en lang. fam. :* BOULOT, JOB.
- Avoir du métier : EXPÉRIENCE, HABILETÉ, PRATIQUE, SAVOIR-FAIRE, TALENT.
2. Un métier à tisser : MACHINE.

MÉTIS 1788
- *Pour les animaux et les plantes :* HYBRIDE.
- *Pour les chiens :* BÂTARD.

• *Pour les humains :* EURASIEN, MULÂTRE, OCTAVON, QUARTERON, SANG-MÊLÉ.

METTRE 1789
• Où ai-je mis mes lunettes ? : PLACER, POSER, RANGER, *et en lang. pop. :* COLLER, FLANQUER, FOURRER.
• Mettre son manteau au vestiaire : DÉPOSER.
• Mettre sa voiture au garage : RANGER.
• Mettre une couverture sur ses genoux : ÉTALER, ÉTENDRE.
• Mettre un châle sur ses épaules : JETER.
• Mettre une échelle contre le mur : APPLIQUER, APPUYER.
• Mettre le couvert sur la table : DISPOSER.
• Mettre la clef dans la serrure : ENFONCER, ENGAGER, INTRODUIRE.
• Mettre une lettre sous la porte : GLISSER.
• Mettre du cidre dans une barrique : ENTONNER.
• Mettre des oignons de tulipe le long de l'allée du jardin : ENTERRER, PLANTER.
• Mettre des livres les uns sur les autres : EMPILER.
• Mettre du persil dans une salade : AJOUTER.
• Mettre une remorque à sa voiture : ATTELER.
• Mettez votre signature ici : APPOSER.
• Mettre un nom sur une liste : INSCRIRE, PORTER.
• Mettre un texte étranger en français : TRADUIRE.
• Mettre tout son argent sur le même cheval : MISER.
• Mettre un habit neuf : ENDOSSER, ENFILER, PASSER, REVÊTIR.
• Mettre ses bottes : CHAUSSER, ENFILER.
• Elle ne met plus que des pantalons : PORTER.
• L'aubergiste m'a mis dans la meilleure chambre : INSTALLER, LOGER.
• Mettre un lapin en gibelotte : ACCOMMODER, APPRÊTER.
• Il met le désordre partout : SEMER.
• L'administration a mis six mois à me répondre : ATTENDRE.
• Il a mis beaucoup de temps à ce travail : CONSACRER.
• Elle a mis de la bonne volonté : APPORTER.
• Cette nouvelle m'a mis dans l'angoisse : JETER, PLONGER.
• Le médecin m'a mis au régime : PRESCRIRE.
• Le voisin met sa radio trop fort : FAIRE MARCHER.

SE METTRE
• Où dois-je me mettre ? : S'INSTALLER, SE PLACER.
• Pour aller à cette cérémonie, comment dois-je me mettre ? : S'HABILLER.
• Un jeune enfant qui se met à parler : COMMENCER.

MEUBLÉ 1790
Une chambre meublée : GARNI.

MEUBLER
Il ne sait pas meubler ses loisirs : OCCUPER.

SE MEUBLER
En lisant, on se meuble l'esprit : S'ENRICHIR.

MEUGLER 1791
La vache meugle : BEUGLER, MUGIR.

MEURTRE 1792
ASSASSINAT, CRIME, HOMICIDE, *et suivant le cas :* FRATRICIDE, INFANTICIDE, MATRICIDE, PARRICIDE, RÉGICIDE.

MEURTRIER
1. *nom.*
ASSASSIN, CRIMINEL, ÉGORGEUR, HOMICIDE, MASSACREUR, SPADASSIN, TUEUR.
2. *adj.*
• Avoir des envies meurtrières : CRIMINEL, HOMICIDE.
• Un combat meurtrier : SANGLANT.
• Une arme meurtrière : DESTRUCTEUR.
• Donner un coup meurtrier : MORTEL.
• Une route meurtrière : DANGEREUX.

MEURTRIR 1793
• Meurtrir de coups le visage de quelqu'un : CONTUSIONNER.
• Meurtrir le poignet de quelqu'un en le serrant trop fort : FOULER, FROISSER.
• Meurtrir le cœur de quelqu'un : DÉCHIRER.
• Meurtrir des fruits en les laissant tomber : COTIR, TALER.

MICROBE 1794
BACILLE, BACTÉRIE, VIRUS.

MIDINETTE 1795
COUSETTE, PETITE MAIN, TROTTIN.

MIELLEUX 1796
• Des paroles mielleuses : DOUCEREUX, HYPOCRITE, MELLIFLUE *(litt.),* ONCTUEUX, SUCRÉ.
• Un air mielleux, un ton mielleux : BENOÎT, PAPELARD, PATELIN, PATERNE.

MIEUX 1797
1. Il est mieux de se taire : PRÉFÉRABLE.
2. Il y a du mieux dans sa santé : AMÉLIORATION, PROGRÈS.

MIÈVRE 1798
- Un sourire mièvre : GENTIL, MIGNARD.
- Une allure mièvre : AFFECTÉ, MANIÉRÉ, PRÉCIEUX.

MIÈVRERIE
- La mièvrerie d'un enfant : PUÉRILITÉ.
- La mièvrerie dans le langage : AFFECTATION, PRÉCIOSITÉ.

MIGNON 1799

CHARMANT, GENTIL, GRACIEUX, JOLI.

MINAUDERIE 1800

Faire des minauderies : COQUETTERIES, FAÇONS, GRÂCES, MANIÈRES, MINES, SIMAGRÉES, SINGERIES, *et en lang. fam. :* CHICHIS.

MINCE 1801
- Avoir la taille mince : ÉLANCÉ, FLUET, GRACILE, MENU, SVELTE.
- Une soirie très mince : FIN, LÉGER, TRANSPARENT.
- Le robinet ne donne plus qu'un mince filet d'eau : FILIFORME, TÉNU.
- N'avoir que de minces revenus : MAIGRE, MÉDIOCRE, MODESTE, MODIQUE, PETIT.
- Le sujet de votre dispute est bien mince : INSIGNIFIANT, NÉGLIGEABLE.
- Vos arguments sont bien minces : FAIBLE, PAUVRE.

MINCEUR
- La minceur de la taille : FINESSE, GRACILITÉ, SVELTESSE.
- La minceur d'un fil : TÉNUITÉ.
- La minceur d'une argumentation : FAIBLESSE, PAUVRETÉ.

MINER 1802
- Les vagues minent le bas de la falaise : AFFOUILLER, ATTAQUER, CREUSER, ÉRODER, SAPER.
- La maladie a miné sa santé : AFFAIBLIR, DIMINUER, RUINER, USER.
- Le chagrin la mine : CONSUMER, RONGER.
- Les idées révolutionnaires ont miné peu à peu les bases de l'ancien régime : DÉTRUIRE, SAPER.

MINIATURE 1803
- Un missel illustré de miniatures : ENLUMINURE.
- À la mairie, sont exposés les plans en miniature des nouveaux quartiers : EN RÉDUCTION.

MINIME 1804
- Une différence minime : INFIME, PETIT.
- Un incident minime : INSIGNIFIANT, NÉGLIGEABLE.
- Une somme minime : DÉRISOIRE, MODIQUE.

MINIMISER

On a minimisé l'importance de l'événement : DIMINUER, MINORER, RÉDUIRE.

MINISTÈRE 1805
1. Ce prêtre exerce son ministère parmi les pauvres : APOSTOLAT, CHARGE, MISSION, SACERDOCE.
2. Les députés ont renversé le ministère : CABINET, GOUVERNEMENT.

MINUSCULE 1806
- Une cuisine minuscule : EXIGU, *et en lang. fam. :* RIQUIQUI.
- Une piqûre minuscule : MICROSCOPIQUE.

MINUTE 1807
1. Je n'ai qu'une minute à vous consacrer : INSTANT, MOMENT.
2. Consulter les minutes des actes notariés : ORIGINAL.

MINUTIE 1808
- Examiner quelque chose avec minutie : CONSCIENCE, MÉTICULOSITÉ, SCRUPULE, SOIN.
- Décrire un événement avec la plus grande minutie : EXACTITUDE.

MINUTIEUX
- Une personne minutieuse : CONSCIENCIEUX, MÉTICULEUX, POINTILLEUX, SCRUPULEUX, VÉTILLEUX, *et en lang. fam. :* TATILLON.
- Une description minutieuse : EXACT, RIGOUREUX.
- Une inspection minutieuse des lieux : ATTENTIF, DÉTAILLÉ, SOIGNEUX.
- Un travail minutieux : CONSCIENCIEUX, SOIGNÉ.

MIROIR 1809
- Se regarder dans un miroir : GLACE, PSYCHÉ.
- Les romans contemporains sont le miroir de notre société : IMAGE, REFLET.

MISANTHROPE 1810

ATRABILAIRE, SAUVAGE, SOLITAIRE, *et en lang. fam. :* OURS.

MISE 1811
1. Doubler la mise : CAVE, ENJEU.
2. Il y a une grande recherche dans sa mise : HABILLEMENT, TENUE, TOILETTE.

MISÉRABLE 1812

1. *adj.*
- Une famille misérable : INDIGENT, NÉCESSITEUX.
- Avoir un sort misérable : DÉPLORABLE, LAMENTABLE, MALHEUREUX, PITOYABLE.

- Être vêtu d'un manteau misérable : LOQUETEUX, *et en lang. fam. :* MINABLE, MITEUX, POUILLEUX.
- Ce n'est qu'un misérable écrivain : MÉCHANT, PIÈTRE.
- Quel misérable individu ! : MALHONNÊTE, MÉPRISABLE.

2. *nom.*
- Je plains les misérables qui doivent vivre dans ces taudis : GUEUX, INDIGENT, MISÉREUX, PARIA, PAUVRE, TRAÎNE-MISÈRE.
- Pour avoir agi ainsi, vous n'êtes qu'un misérable : CRAPULE.

MISÈRE
- Vivre dans la misère : BESOIN, DÉNUEMENT, GÊNE, INDIGENCE, PAUVRETÉ, PÉNURIE, *et en lang. pop. :* DÈCHE, MOUISE, PANADE, PURÉE.
- Chacun a ses petites misères : CONTRARIÉTÉ, DIFFICULTÉ, ENNUI, ÉPREUVE, MALHEUR, PEINE, SOUFFRANCE.
- Faire des misères à quelqu'un : MÉCHANCETÉ, TRACASSERIE, *et en lang. fam. :* MISTOUFLE.
- Vous n'allez pas vous quereller pour cette misère : BAGATELLE, VÉTILLE, *et en lang. pop. :* FOUTAISE.

MISÉRICORDE 1813
- Faire preuve de miséricorde : BONTÉ, CHARITÉ, COMMISÉRATION, COMPASSION, PITIÉ.
- Demander miséricorde : CLÉMENCE, INDULGENCE, PARDON.

MISSILE 1814

FUSÉE, PROJECTILE.

MISSION 1815
- Confier une mission à quelqu'un : CHARGE, FONCTION, MANDAT.
- La mission de la télévision est-elle seulement de distraire ? : BUT, RÔLE, TÂCHE.
- Le métier d'enseignant est une véritable mission : APOSTOLAT, VOCATION.
- Envoyer une mission auprès d'un gouvernement étranger : AMBASSADE, DÉLÉGATION.
- Diriger une mission scientifique : EXPÉDITION, EXPLORATION.

MIXTE 1816

COMPOSÉ, COMPOSITE, MÉLANGÉ, MÊLÉ.

MOBILE 1817

1. *adj.*
- Une image mobile : MOUVANT, ONDOYANT.
- Être de caractère mobile : CAPRICIEUX, CHANGEANT, INSTABLE, VARIABLE, VERSATILE.

2. *nom.*

Quels sont les mobiles de votre action ? : CAUSE, MOTIF, RAISON.

MOBILITÉ
- La mobilité d'un membre, bras ou jambe : MOTILITÉ, SOUPLESSE.
- La mobilité de l'humeur d'une personne : INCONSTANCE, INSTABILITÉ, VARIABILITÉ, VERSATILITÉ.

MOBILIER 1818

AMEUBLEMENT, MEUBLES.

MOBILISER 1819

APPELER, EMBRIGADER, ENRÉGIMENTER, ENRÔLER, LEVER, RAPPELER, RECRUTER.

MODE 1820

1. *n. fém.*
- Faire quelque chose à sa mode : FAÇON, FANTAISIE, GUISE, MANIÈRE.
- Quand je suis à l'étranger, je suis la mode du pays : COUTUME, HABITUDE, MŒURS, USAGE.
- S'habiller à la mode du jour : GOÛT.
- L'industrie de la mode : COUTURE.
- Avoir une montre à quartz, c'est devenu une véritable mode : ENGOUEMENT, ÉPIDÉMIE, SNOBISME, VOGUE.

2. *n. masc.*
- Changer de mode de vie : FAÇON, GENRE, MANIÈRE.
- Adopter un nouveau mode de classement : MÉTHODE, SYSTÈME.
- Quel mode de paiement choisissez-vous ? : FORME, FORMULE, MODALITÉ, MOYEN.

MODÈLE 1821

1. *nom.*
- Ce livre contient des modèles de lettres commerciales : EXEMPLE, SPÉCIMEN.
- Cet avion n'existe qu'à l'état de modèle : PROTOTYPE.
- Les saints ont été des modèles de vertu : PARANGON *(litt.)*.
- Cette femme représente le modèle de la beauté féminine : CANON, IDÉAL, TYPE.
- Cet artiste prend pour modèle la nature : SUJET.
- Dresser le modèle d'un bâtiment à construire : MAQUETTE.
- Découper une robe suivant un modèle : PATRON.
- Exécuter une tapisserie d'après un modèle : CARTON.
- En fonderie, on se sert d'un modèle pour obtenir le moule d'une pièce : GABARIT.

2. *adj.*
- Elle a eu une conduite modèle : EXEMPLAIRE, IDÉAL, PARFAIT.

MODELER
- Pendant la cérémonie, il modelait son attitude sur celle de ses voisins : CONFORMER, RÉGLER.
- Les vagues ont modelé le rivage : FAÇONNER.

MODÉRÉ 1822
1. Un climat modéré : DOUX, TEMPÉRÉ.
- Être modéré dans ses désirs : MESURÉ, PONDÉRÉ.
- Vendre à des prix modérés : MOYEN, RAISONNABLE.
2. En politique, il se range parmi les modérés : CENTRISTE, CONSERVATEUR.

MODÉRER
ADOUCIR, ATTÉNUER, ATTIÉDIR, CALMER, DIMINUER, FREINER, LIMITER, MITIGER, RALENTIR, RÉDUIRE, REFRÉNER, TAMISER, TEMPÉRER.

SE MODÉRER
SE CALMER, SE CONTENIR, SE RETENIR.

MODERNE 1823
ACTUEL, CONTEMPORAIN, NOUVEAU, RÉCENT.

MODERNISER
ACTUALISER, ADAPTER, RAJEUNIR, RÉFORMER, RÉNOVER.

MOISIR 1824
1. *v. tr.*
L'humidité a moisi les semences : ALTÉRER, DÉTÉRIORER, GÂTER.
2. *v. intr.*
- Dans un logement humide, tout moisit : CHANCIR, SE GÂTER, SE PIQUER.
- *Fam. :* Il m'a laissé moisir dans la salle d'attente : ATTENDRE, LANGUIR, SE MORFONDRE, *et en lang. pop. :* POIREAUTER.

MOISISSURE
CHANCISSURE.

MOLLEMENT 1825
DOUCEMENT, FAIBLEMENT, INDOLEMMENT, LENTEMENT, NONCHALAMMENT, PARESSEUSEMENT, TIMIDEMENT.

MOLLESSE
- La mollesse d'un édredon : MOELLEUX, SOUPLESSE.
- Une attitude pleine de mollesse : ATONIE, INDOLENCE, LANGUEUR, NONCHALANCE, PARESSE.
- C'est par mollesse qu'il a laissé faire cela : FAIBLESSE, LÂCHETÉ, VEULERIE.
- Applaudir avec mollesse : TIÉDEUR.

MOLLIR
- Avoir les jambes qui commencent à mollir : CHANCELER, FAIBLIR, FLAGEOLER, FLÉCHIR, SE DÉROBER.
- Sentir son courage mollir : DÉFAILLIR, DIMINUER, FAIBLIR.
- Nos adversaires commençaient à mollir : LÂCHER PIED, PLIER, *et en lang. fam. :* FLANCHER, SE DÉGONFLER.
- Le vent commence à mollir : TOMBER.

MOU
1. *adj.*
- Un matelas trop mou : DOUILLET, ÉLASTIQUE, MOELLEUX, SOUPLE.
- Avoir les jambes molles : COTONNEUX, FLAGEOLANT.
- Avoir les joues molles : FLASQUE.
- Un caramel mou : TENDRE.
- De la pâte molle pour le modelage : MALLÉABLE, PLASTIQUE.
- Les tiges molles des jeunes arbres : FLEXIBLE.
- Un temps mou, une chaleur molle : AMOLLISSANT, DÉBILITANT.
- Un terrain aux molles ondulations : DOUX, FAIBLE.
- Un cordage mou : LÂCHE.
- Un objet qui, en tombant, fait un bruit mou : ASOURDI, SOURD.
- Sa poignée de main était bien molle : HÉSITANT, TIMIDE.
- Prendre une pose molle dans un fauteuil : AVACHI.
- Recevoir une éducation trop molle : EFFÉMINÉ, LAXISTE, PERMISSIF.
- Un individu mou de tempérament, de caractère : AMORPHE, APATHIQUE, ENDORMI, FAIBLE, INDOLENT, LYMPHATIQUE, NONCHALANT, VEULE, *et en lang. fam. :* FLEMMARD, GNANGNAN, MOLLASSE, MOLLASSON.
2. *nom.*
- Il manque de volonté, ce n'est qu'un mou : CHIFFE, *et en lang. fam. :* LAVETTE, MOULE, NOUILLE.
2. *adv.*
Vas-y mou ! : DOUCEMENT, MOLLEMENT, *et en lang. pop. :* MOLLO.

MONARCHIE 1826
- La monarchie d'Angleterre : COURONNE, ROYAUME.
- L'abolition de la monarchie : ROYAUTÉ.

MONARCHISTE
Un parti monarchiste : ROYALISTE.

MONARQUE
- Un pays gouverné par un monarque : EMPEREUR, ROI, SOUVERAIN.
- Se conduire en monarque : AUTOCRATE, POTENTAT.

MONASTIQUE 1827
La discipline monastique : CLAUSTRAL, MONACAL.

MONDAIN 1828
C'est un homme très mondain : SNOB.

MONDANITÉ
Une réunion d'une grande mondanité : SNOBISME.

MONDE
- La création du monde : COSMOS, UNIVERS.
- Faire le tour du monde : GLOBE, TERRE.
- Y a-t-il d'autres mondes habités ? : PLANÈTE.
- L'histoire du monde : HUMANITÉ.
- Vous ne changerez pas le monde : LES HOMMES.
- Le monde asiatique : CONTINENT.
- Le monde médiéval : CIVILISATION, SOCIÉTÉ.
- Le monde méditerranéen : RÉGION.
- Le monde rural, le monde politique : MILIEU, SOCIÉTÉ.
- Les gens du monde, du grand monde : ARISTOCRATIE, HAUTE SOCIÉTÉ, *et en lang. fam. :* GRATIN.
- Il y avait un monde énorme à ce spectacle : FOULE, PUBLIC.
- Y a-t-il beaucoup de monde dans la salle ? : GENS, PERSONNES.
- Un ermite qui se retire du monde : SIÈCLE.

MONDIAL
- Les savants forment une sorte de communauté mondiale : INTERNATIONAL, UNIVERSEL.
- La population mondiale : TERRESTRE.
- Notre Terre est bien petite à l'échelle mondiale : COSMIQUE, PLANÉTAIRE.

MONNAIE 1829
ARGENT, ESPÈCES, NUMÉRAIRE, PIÈCES, SOUS, *et en lang. fam. :* MITRAILLE, *et en lang. pop. :* FRIC, GALETTE, GRISBI, OSEILLE, PÈSE, PICAILLONS, POGNON, RADIS, RONDS.

MONOGRAMME 1830
Faire graver son monogramme sur une chevalière : CHIFFRE, INITIALES.

MONOLOGUE 1831
APARTÉ, SOLILOQUE.

MONOPOLE 1832
APANAGE, EXCLUSIVITÉ, PRÉROGATIVE, PRIVILÈGE.

MONOPOLISER
ACCAPARER, S'APPROPRIER, S'EMPARER DE, TRUSTER.

MONOTONE 1833
- Parler d'une voix monotone : MONOCORDE, UNIFORME.
- Un discours monotone : ENDORMANT, LASSANT, *et en lang. fam. :* BARBANT, RASOIR.
- Mener une vie monotone : ENNUYEUX, MORNE.

MONOTONIE
La monotonie d'une vie de bureau : ENNUI, GRISAILLE, PROSAÏSME, UNIFORMITÉ.

MONSTRE 1834
1. *nom.*
- Autrefois, on présentait des monstres dans les baraques foraines : PHÉNOMÈNE.
- Néron était un monstre : CRIMINEL, SCÉLÉRAT.

2. *adj.*
Ce livre a eu un succès monstre : ÉNORME, PHÉNOMÉNAL, PRODIGIEUX, *et en lang. pop. :* BŒUF.

MONSTRUEUX
1. Le magot est un singe monstrueux : DIFFORME, LAID.
- Les animaux monstrueux de l'ère secondaire : GIGANTESQUE.
- Quelle erreur monstrueuse ! : COLOSSAL, ÉNORME, *et en lang. fam. :* FARAMINEUX, FORMIDABLE.
- Un être d'une taille monstrueuse : DÉMESURÉ.
- Un homme d'une grosseur monstrueuse : ÉLÉPHANTESQUE.

2. Un crime monstrueux : ABOMINABLE, AFFREUX, EFFROYABLE, ÉPOUVANTABLE, HORRIBLE.
- Une idée monstrueuse : ABSURDE, EXORBITANT, EXTRAVAGANT, INSENSÉ.

MONSTRUOSITÉ
- La monstruosité due à une anomalie congénitale : DIFFORMITÉ, MALFORMATION.
- La monstruosité des crimes nazis : ATROCITÉ, HORREUR.

MONT 1835
COLLINE, ÉLÉVATION, HAUTEUR, MONTAGNE.

MONTAGNE
1. L'avion survole les montagnes : CIME, MASSIF, SOMMET, *et dans des cas particuliers :* BALLON, PIC, PUY.
- Une station de montagne : ALTITUDE.
- Les troupeaux passent l'été en montagne : ALPAGE.

2. Une montagne de livres : PILE.
- À cause de la grève, il y a des montagnes d'ordures sur les trottoirs : AMAS, AMONCELLEMENT, MONCEAU, TAS.

MONTAGNEUX

Un relief montagneux : ACCIDENTÉ, MONTUEUX.

MONTAGE 1836

- Un atelier de montage : ASSEMBLAGE.
- À cause du vent, le montage de la tente n'a pas été facile : DRESSAGE, INSTALLATION.

MONTANT

1. *adj.*

- Un chemin montant : ESCARPÉ.
- La sève montante : ASCENDANT.

2. *nom.*

a) Les montants d'une porte : JAMBAGE, PORTANT.

b) Le montant de mes dépenses : CHIFFRE, SOMME, TOTAL.

MONTÉE

- Cette route présente une suite de montées et de descentes : CÔTE, GRIMPÉE, RAIDILLON, RAMPE, *et en lang. fam. :* GRIMPETTE.
- Suivre avec des jumelles la montée d'un alpiniste : ASCENSION, ESCALADE, GRIMPÉE.
- La montée des prix : AUGMENTATION, FLAMBÉE, HAUSSE.
- La montée des eaux d'un fleuve : CRUE, ÉLÉVATION.
- La montée de la sève : POUSSÉE.

MONTER

1. *v. intr.*

- Monter à la force des poignets le long d'une corde : GRIMPER, S'ÉLEVER, SE HISSER.
- Monter dans un véhicule : EMBARQUER, PRENDRE.
- Il n'arrivait pas à monter sur sa bicyclette : ENFOURCHER.
- Cet escalier monte au grenier : CONDUIRE.
- Elle a rapidement monté en grade : AVANCER.
- Les prix ne cessent de monter : AUGMENTER.
- Avec ces pluies continuelles, les eaux du fleuve vont monter : SE GONFLER.
- La colère montait dans la foule : GRANDIR, GROSSIR, S'AMPLIFIER, S'INTENSIFIER.
- La réparation de votre voiture montera à mille francs : ATTEINDRE, COÛTER, REVENIR À.
- Un parfum qui monte à la tête : ENIVRER, GRISER.
- La génération qui monte est bien différente de la nôtre : ARRIVER.

2. *v. tr.*

- Monter un à-pic rocheux : ESCALADER, GRAVIR, GRIMPER.
- Monter un fardeau avec un treuil : GUINDER, HISSER, LEVER, SOULEVER.
- Monter une tente : DRESSER, PLANTER.
- Monter les pièces d'un moteur : AJUSTER, ASSEMBLER.
- Monter des pneus neufs sur sa voiture : ÉQUIPER DE.
- Monter un diamant : ENCHÂSSER, ENCHATONNER, SERTIR.
- Ce commerçant a monté ses prix : AUGMENTER, MAJORER, RELEVER.
- Monter une nouvelle entreprise : CONSTITUER, CRÉER, ORGANISER.
- Monter un complot : OURDIR, TRAMER.
- Un étalon qui monte une jument : COUVRIR, SAILLIR.

SE MONTER

- Un jeune ménage qui se monte en meubles : S'ÉQUIPER, SE POURVOIR.
- La foule se montait à plusieurs milliers : ATTEINDRE, S'ÉLEVER.
- Ne l'agacez pas, il se monte facilement : S'ÉNERVER, S'EXCITER, S'IRRITER.

MONTURE

- Le cavalier ménage sa monture : CHEVAL.
- Mettre un verre de lunette dans sa monture : CHÂSSE.

MONTRE 1837

1. Il a fait montre de sa largeur d'esprit : PREUVE.

- Elle fait montre de ses bijoux : ÉTALAGE, PARADE.

2. Je possède une montre de précision : CHRONOGRAPHE, CHRONOMÈTRE, *et en lang. fam. :* TOCANTE.

- Il tient beaucoup à la grosse montre qu'il a héritée de son grand-père : OIGNON.

MONTRER

- Le propriétaire m'a montré l'appartement qui est à louer : FAIRE VISITER, FAIRE VOIR.
- Je vais vous montrer le chemin à suivre : INDIQUER.
- Il a montré du doigt le coupable : DÉSIGNER, SIGNALER.
- Il aime montrer toutes ses décorations : ARBORER, ÉTALER, EXHIBER.
- Le commerçant montre en vitrine ses meilleurs produits : EXPOSER, PRÉSENTER.
- Il m'a fallu montrer mes papiers d'identité : EXHIBER, PRÉSENTER.
- La mode est aujourd'hui de montrer son corps sur la plage : DÉCOUVRIR, DÉNUDER, DÉVOILER, EXHIBER.
- Une robe qui montre les formes : DESSINER.
- Un décolleté qui montre la naissance de la gorge : DÉCOUVRIR, DÉGAGER.
- Il m'a montré beaucoup de prévenances : MANIFESTER, MARQUER, PRODIGUER, TÉMOIGNER DE.

- Elle a montré son sang-froid : FAIRE PREUVE DE.
- Il a montré beaucoup d'énergie : DÉPLOYER, MANIFESTER.
- Tartuffe montre un faux air de dévot : AFFECTER, AFFICHER.
- Ses gestes montrent de l'impatience : ANNONCER, ATTESTER, LAISSER PARAÎTRE, RÉVÉLER.
- Ses traits tirés montrent la fatigue : ACCUSER.
- Son attitude montre beaucoup d'orgueil : DÉNOTER, TÉMOIGNER DE.
- Ce fait montre bien que j'avais raison : CONFIRMER, DÉMONTRER, PROUVER.
- L'institutrice montre comment on écrit aux enfants : APPRENDRE, ENSEIGNER.
- Cet écrivain montre les mœurs de l'époque : DÉCRIRE, DÉPEINDRE, ÉVOQUER, PEINDRE.

SE MONTRER
- Le soleil ne s'est pas montré aujourd'hui : APPARAÎTRE.
- Il a osé se montrer devant nous dans une tenue invraisemblable : PARAÎTRE, SE PRÉSENTER.
- Il s'est montré intransigeant : SE RÉVÉLER.
- Elle aime se montrer dans les salons : PARADER, SE FAIRE VOIR, S'EXHIBER, SE PAVANER, SE PRODUIRE.

MOQUER (SE) 1838
- Les chansonniers se moquent souvent des hommes politiques : BROCARDER, RAILLER, RIDICULISER, SE GAUSSER DE.
- Je me moque de ce qu'il pense : DÉDAIGNER, MÉPRISER, SE DÉSINTÉRESSER DE, *en lang. fam. :* SE BALANCER, SE FICHER, *et en lang. pop. :* SE FOUTRE DE.
- Je pense que dans cette affaire on s'est moqué de vous : BERNER, DUPER, SE JOUER DE, TROMPER, *et en lang. fam. :* ROULER.
- Ne le croyez pas, il se moque : BLAGUER, PLAISANTER.

MOQUERIE
- Elle a la moquerie facile : IRONIE, PERSIFLAGE, RAILLERIE, SATIRE.
- Un employé en butte aux moqueries de ses collègues : BROCARD, LAZZI, PLAISANTERIE, QUOLIBET, RISÉE.

MOQUEUR
- Avoir l'esprit moqueur : CAUSTIQUE, MORDANT, PERSIFLEUR, SATIRIQUE.
- Avoir un sourire moqueur : GOGUENARD, IRONIQUE, MALICIEUX, NARQUOIS, RAILLEUR, *et en lang. fam. :* GOUAILLEUR.
- Tais-toi, petit moqueur ! : BLAGUEUR, FACÉTIEUX, FRONDEUR, PLAISANTIN.

MORAL 1839

1. *adj.*
- Ce n'est pas une histoire très morale : ÉDIFIANT, EXEMPLAIRE.
- Agir de façon très morale : HONNÊTE, INTÈGRE, JUSTE, VERTUEUX.
- Son état moral est bon : MENTAL, PSYCHIQUE.
- La vie morale : INTELLECTUEL, SPIRITUEL.

2. *nom.*
- Depuis qu'il est en chômage, son moral est atteint : PSYCHISME.
- Le moral des soldats était excellent : ARDEUR, COMBATIVITÉ.

MORALE

1. La morale stoïcienne : ÉTHIQUE.

2. La morale que l'on peut tirer de cette histoire, de cette fable : CONCLUSION, ENSEIGNEMENT, LEÇON, MORALITÉ.

MORALISTE

Ne jouez pas les moralistes : MORALISATEUR, *et en lang. fam. :* PRÊCHEUR, SERMONNEUR.

MORALITÉ

Une personne d'une moralité exemplaire : HONNÊTETÉ, MENTALITÉ, PROBITÉ.

MORCEAU 1840
- Manger un morceau de pain : BOUCHÉE, BOUT, CROÛTON, QUIGNON, TRANCHE, *et en lang. fam. :* LICHETTE.
- Quand on rompt du pain, il en tombe de petits morceaux : BRIBE, MIETTE.
- Découper un gâteau en quatre morceaux : PART, PARTIE, PORTION, QUARTIER.
- Il y a des morceaux de verre par terre : DÉBRIS, ÉCLAT, FRAGMENT, TESSON.
- Le chien lui a arraché un morceau de sa veste : LAMBEAU.
- La maison est entourée d'un morceau de terrain : LOPIN, PARCELLE, PIÈCE.
- Un livre de morceaux choisis : EXTRAIT, PASSAGE, TEXTE.

MORCELER

DÉMEMBRER, DIVISER, ÉMIETTER, FRACTIONNER, FRAGMENTER, LOTIR, PARTAGER.

MORCELLEMENT

DÉMEMBREMENT, DIVISION, FRACTIONNEMENT, FRAGMENTATION, LOTISSEMENT, PARCELLEMENT, PARTAGE.

MORDANT 1841

1. *adj.*
- L'action mordante du chlore : CORROSIF, DÉCAPANT, DESTRUCTEUR, DISSOLVANT, RONGEANT.
- Une bise mordante : AIGU, ÂPRE, CINGLANT, CUISANT, VIF.

- Une critique mordante : ACERBE, ACÉRÉ, AIGRE, CAUSTIQUE, INCISIF, PIQUANT, SATIRIQUE.

2. *nom.*
- Le mordant d'une satire : CAUSTICITÉ, MORDACITÉ *(litt.)*.
- Pendant le match, notre équipe a manqué de mordant : AGRESSIVITÉ, ARDEUR, FOUGUE, VIVACITÉ.

MORDRE
- Un jeune chien qui ne cesse de mordre une balle : MORDILLER.
- Un froid vif qui mord la peau : PINCER, PIQUER.
- Le poisson a mordu à l'hameçon : S'ACCROCHER, SAISIR.
- L'acide nitrique mord sur presque tous les métaux : ATTAQUER, CORRODER, RONGER.
- Une scie qui mord bien dans le bois : ENTAMER.
- Un trépan qui mord dans toutes les roches : CREUSER, PÉNÉTRER, PERCER, S'ENFONCER.
- Un pignon qui mord dans une roue dentée : S'ENGRENER.
- Au tennis, faire une faute de pied en mordant sur la ligne de fond : EMPIÉTER.
- Un élève qui commence à mordre aux mathématiques : PRENDRE GOÛT À, S'INTÉRESSER À, SE METTRE À.

MORDU

C'est un mordu du rugby : FANATIQUE, PASSIONNÉ, *et en lang. fam. :* ENRAGÉ, FOU.

MORSURE
- La morsure d'un insecte : PIQÛRE.
- Les morsures du froid : PICOTEMENT, PINCEMENT, PINÇURE.
- La morsure d'une lime sur le bois : ATTAQUE.
- Les morsures d'un acide sur la peau : BRÛLURE.

MORT 1842

1. *n. fém.*
- Sa mort a été soudaine : DÉCÈS, DISPARITION, FIN, TRÉPAS.
- Elle pleure la mort de son enfant : PERTE.
- La mort d'une espèce animale : DISPARITION, EXTINCTION.
- Cet échec a provoqué la mort de tous ses espoirs : ANÉANTISSEMENT, DESTRUCTION, ÉCROULEMENT, EFFONDREMENT, ENTERREMENT, RUINE.
- Pendant sa vie, elle a souffert mille morts : DOULEUR, SOUFFRANCE, SUPPLICE, TOURMENT.
- *En lang. littéraire et avec une majuscule :* La Mort est symbolisée par un squelette armé d'une faux : CAMARDE.

2. *n. masc. ou fém.*
- Le tremblement de terre a fait de nombreux morts : VICTIME.
- Mettre un mort, une morte dans un cercueil : CADAVRE, CORPS, DÉFUNT, DÉPOUILLE, *et en lang. fam. :* MACCHABÉE.
- Les morts en mer : DISPARU.
- Le 2 novembre est le jour des morts : DÉFUNT, TRÉPASSÉ.
- Garder le souvenir de nos morts : AÏEUX, ANCÊTRES.
- Descendre au séjour des morts : OMBRES.

3. *adj.*
- On l'a trouvée morte dans son lit : DÉCÉDÉ.
- Enlever des chairs mortes : MORTIFIÉ, NÉCROSÉ.
- Ramasser du bois mort, des feuilles mortes : SEC.
- Avoir les yeux morts : ÉTEINT, VIDE.
- Avoir un bras mort : INERTE, PARALYSÉ.
- Mes espoirs sont morts : DISPARU, ÉVANOUI.
- Les eaux mortes d'une mare : DORMANT, STAGNANT.
- Le soir, la ville est morte : DÉSERT, INANIMÉ, VIDE.
- Il était mort de frayeur : PARALYSÉ.
- Elle était morte de fatigue : ÉPUISÉ.
- Les piles de mon poste sont mortes : USÉ.

MORTEL

1. *adj.*
- Tous les hommes sont mortels : PÉRISSABLE.
- L'amanite phalloïde est mortelle : MORTIFÈRE, TOXIQUE, VÉNÉNEUX.
- Une blessure mortelle : FATAL, FUNESTE.
- Une haine mortelle : IMPITOYABLE, IMPLACABLE.
- Un froid mortel : EXTRÊME, INSUPPORTABLE, INTENSE.
- Un discours mortel : ASSOMMANT, ENDORMANT, ENNUYEUX, SOPORIFIQUE.
- Cette soirée a été mortelle : LUGUBRE, SINISTRE.

2. *nom.*

Je m'adresse à l'ensemble des mortels : CRÉATURE, HOMME, PERSONNE.

MOURANT

1. *nom.*

Un mourant, une mourante : AGONISANT, MORIBOND.

2. *adj.*

Parler d'une voix mourante : DÉCLINANT, LANGUISSANT, TRAÎNANT.

MOURIR
- AGONISER, DÉCÉDER, DISPARAÎTRE, EXPIRER, PASSER, PÉRIR, RENDRE L'ÂME, S'ÉTEINDRE, SUCCOMBER, TRÉPASSER, *et en*

lang. pop. : CASSER SA PIPE, CLAMECER, CLAQUER.
- Mourir au champ d'honneur : TOMBER.
- Mourir pour une juste cause : SE SACRIFIER.
- Les animaux meurent : CREVER.
- Les souvenirs meurent : S'EFFACER, S'ESTOMPER, S'ÉVANOUIR.
- Nos arbres meurent à cause de la sécheresse : DÉPÉRIR, S'ÉTIOLER, SE RABOUGRIR.
- Ne laisse pas le feu mourir : S'ÉTEINDRE.
- Cette langue régionale meurt peu à peu : DÉCLINER, PÉRICLITER.

MORTIFIANT 1843
Subir un échec mortifiant : BLESSANT, HUMILIANT, VEXANT.

MORTIFICATION
1. Les saints se livraient à la mortification : ASCÈSE, ASCÉTISME, AUSTÉRITÉ, PÉNITENCE.
- Cet échec, quelle mortification pour lui ! : AFFRONT, CAMOUFLET, HUMILIATION, OFFENSE, VEXATION.
2. La mortification cellulaire : NÉCROSE.
- La mortification du gibier : FAISANDAGE.

MORTIFIER
1. Mortifier ses sens, ses passions : MATER.
- Mortifier quelqu'un par une remarque désagréable : BLESSER, FROISSER, HUMILIER, OFFENSER, VEXER.
2. Mortifier du gibier : FAISANDER.

MOT 1844
1. Il y a un mot que je n'ai pas compris : TERME, VOCABLE.
- Dites-lui un mot en ma faveur : PAROLE.
- Je vous écrirai un mot : LETTRE.
- Faire un mot d'esprit, un bon mot ou un mot : BOUTADE, SAILLIE *(litt.)*, TRAIT.
2. Ils se sont lancé des mots : INJURES, INSULTES, INVECTIVES.

MOTIF 1845
1. Quels sont les motifs de votre refus ? : CAUSE, MOBILE, RAISON.
- Avez-vous motif à vous plaindre ? : SUJET.
- Je m'interroge sur les motifs réels de sa visite : INTENTION.
2. Les assiettes de ce service portent toutes le même motif décoratif : DESSIN.
- Sur ce motif musical, Bach a construit une fugue : LEITMOTIV, THÈME.
3. Le texte de loi est précédé d'un certain nombre de motifs : ATTENDU, CONSIDÉRANT.

MOTIVATION
- Les motivations d'achat des clients : MOTIF, RAISON.
- Sur le terrain, les joueurs n'ont pas fait preuve d'une grande motivation : DÉTERMINATION.

MOTIVER
- Rien ne peut motiver son attitude, sa décision : EXPLIQUER, JUSTIFIER.
- La situation dans l'entreprise a motivé cette grève : CAUSER, DÉTERMINER, OCCASIONNER.
- Avant le match, l'entraîneur a motivé les joueurs : STIMULER.

MOTORISATION 1846
La motorisation des travaux agricoles : MÉCANISATION.

MOTORISER
La cavalerie a été motorisée : MÉCANISER.

MOUCHARD 1847
1. *Péj.* : Méfie-toi, c'est un mouchard : DÉLATEUR, DÉNONCIATEUR, RAPPORTEUR, *et en lang. fam.* : CAFARD.
2. Le gardien surveille le prisonnier par le mouchard : JUDAS.

MOUDRE 1848
BROYER, CONCASSER, ÉCRASER, PULVÉRISER.

MOULU
Ce travail m'a fatigué, je suis moulu : BRISÉ, COURBATU, ÉREINTÉ, FOURBU, ROMPU, *et en lang. fam.* : CLAQUÉ, RENDU, VANNÉ.

MOUFLE 1849
Il fait froid, mets tes moufles : GANT, MITAINE.

MOUILLAGE 1850
1. Les fers à repasser modernes assurent le mouillage du linge : HUMECTAGE.
- Un fermier poursuivi pour mouillage du lait : COUPAGE.
2. Le mouillage d'un navire : ANCRAGE, EMBOSSAGE.

MOUILLÉ
1. Un terrain mouillé : DÉTREMPÉ, TREMPÉ.
- Un linge mouillé : HUMECTÉ, HUMIDE.
- Un parapluie tout mouillé : DÉGOUTTANT, RUISSELANT.
- Du vin mouillé : COUPÉ.
- Des yeux mouillés de larmes : EMBUÉ.
2. Un individu mouillé dans une vilaine affaire : COMPROMIS.

MOUILLER
1. Mouiller une éponge : HUMECTER, HUMIDIFIER, IMBIBER.
- Se faire mouiller par une grosse averse : DOUCHER, INONDER, TRANSPERCER, TREMPER, *et en lang. fam.* : RINCER, SAUCER.

- Se faire mouiller par des projections d'eau, au passage d'une voiture : ARROSER, ASPERGER, ÉCLABOUSSER.
- Mouiller son vin : COUPER, DILUER.

2. Mouiller une ancre : JETER.

- Mouiller un navire en rade : ANCRER, EMBOSSER.

SE MOUILLER

Il s'est mouillé dans cette sale affaire : SE COMMETTRE, SE COMPROMETTRE, TREMPER.

MOULAGE 1851

Prendre le moulage d'un visage : EMPREINTE.

MOULE

- Couler du métal en fusion dans un moule : FORME, MATRICE, MODÈLE.
- Les élèves de cette grande école semblent formés sur le même moule : MODÈLE, TYPE.

MOUSSE 1852

La mousse qui se forme au-dessus d'un demi de bière : ÉCUME, FAUX COL.

MOUSSEUX

Un bain d'eau mousseuse : ÉCUMEUX.

MOUSTACHE 1853

Il a de belles moustaches à la gauloise : *Fam. :* BACCHANTES.

MOUTONNANT 1854

- Une chevelure moutonnante : BOUCLÉ, CRÊPÉ, CRÉPELÉ, FRISÉ, ONDULÉ.
- Un ciel moutonnant : MOUTONNÉ, MOUTONNEUX, POMMELÉ.

MOUTONNIER

Avoir l'esprit moutonnier : GRÉGAIRE.

MOUVANT 1855

- Une foule mouvante : AGITÉ, ANIMÉ, REMUANT.
- Des ombres mouvantes : MOBILE, ONDOYANT, OSCILLANT.
- Une situation mouvante : CHANGEANT, FLOTTANT, FLUCTUANT, INDÉCIS, INSTABLE.

MOUVEMENT

- Mettre une cloche en mouvement : BRANLE.
- Le mouvement des astres dans le ciel : COURSE, DÉPLACEMENT, MARCHE, RONDE, TRAJECTOIRE, TRAJET.
- Il y a du mouvement dans cette rue : ANIMATION, CIRCULATION, TRAFIC.
- Le mouvement des tiges de blé sous l'effet du vent : AGITATION, ONDULATION, OSCILLATION.
- Les mouvements d'un navire sur la vague : OSCILLATION, ROULIS, TANGAGE.
- Les mouvements au sol d'un gymnaste : ÉVOLUTION, EXERCICE.
- Faire un mouvement de la main : GESTE.
- Faire un mouvement vers la porte : PAS.
- L'avocat a eu quelques beaux mouvements oratoires : ENVOLÉE.
- Le prisonnier n'est pas libre de ses mouvements : ALLÉES ET VENUES, DÉPLACEMENTS.
- Avoir un mouvement de défense : GESTE, RÉACTION, RÉFLEXE.
- Être pris d'un mouvement de pitié : SENTIMENT.
- Agir de son propre mouvement : INITIATIVE.
- Ne cédez pas à votre premier mouvement : ÉLAN, IMPULSION, INCLINATION, INSPIRATION.
- Le mouvement des idées : ÉVOLUTION, PROGRÈS.
- Les mouvements politiques : GROUPEMENT, ORGANISATION, PARTI.
- Cette pièce de théâtre manque de mouvement : ANIMATION, VIE.
- Le mouvement d'un morceau musical : CADENCE, MESURE, RYTHME.
- Un mouvement d'horlogerie : MÉCANISME.
- Cette décision de l'arbitre provoqua divers mouvements dans la foule des spectateurs : AGITATION, REMOUS.
- Les troubles dus aux mouvements populaires : ÉMEUTE, INSURRECTION, RÉVOLTE.
- Surveiller, par satellite, les mouvements des troupes ennemies : MANŒUVRE.
- Un mouvement de terrain : ACCIDENT, ONDULATION, VALLONNEMENT.
- Les mouvements de l'écorce terrestre : GLISSEMENT, SOULÈVEMENT.
- Le mouvement des prix des légumes : FLUCTUATION, VARIATION.

MOUVEMENTÉ

- Une séance mouvementée : AGITÉ, HOULEUX, ORAGEUX, TUMULTUEUX.
- Un terrain mouvementé : ACCIDENTÉ, VALLONNÉ.

MOUVOIR

- Avoir les jambes prises sous un éboulis et ne pas pouvoir les mouvoir : BOUGER, DÉPLACER, REMUER.
- L'éolienne est mue par le vent : ACTIONNER.
- C'est l'intérêt qui le meut : FAIRE AGIR, POUSSER.

SE MOUVOIR

BOUGER, MARCHER, REMUER, SE DÉPLACER.

MOYEN 1856

1. *adj.*

- Chercher une solution moyenne pour satisfaire tout le monde : INTERMÉDIAIRE.

- Rouler à vitesse moyenne : MODÉRÉ.
- Un tissu de qualité moyenne : COURANT, ORDINAIRE.
- Obtenir des résultats moyens : HONNÊTE, HONORABLE, PASSABLE.

2. *nom.*

a) Il y a plusieurs moyens de résoudre ce problème : FAÇON, MANIÈRE, MÉTHODE, PROCÉDÉ.

- Il a trouvé le bon moyen pour réussir : MÉTHODE, RECETTE, *et en lang. fam. :* COMBINE, TRUC.
- Avez-vous le moyen de faire cela ? : POSSIBILITÉ, POUVOIR.

b) Un élève qui a des moyens limités : CAPACITÉS, DONS, FACULTÉS.

- Mes moyens ne me permettent pas cet achat : FINANCES, FONDS, RESSOURCES, REVENUS.

MUET 1857

- Quand on l'interrogea, elle resta muette : SILENCIEUX.
- Devant tant d'insolence, il est resté muet : COI, INTERDIT, INTERLOQUÉ, *et en lang. fam. :* SIDÉRÉ.

MUTISME

L'accusé s'obstina dans son mutisme : SILENCE.

MULTIPLE 1858

Les avis sur la question étaient multiples : DIVERS, NOMBREUX, VARIÉ.

MULTIPLICATION

- La multiplication des accidents de deux roues : ACCROISSEMENT, AUGMENTATION.
- La multiplication des espèces : PROLIFÉRATION, REPRODUCTION.

MULTIPLICITÉ

On se perd dans la multiplicité des lois, arrêtés et décrets : ABONDANCE, DIVERSITÉ, PLURALITÉ.

MULTIPLIER

- On pourrait multiplier les exemples : ACCROÎTRE, AUGMENTER.
- Le chercheur multiplie les essais en laboratoire : RÉPÉTER.

SE MULTIPLIER

- Les cas d'hépatite virale se multiplient : AUGMENTER, S'ACCROÎTRE, SE DÉVELOPPER.
- Les souris se multiplient très vite : PROLIFÉRER, SE REPRODUIRE.

MULTITUDE 1859

- Pendant la débâcle de 1940, une multitude de gens ont envahi les routes vers le sud : FLOT, FOULE, MASSE, QUANTITÉ.
- La multitude des baigneurs sur une plage : FOURMILLEMENT, PULLULEMENT.
- Une multitude d'étourneaux s'est abattue sur les arbres : ARMÉE, INFINITÉ, NUÉE, *et en lang. fam. :* FLOPÉE, TRIPOTÉE.
- Les démagogues flattent la multitude : FOULE, MASSE, PEUPLE, *et avec un sens péjoratif :* POPULACE.

MUNICIPAL 1860

Le stade municipal : COMMUNAL.

MUR 1861

- Les murs d'une ville fortifiée : ENCEINTE, MURAILLE, REMPART.
- Dans l'île d'Ouessant, les champs sont délimités par des murs de pierres sèches : MURET, MURETTE.
- Le mur entre deux pièces d'une habitation : CLOISON.
- On a relevé des inscriptions sur les murs de la grotte : PAROI.
- Le chantier est protégé par un mur de planches : BARRIÈRE.
- Pour mener à bien ce projet, j'ai dû me heurter à beaucoup de murs : OBSTACLE.

MURER

- On a muré cette fenêtre du château au siècle dernier : AVEUGLER, BOUCHER, CONDAMNER.
- Il a muré sa propriété : EMMURER.
- Cette haie nous mure la vue vers la vallée : CACHER, MASQUER.

SE MURER

SE CACHER, SE CLAUSTRER, SE CLOÎTRER, S'ENFERMER, S'ISOLER.

MÛR 1862

- Elle arrive à l'âge mûr : ADULTE.
- Ce melon n'est pas assez mûr pour être mangé : FAIT.
- Il n'est pas mûr pour ce poste : APTE À, PRÊT POUR.
- C'est un esprit mûr : POSÉ, RÉFLÉCHI.

MÛRIR

Ce projet n'a pas été assez mûri : APPROFONDIR, MÉDITER, PENSER, PRÉPARER, RÉFLÉCHIR.

MURMURE 1863

- Le murmure des feuilles agitées par le vent : BRUISSEMENT, FRÉMISSEMENT.
- Le murmure d'une source : CHUCHOTIS, FRISELIS, GAZOUILLEMENT.
- Le murmure des petits oiseaux : BABIL, BABILLAGE, GAZOUILLIS.
- Le murmure qui s'élève d'une foule qui prie à voix basse : MARMONNEMENT, MARMOTTEMENT, SUSURREMENT.
- Le murmure qui s'élève d'une assemblée avant l'arrivée des autorités : BOURDON-

NEMENT, BROUHAHA, CHUCHOTEMENT, RUMEUR.
- La salle était mécontente, on entendit des murmures : GROGNEMENT, PLAINTE, PROTESTATION.

MURMURER
- Murmurer quelque chose à l'oreille de quelqu'un : CHUCHOTER, SUSURRER.
- De vieilles femmes murmuraient des prières : MARMONNER, MARMOTTER.
- Le ruisseau murmure : GAZOUILLER.
- Le vent murmure : BRUIRE.
- Quand il reçoit un ordre, il murmure toujours : MAUGRÉER, PROTESTER, SE PLAINDRE, *en lang. fam. :* BOUGONNER, GROGNER, GROMMELER, MARONNER, RÂLER, RONCHONNER, ROUSPÉTER, *et en lang. pop. :* ROUSCAILLER.
- Il a accepté cette remarque sans murmurer : BRONCHER.

MUSEAU 1864
- Le museau d'un taureau : MUFLE.
- Le museau d'un porc : GROIN.
- Le museau d'un chien : TRUFFE.
- *Fam. :* Cet enfant a le museau barbouillé de chocolat : VISAGE.

MUSÉE 1865
- *Suivant la nature des collections exposées :* CABINET, GLYPTOTHÈQUE, MUSÉUM, PINACOTHÈQUE.
- *S'il s'agit d'une salle d'exposition :* GALERIE.

MUSELER 1866

BÂILLONNER, BRIDER, DOMPTER, ENCHAÎNER, GARROTTER, JUGULER, MATER.

MUSETTE 1867

Mettre quelque chose dans sa musette : CARTABLE, GIBECIÈRE, SACOCHE.

MUSICAL 1868

Une voix musicale : HARMONIEUX, MÉLODIEUX.

MUSICALITÉ

La musicalité d'un vers : HARMONIE, MUSIQUE.

MUSICIEN
- Ce concerto est l'œuvre d'un grand musicien : COMPOSITEUR.
- Un orchestre de cent musiciens : EXÉCUTANT, INTERPRÈTE, INSTRUMENTISTE.
- Je ne suis pas assez musicien pour apprécier cette improvisation : MÉLOMANE.

MUSIQUE
- La musique municipale : CLIQUE, FANFARE, HARMONIE, ORPHÉON.
- En lisant, elle fait bien ressortir la musique des phrases : HARMONIE, MÉLODIE.
- La musique du vent dans les arbres : CHANSON, CHANT.
- À la radio, on entend toujours les mêmes musiques : CHANSON, DISQUE, REFRAIN.

MUTILATION 1869
- La mutilation d'un membre : AMPUTATION.
- La mutilation d'une statue : DÉGRADATION.
- La mutilation d'un texte : ALTÉRATION, AMPUTATION, DÉFIGUREMENT, DÉFORMATION.

MUTILÉ

Les mutilés de guerre : AMPUTÉ, BLESSÉ, ESTROPIÉ, INVALIDE.

MUTILER
- Mutiler un membre : AMPUTER.
- Mutiler un tableau : DÉGRADER, DÉTÉRIORER.
- Mutiler la vérité : ALTÉRER, DÉFIGURER, DÉFORMER.
- Les journalistes ont mutilé le texte de son discours : AMPUTER, CHÂTRER, ESTROPIER, TRONQUER.

MUTIN 1870

1. *adj.*

Avoir l'air mutin : BADIN, COQUIN, ESPIÈGLE, ÉVEILLÉ, LUTIN, MALICIEUX, MÂTIN, TAQUIN.

2. *nom.*

Le gouvernement a maté les mutins : ÉMEUTIER, FACTIEUX, INSURGÉ, REBELLE, RÉVOLTÉ, SÉDITIEUX.

SE MUTINER

S'INSURGER, SE REBELLER, SE RÉVOLTER, SE SOULEVER.

MUTUEL 1871

Notre affection est mutuelle : PARTAGÉ, RÉCIPROQUE.

MUTUELLEMENT

S'aider mutuellement : RÉCIPROQUEMENT.

MYSTÈRE 1872
- Son attitude reste pour moi un mystère : ÉNIGME.
- Il n'y a pas de mystère dans sa vie : SECRET.
- À propos de tout, elle fait des mystères : CACHOTTERIES.
- Cela fait partie des mystères de la politique : ARCANES, COULISSES, DESSOUS, SECRET.

MYSTÉRIEUX
- Les prédictions mystérieuses de Nostradamus : ÉSOTÉRIQUE, HERMÉTIQUE, OBSCUR, OCCULTE, SIBYLLIN, TÉNÉBREUX.

• Sa disparition reste mystérieuse : INCOMPRÉHENSIBLE, INEXPLICABLE.
• Un homme mystérieux : ÉNIGMATIQUE, IMPÉNÉTRABLE, INSAISISSABLE, SECRET.

MYSTIFICATEUR 1873
FARCEUR, IMPOSTEUR, TROMPEUR, *et en lang. fam. :* FUMISTE.

MYSTIFICATION
ATTRAPE, DUPERIE, FACÉTIE, FARCE, GALÉJADE, IMPOSTURE, MENSONGE, PLAISANTERIE, SUPERCHERIE, TROMPERIE, *et en lang. fam. :* BLUFF, CANULAR, FUMISTERIE.

MYSTIFIER
Mystifier quelqu'un : ABUSER, BERNER, DUPER, LEURRER, TROMPER, *et en lang. fam. :* BLUFFER, FEINTER, FLOUER, PIGEONNER, ROULER.

MYSTIQUE 1874
1. *adj.*
• Le sens mystique des paraboles de l'Évangile : ALLÉGORIQUE, ANAGOGIQUE, SYMBOLIQUE.
• À 16 ans, elle est passée par une crise mystique : RELIGIEUX, SPIRITUEL.
• Les saints étaient souvent en contemplation mystique : EXTATIQUE.
• Pendant les offices, elle avait un air mystique : ILLUMINÉ, INSPIRÉ.

2. *n. masc.*
Les religions, comme les partis politiques, ont leurs mystiques : EXALTÉ, FANATIQUE, PASSIONNÉ.

MYTHE 1875
• Les mythes celtiques : FABLE, LÉGENDE.
• Tout cela n'est qu'un mythe : ILLUSION, INVENTION, RÊVE, UTOPIE.

MYTHIQUE
Les personnages mythiques : FABULEUX, IMAGINAIRE, LÉGENDAIRE, MYTHOLOGIQUE.

Nn

NAGE 1876
- Faire de la nage : NATATION.
- Tu es tout en nage, parce que tu as couru : SUEUR.

NAGER
1. Une soupe claire dans laquelle nagent quelques morceaux de pain : BAIGNER, FLOTTER.
- Elle nage dans le bonheur : BAIGNER.
- J'ai maigri, je nage dans mes vêtements : FLOTTER.
2. Pour réussir en politique, il faut savoir nager : MANŒUVRER, NAVIGUER, *et en lang. fam. :* SE DÉBROUILLER.
- Je n'arrive pas à me sortir de ces difficultés, je nage : *fam. :* PATAUGER.
3. Tous les équipiers d'un bateau de course doivent nager en cadence : RAMER.

NAGEUR

La piscine est pleine de nageurs : BAIGNEUR.

NAÏADE 1877
- Dans la mythologie, les naïades fréquentaient les sources et les fontaines : NYMPHE, ONDINE.
- Les hommes admiraient les naïades qui évoluaient dans la piscine : BAIGNEUSE, NAGEUSE.

NAÏF 1878
- Être naïf comme un tout jeune enfant : CANDIDE, INGÉNU, INNOCENT, PUR.
- Elle montrait une joie naïve : NATUREL, SPONTANÉ.
- Il nous a posé une question très naïve : SIMPLE.
- Dans cette affaire, il s'est montré bien naïf : CRÉDULE.
- C'est un naïf, qui croit tout ce qu'on lui dit : BENÊT, NIAIS, NIGAUD, *et en lang. fam. :* GOBE-MOUCHES, JOBARD, POIRE, SIMPLET.

NAÏVETÉ
- La naïveté des jeunes enfants : CANDEUR, INGÉNUITÉ, INNOCENCE, SIMPLICITÉ.
- Tout le monde sourit de sa naïveté en affaires : CRÉDULITÉ, NIAISERIE.

NAIN 1879

LILLIPUTIEN, MYRMIDON *(litt.)*, PYGMÉE, *et avec un sens péjoratif :* AVORTON, GNOME, NABOT.

NAISSANCE 1880
- Elle est fière de son illustre naissance : ASCENDANCE, EXTRACTION, ORIGINE.
- J'ai assisté à la naissance d'un poussin : ÉCLOSION.
- La naissance du jour : APPARITION, COMMENCEMENT, DÉBUT.
- Il a une verrue à la naissance du nez : RACINE.

NAÎTRE
- Voilà la maison où il est né : VENIR AU MONDE, VOIR LE JOUR.
- Elle est née d'une famille très ancienne : DESCENDRE, ÊTRE ISSU, SORTIR.
- Le jour naît à l'est : APPARAÎTRE, POINDRE, SE LEVER.
- Le mulet naît d'un croisement : PROVENIR.
- Notre querelle est née de son intransigeance : RÉSULTER.
- Notre amitié est née ce jour-là : COMMENCER, DÉBUTER.
- Des difficultés sont nées : S'ÉLEVER, SURGIR.
- C'est une idée qui a été longue à naître dans son esprit : ÉCLORE, GERMER, SE FORMER.

NATIF
1. Surcouf était natif de Saint-Malo : ORIGINAIRE.
2. Les qualités natives d'une personne : INFUS, INNÉ, ORIGINEL.

• Certains métaux, comme l'or et l'argent, peuvent se trouver à l'état natif : NATUREL, PUR.

NANTI 1881
Les nantis : RICHE, *et en lang. fam. :* RICHARD.

NANTIR : DOTER, GRATIFIER, MUNIR, POURVOIR.

NAPPER 1882
Napper de crème un gâteau : RECOUVRIR.

NARCOTIQUE 1883
DORMITIF, HYPNOTIQUE, SOMNIFÈRE, SOPORIFIQUE.

NARRATION 1884
• Il s'est lancé dans une longue narration des faits : EXPOSÉ, RÉCIT, RELATION.
• Les élèves font une narration : RÉDACTION.

NASEAU 1885
Les naseaux d'un cheval : NARINE.

NASILLARD
Une voix nasillarde : AIGU.

NASILLER
Il parle en nasillant : NASONNER *(anc.).*

NEZ
1. Le nez d'un avion : AVANT.
• Le nez d'un bateau : PROUE.
• Il a un gros nez : *en lang. pop. :* BLAIR, BLASE, NASE, PIF, TARIN.
2. Avoir du nez : FLAIR.
• Avoir un bon nez : ODORAT.
3. De honte, il baissa le nez : TÊTE.

NATION 1886
• Les grandes nations : ÉTAT, PUISSANCE.
• L'armée est au service de la nation : PATRIE, PAYS.
• Le Président s'est adressé par radio à la nation française : PEUPLE.

NATIONALISATION
COLLECTIVISATION, ÉTATISATION, SOCIALISATION.

NATIONALISER
COLLECTIVISER, ÉTATISER, SOCIALISER.

NATTE 1887
Une natte de cheveux : TRESSE.

NATTER : ENTRELACER, TRESSER.

NATURALISATION 1888
1. Il a obtenu la naturalisation française : NATIONALITÉ.
2. La naturalisation d'un animal mort : EMPAILLAGE, TAXIDERMIE.

NATURALISER
1. Il s'est fait naturaliser Français : NATIONALISER.
2. Naturaliser un animal mort : EMPAILLER.

NATURALISME
Le naturalisme en art, en littérature : RÉALISME, VÉRISME.

NATURE
1. Quelle est la place de l'homme dans la nature ? : MONDE, UNIVERS.
• Préférer les charmes de la nature aux bruits de la ville : CAMPAGNE.
• La nature a recouvert ces ruines : VÉGÉTATION.
2. Chaque animal obéit à sa nature : CONDITION, ESSENCE.
• Elle est d'une nature enjouée : CARACTÈRE, NATUREL, TEMPÉRAMENT.
• Un enfant de nature fragile : COMPLEXION, CONSTITUTION, SANTÉ.
• Ce chef est une forte nature : INDIVIDUALITÉ, PERSONNALITÉ.
• Au marché, il y a des produits de toute nature : ESPÈCE, GENRE, SORTE, TYPE.
3. Dans leur comportement, les ouvriers sont très nature : DIRECT, FRANC, NATUREL, SPONTANÉ.
• Ce tableau fait très nature : RÉEL, VRAI.

NATUREL
1. *adj.*
• Il est très naturel que l'on ne se confie qu'à ses meilleurs amis : COMPRÉHENSIBLE, LOGIQUE, NORMAL.
• Je trouve fort naturelle votre proposition : RAISONNABLE.
• Est-il naturel à l'homme d'être violent ? : INHÉRENT, PROPRE.
• La peur naturelle que l'on a des serpents : ANCESTRAL, CONGÉNITAL, FONCIER, HÉRÉDITAIRE, INNÉ, IRRÉFLÉCHI.
• Il lui est naturel de marcher très vite : HABITUEL, ORDINAIRE.
• Elle a des qualités naturelles : INFUS, INNÉ.
• Écrire dans un style naturel : AISÉ, COULANT, FACILE, SIMPLE.
• Le charme naturel des paysages d'Utrillo : NAÏF.
• Du vin naturel : PUR.
2. *nom.*
a) Elle a répondu avec beaucoup de naturel : FRANCHISE, SINCÉRITÉ, SPONTANÉITÉ.
• Elle interprète ce rôle avec un grand naturel : AISANCE, FACILITÉ.
• Il est d'un naturel sauvage : CARACTÈRE, HUMEUR, NATURE, TEMPÉRAMENT.
• Le naturel dans les peintures du Douanier Rousseau : CANDEUR, FRAÎCHEUR, INGÉNUITÉ, NAÏVETÉ, SIMPLICITÉ.
b) Les naturels d'Australie : ABORIGÈNE, INDIGÈNE.

NATURELLEMENT
• Il a fait cela le plus naturellement du monde : AISÉMENT, FACILEMENT, NORMALEMENT, SIMPLEMENT, SPONTANÉMENT.

- Tout cela s'explique naturellement : LOGIQUEMENT.
- Naturellement, il est en retard : ÉVIDEMMENT, FORCÉMENT, INÉVITABLEMENT.

NAVETTE 1889

Faire la navette : ALLER ET RETOUR, VA-ET-VIENT.

NÉCESSAIRE 1890

1. *adj.*
- Je n'emporte que ce qui est nécessaire : ESSENTIEL, IMPORTANT, INDISPENSABLE, PRIMORDIAL, UTILE.
- Les conséquences nécessaires d'une décision : INÉLUCTABLE, INÉVITABLE, LOGIQUE, OBLIGATOIRE.
- Il n'a pas les qualités nécessaires pour cet emploi : REQUIS.

2. *nom.*
- Un nécessaire de voyage : TROUSSE.
- Un nécessaire à ouvrage : BOÎTE, COFFRET.

NÉCESSAIREMENT
- Il me faut nécessairement partir lundi : ABSOLUMENT.
- Cela devait nécessairement arriver : FATALEMENT, FORCÉMENT, INÉVITABLEMENT, INFAILLIBLEMENT.

NÉCESSITÉ

1. Quelle nécessité aviez-vous d'agir ainsi ? : BESOIN, EXIGENCE, OBLIGATION.
- Défendre son honneur est une nécessité : IMPÉRATIF.

2. Vivre dans la nécessité : DÉNUEMENT, INDIGENCE, PAUVRETÉ.

NÉCESSITER
- Votre attitude nécessite une explication : DEMANDER, EXIGER, RÉCLAMER, REQUÉRIR.
- Cette réparation nécessitera de gros frais : ENGENDRER, ENTRAÎNER, OCCASIONNER.

NÉGLIGÉ 1891

1. *adj.*
- Avoir une tenue négligée : DÉBRAILLÉ.
- Un style négligé : RELÂCHÉ.
- Les invités se sentaient négligés par la maîtresse de maison : ABANDONNÉ, IGNORÉ, OUBLIÉ.

2. *nom.* Le matin, elle porte d'élégants négligés : DÉSHABILLÉ.

NÉGLIGENCE
- Travailler avec négligence : INATTENTION, INDOLENCE, NONCHALANCE, PARESSE, RELÂCHEMENT.
- On a accusé le gouvernement de négligence dans les secours aux sinistrés : CARENCE, INCURIE, LAISSER-ALLER.
- Il y a des négligences dans votre devoir : ÉTOURDERIE, OMISSION, OUBLI.

NÉGLIGENT
- Un apprenti négligent : ÉTOURDI, INATTENTIF, INSOUCIANT, IRRÉFLÉCHI, NONCHALANT, PARESSEUX.
- Il m'a salué d'une manière négligente : DISTRAIT, INDIFFÉRENT.

NÉGLIGER
- Ne négligez pas de vous inscrire sur les listes électorales : MANQUER, OMETTRE, OUBLIER.
- Il néglige ses études : SE DÉSINTÉRESSER DE.
- Il a négligé toutes les recommandations de prudence : DÉDAIGNER, MÉPRISER.
- Ne négligez pas vos meilleurs amis : ABANDONNER, DÉLAISSER, *et en lang. fam. :* LAISSER TOMBER.
- C'est une occasion à ne pas négliger : LAISSER ÉCHAPPER, LAISSER PASSER.

SE NÉGLIGER

SE LAISSER ALLER, SE RELÂCHER.

NÉGOCIATEUR 1892
- Jouer le rôle de négociateur entre deux parties : INTERMÉDIAIRE.
- Il s'est révélé un habile négociateur : DIPLOMATE.
- Un négociateur envoyé par un gouvernement auprès d'un autre : ÉMISSAIRE, PLÉNIPOTENTIAIRE.

NÉGOCIATION

DISCUSSION, POURPARLERS, TRACTATION.

NÉGOCIER

1. Les deux parties sont en train de négocier : DISCUTER, PARLEMENTER, TRAITER.
- Négocier un effet de commerce : MONNAYER.

2. Avec cette voiture sous-vireuse, il est difficile de négocier les virages : PRENDRE.

NERF 1893

Il manque de nerf : DYNAMISME, ÉNERGIE, FORCE, RESSORT, VIGUEUR.

NERVEUX
- Un enfant nerveux : AGITÉ, ÉNERVÉ, EXCITÉ, FÉBRILE.
- Ne lui dites rien, elle est nerveuse ce matin : EXCITABLE, IRRITABLE.
- Repousser quelque chose d'un geste nerveux : BRUSQUE, BRUTAL, IMPATIENT.
- Avoir le bras nerveux : FORT, MUSCLÉ, VIGOUREUX.
- Un choc nerveux : ÉMOTIF.

NERVOSITÉ

AGITATION, ÉNERVEMENT, EXCITATION, FÉBRILITÉ, IRRITATION.

NET 1894

1. *adj.*
- Ce col de chemise n'est pas net : IMPECCABLE, PROPRE.

• Dans le brouillard, les objets ne sont pas nets : DISTINCT.
• La différence est très nette : MARQUÉ, SENSIBLE, VISIBLE.
• Une déchirure nette dans un tissu : FRANC, RÉGULIER.
• Ses explications ne sont pas nettes : CLAIR, PRÉCIS.
• Avoir une vue très nette de la situation : EXACT, JUSTE, LUCIDE, PRÉCIS, RÉALISTE.
• Parler en termes nets : CATÉGORIQUE, EXPLICITE, FORMEL.
• Avoir la conscience nette : PUR, TRANQUILLE.
• Après ce versement, je serai net de dettes : QUITTE.
• Les salaires perçus à l'étranger sont nets d'impôts : EXEMPT.

2. *adv.*
• Il a été tué net : SUR LE COUP.
• La corde a cassé net : BRUSQUEMENT, TOUT D'UN COUP.
• J'ai refusé net : CARRÉMENT, CATÉGORIQUEMENT.
• Parlons net ! : CLAIREMENT, FRANCHEMENT.

NETTEMENT
• Il est nettement plus âgé qu'elle : BEAUCOUP.
• Il m'a expliqué nettement ce qu'il voulait : CLAIREMENT.
• Je ne vois pas nettement ce qui est écrit : DISTINCTEMENT.
• Je condamne nettement votre attitude : CATÉGORIQUEMENT, FERMEMENT, FORMELLEMENT, FRANCHEMENT.
• Je le déclare nettement : FORTEMENT, HAUTEMENT.
• Elle était nettement la plus forte : INCONTESTABLEMENT, INDUBITABLEMENT, MANIFESTEMENT.

NETTETÉ
• La netteté du linge : PROPRETÉ.
• S'exprimer avec netteté : CLARTÉ, PRÉCISION.

NETTOIEMENT
Un service de nettoiement : NETTOYAGE.

NETTOYER
• Nettoyer le trottoir devant sa porte : BALAYER.
• Nettoyer du linge : DÉCRASSER, LAVER.
• Nettoyer une veste salie : DÉGRAISSER, DÉTACHER.
• Nettoyer des souliers : BROSSER, CIRER, DÉCROTTER.
• Nettoyer le four de la cuisinière : DÉCAPER, RÉCURER.
• Nettoyer une cheminée : RAMONER.
• Nettoyer le canon d'une arme à feu : ÉCOUVILLONNER.
• Nettoyer un cagibi de ce qui l'encombre : DÉBARRASSER, DÉBLAYER.
• Nettoyer un meuble : ÉPOUSSETER, ESSUYER, FROTTER.
• Nettoyer un carrelage : LESSIVER.
• Nettoyer un fossé, une mare : CURER.
• Nettoyer un terrain de ses mauvaises herbes : DÉSHERBER, SARCLER.
• Nettoyer un chien : TOILETTER.
• *Fam.* : Les voleurs ont nettoyé la maison : VIDER.

NEUF 1895
• Les quartiers neufs d'une ville : MODERNE, RÉCENT.
• Avoir des idées neuves sur une question : NOUVEAU, ORIGINAL.
• Être neuf dans un métier : INEXPÉRIMENTÉ, JEUNE, NOVICE.

NOUVEAU
• Ce fait est nouveau : RÉCENT.
• Les méthodes nouvelles de gestion : MODERNE.
• Une façon nouvelle d'aborder un problème : INÉDIT, NEUF, ORIGINAL.
• Une vie nouvelle s'ouvre devant elle : DIFFÉRENT.
• Ils avaient déjà un fils, ils viennent d'avoir un nouvel enfant : AUTRE, SECOND.
• Beaucoup de visages étaient nouveaux pour moi : INCONNU.
• Rechercher des plaisirs nouveaux : INHABITUEL, INSOLITE.

NOUVEAUTÉ
• Un livre qui plaît par sa nouveauté : ORIGINALITÉ.
• Il est hostile à toutes les nouveautés : CHANGEMENT, INNOVATION.
• La nouveauté du problème qui est évoqué dans ce livre : ACTUALITÉ.
• Les dernières nouveautés de la mode : CRÉATION.

NOUVELLE
1. Avez-vous entendu les nouvelles à la radio ? : INFORMATION.
• Connaissez-vous la nouvelle qui se répand en ville ? : BRUIT, RUMEUR.
2. Ce n'est pas un roman, mais un recueil de nouvelles : ANECDOTE, RÉCIT.

NOUVELLEMENT
Une clôture nouvellement installée : FRAÎCHEMENT, RÉCEMMENT.

NOVICE
Se conduire comme un novice : APPRENTI, DÉBUTANT, NÉOPHYTE, *et en lang. fam.* : BLEU.

NEUTRALISER 1896
ANNIHILER, CONTRECARRER, ENRAYER, PARALYSER.

NEUTRE
- Dans cette affaire, je suis neutre : IMPARTIAL, OBJECTIF.
- S'exprimer sur un ton neutre : INDIFFÉRENT.

NIAIS 1897
1. *adj.*
- Il vous regarde d'un air niais : BÊTE, IDIOT, IMBÉCILE, SOT, STUPIDE.
- Une chanson niaise : INEPTE, *et en lang. fam. :* BÉBÊTE.

2. *nom.*
Quel grand niais ! : BÉJAUNE *(anc.)*, BENÊT, DADAIS, IMBÉCILE, JOCRISSE *(anc.)*, NIGAUD, *et en lang. fam. ou très fam. :* BALLOT, BÊTA, CORNICHON, CRUCHE, DINDE, GODICHE, GOURDE, GOURDIFLOT, NICODÈME, NIQUEDOUILLE, OIE, SERIN, ZOZO.

NIAISERIE
- Il est d'une niaiserie incroyable : BÊTISE, CRÉDULITÉ, IDIOTIE, IMBÉCILLITÉ, INEPTIE, NIGAUDERIE, SOTTISE, STUPIDITÉ.
- Dire des niaiseries : ABSURDITÉ, ÂNERIE, BALIVERNE, FADAISE, INSANITÉ.

NICHE 1898
1. Faire des niches à quelqu'un : BLAGUE, FARCE, TOUR.
2. Construire une niche pour son chien : ABRI, CABANE, LOGE.

NID 1899
- Un nid de vautour : AIRE.
- Un nid de brigands : REPAIRE.
- Les enfants ont quitté le nid familial : DEMEURE, FOYER, MAISON, TOIT.

NIER 1900
CONTESTER, DÉMENTIR, DÉNIER, DÉSAVOUER, DISCONVENIR DE, RÉFUTER.

NIMBE 1901
Les nimbes qui entourent la tête des saints sur les tableaux : AURÉOLE, COURONNE.

NIMBER
Une chevelure blonde nimbe son visage : AURÉOLER.

NIVEAU 1902
1. Ce trait marque le niveau atteint par la crue du fleuve : HAUTEUR.
- À tous les niveaux de la hiérarchie : DEGRÉ, ÉCHELON, PALIER, STADE.
- Un devoir de bon niveau : QUALITÉ, VALEUR.
- Mettez-vous au niveau de vos élèves : PORTÉE.

2. Le niveau de vie : POUVOIR D'ACHAT, STANDING.

NIVELLEMENT
APLANISSEMENT, ARASEMENT, ÉGALISATION, NIVELAGE.

NOBLE 1903
1. *nom.* Les nobles : ARISTOCRATE, SEIGNEUR, *et avec une nuance péjorative :* HOBEREAU, NOBLAILLON, NOBLIAU.
2. *adj.*
- Être d'une famille noble : ARISTOCRATIQUE.
- Avoir des sentiments nobles : CHEVALERESQUE, ÉLEVÉ, GÉNÉREUX, MAGNANIME.
- Avoir noble allure : DIGNE, DISTINGUÉ, IMPOSANT, MAGNIFIQUE, MAJESTUEUX.
- C'est un noble vieillard : AUGUSTE, RESPECTABLE, VÉNÉRABLE.
- Écrire dans un style noble : RELEVÉ, SUBLIME.

NOBLEMENT
Remplir noblement sa tâche : DIGNEMENT.

NOBLESSE
- Les gens de la noblesse : ARISTOCRATIE.
- Se comporter avec noblesse : DIGNITÉ, DISTINCTION, MAJESTÉ.
- La noblesse des sentiments : ÉLÉVATION, GÉNÉROSITÉ, GRANDEUR, MAGNANIMITÉ.

NOCE 1904
Être invité à une noce : MARIAGE.

NOCEUR
DÉBAUCHÉ, NOCTAMBULE, VIVEUR, *et en lang. fam. :* BAMBOCHEUR, FÊTARD.

NOCIF 1905
DANGEREUX, FUNESTE, MALÉFIQUE, NÉFASTE, NUISIBLE, PERNICIEUX, PRÉJUDICIABLE.

NŒUD 1906
- Faire un nœud : BOUCLE.
- C'est le nœud de l'affaire : CŒUR, FOND.
- Un nœud ferroviaire : CENTRE.
- Les nœuds de l'amitié : LIEN.

NOUER
- Nouer un lacet : ATTACHER.
- Nouer ses doigts : ENTRELACER.
- Ils sont à l'âge où l'on noue facilement des amitiés : CONTRACTER, ÉTABLIR, LIER.
- Il est difficile de nouer la conversation avec elle : ENGAGER.
- Il passe son temps à nouer des intrigues : COMBINER, MACHINER, MONTER, OURDIR, TISSER, TRAMER.

NOIR 1907

1. *adj.*

- Ton col de chemise est tout noir : CRASSEUX, SALE.
- Nous avancions dans la nuit noire : OBSCUR, OPAQUE, SOMBRE, TÉNÉBREUX.
- Le ciel est noir aujourd'hui : COUVERT, SOMBRE.
- Il porte des lunettes noires : FUMÉ.
- Elle a des idées noires : MÉLANCOLIQUE, PESSIMISTE, TRISTE.
- Pourquoi me regardez-vous d'un œil noir ? : COLÉREUX, FURIEUX, IRRITÉ, MÉCHANT.
- Avoir de noirs pressentiments : FUNESTE, SOMBRE.
- Il a été victime d'une noire machination : DIABOLIQUE, ODIEUX, PERVERS.
- De l'humour noir : MACABRE, SINISTRE.
- Faire du marché noir : CLANDESTIN, ILLÉGAL.
- Avoir une caisse noire : OCCULTE, SECRET.
- Une rue noire de monde : PLEIN.

2. *nom.*

- Avoir peur du noir : OBSCURITÉ, TÉNÈBRES.
- Tu as du noir sur la joue, essuie-toi : TACHE.
- Ce débat n'a pas éclairci la situation, nous sommes dans le noir : CONFUSION, INCOHÉRENCE.

NOIRCEUR

- La noirceur de la nuit : OBSCURITÉ, OPACITÉ.
- La noirceur d'un crime : ATROCITÉ, HORREUR, MONSTRUOSITÉ.
- Il a fait quelques noirceurs dans sa vie : BASSESSE, MÉCHANCETÉ, PERFIDIE, PERVERSITÉ, SCÉLÉRATESSE, VILENIE.

NOIRCIR

- La fumée a noirci le devant de la cheminée : SALIR.
- Il prend plaisir à noircir ses collègues : CALOMNIER, DÉCRIER, DÉNIGRER, DIFFAMER, DISCRÉDITER.
- Elle n'arrête pas de noircir des pages et des pages : ÉCRIRE SUR, REMPLIR.

SE NOIRCIR

- Le ciel se noircit : S'ASSOMBRIR, SE COUVRIR, S'OBSCURCIR.
- *Pop. :* À chaque fête, il se noircit : S'ENIVRER.

NOM 1908

1. Le nom donné à un produit industriel : APPELLATION, DÉNOMINATION.

- Mettez votre nom au bas du contrat : SIGNATURE.
- Il ne mérite pas le nom d'honnête homme : QUALIFICATION, TITRE.
- Elle s'est fait un nom dans la chanson : RENOM, RENOMMÉE, RÉPUTATION.
- Les grands noms de l'Histoire : PERSONNAGE.
- Aurore Dupin est connue sous le nom de George Sand : PSEUDONYME.
- Une femme qui se marie prend le nom de son époux : PATRONYME.
- Marie est un nom courant : PRÉNOM.

2. Les verbes et les noms : SUBSTANTIF.

NOMINATION

- La nomination à un poste : AFFECTATION, DÉSIGNATION.
- La nomination à un grade supérieur : PROMOTION.

NOMMER

- Ses parents l'ont nommé Julien : APPELER, DÉNOMMER, PRÉNOMMER.
- Tous les élèves que je viens de nommer sont reçus : CITER, ÉNUMÉRER, MENTIONNER.
- Elle a refusé de nommer les coupables : DÉNONCER, DÉSIGNER, INDIQUER.
- Être nommé à un nouveau poste : AFFECTER.
- Le Président nomme le Premier ministre : CHOISIR, DÉSIGNER.
- Nommer d'office un avocat : COMMETTRE.

NOMADE 1909

Terrain interdit aux nomades : BOHÉMIEN, FORAIN, GITAN.

NOMBRE 1910

Le nombre des élèves du lycée est de 500 : CHIFFRE, EFFECTIF, QUANTITÉ, TOTAL.

NOMBREUX

Une foule nombreuse : ABONDANT, CONSIDÉRABLE, DENSE, IMPORTANT, INNOMBRABLE.

NOMBRIL 1911

- Nettoyer le nombril d'un bébé : OMBILIC.
- *Fam. :* Se prendre pour le nombril du monde : CENTRE.

NOMBRILISME

Faire preuve de nombrilisme : ÉGOCENTRISME.

NONCE 1912

Le nonce pontifical : LÉGAT.

NORDIQUE 1913

ARCTIQUE, BORÉAL, HYPERBORÉEN, SEPTENTRIONAL.

NORMAL 1914

- Le patron a-t-il aujourd'hui son visage normal ? : HABITUEL, NATUREL, ORDINAIRE.
- Tout est-il normal ? : RÉGULIER.

- Il me paraît normal de... : LÉGITIME, LOGIQUE, NATUREL.

NORMALE
Le niveau de mes élèves est au-dessus de la normale : MOYENNE.

NORMALEMENT
Elle a agi normalement : CORRECTEMENT, RÉGULIÈREMENT.

NORMALISER
- La concurrence a obligé les industriels à normaliser leurs produits : RATIONALISER, STANDARDISER.
- Ce pays essaie de normaliser ses relations avec ses voisins : RÉGULARISER.

NORME
- Les normes grammaticales : CODE, LOI, PRÉCEPTE, PRINCIPE, RÈGLE.
- Les normes de la beauté féminine : CANON.
- Une norme de fabrication : MODÈLE, STANDARD, TYPE.

NORMAND 1915
- Il est très normand en affaires : MADRÉ, RETORS, ROUBLARD *(fam.)*, ROUÉ, RUSÉ.
- Une réponse normande : AMBIGU.

NOTABLE 1916
1. *adj.* Une différence notable : APPRÉCIABLE, FRAPPANT, IMPORTANT, REMARQUABLE, SAISISSANT, SENSIBLE.
2. *nom.* Les notables de la ville : NOTABILITÉ, PERSONNALITÉ.

NOTAMMENT
PARTICULIÈREMENT, PRINCIPALEMENT, SPÉCIALEMENT.

NOTATION
1. Écrire quelques brèves notations au sujet d'une lecture : NOTE, OBSERVATION, REMARQUE.
2. La notation d'un devoir de français peut varier d'un professeur à un autre : APPRÉCIATION.

NOTE
1. Écrire une note dans la marge : ANNOTATION, APOSTILLE, NOTULE, OBSERVATION, REMARQUE.
- Chaque passage difficile du livre est suivi d'une note en bas de page : COMMENTAIRE, ÉCLAIRCISSEMENT, EXPLICATION, GLOSE.
- En vue de répondre à son contradicteur, il jetait quelques notes sur une feuille : PENSÉE, RÉFLEXION.
- Faites circuler cette note de la direction dans tous les services : AVIS, COMMUNICATION, COMMUNIQUÉ.
- Une note diplomatique : MÉMORANDUM.

2. Mettre une note à un devoir : APPRÉCIATION.
- C'est à vous de payer la note : ADDITION, COMPTE, FACTURE, *et en lang. fam. :* DOULOUREUSE.

NOTER
1. J'ai noté tous les passages intéressants du livre : COCHER, SOULIGNER.
- Je vais noter cette phrase pour m'en servir à l'occasion : COPIER, RELEVER.
- Je note les adresses de mes amis dans un carnet : CONSIGNER, ENREGISTRER, INSCRIRE, MARQUER.
- Avez-vous noté sa présence à la réunion ? : CONSTATER, OBSERVER, REMARQUER.

2. Noter un devoir : APPRÉCIER, COTER, JUGER.

NOTICE
- Une notice explicative : NOTE.
- Une notice biographique : RÉSUMÉ.
- L'avis de décès est suivi d'une notice nécrologique : ARTICLE.
- Un appareil livré avec une notice de montage : GUIDE.

NOTIFICATION 1917
- La notification d'un jugement : SIGNIFICATION.
- J'ai reçu la notification de ma mutation : ANNONCE, AVIS.

NOTIFIER
- Je lui ai notifié ma décision : ANNONCER, COMMUNIQUER, INFORMER DE, SIGNIFIER.
- Notifier un ordre : INTIMER.

NOTOIRE 1918
AVÉRÉ, CONNU, ÉVIDENT, MANIFESTE, PATENT, PUBLIC, RECONNU.

NOTORIÉTÉ
CÉLÉBRITÉ, GLOIRE, RENOM, RENOMMÉE, RÉPUTATION.

NOURRI 1919
- Les soldats avançaient sous un tir nourri d'armes automatiques : DENSE, SERRÉ.
- Un style nourri : ABONDANT, ÉTOFFÉ, PLEIN, RICHE, SUBSTANTIEL.

NOURRICE
1. L'enfant et sa nourrice : NOUNOU.
2. Une nourrice de vingt litres d'essence : BIDON, RÉSERVOIR.

NOURRICIER
La sève nourricière : NUTRICIER, NUTRITIF.

NOURRIR
- Une mère qui nourrit au sein son enfant : ALLAITER.
- Avoir une nombreuse famille à nourrir : ÉLEVER, ENTRETENIR.

- Notre jardin nous nourrit en fruits et légumes : ALIMENTER, APPROVISIONNER, RAVITAILLER.
- Ce sujet va nourrir le débat politique pendant plusieurs mois : ALIMENTER, ENTRETENIR.
- Nourrir une histoire de nombreux détails : ÉTOFFER.
- Elle a nourri trop d'espoirs : CARESSER.
- C'est un projet que je nourris depuis longtemps : ÉCHAFAUDER, PRÉPARER.

SE NOURRIR
- Il faut se nourrir pour vivre : MANGER, S'ALIMENTER, SE RESTAURER, SE SUSTENTER.
- Les enfants se nourrissent de légendes héroïques : SE REPAÎTRE.
- La terre se nourrit de l'engrais qu'on y met : SE FÉCONDER.
- Elle s'est nourrie de folles illusions : SE BERCER.

NOURRITURE
- Nous dépensons beaucoup pour notre nourriture : ALIMENTATION, SUBSISTANCE, VIVRES, *et en lang. pop. :* BECQUETANCE, BOUFFE, BOUSTIFAILLE, MANGEAILLE.
- Un restaurant où la nourriture est excellente : CHÈRE.
- De la nourriture pour animaux : ALIMENT, PÂTÉE, PÂTURE, PITANCE.

NUTRITIF
Des aliments nutritifs : NOURRISSANT, SUBSTANTIEL.

NUAGE 1920
1. Un ciel couvert de nuages : NUÉE, *et en lang. météo :* CIRRUS, CUMULUS, NIMBUS, STRATUS.
2. Un bonheur sans nuages : ENNUI, TROUBLE.

NUAGEUX
- Un ciel nuageux : COUVERT, GRIS, NÉBULEUX, SOMBRE.
- Un esprit nuageux : CONFUS, OBSCUR.

NUE
Regarder vers la nue : CIEL, FIRMAMENT.

NUANCE 1921
- Les diverses nuances de la couleur bleue : TEINTE, TON, TONALITÉ.
- Il y a une légère nuance entre ces deux synonymes : DIFFÉRENCE.

NUANCER
Hier il était intransigeant, aujourd'hui il a nuancé sa position : ADOUCIR, ATTÉNUER, MODÉRER.

NUDISME 1922
Un adepte du nudisme : NATURISME.

NUDITÉ
La nudité des arbres en hiver : DÉPOUILLEMENT.

NUIRE 1923
- Cela me nuit : LÉSER, PRÉJUDICIER.
- Cela nuit à ta santé : AFFAIBLIR, DÉTRUIRE, RUINER.
- Son mauvais caractère lui nuit beaucoup : DESSERVIR.
- Cette calomnie a nui à sa réputation : COMPROMETTRE, DISCRÉDITER.
- Cet événement nuira à nos projets de vacances : CONTRARIER, CONTRECARRER, GÊNER.

NUL 1924
1. *adj. indéfini.* Je n'avais nulle intention de vous blesser : AUCUN.
2. *pr. indéfini.* Nul n'est prophète en son pays : PERSONNE.
3. *adj. qualificatif.*
- Mon bénéfice est presque nul dans cette opération : INEXISTANT, INSIGNIFIANT.
- Les recherches de pétrole ont donné des résultats nuls : NÉGATIF.
- Le délai est passé, votre billet est nul : PÉRIMÉ.

NULLEMENT
Je ne doute nullement de votre bonne foi : AUCUNEMENT.

NULLITÉ
1. La nullité d'un acte de justice pour vice de forme : CADUCITÉ, INVALIDITÉ.
- La nullité d'un élève en mathématiques : FAIBLESSE, IGNORANCE.
- La nullité d'un employé : INCAPACITÉ, INCOMPÉTENCE.
2. Cet homme est une nullité : IGNARE, ZÉRO, *et en lang. fam. :* NULLARD.

NUMÉRO 1925
1. Un numéro d'adresse, dans un cirque : EXHIBITION, TOUR.
- Un numéro de music-hall : SHOW, SKETCH.
2. Cet élève a l'air d'un drôle de numéro : GAILLARD, *et en lang. fam. :* LASCAR, LOUSTIC, PHÉNOMÈNE, ZÈBRE, ZIGOTO.

NUMÉROTER
Numéroter les pages d'un manuscrit : FOLIOTER, PAGINER.

NURSE 1926
BONNE D'ENFANT, GOUVERNANTE.

NYMPHE 1927
- Les nymphes des eaux : NAÏADE, NIXE, ONDINE.
- Les nymphes des forêts : DRYADE.
- Les nymphes de la mer : NÉRÉIDE, OCÉANIDE.
- Les nymphes des montagnes : ORÉADE.
- Les nymphes des prairies : NAPÉE.
- Cette jeune fille a une taille de nymphe : SYLPHIDE.

Oo

OASIS 1928
Une oasis de silence : HAVRE, REFUGE.

OBÉIR 1929
- Obéir à un ordre : OBSERVER, OBTEMPÉRER, RESPECTER, SE CONFORMER À, S'INCLINER, SE PLIER, SE SOUMETTRE.
- Obéir à son instinct : CÉDER, SUIVRE.
- Un enfant qui n'obéit pas : ÉCOUTER.

OBÉRER 1930
Les charges d'investissement obèrent les entreprises : ENDETTER, GREVER.

OBÉSITÉ 1931
ADIPOSITÉ, CORPULENCE, GROSSEUR.

OBJECTER 1932
ALLÉGUER, OPPOSER, PRÉTEXTER, RÉPLIQUER, RÉPONDRE, RÉTORQUER.

OBJECTION
- Soulever une objection : CONTESTATION, CONTRADICTION, CRITIQUE, RÉFUTATION, REMARQUE.
- Il n'y a aucune objection à cela : DIFFICULTÉ, INCONVÉNIENT, OBSTACLE, OPPOSITION.

OBJECTIVITÉ 1933
Faire preuve d'objectivité : IMPARTIALITÉ, NEUTRALITÉ.

OBJET 1934
1. C'est un objet de peu de valeur : CHOSE.
- Les objets de toilette : ARTICLE.
- Les objets de cuisine : USTENSILE.
2. Tel sera l'objet de mon prochain discours : MATIÈRE, PROPOS, SUJET, THÈME.
- Quel est le véritable objet de votre démarche ? : BUT, DESSEIN, FIN, OBJECTIF.
- Quel est l'objet de votre chagrin ? : CAUSE, MOTIF.

OBJURGATION 1935
ADMONESTATION, REMONTRANCE, RÉPRIMANDE, REPROCHE, SEMONCE.

OBLIGATION 1936
1. Les obligations professionnelles : CHARGE, DEVOIR, TÂCHE.
- Je suis dans l'obligation de partir : NÉCESSITÉ.
- Vous recevrez pour un examen gratuit et sans obligation d'achat le premier volume de cette encyclopédie : ENGAGEMENT, PROMESSE.
- Il est ruiné et ne peut plus faire face à ses obligations : DETTE.
2. Vous m'avez aidé, je vous en ai de l'obligation : GRATITUDE, RECONNAISSANCE.

OBLIGATOIRE
- L'arrêt au stop est obligatoire : EXIGÉ, IMPOSÉ.
- Ma présence est-elle obligatoire ? : INDISPENSABLE, NÉCESSAIRE.
- *Fam. :* Il était obligatoire que cela arrive un jour : FATAL, FORCÉ, INÉVITABLE, OBLIGÉ.

OBLIGÉ
Je vous suis très obligé de ce que vous avez fait pour moi : RECONNAISSANT, REDEVABLE.

OBLIGER
1. Lisez attentivement le contrat avant de signer, car votre signature vous obligera : ENGAGER, LIER.
- On l'a obligé à payer la réparation : ASTREINDRE, CONTRAINDRE, FORCER, IMPOSER DE.
2. Vous m'obligeriez beaucoup en me prêtant de l'argent : AIDER, RENDRE SERVICE.

OBSCÈNE 1937
DÉGOÛTANT, DÉSHONNÊTE, GRAVELEUX, GROSSIER, IMMORAL, IMPUDIQUE, INCONVENANT, INDÉCENT, LICENCIEUX, MALPROPRE, ORDURIER, PORNOGRAPHIQUE, SALE.

OBSCÉNITÉ
GRAVELURE, GROSSIÈRETÉ, IMMORALITÉ, IMPUDICITÉ, INCONVENANCE, INDÉCENCE, ORDURE, *et en lang. fam. :* COCHONNERIE.

OBSCUR 1938
1. La cave sans fenêtre était très obscure : NOIR, SOMBRE, TÉNÉBREUX.
• Pour être compris des autres, il ne faut pas employer un langage obscur : ABSCONS, ABSTRAIT, ABSTRUS, AMBIGU, AMPHIBOLOGIQUE, AMPHIGOURIQUE, COMPLIQUÉ, CONFUS, DIFFICILE, EMBROUILLÉ, ÉNIGMATIQUE, ÉQUIVOQUE, ÉSOTÉRIQUE, HERMÉTIQUE, IMPÉNÉTRABLE, INCOMPRÉHENSIBLE, ININTELLIGIBLE, INSAISISSABLE, MYSTÉRIEUX, NÉBULEUX, SIBYLLIN, VAGUE.
• J'ignore les raisons obscures qui le poussent à agir ainsi : CACHÉ, OCCULTE, SECRET.
• Une affaire obscure : TROUBLE.
2. Ce savant est né de parents obscurs : HUMBLE.
• Un auteur qui est resté longtemps obscur : IGNORÉ, INCONNU.
• Il occupe un poste obscur dans l'administration : INSIGNIFIANT.
• Mener une vie obscure : EFFACÉ.

OBSCURCIR
• Ces rideaux foncés obscurcissent la pièce : ASSOMBRIR, ENTÉNÉBRER.
• Les nuages obscurcissent le soleil : CACHER, OCCULTER, OMBRER, VOILER.
• Les larmes obscurcissent la vue : BROUILLER, TROUBLER.
• Ses explications confuses n'ont fait qu'obscurcir le mystère : ÉPAISSIR.

OBSCURITÉ
• Être dans l'obscurité à cause d'une panne d'électricité : NOIR, NUIT, TÉNÈBRES.
• L'obscurité d'un texte : AMBIGUÏTÉ, HERMÉTISME.
• Il a toujours préféré l'obscurité à la gloire : ANONYMAT, INCOGNITO, OMBRE.

OBSÉDER 1939
Cette idée m'obsède : HANTER, OBNUBILER, POURSUIVRE, TRACASSER, *et en lang. fam. :* TRAVAILLER, TURLUPINER.

OBSESSION
CRAINTE, HANTISE, PHOBIE.

OBSÈQUES 1940
ENTERREMENT, FUNÉRAILLES.

OBSÉQUIEUX 1941
ADULATEUR, FLATTEUR, PLAT, RAMPANT, SERVILE.

OBSÉQUIOSITÉ
ADULATION, FLAGORNERIE, PLATITUDE, SERVILITÉ.

OBSERVATEUR 1942
1. *nom.* Assister à une réunion en simple observateur : SPECTATEUR, TÉMOIN.
2. *adj.* Regarder d'un œil observateur : ATTENTIF, INVESTIGATEUR, SCRUTATEUR.

OBSERVATION
1. L'observation d'un règlement : OBÉISSANCE, OBSERVANCE, RESPECT.
2. Le télescope sert à l'observation des astres : EXAMEN.
• J'ai consigné mes observations dans un carnet : CONSTATATION, REMARQUE.
• Faire des observations à quelqu'un à propos de sa conduite : CRITIQUE, REMONTRANCE, RÉPRIMANDE, REPROCHE.

OBSERVER
1. Il faut observer le règlement : RESPECTER, SE CONFORMER À, SE PLIER À, SE SOUMETTRE À, SUIVRE.
• Tous ont observé le plus grand silence pendant la cérémonie : GARDER.
2. J'observe ce qui se passe dans la rue : CONTEMPLER, REGARDER.
• Elle n'a pas arrêté de m'observer pendant toute la soirée : DÉVISAGER, EXAMINER, SURVEILLER, *et en lang. fam. :* RELUQUER.
• Je vous fais observer que... : REMARQUER.

OBSTACLE 1943
• Un parcours semé d'obstacles : BARRAGE, BARRICADE, BARRIÈRE, ÉCUEIL, FOSSÉ.
• Une course d'obstacles : HAIE.
• Pour mener à bien ce projet, il m'a fallu surmonter de nombreux obstacles : DIFFICULTÉ, ENTRAVE, FREIN, OBSTRUCTION, OPPOSITION.

OBSTINATION 1944
Quelle obstination ! : ACHARNEMENT, ENTÊTEMENT, OPINIÂTRETÉ, PERSÉVÉRANCE, PERSISTANCE, TÉNACITÉ.

OBSTINÉ
BUTÉ, ENTÊTÉ, OPINIÂTRE, PERSÉVÉRANT, TENACE, TÊTU, *et en lang. fam. :* CABOCHARD.

S'OBSTINER
INSISTER, PERSÉVÉRER, PERSISTER, S'ACHARNER, S'ENTÊTER, S'OPINIÂTRER.

OBTENIR 1945
• Comment as-tu obtenu cela ? : ACQUÉRIR, AVOIR.
• Elle a réussi à obtenir la première place : CONQUÉRIR, EMPORTER, ENLEVER, REMPORTER, *et en lang. fam. :* ACCROCHER, ARRACHER, DÉCROCHER.
• Il n'a obtenu qu'un prix de consolation : GAGNER, RECEVOIR, RECUEILLIR, *et en lang. fam. :* ATTRAPER.

- Avec une bonne fumure, on obtient de meilleurs rendements : PARVENIR À.

OCCASION 1946
- J'attends une occasion favorable : CIRCONSTANCE, MOMENT.
- C'est une occasion à ne pas manquer : AUBAINE, CHANCE.
- Cette soirée me donnera l'occasion de le rencontrer : POSSIBILITÉ.
- Ce fut pour lui une occasion de jalousie : CAUSE, MOTIF, RAISON.

OCCASIONNER
AMENER, ATTIRER, CAUSER, CRÉER, DÉTERMINER, ENGENDRER, ENTRAÎNER, PRODUIRE, PROVOQUER, SUSCITER.

OCCIDENT 1947
Aller vers l'Occident : COUCHANT, OUEST, PONANT.

OCCULTE 1948
- Des menées occultes : CLANDESTIN, SOURD, SOUTERRAIN.
- Pour une raison occulte : CACHÉ, MYSTÉRIEUX, SECRET.

OCCULTER
CACHER, MASQUER, VOILER.

OCCUPANT 1949
1. Les occupants d'une H.L.M. : HABITANT, LOCATAIRE.
2. Les résistants s'opposent aux occupants : ENVAHISSEUR.

OCCUPATION
1. L'occupation d'un pays par un ennemi : ENVAHISSEMENT, INVASION.
2. Avoir de nombreuses occupations : ACTIVITÉS, BESOGNES, CHARGES, FONCTIONS, TÂCHES.
- Son occupation consiste à... : EMPLOI, MÉTIER, SERVICE, TRAVAIL.

OCCUPÉ
- Un pays occupé : ENVAHI.
- Un appartement occupé : HABITÉ.
- Une place occupée : PRIS.
- Être très occupé par son travail : ABSORBÉ, ACCAPARÉ, PRIS.
- Avoir l'air très occupé : AFFAIRÉ.

OCCUPER
- Les Romains occupèrent la Gaule : ENVAHIR, S'EMPARER DE, SE RENDRE MAÎTRE DE.
- L'appartement que nous occupons est au troisième étage : HABITER.
- Ce meuble occupe trop de place : TENIR.
- La réunion a occupé toute la soirée : DURER.
- Elle occupe une fonction importante : DÉTENIR, REMPLIR.
- Cette entreprise occupe cent ouvriers : EMPLOYER.
- Ce travail l'occupe beaucoup : ABSORBER, ACCAPARER, PRENDRE.
- Elle occupe son temps à bricoler : PASSER.

S'OCCUPER
- Les enfants ne savent pas comment s'occuper pendant les vacances : S'AMUSER, SE DISTRAIRE.
- Si vous vous ennuyez, occupez-vous : TRAVAILLER.
- Le dimanche, il s'occupe à des travaux divers : S'ADONNER À, SE CONSACRER À, S'EMPLOYER À, VAQUER À.
- Ne vous occupez pas de cela : SE MÊLER.
- Elle ne s'occupe pas du qu'en-dira-t-on : S'INTÉRESSER À, SE SOUCIER DE.
- Je m'occupe de cette affaire : PENSER À, SUIVRE.
- Elle s'est occupée d'un aveugle dans la rue : AIDER, ASSISTER.
- Il s'est occupé de ma défense : SE CHARGER DE.
- La chimie s'occupe de la constitution des corps, de leurs propriétés et de leurs transformations : ÉTUDIER, TRAITER.

ODEUR 1950
Suivant le cas, l'odeur peut être : ARÔME, BOUQUET, EFFLUVE, ÉMANATION, EXHALAISON, FRAGRANCE, FUMET, PARFUM, PUANTEUR, RELENT, REMUGLE, SENTEUR.

ODORANT
AROMATIQUE, ODORIFÉRANT, PARFUMÉ.

ODORAT
Mon chien a un bon odorat : FLAIR, *et en lang. fam. :* NEZ.

ŒIL 1951
- Suivre quelqu'un de l'œil : REGARD.
- Cette lumière fatigue l'œil : VUE.
- Ouvre tes yeux ! : *en lang. fam. :* MIRETTES, QUINQUETS.

ŒUVRE 1952
- Voici mon œuvre : OUVRAGE, TRAVAIL.
- Tu as fait là une bonne œuvre : ACTION.
- Une œuvre de bienfaisance : ENTREPRISE, ORGANISATION.

ŒUVRER
AGIR, TRAVAILLER.

OFFENSANT 1953
BLESSANT, INJURIEUX, INSULTANT, OUTRAGEANT.

OFFENSE
- Je considère vos propos comme une offense : AFFRONT, INJURE, INSULTE, OUTRAGE.

- Il a ressenti durement cette offense publique : AVANIE, CAMOUFLET, HUMILIATION, VEXATION.
- Ce film est une offense aux bonnes mœurs : ATTENTAT, OUTRAGE.
- Que Dieu me pardonne mes offenses ! : FAUTE, PÉCHÉ.

OFFENSER
Offenser quelqu'un : BLESSER, CHOQUER, FROISSER, HUMILIER, INJURIER, INSULTER, OUTRAGER, VEXER.

S'OFFENSER
Elle s'offense facilement : SE BLESSER, SE CHOQUER, SE FÂCHER, SE FORMALISER, SE FROISSER, SE HÉRISSER, S'INDIGNER, S'OFFUSQUER, SE PIQUER, SE SCANDALISER, SE VEXER.

OFFENSEUR
Voilà mon offenseur : AGRESSEUR, INSULTEUR.

OFFENSIF
La météo n'avait pas prévu ce retour offensif du froid : BRUTAL, VIOLENT.

OFFENSIVE
- L'armée a lancé une offensive : ASSAUT, ATTAQUE.
- Le gouvernement doit mener une vigoureuse offensive contre les inégalités sociales : BATAILLE, CAMPAGNE, COMBAT, GUERRE, LUTTE.

OFFICE 1954
1. Il remplit l'office de secrétaire de mairie : CHARGE, EMPLOI, FONCTION, TÂCHE.
- Ce médicament a pour office de faire baisser la fièvre : DESTINATION, RÔLE.
- Un office de change : AGENCE, BUREAU, ORGANISME.
- Offrir ses « bons offices » : ASSISTANCE, MÉDIATION, SERVICE.
2. Assister à l'office du dimanche : CULTE, MESSE.

OFFICIANT
L'officiant s'approche de l'autel : CÉLÉBRANT, PRÊTRE.

OFFICIEL 1955
1. *adj.*
- Un document officiel : ADMINISTRATIF, AUTHENTIQUE, LÉGAL.
- Sa nomination a été rendue officielle : PUBLIC.
- La nouvelle est aujourd'hui officielle : AUTHENTIFIÉ, CERTIFIÉ, CONFIRMÉ.
- De source officielle : AUTORISÉ.
- Faire une demande dans les formes officielles : CONSACRÉ, RÉGLEMENTAIRE.
- Une cérémonie officielle : SOLENNEL.
- Être l'envoyé officiel de quelqu'un : ACCRÉDITÉ, AUTORISÉ.
2. *nom.*
L'arrivée des officiels : AUTORITÉS, NOTABILITÉS, PERSONNALITÉS.

OFFICIEUX 1956
Une nouvelle de source officieuse : PRIVÉ.

OFFRANDE 1957
- Faire une offrande à un ami : CADEAU, DON, PRÉSENT.
- Donner une offrande à un pauvre : AUMÔNE, SECOURS.
- Une offrande à Dieu : OBLATION.

OFFRE
- Il m'a fait une offre intéressante : PROPOSITION.
- Des offres de paix : AVANCES, OUVERTURES.

OFFRIR
- Offrir une montre à quelqu'un pour Noël : DONNER.
- Il m'a offert de m'accompagner : PROPOSER.
- Cela n'offre aucun intérêt : PRÉSENTER.
- La côte bretonne offre de nombreux abris aux bateaux : FOURNIR, PROCURER.
- Offrir son corps aux rayons du soleil : EXHIBER, EXPOSER.

S'OFFRIR
- Profitez de l'occasion qui s'offre ! : SE PRÉSENTER, SE PRODUIRE, SE RENCONTRER.
- Ne t'offre pas ainsi à la vue des passants ! : S'EXHIBER, SE MONTRER.
- Je vais m'offrir des vacances : S'ACCORDER, S'OCTROYER, *et en lang. fam. :* SE PAYER.

OISIVETÉ 1958
DÉSŒUVREMENT, FAINÉANTISE, FARNIENTE, INACTION, PARESSE.

OMBRAGE 1959
1. En été, je recherche l'ombrage des grands chênes : COUVERT, OMBRE.
2. La réussite de son frère lui a fait concevoir de l'ombrage : JALOUSIE.

OMBRAGEUX
Un caractère ombrageux : DÉFIANT, JALOUX, MÉFIANT, SOUPÇONNEUX, SUSCEPTIBLE.

OMBRE
- Dès que le soleil se couche, l'ombre s'étend sur la vallée : NUIT, OBSCURITÉ, PÉNOMBRE.
- L'ombre des collines dans l'eau du lac : IMAGE, REFLET, SILHOUETTE.
- J'ai cru voir passer une ombre dans ton regard : INQUIÉTUDE.

- Il y a encore quelques ombres dans cette affaire : MYSTÈRE, SECRET.
- Il n'y a pas l'ombre d'une vérité dans ce que tu dis : APPARENCE, SOUPÇON, TRACE.
- Pendant toute sa vie, il a couru après des ombres : CHIMÈRE, ILLUSION.
- Elle est persuadée que des ombres rôdent autour de ce château : FANTÔME, REVENANT.
- La critique moderne a sorti de l'ombre cet écrivain du siècle dernier : OUBLI.
- *Fam. :* Les gendarmes ont mis le voleur à l'ombre : EN PRISON.

OMBREUX
C'est l'endroit le plus ombreux de la forêt : OMBRAGÉ, SOMBRE.

OMETTRE 1960
NÉGLIGER, OUBLIER, PASSER, SAUTER, TAIRE.

OMISSION
ABSENCE, LACUNE, MANQUE, OUBLI.

ONCTION 1961
Parler avec onction : AMÉNITÉ, DOUCEUR.

ONCTUEUX
- Une crème onctueuse : MOELLEUX, VELOUTÉ.
- Des manières onctueuses : DOUCEREUX, MIELLEUX, PATELIN *(litt.),* PATERNE.

ONDE 1962
1. Le vent fait de légères ondes sur le lac : ONDULATION, RIDE, VAGUE.
- L'onde transparente d'une rivière : EAU.
2. Un match retransmis sur les ondes : À LA RADIO.

ONDOIEMENT
L'ondoiement des hautes herbes sous l'effet du vent : BALANCEMENT, FRÉMISSEMENT, ONDULATION.

ONDOYANT
1. L'aspect ondoyant d'un grand troupeau : MOUTONNANT, ONDULANT.
- Une foule ondoyante : MOUVANT.
- La flamme ondoyante d'une bougie : DANSANT.
- Le vol ondoyant d'un oiseau : ONDULEUX, SINUEUX.
- Les couleurs ondoyantes d'un tissu moiré : CHATOYANT.
2. Avoir un caractère ondoyant : CAPRICIEUX, CHANGEANT, INCONSTANT, VARIABLE, VERSATILE.

ONDOYER
- Les blés qui ondoient : ONDULER.
- Un drapeau qui ondoie : FLOTTER.
- Une feuille qui ondoie au gré du vent : VOLTIGER.

ONDULATION
- Les ondulations de la mer : VAGUE.
- L'ondulation d'un drapeau : FLOTTEMENT, ONDOIEMENT.
- Les ondulations d'une rivière : MÉANDRE, SINUOSITÉ.
- Les ondulations des cheveux : CRAN.
- Les ondulations d'un terrain : PLI, VALLONNEMENT.

ONDULER
- Une crinière qui ondule au vent : ONDOYER.
- Un chemin qui ondule sur un coteau : SERPENTER.
- Se faire onduler les cheveux : BOUCLER, CALAMISTRER, FRISER.

ONDULEUX
- Une démarche onduleuse : FLEXUEUX, ONDULANT.
- L'aspect onduleux d'une plaine : ONDULÉ.
- L'avance onduleuse d'une couleuvre : SERPENTIN, SINUEUX.

ONGUENT 1963
BAUME, CRÈME, EMBROCATION, LINIMENT, POMMADE, TOPIQUE.

OPÉRATION 1964
- Bien régler un moteur est une opération délicate : MANIPULATION, TRAVAIL.
- L'opération de sauvetage n'a pas réussi : ACTION, ENTREPRISE, INTERVENTION, MANŒUVRE.
- En achetant cette maison, j'ai fait une bonne opération : AFFAIRE.
- Une opération publicitaire pour lancer un produit : CAMPAGNE.
- Une opération boursière : TRANSACTION.
- Une opération chirurgicale : INTERVENTION.
- Une opération de police : DESCENTE, INTERVENTION.
- La Normandie a été l'un des théâtres d'opérations de la dernière guerre : COMBAT.
- Une opération algébrique : CALCUL.

OPÉRER
- Il faut laisser au médicament le temps d'opérer : AGIR.
- À cause de la gangrène, il a fallu l'opérer du pied droit : AMPUTER.
- Notre armée a opéré une diversion : EFFECTUER, EXÉCUTER, FAIRE, PRATIQUER, PROCÉDER À, RÉALISER.

S'OPÉRER
J'ai vu le changement s'opérer à vue d'œil : S'ACCOMPLIR, S'EFFECTUER, SE FAIRE, SE PRODUIRE, SE RÉALISER.

OPINION 1965
- Telle est mon opinion : APPRÉCIATION, AVIS, CONVICTION, IDÉE, JUGEMENT, PENSÉE, SENTIMENT.
- Cela est contraire à l'opinion commune : CROYANCE.
- Les diverses opinions politiques : DOCTRINE, IDÉOLOGIE, TENDANCE.

OPPORTUN 1966
- Vous arrivez au moment opportun : FAVORABLE, PROPICE.
- Je ne juge pas opportun de le faire maintenant : BON, CONVENABLE, INDIQUÉ, JUDICIEUX, UTILE.
- Voilà une mesure opportune : BIENVENU.

OPPORTUNISME
Faire preuve d'opportunisme : ATTENTISME.

OPPORTUNITÉ
1. Je ne comprends pas l'opportunité de cette démarche : À-PROPOS, CONVENANCE.
2. J'ai saisi l'opportunité : OCCASION.

OPPOSÉ 1967
1. *adj.*
- En sens opposé : CONTRAIRE, INVERSE.
- Dans cette affaire, nous avons des intérêts opposés : DISCORDANT, DIVERGENT, INCOMPATIBLE, INCONCILIABLE.
- Tous les deux ont des principes opposés : ANTINOMIQUE, ANTITHÉTIQUE, CONTRADICTOIRE.
- Les deux sœurs ont des caractères opposés : DISSEMBLABLE.
- Deux partis politiques opposés : ADVERSE.
- Il est opposé à tout changement : ADVERSAIRE DE, ENNEMI DE, HOSTILE À.

2. *nom.*
- Elle est tout l'opposé de sa sœur : ANTITHÈSE, CONTRAIRE, INVERSE.
- Blanc est l'opposé de noir : ANTONYME.
- Son opinion est à l'opposé de la mienne : AUX ANTIPODES.
- Cela va à l'opposé des idées habituelles : À CONTRE-COURANT, À CONTRE-PIED, À L'ENCONTRE, À REBOURS.

OPPOSER
- Opposer un démenti formel : ÉLEVER, RÉPONDRE PAR.
- Opposer un obstacle : DRESSER.
- Quel argument avez-vous à opposer à cela ? : ALLÉGUER, OBJECTER.
- Opposer deux théories entre elles : COMPARER, CONFRONTER.

S'OPPOSER
- Ils se sont opposés dans un duel oratoire : S'AFFRONTER, SE MESURER.
- Les riverains ne pouvaient s'opposer à la montée des eaux : CONTRARIER, EMPÊCHER, SE DÉFENDRE CONTRE.
- S'opposer aux abus : SE DRESSER CONTRE, S'ÉLEVER CONTRE.
- Je ne m'oppose pas à cette idée : REJETER, REPOUSSER.
- La police s'opposait à tout passage par cette rue : INTERDIRE.
- Un enfant qui s'oppose à la volonté de ses parents : RÉSISTER.

OPPOSITION
- Une opposition de couleurs : CONTRASTE, DISCORDANCE.
- Une opposition d'intérêts entre deux héritiers : ANTAGONISME, CONFLIT, DÉSACCORD, DIVERGENCE, LUTTE, RIVALITÉ.
- Une opposition entre deux principes, deux idées : ANTINOMIE, ANTITHÈSE, CONTRADICTION.
- Il ne supporte pas la moindre opposition : CONTESTATION, CRITIQUE, DÉSAPPROBATION, OBJECTION, RÉSISTANCE.
- Faire de l'opposition : OBSTRUCTION.
- Mettre des oppositions : DIFFICULTÉ, EMPÊCHEMENT, OBSTACLE.
- Se heurter à une opposition : REFUS, VETO.

OPPRESSEUR 1968
1. *nom.*
Se révolter contre un oppresseur : DESPOTE, DICTATEUR, TYRAN.
2. *adj.*
Le caractère oppresseur de l'Inquisition : DESPOTIQUE, TYRANNIQUE.

OPPRESSIF
Des lois oppressives : COERCITIF, CONTRAIGNANT, TYRANNIQUE.

OPPRESSION
1. Un tyran qui fait régner un régime d'oppression : ASSERVISSEMENT, ASSUJETTISSEMENT, CONTRAINTE, ESCLAVAGE, SERVITUDE.
- Vivre sous l'oppression d'un occupant : DOMINATION, JOUG, TYRANNIE.
2. Un malade qui souffre d'oppression : SUFFOCATION.

OPPRIMER
ASSERVIR, ASSUJETTIR, ENCHAÎNER, TYRANNISER.

OPTIMISME 1969
Envisager l'avenir avec optimisme : CONFIANCE, ESPOIR.

OPTIMISTE
- Après les épreuves du concours, elle était très optimiste : CONFIANT.
- Tenir des propos optimistes : ENCOURAGEANT, RASSURANT.

ORATEUR 1970
- Il n'est pas correct d'interrompre un orateur : CONFÉRENCIER.
- Un orateur qui sait parler aux foules : TRIBUN.
- Notre nouveau curé est un bon orateur : PRÉDICATEUR.

ORCHESTRE 1971
L'orchestre municipal : FANFARE, HARMONIE, *et en lang. fam. :* CLIQUE.

ORDINAIRE 1972
1. *adj.*
ACCOUTUMÉ, BANAL, COMMUN, COURANT, COUTUMIER, FAMILIER, FRÉQUENT, HABITUEL, MOYEN, NORMAL, QUELCONQUE, USUEL.
2. *nom.*
Cela va nous changer de l'ordinaire : COUTUME, HABITUDE, USAGE.

ORDONNANCE 1973
1. L'ordonnance des pièces dans un appartement : AGENCEMENT, ARRANGEMENT, DISPOSITION, DISTRIBUTION, PLAN, RÉPARTITION.
- Veiller à la bonne ordonnance d'une cérémonie : DÉROULEMENT, ORGANISATION.
2. Gouverner par ordonnances : ARRÊTÉ, DÉCRET.
- Une ordonnance de non-lieu : DÉCISION.
- Une ordonnance médicale : PRESCRIPTION.

ORDONNANCER
Ordonnancer un paiement : DONNER L'ORDRE DE, ORDONNER.

ORDONNATEUR
Elle a été l'ordonnatrice de la fête : ORGANISATEUR.

ORDONNÉ
- Une maison bien ordonnée : RANGÉ.
- Un discours ordonné : COHÉRENT, STRUCTURÉ.
- Une personne ordonnée : MÉTHODIQUE, MÉTICULEUX, ORGANISÉ, SOIGNEUX.

ORDONNER
1. Ordonner des livres dans une bibliothèque : CLASSER, RANGER.
- Ordonner son appartement : AGENCER, AMÉNAGER, ARRANGER.
- Il faut savoir ordonner son travail : ORGANISER, PLANIFIER.
2. Il m'a ordonné de... : COMMANDER, DICTER, ENJOINDRE, PRESCRIRE, SOMMER.
3. L'évêque a ordonné plusieurs nouveaux prêtres : CONSACRER.

ORDRE
1. J'aime le bon ordre dans les choses : ARRANGEMENT, CLASSEMENT, DISPOSITION, HARMONIE, ORDONNANCE, ORGANISATION, RANGEMENT, TENUE.
- Des idées sans ordre : COHÉRENCE, COORDINATION, SUITE.
- Elle a beaucoup d'ordre dans son travail : MÉTHODE, MINUTIE, SOIN.
- Cela sort de l'ordre normal : RÈGLE.
- Rétablir l'ordre : CALME, DISCIPLINE, PAIX, SÉCURITÉ, TRANQUILLITÉ.
2. Donner des ordres : CONSIGNE, DIRECTIVE, INJONCTION, INSTRUCTION, PRESCRIPTION.
3. Un ordre religieux : COMMUNAUTÉ, CONFRÉRIE, CONGRÉGATION.
- Elle appartient à l'ordre des avocats : CORPORATION, SOCIÉTÉ.
4. Dans le même ordre d'idées : DOMAINE, ESPÈCE, GENRE, NATURE, SORTE, TYPE.
- Un produit de second ordre : CATÉGORIE, PLAN.
- Quant à son adjoint, c'est un homme d'un autre ordre : CLASSE, IMPORTANCE, NIVEAU, QUALITÉ, RANG, VALEUR.

ORDURE 1974
- Jeter les ordures à la poubelle : BALAYURES, DÉCHETS, DÉTRITUS, IMMONDICES.
- Comment peux-tu vivre dans une telle ordure ? : ABJECTION, BOUE, CRASSE, FANGE, SALETÉ, *et en lang. pop. :* SALOPERIE.
- *Fam. :* Il ne raconte que des ordures : GROSSIÈRETÉS, OBSCÉNITÉS, *et en lang. pop. :* COCHONNERIES, SALOPERIES.

ORGANE 1975
1. Les divers organes d'un moteur : ÉLÉMENT, PARTIE, PIÈCE.
- Le téléphone est un organe de communication : APPAREIL, INSTRUMENT, MOYEN.
- C'est un organe qui publie des idées de gauche : JOURNAL, PÉRIODIQUE, REVUE.
2. Un chanteur qui a un bel organe : VOIX.

ORGANISATION
- L'organisation du corps humain : CONSTITUTION.
- L'organisation hiérarchique d'une entreprise : STRUCTURE.
- L'organisation d'un bureau : AGENCEMENT, AMÉNAGEMENT, ARRANGEMENT.
- Participer à l'organisation d'une fête : PRÉPARATION.
- Les diverses organisations politiques ou syndicales : ASSOCIATION, FORMATION, GROUPEMENT, MOUVEMENT, ORGANISME.

ORGANISÉ
- Une équipe qui forme un ensemble bien organisé : CONSTITUÉ.
- Elle est très organisée dans son travail : MÉTHODIQUE.

ORGANISER
- Il s'agit d'organiser des groupes de même niveau : ARRANGER, COMPOSER, CONSTITUER, FORMER.
- Organiser un spectacle : MONTER, PRÉPARER.
- Organiser le travail dans un atelier : AMÉNAGER, PLANIFIER, PROGRAMMER.

ORGANISME
- L'organisme humain : CORPS.
- Les divers organismes de la Sécurité sociale : BUREAU, OFFICE, SERVICE.

ORGIE 1976
1. Cette fête s'est terminée en orgie : BACCHANALE, BEUVERIE, DÉBAUCHE, *et en lang. pop. :* RIBOTE.
2. Une orgie de couleurs : PRODIGALITÉ, PROFUSION, SURCHARGE.

ORGUEIL 1977
- Depuis qu'il a été nommé à ce poste, son orgueil est sans limites : ARROGANCE, FATUITÉ, INFATUATION, MORGUE, SUFFISANCE, SUPERBE, VANITÉ.
- Avec beaucoup d'orgueil, il s'est lancé dans cette tâche impossible : OUTRECUIDANCE, PRÉSOMPTION, PRÉTENTION.
- Avoir l'orgueil de porter un nom illustre : FIERTÉ.

ORGUEILLEUX
- Prendre un air orgueilleux : ALTIER, ARROGANT, AVANTAGEUX, DÉDAIGNEUX, HAUTAIN, INFATUÉ, OUTRECUIDANT, PRÉSOMPTUEUX, PRÉTENTIEUX, SUFFISANT, VANITEUX.
- Faire l'orgueilleux : FAT, FIER, IMPOSANT, SUPERBE, *et en lang. fam. :* CRÂNEUR, FARAUD, M'AS-TU-VU, PAON, PLASTRONNEUR, POSEUR.

ORIENT 1978

Les cathédrales étaient pointées vers l'Orient : EST, LEVANT.

ORIENTATION
- Suis-je dans la bonne orientation ? : DIRECTION.
- L'orientation au midi des fenêtres d'une maison : EXPOSITION.
- L'orientation des événements politiques : TOURNURE.
- L'orientation de ce journal est à gauche : TENDANCE.

ORIENTÉ
- Une maison mal orientée : EXPOSÉ.
- Ce magazine donne des informations orientées : ENGAGÉ, TENDANCIEUX.

ORIENTER
- Orienter vers le bon chemin un touriste égaré : AIGUILLER, CONDUIRE, DIRIGER, GUIDER, PILOTER.
- Elle orienta son regard vers moi : DIRIGER, TOURNER.

S'ORIENTER
- L'hélianthe (ou tournesol) s'oriente vers le soleil : SE DIRIGER, SE TOURNER.
- Avoir du mal à s'orienter dans une forêt : SE RECONNAÎTRE, SE REPÉRER.
- Les recherches de la police s'orientent vers une autre piste : SE DIRIGER, SE PORTER.

ORIGINAL 1979

1. *adj.*
- L'édition originale d'un livre : INITIAL, PREMIER.
- Il n'a rien dit de bien original : EXCEPTIONNEL, INÉDIT, NEUF, NOUVEAU.
- Cet acteur a un jeu très original : PARTICULIER, PERSONNEL, SPÉCIAL.
- Cette personne se fait fâcheusement remarquer par ses manières originales : BIZARRE, CURIEUX, DRÔLE, ÉTONNANT, ÉTRANGE, EXCENTRIQUE, EXTRAVAGANT, FANTASQUE, SINGULIER.

2. *nom.*
- L'original d'un contrat : MINUTE.
- Un portrait conforme à l'original : MODÈLE.
- Ne l'écoutez pas ! c'est un original : EXCENTRIQUE, FANTAISISTE, *et en lang. fam. :* FARFELU, LOUFOQUE, OLIBRIUS.

ORIGINALITÉ
- Une idée qui manque d'originalité : NOUVEAUTÉ.
- Un écrivain sans originalité : INDIVIDUALITÉ, PERSONNALITÉ.
- La mode parisienne étonne parfois par ses originalités : BIZARRERIE, ÉTRANGETÉ, EXCENTRICITÉ, EXTRAVAGANCE, FANTAISIE, SINGULARITÉ.

ORIGINE
- L'origine du monde : CRÉATION, GENÈSE.
- L'histoire de l'humanité, des origines à nos jours : COMMENCEMENT, DÉBUT.
- Quel est votre lieu d'origine ? : NAISSANCE.
- Une huile d'origine végétale : PROVENANCE.
- Un mot d'origine savante : FORMATION.
- L'origine d'une querelle entre amis : CAUSE, GERME, SOURCE.
- Il est d'origine paysanne : ASCENDANCE, EXTRACTION, FAMILLE, SOUCHE.

ORIGINEL
- Le sens originel d'un mot : ÉTYMOLOGIQUE, INITIAL, PREMIER, PRIMITIF.
- La coxalgie est une maladie originelle : CONGÉNITAL.
- Revenir à son pays originel : NATAL.

ORNEMENT 1980
DÉCORATION, GARNITURE, PAREMENT, PARURE.

ORNEMENTAL
Un motif ornemental : DÉCORATIF.

ORNEMENTATION
DÉCOR, DÉCORATION, PARURE.

ORNER
AGRÉMENTER, BRODER, DÉCORER, ÉGAYER, EMBELLIR, ENJOLIVER, ENLUMINER, ENRICHIR, FLEURIR, GARNIR, ILLUSTRER, PARER.

OSER 1981
- Il faut savoir oser : RISQUER, TENTER.
- Personne n'a osé l'interrompre : S'AVISER DE, SE PERMETTRE DE.

ÔTER 1982
- Il s'est présenté sans ôter les mains de ses poches : ENLEVER, EXTRAIRE, RETIRER, SORTIR.
- En entrant, il a ôté son manteau : ENLEVER, QUITTER, SE DÉBARRASSER DE.
- Ôter une somme d'une autre : RETRANCHER, SOUSTRAIRE.
- Prenez ce cachet, il vous ôtera le mal de tête : SUPPRIMER.
- Je ne veux pas vous ôter le plaisir de... : PRIVER DE.
- La mort lui a ôté ses meilleurs amis : PRENDRE, RAVIR.

S'ÔTER
Ôte-toi de mon chemin ! : S'ÉCARTER, S'ÉLOIGNER, SE RETIRER.

OUBLI 1983
- J'ai un oubli, je ne me souviens plus de l'heure du rendez-vous : ABSENCE, LACUNE, TROU.
- C'est un oubli, je vais le réparer tout de suite : DISTRACTION, ÉTOURDERIE, INADVERTANCE, INATTENTION, NÉGLIGENCE, OMISSION.
- L'oubli des règles du code de la route peut être fatal : INOBSERVANCE, INOBSERVATION, MANQUEMENT À.
- Pratiquer l'oubli des injures : PARDON.

OUBLIER
- N'oublie pas de lui dire que... : NÉGLIGER, OMETTRE.
- Il a oublié le respect qu'il me devait : MANQUER À.
- En quittant le train, vérifiez si vous n'y avez rien oublié : LAISSER.
- Il ne faut pas oublier ses amis lorsqu'ils sont dans le malheur : ABANDONNER, DÉLAISSER, SE DÉSINTÉRESSER DE.
- L'absence de pratique d'un métier le fait vite oublier : DÉSAPPRENDRE.
- Pour une fois, je veux bien oublier, mais ne recommence pas : PARDONNER.

OUBLIEUX
INGRAT, INSOUCIANT, NÉGLIGENT.

OUI 1984
ASSURÉMENT, BIEN SÛR, CERTAINEMENT, CERTES, ÉVIDEMMENT, PARFAITEMENT.

OUÏE 1985
1. Avoir l'ouïe fine : AUDITION, OREILLE.
2. Les ouïes des poissons : BRANCHIES.

OUÏR
ÉCOUTER, ENTENDRE, PERCEVOIR.

OUTRANCE 1986
Les outrances du langage : DÉMESURE, EXAGÉRATION, EXCÈS.

OUTRÉ
1. Faire un éloge outré de quelqu'un : DÉMESURÉ, EXAGÉRÉ, EXCESSIF.
   - Une passion outrée : EFFRÉNÉ, IMMODÉRÉ, OUTRANCIER.
2. Un homme outré par les injustices : INDIGNÉ, RÉVOLTÉ, SCANDALISÉ.

OUTRER
1. Elle a tendance à outrer les défauts de ses amies : EXAGÉRER, GROSSIR.
   - Outrer un portrait : CHARGER, FORCER.
   - La situation est sérieuse, mais il ne faut rien outrer : DRAMATISER.
2. Vos propos ont outré la maîtresse de maison : INDIGNER, OFFENSER, RÉVOLTER, SCANDALISER.

OUVERT 1987
1. Étonné, il resta la bouche ouverte : BÉANT.
   - Dans sa chute, il eut le genou ouvert : COUPÉ, ENTAILLÉ.
   - Une robe au col largement ouvert : ÉCHANCRÉ.
   - Le col du Tourmalet n'est pas encore ouvert à la circulation : ACCESSIBLE, LIBRE.
2. Un garçon au visage ouvert : FRANC, SINCÈRE.
   - Être d'un caractère ouvert : COMMUNICATIF, EXPANSIF.
   - Une jeune fille à l'esprit très ouvert : ÉVEILLÉ, INTELLIGENT, VIF.
   - Une personne ouverte aux idées neuves : RÉCEPTIF.

• Être en révolte ouverte contre... : DÉCLARÉ, FLAGRANT, MANIFESTE, NOTOIRE, PATENT, PUBLIC.

OUVERTURE

1. Pratiquer une ouverture dans un mur : EMBRASURE, MEURTRIÈRE, PERCÉE.
• Les diverses ouvertures d'une maison : BAIE, CROISÉE, FENÊTRE, PORTE.
• La police bloque toutes les ouvertures du local : ISSUE, PORTE, SORTIE.
• Notre chien est parti par une ouverture dans le grillage : BRÈCHE, TROU.
• L'ouverture des branches d'un compas : ÉCARTEMENT.
2. L'ouverture d'un congrès : COMMENCEMENT, DÉBUT.
• Une cérémonie d'ouverture : INAUGURATION.
• L'ouverture d'une nouvelle ligne aérienne : CRÉATION, LANCEMENT, MISE EN SERVICE.
3. Faire des ouvertures de paix : AVANCES, OFFRES, PROPOSITIONS.

OUVRIR

1. *v. tr.*
• Ouvrir les rideaux d'une fenêtre : ÉCARTER, TIRER.
• Ouvrir une porte fermée à clef : DÉVERROUILLER.
• Ouvrir une lettre : DÉCACHETER.
• Ouvrir un paquet : DÉFAIRE, DÉFICELER.
• Ouvrir une bouteille de vin : DÉBOUCHER.
• Il a ouvert sa veste : DÉBOUTONNER.
• L'aigle ouvrit ses ailes : DÉPLOYER, ÉTENDRE.
• Ouvrir son journal : DÉPLIER, ÉTALER.
• Elle a ouvert les yeux d'étonnement : ÉCARQUILLER.
• Le médecin a ouvert l'abcès : INCISER, PERCER.
• Ouvrir des huîtres : ÉCAILLER.
• Ouvrir un débat, une discussion, une séance : COMMENCER, ENGAGER, ENTAMER.
• Il a ouvert l'arcade sourcilière de son adversaire : COUPER, ENTAILLER, FENDRE.
• Ouvrir une nouvelle succursale : CRÉER, FONDER.
2. *v. intr.*
• La session parlementaire ouvre lundi : COMMENCER, DÉBUTER.
• Cette porte ouvre sur le jardin : DONNER.

S'OUVRIR

1. Il s'est ouvert un chemin dans la foule : SE FRAYER.
• Les rangs se sont ouverts devant lui : S'ÉCARTER.
• La glace s'ouvrit sous leur poids : SE FENDRE.
• Une grande plaine s'ouvrait devant nous : S'ÉTENDRE.
• Les pivoines commencent à s'ouvrir : ÉCLORE, S'ÉPANOUIR.
2. S'ouvrir à quelqu'un d'un secret : COMMUNIQUER, CONFIER.

OUVRAGE 1988

1. Les maçons ont terminé leur ouvrage : BESOGNE, TÂCHE, TRAVAIL.
• Un ouvrage de longue haleine : ENTREPRISE, ŒUVRE.
2. Un ouvrage en béton : BÂTIMENT, CONSTRUCTION, ÉDIFICE.
• Les ouvrages de défense d'un camp retranché : BASTION, BLOCKHAUS, FORTIFICATION.
3. Une bibliothèque qui contient des milliers d'ouvrages : LIVRE, ŒUVRE, VOLUME.

OUVRIER 1989

1. *nom.*
Les ouvriers : MANŒUVRE, SALARIÉ, TRAVAILLEUR.
2. *adj.*
La classe ouvrière : LES OUVRIERS, LES TRAVAILLEURS.

OVATION 1990

ACCLAMATION, APPLAUDISSEMENT, HOURRA, VIVAT.

PACIFIER 1991

Pacifier les esprits : APAISER, CALMER, RASSÉRÉNER.

PACIFIQUE

- Une politique pacifique : ANTIMILITARISTE, PACIFISTE.
- Être d'un tempérament pacifique : CALME, DÉBONNAIRE, PAISIBLE, PLACIDE, SEREIN, TRANQUILLE.

PAISIBLE

- Un homme paisible : CALME, PACIFIQUE, PLACIDE.
- L'agneau est un animal paisible : DOUX.
- Mener une vie paisible : CALME, QUIET *(anc.),* TRANQUILLE, *et en lang. pop. :* PEINARD.
- Habiter un quartier paisible : CALME, SÛR, TRANQUILLE.

PAIX

- Une cité où la paix règne entre les habitants : ACCORD, CONCORDE, ENTENTE.
- Ces événements ont troublé la paix : CALME, ORDRE.
- La paix de la campagne opposée à l'agitation des villes : CALME, SILENCE, TRANQUILLITÉ.
- Et maintenant, je souhaite un moment de paix : REPOS, TRANQUILLITÉ.
- Éprouver un sentiment de paix : QUIÉTUDE, SÉRÉNITÉ.

PACTE 1992

Signer un pacte : ACCORD, ALLIANCE, CONTRAT, CONVENTION, ENTENTE, TRAITÉ.

PACTISER

Le gouvernement n'a pas pactisé avec les rebelles : COMPOSER, NÉGOCIER, S'ENTENDRE, TRANSIGER.

PAIE (ou **PAYE**) 1993

APPOINTEMENTS, ÉMOLUMENTS, RÉMUNÉRATION, RÉTRIBUTION, SALAIRE, TRAITEMENT.

PAIEMENT (ou **PAYEMENT**)

- En paiement de vos services : RÉCOMPENSE, RÉTRIBUTION.
- Suspendre ses paiements : VERSEMENT.

PAYER

1. *v. tr.*

- Il a payé toutes ses dettes : ACQUITTER, LIQUIDER, RÉGLER, REMBOURSER, SE LIBÉRER DE.
- Un patron qui paie bien ses ouvriers : RÉMUNÉRER, RÉTRIBUER.
- Je vais vous payer de vos efforts : DÉDOMMAGER, RÉCOMPENSER.
- Mon entreprise me paiera ce voyage : DÉFRAYER DE.
- J'ai dû payer une forte somme pour cette réparation : DÉBOURSER, DÉPENSER, VERSER, *et en lang. pop. :* CASQUER, CRACHER, DÉPOCHER, SE FENDRE DE.
- Il a payé sa faute : EXPIER.
- Je lui ai payé des fleurs pour sa fête : OFFRIR.

2. *v. intr.*

- C'est un travail qui paie : RAPPORTER.
- Elle a payé d'audace : FAIRE PREUVE DE.

SE PAYER

- Se payer des vacances : S'OFFRIR.
- *Fam. :* Se payer la tête de quelqu'un : SE MOQUER.

PAIR 1994

Je ne me sens bien qu'avec mes pairs : ÉGAL, PAREIL, SEMBLABLE.

PAIRE 1995

- Une paire d'animaux : COUPLE.
- Tous les deux font une belle paire de clowns : TANDEM.

PÂLE 1996

- Un teint pâle : BLÊME, CIREUX, HÂVE, LIVIDE, TERREUX, *et en lang. fam. :* PÂLICHON, PÂLOT.

- Une lumière pâle : BLAFARD, FAIBLE, TERNE.
- Une couleur devenue pâle après lavage : DÉLAVÉ, PÂLI, PASSÉ.
- Ceci n'est qu'un pâle reflet de la vérité : FADE, FAIBLE.
- Je n'ai que de pâles souvenirs de ces faits : FAIBLE, FRAGILE.
- Ce n'est qu'un pâle individu : MÉDIOCRE.

PÂLEUR

La pâleur du visage d'un malade : LIVIDITÉ.

PÂLIR

- Son visage a pâli : BLÉMIR.
- Cette couleur a pâli : PASSER.
- La lumière des étoiles pâlit au lever du jour : DIMINUER, S'AFFAIBLIR, S'ATTÉNUER.
- Le soleil pâlit les étoffes : DÉCOLORER, FANER, FLÉTRIR.

PALLIATIF 1997

Ce remède n'est qu'un palliatif : EXPÉDIENT.

PALLIER

Pallier les défauts, les insuffisances : ATTÉNUER, DIMINUER, MASQUER, OBVIER À, REMÉDIER À.

PALPABLE 1998

- Sa nouvelle situation lui procure des avantages palpables : CONCRET, POSITIF, RÉEL, TANGIBLE.
- Voilà une preuve palpable : CLAIR, ÉVIDENT, MANIFESTE, PATENT.

PALPER

- Palper une étoffe pour en apprécier la qualité : TÂTER, TOUCHER.
- *Fam. :* À la fin du mois, il palpe une forte somme : EMPOCHER, ENCAISSER, RECEVOIR, TOUCHER.

PALPITANT 1999

1. Le lapin blessé était tout palpitant : PANTELANT.
- Elle était toute palpitante de peur : FRÉMISSANT, TREMBLANT.
2. Une histoire palpitante : CAPTIVANT, ÉMOUVANT, FASCINANT, INTÉRESSANT, PASSIONNANT, POIGNANT, SAISISSANT.

PALPITER

- Son cœur palpite très fort : BATTRE.
- Elle palpitait d'angoisse : FRÉMIR, TREMBLER, TRESSAILLIR.

PÂMER (SE) 2000

Elle s'est pâmée : S'ÉVANOUIR.

PÂMOISON

DÉFAILLANCE, ÉVANOUISSEMENT, FAIBLESSE, MALAISE, SYNCOPE.

PANIER 2001

BANNE, BOURRICHE, CABAS, CORBEILLE, COUFFIN, HOTTE, MANNE, PANIÈRE.

PANSER 2002

- Panser un cheval : BOUCHONNER, BROSSER, ÉTRILLER.
- Panser une blessure : SOIGNER.
- On a dû lui panser le genou : BANDER.

PAPIER 2003

- Son bureau est couvert de divers papiers : DOCUMENT, ÉCRIT, MANUSCRIT, NOTE, PAPERASSE.
- Montrez-moi vos papiers d'identité : PIÈCES.

PAPILLONNER 2004

- Il aime papillonner dans les salons : FOLÂTRER, MARIVAUDER.
- Inconstant, il papillonne d'une idée à l'autre : S'ÉPARPILLER, VOLTIGER.

PAPILLOTER 2005

- Cette lumière qui papillote me fatigue les yeux : SCINTILLER, TREMBLER, VACILLER.
- Ses yeux papillotent : CILLER, CLIGNER, CLIGNOTER.

PAQUET 2006

- Expédier un paquet par la poste : COLIS.
- Un voyageur encombré de paquets : BAGAGE, BALLOT, *et en lang. fam. :* BALLUCHON.
- Tous les jours, elle reçoit un gros paquet de lettres : MASSE, PILE, TAS.

PARADE 2007

1. Assister à la parade des troupes : DÉFILÉ, REVUE.
- Partout, il fait parade de son savoir : ÉTALAGE, EXHIBITION, MONTRE, OSTENTATION.
2. Lorsqu'on l'attaque, il est prompt à la parade : RÉPLIQUE, RIPOSTE.

PARADER

PLASTRONNER, SE PAVANER.

PARADIS 2008

- Les élus monteront au paradis : CIEL.
- Ce jardin est un vrai paradis : ÉDEN.

PARADISIAQUE

Un endroit paradisiaque : ENCHANTEUR, FÉERIQUE, IDYLLIQUE, MERVEILLEUX.

PARADOXAL 2009

- Émettre une opinion paradoxale : INATTENDU, INVRAISEMBLABLE, SURPRENANT.
- Avoir un comportement paradoxal : ANORMAL, BIZARRE, STUPÉFIANT.
- Il serait paradoxal d'agir ainsi : ABERRANT, ABSURDE, INCONCEVABLE, INIMAGINABLE.

PARAÎTRE 2010

1. Lorsqu'il parut au balcon, tout le monde applaudit : APPARAÎTRE, SE MONTRER.
• Soudain un avion parut au-dessus de la colline : SURGIR.
• Le soleil commence à paraître à l'horizon : POINDRE.
• Les premières pousses paraissent au printemps : NAÎTRE, PERCER, POINTER.
• Un acteur qui n'a pas paru sur scène depuis longtemps : SE PRODUIRE.
• Elle laissa paraître sa joie : MANIFESTER, MONTRER, TÉMOIGNER.
• C'est un homme qui cherche à paraître : BRILLER.
2. Cela me paraît étrange : SEMBLER.
• À l'examen, la blessure ne parut pas grave : SE RÉVÉLER.
3. Ce roman vient de paraître : ÊTRE PUBLIÉ.

PARUTION
La parution de ce livre date de plusieurs années : PUBLICATION.

PARALLÈLE 2011

1. *nom.*
Établir un parallèle entre deux personnes, deux faits : COMPARAISON, RAPPROCHEMENT.
2. *adj.*
• Ils ont eu des vies parallèles : ANALOGUE, COMPARABLE, SEMBLABLE, SIMILAIRE.
• Certains pays s'approvisionnent au marché parallèle du pétrole : CLANDESTIN, ILLÉGAL, MARGINAL.

PARALYSER 2012

• Dégagez votre voiture, elle paralyse la circulation : BLOQUER, ENTRAVER, IMMOBILISER.
• Le froid paralyse les doigts : ENGOURDIR.
• Son regard me paralyse : GLACER, INTIMIDER, PÉTRIFIER.

PARALYSIE
1. Être atteint de paralysie : HÉMIPLÉGIE, PARAPLÉGIE.
2. La grève générale a entraîné la paralysie de tous les services publics : ASPHYXIE, BLOCAGE, IMMOBILISATION.

PARASITE 2013

Recevoir à sa table un parasite : ÉCORNIFLEUR, *et en lang. fam. :* PIQUE-ASSIETTE.

PARC 2014

• Mettre du bétail dans un parc : ENCLOS.
• Un parc botanique : JARDIN.
• Un parc souterrain pour voiture : GARAGE, PARKING.

PARQUER
• Les prisonniers étaient parqués dans un espace étroit : ENTASSER.
• Parquer sa voiture : GARER, RANGER.

PARCELLE 2015

• Des parcelles de pain restent sur la nappe : FRAGMENT, MIETTE.
• Il n'y a pas une parcelle de vérité dans ce que tu dis : ATOME, BRIN, GRAIN, SOUPÇON.

PARCOURIR 2016

• Les gendarmes ont parcouru la campagne en tous sens : ARPENTER, EXPLORER, PROSPECTER, SILLONNER.
• Le Nil parcourt l'Égypte du sud au nord : TRAVERSER.
• Avant de s'arrêter, la voiture a parcouru une centaine de mètres : COUVRIR, FRANCHIR.
• C'est un livre que je n'ai fait que parcourir : FEUILLETER.

PARCOURS
Le parcours suivi par un car de ramassage scolaire : CHEMIN, CIRCUIT, ITINÉRAIRE, ROUTE, TRAJET.

PARDON 2017

1. Le pardon des fautes : ABSOLUTION, RÉMISSION.
• Je vous demande mille pardons : EXCUSE.
2. Avez-vous assisté au pardon de Sainte-Anne d'Auray ? : PÉLERINAGE.

PARDONNABLE
Ce que tu as fait n'est pas pardonnable : EXCUSABLE.

PARDONNER
• Peut-on lui pardonner ? : ABSOUDRE, EXCUSER, GRACIER.
• Je ne te pardonnerai aucun oubli : ADMETTRE, TOLÉRER.
• La mort ne pardonne à personne : ÉPARGNER.

PARENTHÈSE 2018

Faire une parenthèse dans un discours : DIGRESSION.

PARER 2019

1. Parer une salle pour une fête : DÉCORER, EMBELLIR, ORNER.
2. Il a su parer le coup : ÉVITER, SE PROTÉGER DE.

SE PARER
Elle s'est parée pour la cérémonie : S'APPRÊTER, S'HABILLER, *et en lang. fam. :* SE BICHONNER, SE POMPONNER, SE TOILETTER.

PARURE
Elle avait mis sa plus belle parure : ATOURS, TOILETTE.

PARESSE 2020

FAINÉANTISE, INDOLENCE, NONCHALANCE, *et en lang. pop. :* COSSE, FLEMME.

PARESSER
FAINÉANTER, LÉZARDER, SE PRÉLASSER, *et en lang. pop. :* FLEMMARDER.

PARESSEUX
ENDORMI, FAINÉANT, FEIGNANT, INDOLENT, NONCHALANT, *et en lang. pop. :* COSSARD, FLEMMARD.

PARFAIRE 2021
- Parfaire un travail : CISELER, LIMER, PARACHEVER, PERFECTIONNER, POLIR, *et en lang. fam. :* FIGNOLER, LÉCHER, PEAUFINER.
- Parfaire une somme : COMPLÉTER.

PARFAIT
- Être en parfaite santé : EXCELLENT.
- Sa conduite a été parfaite : EXEMPLAIRE, IMPECCABLE, INATTAQUABLE, IRRÉPROCHABLE.
- C'est le modèle parfait de l'honnête homme : ACCOMPLI, IDÉAL.
- Je suis dans une parfaite ignorance de ce qui s'est passé : ABSOLU, COMPLET, ENTIER, TOTAL.
- Cet homme est un parfait coquin : FAMEUX, FIEFFÉ, VRAI.

PARFUM 2022
ARÔME, ODEUR, SENTEUR.

PARFUMER
- Ce bouquet de roses parfume l'air : EMBAUMER.
- Parfumer une crème avec de la vanille : AROMATISER.

PARLANT 2023
- Un regard très parlant : ÉLOQUENT, EXPRESSIF, VIVANT.
- *Fam. :* Un homme peu parlant : BAVARD, COMMUNICATIF, EXPANSIF, LOQUACE.

PARLER
1. *verbe.*
- Elle parle avec élégance : S'EXPRIMER.
- L'orateur a parlé longtemps : DISCOURIR.
- Il sait parler aux foules : HARANGUER.
- Parler avec quelqu'un : CAUSER, CONFÉRER, CONVERSER, DEVISER, DIALOGUER, DISCUTER, S'ENTRETENIR.
- Les muets parlent entre eux par signes : COMMUNIQUER.
- Si le secret est éventé, c'est que quelqu'un a parlé : BAVARDER, JASER.
- Elle nous a parlé de son prochain départ : ANNONCER.
- Dans son livre, il parle de ses aventures de jeunesse : RACONTER, RELATER, RETRACER.
- Dans votre devoir, vous avez omis de parler de Voltaire : CITER, MENTIONNER, NOMMER.
- Dans le débat, il est le seul à n'avoir pas parlé : INTERVENIR.
- Je parlerai en votre faveur : INTERCÉDER, PLAIDER.

2. *nom.*
- Les parlers régionaux : DIALECTE, IDIOME, LANGUE, PATOIS.
- À la radio, le parler de cet animateur est trop rapide : DÉBIT, DICTION, ÉLOCUTION.
- Il a le parler rocailleux du terroir : ACCENT, PRONONCIATION.

PARLEUR
- C'est une grande parleuse : BAVARD.
- C'est un parleur infatigable : CAUSEUR, CONTEUR, DISCOUREUR, PHRASEUR.

PAROLE
- Un chien auquel il ne manque que la parole : LANGAGE.
- Il a eu des paroles très dures à l'égard de son adversaire : MOT, PROPOS, TERME.
- Une parole historique : EXPRESSION, MOT.

PAROXYSME 2024
Être en plein paroxysme : CRISE, EXACERBATION.

PARSEMÉ 2025
- Un ciel parsemé d'étoiles : CONSTELLÉ.
- Un gazon parsemé de fleurs : ÉMAILLÉ, JONCHÉ.

PARSEMER
RECOUVRIR, SAUPOUDRER.

PART 2026
- Diviser quelque chose en plusieurs parts : FRACTION, LOT, MORCEAU, PARCELLE, PARTIE, PORTION, TRANCHE.
- Apporter sa part à une œuvre commune : CONTRIBUTION, PARTICIPATION.
- Payer sa part d'un repas : ÉCOT, QUOTE-PART.

PARTAGE
- Faire un partage : DISTRIBUTION, RÉPARTITION.
- Le partage de l'empire de Charlemagne par le traité de Verdun : DÉMEMBREMENT, DIVISION, MORCELLEMENT.
- La misère est souvent le partage des pauvres : LOT, SORT.

PARTAGER
1. Partager une somme entre plusieurs : DISTRIBUER, RÉPARTIR.
- Partager un domaine entre les héritiers : DÉMEMBRER, DIVISER, MORCELER.
- Partager un gâteau en huit parts : COUPER, DÉCOUPER.
- Partager une pièce en deux au moyen d'une cloison : SCINDER, SÉPARER.

2. Je partage votre peine : COMPATIR À, S'ASSOCIER À.

3. Être partagé entre deux sentiments contraires : DÉCHIRER, ÉCARTELER.

PARTI 2027

1. Les divers partis politiques : FORMATION, GROUPE, MOUVEMENT, ORGANISATION.
2. Dans cette affaire, plusieurs partis s'offrent à moi : CHOIX, SOLUTION.
- Prendre le parti de... : DÉCISION, DÉTERMINATION, RÉSOLUTION.
3. Tirer parti de quelque chose : AVANTAGE, BÉNÉFICE, PROFIT.

PARTIAL

- Un arbitre partial : INJUSTE.
- Le récit partial des événements : TENDANCIEUX.

PARTIALITÉ

- Les spectateurs ont fait preuve de partialité pendant le match : CHAUVINISME, PARTI PRIS.
- La partialité d'un jugement : INIQUITÉ, INJUSTICE.
- La partialité d'un père en faveur de l'un de ses enfants : FAVORITISME, PRÉFÉRENCE.

PARTISAN

1. Le candidat à l'élection était entouré de tous ses partisans : AMI, FIDÈLE, SUPPORTER.
- Les partisans de Krishna : ADEPTE, DISCIPLE.
2. La lutte des partisans contre l'occupant : FRANC-TIREUR, GUÉRILLERO.

PARTICIPATION 2028

Vous pouvez compter sur ma participation : AIDE, COLLABORATION, CONCOURS, CONTRIBUTION, COOPÉRATION.

PARTICIPER

- Vous êtes tous invités à participer à cette œuvre : COLLABORER, COOPÉRER.
- Elle n'a pas participé à la conversation : PRENDRE PART, SE MÊLER À.
- Je participe à votre chagrin : PARTAGER, S'ASSOCIER À.
- Il se défend d'avoir participé à ce magouillage électoral : TREMPER DANS.

PARTICULARITÉ 2029

Le vendeur insistait sur les particularités de cette nouvelle voiture : CARACTÉRISTIQUE, ORIGINALITÉ, SINGULARITÉ.

PARTICULIER

- C'est mon intérêt particulier : PERSONNEL, PROPRE.
- C'est un cas particulier : INDIVIDUEL, SPÉCIAL.
- La secrétaire particulière du directeur : PRIVÉ.
- Il a des idées bien particulières sur la question : ORIGINAL, SINGULIER.
- Je n'ai rien de particulier à vous signaler : EXCEPTIONNEL, EXTRAORDINAIRE, REMARQUABLE, SPÉCIAL.

PARTICULE 2030

Les particules constitutives de l'atome : ÉLECTRON, NEUTRON, PROTON.

PARTIE 2031

1. Les parties d'un puzzle : ÉLÉMENT, FRAGMENT, MORCEAU, PIÈCE.
- Une partie de la foule a applaudi : FRACTION, PORTION.
- Un roman en trois parties : CHAPITRE.
2. Un ouvrier très compétent dans sa partie : MÉTIER, SPÉCIALITÉ.
3. La partie vient de commencer : JEU, MATCH, RENCONTRE.
- La partie a été inégale : LUTTE.
4. Le jugement a été prononcé en présence des parties : PLAIDEUR.

PARTIEL

Un travail partiel : FRAGMENTAIRE, INCOMPLET.

PARTIR 2032

1. L'orage menace, il est temps de partir d'ici : FUIR, S'ÉLOIGNER, S'EN ALLER, S'ENFUIR, *en lang. fam. :* DÉCAMPER, DÉGUERPIR, DÉLOGER, DÉMÉNAGER, DÉTALER, FILER, *et en lang. arg. ou pop. :* CALTER, DÉCANILLER, SE BARRER, SE CARAPATER, SE CAVALER, SE DÉBINER, SE TAILLER, SE TIRER, SE TRISSER, SE TROTTER, etc.
- Il est parti sans dire un mot : S'ÉCLIPSER, SE RETIRER, SE SAUVER, S'ESQUIVER, SORTIR, *et en lang. fam. :* SE DÉFILER.
- Dès le début de l'automne, les hirondelles partent vers le sud : S'ENVOLER.
- Les avions partent toutes les minutes : DÉCOLLER.
- La voiture a du mal à partir : DÉMARRER.
2. Attention ! le bouchon va partir : SAUTER.
- Une grande flamme partit du toit : FUSER, JAILLIR.
- Dès le coup de sifflet, les coureurs sont partis : BONDIR, S'ÉLANCER.
3. La rue de Rivoli part de la place de la Concorde : COMMENCER, DÉBUTER.
4. Cette tache partira au lavage : DISPARAÎTRE, S'EFFACER.
5. Son geste part d'un bon sentiment : ÉMANER, PROVENIR.

PAS 2033

1. Avancer à grands pas : ENJAMBÉE, FOULÉE.
- Avoir le pas rapide : ALLURE, MARCHE.
2. Il était assis sur le pas de la porte : SEUIL.
3. Avoir le pas sur quelqu'un : PRÉSÉANCE.

PASSAGE
1. Le passage du Rhin par les troupes alliées en 1945 : FRANCHISSEMENT, TRAVERSÉE.
• Se frayer un passage : CHEMIN, ROUTE.
• Un passage privé : RUE, RUELLE, VENELLE.
• Un passage couvert : ALLÉE, GALERIE.
• La police barrait le passage vers la place de la Concorde : ACCÈS.
• Ne restez pas dans le passage : CORRIDOR, COULOIR.
• Léonidas fut vaincu par Xerxès au passage des Thermopyles : DÉFILÉ, GORGE.
• Les soldats avaient creusé un passage entre les deux tranchées : BOYAU.
• Il y a beaucoup de passage dans cette rue : CIRCULATION, TRAFIC.
• En hiver, le passage du jour à la nuit est rapide : TRANSITION.
2. Elle nous a lu plusieurs passages de son dernier livre : EXTRAIT, PAGE.

PASSAGER
1. *adj.*
COURT, ÉPHÉMÈRE, FUGACE, FUGITIF, MOMENTANÉ, PROVISOIRE, TEMPORAIRE, TRANSITOIRE.
2. *nom.*
L'embarquement des passagers : VOYAGEUR.

PASSANT
1. *adj.*
Une rue passante : FRÉQUENTÉ.
2. *nom.*
Par la fenêtre, elle regardait les passants : FLÂNEUR, PIÉTON, PROMENEUR.

PASSE
1. *nom fém.*
• Le bateau est dans la passe qui mène au port : CHENAL, GOULET.
• Se trouver dans une mauvaise passe : SITUATION.
• La passe des canards sauvages : PASSAGE, PASSÉE.
• Une maison de passe : PROSTITUTION, TOLÉRANCE.
2. *nom masc.*
La concierge peut ouvrir toutes les portes avec son passe : CLEF, PASSE-PARTOUT.

PASSÉ
1. *adj.*
• Cela date d'un temps passé : ANCIEN, ÉCOULÉ, RÉVOLU.
• Je l'ai vu la semaine passée : DERNIER.
• Il est midi passé : SONNÉ.
• Une couleur passée : DÉCOLORÉ, DÉFRAÎCHI.
• Une fleur passée : FANÉ, FLÉTRI.
2. *nom.*
• C'est une histoire du passé : AUTREFOIS, JADIS.
• Il raconte son passé d'ancien combattant : SOUVENIRS.
3. *prép.*
Passé cinq heures, il n'y a plus personne dans les bureaux : APRÈS, AU-DELÀ DE.

PASSER
1. *v. tr.*
• Passer un obstacle : ESCALADER, FRANCHIR, SAUTER.
• Passer une rivière en barque : TRAVERSER.
• Ce bateau passe les camions de France en Angleterre : TRANSBORDER, TRANSPORTER.
• Dans la côte, toutes les voitures me passaient : DÉPASSER, DOUBLER.
• Cela passe mon entendement : EXCÉDER.
• Sur ma nouvelle voiture, j'ai du mal à passer la troisième : ENCLENCHER.
• Passer un vêtement : ENFILER, METTRE, REVÊTIR.
• Passer du café : FILTRER.
• Passer de la farine : BLUTER, CRIBLER, SASSER, TAMISER.
• L'enfant avait passé la tête entre les barreaux : ENGAGER, GLISSER, INTRODUIRE.
• Passer du vernis sur une porte : APPLIQUER, ÉTALER, ÉTENDRE.
• Passer des verres à l'eau chaude : LAVER, RINCER.
• Elle passait sa main sur le cou du cheval : PROMENER.
• Ce cinéma ne passe que des films policiers : PROJETER.
• Passer un accord avec quelqu'un : CONCLURE.
• Demain, il passe un examen médical : SUBIR.
• Elle a brillamment passé les tests de sélection : RÉUSSIR.
• En recopiant le texte, j'ai passé une ligne : OMETTRE, OUBLIER, SAUTER.
• Il ne faut pas passer leurs caprices aux enfants : ACCEPTER, PERMETTRE, SUPPORTER, TOLÉRER.
• Je ne vous passerai aucune erreur : ADMETTRE, EXCUSER, PARDONNER.
• Voulez-vous me passer votre stylo pour signer ? : PRÊTER.
• L'arrière passa le ballon au goal : DONNER, ENVOYER, TRANSMETTRE.
• On m'a passé quelques renseignements : COMMUNIQUER.
• J'ai passé plusieurs heures à ce travail : CONSACRER, EMPLOYER.
• Elle a passé d'affreux moments : VIVRE.
• Passer son temps à faire des mots croisés : OCCUPER.
• Pendant les vacances, elle passe son envie

de voyager : ASSOUVIR, CONTENTER, SATISFAIRE.
2. *v. intr.*
• Je regarde les gens qui passent : CIRCULER, DÉAMBULER, SE PROMENER.
• Pour venir ici, je suis passé par Lyon : TRAVERSER.
• Cet autobus passe-t-il par la mairie ? : DESSERVIR.
• Je passerai à votre bureau : ALLER, SE RENDRE.
• Ce soir, passez chez nous : VENIR.
• La police empêche les gens de passer : ENTRER, PÉNÉTRER.
• Le vent passe sous la porte : S'INFILTRER.
• Il a réussi à passer entre les spectateurs pour être au premier rang : SE FAUFILER.
• Il est passé par-dessus le portillon : ENJAMBER, SAUTER.
• Je passe à la question suivante : ABORDER, EN VENIR À.
• Je passe sur les détails : GLISSER SUR, NÉGLIGER, OMETTRE.
• Il a passé sur ce point délicat : ÉLUDER, ÉVITER.
• Pour une fois, je veux bien passer sur ton erreur : OUBLIER, PARDONNER.
• Pour cette location, je suis passé par une agence : RECOURIR À.
• Le tiers de son salaire passe dans la nourriture : SERVIR À.
• La soirée a passé bien vite : S'ÉCOULER.
• Cette mode passera : CESSER, DISPARAÎTRE, FINIR.
• Les souvenirs passent : S'EFFACER, S'ESTOMPER, S'ÉVANOUIR.
• Cette teinte ne passera pas : PÂLIR, SE DÉCOLORER, TERNIR.
• Il est passé sous-directeur : DEVENIR.
• Cela peut passer pour étonnant, mais c'est vrai : PARAÎTRE, SEMBLER.

SE PASSER
1. Voici comment les événements se sont passés : ARRIVER, AVOIR LIEU, SE DÉROULER, SE PRODUIRE.
2. Personne ne veut se passer de vacances : RENONCER À, SE PRIVER.
• C'est une corvée dont je me passerais bien : S'ABSTENIR, SE DISPENSER.

PASSION 2034
• Parler avec passion : ANIMATION, ARDEUR, CHALEUR, ENTHOUSIASME, EXALTATION, FEU, FLAMME.
• Avoir de la passion pour... : ADORATION, AMOUR, ATTACHEMENT, ENGOUEMENT.
• Se laisser emporter par la passion : COLÈRE, RAGE.
• Une critique dénuée de toute passion politique : FANATISME.
• Résister à ses passions : INCLINATION, PENCHANT.
• Le tiercé, c'est sa passion : FOLIE, MANIE, *et en lang. fam. :* MAROTTE.

PASSIONNANT
ATTIRANT, CAPTIVANT, EXALTANT, FASCINANT, INTÉRESSANT.

PASSIONNÉ
• Un discours passionné : ARDENT, ENTHOUSIASTE, VÉHÉMENT.
• Un partisan passionné : FORCENÉ, FRÉNÉTIQUE.
• Il est passionné d'astronomie : FÉRU.
• Mon fils est un passionné de la moto : AMOUREUX, FANATIQUE, FOU, *et en lang. fam. :* ENRAGÉ, MORDU.

PASSIONNER
CAPTIVER, ENFLAMMER, ENTHOUSIASMER, EXALTER, FASCINER, INTÉRESSER.

SE PASSIONNER
RAFFOLER, S'ENFLAMMER, S'ENGOUER, S'ENTHOUSIASMER, S'ENTICHER, *et en lang. fam. :* S'EMBALLER.

PASTORAL 2035
AGRESTE, BUCOLIQUE, CHAMPÊTRE, RUSTIQUE.

PÂTE 2036
• Manger des pâtes : MACARONI, NOUILLES, SPAGHETTI.
• Cette nourriture est une pâte informe : BOUILLIE.

PÂTÉ
• Un pâté de lièvre : TERRINE.
• Un pâté de maisons : ÎLOT.

PÂTEUX
COLLANT, ÉPAIS, GLUANT, GRAS.

PATIENCE 2037
1. Elle endure son mal avec patience : RÉSIGNATION, STOÏCISME.
• Faire preuve de patience : CALME, FLEGME, SANG-FROID.
• Ce travail demande beaucoup de patience : CONSTANCE, COURAGE, PERSÉVÉRANCE, TÉNACITÉ.
2. Faire des patiences : RÉUSSITE.

PATIENT
• Être patient en toutes circonstances : CALME, FLEGMATIQUE, IMPASSIBLE, STOÏQUE.
• Un travailleur patient : INFATIGABLE, OBSTINÉ, PERSÉVÉRANT, TENACE.
• L'observation patiente d'un phénomène : ATTENTIF, MINUTIEUX.

PATOIS 2038
- Un patois régional : PARLER.
- Quel patois ! : ARGOT, BARAGOUIN, CHARABIA, JARGON.

PATRIE 2039
NATION, PAYS.

PATRIOTE
CHAUVIN, COCARDIER, NATIONALISTE.

PATRIMOINE 2040
APANAGE, HÉRITAGE.

PATRONAGE 2041
- Accorder son patronage à quelqu'un : APPUI, PARRAINAGE, SOUTIEN.
- Se mettre sous le patronage de quelqu'un : ÉGIDE, PROTECTION.
- Une église placée sous le patronage de saint Antoine : DÉDICACE, INVOCATION, VOCABLE.

PATRONNER
APPUYER, PARRAINER, RECOMMANDER, SOUTENIR, *et en lang. fam. :* PISTONNER.

PÂTURAGE 2042
Mener des bovins au pâturage : EMBOUCHE, HERBAGE, PÂTURE, PRAIRIE, PRÉ.

PÂTURER
PAÎTRE.

PAUSE 2043
- Faire une pause dans son travail : ARRÊT, INTERRUPTION.
- Après cinq minutes de pause, la séance reprit : SUSPENSION.
- Les marcheurs firent une pause : HALTE.
- Pendant la pause, les joueurs se désaltèrent : MI-TEMPS.
- Les élèves ont besoin d'une pause entre deux cours : BATTEMENT, DÉTENTE, RÉCRÉATION, RÉPIT, REPOS.
- Sa lecture était entrecoupée de légères pauses : SILENCE.

PAUVRE 2044
1. *adj.*
- La mairie attribue un secours aux familles pauvres : INDIGENT, MISÉREUX, NÉCESSITEUX.
- Ils habitent une pauvre demeure : MISÉRABLE.
- Le pauvre chien n'avait que les os et la peau : MALHEUREUX.
- Cela dénote un bien pauvre esprit : DÉPLORABLE, DÉTESTABLE, LAMENTABLE, PITOYABLE.
- Ce ne sera qu'une bien pauvre consolation : MAIGRE, PETIT.
- Elle n'a que de pauvres revenus : DÉRISOIRE, FAIBLE, INSUFFISANT, MÉDIOCRE.
- On ne peut pas cultiver sur les sols pauvres : ARIDE, INGRAT, STÉRILE.
- Une végétation pauvre : CHÉTIF, MAIGRE.

2. *nom.*
- Les riches et les pauvres : DÉMUNI.
- Elle a pitié de tous les pauvres qui viennent frapper à sa porte : CLOCHARD, MENDIANT, MEURT-DE-FAIM, VA-NU-PIEDS, *et en lang. pop. :* MENDIGOT.

PAUVRETÉ
- La pauvreté des pays en voie de développement : DÉNUEMENT, MISÈRE.
- Vivre dans la pauvreté : BESOIN, GÊNE, INDIGENCE.
- La pauvreté d'un sol latéritique : ARIDITÉ, INFERTILITÉ, STÉRILITÉ.
- La pauvreté des moyens dont dispose cet hôpital : INSUFFISANCE, MODICITÉ.
- Un discours d'une grande pauvreté : BANALITÉ, MÉDIOCRITÉ, PLATITUDE.

PAYS 2045
- Les pays du Moyen-Orient : ÉTAT, NATION.
- La Bourgogne est un pays de vignobles : CONTRÉE, RÉGION.
- Je suis originaire d'un petit pays au bord de la mer : BOURGADE, LOCALITÉ, VILLAGE, *et en lang. fam. :* PATELIN.

PAYSAGE
Admirer le paysage : PANORAMA, VUE.

PAYSAN
1. *nom. :* Les revendications des paysans : AGRICULTEUR, CULTIVATEUR.
2. *adj. :* Les coutumes paysannes : CAMPAGNARD, RURAL, TERRIEN.

PEAU 2046
1. Elle s'est éraflé la peau : ÉPIDERME.
- La peau du porc : COUENNE.
- Une peau d'orange : ÉCORCE.
- Une peau de banane : PELURE.
- Une peau de lapin mise à sécher : DÉPOUILLE.
- Un sac en peau : CUIR.
- La peau qui se forme au-dessus du lait bouilli : PELLICULE.

2. *Fam. :* Risquer sa peau : VIE.
3. *Fam. :* Une peau d'âne : DIPLÔME, PARCHEMIN.

PÉDANT 2047
1. *nom. :* Quel pédant ! : CUISTRE, POSEUR.
2. *adj.*
- Avoir un air pédant : PRÉTENTIEUX, SUFFISANT.
- Parler sur un ton pédant : DOCTORAL, MAGISTRAL, PÉDANTESQUE, PONTIFIANT, PROFESSORAL.

PEINDRE 2048
- Autrefois, on peignait les murs à la chaux : BADIGEONNER.
- Avec ses crayons de couleurs, l'enfant peint une feuille de papier : BARIOLER, *et en lang. fam. :* BARBOUILLER, PEINTURLURER.
- Balzac a peint la société du 19e siècle : DÉCRIRE, DÉPEINDRE, REPRÉSENTER.

SE PEINDRE
Une surprise se peignit sur son visage : APPARAÎTRE, SE MANIFESTER, SE MONTRER.

PEINTURE
- Les peintures exposées dans un musée : TABLEAU, TOILE.
- Les peintures rupestres du Tassili : DESSIN, FRESQUE.
- La peinture des mœurs d'une époque : DESCRIPTION, PORTRAIT.

PEINE 2049
1. Elle a eu mille peines dans sa vie : ENNUI, ÉPREUVE, MALHEUR, MISÈRE, SOUCI, SOUFFRANCE, TOURMENT, TRACAS.
- Cela me cause de la peine de le voir dans cet état : AFFLICTION, CHAGRIN, DOULEUR, INQUIÉTUDE, TRISTESSE.
2. Ce travail demande beaucoup de peine : EFFORT, FATIGUE.
- J'ai eu de la peine à le convaincre : DIFFICULTÉ, MAL.
3. La peine infligée par un tribunal : CHÂTIMENT, CONDAMNATION, PUNITION, SANCTION.

PEINER
1. *v. tr.*
Sa mort m'a beaucoup peiné : AFFLIGER, ATTRISTER, CHAGRINER.
2. *v. intr.*
- Ce coureur a peiné pour atteindre le sommet du Ventoux : AHANER, S'ÉCHINER, S'ÉREINTER, SOUFFRIR.
- Le moteur de ma voiture peine dans les côtes : FATIGUER.

PÉNIBLE
- Un travail pénible : DIFFICILE, ÉPUISANT, FATIGANT, HARASSANT.
- Le marathon est une course pénible : ÉPROUVANT, EXTÉNUANT.
- Une nouvelle pénible : ATTRISTANT, CONSTERNANT, NAVRANT, TRISTE.
- Ce sont, pour moi, des souvenirs pénibles : CRUEL, DOULOUREUX.
- C'est une démarche pénible à faire : DÉPLAISANT, DÉSAGRÉABLE, EMBARRASSANT.
- Avoir un caractère pénible : INSUPPORTABLE.

PENDANT 2050
1. *nom.*
- Des pendants d'oreille : PENDELOQUE, PENDENTIF.
- Une chose est le pendant d'une autre : RÉPLIQUE.
2. *prép.*
Pendant la nuit : DURANT.

PENDRE
- Le boucher pend des quartiers de viande au-dessus de l'étal : ACCROCHER, SUSPENDRE.
- Sa longue chevelure pendait jusqu'aux reins : TOMBER.
- Une jupe qui pend sur les côtés : *en lang. fam. :* PENDILLER, PENDOUILLER.
- Le blessé avait le bras qui pendait en dehors du brancard : BALLER.

PÉNÉTRANT 2051
- Un froid pénétrant : MORDANT, PIQUANT, VIF.
- Une odeur pénétrante : FORT, VIOLENT.
- Un regard pénétrant : PERÇANT.
- Un esprit pénétrant : CLAIRVOYANT, LUCIDE, PERSPICACE, PROFOND, SAGACE, SUBTIL.

PÉNÉTRATION
- La pénétration de l'eau dans le sol : INFILTRATION.
- Une pénétration dans les lignes ennemies : INCURSION, INTRUSION, PERCÉE.
- Un esprit d'une grande pénétration : ACUITÉ, CLAIRVOYANCE, FINESSE, LUCIDITÉ, PERSPICACITÉ, SAGACITÉ, SUBTILITÉ.

PÉNÉTRÉ
Il est pénétré de sa valeur : CONVAINCU, IMBU, PERSUADÉ.

PÉNÉTRER
1. *v. intr.*
- Les voleurs ont pénétré par le vasistas : ENTRER, SE FAUFILER, SE GLISSER, S'INTRODUIRE.
- Cette odeur pénètre partout : S'INFILTRER, S'INSINUER.
- Ce foret est trop flexible pour pénétrer dans l'acier : ENTRER, S'ENFONCER.
- Les voyageurs pénètrent dans le métro : S'ENGOUFFRER.
2. *v. tr.*
- Il faut une mèche spéciale pour pénétrer le béton : PERCER, PERFORER, TROUER.
- Cette bise glaciale me pénètre : TRANSIR, TRANSPERCER.
- La pluie a pénétré mes vêtements : IMBIBER, IMPRÉGNER, TREMPER.
- Je commence à pénétrer vos intentions : COMPRENDRE, DÉCOUVRIR, DEVINER, PERCER, PERCEVOIR, SAISIR.

SE PÉNÉTRER

Je me suis pénétré de cette idée : SE CONVAINCRE.

PENSÉE 2052

- Voilà une idée qu'il faut chasser de votre pensée : ESPRIT, IMAGINATION.
- Les démarches de la pensée humaine : INTELLIGENCE, RAISON.
- Je vais vous donner ma pensée sur ce sujet : AVIS, IDÉE, JUGEMENT, OPINION, RÉFLEXION, SENTIMENT.
- Voilà une pensée judicieuse dont il faudra tenir compte : OBSERVATION, REMARQUE.
- Avez-vous changé de pensée ? : DESSEIN, INTENTION, PROJET.
- La pensée de mes erreurs de jeunesse ne me réjouit pas : SOUVENIR.
- Toutes ses pensées vont à l'avenir de ses enfants : PRÉOCCUPATION.
- Il est toujours perdu dans ses pensées : MÉDITATIONS, RÉFLEXIONS, RÊVERIES.
- La pensée marxiste : DOCTRINE, IDÉOLOGIE, PHILOSOPHIE.

PENSER

1. *v. intr.*

- L'art de penser juste : RAISONNER.
- Ne le troublez pas, il pense : RÉFLÉCHIR, *et en lang. fam. :* COGITER.

2. *v. tr.*

- Je pense ma solution meilleure que la vôtre : CROIRE, ESTIMER, JUGER.
- Elle pense partir demain : COMPTER, ENVISAGER DE, PROJETER DE, SE PROPOSER DE.
- Je pense avoir une bonne note : ESPÉRER.
- Personne ne pouvait penser que la situation évoluerait ainsi : CONCEVOIR, CONJECTURER, IMAGINER, PRÉSUMER, SOUPÇONNER, SUPPOSER.

3. *v. tr. ind.*

- Je n'ai pas eu le loisir d'y penser : RÉFLÉCHIR, SONGER.
- Avez-vous pensé aux conséquences ? : ENVISAGER.
- As-tu pensé à mon anniversaire ? : SE RAPPELER, SE SOUVENIR DE.
- Il ne pense pas à son avenir : SE PRÉOCCUPER DE, SE SOUCIER DE.

PENSIF

Avoir l'air pensif : ABSORBÉ, MÉDITATIF, PRÉOCCUPÉ, RÊVEUR, SONGEUR, SOUCIEUX.

PENSION 2053

1. Il n'a qu'une petite pension pour vivre : RETRAITE.

- Verser une pension alimentaire à quelqu'un : ALLOCATION.

2. Elle a mis son fils en pension au lycée : INTERNAT, PENSIONNAT.

PENTE 2054

- Un toit à forte pente : DÉCLIVITÉ, INCLINAISON.
- Notre maison se trouve sur la pente de la colline : VERSANT.

PERCÉE 2055

Ouvrir une percée dans une forêt : CHEMIN, TROUÉE.

PERCER

1. *v. tr.*

- Percer une planche : PERFORER, TROUER, VRILLER.
- Percer un tunnel : FORER.
- Percer un chemin dans les bois : OUVRIR.
- Percer son adversaire dans un duel à l'épée : TRANSPERCER, *et en lang. fam. :* EMBROCHER.
- Des vandales ont percé le tableau de coups de couteau : CRIBLER, LARDER.
- Le soleil commence à percer les nuages : DÉCHIRER, TRAVERSER.
- J'ai percé ses secrètes intentions : DÉCELER, DÉCOUVRIR, PÉNÉTRER.

2. *v. intr.*

- Mon abcès a percé hier : CREVER.
- Rien n'a percé de cette réunion secrète : FILTRER, TRANSPIRER.
- La vérité a fini par percer : APPARAÎTRE, SE FAIRE JOUR, SE MANIFESTER, SE MONTRER.
- Une profession dans laquelle il est difficile de percer : RÉUSSIR, SE DISTINGUER, S'IMPOSER.

PERCEPTIBLE 2056

- La tache au bas de ce gilet est à peine perceptible : DÉCELABLE, VISIBLE.
- D'ici, ses appels n'étaient pas perceptibles : AUDIBLE.
- Son humour n'est pas perceptible par tous : ACCESSIBLE, COMPRÉHENSIBLE, INTELLIGIBLE, SAISISSABLE.

PERCEPTION

1. La perception des impôts : ENCAISSEMENT, RECOUVREMENT, RENTRÉE.

2. Il a une très nette perception des difficultés qui l'attendent : CONNAISSANCE, IDÉE, VUE.

- En mer, une exacte perception des distances est difficile : APPRÉCIATION, ESTIMATION, ÉVALUATION.
- Avoir une mauvaise perception des couleurs : VISION.
- La perception des bruits : AUDITION.

PERCEVOIR

1. Les chômeurs perçoivent une indemnité : RECEVOIR, TOUCHER.

- Percevoir des impôts : RECOUVRER.

- Percevoir un bénéfice : RECUEILLIR, RETIRER, *et en lang. fam. :* EMPOCHER.

2. Je ne perçois pas bien tes véritables intentions : COMPRENDRE, DISCERNER, SAISIR.

- Percevoir un cri dans la nuit : ENTENDRE.
- Percevoir une lueur lointaine : APERCEVOIR, ENTREVOIR, VOIR.
- Les chiens policiers sont habitués à percevoir les odeurs suspectes : DÉCELER, DÉTECTER, DISTINGUER, FLAIRER, SENTIR.

PERCUTANT 2057

Ses arguments ont été très percutants : CONVAINCANT, FRAPPANT, PERSUASIF.

PERDANT 2058

L'équipe perdante sera éliminée : BATTU, VAINCU.

PERDRE

- Il a encore perdu ses lunettes : ÉGARER.
- J'ai perdu mon parapluie dans le train : LAISSER, OUBLIER, *et en lang. pop. ou argot. :* PAUMER.
- Autrefois, on ne perdait pas le pain : GASPILLER.
- Ne perdez pas cette occasion : GÂCHER, LAISSER ÉCHAPPER, MANQUER, RATER.
- Il a perdu cette mauvaise habitude : SE DÉBARRASSER DE, SE DÉFAIRE DE.
- En automne, les arbres perdent leurs feuilles : SE DÉPOUILLER DE.
- Il a voulu me perdre auprès d'elle : DÉCONSIDÉRER, DISCRÉDITER.

SE PERDRE

- Il s'est perdu dans les bois : S'ÉGARER.
- Elle se perd dans les détails : SE NOYER.
- Il se perd dans le récit des événements : S'EMBROUILLER.
- En pays karstiques, les rivières se perdent sous terre : S'ENFONCER.
- Une habitude qui se perd : DISPARAÎTRE.
- Il faut ramasser les pommes avant qu'elles ne se perdent : POURRIR, S'AVARIER, SE GÂTER.

PERDU

- Un chien perdu : ABANDONNÉ, ERRANT.
- Il a pris sa retraite dans un coin perdu : ÉCARTÉ, ISOLÉ, RECULÉ, RETIRÉ.
- Les médecins le considèrent comme perdu : CONDAMNÉ, INCURABLE, INGUÉRISSABLE, *et en lang. fam. :* FICHU.
- Après le scandale politique qu'il a provoqué, c'est un homme perdu : FINI, MORT, *et en lang. fam. :* CUIT, FLAMBÉ, FRIT.

PERTE

- Déplorer la perte d'un parent : MORT.
- À cause de la sécheresse, les agriculteurs ont subi de grosses pertes dans leurs récoltes : DÉGÂT, DOMMAGE, PRÉJUDICE.
- C'est une perte de temps : GASPILLAGE.
- Une perte de chaleur : DÉPERDITION.
- La perte d'un navire : NAUFRAGE.
- Les pertes et profits d'un commerçant : DÉFICIT.
- Une mauvaise gestion a conduit cette entreprise à sa perte : RUINE.

PERFECTIBLE 2059

AMÉLIORABLE.

PERFECTION

- La perfection est un idéal pour le chrétien : SAINTETÉ.
- *Fam. :* Ma secrétaire est une perfection : PERLE, TRÉSOR.

PERFECTIONNEMENT

AMÉLIORATION, PROGRÈS.

PERFIDE 2060

- Faire des remarques perfides : FIELLEUX, HYPOCRITE, MÉCHANT, SOURNOIS, VENIMEUX.
- Donner un conseil perfide à quelqu'un : EMPOISONNÉ, MACHIAVÉLIQUE.
- Le verglas est perfide sur la route : DANGEREUX, TRAÎTRE, TROMPEUR.

PERFIDIE

Faire preuve de perfidie : DÉLOYAUTÉ, FOURBERIE, MACHIAVÉLISME, NOIRCEUR, TRAÎTRISE.

PÉRIODIQUE 2061

1. *adj.*

- Le retour périodique des saisons : CYCLIQUE.
- Un mouvement périodique : ALTERNATIF, RYTHMIQUE.

2. *nom.*

Le libraire réserve une vitrine pour les périodiques : JOURNAL, MAGAZINE, REVUE.

PÉRIPHÉRIE 2062

- La périphérie d'une surface : CONTOUR, PÉRIMÈTRE, POURTOUR.
- La périphérie d'une ville : BANLIEUE, FAUBOURG.

PÉRIPHÉRIQUE

Un quartier périphérique : EXCENTRIQUE.

PERMANENCE 2063

CONSTANCE, CONTINUITÉ, INVARIABILITÉ, STABILITÉ.

PERMANENT

- Une banque sous surveillance permanente : CONSTANT, CONTINU, INCESSANT, ININTERROMPU, PERSISTANT.
- Maintenir une pièce à une température permanente : INVARIABLE, STABLE.

PERMETTRE 2064
ACCORDER, ADMETTRE, AUTORISER, CONSENTIR À, TOLÉRER.

SE PERMETTRE
Il ne se permettrait pas une familiarité avec moi : OSER, S'AUTORISER.

PERMIS
1. *adj.*
Cela n'est pas permis : AUTORISÉ, LÉGAL, LÉGITIME, LICITE.
2. *nom.*
Un permis de chasse : AUTORISATION.

PERMISSION
Il m'a donné sa permission : ACCORD, AUTORISATION, CONSENTEMENT.

PERPENDICULAIRE 2065
- Deux droites perpendiculaires : ORTHOGONAL.
- Tracer une perpendiculaire : VERTICALE.

PERPÉTUER 2066
Une tradition : CONSERVER, CONTINUER, MAINTENIR, TRANSMETTRE.

PERPÉTUITÉ
ÉTERNITÉ, IMMORTALITÉ, PÉRENNITÉ.

PERSONNAGE 2067
- Les grands personnages de l'État : AUTORITÉ, DIGNITAIRE, NOTABILITÉ, PERSONNALITÉ, SOMMITÉ, *et en lang. fam. ou pop. :* BONZE, HUILE, LÉGUME, PONTE.
- César est l'un des plus grands personnages de l'histoire : CÉLÉBRITÉ, FIGURE, GLOIRE, NOM.
- Il a joué le personnage de Rodrigue dans « Le Cid » : RÔLE.
- Le personnage principal d'un roman : HÉROS, PROTAGONISTE.
- Les personnages secondaires d'une pièce de théâtre : COMPARSE, FIGURANT, UTILITÉ.

PERSONNALITÉ
La personnalité de chacun : CARACTÈRE, INDIVIDUALITÉ, NATURE, ORIGINALITÉ, TEMPÉRAMENT.

PERSONNE
CRÉATURE, ÊTRE, HOMME, HUMAIN, INDIVIDU.

PERSONNEL
1. *adj.*
- Les objets personnels : INDIVIDUEL, PARTICULIER, PROPRE.
- La vie personnelle : INTIME, PRIVÉ.
- Il a un style très personnel : CARACTÉRISTIQUE, ORIGINAL.
- Un joueur trop personnel : ÉGOÏSTE, INDIVIDUALISTE.

2. *nom.*
- Le personnel d'une entreprise : LA MAIN-D'ŒUVRE, LES EMPLOYÉS.
- Le personnel d'un château : DOMESTICITÉ.

PERSONNIFIER
Néron personnifie la cruauté : INCARNER, SYMBOLISER.

PERSPECTIVE 2068
- D'ici, on a une belle perspective sur les Champs-Élysées : COUP D'ŒIL, ÉCHAPPÉE, VUE.
- Nous n'envisageons pas le problème sous la même perspective : ANGLE, ASPECT, ÉCLAIRAGE, OPTIQUE, POINT DE VUE.
- À la perspective de la revoir, il était joyeux : ATTENTE, EXPECTATIVE, IDÉE.
- Les perspectives de paix : ESPÉRANCES, ÉVENTUALITÉS, PRÉVISIONS, PROBABILITÉS.

PERSUADER 2069
Je l'ai persuadé de venir : CONVAINCRE, DÉCIDER, DÉTERMINER, INCITER, POUSSER.

PESANT 2070
- Avancer d'une allure pesante : LOURD.
- Une chaleur pesante : ACCABLANT, LOURD.
- Il règne ici une atmosphère pesante : OPPRESSANT.
- Des aliments pesants : INDIGESTE, LOURD.
- Un style pesant : EMBARRASSÉ, LABORIEUX, LOURD.
- Que sa présence est pesante ! : ENCOMBRANT, IMPORTUN.

PESANTEUR
- La pesanteur d'un fardeau : LOURDEUR, POIDS.
- Les lois de la pesanteur : GRAVITATION.

PESER
1. *v. tr.*
quelque chose : APPRÉCIER, CALCULER, ÉVALUER, MESURER.
2. *v. intr.*
- Peser sur un bouton pour l'enfoncer : APPUYER, PRESSER.
- Les charges fiscales pèsent sur nous : ACCABLER, ÉCRASER.
- Cela pèsera sur ma décision : INFLUENCER.
- L'entière responsabilité de l'accident pèse sur lui : INCOMBER, RETOMBER.
- Que sa présence me pèse ! : ENNUYER, FATIGUER, IMPORTUNER.
- Ce paquet pèse deux kilos : FAIRE.

PESSIMISME 2071
- Un tempérament porté au pessimisme : INQUIÉTUDE, MÉLANCOLIE, NEURASTHÉNIE.
- Un vent de pessimisme a soufflé sur la Bourse : DÉFAITISME.

PESSIMISTE
- Être d'humeur pessimiste : BILIEUX, INQUIET, MÉLANCOLIQUE.
- Tenir des propos pessimistes : ALARMISTE, DÉFAITISTE.
- Les prévisions sont pessimistes : ALARMANT, INQUIÉTANT, MAUVAIS, SOMBRE.

PETIT 2072

1. *adj.*
- Quand il était petit, il était mignon : ENFANT, JEUNE.
- Il n'y a pas de joueurs petits dans les équipes nationales de basket : MINUSCULE, NAIN.
- Ce n'est qu'un petit employé : HUMBLE, MODESTE, OBSCUR, QUELCONQUE, SIMPLE.
- Que son esprit est petit ! : BORNÉ, ÉTRIQUÉ, ÉTROIT, MESQUIN, PAUVRE.
- La différence entre les deux est vraiment petite : FAIBLE, INFIME, LÉGER, MINCE, MINIME.
- Cela ne vous coûtera qu'une petite somme : DÉRISOIRE, INSIGNIFIANT, NÉGLIGEABLE.
- Il ne vit que d'une petite retraite : MAIGRE, MÉDIOCRE, MODESTE, MODIQUE.
- Elle ne nous a envoyé qu'une petite lettre : BREF, COURT.
- J'ai encore quelques petits soucis : MINEUR.
- Elle n'a qu'une petite santé : DÉLICAT, FRAGILE.
- Ils n'ont qu'un petit appartement : ÉTROIT, EXIGU.
- Couper en petits morceaux : MENU.

2. *nom.*
- Les petits de l'école maternelle : ENFANT, *et en lang. fam. :* BAMBIN, GAMIN, GOSSE, MÔME, MOUTARD.
- Ce sont toujours les petits qui doivent payer : HUMBLES, LAMPISTES, OBSCURS, PAUVRES.

PETITEMENT
- Ils vivent petitement : CHICHEMENT, PAUVREMENT.
- Ils sont petitement logés : ÉTROITEMENT.

PETITESSE
- La petitesse des ressources : MODICITÉ.
- La petitesse d'une cuisine : EXIGUÏTÉ.
- Quelle petitesse d'esprit ! : ÉTROITESSE, MÉDIOCRITÉ, MESQUINERIE.
- Ces petitesses sont indignes de lui : BASSESSES, VILENIES.

PÉTRIR 2073
- De la pâte à pain : BRASSER, MALAXER.
- De l'argile pour en faire une statue : FAÇONNER, MODELER.

PÉTULANCE 2074

FOUGUE, IMPÉTUOSITÉ, VITALITÉ, VIVACITÉ.

PÉTULANT

FOUGUEUX, IMPÉTUEUX, TURBULENT, VIF.

PEU 2075
- Il n'a pris qu'un peu de liqueur : DOIGT, GOUTTE, LARME.
- Elle a versé un peu de lait dans son café : NUAGE, SOUPÇON.
- J'ai encore un peu d'espoir : LUEUR.
- Ce spectacle m'a peu intéressé : FAIBLEMENT, MÉDIOCREMENT.
- Il n'y avait que peu de gens dans la salle : NE... GUÈRE.
- Se sentir un peu étourdi : LÉGÈREMENT, VAGUEMENT, *et en lang. fam. :* UN TANTINET.
- La voiture a évité de peu le piéton : DE JUSTESSE.
- Nous allons peu au cinéma : RAREMENT.

PEUPLADE 2076

Au Ve siècle, des peuplades barbares envahirent l'Empire romain d'Occident : HORDE, TRIBU.

PEUPLE
- Les divers peuples africains : ETHNIE, NATION.
- Le peuple est venu en grand nombre à cette manifestation : FOULE, MONDE, POPULATION, PUBLIC.
- Certains font profession de mépriser le peuple : MASSE, MULTITUDE, *et en lang. péj. :* POPULACE, POPULO.

PEUPLÉ
- Une région peuplée par les Celtes : HABITÉ.
- Un quartier très peuplé : POPULEUX.
- Un mauvais rêve peuplé de fantômes : HANTÉ.

POPULAIRE
- Un gouvernement populaire : DÉMOCRATIQUE.
- Les masses populaires : LABORIEUX, OUVRIER.
- Les traditions populaires : FOLKLORIQUE.
- Des mots du langage populaire : COMMUN, VULGAIRE.

POPULARITÉ

Les vrais savants ne recherchent pas la popularité, mais ils l'obtiennent parfois : CÉLÉBRITÉ, GLOIRE, RENOMMÉE, RÉPUTATION.

PEUR 2077
- Ressentir une grande peur : AFFOLEMENT, EFFROI, ÉPOUVANTE, FRAYEUR, PANIQUE,

TERREUR, *en lang. fam. :* FROUSSE, *et en lang. pop. :* TROUILLE.
- La peur de mourir : APPRÉHENSION, CRAINTE, HANTISE.
- La peur maladive de toutes les bêtes qui rampent : AVERSION, PHOBIE.
- La peur d'un candidat avant un examen : *fam. :* TRAC.

PEUREUX

COUARD, CRAINTIF, PLEUTRE, POLTRON, PUSILLANIME, *en lang. fam. :* FROUSSARD, *et en lang. pop. :* PÉTOCHARD, TROUILLARD.

PHILOSOPHE 2078

1. *nom.*
- Les philosophes de l'Antiquité : PENSEUR, SAGE.
- Les philosophes du XVIIIe siècle : ENCYCLOPÉDISTE.
- Les malheurs ne le touchent pas, c'est un philosophe : OPTIMISTE.

2. *adj.*
Se montrer philosophe en toutes circonstances : CALME, SAGE, SEREIN.

PHILOSOPHIE

- La philosophie chrétienne : DOCTRINE, ÉTHIQUE, MÉTAPHYSIQUE, MORALE.
- La philosophie épicurienne : SYSTÈME, THÉORIE.
- Prendre les choses avec philosophie : CALME, INDIFFÉRENCE, INSOUCIANCE, RÉSIGNATION, SAGESSE, SÉRÉNITÉ.

PHLEGMON 2079

ABCÈS, ANTHRAX, FURONCLE, PANARIS.

PHRASÉOLOGIE 2080

- Tout cela, ce n'est que de la phraséologie : BAVARDAGE, MOTS, PHRASES, *et en lang. fam. :* BONIMENT.
- La phraséologie administrative : LANGUE, STYLE, TERMINOLOGIE.

PHYSIQUE 2081

1. *adj.*
- La beauté physique : CORPOREL.
- Le monde physique : MATÉRIEL.
- Une déficience physique : ORGANIQUE, PHYSIOLOGIQUE, SOMATIQUE.
- Le plaisir physique : CHARNEL, SENSUEL, SEXUEL.

2. *n. m.*
- Avoir un beau physique : APPARENCE, ASPECT, PHYSIONOMIE.
- Avoir un physique robuste : COMPLEXION, CONSTITUTION.

PIAFFER 2082

PIÉTINER, TRÉPIGNER.

PIAILLER 2083

- Les poussins piaillent : PIAULER.
- Un enfant qui piaille : CRIAILLER, CRIER.

PICORER 2084

Les poules picorent des grains d'avoine : BECQUETER.

PIÈCE 2085

1. Le démontage et le remontage des pièces d'un assemblage : ÉLÉMENT, FRAGMENT, MORCEAU, PARTIE.
- Vendre une marchandise à la pièce : À L'UNITÉ.
- Ce fermier a plus de cent pièces de bétail : TÊTE.
- Le rôti de bœuf sera la pièce de résistance du repas : PLAT.
- Il a plusieurs pièces de vin dans sa cave : BARRIQUE, FÛT, FUTAILLE, TONNEAU.
- Une batterie de six pièces de 155 : CANON.
- Un local de plusieurs pièces : CHAMBRE, SALLE.
- Les pièces d'identité : DOCUMENT, PAPIER, TITRE.
- Donner une pièce au porteur : POURBOIRE.

2. Les pièces classiques : COMÉDIE, TRAGÉDIE.
- Une pièce romantique de Victor Hugo : DRAME.

PIED 2086

- Les pieds d'un animal : PATTE.
- Les pieds d'un bébé : *fam. :* PETON.
- Attention à tes pieds : *pop. ou arg. :* ARPION, PANARD, PINCEAU, RIPATON.
- Les roches s'amoncellent au pied de la falaise : BAS, BASE.

PIÉDESTAL

PIÉDOUCHE, SOCLE, SUPPORT.

PIÉTINER

1. *v. intr.*
- Elle piétine d'impatience : PIAFFER, TRÉPIGNER.
- L'enquête piétine : STAGNER, TRAÎNER.

2. *v. tr.*
- Ne piétinez pas le gazon : FOULER, MARCHER SUR.
- Piétiner les lois, le code de la route, etc. : CONTREVENIR À, ENFREINDRE, TRANSGRESSER.

PIÈGE 2087

- Un animal pris au piège : COLLET, FILET, LACET, NASSE, RETS, TRAPPE.
- Hannibal tendit un piège aux Romains, près du lac Trasimène : EMBUSCADE, SOURICIÈRE.
- Pour réussir en politique, il faut savoir déjouer les pièges : CHAUSSE-TRAPPE, EMBÛCHE, GUET-APENS, TRAQUENARD.

- En allant à cette réunion, j'ai peur de tomber dans un piège : GUÊPIER.

PIERRAILLE 2088
Une avalanche de pierraille dévala dans le ravin : CAILLASSE, ROCAILLE.

PIERRE
- Une grève où il y a de nombreuses pierres : CAILLOU, GALET, ROC, ROCHE, ROCHER.
- Le joaillier ne met pas ses plus belles pierres en vitrine : GEMME, PIERRERIES.

PIERREUX
Un chemin pierreux : CAILLOUTEUX, ROCAILLEUX.

PIÉTÉ 2089
- Réciter une prière avec piété : DÉVOTION, FERVEUR.
- Un témoignage de piété : AFFECTION, AMOUR, RESPECT, VÉNÉRATION.

PIEUX
- Une femme très pieuse : CROYANT, DÉVOT, FERVENT, RELIGIEUX.
- Il a agi à mon égard avec une pieuse intention : DÉFÉRENT, RESPECTUEUX.
- Faire un pieux mensonge : CHARITABLE.

PIGEON 2090
1. Un nid de pigeons : BISET, COLOMBE, PALOMBE, RAMIER, TOURTERELLE.
2. *Fam. :* Dans cette affaire, c'est lui le pigeon : DUPE, GOGO.
- *Fam. :* Il s'est fait avoir, comme un pigeon : NAÏF, SOT.

PIGEONNER
Fam. : Se faire pigeonner : AVOIR, DUPER, POSSÉDER, ROULER, TROMPER.

PIGEONNIER
COLOMBIER, FUIE.

PILIER 2091
- Les piliers qui soutiennent un édifice : COLONNE, CONTREFORT, PILASTRE.
- Les piliers d'un pont : PILE.
- Il est le principal pilier du parti radical : DÉFENSEUR, SOUTIEN.
- *Fam. et péj. :* C'est un pilier du bar : HABITUÉ.

PILLAGE 2092
- La ville fut livrée au pillage de la soldatesque : RAZZIA, SAC, SACCAGE.
- Être condamné pour pillage d'un ouvrage littéraire : PLAGIAT.

PILLARD
ÉCUMEUR, MARAUDEUR, VOLEUR.

PILLER
- Une région : DÉVASTER, RAVAGER, SACCAGER.
- Un bijoutier : DÉVALISER, VOLER.
- Un auteur : PLAGIER.

PILONNER 2093
Notre artillerie pilonne l'ennemi : BOMBARDER, CANONNER, ÉCRASER, MARTELER, MATRAQUER.

PILOTE 2094
- Le pilote d'un navire : CAPITAINE, *et en lang. poétique :* NAUTONIER, NOCHER.
- Le pilote d'un véhicule : CHAUFFEUR, CONDUCTEUR.
- Il m'a servi de pilote pour visiter la ville : CICÉRONE, GUIDE.

PILOTIS 2095
Une maison bâtie sur pilotis : PIEU, PILOT.

PIMBÊCHE 2096
Quelle pimbêche ! : MIJAURÉE, *et en lang. fam. :* BÊCHEUSE, CHICHITEUSE, CHIPIE, PÉCORE.

PINCE 2097
- Arracher un clou avec des pinces : TENAILLES.
- Une pince à linge : ÉPINGLE.
- *Pop. :* Serrer la pince : MAIN.
- *Pop. :* Aller à pinces : À PIED.

PINCER
- Pincer quelque chose entre ses doigts : PRESSER, SERRER.
- Se faire pincer le doigt par une portière : COINCER.
- Le froid pince : MORDRE, PIQUER.
- *Fam. :* Les gendarmes ont réussi à le pincer : ARRÊTER, PRENDRE, SURPRENDRE, *et en lang. fam. :* CUEILLIR, ÉPINGLER, PIQUER.

PINÇON
Avoir un pinçon sur la peau : BLEU, MARQUE, MEURTRISSURE.

PIPE 2098
CALUMET, NARGUILÉ, *et en lang. fam. :* BOUFFARDE, BRÛLE-GUEULE.

PIQUANT 2099
1. *nom.*
- Les piquants d'une ronce : ÉPINE.
- Le piquant d'une aventure : PIMENT, SEL.

2. *adj.*
- Le bout piquant d'un aiguillon : ACÉRÉ, AIGU, POINTU.
- Un froid piquant : MORDANT, PÉNÉTRANT, VIF.
- De la moutarde piquante : ÂCRE, FORT, IRRITANT.
- Une eau piquante : GAZEUX.
- Des paroles piquantes : ACERBE, ACIDE, AIGRE, BLESSANT, CAUSTIQUE, INCISIF, MORDANT, SATIRIQUE.

- La beauté piquante d'une starlette : EXCITANT, PROVOCANT.
- Un conte piquant peut être, suivant le contexte, *soit :* AMUSANT, PLAISANT, *soit :* CROUSTILLANT, LESTE, SALÉ.

PIQUE
1. Autrefois, les fantassins étaient armés de piques : DARD, HALLEBARDE, LANCE.
2. Dans la conversation, elle ne peut s'empêcher d'envoyer des piques à ses amies : MÉCHANCETÉ, ROSSERIE.

PIQUER
1. L'aiguille lui a piqué profondément le doigt : PERCER.
- Piquer une punaise sur une planche de bois : ENFONCER, PLANTER.
- Les vers ont piqué ce vieux meuble : TROUER.
- Se faire piquer contre la fièvre jaune : VACCINER.
- Une vipère l'a piqué au pied : MORDRE.
- Elle ne sait pas piquer à la machine : COUDRE.
2. Le laboureur piquait ses bœufs pour les faire avancer : AIGUILLONNER.
- Cette histoire a piqué ma curiosité : ÉVEILLER, EXCITER.
3. J'ai traversé des orties, jambes nues, cela me pique : DÉMANGER, GRATTER.
- La fumée de tabac me pique les yeux : PICOTER.
4. Votre critique l'a piqué : AGACER, FÂCHER, FROISSER, IRRITER, OFFENSER, VEXER.
5. *Fam. :* On lui a piqué sa montre : DÉROBER, SUBTILISER, VOLER, *et en lang. pop. :* BARBOTER, CHIPER, FAUCHER.

SE PIQUER
- Il se pique d'être toujours exact : SE FLATTER, SE VANTER.
- Elle se pique au jeu : S'OBSTINER, S'OPINIÂTRER.
- Il se pique à la cocaïne : SE DROGUER.
- Ce vin commence à se piquer : S'AIGRIR.

PIQUET
PALIS, PIEU, POTEAU.

PISTOLET 2100
BROWNING, PARABELLUM, REVOLVER, *et en lang. pop. :* FEU, PÉTARD, RIGOLO.

PITIÉ 2101
1. Un homme charitable qui éprouve de la pitié pour les malheureux : COMMISÉRATION, COMPASSION, SYMPATHIE.
- Croire en la pitié de Dieu : CLÉMENCE, MANSUÉTUDE, MISÉRICORDE.
2. Un homme hautain qui regarde les autres avec pitié : DÉDAIN, MÉPRIS.

PITOYABLE
- Être dans une situation pitoyable : DÉPLORABLE, LAMENTABLE, MISÉRABLE, NAVRANT, TRISTE, *et en lang. fam. :* PITEUX.
- Quelle exhibition pitoyable ! : MAUVAIS, MINABLE, *et en lang. fam. :* MOCHE.

PIVOT 2102
- Tourner sur un pivot : AXE.
- C'est lui le pivot de l'entreprise : CHEVILLE OUVRIÈRE.

PIVOTER
PIROUETTER, TOURNER.

PLACARD 2103
- Mettre un placard sur un mur : AFFICHE, ÉCRITEAU, PANCARTE.
- Insérer un placard dans un journal : ANNONCE.
- Ranger dans un placard de cuisine : ARMOIRE, BUFFET.

PLACARDER
AFFICHER, COLLER.

PLACE 2104
1. Donnez-moi une petite place pour m'asseoir : EMPLACEMENT, ENDROIT, ESPACE.
- C'est à cette place qu'il se tenait au moment de l'accident : ENDROIT, LIEU.
- Un avion de 300 places : FAUTEUIL, SIÈGE.
2. La place occupée dans une hiérarchie : POSITION, RANG.
- Il a perdu sa place, maintenant il est en chômage : EMPLOI, POSTE, SITUATION.
3. La grande place devant le château de Versailles : ESPLANADE.
- Une place fortifiée : CITADELLE, FORTERESSE, VILLE.

PLACER
- Des livres sur une étagère : METTRE, POSER, RANGER.
- L'action d'un roman dans un petit bourg : LOCALISER, SITUER.
- Ses invités autour de la table : DISPOSER, INSTALLER, *et en lang. fam. :* CASER.
- Des billets de tombola : VENDRE.
- Son argent à la caisse d'épargne : DÉPOSER.
- Des fonds dans une affaire : INVESTIR.

SE PLACER
- Les gens se sont placés n'importe où : SE METTRE, S'INSTALLER, SE RANGER.
- Mon cheval s'est placé troisième : SE CLASSER.

PLAFOND 2105
Un prix plafond : MAXIMAL, MAXIMUM.

PLAINDRE 2106
COMPATIR, S'APITOYER SUR, S'ATTENDRIR SUR.

SE PLAINDRE
- La malade se plaint sans cesse : GEINDRE, GÉMIR, SE LAMENTER.
- les gens se plaignent de la hausse des prix : MAUGRÉER, PROTESTER, RÉCRIMINER, *et en lang. fam. :* RÂLER, ROUSPÉTER.
- J'irai me plaindre à qui de droit : RÉCLAMER.

PLAINTE
- Les plaintes d'un blessé : GEIGNEMENT, GÉMISSEMENT, LAMENTATION.
- Être excédé par les plaintes continuelles de quelqu'un : DOLÉANCES, *et en lang. fam. :* JÉRÉMIADES.
- Avez-vous une plainte à formuler ? : PROTESTATION, RÉCLAMATION, RÉCRIMINATION.

PLAINTIF

Parler sur un ton plaintif : DOLENT, GÉMISSANT, *et en lang. fam. :* PLEURARD, PLEURNICHARD.

PLAIRE 2107
- L'orateur a beaucoup plu à son auditoire : CAPTIVER, CHARMER, FASCINER, SÉDUIRE.
- Est-ce que votre nouvel emploi vous plaît ? : CONTENTER, SATISFAIRE.
- Ne venez que si cela vous plaît : AGRÉER, CONVENIR.
- Cette lecture m'a beaucoup plu : ENCHANTER, RAVIR, RÉJOUIR.

SE PLAIRE
- Voilà deux fiancés qui ont l'air de se plaire : S'AIMER.
- Il se plaît à taquiner les autres : AIMER.
- Je me plais chez vous : SE TROUVER BIEN.
- Il ne se plaît que dans le rêve : SE COMPLAIRE, SE DÉLECTER.

PLAISANT

1. Un site plaisant : AGRÉABLE, CHARMANT.
- Ce travail n'a rien de plaisant : ATTRAYANT, GAI.
- Une histoire plaisante : AMUSANT, COMIQUE, DIVERTISSANT, DRÔLE.

2. *Ironiquement :* Vous êtes un plaisant personnage : BIZARRE, CURIEUX, SINGULIER.

PLAISANTER

1. *v. intr.*
- Il est toujours prêt à plaisanter : BADINER, GALÉJER, S'AMUSER, *et en lang. fam. :* BLAGUER.
- Il y a des choses dont on ne plaisante pas : RIRE.

2. *v. tr.*

Plaisanter quelqu'un : SE MOQUER DE, TAQUINER, *et en lang. fam. :* CHINER.

PLAISANTERIE
- Être victime d'une mauvaise plaisanterie : CANULAR, FARCE, MYSTIFICATION, TOUR, *et en lang. fam. :* BLAGUE.
- Il est en butte aux plaisanteries répétées de ses camarades : MOQUERIE, QUOLIBET, RAILLERIE, TAQUINERIE.
- As-tu fini de faire des plaisanteries dans mon dos ? : BOUFFONNERIE, CLOWNERIE, PITRERIE.
- Sa conversation fourmille de plaisanteries : BADINAGE, BOUTADE, FACÉTIE, GALÉJADE.
- Cela ne sera pas une plaisanterie que de réussir cet exploit : BAGATELLE.

PLAISANTIN

Il n'est pas sérieux, ce n'est qu'un plaisantin : FARCEUR, *et en lang. fam. :* BLAGUEUR, FUMISTE.

PLAISIR
- Éprouver un grand plaisir : BONHEUR, CONTENTEMENT, DÉLECTATION, JOIE, JOUISSANCE, SATISFACTION.
- Cette lecture a été pour moi un vrai plaisir : RÉGAL.
- Les plaisirs de la vie champêtre : AGRÉMENT, CHARME, DÉLICES.
- Une ville où les plaisirs sont rares le soir : AMUSEMENT, DISTRACTION, DIVERTISSEMENT.
- Mener une vie de plaisirs : LUXURE, VOLUPTÉ.
- Faites-moi le plaisir de revenir souvent : AMITIÉ, FAVEUR, GRÂCE.

PLAN 2108

1. *adj.*

Une surface plane : ÉGAL, PLAT, UNI.

2. *nom.*

a) Un personnage de premier plan : IMPORTANCE, ORDRE.
- Mettre sur le même plan : NIVEAU.
- Sur ce plan, nous sommes d'accord : DOMAINE.

b) Cette nouvelle rue ne figure pas sur le plan de la ville : CARTE.
- Les plans d'un architecte : DESSIN, MAQUETTE, SCHÉMA.
- Ceci n'est que le premier plan de mon futur roman : CANEVAS, ÉBAUCHE, ESQUISSE.
- Quels sont vos plans pour demain ? : DESSEIN, PROGRAMME, PROJET.
- Il a choisi un mauvais plan de défense : STRATÉGIE, TACTIQUE.

PLANER

1. Planer une planche de bois : APLANIR.

2. Planer au-dessus de... : DOMINER, SURVOLER.

PLANCHE 2109
- Un parquet en petites planches : LATTE.
- Un vieux moulin à vent aux planches disjointes : AIS.
- Les planches d'une barrique : DOUVE.
- Les planches d'un placard : RAYON.
- Les planches hors texte dans un livre : ESTAMPE, GRAVURE, ILLUSTRATION.
- *Fam. :* Les planches : SCÈNE, THÉÂTRE.

PLANCHER
- Elle a glissé sur le plancher ciré : PARQUET.
- Le franc est à son cours-plancher : MINIMUM.

PLANTATION 2110
- Le jardinier surveille ses plantations : PLANT, SEMIS.
- Au théâtre, la plantation d'un décor : INSTALLATION, POSE.

PLANTE
- Il a passé sa vie à étudier les plantes : VÉGÉTAL.
- Il est partisan de la médecine par les plantes : SIMPLES.

PLANTER
- Des graines : SEMER.
- Un champ en blé : ENSEMENCER.
- Un espace d'arbres : BOISER, PEUPLER.
- Un pieu : ENFONCER, FICHER, PIQUER.
- Une tente : DRESSER, INSTALLER, MONTER.
- *Fam. :* quelqu'un : ABANDONNER, QUITTER.

SE PLANTER
Devant quelqu'un : SE POSTER.

PLANTUREUX 2111
- Une terre plantureuse : FÉCOND, FERTILE, GÉNÉREUX, RICHE.
- Un repas plantureux : ABONDANT, COPIEUX, PANTAGRUÉLIQUE.
- *Fam. :* une personne plantureuse : DODU, POTELÉ, REPLET.

PLAQUE 2112
- La maison du notaire porte une plaque : PANONCEAU.
- Elle a mangé deux plaques de chocolat : PLAQUETTE, TABLETTE.

PLAT 2113
1. *adj.*
- Une surface plate : LISSE, UNI.
- Une maison à toit plat : HORIZONTAL.
- Avoir le nez plat : APLATI, CAMUS.
- Un vin plat : FADE, INSIPIDE.
- La conversation a été bien plate : BANAL, MONOTONE, MORNE, TERNE.
- Ce n'est qu'un plat personnage : FALOT, INSIGNIFIANT.
- Avoir la bourse plate : VIDE.
- Devant un supérieur, il est très plat : OBSÉQUIEUX, RAMPANT, SERVILE.
- Une batterie « à plat » : DÉCHARGÉ.
- Un pneu « à plat » : DÉGONFLÉ.
- *Fam. :* Je me sens « à plat » : FATIGUÉ, LAS.

2. *nom.*
- Servez-vous, tous les plats sont sur la table : METS.
- Apporter quelque chose sur un plat : PLATEAU.
- Il a mangé tout un plat de frites : ASSIETTÉE, PLATÉE.

PLATEAU
- La S.N.C.F. transporte ces marchandises sur plateaux : PLATE-FORME.
- Le plateau d'un théâtre : SCÈNE.

PLATE-FORME
- De cette plate-forme on peut admirer le paysage environnant : BELVÉDÈRE, TERRASSE.
- La plate-forme littorale : PLATEAU.
- La plate-forme d'un parti politique : PROGRAMME.

PLATITUDE
- La platitude d'un vin : FADEUR.
- Il ne dit que des platitudes : BANALITÉ, FADAISE.
- Un discours d'une grande platitude : INSIGNIFIANCE, PAUVRETÉ.
- Jamais elle ne s'abaissera à une telle platitude : BASSESSE, OBSÉQUIOSITÉ, SERVILITÉ, *et en lang. fam. :* COURBETTES.

PLATONIQUE 2114
- Elle n'a pour lui qu'un amour platonique : CHASTE, ÉTHÉRÉ, PUR.
- Ce n'est qu'un vœu platonique : FORMEL, THÉORIQUE.

PLAUSIBLE 2115
C'est une hypothèse plausible : ACCEPTABLE, ADMISSIBLE, POSSIBLE, VRAISEMBLABLE.

PLEIN 2116
1. *adj.*
- La cuve est pleine de mazout : REMPLI.
- Je n'ai pu prendre l'autobus, car il était plein : BONDÉ, COMBLE, COMPLET, *et en lang. fam. :* BOURRÉ.
- Un enfant aux joues pleines : REBONDI, REPLET, ROND.
- Le terrain était plein d'eau : GORGÉ.
- Un champ plein de mauvaises herbes : COUVERT, REMPLI.
- Un débarras plein d'objets hétéroclites : ENCOMBRÉ, REMPLI.
- Les rues étaient pleines de monde : GROUILLANT, NOIR.

- Avoir la conscience pleine de remords : CHARGÉ, LOURD.
- Un regard plein de douceur : EMPREINT.
- Être plein d'enthousiasme : DÉBORDANT.
- C'est une maison pleine de souvenirs pour moi : PEUPLÉ.
- Un individu plein de lui-même : IMBU, INFATUÉ, PÉNÉTRÉ.
- Être plein d'orgueil : BOUFFI, PÉTRI.
- J'ai une pleine confiance en vous : ABSOLU, COMPLET, ENTIER, TOTAL.
- La plage est recouverte : c'est la pleine mer : HAUT.
- Notre chatte est pleine : GROSSE.
- *Fam. :* À la suite de cette beuverie, ils étaient tous pleins : IVRE, ROND, SOÛL.

2. *adv.*
Fam. : Avoir plein d'argent : BEAUCOUP.

3. *nom.*
- Nous sommes au plein de l'hiver : CŒUR.
- La marée n'a pas encore donné son plein : MAXIMUM.

PLÉNITUDE
Il a recouvré la plénitude de ses moyens : INTÉGRITÉ, TOTALITÉ.

PLÉONASME 2117
REDONDANCE, TAUTOLOGIE.

PLEURER 2118
1. *v. intr.*
- Je pleure toujours en pelant des oignons : LARMOYER.
- Cet enfant ne cesse de pleurer pendant la nuit : GEINDRE, GÉMIR, SE PLAINDRE, *et en lang. pop. :* PLEURNICHER.
- Il pleure, parce que son frère l'a battu : CRIER, *en lang. fam. :* BRAILLER, *et en lang. pop. :* CHIALER.
- Elle s'est enfermée dans sa chambre, mais on l'entend pleurer : SANGLOTER.
- Je ne pleure pas sur mon sort : SE LAMENTER.
- Quand son père lui refuse quelque chose, il va pleurer auprès de sa mère : IMPLORER, SUPPLIER.
- *Fam. :* Un enfant qui pleure après sa mère : RÉCLAMER.

2. *v. tr.*
- Pleurer des larmes de joie : RÉPANDRE, VERSER.
- Pleurer la mort d'un ami : DÉPLORER, S'AFFLIGER DE.
- Un vieillard qui pleure sa jeunesse : REGRETTER.

PLEUVOIR 2119
1. *v. imp.*
- Il pleut très fort : *en lang. fam. :* FLOTTER.
- Il pleut légèrement : BRUINER, CRACHINER, PLEUVASSER, PLEUVINER, PLEUVOTER.

2. *v. pers.*
- Les grêlons pleuvaient dru : TOMBER.
- Les cadeaux pleuvent : AFFLUER.

PLUIE
- La pluie tombe depuis ce matin : *en lang. fam. :* FLOTTE.
- Une pluie fine et persistante : BRUINE, CRACHIN.
- Des pluies passagères : AVERSE, GIBOULÉE, GRAIN, ONDÉE.
- Une pluie de réclamations s'est abattue sur son bureau : ABONDANCE, AVALANCHE, DÉLUGE, FLOT, MARÉE.

PLI 2120
1. Les plis d'une draperie : FRONCE, ONDULATION.
- Les plis du visage : RIDE.
- Ce garçon a pris de mauvais plis : HABITUDE.

2. Je t'envoie tous ces documents sous le même pli : ENVELOPPE.
- J'ai reçu ton pli : LETTRE.

3. Perdre un pli au jeu de cartes : LEVÉE.

4. Les plis de terrain dans le relief jurassien : PLISSEMENT.

PLIER
1. *v. tr.*
- Plier une branche de cerisier pour attraper les fruits : COURBER, INCLINER, PENCHER, PLOYER.
- Sous le poids, il a plié les genoux : FLÉCHIR.
- Plier l'angle d'une carte de visite : CORNER.
- Plier sa serviette après le repas : REPLIER.
- Plier ses affaires : RANGER.
- Plier quelqu'un à sa volonté : ASSUJETTIR, SOUMETTRE.

2. *v. intr.*
- Les dockers plient sous la charge : PLOYER, SE COURBER.
- La cime des arbres plie sous le vent : FLÉCHIR, S'INCLINER.
- Devant notre attaque, l'ennemi a plié : RECULER, SE REPLIER.
- Je ne plierai pas devant tes menaces : CÉDER, SE SOUMETTRE.

PLISSER
- À ces mots, il plissa les sourcils : FRONCER.
- Pendant le voyage, elle a plissé sa robe : FRIPER, FROISSER.
- Un léger vent plisse l'eau du lac : RIDER.

PLONGÉE 2121
La plongée du bathyscaphe se fait en trois heures : DESCENTE.

PLONGEON
CHUTE, SAUT.

PLONGER
- Plonger un corps dans l'eau : ENFONCER, IMMERGER, TREMPER.
- Plonger les mains dans les poches de son manteau : ENFONCER, ENFOUIR, INTRODUIRE, METTRE, *et en lang. fam.* : FOURRER.
- Vos paroles me plongent dans l'embarras : JETER.
- L'épervier plonge sur sa proie : PIQUER, S'ABATTRE, SE JETER.
- Peu à peu, sa silhouette plongea dans la nuit : DISPARAÎTRE, S'ENFONCER.

SE PLONGER
Il se plongea dans la lecture du journal : S'ABSORBER.

PLUME 2122
1. *n. f.*
a) Un oiseau aux plumes grises : PLUMAGE.
- *Fam. :* Jean perd ses plumes : CHEVEUX.

b) Avoir une belle plume : ÉCRITURE.
- Un roman qui se lit facilement, parce que la plume y est alerte : STYLE.
- Prendre sa plume pour écrire : STYLO.

2. *n. m.*
Pop. : Aller au plume : LIT, PLUMARD.

PLUMER
Fam. : Se faire plumer : DÉPOUILLER, VOLER.

PLUMET
AIGRETTE, CASOAR, PANACHE.

PLUMITIF
Fam. et péj. : ÉCRIVAILLON, GRATTE-PAPIER.

PLUS 2123
1. *adv.*
Je ne peux pas vous donner plus : DAVANTAGE.
2. *nom.*
C'est le plus que je puisse faire pour vous : MAXIMUM.
3. *conj.*
Deux plus un égalent trois : ET.

POÈME 2124
Suivant le genre et la forme, un poème est : BALLADE, ÉPIGRAMME, LAI, MADRIGAL, ODE, RONDEAU, SONNET, etc.

POÉSIE
- Apprendre une poésie : POÈME.
- La poésie d'une belle soirée d'automne : BEAUTÉ, ROMANTISME.

POÈTE
- Les poètes de l'antiquité grecque : AÈDE *(litt.)*, RHAPSODE *(litt.)*.
- Les poètes du Moyen-Âge : TROUBADOUR, TROUVÈRE.
- Les poètes de l'ancienne Bretagne : BARDE.
- Ronsard est le poète de l'amour : CHANTRE.
- Il n'est pas réaliste, c'est un poète : IDÉALISTE, RÊVEUR, UTOPISTE.

POÉTIQUE
Un style poétique : LYRIQUE.

POÉTISER
On poétise souvent ses souvenirs d'enfance : EMBELLIR, IDÉALISER.

POIDS 2125
- Pourra-t-il soulever ce poids ? : CHARGE, FARDEAU.
- Un argument d'un grand poids : FORCE, IMPORTANCE, PORTÉE, VALEUR.
- Le poids d'une fonction, du pouvoir : RESPONSABILITÉ.

POIGNARD 2126
DAGUE, KRISS, NAVAJA, STYLET.

POIGNÉE
- La poignée d'un sac : ANSE.
- La poignée d'une fenêtre : ESPAGNOLETTE.

POIL 2127
- Le poil d'un animal : FOURRURE, PELAGE, TOISON.
- Jean commence à avoir du poil sur les joues : BARBE, DUVET.
- Avec l'âge, le poil grisonne : CHEVELURE, CHEVEUX.
- Les poils d'un fond d'artichaut : FOIN.

POILU
BARBU, VELU.

POINT 2128
1. Où se trouve le point de ralliement ? : ENDROIT, LIEU.
2. Sur ce point, nous sommes d'accord : MATIÈRE, QUESTION, SUJET.
- Un discours en trois points : PARTIE.
- Les différents points d'un arrêté ministériel : ARTICLE.

3. Il est impertinent au dernier point : DEGRÉ.
- La discussion n'a pas avancé, nous en sommes au même point : STADE.
- Elle est au point de tout abandonner : ÉTAT, SITUATION.

4. Sentir un point dans le dos : DOULEUR.
5. Il a un point rouge à l'œil : TACHE.

POINTE
1. Le phare est à la pointe de l'île : BOUT, EXTRÉMITÉ.
- La Cornouaille se termine par une pointe : CAP.
- La pointe d'un arbre : CIME, FAÎTE.
- La pointe d'un clocher : FLÈCHE.

- Monter jusqu'à la pointe d'une montagne : PIC, SOMMET.
- À la pointe du jour : POINT.

2. Une technique de pointe : AVANT-GARDE.
3. Enfoncer une pointe dans un mur : CLOU.
4. Elle lance souvent des pointes à ses collègues : BROCARD, MOQUERIE, PIQUE, RAILLERIE, SARCASME.
5. Il y avait une pointe d'ironie dans ses propos : GRAIN, ONCE, SOUPÇON, TRACE.

POINTER
1. *v. tr.*
a) Pointer les noms des absents : COCHER.
- Pointer les entrées et les sorties : CONTRÔLER.

b) Il pointa son revolver sur moi : BRAQUER, DIRIGER.
2. *v. intr.*
- Les premiers bourgeons commencent à pointer : PARAÎTRE, POUSSER.
- La haute cheminée de l'usine pointe vers le ciel : SE DRESSER, S'ÉLANCER.

POISON 2129
- Ce produit est un poison : TOXIQUE.
- Ce livre contient un poison pour l'esprit : VENIN.
- *Fam. :* Ce garçon, quel poison ! : PESTE, *et en lang. fam. :* ENQUIQUINEUR.

POLI 2130
1. *adj.*
a) Un garçon poli : BIEN ÉLEVÉ.
- Parler sur un ton poli : AFFABLE, AIMABLE, CIVIL, COURTOIS, DÉFÉRENT, RESPECTUEUX.
- Avoir des manières polies : DÉLICAT, RAFFINÉ.

b) Une surface polie : LISSE.
2. *nom.*
Donner du poli à un meuble : ÉCLAT, LUSTRE.

POLITESSE
AFFABILITÉ, AMABILITÉ, BIENSÉANCE, CIVILITÉ, CORRECTION, COURTOISIE, DÉFÉRENCE, ÉDUCATION, SAVOIR-VIVRE, URBANITÉ.

POLITIQUE 2131
1. *adj.*
Il s'est montré très politique dans la discussion : DIPLOMATE, HABILE.
2. *n. masc.*
C'est un fin politique : POLITICIEN.
3. *n. fém.*
- Elle a agi avec grande politique : DIPLOMATIE.
- Tu n'as pas employé la bonne politique pour le convaincre : STRATÉGIE, TACTIQUE.

POLLUER 2132
INFECTER, SALIR, SOUILLER.

POLLUTION
NUISANCE, SOUILLURE.

PONDÉRATION 2133
Faire preuve de pondération : CALME, MESURE, MODÉRATION, PRUDENCE.

PONDÉRÉ
Un caractère pondéré : CALME, ÉQUILIBRÉ.

PONDÉRER
ÉQUILIBRER, MODÉRER, TEMPÉRER.

PONT 2134
Établir un pont entre le passé et le présent : JONCTION, LIAISON, PASSERELLE.

PORC 2135
- Il s'est conduit comme un porc : POURCEAU *(litt.), et en lang. fam. :* COCHON.
- Un jeune porc : COCHONNET, GORET, PORCELET.

PORT 2136
1. Le bateau n'a pu trouver un port pour s'abriter : HAVRE, RADE.
2. Cette femme a un port de reine : ALLURE, DÉMARCHE, MAINTIEN.
3. Frais de port en sus : TRANSPORT.

PORTÉE
- Un tir à longue portée : DISTANCE.
- Une histoire à la portée des enfants : NIVEAU.
- Être hors de portée : ATTEINTE.
- Un argument d'une grande portée : FORCE, IMPORTANCE, VALEUR.
- Il n'a pas mesuré la portée de son acte : CONSÉQUENCE, EFFET.

PORTER
1. *v. tr.*
- Ils portèrent le blessé sur le bord de la route : TRANSPORTER.
- D'habitude il porte une cravate : AVOIR, METTRE.
- Aujourd'hui il porte toutes ses décorations : ARBORER.
- Ces quatre piliers portent tout l'édifice : SOUTENIR, SUPPORTER.
- Le courant a porté le bateau vers les récifs : CONDUIRE, DIRIGER, ENTRAÎNER, POUSSER.
- Cela le portera à réfléchir : AMENER, INCITER, POUSSER.
- Cette décision lui portera un tort considérable : CRÉER, OCCASIONNER.
- Son visage porte un air de tristesse : EXPRIMER, MANIFESTER, MONTRER, PRÉSENTER.
- Porter de l'aide à quelqu'un : APPORTER.
- Porter un coup à quelqu'un : DONNER.

- Porter une note en marge d'un manuscrit : INSCRIRE.
- Un capital qui porte un gros intérêt : PRODUIRE, RAPPORTER.
- Cet article de la loi porte que... : DÉCLARER, STIPULER.

2. *v. tr. ind. et intr.*
- Sa tête a porté contre le mur : COGNER, FRAPPER, HEURTER.
- Tout le débat a porté sur ce sujet : ROULER SUR, TRAITER DE.
- L'édifice porte sur quatre pilotis : REPOSER.
- L'alcool lui porte à la tête : MONTER.

SE PORTER
- Comment vous portez-vous ? : ALLER.
- Prise de panique, la foule s'est portée vers les sorties : SE DIRIGER, S'ÉLANCER, SE PRÉCIPITER.
- Se porter comme candidat : SE PRÉSENTER.
- Cela ne se porte plus : SE METTRE.

PORTEUR
- Êtes-vous le porteur d'une bonne nouvelle ? : MESSAGER.
- Les porteurs attendaient sur le quai l'arrivée du bateau : COOLIE, DÉBARDEUR, DOCKER, PORTEFAIX.
- Il était porteur d'un faux permis : DÉTENTEUR.

PORTE 2137
- Fermez toutes les portes ! : ENTRÉE, ISSUE, SORTIE.
- La porte d'une cathédrale : PORTAIL.
- La porte d'une voiture : PORTIÈRE.

PORTIER

CONCIERGE, GARDIEN, HUISSIER, *et en lang. fam. :* CERBÈRE.

PORTIQUE

COLONNADE, NARTHEX, PÉRISTYLE, PORCHE.

PORTRAIT 2138
- Le portrait de Marianne symbolise la République : EFFIGIE.
- Regarder son portrait dans une glace : IMAGE.
- Il y a un portrait de lui dans le journal : PHOTO.
- Vous avez fait un portrait exact de la situation : DESCRIPTION, PEINTURE.
- *Pop. :* Il s'est fait abîmer le portrait : FIGURE, VISAGE.

POSE 2139
- La pose de rideaux aux fenêtres : INSTALLATION.
- Prendre une pose nonchalante : ATTITUDE, POSITION, POSTURE.
- Elle a eu un maintien naturel, sans la moindre pose : AFFECTATION.

POSÉ
- C'est une personne posée : PONDÉRÉ, RAISONNABLE, RÉFLÉCHI, SAGE, SÉRIEUX.
- Répondre d'un ton posé : CALME, MESURÉ.

POSER

1. *v. tr.*
- Poser un plat sur la table : METTRE, PLACER.
- Poser à terre une valise trop lourde : DÉPOSER.
- Poser une échelle contre un mur : APPLIQUER, APPUYER.
- Poser des rideaux aux fenêtres : INSTALLER.
- Je pose comme principe que... : ÉTABLIR, SUPPOSER.
- Puis-je poser une question ? : ÉNONCER, FORMULER.
- Cela pose un problème délicat : SOULEVER.
- Poser sa candidature : PRÉSENTER.

2. *v. intr.*
- Cela ne pose sur rien de sûr : REPOSER.
- Poser pour la galerie : PLASTRONNER, SE PAVANER.

SE POSER
- L'oiseau se pose sur une branche : SE PERCHER.
- L'avion vient de se poser : ATTERRIR.
- Se poser en défenseur de la loi : S'ÉRIGER.

POSEUR

PRÉTENTIEUX, *et en lang. fam. :* M'AS-TU-VU.

POSITION
- Si tu veux mieux voir, change de position : EMPLACEMENT, PLACE.
- Être en position critique : SITUATION.
- La position sociale : CONDITION, RANG.
- Elle est arrivée en troisième position : PLACE, RANG.
- Il a une position lucrative : EMPLOI, POSTE, PROFESSION.
- Choisir la meilleure position pour implanter sa maison : EXPOSITION, ORIENTATION.
- Quelle est ta position sur ce problème ? : AVIS, OPINION, POINT DE VUE.

POSITIF 2140
- Une réponse positive : AFFIRMATIF.
- Un fait positif : AUTHENTIQUE, CERTAIN, ÉVIDENT, SÛR.
- Un esprit positif : CONCRET, PRAGMATIQUE, RÉALISTE.
- Un avantage positif : EFFECTIF, MATÉRIEL, RÉEL.
- Un échange de vues positif : CONSTRUCTIF.

POSSÉDER 2141

- Elle possède une voiture : AVOIR, DISPOSER DE.
- Le gardien possède les clefs : DÉTENIR.
- Elle possède une bonne mémoire : BÉNÉFICIER DE, JOUIR DE.
- Le sous-sol de ce pays possède beaucoup de pétrole : CONTENIR, RENFERMER.
- Il possède bien sa leçon : CONNAÎTRE, SAVOIR.

POSSESSEUR

DÉTENTEUR, PROPRIÉTAIRE.

POSSESSION

- La possession d'une voiture facilite les déplacements : DISPOSITION, JOUISSANCE, PROPRIÉTÉ, USAGE.
- La possession d'une arme prohibée : DÉTENTION.
- La possession d'une langue étrangère : CONNAISSANCE.
- Avoir la possession de soi : CONTRÔLE, DOMINATION, MAÎTRISE, EMPIRE.

POSSIBILITÉ 2142

- C'est une possibilité à envisager : ÉVENTUALITÉ.
- Avoir la possibilité de... : DROIT, FACULTÉ, LIBERTÉ, POUVOIR.
- Je lui en parlerai, si j'en ai la possibilité : OCCASION.
- Cet élève n'utilise pas toutes ses possibilités : APTITUDES, CAPACITÉS.
- Cet achat dépasse mes possibilités : MOYENS, RESSOURCES.

POSSIBLE

- Ce travail n'est pas possible : EXÉCUTABLE, FAISABLE, RÉALISABLE.
- Sur le verglas, un accident est possible : ENVISAGEABLE, ÉVENTUEL, IMAGINABLE.
- C'est une hypothèse possible : ADMISSIBLE.
- Il n'est pas possible de sortir des devises : LICITE, PERMIS.
- *Fam. :* Cet enfant n'est plus possible : SUPPORTABLE.
- *Fam. :* Ce n'est pas un mari possible pour toi : ACCEPTABLE, CONVENABLE.

POSTÉRITÉ 2143

DESCENDANCE, DESCENDANTS, ENFANTS, *et en lang. fam. :* PROGÉNITURE.

POSTULANT 2144

CANDIDAT, PRÉTENDANT.

POSTULER

- Postuler un emploi : DEMANDER, SOLLICITER.
- Votre théorie postule une vie dans l'autre monde : SUPPOSER.

POTEAU 2145

- Enfoncer un poteau : PIEU, PIQUET.
- Le poteau de torture : PILORI.
- Un poteau électrique : PYLÔNE.

POTENCE 2146

Un traître pendu à une potence : GIBET.

POTENTAT 2147

- Se conduire en potentat : DESPOTE, DICTATEUR, TYRAN.
- Les potentats de la finance : MAGNAT, ROI.

POTENTIEL 2148

1. *adj.*
- Une qualité potentielle : VIRTUEL.

2. *nom.*
- Une chute de potentiel : TENSION.
- Le potentiel économique d'un pays : PUISSANCE.

POUR 2149

- Est-ce le train pour Brest ? : À DESTINATION DE, VERS.
- Ce film n'est pas pour les enfants : DESTINÉ À.
- Pour ce motif, je ne partirai pas en vacances : À CAUSE DE, EN RAISON DE.
- L'amour qu'elle a pour lui : À L'ÉGARD DE, ENVERS.
- Quêter pour les handicapés : EN FAVEUR DE, AU PROFIT DE.
- Ceci est pour ta fête : EN L'HONNEUR DE.
- Pour ton intérêt : DANS.
- Ce remède est bon pour la fièvre : CONTRE.
- Ce fait passe pour certain : COMME.
- Je signerai pour toi : À LA PLACE DE, AU NOM DE.
- Je l'ai acquis pour cent francs : EN ÉCHANGE DE, MOYENNANT.
- Il est grand pour son âge : EU ÉGARD À, PAR RAPPORT À.
- Pour toute récompense, il a eu des reproches : EN GUISE DE.
- Elle sera absente pour trois jours : PENDANT.
- Il travaille pour nourrir sa famille : AFIN DE, EN VUE DE.
- Pour moi, je pense le contraire : QUANT À.

POURBOIRE 2150

GRATIFICATION, *et en lang. fam. :* BAKCHICH.

POURRIR 2151

1. *v. intr.*
- Les pommes tombées pourrissent : S'ALTÉRER, S'AVARIER, SE GÂTER.
- Laisser pourrir une situation : SE DÉGRADER, SE DÉTÉRIORER.

• *Fam. :* Pourrir dans une prison : CROUPIR, MOISIR.

2. *v. tr.*

• Les pluies continuelles ont pourri la moisson : AVARIER, GÂTER.
• La gangrène pourrit les chairs : DÉCOMPOSER, PUTRÉFIER.
• *Au fig. :* Une éducation trop faible pourrit les enfants : CORROMPRE.

POURRISSEMENT

• Le pourrissement de la viande sous l'effet de la chaleur : DÉCOMPOSITION, PUTRÉFACTION.
• Le pourrissement de la situation politique : DÉGRADATION, DÉTÉRIORATION.
• Le pourrissement des mœurs : AVILISSEMENT, CORRUPTION, DÉPRAVATION, PERVERTISSEMENT.

POURRITURE

Une odeur de pourriture : POURRI, PUTRÉFACTION.

POURSUIVRE 2152

• Les chiens poursuivent le gibier : COURIR APRÈS, POURCHASSER.
• Les photographes poursuivaient la vedette : HARCELER, IMPORTUNER.
• Il poursuit les honneurs : RECHERCHER, VISER.
• Ce cauchemar me poursuit : HANTER, OBSÉDER, TOURMENTER.
• Après cette interruption, j'ai poursuivi ma lecture : CONTINUER.
• Poursuivre en justice : ESTER *(dr.).*

POURVOIR 2153

1. *v. tr.*

• Pourvoir quelqu'un du nécessaire pour voyager : DOTER, FOURNIR, MUNIR, NANTIR, PROCURER.
• Pourvoir une voiture de phares antibrouillard : ÉQUIPER, GARNIR.
• Pourvoir une troupe en vivres et munitions : APPROVISIONNER, RAVITAILLER.

2. *v. tr. ind.*

Son salaire ne lui permet pas de pourvoir à tous ses besoins : SUBVENIR.

POUSSE 2154

• Les pousses du printemps : BOURGEON.
• Les pousses qui sortent du pied d'un arbre : JET, REJET, REJETON, SCION, SURGEON, TIGE.
• La pousse de l'herbe est rapide en cette saison : CROISSANCE, POUSSÉE.

POUSSÉE

• Sous la poussée de la foule, la barrière céda : PRESSION.
• Le malade a eu une poussée de fièvre : ACCÈS, CRISE.
• La poussée des voix de ce parti aux dernières élections : AUGMENTATION.

POUSSER

1. *v. tr.*

• Il m'a poussé, et je suis tombé : BOUSCULER.
• Le vent pousse les feuilles : CHASSER, ENTRAÎNER.
• Pousser de la main quelque chose qui gêne : ÉCARTER, REPOUSSER.
• Pousser une porte : *suivant le cas :* OUVRIR *ou* FERMER.
• Le laboureur poussait ses bœufs : AIGUILLONNER, EXCITER, STIMULER.
• Pousser quelqu'un à agir : ENCOURAGER, ENGAGER, EXHORTER, INCITER.
• Pousser ses recherches jusqu'au bout : POURSUIVRE.
• Pousser un cri : ÉMETTRE, JETER, LANCER, PROFÉRER.
• Pousser un soupir : EXHALER.
• Pousser le feu : ACTIVER, AVIVER.

2. *v. intr.*

• Les blés commencent à pousser : CROÎTRE, LEVER, SORTIR.
• Rien ne pousse dans cette terre : VENIR.
• Cet enfant a bien poussé depuis l'année dernière : GRANDIR, SE DÉVELOPPER, SE FORTIFIER.
• Nous allons pousser jusqu'au village suivant : AVANCER.

SE POUSSER

Pousse-toi un peu, tu me gênes pour passer : SE DÉPLACER, S'ÉCARTER, SE RECULER.

POUSSIÈRE 2155

• Cette terre se réduit en poussière très fine : POUDRE.
• Les fines poussières qui volent dans un rai de lumière : PARTICULE.
• Une poussière d'étoiles : INFINITÉ, MYRIADE.
• La poussière de charbon : POUSSIER.

POUSSIÉREUX

• Une terre poussiéreuse : POUDREUX.
• Un teint poussiéreux : TERNE, TERREUX.
• Des idées poussiéreuses : CADUC, DÉPASSÉ, PÉRIMÉ.

POUTRE 2156

Une poutre en chêne : MADRIER.

POUVOIR 2157

1. *verbe.*

• Pouvoir faire quelque chose : AVOIR LE DROIT DE, AVOIR LA FACULTÉ DE, AVOIR LA PERMISSION DE, AVOIR LA POSSIBILITÉ DE, ÊTRE À MÊME DE, ÊTRE CAPABLE DE, ÊTRE EN ÉTAT DE, ÊTRE EN MESURE DE.

- Cela peut lui causer des ennuis : RISQUER DE.

2. *nom.*
- Avoir le pouvoir de... : CAPACITÉ, DROIT, FACULTÉ, POSSIBILITÉ.
- Le pouvoir de l'argent : FORCE, PUISSANCE.
- Elle a un grand pouvoir sur lui : ASCENDANT, AUTORITÉ, EMPRISE, INFLUENCE.
- Le pouvoir calorifique du charbon : PROPRIÉTÉ.
- Le pouvoir judiciaire d'un pays : AUTORITÉ.
- Les hommes qui sont au pouvoir : GOUVERNEMENT.
- Je lui ai donné un pouvoir pour me remplacer : PROCURATION.
- Il a dépassé ses pouvoirs : ATTRIBUTIONS.

SE POUVOIR
Il se peut que... : ÊTRE POSSIBLE.

PRATICABLE 2158
Cette route n'est pas praticable : CARROSSABLE, UTILISABLE.

PRATIQUE
1. *nom.*
- La pratique de cette méthode garantit le résultat : APPLICATION.
- Passons à la pratique : EXÉCUTION, RÉALISATION.
- La pratique d'un métier : EXERCICE.
- Elle manque encore de pratique : EXPÉRIENCE, HABITUDE.
- La pratique religieuse diminue : OBSERVANCE.
- C'est une pratique courante dans cette région : COUTUME, USAGE.
- Ce sont des pratiques condamnables : AGISSEMENTS, PROCÉDÉS.

2. *adj.*
- Le train est un moyen pratique pour voyager : AISÉ, COMMODE.
- Quelles sont les conséquences pratiques ? : CONCRET, MATÉRIEL.
- Savoir l'anglais est très pratique : UTILE.
- Avoir le sens pratique : UTILITAIRE.
- Un esprit pratique : POSITIF, RÉALISTE.

PRATIQUER
- Pratiquer un métier : EXERCER.
- Tous les dimanches, il pratique son sport favori : S'ADONNER À, SE LIVRER À.
- Je vais pratiquer cette méthode plutôt qu'une autre : APPLIQUER, UTILISER.
- Il faut pratiquer la tolérance : OBSERVER.
- Elle pratique souvent l'ironie : RECOURIR À, USER DE.
- Pratiquer une diversion pour tromper l'ennemi : EXÉCUTER, OPÉRER.
- Pratiquer un chemin à travers une forêt : FRAYER, OUVRIR, PERCER.

SE PRATIQUER
Cela ne se pratique plus : SE FAIRE.

PRÉCAIRE 2159
- Une situation précaire : INCERTAIN, INSTABLE.
- Un bonheur précaire : ÉPHÉMÈRE, FUGITIF, PASSAGER.
- Une santé précaire : DÉLICAT, FRAGILE.

PRÉCARITÉ
FRAGILITÉ, INCERTITUDE, INSTABILITÉ.

PRÉCAUTION 2160
- Prendre des précautions : GARANTIE, MESURE.
- Agir avec précaution : ATTENTION, CIRCONSPECTION, MÉNAGEMENT, PRUDENCE, SOIN.

PRÊCHE 2161
HOMÉLIE, PRÔNE, SERMON.

PRÊCHER
1. *v. tr.*
- Les Apôtres prêchèrent l'Évangile : ANNONCER, ENSEIGNER.
- Les missionnaires prêchent les infidèles : CATÉCHISER, ÉVANGÉLISER.
- Prêcher la modération à quelqu'un : EXHORTER À, PRÉCONISER, RECOMMANDER.
- *Fam. :* Il n'arrête pas de prêcher les autres : ENDOCTRINER, SERMONNER.

2. *v. intr.*
Fam. : Il prêche à tout propos : MORALISER.

PRÊCHEUR
1. *nom.*
- Notre nouveau curé est un bon prêcheur : PRÉDICATEUR.
- *Fam. :* Quel prêcheur ! : SERMONNEUR.

2. *adj.*
- Un ton prêcheur : MORALISATEUR, SERMONNEUR.

PRÉCIEUX 2162
1. C'est mon ami le plus précieux : CHER.
- Il est précieux de pouvoir compter sur ses amis : APPRÉCIABLE, INESTIMABLE.
- Votre aide m'a été très précieuse : UTILE.

2. Tenir un langage précieux : AFFECTÉ, MANIÉRÉ, RECHERCHÉ, *en lang. fam. :* TARABISCOTÉ.

PRÉCIOSITÉ
La préciosité dans le langage : AFFECTATION, MANIÉRISME, RECHERCHE.

PRÉCIPITATION 2163
1. Agir avec précipitation : BRUSQUERIE, EMPRESSEMENT, HÂTE, PROMPTITUDE, SOUDAINETÉ.
- Commettre une erreur par précipitation : IRRÉFLEXION.

2. Les précipitations atmosphériques : GRÊLE, NEIGE, PLUIE.

PRÉCIPITER

1. Il a précipité sa voiture du haut de la falaise : JETER, LANCER.
- Cette nouvelle l'a précipité dans le désespoir : PLONGER.

2. Il est inutile de précipiter l'allure, car nous avons le temps : ACCÉLÉRER, ACTIVER, FORCER, PRESSER.
- Cela n'a fait que précipiter le dénouement : AVANCER, BRUSQUER, HÂTER.

SE PRÉCIPITER
- Il s'est précipité du haut de la tour : SAUTER, SE JETER.
- Se précipiter au devant de quelqu'un : ACCOURIR.
- Le taureau s'est précipité sur lui : FONCER, S'ÉLANCER.
- Les chercheurs d'or se précipitèrent vers la Californie : SE RUER.
- Le torrent se précipite vers la vallée : DÉVALER.
- Désormais, il est inutile de se précipiter : SE DÉPÊCHER, SE HÂTER.

PRÉDICTION 2164

ANNONCE, ORACLE, PRÉVISION, PRONOSTIC, PROPHÉTIE.

PRÉDIRE

ANNONCER, AUGURER, CONJECTURER, PRÉVOIR, PRONOSTIQUER, PROPHÉTISER.

PRÉFACE 2165

AVANT-PROPOS, AVERTISSEMENT, INTRODUCTION, PRÉAMBULE, PROLÉGOMÈNES, PROLOGUE.

PRÉFÉRENCE 2166

Avoir une préférence pour... : FAIBLESSE, PRÉDILECTION.

PRÉFÉRER

AIMER MIEUX, CHOISIR, OPTER POUR, PENCHER POUR.

PRÉLEVER 2167

DÉTACHER, ENLEVER, EXTRAIRE, RETIRER, RETRANCHER, SOUSTRAIRE.

PRÉLIMINAIRE 2168

1. *adj.*

Une remarque préliminaire : PRÉALABLE.

2. *nom.*

Les préliminaires : DÉBUTS, PRÉAMBULES, PRÉLUDES, PRODROME, PROLOGUE.

PRÉMÉDITER 2169
- Il avait bien prémédité sa réponse : CALCULER, MÛRIR, PRÉPARER.
- Préméditer de faire quelque chose : PROJETER.

PREMIER 2170

1. *adj.*
- Remettre une chose dans son état premier : INITIAL, ORIGINEL, PRIMITIF.
- La première édition d'un livre : ORIGINAL.
- À la première occasion : PROCHAIN.
- Avoir le premier rôle : PRINCIPAL.
- L'objectivité est sa première qualité : ESSENTIEL, MAJEUR, PRIMORDIAL.
- Un produit de première nécessité : CAPITAL, FONDAMENTAL, VITAL.

2. *nom.*
- Être le premier en tout : MEILLEUR.
- Le premier d'un concours d'entrée : MAJOR.

PRENDRE 2171

1. *v. tr.*
- Le naufragé a réussi à prendre la corde qu'on lui tendait : ACCROCHER, AGRIPPER, ATTRAPER, SAISIR.
- Il me l'a pris des mains : ARRACHER, ENLEVER, ÔTER, RAVIR, RETIRER.
- Elle s'est fait prendre son sac : DÉROBER, VOLER, *en lang. fam. :* CHIPER, *et en lang. pop. :* FAUCHER, PIQUER.
- Les gendarmes ont pris le voleur : APPRÉHENDER, ARRÊTER, CAPTURER.
- Prendre un territoire ennemi : CONQUÉRIR, S'EMPARER DE.
- Je l'ai pris à voler des fruits : SURPRENDRE.
- Un pêcheur qui n'a rien pris : ATTRAPER, PÊCHER.
- Prendre de l'eau à la rivière : PUISER.
- Prendre une citation dans un livre : EXTRAIRE, TIRER.
- Prendre de l'argent sur son compte : RETIRER.
- Par précaution, je vais prendre un parapluie : EMPORTER, SE MUNIR DE.
- Prendre un manteau pour sortir : ENDOSSER, METTRE, VÊTIR.
- Viens-tu prendre un verre ? : BOIRE, CONSOMMER.
- Je suis à jeun, je n'ai rien pris ce matin : ABSORBER, AVALER, INGURGITER, MANGER.
- Il a pris les meilleurs morceaux : S'APPROPRIER, S'ATTRIBUER.
- Ce travail m'a pris toute la journée : ABSORBER, ACCAPARER.
- Cela prendra du temps : DEMANDER, EXIGER.
- Combien le taxi t'a-t-il pris pour cette course ? : DEMANDER, RÉCLAMER.
- Cette pension de famille peut prendre encore quelques clients : ACCEPTER, ACCUEILLIR, HÉBERGER, RECEVOIR.
- Ce bateau prend des passagers pour Douvres : EMBARQUER.
- Lorsqu'il sort, il prend toujours son chien : EMMENER.

- Je vais prendre le métro pour y aller : EMPRUNTER.
- Prendre un outil pour faire un travail : EMPLOYER, UTILISER.
- Les invités commencent à prendre leurs places : OCCUPER, S'INSTALLER À.
- Il a pris de mauvaises habitudes : CONTRACTER.
- Il faut prendre la meilleure solution : ADOPTER, CHOISIR, OPTER POUR, SE DÉCIDER POUR.
- Il a pris un sens interdit : EMPRUNTER, S'ENGAGER DANS.
- Prendre un adversaire par derrière : ATTAQUER.
- Je vais prendre ce problème sous un autre angle : ABORDER, ENVISAGER.
- Prendre les événements avec philosophie : CONSIDÉRER, JUGER, REGARDER.
- Vous prenez toutes mes paroles à contresens : COMPRENDRE, INTERPRÉTER.
- À quelle heure viendrez-vous me prendre ? : CHERCHER.
- Prendre un associé : S'ADJOINDRE.
- La nouvelle usine prendra de nombreux ouvriers : EMBAUCHER, ENGAGER, RECRUTER.
- Je ne prendrai pas cette responsabilité : ASSUMER, ENDOSSER, SE CHARGER DE.
- Prendre un billet de loterie : ACHETER.
- Ce terrain prendra de la valeur : ACQUÉRIR.
- Cet enfant a pris du poids : GAGNER.
- Prendre les dimensions d'un objet : MESURER.
- Je vais prendre des renseignements : DEMANDER.
- Je prends des notes pour mon prochain livre : RECUEILLIR.
- *Fam. :* Nous avons pris toute l'averse : RECEVOIR.

2. *v. intr.*

- Cette mode a bien pris parmi la jeunesse : S'IMPLANTER.
- Le riz a pris au fond de la casserole : ADHÉRER, COLLER, S'ATTACHER.
- La mayonnaise refuse de prendre : DURCIR, ÉPAISSIR.
- Le feu a pris tout seul : S'ALLUMER.
- Le bois sec prend bien : S'ENFLAMMER.
- La voiture a pris à droite : TOURNER.
- Cette rue prend devant la mairie pour aller jusqu'à la gare : COMMENCER, PARTIR.
- Ta plaisanterie n'a pas pris ; personne n'a ri : RÉUSSIR.

SE PRENDRE

- Ma robe s'est prise dans le grillage : S'ACCROCHER.
- Le chat s'est pris les pattes dans la pelote : S'EMMÊLER, S'EMPÊTRER.
- Le lac s'est pris pendant la nuit : GELER, SE GLACER.
- Elle a fini par se prendre au jeu : S'INTÉRESSER, SE PASSIONNER.
- Ce mot ne se prend pas dans ce sens : S'EMPLOYER.
- Il se prend pour un être supérieur : SE CONSIDÉRER.
- Pourquoi t'en prends-tu à moi ? : ATTAQUER, INCRIMINER, PROVOQUER.
- Soudain il se prit à rire aux éclats : SE METTRE.
- Je ne sais pas comment m'y prendre : FAIRE, PROCÉDER.

PRENEUR

Cette maison est à vendre, mais elle n'a pas trouvé preneur : ACHETEUR, ACQUÉREUR.

PRÉPARATIF 2172

Les préparatifs d'un mariage : APPRÊTS.

PRÉPARATION

- La préparation d'un repas : APPRÊT, CONFECTION.
- Un projet en cours de préparation : ÉLABORATION, ÉTUDE.
- Ce stage en usine a été pour lui une excellente préparation à son métier : APPRENTISSAGE, FORMATION.
- Un athlète en période de préparation : ENTRAÎNEMENT.
- La préparation de la campagne électorale : ORGANISATION.

PRÉPARER

- Il nous a préparé un bon repas : APPRÊTER, CONFECTIONNER, CUISINER, MIJOTER, MITONNER.
- C'est lui qui a préparé la table pour le repas : ARRANGER, DISPOSER, DRESSER, METTRE.
- Les premières suffragettes ont préparé la voie aux féministes : FRAYER, OUVRIR.
- Il a préparé le terrain : DÉBLAYER, DÉFRICHER.
- Cette usine prépare des médicaments : FABRIQUER.
- Cette école prépare de bons ingénieurs : FORMER.
- L'agence a préparé notre voyage : ORGANISER.
- Elle a préparé sa thèse pendant dix ans : TRAVAILLER À.
- Je prépare ce que je vais leur dire : MÉDITER, RÉFLÉCHIR À, *et en lang. fam. :* CONCOCTER.
- Préparer un plan de défense : COMBINER, CONCEVOIR, ÉCHAFAUDER, ÉLABORER, ÉTUDIER.
- Il avait bien préparé son coup : CALCULER.

- Ils préparent un complot : CONCERTER, MACHINER, OURDIR, TRAMER.
- Préparer une embuscade : DRESSER, MONTER, TENDRE.
- Je t'ai préparé une surprise : RÉSERVER.
- Cela nous prépare de bien mauvais jours : ANNONCER, PRÉSAGER, PROMETTRE.
- Préparer un athlète au saut à la perche : ENTRAÎNER, EXERCER.

SE PRÉPARER
- Se préparer à faire quelque chose : S'APPRÊTER, SE DISPOSER.
- Elle est en train de se préparer pour sortir : S'HABILLER.
- Une catastrophe se prépare : MENACER.
- Un mauvais coup se prépare : SE TRAMER.

PRÉPOSER 2173

Il a été préposé à la garde des enfants : AFFECTER, CHARGER DE.

PRÉSAGE 2174
- C'est un mauvais présage : AUGURE, SIGNE.
- Sa brillante réussite à ce concours est le présage d'une belle carrière : ANNONCE, PRÉLUDE, PROMESSE.
- L'affaire se présente sous d'heureux présages : AUSPICES.

PRÉSAGER
- Cela ne présage rien de bon : ANNONCER, AUGURER, PRÉDIRE, PROMETTRE.
- Je présage que tu seras en retard : CONJECTURER, PRÉSUMER, PRÉVOIR.

PRESBYTÈRE 2175

CURE.

PRÉSENCE 2176
- La présence de pétrole dans le sous-sol : EXISTENCE.
- Sa présence aux cours a été irrégulière : ASSISTANCE, FRÉQUENTATION.
- Cet acteur a beaucoup de présence : PERSONNALITÉ, TEMPÉRAMENT.
- La présence culturelle française dans le monde : INFLUENCE.
- Il ne manque pas de présence d'esprit : VIVACITÉ.

PRÉSENTATION 2177
- La présentation de marchandises en vitrine : EXHIBITION, EXPOSITION.
- La présentation de cette pièce à conviction a influencé le jury : PRODUCTION.

PRÉSENTER
- Présenter un produit à l'étalage : EXPOSER.
- Présenter son passeport aux douaniers : EXHIBER, MONTRER, PRODUIRE.
- Présenter un siège à une vieille dame : AVANCER, DONNER, OFFRIR, TENDRE.
- L'entrepreneur m'a présenté un devis : PROPOSER, SOUMETTRE.
- Cette situation présente des avantages : OFFRIR.
- Il a présenté ses idées avec clarté : ÉNONCER, EXPOSER, EXPRIMER.
- Le bateau présentait son avant à la vague : DIRIGER VERS, TOURNER VERS.
- Je vous présente mes vœux : OFFRIR.
- Elle n'a présenté aucune excuse : ADRESSER, FORMULER.

SE PRÉSENTER
- Il n'a pas osé se présenter devant moi : PARAÎTRE, SE MONTRER.
- Se présenter devant un tribunal : COMPARAÎTRE.
- À la sortie du défilé, une large vallée se présenta devant nous : APPARAÎTRE.
- Une grosse difficulté s'est présentée : SURVENIR.
- Il faut profiter de l'occasion qui se présente : S'OFFRIR.
- Elle s'est présentée comme candidate : SE PORTER.

PRESSANT 2178
- Demander quelque chose de façon pressante : INSISTANT.
- Avoir un besoin pressant d'argent : IMMÉDIAT, URGENT.
- Un travail pressant : PRESSÉ, URGENT.
- Cela est d'une nécessité pressante : IMPÉRIEUX.
- Une recommandation pressante : CHALEUREUX.

PRESSÉ
- Satisfaire un client pressé : IMPATIENT.
- Avancer à pas pressés : ACCÉLÉRÉ, PRÉCIPITÉ, RAPIDE.

PRESSER

1. Tu me presses trop la main : SERRER.
- Presser un citron : COMPRIMER, PRESSURER.
- Presser un bouton : APPUYER SUR.
- De son bras, il la pressait contre lui : ÉTREINDRE, SERRER.
- Presser quelqu'un de faire quelque chose : ENCOURAGER, EXHORTER, INCITER, POUSSER.
- Presser quelqu'un de questions : ACCABLER, HARCELER.
- Allons ! pressons le mouvement : ACCÉLÉRER, ACTIVER.

2. Rien ne presse désormais : ÊTRE URGENT.

SE PRESSER
- Les gens se pressaient dans le wagon du métro : S'ENTASSER, SE TASSER.

- Pendant l'orage, les enfants se pressaient contre leurs parents : SE BLOTTIR, SE SERRER.
- Pressez-vous, si vous voulez arriver à temps : SE DÉPÊCHER, SE HÂTER.

PRESSENTIMENT 2179

INTUITION, PRÉMONITION.

PRESSENTIR

1. Je pressens quelque malheur : PRÉSAGER, PRÉVOIR, S'ATTENDRE À.
- Je pressens un piège dans son attitude : DEVINER, ENTREVOIR, FLAIRER, SE DOUTER DE, SOUPÇONNER, SUBODORER.
2. Je l'ai pressenti sur ses intentions : SONDER.

PRESTATION 2180

1. Les prestations familiales : ALLOCATION.
2. La bonne prestation d'un athlète : EXHIBITION, PERFORMANCE.

PRESTIDIGITATEUR 2181

ESCAMOTEUR, ILLUSIONNISTE.

PRÊT 2182

1. *adj.*
- Il est prêt à tous les sacrifices pour arriver à ses fins : DÉCIDÉ, DÉTERMINÉ, RÉSOLU.
- Je suis prêt à vous venir en aide, quand vous le voudrez : DISPOSÉ.
- Est-elle prête pour entrer en scène ? : PARÉ.
- Ma réponse est prête : PRÉPARÉ.

2. *nom.*
- J'ai besoin d'un prêt pour acheter cette maison : AVANCE, CRÉDIT, EMPRUNT.

PRÊTER

- Veux-tu me prêter un peu d'argent ? : AVANCER.
- Il m'a prêté son appui : DONNER, FOURNIR.
- C'est une qualité qu'on lui prête : ACCORDER, ATTRIBUER, RECONNAÎTRE, SUPPOSER.
- On lui a prêté des propos qu'elle n'avait pas tenus : IMPUTER.
- Sa victoire ne prête à aucune discussion : DONNER LIEU, ÊTRE SUJET À, SOUFFRIR.

SE PRÊTER

- C'est une mascarade à laquelle je ne me prêterai pas : CONSENTIR.
- Ce terrain ne se prête pas à la construction : CONVENIR.

PRÉTENDANT 2183

Les divers prétendants au trône de France : ASPIRANT, CANDIDAT, POSTULANT.

PRÉTENDRE

- Comment peut-on prétendre une telle chose ? : AFFIRMER, ALLÉGUER, AVANCER, INSINUER, SOUTENIR.
- Je prétends qu'on m'obéisse sans sourciller : ENTENDRE, EXIGER, VOULOIR.
- Je ne prétends pas tout savoir : SE FLATTER DE, SE PIQUER DE, SE TARGUER DE, SE VANTER DE.
- Je ne prétends à rien, à aucun égard particulier : RÉCLAMER, REVENDIQUER.
- Il prétend à la première place : AMBITIONNER, ASPIRER À, BRIGUER, VISER.

SE PRÉTENDRE

- Il se prétend le meilleur : AFFIRMER ÊTRE, SE DONNER POUR.
- Elle se prétend incomprise : SE FAIRE PASSER POUR.

PRÉTENDU

- Ces prétendus savants qui ignorent tout de la vie : FAUX, SOI-DISANT.
- À cause d'un prétendu mal de tête, elle n'est pas venue : SUPPOSÉ.

PRÉTENTIEUX

- Quel prétentieux ! : FAT, ORGUEILLEUX, PRÉSOMPTUEUX, VANITEUX, *et en lang. fam. :* CRÂNEUR.
- Quelle petite prétentieuse ! : MIJAURÉE, PIMBÊCHE, *et en lang. fam. :* BÊCHEUSE, SNOBINETTE.
- Des manières prétentieuses : AFFECTÉ, ARROGANT, GOURMÉ, GUINDÉ, MANIÉRÉ, MINAUDIER.
- Un discours au style prétentieux : AMPOULÉ, EMPHATIQUE, PRÉCIEUX, SOPHISTIQUÉ.

PRÉTENTION

- Le patronat a jugé inacceptables les prétentions des syndicats : EXIGENCE, REVENDICATION.
- Il faut savoir borner ses prétentions : ESPÉRANCE, VISÉE.
- Quelle prétention dans son attitude ! : ARROGANCE, FATUITÉ, PRÉSOMPTION, VANITÉ.

PRÉTEXTE 2184

- Je cherche un prétexte pour ne pas aller à cette soirée : ÉCHAPPATOIRE, EXCUSE, RAISON, SUBTERFUGE.
- Quel est le prétexte de votre colère ? : CAUSE, RAISON, SUJET.

PRÉTEXTER

Elle a prétexté un malaise pour ne pas venir : ARGUER DE, INVOQUER, OBJECTER.

PRÊTRE 2185

- *Selon les religions, les ministres du culte sont appelés :*
- *dans la religion catholique :* ABBÉ, CURÉ, ECCLÉSIASTIQUE, VICAIRE.
- *dans la religion protestante :* PASTEUR.
- *dans la religion orthodoxe :* POPE.

- *dans la religion juive :* RABBIN.
- *dans la religion bouddhique :* BONZE, BRAHMANE, LAMA.
- *dans la religion celte :* DRUIDE, OVATE.
- *dans les religions antiques :* AUGURE, FLAMINE, HARUSPICE, PONTIFE.

PRÊTRESSE
- Les prêtresses celtes : DRUIDESSE.
- Les prêtresses de Bacchus : BACCHANTE.
- Les prêtresses de Vesta : VESTALE.

PRÊTRISE
SACERDOCE.

PREUVE 2186
- Elle a fait la preuve de son innocence : DÉMONSTRATION.
- Il m'a donné des preuves de son amitié : GAGE, MARQUE, SIGNE, TÉMOIGNAGE.
- Ceci est la preuve que j'avais raison : CONFIRMATION, VÉRIFICATION.

PROUVER
- Elle a prouvé sa supériorité : DÉMONTRER, ÉTABLIR.
- Cela prouve sa bonne foi : ATTESTER, INDIQUER, MONTRER, TÉMOIGNER.
- Son alibi n'a pas été prouvé : CONFIRMER, JUSTIFIER, VÉRIFIER.

PRÉVALOIR 2187
- Son avis a prévalu sur le mien : L'EMPORTER.
- De toutes les vertus, c'est la justice qui prévaut : DOMINER, PRÉDOMINER, PRIMER.

SE PRÉVALOIR
- Je l'ai entendu se prévaloir de sa naissance dans une famille noble : S'ENORGUEILLIR, SE FLATTER, SE GLORIFIER, SE TARGUER, SE VANTER.
- Elle s'est prévalue de ses titres pour obtenir la présidence de l'assemblée : ALLÉGUER, FAIRE VALOIR.

PRÉVENANCE 2188
- Ce garçon manque de prévenance : COMPLAISANCE, OBLIGEANCE.
- Elle est pleine de prévenances pour les personnes âgées : AMABILITÉ, ATTENTION, DÉLICATESSE, ÉGARDS, GENTILLESSE.

PRÉVENANT
AIMABLE, ATTENTIONNÉ, COMPLAISANT, OBLIGEANT, SERVIABLE.

PRÉVENIR
1. Voulez-vous le prévenir de mon arrivée ? : AVERTIR, AVISER, INFORMER.
- Je l'avais prévenu du danger : ALERTER, METTRE EN GARDE.
2. Vous avez prévenu mes désirs : DEVANCER.
- C'est le meilleur moyen de prévenir la grippe : ÉVITER, SE GARANTIR CONTRE, SE PRÉMUNIR CONTRE.
3. Il avait été prévenu en ma faveur : INFLUENCER.

PRÉVENTION
- Tous les dossiers seront examinés sans aucune prévention : PARTIALITÉ, PRÉJUGÉ.
- Je n'ai pas pu le faire revenir de la prévention qu'il avait à ton égard : ANIMOSITÉ, ANTIPATHIE, MÉFIANCE.

PRÉVENU
Les prévenus ont bénéficié d'un non-lieu : INCULPÉ.

PRÉVISION 2189
- Mes prévisions se sont révélées exactes : PRONOSTIC.
- Les services de la Météorologie ne peuvent donner que des prévisions : PROBABILITÉ.

PRÉVOIR
- Je prévoyais sa chute : PRESSENTIR.
- Les résultats de l'élection étaient faciles à prévoir : CONJECTURER, DEVINER, PRÉDIRE, PRONOSTIQUER.
- J'ai prévu mon voyage dans tous les détails : ORGANISER, PRÉPARER.
- J'ai prévu de m'arrêter tous les cents kilomètres : ENVISAGER.
- J'ai prévu le temps qu'il me faudra : CALCULER.

PRIER 2190
- Elle priait tous les saints de lui venir en aide : INVOQUER.
- La mère a prié le médecin de sauver son enfant : ADJURER, CONJURER, IMPLORER, SUPPLIER.
- Je vous prie de patienter un peu : DEMANDER.
- Je vous prie de vous taire immédiatement : ENJOINDRE, ORDONNER, SOMMER.
- Comme il était tard, elle nous a priés à dîner : CONVIER, INVITER.

PRIÈRE
- Réciter une prière : ORAISON.
- Tous les jours, elle se rend à l'église pour faire ses prières : DÉVOTION.
- Il n'a pas cédé et est resté sourd à mes prières : ADJURATION, DEMANDE, IMPLORATION, INSTANCE, REQUÊTE, SUPPLICATION, SUPPLIQUE.

PRINCIPAL 2191
1. *adj.*
- Le trait principal de son caractère : DOMINANT, PRÉDOMINANT.
- La raison principale de son échec : CAPITAL, DÉCISIF, DÉTERMINANT, ESSENTIEL, FONDAMENTAL, MAJEUR, PRIMORDIAL.

2. *n. masc.*
a) Le principal n'est pas de partir, c'est d'arriver : ESSENTIEL.
b) Le principal d'un collège : DIRECTEUR.

PRINCIPE 2192
- Le principe de toute action : CAUSE, FONDEMENT, ORIGINE, SOURCE.
- Selon les principes de la morale : LOI, MAXIME, NORME, PRÉCEPTE, RÈGLE.
- Cet individu n'a aucun principe : MORALE.
- Il ignore les premiers principes de cette science : BASE, ÉLÉMENTS, NOTION, RUDIMENTS.
- Poser comme principe que Dieu existe : HYPOTHÈSE, POSTULAT.
- En principe : THÉORIQUEMENT.

PRISE 2193
1. Une prise à deux mains : PRÉHENSION.
- Le catcheur fait une prise à son adversaire : CLÉ.

2. La prise d'un fort par l'ennemi : CONQUÊTE, ENLÈVEMENT, OCCUPATION.
- Une belle prise : BUTIN, CAPTURE, PROIE.

3. Une prise de sang : PRÉLÈVEMENT.
- La prise d'un médicament avant le repas : ABSORPTION, INGESTION.

4. Du ciment à prise rapide : DURCISSEMENT, SOLIDIFICATION.

PRISON 2194
- Il a passé plusieurs années en prison : CACHOT, CELLULE, GEÔLE, PÉNITENCIER, *et en lang. fam. :* BLOC, CABANE, TAULE, VIOLON.
- Une peine de prison : DÉTENTION, EMPRISONNEMENT, INCARCÉRATION, RÉCLUSION.

PRISONNIER
CAPTIF, DÉTENU, *et en lang. argot. :* TAULARD.

PRIVATION 2195
- Souffrir de la privation de liberté : ABSENCE, DÉFAUT, FRUSTRATION, MANQUE, PERTE, SUPPRESSION.
- Il s'est mortifié par de longues privations : ABSTINENCE, JEÛNE, SACRIFICES.

PRIVÉ
1. Un vieil appartement privé de commodités : DÉMUNI, DÉNUÉ, DÉPOURVU.
2. Ce sont mes affaires privées : INDIVIDUEL, INTIME, PARTICULIER, PERSONNEL.
- Chasse privée : RÉSERVÉ.

3. L'enseignement privé : LIBRE.

PRIVER
- Priver quelqu'un de ses biens : DÉPOSSÉDER, DÉPOUILLER.
- On l'a privé de cet honneur : FRUSTRER, REFUSER.
- La passion le prive d'objectivité : ENLEVER.

SE PRIVER
- Se priver de nourriture : S'ABSTENIR, SE PASSER.
- Elle ne se prive de rien : SE REFUSER.

PRIVILÈGE 2196
- C'est le privilège de l'ancienneté : AVANTAGE, BÉNÉFICE, PRÉROGATIVE.
- Accorder un privilège : FAVEUR, PASSE-DROIT.

PRIVILÉGIÉ
AVANTAGÉ, FAVORISÉ.

PRIX 2197
1. Quel est le prix de ce meuble ? : COÛT, VALEUR.
- Il attache beaucoup de prix à ses décorations : IMPORTANCE.
- Le prix de l'or a monté : COURS.

2. Recevoir un prix : RÉCOMPENSE.

PROBABILITÉ 2198
- Les probabilités de paix : CHANCES, PERSPECTIVES.
- Ce n'est qu'une simple probabilité : VRAISEMBLANCE.

PROBABLE
- Son succès est probable : ENVISAGEABLE, POSSIBLE.
- C'est une hypothèse probable : PLAUSIBLE, VRAISEMBLABLE.

PROBANT 2199
Une argumentation probante : CONCLUANT, CONVAINCANT, DÉCISIF, IRRÉSISTIBLE.

PROBLÈME 2200
- Le problème que nous traitons : CAS, QUESTION, SUJET.
- Avoir des problèmes : DIFFICULTÉS, ENNUIS.

PROCÉDER 2201
1. Je n'aime pas sa manière de procéder à mon égard : AGIR, SE COMPORTER, SE CONDUIRE.
- La science procède par tâtonnements : AVANCER, MARCHER, PROGRESSER.

2. La réparation étant terminée, il faut procéder au remontage de l'appareil : EFFECTUER, EXÉCUTER, FAIRE, OPÉRER, PRATIQUER, RÉALISER.
3. Des situations désespérées peuvent procéder du chômage : DÉCOULER, DÉRIVER, PROVENIR, S'ENSUIVRE, VENIR.

PROCESSUS 2202
- Étudier le processus d'une maladie : DÉROULEMENT, DÉVELOPPEMENT, ÉVOLUTION, MARCHE, PROGRÈS.

• Les processus physiques ou chimiques de désagrégation des roches : MÉCANISME.

PROCHAIN 2203

1. *adj.*

• Je descends au prochain arrêt : PREMIER, SUIVANT.

• Dans un avenir prochain : IMMINENT, PROCHE, RAPPROCHÉ.

2. *nom.* Respecter son prochain : AUTRUI.

PROCHE

1. *adj.*

• Les terrains proches du bourg : ADJACENT À, ATTENANT À, AVOISINANT, CONTIGU À, ENVIRONNANT, LIMITROPHE, VOISIN.

• Vos goûts sont proches des miens : COMPARABLE, SEMBLABLE, VOISIN.

2. *nom.* Tous leurs proches assistaient à leurs noces d'or : PARENTÉ, PARENTS, VOISINAGE.

PROCLAMATION 2204

• La proclamation des résultats : ANNONCE, DÉCLARATION, PUBLICATION.

• Lire une proclamation en public : APPEL, MANIFESTE, PROFESSION DE FOI.

PROCLAMER

ANNONCER, CLAMER, CRIER, DÉCLARER, DÉNONCER, DIVULGUER, PUBLIER.

PRODIGALITÉ 2205

• Partager ses richesses avec prodigalité : GÉNÉROSITÉ, LARGESSE, LIBÉRALITÉ.

• La prodigalité de motifs décoratifs : FOISONNEMENT, LUXE, PROFUSION, SURABONDANCE.

PRODIGUE

DÉPENSIER, DILAPIDATEUR, DISSIPATEUR, GASPILLEUR, *et avec un sens favorable :* GÉNÉREUX, LIBÉRAL.

PRODIGUER

• Prodiguer ses biens : DÉPENSER, DILAPIDER, DISSIPER, GASPILLER.

• Prodiguer ses conseils : DISPENSER, DISTRIBUER, DONNER, RÉPANDRE.

• À chacun de ses retours, le chien lui prodiguait sa joie : MANIFESTER, MARQUER, TÉMOIGNER.

SE PRODIGUER

• Une infirmière qui se prodigue pour ses malades : SE DÉPENSER, SE DÉVOUER.

• Un snob qui se prodigue dans les salons : S'EXHIBER, SE MONTRER.

PRODUCTION 2206

1. Les productions de la terre : FRUIT, PRODUIT, RÉCOLTE.

• La production d'un nouveau modèle de voiture : CRÉATION, FABRICATION.

• Les productions de l'esprit : ŒUVRE, OUVRAGE.

2. La production d'oxygène lors de l'électrolyse de l'eau : DÉGAGEMENT, ÉMISSION, FORMATION.

3. La production d'une pièce d'identité aux gendarmes : PRÉSENTATION.

• La production d'un témoin à un procès : CITATION.

PRODUCTIVITÉ

• La productivité de la terre : FÉCONDITÉ.

• L'augmentation de la productivité d'une usine : RENDEMENT.

PRODUIRE

1. Des arbres qui produisent de beaux fruits : DONNER, FOURNIR.

• Cette usine produit des tracteurs : FABRIQUER, FAIRE.

• Placer son argent pour qu'il produise des intérêts : RAPPORTER, RENDRE.

• Un auteur qui produit deux romans par an : COMPOSER, ÉCRIRE.

2. La combustion de l'éthanol produit du dioxyde de carbone : DÉGAGER, DONNER, ÉMETTRE, FOURNIR.

• Toute guerre civile produit des troubles sociaux : AMENER, APPORTER, CAUSER, CRÉER, ENGENDRER, ENTRAÎNER, OCCASIONNER, PROVOQUER.

• Ce médicament produit un état euphorique : PROCURER.

3. Il vous faudra produire votre passeport à la douane : EXHIBER, MONTRER, PRÉSENTER.

• Produire un témoin à la barre : CITER.

• Il n'avait aucune preuve à produire : ALLÉGUER, FOURNIR.

SE PRODUIRE

1. Se produire sur scène : *suivant le cas :* CHANTER, JOUER, PARAÎTRE, S'EXHIBER.

2. Il s'est produit un événement inattendu : ADVENIR, ARRIVER, AVOIR LIEU, SE DÉROULER, SE PASSER, SURVENIR.

PRODUIT

• Le produit d'une opération financière : BÉNÉFICE, GAIN, PROFIT, RAPPORT, REVENU.

• Voici le produit de mes efforts : EFFET, FRUIT, RÉSULTAT.

• Tous les produits étalés sur le marché sont à vendre : ARTICLE, DENRÉE, MARCHANDISE.

PROFANATION 2207

SACRILÈGE, VIOLATION.

PROFANE

En informatique, il est tout à fait profane : BÉOTIEN, IGNORANT, INCOMPÉTENT.

PROFANER
- Profaner un lieu saint : SOUILLER, VIOLER.

PROFESSER 2208
- Professer son mépris pour quelque chose : AFFICHER, DÉCLARER, PROCLAMER.
- Professer un art : EXERCER, PRATIQUER.
- Professer la chimie : ENSEIGNER.

PROFIT 2209
AVANTAGE, BÉNÉFICE, GAIN, INTÉRÊT, UTILITÉ.

PROFITABLE
AVANTAGEUX, BON, FRUCTUEUX, LUCRATIF, PRODUCTIF, RÉMUNÉRATEUR, RENTABLE, SALUTAIRE, UTILE.

PROFITER
1. *v. tr. ind.*
- Profiter d'une faveur : BÉNÉFICIER, JOUIR.
- Profiter d'une occasion : SAISIR, TIRER PARTI DE.
- Profiter de la situation : EXPLOITER.
- Son séjour à l'étranger lui a profité : SERVIR.

2. *v. intr.*
Fam. : Un enfant qui profite bien : GRANDIR, GROSSIR, POUSSER.

PROFOND 2210
- Un puits très profond : CREUX.
- Une vallée profonde : ENCAISSÉ.
- La nature profonde d'un être : FONCIER, INTIME.
- Le sens profond d'un mystère : CACHÉ, IMPÉNÉTRABLE, SECRET.
- Se retirer dans l'endroit le plus profond d'une forêt : ISOLÉ, RECULÉ.
- Une nuit profonde : ÉPAIS, OBSCUR, SOMBRE.
- Un profond sommeil : LOURD, PESANT.
- Souffrir d'un mal profond : GRAVE, SÉRIEUX.
- Un profond soupir : GROS, LONG.
- Une douleur profonde : EXTRÊME, GRAND, IMMENSE, INFINI, INTENSE.
- Une profonde solitude : COMPLET, ENTIER, TOTAL.
- Une différence profonde : ÉNORME, IMPORTANT.
- Une profonde amitié : DURABLE, FERME, FIDÈLE, SINCÈRE, SOLIDE.
- Un profond amour : ARDENT, VIF.
- Un esprit profond : CLAIRVOYANT, PÉNÉTRANT, PERSPICACE, SAGACE.
- Son savoir est profond : ÉTENDU, LARGE.
- Ce livre est trop profond pour moi : DIFFICILE, SAVANT.

PROFONDEUR
- S'enfoncer dans les profondeurs d'un tunnel : INTÉRIEUR.
- La profondeur d'un couloir : LONGUEUR.
- La profondeur d'une pensée : FORCE, PÉNÉTRATION.
- Je le sens dans les profondeurs de mon être : TRÉFONDS.
- Il habite dans les profondeurs d'une forêt : AU CŒUR DE.

PROGRÈS 2211
- Les progrès d'une maladie : AGGRAVATION, DÉVELOPPEMENT, ÉVOLUTION, PROGRESSION.
- Les progrès d'un alpiniste vers le sommet : ASCENSION, AVANCEMENT, MARCHE, PROGRESSION.
- Le progrès d'une industrie : ESSOR, EXPANSION, EXTENSION.
- Je note un progrès dans vos résultats : AMÉLIORATION, AUGMENTATION.

PROGRESSER
- La troupe progressait par bonds : AVANCER.
- La maladie progresse : EMPIRER, S'AGGRAVER.
- L'épidémie progresse : SE DÉVELOPPER, SE PROPAGER.
- Les ventes de cette voiture progressent : AUGMENTER, MONTER.
- Cette idée commence à progresser dans les esprits : CHEMINER.

PROGRESSIF
Un développement progressif : GRADUEL.

PROGRESSION
- La progression des ventes : ACCROISSEMENT, AUGMENTATION.
- La progression des travaux de construction : AVANCEMENT.
- La progression du *piano* au *forte* et au *fortissimo* : GRADATION.

PROHIBÉ 2212
DÉFENDU, ILLÉGAL, ILLICITE, INTERDIT.

PROHIBER
CONDAMNER, DÉFENDRE, INTERDIRE.

PROHIBITIF
Des prix prohibitifs : EXCESSIF, EXORBITANT, INABORDABLE.

PROJECTILE 2213
Suivant le cas : BALLE, BOMBE, BOULET, FLÈCHE, FUSÉE, GRENADE, OBUS, PIERRE, ROQUETTE, TORPILLE, *et au plur. :* MUNITIONS.

PROJETER
1. ÉJECTER, ENVOYER, JETER, LANCER, PROPULSER.
2. Projeter de faire quelque chose : ENVISAGER, PENSER À, PRÉMÉDITER, SE PROPOSER DE, SONGER À.

PROLONGATION 2214

La prolongation d'un congé de maternité : ALLONGEMENT.

PROLONGEMENT

- Le prolongement d'une autoroute : ALLONGEMENT, CONTINUATION, EXTENSION.
- Cette affaire aura des prolongements : CONSÉQUENCE, DÉVELOPPEMENT, RÉPERCUSSION, SUITE.

PROLONGER

- Prolonger une avenue : ALLONGER, CONTINUER.
- Prolonger un délai : PROROGER.
- Prolonger une discussion : CONTINUER, POURSUIVRE.

SE PROLONGER

- La plaine se prolonge jusqu'à l'horizon : S'ÉTENDRE.
- La crise se prolonge : CONTINUER, DURER, PERSISTER, SE POURSUIVRE, S'ÉTERNISER.

PROMENADE 2215

1. Faire une promenade : EXCURSION, RANDONNÉE, SORTIE, TOUR, *en lang. fam. :* BALADE, VIRÉE, *et en lang. pop. :* VADROUILLE.
2. Une promenade plantée d'arbres : AVENUE, BOULEVARD, COURS, MAIL.

PROMENER

- Le guide a promené les visiteurs dans tous les coins de la ville : CONDUIRE, MENER, *et en lang. fam. :* PILOTER.
- J'ai dû promener ma valise toute la journée avant de trouver une chambre : TRAÎNER, TRANSPORTER.
- Il promenait ses regards de l'une à l'autre : DÉPLACER, PORTER.

SE PROMENER

- Se promener dans la campagne : DÉAMBULER, FLÂNER, MARCHER, *et en lang. fam. :* SE BALADER.
- Se promener en voiture : CIRCULER.
- Ne laissez pas votre imagination se promener dans des rêves : ERRER, VAGABONDER, VAGUER, VOYAGER.

PROMESSE 2216

- Tenir ses promesses : ENGAGEMENT, SERMENT.
- L'arrivée des hirondelles, c'est la promesse du printemps : ANNONCE, INDICE, SIGNE.

PROMETTRE

- Il a promis de ne plus recommencer : JURER, S'ENGAGER À.
- Je te promets qu'elle viendra demain : ASSURER, CERTIFIER, GARANTIR.
- La météo promet du soleil pour demain : ANNONCER, PRÉDIRE, PRÉVOIR, PRONOSTIQUER.

SE PROMETTRE

Je m'étais promis beaucoup de joie à son retour : COMPTER, ESPÉRER.

PROMOUVOIR 2217

- Il vient d'être promu au grade de général : ÉLEVER, NOMMER.
- Promouvoir les ventes d'un produit : ANIMER.

PROMPT 2218

- Avoir la main prompte : LESTE, PRESTE.
- Avoir la repartie prompte : IMMÉDIAT, RAPIDE.
- Un prompt changement : BRUSQUE, INSTANTANÉ, SOUDAIN.
- Un esprit prompt : ÉVEILLÉ, VIF.
- Se montrer prompt : DILIGENT, EMPRESSÉ, EXPÉDITIF.

PROMPTITUDE

CÉLÉRITÉ, DILIGENCE, EMPRESSEMENT, HÂTE, PRÉCIPITATION, PRESTESSE, RAPIDITÉ, VITESSE, VIVACITÉ.

PRONONCÉ 2219

- Avoir des traits prononcés : ACCENTUÉ, ACCUSÉ, MARQUÉ.
- Avoir un goût prononcé pour... : ARRÊTÉ, CERTAIN, FORMEL, RÉSOLU.

PRONONCER

- Il prononce mal les mots : ARTICULER.
- Prononcer un « ouf » de soulagement : ÉMETTRE, EXPRIMER, POUSSER, PROFÉRER.
- Prononcer un jugement : RENDRE.
- Prononcer un discours : DÉCLAMER, *et en lang. fam. :* DÉBITER.

SE PRONONCER

- Se prononcer pour un candidat : CHOISIR, OPTER, SE DÉCIDER, SE DÉCLARER, SE DÉTERMINER.
- Le tribunal ne s'est pas encore prononcé : JUGER, STATUER, TRANCHER.

PROPAGATION 2220

- La propagation des nouvelles : DIFFUSION, TRANSMISSION.
- La propagation d'une épidémie : EXTENSION, PROGRÈS.
- La propagation de l'espèce humaine : MULTIPLICATION, REPRODUCTION.
- La propagation de la chaleur : RAYONNEMENT.

PROPAGER

Propager de fausses nouvelles : COLPORTER, DIFFUSER, SEMER.

SE PROPAGER

- Le feu s'est très vite propagé : S'ÉTENDRE.
- Cette nouvelle commence à se propager : CIRCULER, SE RÉPANDRE.

PROPORTION 2221

- Un manque de proportion entre les deux ailes d'un château : ÉQUILIBRE, HARMONIE.
- L'heureuse proportion entre la hauteur et la largeur d'un immeuble : RAPPORT.
- Une forte proportion de spectateurs a quitté la salle : POURCENTAGE.
- Un édifice qui sort des proportions ordinaires : DIMENSIONS.
- Pour réussir un cocktail, il faut respecter les proportions : DOSE.

PROPORTIONNER

ACCOMMODER, APPROPRIER, ASSORTIR, DOSER, MESURER.

PROPOS 2222

- Vos propos m'ont rassuré : DÉCLARATION, DISCOURS, PAROLES.
- Quel a été le propos de son discours ? : MATIÈRE, SUJET.
- Les propos d'un charlatan : BONIMENT.
- Les propos d'une commère : BAVARDAGE, *et en lang. fam. :* COMMÉRAGE, POTIN, RAGOT.
- J'avais le ferme propos de lui dire la vérité : DESSEIN, INTENTION, RÉSOLUTION, VOLONTÉ.

PROPOSER

Je vous propose une autre solution : OFFRIR, PRÉSENTER, SOUMETTRE, SUGGÉRER.

PROPRE 2223

1. *adj.*

a) Ceci est mon bien propre : INDIVIDUEL, PARTICULIER, PERSONNEL, PRIVÉ.

- C'est l'une des qualités propres à cette race de chiens : DISTINCTIF, SPÉCIAL, SPÉCIFIQUE.
- Employez toujours le mot propre : APPROPRIÉ, CONVENABLE, EXACT, JUSTE, PRÉCIS.
- J'emploie les propres termes dont il s'est servi : MÊME, TEXTUEL.
- Être propre à faire quelque chose : APTE À, CAPABLE DE, COMPÉTENT POUR, PRÉPARÉ À.

b) Ce col de chemise n'est pas propre : IMMACULÉ, IMPECCABLE, NET.

- Sa tenue n'est jamais très propre : SOIGNÉ.
- Il a trempé dans une affaire qui n'est pas très propre : CORRECT, DÉCENT, HONNÊTE, MORAL.

2. *nom.*

- Le propre de l'espèce humaine : ESSENCE, NATURE, PARTICULARITÉ.
- La raison est-elle le propre de l'homme ? : APANAGE, PRIVILÈGE.

PROPRETÉ

- Un linge d'une propreté douteuse : NETTETÉ.
- Des soins de propreté : HYGIÈNE.

PROPRIÉTÉ

1. La propriété des termes : CONVENANCE, EXACTITUDE, JUSTESSE, PRÉCISION.

- Les propriétés d'une plante médicinale : QUALITÉ, VERTU.
- La propriété de cette nouvelle machine est de... : PARTICULARITÉ, PROPRE.

2. Une propriété de plusieurs hectares : DOMAINE.

- Les biens dont j'ai la propriété : POSSESSION.

PROSAÏQUE 2224

- Mes occupations sont très prosaïques : BANAL, COMMUN, ORDINAIRE.
- Il ne nous a épargné aucun détail prosaïque : MATÉRIEL, VULGAIRE.

PROSPÈRE 2225

- Une ville prospère : RICHE.
- Vous avez une mine prospère : FLORISSANT, RESPLENDISSANT.

PROSPÉRER

- Une entreprise qui prospère : SE DÉVELOPPER.
- Depuis quelques années, les sangliers prospèrent dans les forêts : SE MULTIPLIER.
- Ce fut une époque où les arts ont prospéré : FLEURIR.

PROSPÉRITÉ

- Une ère de prospérité : ABONDANCE, OPULENCE, RICHESSE.
- Une entreprise en pleine prospérité : DÉVELOPPEMENT, ESSOR, EXPANSION.

PROSTERNATION 2226

GÉNUFLEXION, INCLINATION, PROSTERNEMENT, PROSTRATION.

SE PROSTERNER

S'ABAISSER, S'AGENOUILLER, SE COURBER, S'HUMILIER, S'INCLINER.

PROSTITUÉ 2227

1. *adj.*

- Une âme prostituée : AVILI, DÉGRADÉ.

2. *nom.*

- Une prostituée : COURTISANE, PÉRIPATÉTICIENNE, *et en lang. pop. :* CATIN, POULE, PUTAIN.

PROSTITUER

Prostituer son talent : AVILIR, DÉGRADER, DÉSHONORER.

SE PROSTITUER

SE VENDRE.

PROTECTEUR 2228

1. *adj.*
Un air protecteur : CONDESCENDANT, DÉDAIGNEUX.
2. *nom.*
• Il a été mon protecteur : BIENFAITEUR, PROVIDENCE, SOUTIEN.
• Les gendarmes sont les protecteurs de l'ordre public : DÉFENSEUR, GARDIEN.
• Un protecteur des arts : MÉCÈNE.

PROTECTION

• Demander une protection à la police : AIDE, ASSISTANCE, SECOURS.
• Assurer la protection de quelqu'un : DÉFENSE, GARDE.
• La protection contre les accidents : ASSURANCE, GARANTIE.
• La protection de la nature : SAUVEGARDE.
• Il bénéficie de la protection d'un haut personnage : APPUI, PATRONAGE, *et en lang. fam. :* PISTON.
• Cette haie nous assurera une protection efficace contre le vent : ABRI, BOUCLIER, REMPART.

PROTÉGER

• Protéger les plus faibles : AIDER, ASSISTER, DÉFENDRE, SECOURIR.
• Ces arbres nous protégeront du soleil : ABRITER, GARANTIR, PRÉSERVER.
• Les « gorilles » ont protégé de leurs corps le président : COUVRIR.
• La police protège cette maison : GARDER, SURVEILLER.
• Une espèce animale à protéger : CONSERVER, SAUVEGARDER.
• Ce vaccin protège contre la grippe : IMMUNISER.
• Protéger sa porte contre les effractions : BLINDER, FORTIFIER, RENFORCER.
• Un puissant personnage le protège : PATRONNER, *et en lang. fam. :* PISTONNER.
• Protéger les arts : ENCOURAGER, FAVORISER.

SE PROTÉGER

S'ARMER, S'ASSURER, SE DÉFENDRE, SE GARANTIR, SE PRÉMUNIR.

PROTESTANT 2229

1. *adj.*
L'Église protestante : RÉFORMÉ.
2. *nom.*
ANGLICAN, BAPTISTE, CALVINISTE, LUTHÉRIEN, MÉTHODISTE, PRESBYTÉRIEN, *et avec un sens péjoratif :* HUGUENOT, PARPAILLOT.

PROTESTATION 2230

• Cette décision a soulevé des protestations : OBJECTION, RÉCLAMATION, RÉCRIMINATION, REVENDICATION.
• Sa protestation de bonne foi m'a ému : DÉCLARATION, TÉMOIGNAGE.

PROTESTER

• Personne n'a protesté : DÉSAPPROUVER, MURMURER, RÉCLAMER, RÉCRIMINER, S'ÉLEVER CONTRE, S'INDIGNER, S'INSURGER, S'OPPOSER, SE PLAINDRE, SE REBELLER, SE RÉCRIER, SE RÉVOLTER, *en lang. fam. :* GROGNER, REGIMBER, SE REBIFFER, *et en lang. pop. :* RÂLER, ROUSPÉTER.
• Il a protesté de son amitié à notre égard : ARGUER DE, OBJECTER.

PROVENIR 2231

• D'où provient cette odeur ? : ÉMANER, PARTIR, SORTIR, VENIR.
• Cette maladie provient d'un manque d'hygiène : DÉCOULER, DÉRIVER, RÉSULTER, VENIR.
• Ce fait provient du hasard : DÉPENDRE, PROCÉDER.
• Le bardot est un hybride qui provient de l'union du cheval et de l'ânesse : ÊTRE ISSU, NAÎTRE.

PROVISION 2232

1. Acheter des provisions pour la semaine : RAVITAILLEMENT, VIVRES.
• Faire ses provisions au supermarché : ACHATS, COMMISSIONS, COURSES, EMPLETTES.
• J'ai une provision de fuel pour l'hiver : RÉSERVE, STOCK.
2. Le propriétaire demande une provision à son locataire : ACOMPTE, AVANCE.
• Elle reçoit une provision alimentaire : ALLOCATION.

PROVOCANT 2233

• Un ton provocant : AGRESSIF, ARROGANT.
• Une robe provocante : IMPUDIQUE, INCONVENANT, INDÉCENT, *et en lang. fam. :* AGUICHANT, EXCITANT.

PROVOCATION

• Cette publicité est une provocation à la violence : APPEL, EXCITATION, INCITATION.
• Je ne réponds jamais aux provocations qu'on me lance : ATTAQUE, DÉFI.

PROVOQUER

1. Je n'aime pas être provoqué : BRAVER, DÉFIER.
• Provoquer quelqu'un à un effort supplémentaire : APPELER, EXCITER, EXHORTER, INCITER, POUSSER.
2. L'incendie a été provoqué par un court-circuit : CAUSER, OCCASIONNER, PRODUIRE.
• Cette attitude provoqua la colère de la foule : AMENER, DÉCHAÎNER, DÉCLENCHER, ÉVEILLER, FAIRE NAÎTRE, SOULEVER, SUSCITER.

• Cela n'a provoqué aucune réaction de sa part : ATTIRER, ENGENDRER.

PROXIMITÉ 2234
• Les gens se plaignent de la proximité de l'usine chimique : CONTIGUÏTÉ, VOISINAGE.
• La proximité de la publication des résultats le rend inquiet : APPROCHE, IMMINENCE.

PRUDE 2235
Une personne prude : PUDIBOND, PURITAIN, *et avec un sens péjoratif :* BÉGUEULE.

PRUDERIE
PUDIBONDERIE, PURITANISME.

PRUDENCE 2236
Faire preuve de prudence : ATTENTION, CIRCONSPECTION, MESURE, PONDÉRATION, PRÉCAUTION, PRÉVOYANCE, RÉFLEXION, SAGESSE.

PRUDENT
ATTENTIF, AVISÉ, CIRCONSPECT, PRÉCAUTIONNEUX, PRÉVOYANT, RAISONNABLE, RÉFLÉCHI, SAGE.

PSYCHOLOGIE 2237
• Manquer de psychologie : FINESSE, PERSPICACITÉ, SAGACITÉ.
• Il faut comprendre la psychologie des ouvriers : COMPORTEMENT, MENTALITÉ.

PSYCHOLOGIQUE
• Avoir des problèmes psychologiques : MENTAL, PSYCHIQUE.
• *Fam. :* Intervenir, dans un débat, au moment psychologique : FAVORABLE, OPPORTUN.

PUANT 2238
• Une charogne puante : FÉTIDE, INFECT, MALODORANT, MÉPHITIQUE, NAUSÉABOND, PESTILENTIEL.
• *Fam. :* C'est un personnage puant : FAT, PRÉSOMPTUEUX, VANITEUX.

PUANTEUR
La puanteur des ordures : FÉTIDITÉ, INFECTION.

PUER
EMPESTER, EMPUANTIR, *et en lang. pop. :* COCOTER.

PUBLIC 2239
1. *adj.*
• Le fait est public, toute la ville est au courant : CONNU, MANIFESTE, NOTOIRE.
• On lui a rendu un hommage public : OFFICIEL, SOLENNEL.
• Le maire a pris une mesure d'intérêt public : COLLECTIF, COMMUN, GÉNÉRAL.

2. *nom.*
• Le public est venu en masse à cette manifestation : FOULE, PEUPLE.
• La mairie est ouverte au public : POPULATION.
• Tout le public a applaudi l'orateur : ASSISTANCE, AUDITEURS, AUDITOIRE, SALLE, SPECTATEURS.

PUBLICATION
• La publication d'une loi : PROMULGATION.
• La publication d'un livre : PARUTION, SORTIE.
• Les nombreuses publications que l'on trouve chez un marchand de journaux : PÉRIODIQUE, REVUE.

PUBLICITÉ
• Les média ont donné une grande publicité à cet événement : RETENTISSEMENT.
• Faire de la publicité pour une idée : PROPAGANDE.
• Faire de la publicité pour un nouveau produit : RÉCLAME.
• Les murs sont couverts de publicités : AFFICHE, PLACARD.

PUBLIER
• Une nouvelle : ANNONCER, DIVULGUER, LANCER, PROCLAMER, RÉPANDRE.
• Un décret : ÉDICTER, PROMULGUER.
• Un livre : ÉDITER, SORTIR.

PUDEUR 2240
• Cette photo est une offense à la pudeur : DÉCENCE, PUDICITÉ, VERTU.
• Il a traité cette question avec beaucoup de pudeur : DÉLICATESSE, DISCRÉTION, RÉSERVE, RETENUE.

PUDIQUE
• Un baiser pudique : CHASTE, DISCRET.
• Une robe pudique : DÉCENT, MODESTE.
• Faire une allusion pudique à quelque chose : DÉLICAT, DISCRET, VOILÉ.
• Une personne trop pudique : PUDIBOND.

PUÉRIL 2241
• Une voix puérile : ENFANTIN.
• Tenir des propos puérils : FRIVOLE, FUTILE, INFANTILE, MIÈVRE, NAÏF.

PUÉRILITÉ
• Son comportement est d'une grande puérilité : INFANTILISME, NAÏVETÉ.
• Pendant toute la soirée, il n'a dit que des puérilités : ENFANTILLAGE, FUTILITÉ, NIAISERIE.

PUIS 2242
APRÈS, ENSUITE.

PUISER 2243
• Puiser de l'eau au ruisseau pour arroser son jardin : POMPER, PRENDRE.

- Tous ses exemples étaient puisés aux meilleures sources : EMPRUNTER, PRENDRE, TIRER DE.

PUISSANCE 2244

1. Avoir la puissance de... : CAPACITÉ, FACULTÉ, POSSIBILITÉ, POUVOIR.
- Abuser de sa puissance : AUTORITÉ, INFLUENCE.
- La puissance du vent : FORCE, VIGUEUR, VIOLENCE.
- La puissance d'un médicament : EFFICACITÉ.
- La puissance d'un éclairage : INTENSITÉ.
2. Les grandes puissances : ÉTAT, NATION, PAYS.

PUISSANT

1. *adj.*
- Un haltérophile puissant : FORT, ROBUSTE, VIGOUREUX.
- Des freins puissants : EFFICACE, ÉNERGIQUE.
- Un barrage assez puissant pour s'opposer aux plus grandes crues : RÉSISTANT, SOLIDE.
- C'est le parti le plus puissant de l'Assemblée : IMPORTANT, INFLUENT.
- Se heurter à un puissant adversaire : REDOUTABLE.
- Ce chef d'État se veut aussi puissant que Louis XIV : OMNIPOTENT.
2. *nom.*
Les puissants de ce monde : GRAND, MAGNAT, POTENTAT.

PULVÉRISER 2245

- Pulvériser un morceau de craie : BROYER, ÉCRASER.
- Pulvériser un insecticide sur des plantes : VAPORISER.
- *Fam. :* Pulvériser un adversaire : ANÉANTIR, DÉTRUIRE.
- *Fam. :* Cet athlète a pulvérisé son propre record : BATTRE.

PUNIR 2246

- Punir un coupable : CHÂTIER, CONDAMNER, SANCTIONNER.
- Punir une infraction : RÉPRIMER, SÉVIR CONTRE.
- Punir en infligeant une peine corporelle : CORRIGER.

PUNITION

- Subir une punition : CHÂTIMENT, PEINE, SANCTION.
- La punition infligée par un tribunal : CONDAMNATION.
- Une punition corporelle : CORRECTION.
- Pour ta punition, tu seras privé de dessert : PÉNITENCE.
- Les surveillants d'aujourd'hui ne donnent presque plus de punitions aux élèves : CONSIGNE, PENSUM, RETENUE, *et en argot scolaire :* COLLE.

PUR 2247

- Ses sentiments ne sont pas tout à fait purs : DÉSINTÉRESSÉ, HONNÊTE.
- Dans cette affaire, il n'a pas les mains pures : NET, PROPRE.
- C'est encore une enfant pure : CANDIDE, CHASTE.
- Un ciel pur : CLAIR.
- La ligne pure d'une voiture : PARFAIT.
- Son langage est très pur : CORRECT, SOIGNÉ.
- C'est une question de pur bon sens : SIMPLE.
- C'est une pure calomnie : VÉRITABLE, VRAI.

PURETÉ

- Je ne doute pas de la pureté de tes intentions : DROITURE, HONNÊTETÉ.
- La pureté de l'âme d'un jeune enfant : CANDEUR, FRAÎCHEUR, INGÉNUITÉ.
- La pureté d'une jeune fille : CHASTETÉ, VIRGINITÉ.
- J'aime la pureté de son regard : FRANCHISE.
- La pureté de l'air : LIMPIDITÉ.
- La pureté des formes d'un objet : DÉLICATESSE, ÉLÉGANCE, NETTETÉ.
- Un étranger qui parle notre langue avec une grande pureté : CORRECTION, PERFECTION.
- C'est une tradition qu'il faut conserver dans toute sa pureté : ORIGINALITÉ.

PURIFIER

- Purifier un liquide : CLARIFIER, ÉPURER, FILTRER.
- Purifier l'air : ASSAINIR.

PURGATIF 2248

Prendre un purgatif : LAXATIF, PURGE.

PURGER

- Purger une société des éléments indésirables : DÉBARRASSER, NETTOYER.
- Purger une peine de prison : SUBIR.

Qq

QUAI 2249
- Le bateau approche du quai : APPONTEMENT, WHARF.
- Un quai d'embarquement : EMBARCADÈRE.
- Un quai de débarquement : DÉBARCADÈRE.

QUALITÉ 2250
- Les qualités toniques de la menthe : PROPRIÉTÉ, VERTU.
- Une excellente lactation est la principale qualité de cette race de vaches : ATTRIBUT, CARACTÈRE.
- Les qualités d'un moteur : CARACTÉRISTIQUE.
- La qualité du bois est déterminante pour un meuble : ESSENCE, NATURE.
- Du pain fait avec la meilleure qualité de farine : CATÉGORIE, ESPÈCE.
- Un produit de première qualité : CHOIX.
- Votre devoir ne manque pas de qualités : MÉRITE, VALEUR.
- Un athlète qui a des qualités naturelles : APTITUDE, CAPACITÉ, DISPOSITION, DON.
- Un homme de cette qualité ne devrait pas agir ainsi : CLASSE, RANG.
- Écrivez vos nom, prénom et qualité : FONCTION, QUALIFICATION, TITRE.

QUANTITÉ 2251

1. Cette exposition a attiré une grande quantité de visiteurs : ABONDANCE, AFFLUENCE, FOULE, MASSE, NOMBRE.
- La région était infestée par des quantités de moustiques : ESSAIM, MULTITUDE, MYRIADE, NUÉE, *en lang. fam. :* RIBAMBELLE, *et en lang. pop. :* FLOPÉE, TAPÉE.
- La décharge publique débordait d'une quantité d'objets divers : ACCUMULATION, ENTASSEMENT, INFINITÉ, MONCEAU, MONTAGNE, TAS.
- Cette émission a valu à la télévision de recevoir une quantité de lettres de protestations : AVALANCHE, PLUIE.
- J'ai reçu une quantité de reproches : AVERSE, DÉLUGE, GRÊLE.
- Ils se sont lancé des quantités d'injures : KYRIELLE.
- Une quantité de voiliers encombrait le port : FORÊT.

2. Je ne dispose que d'une petite quantité d'argent : SOMME.
- Il a en réserve une grosse quantité de marchandises : STOCK.
- Respectez les quantités prescrites par le médecin : DOSE.
- Quelle est la quantité d'eau contenue dans ce réservoir ? : VOLUME.

QUART 2252

1. Être de quart sur un bateau : GARDE, SERVICE.
2. Boire dans un quart : GOBELET, TIMBALE.

QUARTIER
- Un quartier d'orange : TRANCHE.
- Un quartier de viande : MORCEAU, PIÈCE.
- Les gens du quartier : SECTEUR, VOISINAGE.
- Un soldat qui rentre au quartier : CANTONNEMENT, CASERNE.

QUASI 2253
- La quasi-totalité des gens : PRESQUE.
- Il était quasi fou : *en lang. fam. :* QUASIMENT.

QUELQUE 2254

1. *adv.* Il y a eu quelque deux cents candidatures pour ce poste : ENVIRON.
2. *adj.*
- Elle a montré quelque mépris pour lui : CERTAIN.
- Quelques avis contraires ont été émis : DIFFÉRENT, DIVERS, PLUSIEURS.

QUELQUEFOIS 2255

Je la rencontre quelquefois dans le métro : PARFOIS.

QUERELLE 2256
- Une querelle entre ivrognes : ALTERCATION, DISPUTE, SCÈNE.
- La querelle a porté sur la construction ou non de cette centrale nucléaire : CONTROVERSE, DÉSACCORD, DIFFÉREND, POLÉMIQUE.

QUERELLER
Il querelle ses enfants pour un rien : GRONDER, HOUSPILLER, RÉPRIMANDER.

QUERELLEUR
AGRESSIF, BATAILLEUR, CHAMAILLEUR, HARGNEUX.

QUESTION 2257
- En histoire, il n'a pas su répondre à toutes les questions de l'examinateur : INTERROGATION.
- Votre question est indiscrète : DEMANDE.
- Les questions soulevées par l'implantation de cette usine : PROBLÈME.

QUÊTE 2258
- Faire une quête : COLLECTE.
- Un journaliste en quête de sensationnel : À LA RECHERCHE.

QUÊTER
MENDIER, QUÉMANDER, SOLLICITER.

QUEUE 2259
- Être à la queue d'un cortège : EXTRÉMITÉ, FIN.
- La queue d'une pomme : PÉDONCULE.
- La queue d'une feuille : PÉTIOLE.
- La queue d'une casserole : MANCHE, POIGNÉE.
- La queue d'une comète : TRAÎNÉE.
- La queue d'une robe : TRAÎNE.

QUITTE 2260
Être quitte de tout souci : DÉBARRASSÉ, DÉLIVRÉ, LIBÉRÉ.

QUITTER
1. Quitter un lieu : PARTIR, S'ÉLOIGNER DE, S'EN ALLER, SORTIR.
- Quitter son appartement pendant une heure : S'ABSENTER.
- Quitter son logement pour un autre : DÉLOGER, DÉMÉNAGER.
- À cause de l'incendie, les passagers ont dû quitter précipitamment le navire : ÉVACUER, FUIR.
- Beaucoup d'agriculteurs ont quitté la campagne pour la ville : ABANDONNER, DÉSERTER.
- Quitter son pays pour l'étranger : S'EXPATRIER.
2. Quitter ses fonctions : CESSER, RENONCER À, RÉSIGNER, SE DÉMETTRE.
3. Elle a quitté son mari : ROMPRE AVEC, SE SÉPARER DE.
- Il a quitté femme et enfants : ABANDONNER, LAISSER, *et en lang. pop.* : PLAQUER.
- Je le surveille, je ne le quitte pas des yeux : LÂCHER.
4. Quitter un vêtement : ENLEVER, ÔTER, RETIRER, SE DÉBARRASSER DE, SE DÉPOUILLER DE, SE DÉFAIRE DE.

QUITUS *(dr.)*
Donner un quitus au trésorier de l'association : DÉCHARGE.

Rr

RABÂCHAGE 2261
- Le rabâchage d'une vieille personne : RADOTAGE.
- Le rabâchage d'un slogan publicitaire : RÉPÉTITION.

RABÂCHER
RADOTER, REDIRE, RÉPÉTER, RESSASSER.

RABÂCHEUR
RADOTEUR, RESSASSEUR.

RABAIS 2262
Obtenir un rabais sur un prix : DIMINUTION, ESCOMPTE, RÉDUCTION, REMISE, RISTOURNE.

RABAISSER
- Rabaisser la valeur de quelqu'un ou de quelque chose : DÉCONSIDÉRER, DÉNIGRER, DÉPRÉCIER, DÉTRACTER, MÉSESTIMER.
- Il prend plaisir à rabaisser ses amis en public : HUMILIER, MORTIFIER, RAVALER.
- Rabaisser les prétentions de quelqu'un : RABATTRE.
- Rabaisser les taux bancaires : DIMINUER, RÉDUIRE.
- Rabaisser de quelques centimètres un objet pendu au mur : BAISSER, DESCENDRE.

SE RABAISSER
S'AVILIR, S'HUMILIER.

RABAT-JOIE 2263
Il aime à jouer les rabat-joie : TROUBLE-FÊTE, *et en lang. fam. :* ÉTEIGNOIR.

RABATTRE 2264
- Rabattre le col de son manteau : ABAISSER, BAISSER, RABAISSER.
- Le vent rabat la fumée de notre côté : RAMENER, REFOULER, REPOUSSER.
- L'aspirateur rabat les poils de la moquette : APLATIR, COUCHER.
- En descendant du grenier, rabats la trappe : ABAISSER, REFERMER.
- Il n'a pas voulu rabattre un franc sur le prix : DÉDUIRE, DÉFALQUER, RETRANCHER.
- Rabattre l'enthousiasme de quelqu'un : CALMER, DIMINUER, MODÉRER, TEMPÉRER.
- Il est trop prétentieux, il devra « en rabattre » un jour : DÉCHANTER, SE MODÉRER.

SE RABATTRE
1. La voiture s'est brusquement rabattue à gauche : OBLIQUER, SE DIRIGER.
2. N'ayant pas assez d'argent, j'ai dû me rabattre sur quelque chose de moins luxueux : SE BORNER À, SE CONTENTER DE.

RABOTEUX 2265
- Un chemin raboteux : ROCAILLEUX.
- Une planche raboteuse : NOUEUX, RUGUEUX.
- Un style raboteux : LABORIEUX, RUDE.

RACAILLE 2266
- Il fréquente la racaille : PÈGRE, POPULACE.
- Il n'y a que des racailles dans cette bande : CRAPULE, FRIPOUILLE, GREDIN, VERMINE.

RACCOMMODAGE 2267
RAPIÉÇAGE, RAVAUDAGE, RÉPARATION, REPRISAGE, REPRISE, STOPPAGE, *et en lang. fam. :* RAFISTOLAGE.

RACCOMMODER
Raccommoder un vêtement déchiré ou troué : RAPIÉCER, RAVAUDER, RECOUDRE, RÉPARER, REPRISER, STOPPER, *et en lang. fam. :* RAFISTOLER, RAPETASSER.

SE RACCOMMODER
Ils se sont boudés puis se sont raccommodés : SE RÉCONCILIER, *et en lang. fam. :* SE RABIBOCHER.

RACCORDEMENT 2268
La bretelle de raccordement avec l'autoroute : LIAISON.

RACCORDER
- Cette galerie raccorde les deux ailes du bâtiment : RELIER.
- Raccorder une canalisation à une autre : BRANCHER, CONNECTER.
- Raccorder deux tuyaux : JOINDRE, RÉUNIR.

SE RACCORDER
Cette intervention ne se raccorde pas au thème du débat : SE RACCROCHER, SE RATTACHER.

RACCOURCI 2269
- Prendre un raccourci à travers champs : TRAVERSE.
- Donnez-moi un raccourci de son discours : ABRÉGÉ, RÉSUMÉ.

RACCOURCIR
1. *v. tr.*
- Il faudrait raccourcir les délais de raccordement du téléphone : DIMINUER, ÉCOURTER, RÉDUIRE.
- Il aurait dû raccourcir son discours : ABRÉGER.
- Elle s'est fait raccourcir les cheveux : COUPER.
- Raccourcir une robe : DIMINUER, RAPETISSER.

2. *v. intr.*
- En novembre, les jours raccourcissent de plus d'une heure : DIMINUER.
- Ce tissu raccourcit au lavage : RÉTRÉCIR.

RACCROCHER 2270
1. Le marché semblait perdu, mais j'ai pu le raccrocher : RATTRAPER.
- Raccrocher une idée à un thème central : RATTACHER.

2. Une rue où les prostituées raccrochent des passants : DRAGUER, RACOLER.

SE RACCROCHER
- En glissant, elle s'est raccrochée à mon bras : S'AGRIPPER, SE CRAMPONNER, SE RATTRAPER, SE RETENIR.
- La vogue des sectes religieuses vient du fait que les gens ne savent plus à quoi se raccrocher : SE RATTACHER.

RACE 2271
- Être de bonne race : ASCENDANCE, EXTRACTION, FAMILLE, LIGNAGE, LIGNÉE, ORIGINE, SANG, SOUCHE, TIGE.
- Une génisse de la race limousine : ESPÈCE.
- *Fam. :* Ces voyous, quelle sale race ! : ENGEANCE.

RACHAT 2272
- Le rachat d'une dette : REMBOURSEMENT.
- *En lang. religieuse :* Le rachat des péchés : EXPIATION, RÉDEMPTION.

RACHETER
- Racheter un esclave : AFFRANCHIR, DÉLIVRER, LIBÉRER.
- Racheter un crime par des années de prison : EXPIER, PAYER.
- Cet acte courageux rachète sa précédente lâcheté : COMPENSER.

SE RACHETER : SE RÉHABILITER.

RACHITIQUE 2273
- Des enfants rachitiques : CHÉTIF, MALINGRE.
- Une végétation rachitique : ÉTIOLÉ, RABOUGRI.

RACINE 2274
- Un peuple à la recherche de ses racines : ORIGINE.
- Cet exilé a coupé toutes les racines qu'il avait dans son pays natal : ATTACHE, LIEN.
- Il a une verrue à la racine du nez : BASE, NAISSANCE.

RACLER 2275
- Racler la boue d'un fossé : CURER.
- Racler le fond d'un chaudron : FROTTER, GRATTER, NETTOYER.

RACOLER 2276
Cette secte essaie de racoler les jeunes : EMBRIGADER, RECRUTER.

RACONTER 2277
- Raconte-nous ce qui s'est passé : CONTER, EXPOSER, NARRER, RAPPORTER, RELATER, RETRACER.
- Cette bande dessinée raconte la vie au temps des Gaulois : DÉCRIRE, DÉPEINDRE.
- Pendant mon absence, qu'est-ce qu'on a raconté sur mon compte ? : DÉBITER, DIRE.

RADICAL 2278
- Une différence radicale : ESSENTIEL, FONCIER, FONDAMENTAL.
- Un changement radical : ABSOLU, COMPLET, TOTAL.
- Il a une position radicale sur la question : INTRANSIGEANT, IRRÉVOCABLE.
- Cet insecticide est un moyen radical pour se débarrasser des mites : EFFICACE, INFAILLIBLE, SOUVERAIN, SÛR.

RADIEUX 2279
- Un soleil radieux : BRILLANT, ÉTINCELANT, RESPLENDISSANT.
- Une journée radieuse : SPLENDIDE.
- Un visage radieux : ÉPANOUI, JOYEUX, RAYONNANT.
- Un air radieux : CONTENT, RAVI, RÉJOUI, SATISFAIT.
- Une femme d'une beauté radieuse : ÉCLATANT.

RADOTER 2280

Il a perdu la raison, il radote : DÉRAISONNER, DIVAGUER, EXTRAVAGUER.

RAFALE 2281

- Une rafale de vent : BOURRASQUE, TORNADE, TOURBILLON.
- Une rafale de mitraillette : DÉCHARGE.

RAFFINAGE 2282

Le raffinage par électrolyse des métaux : AFFINAGE, ÉPURATION, PURIFICATION.

RAFFINÉ

- Un goût raffiné : DÉLICAT.
- Un esprit raffiné : SUBTIL.
- Un langage raffiné : CHOISI, DISTINGUÉ, ÉLÉGANT, PRÉCIEUX, RECHERCHÉ.

RAFFINEMENT

- Le raffinement dans les manières, le comportement : DÉLICATESSE, DISTINCTION, ÉLÉGANCE.
- Un raffinement exagéré : AFFECTATION, PRÉCIOSITÉ.

RAFFINER

- On raffine par électrolyse l'aluminium, le cuivre, le fer : AFFINER, ÉPURER, PURIFIER.
- Raffiner son langage : CHÂTIER, *et en lang. fam. :* FIGNOLER.
- Raffiner ses manières : POLICER.

RAFRAÎCHIR 2283

1. Mettre une boisson à rafraîchir : REFROIDIR.
2. Rafraîchir un tableau ancien : RESTAURER.
- Rafraîchir une dorure : RAVIVER.
- Ce mur a besoin d'être rafraîchi : REPEINDRE.
- Rafraîchir un ameublement : RÉNOVER.
- Les lectures édifiantes rafraîchissent l'âme : RAJEUNIR, REVIVIFIER.

SE RAFRAÎCHIR

1. Le temps s'est rafraîchi : FRAÎCHIR, SE REFROIDIR.
2. Se rafraîchir après un effort : BOIRE.

RAFRAÎCHISSEMENT

1. Le rafraîchissement de l'atmosphère : REFROIDISSEMENT.
2. Servir un rafraîchissement à ses invités : BOISSON.

RAGER 2284

Il rage de n'être pas arrivé le premier : ENRAGER, PESTER, *en lang. fam. :* BISQUER, *et en lang. pop. :* FUMER, RÂLER.

RAGEUR

Un air rageur : COLÉREUX, HARGNEUX.

RAIDE 2285

1. Avoir les doigts raides à cause du froid : ANKYLOSÉ, ENGOURDI.
- Le blessé était raide comme un mort : RIGIDE.
- Se tenir bien raide : DROIT.
- Cette corde n'est pas assez raide : TENDU.
- Un sentier raide : ABRUPT, ARDU, ESCARPÉ.
2. Une attitude raide : AUSTÈRE, GOURMÉ, GUINDÉ.
- Ne sois pas aussi raide avec lui : AUTORITAIRE, INFLEXIBLE, INTRANSIGEANT, RIGIDE, RIGOUREUX, SÉVÈRE, STRICT.
3. *Fam. :* Un tel retard, c'est quand même un peu raide ! : ABUSIF, EXAGÉRÉ.
- *Pop. :* À la fin de chaque mois, il est raide : DÉSARGENTÉ.

RAIDEUR

- La raideur d'un membre : ANKYLOSE, ENGOURDISSEMENT.
- La raideur d'un mort : RIGIDITÉ.
- La raideur de caractère : AUSTÉRITÉ, INTRANSIGEANCE, RIGIDITÉ, SÉVÉRITÉ.

RAIDIR

- Raidir ses muscles : BANDER, CONTRACTER.
- Raidir un cordage : SOUQUER, TENDRE.

RAIE 2286

- Un tissu blanc à petites raies bleues : RAYURE.
- Tracer une raie sur une feuille blanche pour faire une marge : LIGNE, TRAIT.

RAYER

- Rayer un mot pour le remplacer par un autre : BARRER, BIFFER, RATURER.
- Les déménageurs ont fait attention à ne pas rayer le mur : ÉRAFLER.
- Rayer quelqu'un d'une liste : ÉLIMINER, EXCLURE, RETRANCHER, SUPPRIMER.
- Être rayé des cadres : RADIER.
- C'est un mauvais souvenir que je veux rayer de ma mémoire : EFFACER.

RAYURE

- Les rayures noires sur le pelage du tigre : ZÉBRURE.
- Le chat a fait des rayures sur le pied de la table : ÉGRATIGNURE, ÉRAFLURE, GRIFFURE.
- La carte d'état-major utilise un système de rayures pour figurer le relief : HACHURES, STRIES.
- Les rayures dans l'âme d'un canon : RAINURE.

RAILLER 2287

BAFOUER, BROCARDER, DAUBER SUR *(litt.)*, PERSIFLER, RIDICULISER, RIRE DE, SATIRISER, SE MOQUER DE, *et en lang. pop. :* CHARRIER.

RAILLERIE
IRONIE, MOQUERIE, PERSIFLAGE, SARCASME, SATIRE.

RAISON 2288
1. Faire preuve de raison : BON SENS, DISCERNEMENT, JUGEMENT, SAGESSE.
2. Quelle est la raison de votre colère ? : CAUSE, MOBILE, MOTIF, SUJET.
• Quelle raison va-t-il inventer pour expliquer son retard ? : EXCUSE, PRÉTEXTE.
• Il s'est enfin rendu à mes raisons : ARGUMENTS.

RAISONNABLE
• Agir en homme raisonnable : RÉFLÉCHI, SAGE, SENSÉ.
• Il est tout à fait raisonnable d'agir ainsi : JUDICIEUX, JUSTE, LÉGITIME, LOGIQUE, NORMAL, RATIONNEL.
• Ce commerçant se contente d'un bénéfice raisonnable : CONVENABLE, HONNÊTE, MODÉRÉ.

RAISONNEMENT
Son raisonnement ne m'a pas convaincu : ARGUMENTATION, DÉMONSTRATION.

RAISONNER
• Raisonner sur un sujet : PHILOSOPHER.
• Cela est bien raisonné : JUGER, PENSER.
• Je n'aime pas sa manière de raisonner sans cesse : RÉPLIQUER.
• Je ne veux pas raisonner avec vous : DISCUTER.
• Je n'ai pas réussi à le raisonner : CONVAINCRE.

RAISONNEUR
C'est un raisonneur impénitent : DISCUTEUR, ERGOTEUR.

RALLIEMENT 2289
Le lieu de ralliement : RASSEMBLEMENT.

RALLIER
• Les officiers essayaient de rallier les soldats dispersés : RASSEMBLER, REGROUPER.
• Rallier quelqu'un à sa cause : GAGNER.
• Tous les avions n'ont pas rallié leur base : REGAGNER, REJOINDRE.

SE RALLIER
Je me rallie à votre avis : SE RANGER.

RAMASSER 2290
1. Ramasser un gant tombé à terre : RELEVER.
• Monté sur une échelle, il ramassait des cerises : CUEILLIR.
• Dans cette ville, les objets encombrants sont ramassés une fois par mois : ENLEVER.
• Ramasser des dons pour les handicapés : COLLECTER, RECUEILLIR, RÉUNIR.
• C'est l'époque où l'on ramasse le goémon : RÉCOLTER.
• Ramasser les feuilles mortes éparpillées sur une pelouse : RÂTELER.
• Ramasser du bois pour l'hiver dans un bûcher : ENTASSER.
• Ramasser du foin dans un grenier : RENTRER.
• L'enfant ramassait sagement ses jouets : RANGER.
• J'ai ramassé quelques renseignements sur cette affaire : GLANER, RECUEILLIR.
• *Fam. :* Se faire ramasser par la police : ARRÊTER, PRENDRE.
2. L'auteur a ramassé toute cette longue histoire en quelques lignes : CONDENSER, RÉSUMER.

SE RAMASSER
• Se ramasser sur soi-même : SE PELOTONNER, SE RECROQUEVILLER.
• *Pop. :* Il s'est ramassé sur le verglas : TOMBER.

RAMASSIS
• Un ramassis de vieux journaux : FATRAS, TAS.
• Un ramassis de voyous : BANDE, TROUPEAU.

RAME 2291
1. Se servir d'une rame pour faire avancer le bateau : AVIRON, GODILLE, PAGAIE.
2. Les rames qui servent de tuteurs aux plantes grimpantes : GAULE, PERCHE.

RAMENER 2292
• Ramener quelqu'un chez lui : RACCOMPAGNER, RECONDUIRE.
• Je ramène des oranges du marché : RAPPORTER.
• Ramener ses cheveux sur le front : RABATTRE.
• Pendant la nuit, ramener les couvertures sur les épaules : REMONTER.
• Ramener l'ordre dans la rue : RESTAURER, RÉTABLIR.
• Ramener quelqu'un à la raison : FAIRE REVENIR.
• Ramener quelqu'un à la vie : RANIMER, RESSUSCITER.
• Ramener l'inflation de 15 % à 10 % : RÉDUIRE.

SE RAMENER
1. Toutes vos difficultés se ramènent à peu de chose : SE RÉDUIRE, SE RÉSUMER.
2. *Pop. :* Voilà encore cet importun qui se ramène : ARRIVER, RAPPLIQUER, VENIR.

RAMOLLIR 2293
- Ramollir de la pâte : AMOLLIR.
- L'inaction ramollit la volonté : AFFAIBLIR.
- Un trop grand confort ramollit les hommes : AVEULIR, DÉBILITER, EFFÉMINER.

RAMPE 2294
1. Toutes les voitures peinaient dans la rampe d'accès au col : MONTÉE, PENTE.
2. Tenez-vous à la rampe en descendant : BALUSTRADE.

RAMPER
1. L'enfant rampait sur le tapis : SE TRAÎNER.
2. Il rampe devant son patron : S'ABAISSER, S'HUMILIER.

RANG 2295
1. Les spectateurs des derniers rangs ne voyaient rien : RANGÉE.
- Ils se mirent sur un seul rang : FILE, LIGNE.
- Un rang de policiers protégeait le président : CORDON, HAIE.
2. Cela m'étonne d'un homme de ce rang : CLASSE, CONDITION, MILIEU, QUALITÉ, SITUATION.
- Elle a atteint le plus haut rang de la hiérarchie : ÉCHELON.
- Les officiers se placèrent selon leur rang : GRADE.
- Sortir en bon rang d'une grande école : PLACE.
- Mettez-vous par rang de taille : ORDRE.
3. Nous vous acceptons dans nos rangs : ORGANISATION, SOCIÉTÉ.
- Il ira rejoindre le rang des mécontents : CATÉGORIE, GROUPE, PARTI.

RANGER
- Ranger des fiches : CLASSER, ORDONNER.
- Ranger sa voiture : GARER.

SE RANGER
1. Les chevaux se rangèrent pour le départ : S'ALIGNER.
2. Après une jeunesse un peu folle, il s'est rangé : S'ASSAGIR.

RANIMER 2296
1. Cela a ranimé ma douleur : AVIVER, RÉVEILLER.
- Ranimer le feu : ATTISER, RAVIVER, RÉACTIVER.
- Ranimer la foi : RAFFERMIR.
- Prenez cette mixture, cela vous ranimera : REMONTER, REVIGORER, REVIVIFIER, STIMULER, TONIFIER, *et en lang. fam. :* RAVIGOTER, RETAPER.
2. Les secouristes s'efforçaient de ranimer le blessé : RÉANIMER.
- On ne peut pas ranimer un mort : RESSUSCITER.

RAPIDE 2297
- Quel est le plus rapide des animaux ? : VÉLOCE.
- Un mouvement rapide : PRESTE, VIF.
- Une marche rapide : ACCÉLÉRÉ, PRÉCIPITÉ.
- Une pente rapide : ABRUPT, RAIDE.
- Une décision rapide : BRUSQUE, SOUDAIN.
- Un jugement rapide : HÂTIF, SOMMAIRE.
- Jeter un coup d'œil rapide : FURTIF.
- La lecture rapide d'un dossier : CURSIF.
- Faire une rapide visite : BREF, COURT.
- Un style rapide : ALERTE.
- Une secrétaire rapide dans son travail : DILIGENT, EXPÉDITIF, PROMPT.
- Les flots rapides d'un torrent : IMPÉTUEUX.
- La percée rapide des chars dans les lignes ennemies : FULGURANT.

RAPIDITÉ
- La rapidité de la gazelle : VÉLOCITÉ, VITESSE.
- La rapidité d'un geste : SOUDAINETÉ, VIVACITÉ.
- Régler une affaire avec rapidité : CÉLÉRITÉ, DILIGENCE, PROMPTITUDE.

RAPINE 2298
Se livrer à la rapine : BRIGANDAGE, PILLAGE, VOL.

RAPPEL 2299
1. Le rappel d'un souvenir : ÉVOCATION.
- Le rappel de l'Armistice de 1918 : COMMÉMORATION.
2. Le gouvernement français a décidé le rappel immédiat de son ambassadeur : RETOUR.

RAPPELER
- Il a rappelé un fait déjà ancien : ÉVOQUER.
- Est-il besoin de vous rappeler vos propres paroles ? : CITER, REMÉMORER.
- Je vous rappelle que... : REDIRE.
- Dans sa démarche, elle rappelle sa sœur : RESSEMBLER À.

SE RAPPELER
SE REMÉMORER, SE SOUVENIR DE.

RAPPORT 2300
1. Son rapport des événements est incomplet : COMPTE RENDU, EXPOSÉ, RÉCIT, RELATION.
- Le rapport fait en Conseil des ministres par le ministre des Relations extérieures sur son voyage en Pologne : COMMUNICATION.
- Il a fait un faux rapport : TÉMOIGNAGE.
2. Tirer un bon rapport de son commerce, de ses propriétés : BÉNÉFICE, GAIN, PRODUIT, PROFIT, RENDEMENT, RENTE, REVENU.

3. Il n'y a aucun rapport entre ces deux idées : ANALOGIE, CONCORDANCE, CONNEXION, CORRESPONDANCE, LIAISON, PARENTÉ, RELATION, RESSEMBLANCE, SIMILITUDE.
• Y a-t-il un rapport entre ces deux événements ? : CORRÉLATION, DÉPENDANCE, LIEN, RELATION.
• Le rapport entre deux sciences : CONNEXITÉ.
4. Il y a longtemps que je n'ai pas eu de rapport avec lui : COMMERCE, CONTACT, RELATION.
5. Étudier une question sous tous les rapports : ANGLE, ASPECT.

RAPPORTAGE
DÉLATION, *et en argot scolaire :* CAFARDAGE, MOUCHARDAGE.

RAPPORTER
1. Rapporter un événement : RACONTER, RELATER.
• Rapporter les paroles de quelqu'un : CITER, RÉPÉTER.
2. Une terre qui rapporte bien : DONNER, PRODUIRE, RENDRE.
3. Je rapporte cette erreur à son manque d'expérience : ATTRIBUER.
• On rapporte l'origine de cette coutume à des temps très anciens : SITUER.
4. Le chien rapporte le bâton que son maître a jeté au loin : RAMENER.
• Je vais rapporter les livres empruntés à la bibliothèque : RENDRE, REPORTER.
5. Rapporter un décret : ABROGER, ANNULER.

SE RAPPORTER
1. Cela ne se rapporte à rien de précis : S'APPLIQUER, SE RACCORDER, SE RACCROCHER, SE RATTACHER.
2. Je m'en rapporte à votre expérience : S'EN REMETTRE, SE FIER.
• Je m'en rapporte à l'autorité de ce savant : SE RÉFÉRER.

RAPPORTEUR
Ne dites rien devant lui, c'est un rapporteur : DÉLATEUR, *et en argot scolaire :* CAFARD, MOUCHARD.

RAPPROCHEMENT 2301
• Le rapprochement de deux amis brouillés : RÉCONCILIATION.
• Faire un rapprochement entre deux événements : COMPARAISON, PARALLÈLE, RAPPORT.

RAPPROCHER
• Rapprocher sa chaise de la table : APPROCHER, AVANCER.
• Rapprocher deux idées : COMPARER.

SE RAPPROCHER
• Les enfants se rapprochèrent pour avoir chaud : SE SERRER.
• Rapprochez-vous de la tribune, vous entendrez mieux : S'APPROCHER, S'AVANCER VERS.
• Vos goûts se rapprochent des miens : RESSEMBLER À.

RARE 2302
• Une pelouse où l'herbe est rare : CLAIRSEMÉ.
• Ses visites sont devenues rares : ESPACÉ.
• Elle a été d'un rare dévouement : EXCEPTIONNEL, REMARQUABLE.
• *Fam. :* Il serait bien rare qu'elle ne vienne pas : ÉTONNANT, SURPRENANT.

RARETÉ
La rareté des fruits est la cause de leur cherté : MANQUE, PÉNURIE.

RASSASIÉ 2303
ASSOUVI, REPU, SATISFAIT.

RASSASIER
ASSOUVIR, CONTENTER, SATISFAIRE.

SE RASSASIER
SE GAVER, SE GORGER, SE REPAÎTRE.

RASSEMBLEMENT 2304
• Un rassemblement de mécontents : ATTROUPEMENT, RÉUNION.
• Le rassemblement des troupes près de la frontière : CONCENTRATION.
• Un rassemblement politique : GROUPEMENT, UNION.

RASSEMBLER
• Rassembler des troupes : CONCENTRER, MASSER.
• Rassembler ses invités dans le salon : GROUPER, RÉUNIR.
• Je rassemble des documents pour mon prochain livre : ACCUMULER, AMASSER, RECUEILLIR.

RASSURER 2305
• Ton coup de téléphone m'a rassuré : TRANQUILLISER.
• Rassurer un enfant craintif : APAISER, CALMER.

RATATINÉ 2306
1. Une peau ratatinée : FLÉTRI, RIDÉ.
• Une personne ratatinée par l'âge : RABOUGRI, RAPETISSÉ, RECROQUEVILLÉ, TASSÉ.
2. *Fam. :* Sa moto est toute ratatinée : DÉMOLIR.

RATATINER
Pop. : Les assaillants se sont fait ratatiner : EXTERMINER, MASSACRER.

RATION 2307
- Les rations de viande ne sont pas suffisantes à la cantine : PORTION, QUANTITÉ.
- Il a eu sa ration de malheurs cette année : LOT, PART.

RATIONNER
Les distributions de fuel ont dû être rationnées : CONTINGENTER, LIMITER.

RATIONALISATION 2308
NORMALISATION, STANDARDISATION, TAYLORISATION.

RATTACHER 2309
- Par l'Anschluss, l'Autriche fut rattachée à l'Allemagne : ANNEXER, INCORPORER, RÉUNIR.
- Rattacher un fait scientifique à une loi générale : RELIER.
- Plus rien ne le rattache à son pays d'origine : ATTACHER.

RATTRAPER 2310
- Le peloton a rattrapé les échappés : REJOINDRE.
- L'évadé a été rattrapé : REPRENDRE.
- L'assiette lui a glissé des mains, mais il l'a habilement rattrapée : RESSAISIR.
- Rattraper une erreur : RÉPARER.
- Rattraper le temps perdu : REGAGNER.

RAUQUE 2311
Une voix rauque : ENROUÉ, ÉRAILLÉ, GUTTURAL, ROCAILLEUX.

RAVAGE 2312
Les ravages causés par la guerre : DÉSASTRE, DESTRUCTION, DÉVASTATION, DOMMAGE, SACCAGE.

RAVAGÉ
Un visage ravagé : MARQUÉ, RAVINÉ, TOURMENTÉ.

RAVAGER
ANÉANTIR, DÉTRUIRE, DÉVASTER, ENDOMMAGER, RUINER, SACCAGER.

RAVALER 2313
1. Ravaler un mur : RAGRÉER.
2. Elle essayait de ravaler ses sanglots : CONTENIR, ÉTOUFFER, REFOULER, REFRÉNER, RÉPRIMER, RETENIR.
3. Les kapos prenaient plaisir à ravaler les détenus : AVILIR, HUMILIER, RABAISSER.

SE RAVALER
DÉCHOIR, S'ABAISSER, S'AVILIR, SE DÉGRADER.

RAVIR 2314
1. Elle s'est fait ravir son sac dans le métro : ARRACHER, DÉROBER, SUBTILISER, VOLER.
- Ravir un enfant pour obtenir une rançon : ENLEVER, KIDNAPPER.
2. Le feu d'artifice ravissait les enfants : CHARMER, ÉMERVEILLER, ENCHANTER, ENTHOUSIASMER, FASCINER.

RAYON 2315
1. Un rayon de soleil passe sous la porte : RAI.
2. Les rayons d'une bibliothèque : ÉTAGÈRE, RAYONNAGE.
- Elle se dirigea vers le rayon des livres : SECTEUR.
- *Fam. :* Ce n'est pas son rayon : DOMAINE.

RAYONNER
- Une source de chaleur qui rayonne : IRRADIER.
- La civilisation romaine a rayonné autour du bassin méditerranéen : SE PROPAGER, SE RÉPANDRE.

RÉACTEUR 2316
- Un réacteur atomique : GÉNÉRATEUR, PILE.
- Les réacteurs d'un avion : PROPULSEUR.

RÉACTION
- J'attendais de lui une réaction à mes critiques : RÉPLIQUE, RÉPONSE, RIPOSTE.
- Si vous touchez un objet brûlant, vous avez la réaction de retirer votre main : RÉFLEXE.
- Après cette défaite, nous attendons une réaction de toute l'équipe : SURSAUT.
- Quelle sera sa réaction à cette mauvaise nouvelle ? : COMPORTEMENT.

RÉACTIONNAIRE
C'est un réactionnaire qui s'oppose à tout progrès : CONSERVATEUR.

RÉAGIR
- Les nerfs réagissent à une excitation : RÉPONDRE.
- Votre corps réagit à la chaleur : RÉSISTER, SE DÉFENDRE.
- Réagir contre les injustices : LUTTER, S'INSURGER, S'OPPOSER, SE RÉVOLTER.
- Réagir l'un sur l'autre : S'INFLUENCER.
- Ce garçon est trop mou, il faut qu'il réagisse : SE SECOUER.

RÉADAPTATION 2317
Des séances de réadaptation : RÉÉDUCATION.

RÉALISER 2318
1. Réaliser un exploit : ACCOMPLIR, EFFECTUER, EXÉCUTER.
- Réaliser un rêve : CONCRÉTISER, MATÉRIALISER.
- En vendant à ce prix, j'ai réalisé un bon bénéfice : FAIRE.
2. Je n'avais pas réalisé ce qu'il disait : COMPRENDRE, SAISIR.

SE RÉALISER
1. J'espère que cela se réalisera un jour : ARRIVER.
2. Elle s'est pleinement réalisée dans son nouveau métier : S'ÉPANOUIR.

RÉALISME
Faire preuve de réalisme : OPPORTUNISME, PRAGMATISME.

RÉALISTE
1. Avoir une vue très réaliste de la situation : CONCRET, PRAGMATIQUE.
2. Une description réaliste : CRU.

RÉALITÉ
- Le récit que vous faites est loin de la réalité : EXACTITUDE, VÉRITÉ.
- C'est une réalité que personne ne peut nier : ÉVIDENCE, FAIT.
- Certains doutent de la réalité de l'au-delà : EXISTENCE.

RÉEL
1. *adj.*
- Tout ce que je vous dis est bien réel : AUTHENTIQUE, CERTAIN, EXACT, INCONTESTABLE, INDUBITABLE, VRAI.
- Un personnage réel et non fictif : EXISTANT.
- Le monde réel : PALPABLE, TANGIBLE.
- Des progrès réels : NOTABLE, SENSIBLE, VÉRITABLE, VISIBLE.
- Avoir la volonté réelle de changer : CONCRET, EFFECTIF.

2. *nom.*
- Un roman où le réel est mêlé à l'imaginaire : RÉALITÉ.

RÉBARBATIF 2319
- Un visage rébarbatif : REVÊCHE.
- Avoir une tâche rébarbative à accomplir : ARIDE, ENNUYEUX, FASTIDIEUX, REBUTANT.

REBATTU 2320
- Une plaisanterie rebattue : BANAL, COMMUN, ÉCULÉ, USÉ.
- Tout cela, c'est du rebattu ! : *en lang. fam. :* RÉCHAUFFÉ.

REBELLE 2321
1. *adj.*
- Un enfant rebelle : DÉSOBÉISSANT, INDISCIPLINÉ, INDOCILE.
- Une fièvre rebelle qui ne baisse pas : OPINIÂTRE, TENACE.
- Un élève rebelle au latin : RÉFRACTAIRE.

2. *nom.*
Mater les rebelles : DISSIDENT, FACTIEUX, INSOUMIS, INSURGÉ, MUTIN, RÉVOLTÉ, SÉDITIEUX.

RÉBELLION
DÉSOBÉISSANCE, DISSIDENCE, INSOUMISSION, INSUBORDINATION, INSURRECTION, MUTINERIE, RÉVOLTE, SÉDITION, SOULÈVEMENT.

REBUFFADE 2322
Essuyer une rebuffade : RABROUEMENT, REFUS, VEXATION.

REBUT 2323
- Des rebuts de nourriture : DÉCHET, RESTE.
- Le rebut de la société : BAS-FOND, LIE, RACAILLE.

REBUTANT
- Il m'a accueilli avec un air rebutant : ANTIPATHIQUE.
- Un travail rebutant : DÉCOURAGEANT, DÉSAGRÉABLE, INGRAT, RÉBARBATIF.
- Un lieu sale et rebutant : DÉGOÛTANT, ÉCŒURANT, NAUSÉABOND, REPOUSSANT, RÉPUGNANT.

REBUTER
- Son ton autoritaire rebute les gens : CHOQUER, DÉPLAIRE À.
- La moindre difficulté le rebute : DÉCOURAGER, DÉMORALISER, DÉSESPÉRER.
- Ne descendez pas dans cet hôtel sordide, cela vous rebuterait : DÉGOÛTER, ÉCŒURER, RÉPUGNER.
- Il s'est fait rebuter à la porte d'entrée : RABROUER, REPOUSSER, *et en lang. fam. :* REMBARRER.

RÉCALCITRANT 2324
ENTÊTÉ, INDOCILE, REBELLE, RÉTIF.

RECELER 2325
- Receler un évadé : CACHER.
- Cette galère engloutie recelait un trésor : CONTENIR, RENFERMER.

RÉCENT 2326
- On voit bien que cette fissure dans le mur est toute récente : FRAIS.
- Ce modèle de voiture n'est pas récent : NEUF, NOUVEAU.

RÉCÉPISSÉ 2327
ACQUIT, QUITTANCE, REÇU.

RÉCEPTEUR
Un récepteur de télévision : APPAREIL, POSTE.

RÉCEPTIF
Être très réceptif à la beauté d'un spectacle : SENSIBLE.

RÉCEPTION
1. Le service de réception d'un hôtel : ACCUEIL.
2. Assister à une réception officielle : CÉRÉMONIE.

RECETTE

1. Le commerçant compte sa recette journalière : GAIN, PRODUIT, RENTRÉE.
2. Connaissez-vous une recette pour faire fortune ? : MOYEN, PROCÉDÉ, SECRET, SYSTÈME.

RECEVABLE

Ma demande a été jugée non recevable, parce qu'elle était hors délai : ACCEPTABLE, ADMISSIBLE, VALABLE.

RECEVOIR

- Recevoir de l'argent : ENCAISSER, PERCEVOIR, TOUCHER.
- Recevoir des coups : ATTRAPER, PRENDRE, *et en lang. fam. :* ÉCOPER.
- Recevoir un affront : ESSUYER, SUBIR.
- Cette citerne reçoit toutes les eaux de pluie venant du toit : RECUEILLIR.
- Une région de montagne où l'on reçoit très mal l'image télévisée : CAPTER.
- Une maîtresse de maison qui sait recevoir ses invités : ACCUEILLIR, TRAITER.
- On n'a pas voulu recevoir ses excuses : ACCEPTER, AGRÉER.
- Être reçu à un concours : ADMETTRE.

RÉCHAPPER 2328

Il en a réchappé : S'EN SORTIR, S'EN TIRER.

RÉCHAUFFER 2329

- Le feu dans la cheminée réchauffe l'atmosphère : ATTIÉDIR, CHAUFFER, TIÉDIR.
- Réchauffer le zèle de quelqu'un : RANIMER.

RECHERCHE 2330

1. Les compagnies pétrolières se livrent à des recherches en mer d'Iroise : PROSPECTION.
- Faire de patientes recherches pour trouver des documents inédits : FOUILLE, INVESTIGATION.
- Être à la recherche de la vérité : POURSUITE.
- Les recherches de la police ont été vaines : ENQUÊTE, EXPLORATION, PERQUISITION.
- Des jeunes mariés à la recherche d'un appartement : *Fam. :* CHASSE.

2. Il s'habille avec une extrême recherche : RAFFINEMENT.

RECHERCHÉ

1. Un roman très recherché par la clientèle : DEMANDÉ.
2. Une toilette recherchée : RAFFINÉ, SOIGNÉ.
- Une façon recherchée de s'exprimer : AFFECTÉ, COMPLIQUÉ, MANIÉRÉ, PRÉCIEUX.
- Un motif décoratif recherché dans les moindres détails : ÉTUDIÉ, TRAVAILLÉ.

RECHERCHER

- Les gendarmes recherchent l'évadé qui s'est caché dans les bois : POURCHASSER, POURSUIVRE.
- C'est en recherchant un nouveau procédé de fabrication qu'elle a fait cette découverte : ÉTUDIER.
- Rechercher les traces du passage d'un animal sauvage : CHERCHER.
- Il recherche la gloire : AMBITIONNER, BRIGUER, VISER À.

RÉCLAMER 2331

1. Je réclame mon dû : EXIGER, REVENDIQUER.
- Ces gens ne sont jamais satisfaits, ils réclament sans cesse : PROTESTER, RÉCRIMINER, SE PLAINDRE.

2. Le déficit de la balance commerciale réclame des mesures d'urgence : APPELER, DEMANDER, EXIGER, IMPOSER, NÉCESSITER, REQUÉRIR.

SE RÉCLAMER

- De quelqu'un : SE RECOMMANDER.
- De quelque chose : INVOQUER.

RÉCOLTE 2332

- La récolte des pommes de terre : ARRACHAGE.
- La récolte des fruits : CUEILLETTE, RAMASSAGE.
- La récolte des céréales : MOISSON.
- La récolte des raisins : VENDANGE.

RÉCOLTER

- *En parlant des produits de la terre, récolter peut être remplacé, suivant le cas, par :* CUEILLIR, MOISSONNER, RAMASSER, VENDANGER.
- Le bénéfice que j'en ai récolté est nul : RETIRER, TIRER.
- *Fam. :* Il a encore récolté une mauvaise note : OBTENIR.

RECOMMANDABLE 2333

Cet ancien apprenti est devenu un ouvrier tout à fait recommandable : ESTIMABLE.

RECOMMANDATION

1. Il n'a obtenu ce poste que grâce à la recommandation du ministre : APPUI, INTERVENTION, PROTECTION, *et en lang. fam. :* PISTON.
2. Le chef de chantier a donné ses recommandations aux ouvriers avant le travail : CONSIGNES, DIRECTIVES, INSTRUCTIONS.
- Ma mère m'a prodigué ses recommandations : CONSEILS, EXHORTATIONS.

RECOMMANDER

- Quelqu'un : APPUYER, PATRONNER, *et en lang. fam. :* PISTONNER.

• Quelque chose à quelqu'un : CONSEILLER, PRÉCONISER.

RECOMMENCER 2334

1. *v. tr.*
• Puisque vous n'avez pas compris, je vais recommencer ma démonstration : REPRENDRE.
• Il faut recommencer votre devoir : REFAIRE.
• Je vais recommencer mes démarches : RÉITÉRER, RENOUVELER, RÉPÉTER.
• Il recommence sa sixième : REDOUBLER.
• Après sa maladie, elle a recommencé à travailler : SE REMETTRE.

2. *v. intr.*
• Je vous pardonne pour cette fois, mais ne recommencez plus : RÉCIDIVER.
• Après une accalmie, la tempête a recommencé : REPRENDRE.
• Mes ennuis recommencent : REVENIR.
• Leur dispute, une fois de plus, recommence : REBONDIR.

RÉCOMPENSE 2335

1. Une récompense en reconnaissance d'un service rendu : GRATIFICATION, POURBOIRE.
• Un concours agricole doté de récompenses : PRIME, PRIX.
• Une récompense honorifique : DÉCORATION.
• Une récompense pour faits de guerre : CITATION, MÉDAILLE.
• En récompense de ses sacrifices : COMPENSATION, DÉDOMMAGEMENT.

2. Ton insolence mérite une récompense : SANCTION.
• Pour toute récompense, je n'ai eu que des reproches : REMERCIEMENT, SALAIRE.

RÉCOMPENSER
• Il n'a pas été récompensé de ses efforts : PAYER.
• Récompenser un vainqueur : COURONNER, HONORER.

RÉCONCILIATION 2336

RACCOMMODEMENT, RAPPROCHEMENT.

RÉCONCILIER

RACCOMMODER, RAPPROCHER, *et en lang. fam. :* RABIBOCHER.

RECONDUCTION 2337
• La reconduction d'un bail : PROLONGATION, PROROGATION, RENOUVELLEMENT.
• La reconduction du président dans ses fonctions : MAINTIEN.

RÉCONFORT 2338

APPUI, CONSOLATION, SOUTIEN.

RÉCONFORTANT

Un breuvage réconfortant : RECONSTITUANT, REMONTANT, STIMULANT, TONIQUE.

RÉCONFORTER

CONFORTER, REMONTER, REVIGORER, *et en lang. fam. :* RAGAILLARDIR, RAVIGOTER, RETAPER.

RECONNAISSANCE 2339

1. Le capitaine a envoyé une section en reconnaissance devant la compagnie : EXPLORATION, INSPECTION, OBSERVATION.

2. La reconnaissance de ses erreurs : AVEU, CONFESSION.
• La reconnaissance d'un enfant par son père : LÉGITIMATION.
• La reconnaissance d'un cadavre par ses proches : IDENTIFICATION.

3. Il m'a aidé et j'ai beaucoup de reconnaissance envers lui : GRATITUDE, OBLIGATION.

RECONNAÎTRE

1. J'irai reconnaître les lieux : EXAMINER, EXPLORER, INSPECTER, OBSERVER, PROSPECTER, VISITER.

2. Je l'ai facilement reconnu à sa voix : IDENTIFIER.
• Je commence à reconnaître les difficultés de votre tâche : DÉCOUVRIR, DISCERNER, DISTINGUER.

3. Je reconnais mes torts : ADMETTRE, AVOUER, CONFESSER, CONVENIR DE.
• Malgré tous ses défauts, je lui reconnais quelques qualités : ACCORDER, CONCÉDER.

4. Je ne reconnais pas ce paysage : SE RAPPELER, SE SOUVENIR DE.

SE RECONNAÎTRE

1. Se reconnaître coupable : S'AVOUER.

2. Le quartier a beaucoup changé, je ne me reconnais plus : S'ORIENTER, SE RETROUVER.

RECOURIR 2340
• Recourir à plus fort que soi : FAIRE APPEL À, S'ADRESSER.
• Recourir à la force pour mater la rébellion : EMPLOYER, USER DE, UTILISER.

RECOURS
• Le recours à la ruse : EMPLOI, USAGE.
• Pour le sauver de la gangrène, le dernier recours était d'opérer : MOYEN, RESSOURCE.
• Dans la détresse, il a été mon ultime recours : SAUVEGARDE, SECOURS, SOUTIEN.
• Déposer un recours devant un tribunal : POURVOI, REQUÊTE.

RECOUVRER 2341

RECONQUÉRIR, RÉCUPÉRER, REGAGNER, REPRENDRE, RETROUVER.

RECOUVRIR 2342
1. Recouvrir un paquet : ENVELOPPER.
• Recouvrir un mur de plâtre : ENDUIRE, REVÊTIR.
• Les marguerites recouvrent la prairie : JONCHER, TAPISSER.
• Recouvrir une allée de pierres plates : PAVER.
• Recouvrir de sauce une daurade : NAPPER.
• Recouvrir de beurre une tranche de pain : TARTINER.
• Recouvrir un gratin de gruyère râpé : PARSEMER, SAUPOUDRER.
2. L'hypocrite recouvre de paroles aimables ses véritables sentiments : CACHER, MASQUER.
3. Cette étude historique recouvre tout le siècle de Louis XIV : EMBRASSER, S'ÉTENDRE SUR.

RÉCRÉATION 2343
AMUSEMENT, DÉLASSEMENT, DÉTENTE, DISTRACTION, DIVERTISSEMENT, PAUSE, REPOS.

SE RÉCRÉER
S'AMUSER, SE DISTRAIRE, SE DIVERTIR.

RECRUDESCENCE 2344
ACCROISSEMENT, AUGMENTATION, DÉVELOPPEMENT, INTENSIFICATION, REGAIN, RENFORCEMENT, REPRISE.

RECTIFICATION 2345
Apporter une rectification à un texte : CORRECTION, MODIFICATION, RECTIFICATIF.

RECTIFIER
Rectifier une erreur : CORRIGER, REDRESSER.

RECUEIL 2346
• Un recueil de poésies : ANTHOLOGIE, FLORILÈGE.
• Un recueil de fables : FABLIER.
• Un recueil de renseignements divers : ANNUAIRE, CATALOGUE, RÉPERTOIRE.
• Un recueil de recettes de cuisine : LIVRE, MANUEL.
• Un recueil de photographies : ALBUM, COLLECTION.
• Un recueil des perles relevées dans les copies d'élèves : SOTTISIER.

RECUEILLEMENT
• Être en recueillement : CONTEMPLATION, MÉDITATION.
• Le recueillement de l'esprit : CONCENTRATION.
• Écouter quelqu'un avec recueillement : ATTENTION, CONSIDÉRATION, DÉFÉRENCE, RESPECT, RÉVÉRENCE.
• Toute l'assemblée suivait la cérémonie avec recueillement : DÉVOTION, FERVEUR.

RECUEILLIR
• Recueillir des fruits : RAMASSER, RÉCOLTER.
• Recueillir des fonds pour une œuvre : COLLECTER, RASSEMBLER.
• Recueillir un orphelin : HÉBERGER, LOGER.
• Ce candidat a recueilli plus de la moitié des suffrages : OBTENIR.

SE RECUEILLIR
MÉDITER, RÉFLÉCHIR, SE CONCENTRER.

RECUL 2347
1. Le recul devant un ennemi : DÉCROCHAGE, REPLI, RETRAITE.
• Le recul d'une épidémie : RÉGRESSION, RÉTROGRADATION.
2. D'ici, on manque de recul pour juger de l'ensemble du château de Versailles : DISTANCE, ÉLOIGNEMENT.

RECULADE
C'est une honteuse reculade de sa part de n'avoir pas tenu son engagement : DÉROBADE.

RECULER
1. *v. tr.*
• Reculez ces chaises contre le mur : REPOUSSER.
• Personne ne souhaite reculer la date de son départ en vacances : AJOURNER, DIFFÉRER, RETARDER.
2. *v. intr.*
• Les envahisseurs ont reculé : SE REPLIER, SE RETIRER.
• La patrouille presque encerclée a dû reculer : DÉCROCHER.
• Devant le barrage de police, les manifestants ont reculé : REFLUER.
• L'influence française recule dans le monde : RÉGRESSER, RÉTROGRADER.
• Elle n'est pas femme à reculer devant un obstacle : CÉDER, RENONCER, SE DÉROBER, *et en lang. fam. :* CALER, FLANCHER, *et en lang. pop. :* CANER, SE DÉGONFLER.

RÉDACTION 2348
• En classe, elle est toujours la première en rédaction : NARRATION.
• La rédaction du communiqué à la presse a été longue à mettre au point : LIBELLÉ, TEXTE.

RÉDIGER
Rédiger un contrat dans les formes requises : ÉTABLIR, LIBELLER.

REDDITION 2349
La reddition d'une armée en rase campagne : CAPITULATION.

REDRESSEMENT 2350
- Le redressement de l'économie d'un pays : RELÈVEMENT, RESTAURATION, RÉTABLISSEMENT.
- Le redressement d'un compte : RECTIFICATION.

REDRESSER
- Soudain, il redressa la tête : RELEVER.
- Redresser une planche : DÉGAUCHIR.
- Redresser une clef, un clou : DÉFAUSSER, DÉTORDRE.
- Redresser le tracé d'une route : RECTIFIER.
- Redresser une injustice : RÉPARER.

RÉDUIRE 2351
1. Sa peine de prison a été réduite : ABRÉGER, DIMINUER, RACCOURCIR.
- Réduire l'importance de quelque chose : AMOINDRIR, ATTÉNUER, DIMINUER, MINIMISER.
- Réduire l'autorité de quelqu'un : ABAISSER, AFFAIBLIR, DIMINUER, RESTREINDRE.
- Depuis qu'il est chômeur, il a dû réduire son train de vie : LIMITER.
- Réduire les vivres en cas de disette : RATIONNER.
2. Réduire quelque chose en morceaux : METTRE.
3. Il est réduit à mendier : ASTREINDRE, CONTRAINDRE, FORCER, OBLIGER.
- Le gouvernement a réduit la rébellion : DOMPTER, MAÎTRISER, MATER, SOUMETTRE, VAINCRE.
- « Réduire à rien » : ANÉANTIR, ANNIHILER, DÉTRUIRE, NÉANTISER.

SE RÉDUIRE
- Notre différend se réduit à peu de chose : SE BORNER, SE LIMITER, SE RAMENER.
- Le manque d'argent l'oblige à se réduire : SE RESTREINDRE.

RÉDUIT
1. *adj.*
- L'activité réduite des industries au mois d'août : RALENTI, RESTREINT.
- Cet événement n'a qu'une importance réduite : FAIBLE, LIMITÉ, MINIME.
- Un individu de taille réduite : PETIT.
- Un vieillard aux ressources réduites : MAIGRE.
2. *nom.*
- Autrefois, les domestiques étaient souvent logés dans des réduits sans confort : GALETAS, SOUPENTE, *et en lang. fam. :* CAGIBI.

REFAIRE 2352
1. Refaire un travail : RECOMMENCER.
- Refaire une démarche : RENOUVELER, RÉPÉTER.
- Pour la nouvelle édition, l'auteur a refait son livre : RÉCRIRE, REFONDRE.
- Après les inondations, la route est à refaire : RÉPARER.
- Après les bombardements, toutes les maisons étaient à refaire : REBÂTIR, RECONSTRUIRE.
- L'Administration ayant perdu mon dossier, il faut que je le refasse : RECONSTITUER.
- Donner un fauteuil à refaire : REGARNIR, RESTAURER.
- Refaire un plafond abîmé par la fumée : REPEINDRE.
2. *Fam. :* Il a été refait : BERNER, DUPER, TROMPER, VOLER.

SE REFAIRE
- Il faudra plusieurs mois au malade pour se refaire : SE RÉTABLIR, *et en lang. fam. :* SE RETAPER.
- Ce n'est pas à mon âge qu'on se refait : CHANGER.

RÉFECTION
Des travaux de réfection : RÉPARATION.

RÉFECTOIRE 2353
Suivant le contexte : CANTINE, MESS, *et en lang. fam. :* POPOTE.

RÉFLÉCHIR 2354
1. Le miroir réfléchissait toutes les lumières du salon : REFLÉTER.
- Ce mur réfléchit les voix : RENVOYER, RÉPERCUTER.
2. Je réfléchis : MÉDITER, PENSER, SE CONCENTRER, SE RECUEILLIR.
- Réfléchissez aux conséquences de votre décision : CONSIDÉRER, ENVISAGER, ÉTUDIER, EXAMINER, PENSER, SONGER.

REFLET
- Les reflets de la moire : CHATOIEMENT, MIROITEMENT.
- L'enfant regardait son reflet dans l'eau du lac : IMAGE.
- La littérature moderne est le reflet de notre société : ÉCHO, MIROIR, REPRÉSENTATION.
- Cette copie n'est que le pâle reflet de l'original : IMITATION, REPRODUCTION.

REFLÉTER
- Ce radiateur parabolique reflète la chaleur vers nous : RÉFLÉCHIR, RENVOYER, RÉVERBÉRER.
- Son visage reflète la joie : EXPRIMER, INDIQUER.
- Votre commentaire ne reflète pas la pensée de l'auteur : REPRODUIRE, TRADUIRE.

RÉFLEXION
1. La réflexion des ondes sonores sur un écran radar : ÉCHO.

- La réflexion de la chaleur solaire sur un mur : RÉVERBÉRATION.

2. Une réflexion profonde : MÉDITATION, PENSÉE.
- Agir avec réflexion : ATTENTION, CIRCONSPECTION, PRUDENCE.
- Je ne veux entendre aucune réflexion : CRITIQUE, OBSERVATION, REMARQUE.

REFLUX 2355
- Le reflux de la marée : JUSANT.
- Le reflux d'une foule devant un barrage de police : RECUL.
- Le reflux du dollar sur les marchés internationaux : BAISSE.

RÉFORME 2356
1. La Réforme : PROTESTANTISME.
2. Être partisan de réformes : CHANGEMENT, MODIFICATION, TRANSFORMATION.
3. Mettre un objet à la réforme : REBUT.

RÉFORMER
AMÉLIORER, AMENDER, CORRIGER, MODIFIER, REMANIER, RÉVISER, TRANSFORMER.

REFRAIN 2357
C'est toujours le même refrain : CHANSON, LEITMOTIV, RENGAINE, RITOURNELLE, *et en lang. fam. :* SCIE.

RÉFRIGÉRANT 2358
Fam. : Recevoir un accueil réfrigérant : FROID, GLACIAL.

REFROIDIR 2359
- Refroidir ce qui est trop chaud : ATTIÉDIR, TIÉDIR.
- Mettre quelque chose à refroidir dans le congélateur : CONGELER, GLACER, RÉFRIGÉRER.
- Cette bise venant du nord nous refroidit : FRIGORIFIER, GELER.
- Son air revêche nous a refroidis : DÉCOURAGER.

REFUGE 2360
- Chercher un refuge contre la pluie : ABRI.
- Vous êtes mon dernier refuge : RECOURS, RESSOURCE.
- Cette institution sert de refuge aux personnes lassées par la vie : ASILE, HAVRE, RETRAITE.

SE RÉFUGIER
- Se réfugier sous un arbre : S'ABRITER.
- Se réfugier dans un autre pays : ÉMIGRER, S'EXILER, S'EXPATRIER.

REFUS 2361
- Le refus d'un cadeau : INACCEPTATION.
- Un refus catégorique : NON, OPPOSITION, VETO.
- Le refus d'un amendement par les députés : REJET.

REFUSER
1. Refuser une invitation : DÉCLINER, REJETER.
- Il a refusé mon offre de service : DÉDAIGNER, REPOUSSER.
- Je refuse sa présence parmi nous : RÉCUSER.
- Je lui refuse toute qualité pour devenir président : DÉNIER, NIER.

2. Être refusé à un examen : ÉLIMINER, *et en lang. fam. :* BLACKBOULER, COLLER, RECALER.

RÉFUTATION 2362
Les faits serviront de réfutation à vos théories : DÉMENTI, NÉGATION.

RÉFUTER
Réfuter une affirmation : COMBATTRE, CONTREDIRE, DÉMENTIR, INFIRMER, S'OPPOSER À.

REGARD 2363
1. Avoir le regard sombre : ŒIL.
- S'exposer au regard de tous : VISION, VUE.
- Il n'a eu aucun regard pour moi : ATTENTION.
- Je vais jeter un regard sur votre dossier : COUP D'ŒIL.

2. Pratiquer un regard dans une canalisation : OUVERTURE.

REGARDER
1. Pourquoi me regardez-vous ainsi ? : DÉVISAGER, FIXER, TOISER, *et en lang. fam. :* LORGNER, RELUQUER.
- Elle avait plaisir à regarder les vagues monter à l'assaut des rochers : CONTEMPLER, OBSERVER.
- Le policier a regardé le sac de la victime, à la recherche d'un indice : EXAMINER, INSPECTER, SCRUTER.
- Je vais regarder le dictionnaire pour vérifier l'orthographe de ce mot : CONSULTER.
- J'ai regardé rapidement votre dossier : PARCOURIR, VOIR.
- Je regarde avant tout mes avantages : CONSIDÉRER, ENVISAGER, RECHERCHER.

2. Cela ne me regarde pas : CONCERNER, INTÉRESSER, TOUCHER, VISER.
3. Je le regarde comme supérieur aux autres : ESTIMER, JUGER, TENIR POUR.
4. Je regarde au prix avant d'acheter : SE PRÉOCCUPER DE, TENIR COMPTE DE.
5. L'aiguille aimantée de la boussole regarde toujours vers le nord : SE TOURNER.

REGIMBER 2364
PROTESTER, RÉCALCITRER, SE CABRER, SE RÉVOLTER, *et en lang. fam. :* SE REBIFFER.

RÉGIME 2365
1. Le régime d'un pays : CONSTITUTION, INSTITUTIONS.
• Un régime totalitaire : GOUVERNEMENT.
2. Le médecin l'a mis au régime pendant deux jours : DIÈTE.

RÉGION 2366
• Une région administrative : CIRCONSCRIPTION, DISTRICT, PROVINCE.
• Les régions désertiques du globe : CONTRÉE, TERRE, TERRITOIRE, ZONE.

RÉGIONAL
Une coutume régionale : PROVINCIAL.

RÈGLE 2367
1. Les règles de la morale : PRÉCEPTE, PRESCRIPTION, PRINCIPE.
• La règle est la même pour tous : LOI, RÈGLEMENT.
• Cela est conforme à la règle : NORME, USAGE.
• Pour la bonne règle des choses : ORDONNANCE, ORDRE.
• Elle s'est fait une règle de lui rendre visite chaque dimanche : DISCIPLINE.
• Telle a toujours été ma règle de conduite : LIGNE.
• Les règles de la beauté féminine : CANONS.
• Les règles d'un jeu : CONVENTIONS, RÈGLEMENT.
• La règle d'un ordre religieux : OBSERVANCE, STATUTS.
• Vos papiers ne sont pas « en règle » : RÉGLEMENTAIRE, RÉGULIER, VALABLE, VALIDE.
2. *Au pluriel seulement :* MENSTRUES.

RÉGLÉ
• Un pouls bien réglé : RÉGULIER, UNIFORME.
• Une personne très réglée dans sa vie : ORDONNÉ, ORGANISÉ.
• C'est une affaire réglée : CONCLU, RÉSOLU, TERMINÉ.
• Tout ceci était réglé d'avance : DÉCIDÉ, DÉTERMINÉ, FIXÉ.

RÈGLEMENT
1. Un règlement de voirie municipale : ARRÊTÉ, DÉCRET, ORDONNANCE.
• Les règlements d'une association : STATUTS.
• Observer le règlement : CODE, DISCIPLINE, RÉGLEMENTATION.
2. Un règlement à l'amiable : ACCORD, ARRANGEMENT.
• Le règlement d'une affaire : CONCLUSION, SOLUTION.
• Le règlement d'une facture : ACQUITTEMENT, PAIEMENT.
• Le règlement d'une dette : LIQUIDATION.

RÉGLEMENTATION
La réglementation du prix du pain : FIXATION, TAXATION.

RÉGLER
1. L'étiquette règle l'ordre des préséances dans une cérémonie : CODIFIER, DÉCIDER, DÉTERMINER, DICTER, ÉTABLIR, FIXER, RÉGLEMENTER.
• Il a réglé son voyage dans les moindres détails : ORGANISER, PROGRAMMER.
• L'enfant essayait de régler son allure sur celle de son père : ACCORDER À, CONFORMER À, HARMONISER AVEC, MODELER SUR.
2. C'est une affaire délicate à régler : ARRANGER, CONCLURE, RÉSOUDRE, TRANCHER.
• Régler sa note de téléphone : ACQUITTER, PAYER.
• Régler définitivement un compte à la banque : ARRÊTER, LIQUIDER.
• Régler un différend entre deux personnes : ARBITRER.

RÉGULARITÉ
1. La régularité de son élection n'a pas été contestée : LÉGALITÉ.
2. La régularité de la façade du château de Versailles : SYMÉTRIE.
• La régularité d'un visage : HARMONIE.
• La S.N.C.F. tient à la régularité de ses trains : EXACTITUDE, PONCTUALITÉ.
• Un élève qui fait preuve de régularité dans ses résultats : CONSTANCE, HOMOGÉNÉITÉ, UNIFORMITÉ.

RÉGULIER
1. Votre demande n'est pas faite dans les formes régulières : LÉGAL, NORMAL, RÉGLEMENTAIRE.
2. Un nouveau quartier bâti sur un plan régulier : GÉOMÉTRIQUE.
• Les traits de son visage sont réguliers : HARMONIEUX, SYMÉTRIQUE.
• Rouler à vitesse régulière : CONSTANT, UNIFORME.
• Des arbres plantés à intervalles réguliers : ÉGAL.
• Être soumis à des examens médicaux réguliers : PÉRIODIQUE.
• Un fonctionnaire régulier dans son travail : ASSIDU, EXACT, PONCTUEL.
3. En affaires, il a toujours été régulier : CORRECT, HONNÊTE, LOYAL, PROBE.

RÈGNE 2368
• Le règne du pape Jean-Paul Ier n'a duré qu'un mois : PONTIFICAT.
• Sous le règne de Louis XIV : À L'ÉPOQUE DE.
• Le monde actuel vit sous le règne de la violence : DOMINATION, EMPIRE, EMPRISE, POUVOIR, PRÉDOMINANCE.

RÉGNER
- Il veut régner en maître absolu : GOUVERNER, RÉGENTER.
- Le maître d'hôtel régnait sur toute une armée de serveurs : COMMANDER À.
- Aujourd'hui, l'argent règne partout : DOMINER, PRÉVALOIR, TRIOMPHER.
- Entre eux, règne la méfiance : EXISTER, PRÉDOMINER.
- Ce mauvais temps règne depuis une semaine : DURER.
- Au temps où la peste régnait en Europe : SÉVIR.

REGRET 2369
- L'exilé a le regret de son pays natal : NOSTALGIE.
- J'ai beaucoup de regrets d'avoir si maladroitement agi : REMORDS, REPENTIR.
- C'est avec regret que je vous annonce cette mauvaise nouvelle : DÉPLAISIR, PEINE.
- Quel regret pour moi de n'avoir pas été là pour vous aider ! : CONTRARIÉTÉ, DÉCEPTION.
- Je vous présente mes regrets de vous avoir offensé : EXCUSES.

REGRETTER
- Regretter la mort d'un ami : DÉPLORER.
- Je regrette de m'être mis en colère : S'EN VOULOIR, SE REPENTIR.
- Je regrette, mais je ne suis pas d'accord avec vous : S'EXCUSER.

REJETER 2370
- Rejeter une balle qu'on vous a envoyée : RELANCER, RENVOYER.
- Rejeter à plus tard l'examen d'un projet de loi : REPORTER, REPOUSSER.
- À cause d'une sténose du pylore, le bébé rejetait toutes ses tétées : RENDRE, VOMIR.
- Il a été rejeté de ce parti pour avoir refusé de se plier à la discipline : CHASSER, ÉCARTER, ÉLIMINER, EXCLURE, EXPULSER, *et en lang. fam. :* ÉJECTER.
- Elle a rejeté toutes les offres de service : REFUSER, REPOUSSER.
- Ne rejetez pas la faute sur votre camarade : ATTRIBUER À.

REJOINDRE 2371
- Tous les avions ont rejoint leur base : RALLIER, REGAGNER, RENTRER À, RETOURNER À, REVENIR À.
- Il courait après son père pour le rejoindre : RATTRAPER.
- Ce sentier rejoint la route nationale : ABOUTIR À.
- Votre opinion rejoint la mienne : SE RAPPROCHER DE.

SE REJOINDRE
En empruntant des itinéraires différents, les groupes se rejoindront ici : SE RETROUVER, SE RÉUNIR.

RÉJOUIR 2372
- Cette nouvelle me réjouit : ENCHANTER, RAVIR.
- Cette plaisanterie a réjoui l'assistance : AMUSER, DIVERTIR, ÉGAYER.

SE RÉJOUIR
- Se réjouir beaucoup : EXULTER, *et en lang. fam. :* JUBILER.
- Je me réjouis d'avoir choisi la Suisse pour mes vacances : SE FÉLICITER.

RELÂCHE 2373
1. Les ouvriers à la chaîne n'ont guère de relâche dans leur travail : DÉTENTE, PAUSE, RÉPIT, REPOS.
- Travailler sans relâche : SANS ARRÊT, SANS INTERRUPTION, SANS TRÊVE.
2. Le caboteur fera relâche à Brest : ESCALE.

RELÂCHEMENT
1. Je note du relâchement dans le travail de cet élève : LAISSER-ALLER, NÉGLIGENCE.
2. Le relâchement des muscles : DÉCONTRACTION, DISTENSION, RELAXATION.

RELÂCHER
- Un prisonnier : ÉLARGIR, LIBÉRER, RELAXER.
- Une étreinte : DESSERRER.
- Ses muscles : DÉCONTRACTER, DÉTENDRE.
- La discipline : ASSOUPLIR.
- Son attention : DIMINUER.

SE RELÂCHER
Son ardeur s'est relâchée : BAISSER, DIMINUER, FAIBLIR.

RELAIS 2374
- Servir de relais : INTERMÉDIAIRE.
- Prendre le relais : SUCCESSION, SUITE.

RELAYER
REMPLACER, SUCCÉDER À, SUPPLÉER.

RELANCE 2375
La relance de l'économie : REDÉMARRAGE, REPRISE.

RELANCER
1. Le gouvernement a pris des mesures pour relancer l'industrie du jouet : RANIMER, REVIGORER, REVITALISER.
2. Il ne cesse de me relancer pour obtenir satisfaction : HARCELER, IMPORTUNER, POURSUIVRE.
3. Le goal relance le ballon : RENVOYER.

RELATIF 2376
1. Un décret relatif à la circulation routière : CONCERNANT.

2. La notion de bonheur est relative : PERSONNEL, SUBJECTIF.
• Sa liberté de manœuvre est relative : LIMITÉ, PARTIEL.
• Ici, le calme est relatif : APPROXIMATIF.
• Ses revenus lui assurent une aisance relative : HONNÊTE, MOYEN.

RELATION 2377
1. Sa relation des faits est tendancieuse : EXPOSÉ, NARRATION, RÉCIT, VERSION.
2. Il y a une relation entre son tempérament et sa maladie : CORRÉLATION, DÉPENDANCE, LIAISON, LIEN, RAPPORT.
• Être en relation régulière avec quelqu'un : CORRESPONDANCE.
• J'ai gardé quelques relations avec nos anciens voisins : CONTACT.
• Je n'ai aucune relation avec les milieux de la banque : ACCOINTANCE.
• Être en bonnes relations avec quelqu'un : TERMES.
• Il a de mauvaises relations : FRÉQUENTATIONS.
• Je me suis fait quelques relations pendant les vacances : AMI.
• Les relations commerciales entre pays : ÉCHANGE.

RELEVÉ 2378
1. *adj.*
• Une moustache aux extrémités relevées : REDRESSÉ.
• Un style relevé : NOBLE, SOUTENU.
• Une sauce relevée : ÉPICÉ, PIQUANT.
2. *nom.*
Voilà le relevé de toutes mes dépenses : ÉTAT, LISTE, TABLEAU.

RELÈVEMENT
• Le relèvement de l'économie d'un pays : REDRESSEMENT, RÉTABLISSEMENT.
• Le relèvement des salaires : AUGMENTATION, HAUSSE, MAJORATION, REVALORISATION.

RELEVER
1. *v. tr.*
• Relever une chaise renversée : REDRESSER.
• Relever une maison d'un étage : REHAUSSER, SURÉLEVER.
• Relever un mur effondré : RECONSTRUIRE.
• Relever les jambes de son pantalon pour traverser un ruisseau : RETROUSSER, TROUSSER.
• Relever le col de son manteau pour se protéger du froid : REMONTER, SOULEVER.
• Relever l'économie d'un pays : RESTAURER, RÉTABLIR.
• Relever une sauce : ASSAISONNER, ÉPICER, PIMENTER.
• Relever les salaires : AUGMENTER, MAJORER, REVALORISER.
• Dans une heure, je relèverai vos copies : RAMASSER.
• Le contrôleur relevait sur un carnet le prix des marchandises : COPIER, INSCRIRE, NOTER.
• J'ai relevé des traces de moisissure sur ce meuble : CONSTATER, DÉCOUVRIR.
• Personne n'a osé relever son lapsus : FAIRE REMARQUER, SOULIGNER.
• Relever une sentinelle : REMPLACER.
• Relever quelqu'un d'un serment : DÉGAGER, DÉLIER, LIBÉRER.
• Relever quelqu'un de ses fonctions : DESTITUER, RÉVOQUER.
2. *v. intr.*
• Elle relève d'une grave maladie : SORTIR.
• Cette décision ne relève pas de moi : DÉPENDRE DE.
• Ce crime relève de la cour d'assises : RESSORTIR À.
• Votre projet relève de la fiction : APPARTENIR À, TOUCHER À.

SE RELEVER
• Il est tombé puis s'est vite relevé : SE REDRESSER.
• Après la guerre, le pays a eu du mal à se relever de ses ruines : RENAÎTRE, SE REMETTRE.

RELIEF 2379
1. Un style qui manque de relief : CARACTÈRE, ÉCLAT, FORCE, VIGUEUR.
2. Les reliefs d'un repas : RESTES.

RELIGIEUX 2380
1. *adj.*
• Cette famille a toujours été très religieuse : CROYANT, DÉVOT, PIEUX, PRATIQUANT.
• L'art religieux : SACRÉ.
• La vie religieuse : ECCLÉSIASTIQUE, MONASTIQUE.
• Une âme religieuse : MYSTIQUE.
• Écouter dans un silence religieux : RECUEILLI, RESPECTUEUX.
• Apporter un soin religieux à exécuter un travail : SCRUPULEUX.
2. *nom.*
• Les religieux : CONGRÉGANISTE, MOINE, RÉGULIER.
• Une religieuse : MONIALE, NONNE, SŒUR.

RELIGION
1. Un homme sans religion : FOI.
• On admirait la sincérité de sa religion : DÉVOTION, PIÉTÉ.
• Il était tolérant à l'égard de toutes les religions : CONFESSION, CROYANCE, CULTE.

2. Elle se faisait une religion d'aider les pauvres : DEVOIR, OBLIGATION.
• Sur ce point, ma religion est établie : CONVICTION.

REMARQUABLE 2381
• C'est un fait remarquable : MARQUANT, MÉMORABLE, NOTABLE, SAILLANT, SAISISSANT.
• Un exploit remarquable : ÉTONNANT, EXTRAORDINAIRE.
• Un orateur remarquable : BRILLANT, ÉBLOUISSANT, INCOMPARABLE, PRESTIGIEUX.
• Un artisan remarquable : ÉMÉRITE, ÉMINENT.

REMARQUE
• C'est une remarque judicieuse : OBSERVATION, RÉFLEXION.
• Lisez attentivement toutes les remarques portées en marge de votre devoir : ANNOTATION, COMMENTAIRE, NOTE.

REMARQUER
1. On pouvait remarquer quelques éraflures sur la peinture de la voiture : APERCEVOIR, CONSTATER, DÉCOUVRIR, DISCERNER, OBSERVER, VOIR.
• Personne n'a remarqué ton absence : NOTER, S'AVISER DE.
• C'est un homme que l'on remarque dans une foule : DISTINGUER.
2. Se faire remarquer : SE SIGNALER, SE SINGULARISER.

SE REMARQUER
Cette tache sur ton blouson ne se remarque pas : SE VOIR.

REMBOURRER 2382
CAPITONNER, GARNIR, MATELASSER.

REMBOURSER 2383
• Je lui rembourserai la somme qu'il m'a prêtée : REDONNER, RENDRE.
• Elle a été bien mal remboursée de ses frais : DÉDOMMAGER, INDEMNISER.

REMÈDE 2384
• Prendre un remède : MÉDICAMENT, POTION.
• Un remède contre le venin des vipères : ANTIDOTE, CONTREPOISON.
• Un remède contre les brûlures superficielles : BAUME, ONGUENT, POMMADE, TOPIQUE.
• Y a-t-il un remède efficace contre tous les maux ? : PANACÉE.
• Le gouvernement cherche un remède au déficit de la Sécurité sociale : EXPÉDIENT, PALLIATIF, SOLUTION.

REMETTRE 2385
1. Remets ce livre où tu l'as pris : DÉPOSER, REPLACER, REPOSER.
• Remettre son épée au fourreau : RENGAINER.
• Le rebouteur lui a remis le bras : REMBOÎTER.
• Remettre un aveugle dans le bon chemin : RAMENER, RECONDUIRE.
• Remettre un peu de poivre dans une sauce : RAJOUTER.
2. Le facteur m'a remis cette lettre pour vous : CONFIER, DONNER.
• Je lui ai remis ce que je lui avais emprunté : REDONNER, RENDRE, RESTITUER.
• Il a remis tous ses pouvoirs à son successeur : PASSER.
• Les gendarmes ont remis le coupable à la justice : LIVRER.
• C'est à ce guichet que l'on vous remettra votre billet : DÉLIVRER.
3. Le prêtre a le pouvoir de remettre les péchés : ABSOUDRE, PARDONNER.
4. Buvez cette tisane, cela vous remettra : RÉCONFORTER, REMONTER, REVIGORER, *et en lang. fam. :* RETAPER.
5. Remettre quelque chose en état : RÉPARER, RESTAURER.
6. Remettre un rendez-vous : AJOURNER, DIFFÉRER, RECULER, RENVOYER, REPORTER, REPOUSSER, RETARDER.
7. Je vous remets très bien : RECONNAÎTRE.
8. *Fam. :* Et la pluie remet ça ! : RECOMMENCER.
• *Fam. :* Garçon, remettez-nous la même chose : REDONNER.

SE REMETTRE
• Le malade se remet difficilement : RÉCUPÉRER, SE RÉTABLIR.
• Je ne me remets pas son visage : SE RAPPELER, SE SOUVENIR DE.
• La pluie se remet à tomber : RECOMMENCER.
• Le temps se remet au beau : REVENIR.
• Se remettre bien avec quelqu'un : SE RÉCONCILIER.
• Allons, remettez-vous ! : SE CALMER, SE RASSURER, SE REPRENDRE, SE TRANQUILLISER.
• Je m'en remets à votre jugement : SE FIER, S'EN RAPPORTER.

REMISE
1. La remise à domicile d'un paquet : LIVRAISON.
• La remise à huitaine d'une réunion : AJOURNEMENT, RENVOI.
• Une remise de peine : RÉDUCTION.
• Le libraire m'a fait une remise : RABAIS.

- C'est le moment de la remise des prix aux vainqueurs : DISTRIBUTION.

2. Dans le jardin, il y a une remise pour les outils : ABRI, HANGAR, RESSERRE.

REMISER
- Remiser sa voiture : GARER, RANGER.
- Remiser un vieux meuble au grenier : RELÉGUER.

RÉMISSION
1. La rémission des péchés : ABSOLUTION, PARDON.
- Faire rémission : GRÂCE.
- Un jugement sans rémission : INDULGENCE.
2. Le malade souffre beaucoup, mais il a quelques moments de rémission : ACCALMIE, APAISEMENT, CALME, DÉTENTE.
- Travailler sans rémission : RELÂCHE, RÉPIT.

REMONTER 2386
1. *v. intr.*
a) La balançoire descend et remonte : S'ÉLEVER.
- Le dollar est remonté sur le marché des changes : PROGRESSER.

b) La coutume de mettre des coqs sur les clochers remonte au IXe siècle : DATER DE.

2. *v. tr.*
a) Il faut remonter ce tableau de quelques centimètres : ÉLEVER, RELEVER.
- Remonter un mur d'un mètre : EXHAUSSER.
- Remonter sa garde-robe : RECONSTITUER, RENOUVELER.

b) Ce cordial vous remontera : RAGAILLARDIR, *et en lang. fam. :* RAVIGOTER, REQUINQUER.

REMORQUER 2387
HALER, TIRER, TRAÎNER.

REMOUS 2388
1. Des remous dans l'eau : TOURBILLON, TURBULENCE.
2. Cette décision a provoqué de vifs remous dans les milieux syndicalistes : AGITATION, EFFERVESCENCE.

REMPLAÇANT 2389
- Voici mon remplaçant : SUCCESSEUR, SUPPLÉANT.
- Ma secrétaire étant malade, j'ai fait appel à une remplaçante : INTÉRIMAIRE.
- Le remplaçant d'un acteur : DOUBLURE.

REMPLACEMENT
- Le remplacement d'une pièce par une autre : CHANGEMENT, SUBSTITUTION.
- Assurer le remplacement de quelqu'un : INTÉRIM, SUPPLÉANCE.
- La question de son remplacement ne se pose pas encore : SUCCESSION.
- Le remplacement de la garde : RELÈVE.
- Je n'ai aucune solution de remplacement : RECHANGE.

REMPLACER
- Remplacer un mot par un autre : CHANGER, SUBSTITUER.
- Remplacer quelqu'un : SUCCÉDER À, SUPPLÉER.
- Dans les scènes périlleuses, l'acteur a été remplacé par un cascadeur : DOUBLER.
- Le Président s'est fait remplacer par un ministre : REPRÉSENTER.
- Jamais les robots ne remplaceront totalement les hommes : SE SUBSTITUER À, SUPPLANTER.

REMPLIR 2390
1. Remplir un coussin de duvet : BOURRER, GARNIR.
- Remplir un poêle de charbon : CHARGER.
- Remplir un aérostat d'hélium : GONFLER.
- La fumée remplissait peu à peu la pièce : ENVAHIR.
- La publicité remplit la moitié des pages de ce magazine : COUVRIR.
- À la rentrée, les étudiants remplissent les universités : PEUPLER.
- Les spectateurs qui remplissaient la salle : GARNIR, OCCUPER.
- Cette nouvelle me remplit de joie : COMBLER, INONDER.
- Pour obtenir un passeport, remplissez ce formulaire : COMPLÉTER.
2. Elle remplit sa tâche à merveille : ACCOMPLIR, EXÉCUTER, EXERCER, S'ACQUITTER DE.
- Nous avons rempli notre programme : EFFECTUER, RÉALISER.
- Il ne sait pas comment remplir ses loisirs : EMPLOYER, MEUBLER, OCCUPER.
- Il ne remplit pas toutes les conditions pour ce poste : SATISFAIRE À.
- Il n'a pas rempli toutes les espérances mises en lui : RÉPONDRE À.
- Elle a rempli ses promesses : RESPECTER, TENIR.

REMUANT 2391
C'est un élève remuant : AGITÉ, TURBULENT.

REMUÉ
Quelle fâcheuse nouvelle ! J'en suis encore toute remuée : BOULEVERSÉ, ÉBRANLÉ, TROUBLÉ.

REMUER

1. *v. tr.*

- Je ne peux remuer ce meuble : BOUGER, DÉPLACER.
- Je n'arrive pas à remuer cette valise : SOULEVER.
- À mon arrivée, le chien remue la queue : BALANCER, FRÉTILLER DE.
- Remuer un arbre pour faire tomber les fruits : SECOUER.
- Remuer une pâte : MALAXER, PÉTRIR.
- Remuer la salade : MÉLANGER, TOURNER, *et en lang. fam. :* TOUILLER.
- Pendant mes loisirs, je remue un peu de terre dans le jardin : BÊCHER, RETOURNER.
- Cet homme remue beaucoup d'argent : BRASSER.

2. *v. intr.*

- Pendant que le médecin le vaccinait, il n'a cessé de remuer : BOUGER, GESTICULER, S'AGITER, *et en lang. fam. :* GIGOTER, SE TORTILLER, SE TRÉMOUSSER.
- Les feuilles remuent sous l'effet du vent : OSCILLER, TREMBLER.
- J'ai une dent qui remue : BRANLER.

SE REMUER

- Un vieillard qui ne peut plus se remuer : BOUGER, SE DÉPLACER, SE MOUVOIR.
- Elle s'est beaucoup remuée pour nous rendre service : SE DÉMENER, SE DÉPENSER.
- Vous êtes indolent, remuez-vous un peu ! : SE SECOUER.

RENÂCLER 2392

Allons ! cesse de renâcler : RECHIGNER.

RENAISSANCE 2393

On assiste actuellement à une renaissance de la musique folklorique : RENOUVEAU, RÉVEIL.

RENAÎTRE

- Avec ce beau temps, je me sens renaître : REVIVRE.
- Le jour renaît : RÉAPPARAÎTRE, REPARAÎTRE, SE REMONTRER.
- L'herbe renaît au printemps : REPOUSSER.

RENCHÉRIR 2394

- Les matières premières ont renchéri : AUGMENTER.
- Pendant une vente à la criée, on peut renchérir : ENCHÉRIR, SURENCHÉRIR.

RENCONTRE 2395

1. Une rencontre entre deux personnes : ENTREVUE, RENDEZ-VOUS.

- Une rencontre internationale : RÉUNION.
- Une rencontre sportive : COMPÉTITION, ÉPREUVE, MATCH.
- Une rencontre entre deux groupes ennemis : BATAILLE, COMBAT, ÉCHAUFFOURÉE.
- Une rencontre sur le pré : DUEL.
- Une rencontre entre deux voitures : CHOC, COLLISION, HEURT, TAMPONNEMENT, TÉLESCOPAGE.

2. Une heureuse rencontre de circonstances : COÏNCIDENCE, HASARD.
3. Aller à la rencontre de quelqu'un : AU-DEVANT DE.

RENCONTRER

1. Je viens de le rencontrer dans le couloir : CROISER.

- As-tu essayé de rencontrer ton député pour lui expliquer ton cas ? : CONTACTER, VOIR.
- J'ai déjà rencontré cette expression dans Voltaire : TROUVER.

2. J'ai rencontré de nombreuses difficultés : SE HEURTER À.

- Ce soir, l'équipe de Monaco rencontre celle de Lille : AFFRONTER.

SE RENCONTRER

1. Ces deux personnes ne se sont jamais rencontrées : SE VOIR.

- Ce genre de vallée ne se rencontre que dans le relief jurassien : SE TROUVER.
- Une pareille occasion ne se rencontrera plus : SE RETROUVER.
- Leurs mains se sont rencontrées : SE TOUCHER.
- L'Ill et le Rhin se rencontrent au nord de Strasbourg : CONFLUER, SE REJOINDRE.
- Les deux voitures se sont rencontrées sur la ligne blanche : SE HEURTER, SE TAMPONNER, SE TÉLESCOPER.

2. Il se rencontre encore des gens parlant ce patois : EXISTER.

RENDRE 2396

1. Rendre à quelqu'un ce qu'il nous a prêté : REDONNER, REMBOURSER, RESTITUER.

- « Rendre son salut » à quelqu'un : RÉPONDRE À.
- Rendre à quelqu'un sa parole : DÉGAGER DE.
- Je lui ai rendu tous les honneurs que je lui devais : S'ACQUITTER ENVERS.
- Ce médicament lui a rendu la santé : FAIRE RECOUVRER.
- Rendre un enfant à ses parents : RAMENER, REDONNER, REMETTRE.

2. La fumée rendait l'atmosphère irrespirable : FAIRE DEVENIR.
3. Cette harpe rend des sons harmonieux : DONNER, ÉMETTRE.

- L'écho rend les sons en les déformant : RENVOYER, RÉPÉTER.
- Rendre son repas : REJETER, VOMIR.
- Un champ de fraises qui a bien rendu : PRODUIRE, RAPPORTER.

4. Cette traduction ne rend pas toute la force du texte latin : EXPRIMER, REPRODUIRE.
- Une expression allemande difficile à rendre en français : TRADUIRE.
- Rendre une sentence : PRONONCER.
5. Rendre compte d'une situation : EXPOSER.
- Rendre compte d'un livre : ANALYSER.
- « Rendre grâce » à quelqu'un : REMERCIER.
- « Rendre hommage » à quelqu'un : LOUER.
- « Rendre la liberté » à quelqu'un : DÉLIVRER.
- « Rendre le dernier soupir » : EXPIRER, MOURIR.

SE RENDRE
1. La garnison de la forteresse s'est rendue : CAPITULER.
- Les terroristes refusaient de se rendre : SE LIVRER.
- Il a fini par se rendre à mes raisons : CÉDER, S'INCLINER DEVANT, SE SOUMETTRE.
2. Ce train se rend à Marseille : ALLER, SE DIRIGER VERS.
- Ce chemin se rend au village : ABOUTIR À.
3. Les enfants cherchaient à se rendre utiles : SE MONTRER.
- Tu vas te rendre malade : DEVENIR.
4. « Se rendre maître » de... : S'EMPARER DE.
- « Se rendre compte » de... : CONSTATER, REMARQUER, S'APERCEVOIR DE.

RENÉGAT 2397
APOSTAT, PARJURE, TRAÎTRE.

RENIEMENT
- Le reniement de sa foi : ABJURATION, APOSTASIE.
- Le triple reniement de saint Pierre : DÉSAVEU, TRAHISON.

RENIER
- Renier sa foi : ABJURER, APOSTASIER, RENONCER À, RÉPUDIER.
- Renier sa signature : DÉSAVOUER.
- Renier sa famille : REJETER, SE DÉSOLIDARISER DE.

RENONCEMENT 2398
- Une vie de renoncement : ABNÉGATION, SACRIFICE.
- Le renoncement à une habitude : ABANDON, DÉTACHEMENT.

RENONCER
- Renoncer à ses droits : ABANDONNER, SE DÉSISTER DE.
- Il a renoncé à sa charge de maire : RÉSIGNER, SE DÉMETTRE.
- C'est un entêté qui ne renonce jamais : ABDIQUER.
- Renoncer à ses mauvaises habitudes : SE DÉTACHER DE.
- Malgré la crise, les gens ne veulent pas renoncer à leur confort : SE PRIVER DE.
- Elle ne renonce jamais à son calme : QUITTER, SE DÉFAIRE DE, SE DÉPARTIR DE.

RENOUVELER 2399
- Renouveler une demande : RECOMMENCER, REFAIRE, RÉITÉRER, RÉPÉTER.
- Il faudra renouveler votre pansement tous les jours : CHANGER, REMPLACER.
- Cet incident a renouvelé mes craintes : RANIMER, RAVIVER, RÉVEILLER.
- Souvent les auteurs modernes renouvellent les mythes anciens : ACTUALISER, MODERNISER, RAJEUNIR, RÉNOVER, TRANSPOSER.
- Renouveler un contrat : PROROGER, RECONDUIRE.

SE RENOUVELER
Pour une fois, je te pardonne, mais que cela ne se renouvelle pas : RECOMMENCER, SE RÉPÉTER, SE REPRODUIRE.

RENOUVELLEMENT
- Le renouvellement des générations : REMPLACEMENT.
- Le renouvellement des stocks : RECONSTITUTION.
- Le renouvellement des méthodes de gestion : CHANGEMENT, MODERNISATION, RÉNOVATION, TRANSFORMATION.
- Le renouvellement de la nature au printemps : RENAISSANCE, RENOUVEAU.
- Le renouvellement d'un bail : PROROGATION, RECONDUCTION.
- Il faut éviter le renouvellement de pareils abus : RECOMMENCEMENT, RÉPÉTITION.

RENSEIGNEMENT 2400
Pouvez-vous me donner quelques renseignements ? : ÉCLAIRCISSEMENT, INDICATION, INFORMATION, PRÉCISION.

RENSEIGNER
Les collègues m'ont tout de suite renseigné sur l'ambiance qui règne dans cet atelier : ÉCLAIRER, INFORMER, INSTRUIRE, *et en lang. fam. :* TUYAUTER.

SE RENSEIGNER
ENQUÊTER, S'ENQUÉRIR, S'INFORMER.

RENTRER 2401
1. *v. intr.*
- Son métier l'empêche de rentrer à son domicile tous les soirs : REGAGNER, RÉINTÉGRER, RETOURNER À, REVENIR À.
- Ce tuyau a un diamètre trop grand, il ne

rentre pas dans l'autre : ENTRER, PÉNÉTRER, S'EMBOÎTER, S'ENFONCER.
- Elle est rentrée dans ses droits : RECOUVRER.
- « Rentrer en soi-même » : SE RECUEILLIR.
- *Fam. :* La voiture est rentrée dans un arbre : PERCUTER.

2. *v. tr.*
- Il commence à pleuvoir, rentrons les fauteuils de jardin : RAMASSER.
- Après le décollage, l'avion rentre son train d'atterrissage : ESCAMOTER.
- Elle avait du mal à rentrer ses sanglots : CONTENIR, ÉTOUFFER, RAVALER, REFOULER, REFRÉNER, RÉPRIMER.

RENVERSANT 2402

Une nouvelle renversante : AHURISSANT, ÉTONNANT, STUPÉFIANT, SURPRENANT.

RENVERSEMENT
- Un renversement de situation : RETOURNEMENT.
- Le renversement d'un régime politique : CHUTE, ÉCROULEMENT.

RENVERSER

1. Renverser une crème à l'orange pour la démouler : RETOURNER.
- Il a renversé du vin sur la table : RÉPANDRE.
- Le raz de marée a renversé tous les obstacles sur son passage : ABATTRE, BASCULER, BOUSCULER, BRISER, CULBUTER, DÉMOLIR, DÉTRUIRE, FAUCHER.
- Les prix sont en hausse et le gouvernement voudrait renverser la tendance : INVERSER.

2. Cette nouvelle me renverse : BOULEVERSER, DÉCONCERTER, ÉBAHIR, ÉTONNER, STUPÉFIER.

RENVOI 2403

1. Le renvoi d'une lettre à son expéditeur : RÉEXPÉDITION, RETOUR.
- Le renvoi des sons par l'écho : RÉPERCUSSION.
- Le renvoi des rayons solaires par un miroir : RÉFLEXION.

2. Le renvoi d'un employé indélicat : CONGÉDIEMENT, EXCLUSION, EXPULSION, LICENCIEMENT, RÉVOCATION, *et en lang. fam. :* LIMOGEAGE.
- Le renvoi d'Octavie par Néron : RÉPUDIATION.

3. Le renvoi au lendemain d'un débat : AJOURNEMENT, REMISE, REPORT.

4. Le renvoi de gaz provenant de l'estomac : ÉRUCTATION, ROT.

RENVOYER

1. Renvoyer une lettre : RÉEXPÉDIER, RETOURNER.
- Renvoyer un cadeau : RENDRE.
- Renvoyer une balle : RELANCER.
- L'écho renvoie les sons : RÉPERCUTER.
- Le miroir renvoie la lumière : RÉFLÉCHIR, REFLÉTER, REVERBÉRER.

2. Le proviseur a renvoyé deux élèves du lycée : EXCLURE, EXPULSER, *et en lang. fam. :* VIDER.
- Le patron a renvoyé deux ouvriers : CONGÉDIER, LICENCIER, RÉVOQUER, *et en lang. fam. :* LIMOGER.
- Renvoyer un importun : CHASSER, ÉCONDUIRE, REMBARRER.
- Dans la Grèce ancienne, le mari pouvait renvoyer son épouse : RÉPUDIER.

3. Renvoyer à plus tard une décision : AJOURNER, DIFFÉRER, REMETTRE, REPORTER.

RÉPANDRE 2404

1. Répandre des larmes : VERSER.
- Répandre du sable sur les plaques de verglas : ÉTALER, ÉTENDRE.
- Répandre du lisier sur un champ : ÉPANDRE.
- Le vent répand les feuilles : DISPERSER, DISSÉMINER, ÉPARPILLER.
- La rivière avait répandu ses eaux sur les basses prairies : DÉVERSER.
- Pour se venger, ils avaient répandu des clous sur la chaussée : SEMER.
- Cette rose répand une odeur agréable : DÉGAGER, EXHALER.
- Ce poêle répand une bonne chaleur : DIFFUSER.
- Cette lampe répand une lumière très vive : ÉMETTRE.

2. Répandre une nouvelle : COLPORTER, DIFFUSER, DIVULGUER, PROPAGER.
- Répandre des bienfaits : DISPENSER, DISTRIBUER, PRODIGUER.
- Attila répandit la terreur en Occident : JETER, SEMER.
- Ses propos répandaient la haine dans les cœurs : DISTILLER, SÉCRÉTER.

SE RÉPANDRE
- Après la rupture du barrage, l'eau s'est répandue dans toute la vallée : ENVAHIR, INONDER, RECOUVRIR.
- Le trop-plein de la baignoire s'est répandu sur le sol : SE DÉVERSER.
- Au 14e siècle, la peste noire se répandit sur toute l'Europe : GAGNER, S'ÉTENDRE, SE PROPAGER.
- C'est un bruit qui se répand dans la ville : CIRCULER, COURIR.
- Il s'est répandu en imprécations : ÉCLATER.
- Les sauterelles se répandirent sur la région en vagues successives : DÉFERLER.

RÉPARATION 2405

1. Des travaux de réparation : RÉFECTION, RESTAURATION.

- La réparation d'un poste de télévision : DÉPANNAGE.
- La réparation d'une paire de souliers : RESSEMELAGE.
- La réparation d'une erreur : CORRECTION, RECTIFICATION, REDRESSEMENT.

2. J'ai été lésé, je demande une réparation : COMPENSATION, DÉDOMMAGEMENT.

- Obtenir réparation : SATISFACTION.

RÉPARER

- Réparer un vêtement déchiré : RACCOMMODER, RAVAUDER, REPRISER.
- Réparer un poste de télévision : DÉPANNER.
- Réparer des chaussures : RESSEMELER.
- Réparer un vieux vélo : ARRANGER, *et en lang. fam. :* RETAPER.
- J'ai réparé la poignée de ma valise avec de la ficelle : *Fam. :* RAFISTOLER.
- Réparer la coque d'un navire : CARÉNER, RADOUBER.
- Réparer une montre : RHABILLER.
- Réparer une erreur : CORRIGER, REDRESSER, REMÉDIER À.
- Réparer un oubli : RATTRAPER.
- Elle a réparé ses forces à la campagne : RÉTABLIR.

REPARTIE 2406

Avoir la repartie prompte : RÉPLIQUE, RÉPONSE, RIPOSTE.

REPARTIR : RÉPLIQUER, RÉPONDRE.

RÉPARTIR 2407

- Il a réparti tous ses biens entre ses enfants : DISTRIBUER, PARTAGER.
- Les élèves furent répartis en plusieurs groupes : CLASSER, DIVISER, VENTILER.
- Les postes de gendarmerie sont répartis sur tout le territoire : DISPERSER, DISSÉMINER.
- Répartir le paiement des impôts sur 12 mois : ÉCHELONNER, ÉTALER.

REPAS 2408

- Faire un bon repas : DÉJEUNER, DÎNER, SOUPER, *et en lang. pop. :* GUEULETON.
- Un repas de noces : BANQUET, FESTIN.
- Un repas sur l'herbe : DÎNETTE, PIQUE-NIQUE.

REPASSER 2409

1. Je repasserai vous voir demain : REVENIR.

- Voulez-vous me repasser un peu de pain ? : REDONNER.

2. Repasser un couteau, des ciseaux : AFFÛTER, AIGUISER.

3. Repasser du linge : DÉFROISSER.

4. Repasser sa leçon avant d'entrer en classe : RÉVISER, REVOIR.

RÉPÉTER 2410

- La publicité répète sans cesse les mêmes slogans : REDIRE, *et en lang. fam. :* RABÂCHER, RESSASSER, SERINER.
- L'ouvrier à la chaîne répète les mêmes gestes toute la journée : RECOMMENCER, REFAIRE, RENOUVELER, REPRODUIRE.
- Ne lui répétez pas ce que je viens de vous dire : RAPPORTER.
- Un acteur qui répète son texte avant d'entrer en scène : REPASSER.

RÉPÉTITION

- Il y a trop de répétitions dans votre devoir : REDITE.
- La répétition d'une même action : RECOMMENCEMENT, RÉITÉRATION, RENOUVELLEMENT.
- La répétition du même thème musical : REPRISE, REPRODUCTION, RETOUR.
- La répétition de la même faute : RÉCIDIVE.

REPIQUER 2411

du plant de salades : REPLANTER.

REPLI 2412

1. Un repli au bas d'une robe : OURLET.

- Les replis aux jambes d'un pantalon : REVERS.
- Un repli de terrain : ONDULATION.
- Les replis les plus secrets de l'âme humaine : RECOIN, TRÉFONDS.

2. Le repli du dollar par rapport au mark : BAISSE, RECUL.

REPLIER

Replier les manches de sa chemise : RETROUSSER.

SE REPLIER

- L'ennemi s'est replié : RECULER, RETRAITER.
- L'escargot se replie dans sa coquille : SE RAMASSER.
- Se replier sur soi-même : SE RECUEILLIR, SE RENFERMER.

RÉPONDRE 2413

1. Répondre à un contradicteur : RÉPLIQUER, RÉTORQUER, RIPOSTER.

- Qu'avez-vous à répondre à cela ? : OBJECTER, OPPOSER.

2. Votre décision ne répond pas à mes espoirs : CONCORDER AVEC, CORRESPONDRE À, S'ACCORDER AVEC.

- Comment répondre aux besoins du tiers-monde ? : SATISFAIRE.

3. L'avion n'a pas bien répondu aux commandes : OBÉIR, RÉAGIR.

- Répondre à la convocation d'un juge : SE RENDRE.

4. Je réponds de sa sincérité : GARANTIR.

RÉPONSE
- Il s'est attiré une réponse cinglante : RÉPLIQUE, RIPOSTE.
- Il n'y a pas de réponse à ce problème : SOLUTION.

REPOS 2414
- Le médecin lui a prescrit le repos complet : IMMOBILITÉ.
- Je n'ai eu aucun moment de repos dans la journée : DÉLASSEMENT, DÉTENTE, PAUSE, RÉPIT.
- Je vais chercher le repos à la campagne : CALME, PAIX, TRANQUILLITÉ.
- Elle est si inquiète qu'elle en a perdu le repos : SOMMEIL.

REPOSER
1. *v. tr.*
- Le blessé reposait sa jambe sur un pliant : APPUYER.
- La lecture d'un livre amusant repose l'esprit : DÉLASSER, DÉTENDRE.

2. *v. intr.*
a) Vos soupçons ne reposaient sur rien : S'APPUYER, SE BASER, SE FONDER.
- La paix repose sur l'équilibre des forces entre l'Est et l'Ouest : DÉPENDRE DE.

b) N'entrez pas, le malade repose : DORMIR.
- (Sur une pierre tombale) : Ici repose M. Dupont : GÉSIR, *(litt.)*.

c) Laisser reposer de l'eau trouble : SE DÉCANTER.

SE REPOSER
- Se reposer après un travail : SE DÉLASSER, SE DÉTENDRE, SE RELAXER.
- Je me repose sur vous pour la surveillance des enfants : COMPTER SUR, SE FIER À, S'EN RAPPORTER À, S'EN REMETTRE À.

REPOUSSER 2415
- Repousser quelque chose de la main : ÉCARTER, ÉLOIGNER.
- Repousser les envahisseurs : REFOULER.
- Repousser un assaut : RÉSISTER À.
- Repousser une requête : REFUSER, REJETER.
- Repousser un argument : RÉFUTER.
- Repousser une invitation : DÉCLINER.
- Repousser vertement un importun : CHASSER, ÉCONDUIRE, EXPULSER, RABROUER, REMBARRER, *et en lang. fam. :* ÉJECTER.
- J'ai repoussé mon voyage à la semaine prochaine : DIFFÉRER, REPORTER, RETARDER.

REPRENDRE 2416
1. Le fort de Douaumont perdu en février 1916 fut repris en octobre suivant : RECONQUÉRIR.
- Le goal a lâché le ballon, mais a pu le reprendre : RÉCUPÉRER.
- Reprendre un évadé : RATTRAPER.
- À sa descente de tribune, il a repris sa place dans la salle : REGAGNER.
- Reprendre son calme : RETROUVER.
- Reprendre des forces : RECOUVRER.
- Je viendrai vous reprendre à midi : RECHERCHER.
- Les débats sont suspendus, ils reprendront demain à 9 heures : CONTINUER, RECOMMENCER, SE POURSUIVRE.
- Reprendre son travail : SE REMETTRE À.
- L'activité économique reprend : REDÉMARRER, REPARTIR.
- Reprendre une liaison avec quelqu'un : RENOUER.
- Et tous reprirent le refrain : RÉPÉTER.
- Cette comédie n'a pas été reprise depuis sa création : REJOUER.
- Un rosier qui reprend après avoir été transplanté : REPOUSSER.
- Cette mode reprend : REVENIR.
- On ne reprend pas à quelqu'un ce qu'on lui a donné : RETIRER.
- Reprendre sa parole : SE DÉLIER DE.
- Le poste de télévision ne marchait pas, aussi le vendeur l'a-t-il repris : REMPORTER.
- Un grossiste qui reprend un stock de marchandises : RACHETER.
- Reprenez donc un peu de dessert : SE RESSERVIR.
- Reprendre un texte de discours avant de le prononcer : CORRIGER, RETOUCHER.

2. Un enfant turbulent qu'il faut toujours reprendre : GOURMANDER, MORIGÉNER, RÉPRIMANDER, TANCER.

SE REPRENDRE
- Il a fait une faute de langage, mais il s'est repris tout de suite : SE CORRIGER, SE RÉTRACTER.
- Elle a eu un moment de faiblesse, mais elle a su se reprendre : SE RESSAISIR.

REPRISE
1. La reprise du fort de Vaux en novembre 1916 : RECONQUÊTE.
- La reprise de la tempête après une accalmie : RECOMMENCEMENT.
- La reprise de l'activité économique : REDÉMARRAGE, REGAIN, RELANCE, RENOUVEAU.
- La reprise des valeurs françaises à la Bourse : REMONTÉE.

2. Un match de boxe en quinze reprises : ROUND.

REPRÉSENTANT 2417
- Les représentants de la Nation : DÉPUTÉ.
- Les représentants de notre pays à l'étranger : AMBASSADEUR, CONSUL.
- Le représentant du pape : LÉGAT, NONCE.

- Le représentant de la France aux Nations-Unies : PORTE-PAROLE.
- Le représentant d'une chaîne de télévision à l'étranger : CORRESPONDANT, ENVOYÉ.
- Un représentant de commerce : COURTIER, PLACIER, VOYAGEUR.
- Cet artiste est le parfait représentant des jeunes chanteurs : MODÈLE, TYPE.

REPRÉSENTATION
1. Une représentation fidèle de la réalité : DESCRIPTION, IMAGE, PEINTURE, PORTRAIT, REPRODUCTION, TABLEAU.
- La balance est la représentation de la justice : EMBLÊME, SYMBOLE.
- La représentation de la royauté par la fleur de lys : FIGURATION, SYMBOLISATION.
2. Assister à une représentation théâtrale : SÉANCE, SPECTACLE.
3. Churchill fit de pressantes représentations au gouvernement suédois pour que le secret fût gardé : OBJURGATIONS, RECOMMANDATIONS.

REPRÉSENTER
1. Représenter un paysage : DESSINER, PEINDRE, REPRODUIRE.
- Dans ses œuvres, Balzac a représenté les mœurs de la société bourgeoise : DÉCRIRE, DÉPEINDRE.
2. Ce panneau représente un sens interdit : INDIQUER.
- Représenter, par une courbe, l'évolution de la température : EXPRIMER, FIGURER, ILLUSTRER.
- Harpagon représente l'avarice : INCARNER, PERSONNIFIER.
- La colombe représente la paix : SYMBOLISER.
3. Les tragédies de Voltaire ne sont plus guère représentées : INTERPRÉTER, JOUER.
4. La réalisation de ces projets représenterait une dépense de trois milliards de francs : ÉQUIVALOIR À, CORRESPONDRE À.
- La découverte du vaccin contre la poliomyélite représente un grand progrès : CONSTITUER.

SE REPRÉSENTER
Je me représente très bien la scène : CONCEVOIR, SE FIGURER, S'IMAGINER.

RÉPRIMANDER 2418
ADMONESTER, CHAPITRER, GOURMANDER, GRONDER, MORIGÉNER, SEMONCER, SERMONNER, TANCER, *et en lang. fam. :* DISPUTER, SAVONNER.

REPROCHE 2419
ACCUSATION, ADMONESTATION, BLÂME, CRITIQUE, MERCURIALE *(litt.)*, REMONTRANCE, RÉPRIMANDE, SEMONCE.

REPROCHER
ACCUSER DE, FAIRE GRIEF DE.

REPRODUCTION 2420
1. Ce taureau s'est révélé inapte à la reproduction : GÉNÉRATION.
- La reproduction des cellules : RECONSTITUTION, REGÉNÉRATION.
2. Ce faussaire n'a réussi qu'une mauvaise reproduction du tableau original : COPIE, IMITATION, RÉPLIQUE.
- Une encyclopédie riche de nombreuses reproductions en couleurs : ILLUSTRATION.

REPRODUIRE
Cet enfant reproduit tous les gestes de son grand-père : COPIER, IMITER.

SE REPRODUIRE
- Les rats se reproduisent très vite : PROLIFÉRER, SE MULTIPLIER, SE PERPÉTUER.
- Cela ne se reproduira plus : RECOMMENCER, SE RENOUVELER, SE RÉPÉTER.

RÉPUGNANCE 2421
AVERSION, DÉGOÛT, ÉCŒUREMENT, EXÉCRATION, HAUT-LE-CŒUR, NAUSÉE, RÉPULSION.

RÉPUGNANT
- Un lieu répugnant : DÉGOÛTANT, ÉCŒURANT, INFECT, NAUSÉABOND, REPOUSSANT.
- Un individu répugnant : ABJECT, EXÉCRABLE, IGNOBLE, IMMONDE, INFÂME, REBUTANT.

RÉPUGNER
- Ce travail me répugne : DÉGOÛTER, DÉPLAIRE, REBUTER.
- Répugner à faire quelque chose : RECHIGNER, RENÂCLER.

RÉPUTATION 2422
CÉLÉBRITÉ, CONSIDÉRATION, COTE, ESTIME, NOTORIÉTÉ, POPULARITÉ, RENOM, RENOMMÉE.

RÉPUTÉ
- Un médecin réputé : CÉLÈBRE, CONNU, RENOMMÉ.
- Un tournant réputé dangereux : CONSIDÉRÉ COMME, JUGÉ, TENU POUR.

RÉSERVE 2423
1. On a vu des gens faire des réserves de sucre par crainte de pénurie : PROVISIONS.
- J'ai une bonne réserve de charbon pour l'hiver : STOCK.
- J'ai puisé dans mes réserves pour faire cet achat : ÉCONOMIES.
2. Quelle réserve de patience chez cet homme ! : TRÉSOR.
- Quelle réserve d'énergie chez cette femme ! : POTENTIEL.

3. Les grandes réserves naturelles d'Afrique : PARC.
4. Les employés vont chercher à la réserve les produits manquants au magasin : ARRIÈRE-BOUTIQUE, DÉPÔT, RESSERRE.
5. Mon projet a été accepté sans aucune réserve : RESTRICTION, RÉTICENCE.
• Accueillir quelqu'un avec réserve : FROIDEUR.
• Agir avec réserve : DISCRÉTION, PRUDENCE, RETENUE.

RÉSERVER
• Voilà la part que je t'ai réservée : CONSERVER, GARDER.
• Depuis plusieurs mois, je réserve de l'argent pour l'achat d'une voiture : ÉCONOMISER, ÉPARGNER.
• Pour les vacances, j'ai réservé une villa au bord de la mer : LOUER.
• C'est un restaurant où il faut réserver sa table : RETENIR.
• Je te réserve une surprise : MÉNAGER, PRÉPARER.
• Quel sort les dieux nous réservent-ils ? : DESTINER.

RÉSERVOIR
• Installer un réservoir pour recueillir les eaux de pluie : CITERNE, RÉCEPTACLE.
• Le réservoir d'eau derrière un barrage : RETENUE.
• Un « réservoir à grains » : SILO.
• Un « réservoir à gaz » : GAZOMÈTRE.
• Un « réservoir à poissons » : AQUARIUM, VIVIER.

RÉSISTANCE 2424
1. La résistance d'un athlète : ENDURANCE, FORCE, ROBUSTESSE.
• La résistance d'un pont : SOLIDITÉ.
• La résistance des matériaux aux efforts de traction, de flexion ou de torsion : TÉNACITÉ.
• La résistance des matériaux aux chocs : RÉSILIENCE.
• La résistance d'un outil de coupe : DURETÉ.
• La limite de résistance des matériaux : FATIGUE.
2. Je briserai toutes les résistances : DIFFICULTÉ, OBSTACLE, OBSTRUCTION, OPPOSITION.
• Se heurter à la résistance de gens qui refusent tout changement : INERTIE.
3. La résistance à un ordre : DÉSOBÉISSANCE, REFUS.
• La résistance contre une armée d'occupation : COMBAT, LUTTE, RÉBELLION.
• La résistance héroïque de Belfort en 1870 : DÉFENSE.
• Faire preuve d'une grande résistance morale dans le malheur : COURAGE, FERMETÉ.

RÉSISTANT
1. *adj.*
• Un athlète résistant : ENDURANT, FORT, ROBUSTE.
• Un travailleur résistant : INFATIGABLE.
• Un tissu résistant : SOLIDE.
• Une plante résistante : RUSTIQUE, VIVACE.
2. *nom.*
• Les résistants harcelaient les troupes d'occupation : FRANC-TIREUR, MAQUISARD, PARTISAN.

RÉSISTER
• Il ne résiste pas au froid : SUPPORTER.
• La garnison du fort a résisté pendant cinq jours : LUTTER, SE DÉFENDRE, TENIR.
• Personne n'a osé résister à ses ordres : DÉSOBÉIR, SE DRESSER CONTRE, S'INSURGER, S'OPPOSER, SE REBELLER, SE RÉVOLTER.
• Comment résister à un enfant qui vous sourit ? : REPOUSSER.
• Résister à une envie : RÉPRIMER.

RÉSOLUTION 2425
1. La résolution d'un problème : SOLUTION.
2. La résolution d'un contrat pour non respect d'une clause : ANNULATION, CASSATION, DISSOLUTION.
3. Ma résolution est prise : DÉCISION, PARTI.
• Agir avec résolution : COURAGE, DÉTERMINATION, ÉNERGIE, FERMETÉ, VOLONTÉ.

RÉSOUDRE
• Résoudre une difficulté : TRANCHER.
• Résoudre une énigme : DÉCHIFFRER, DÉNOUER, TROUVER.

SE RÉSOUDRE
1. Les nuages se résolvent en pluie : SE TRANSFORMER.
2. Elle s'est enfin résolue à partir : SE DÉCIDER, SE DÉTERMINER.
• Il ne se résout pas à un emploi de subalterne : SE RÉSIGNER.

RÉSORBER (SE) 2426
Il a fallu plusieurs heures pour que l'embouteillage se résorbe : DISPARAÎTRE.

RÉSORPTION
• La résorption du chômage sera lente : DISPARITION.

RESPECT 2427
1. Avoir du respect pour quelqu'un : CONSIDÉRATION, DÉFÉRENCE, ESTIME, RÉVÉRENCE, VÉNÉRATION.
• Avoir le respect du passé : CULTE.
2. Je vous présente mes respects : DEVOIRS.

RESPECTER
- Respecter ses engagements : HONORER.
- Respecter les règles d'un jeu : OBSERVER, SE CONFORMER, SUIVRE.

RESPECTUEUX
DÉFÉRENT, RÉVÉRENCIEUX.

RESPIRER 2428
1. Respirer un parfum : ASPIRER, HUMER, INHALER, INSPIRER, SENTIR.
2. Ses propos respirent l'hypocrisie : EXPRIMER, MANIFESTER, MONTRER.

RESSEMBLER 2429
- Ce garçon ressemble à son grand-père : RAPPELER, TENIR DE.
- Tous les garçons s'efforcent de ressembler à ce champion : COPIER, IMITER.

SE RESSEMBLER
Ils ont des opinions qui se ressemblent : S'APPARENTER, SE RAPPROCHER.

RESSENTIMENT 2430
ANIMOSITÉ, HAINE, HOSTILITÉ, RANCŒUR, RANCUNE.

RESSENTIR
- Ressentir une douleur : ENDURER, SENTIR.
- Ressentir de la pitié : ÉPROUVER.

RESSERRER 2431
- Le malheur a resserré leur amitié : CONSOLIDER, RAFFERMIR.
- Resserrer un texte : ABRÉGER, CONDENSER, CONTRACTER.

SE RESSERRER
La presqu'île se resserre en son milieu : S'ÉTRANGLER, SE RETRÉCIR.

RESSORT 2432
1. Le dévouement est le ressort de toutes ses actions : MOTEUR.
- C'est un homme qui manque de ressort : ÉNERGIE, NERF.
2. Cela n'est pas de mon ressort : COMPÉTENCE, DOMAINE.

RESSORTIR
1. Tous les détails ressortent sur cette tapisserie : SE DÉTACHER, SE DISTINGUER.
- Une impression de bonheur ressort de ce tableau : SE DÉGAGER.
- Ta cravate rouge ressort trop sur ton costume clair : CONTRASTER, TRANCHER.
2. Cette affaire ressortit au tribunal de grande instance : DÉPENDRE DE, RELEVER DE.

RESSOURCE 2433
1. Je n'avais que cette ressource pour me tirer d'affaire : EXPÉDIENT, MOYEN.
- Dans le malheur, vous avez été ma dernière ressource : RECOURS, REFUGE, SECOURS.
- En dernière ressource, on a appelé le médecin : RESSORT.
2. Les ressources naturelles d'un pays : RICHESSES.
- Je n'ai pas les ressources suffisantes pour cet achat : ARGENT, FINANCES, FONDS, FORTUNE.
- Un vieillard qui vit de ses maigres ressources : ÉCONOMIES, RENTES, RETRAITE, REVENUS.
- Le coureur a puisé dans ses dernières ressources pour dépasser son concurrent : RÉSERVES.
- Ce garçon manque de ressources intellectuelles : CAPACITÉS, FACULTÉS, MOYENS, POSSIBILITÉS.

RESTAURANT 2434
Suivant le cas, on pourra dire : AUBERGE, BRASSERIE, BUFFET, CABARET, GARGOTE, HÔTELLERIE, RÔTISSERIE, TAVERNE, *ou s'il s'agit d'un restaurant communautaire,* CANTINE, MESS, SELF, *et en lang. fam. :* POPOTE.

RESTAURATEUR
AUBERGISTE, HÔTELIER, TRAITEUR, *et avec un sens péjoratif :* GARGOTIER.

RESTAURATION
- La restauration d'un climat de confiance : RÉTABLISSEMENT.
- La restauration d'un tableau : RÉNOVATION, RÉPARATION.
- La restauration d'un vieux château : RECONSTRUCTION.
- La restauration des tissus cellulaires : RÉGÉNÉRATION.

RESTAURER
1. Restaurer la monarchie : RÉTABLIR.
- Restaurer un tableau : RÉNOVER, RÉPARER.
- Restaurer un monument ancien : RECONSTRUIRE.
2. Ce dîner nous a bien restaurés : RÉCONFORTER, REVIGORER.

RESTE 2435
1. La première partie de ce roman est excellente, mais le reste ne vaut rien : SUITE.
- J'ai remboursé les deux tiers de mon emprunt et je verserai le reste à la fin de l'année : COMPLÉMENT, RELIQUAT, RESTANT, SOLDE.
- Il a pris dans la bouteille de quoi remplir sa gourde et a jeté le reste : EXCÉDENT, SURPLUS.
2. Les restes d'une civilisation antique : RUINES, TRACES, VESTIGES.
- On a découvert dans ce site des restes

d'hommes préhistoriques : OS, OSSEMENTS, SQUELETTES.
- Les restes de ce martyr sont exposés à la vénération des fidèles : RELIQUES.
- Les restes de Montherlant ont été dispersés dans le Tibre : CENDRES.
- Les sauveteurs ont recueilli les restes des passagers de l'avion accidenté : DÉPOUILLES.
- Les restes des maisons détruites par un tremblement de terre : DÉCOMBRES.
- Utiliser les restes d'un tissu : CHUTES.

RESTER
- Elle resta longtemps à regarder l'assaut des vagues contre les rochers : S'ATTARDER, S'ÉTERNISER.
- L'heure du rendez-vous est dépassée, je ne peux plus rester : ATTENDRE.
- Son métier l'oblige à rester plusieurs mois par an à l'étranger : SÉJOURNER.
- Quinze mille hommes restèrent sur le champ de bataille : MOURIR.
- Il est resté calme : DEMEURER.
- Aucune trace ne reste : SUBSISTER.
- Le souvenir de cet événement reste encore dans la mémoire collective : DURER, PERSISTER, SE CONSERVER.
- Nous en resterons là pour aujourd'hui : S'EN TENIR.

RESTREINDRE 2436

À cause d'un infarctus, il a dû restreindre ses activités : DIMINUER, LIMITER, RÉDUIRE.

SE RESTREINDRE

SE PRIVER, SE RATIONNER.

RESTREINT
- Un territoire restreint : ÉTROIT, EXIGU.
- Les livres d'héraldique ont un public restreint : LIMITÉ, RÉDUIT.

RESTRICTION

La restriction des crédits, des effectifs : AMOINDRISSEMENT, COMPRESSION, DIMINUTION, LIMITATION, RÉDUCTION.

RÉSULTAT 2437
- Les résultats d'une expertise : CONCLUSION.
- Quel a été le résultat de l'affaire ? : DÉNOUEMENT, ISSUE, SOLUTION.
- Le résultat d'une récolte : PRODUIT.
- Le résultat d'une addition : SOMME, TOTAL.
- Cet élève n'obtient que des résultats médiocres : NOTE.
- Être élu au premier tour, quel beau résultat ! : RÉUSSITE, SUCCÈS.

RÉSULTER

De mes observations, il résulte que... : DÉCOULER, RESSORTIR, S'ENSUIVRE.

RÉSUMER 2438
- Résumer un texte : CONDENSER.
- Je résume les points essentiels de mon discours : RÉCAPITULER.

RÉTABLIR 2439
- Des mesures destinées à rétablir la confiance : RAMENER.
- Rétablir le courant : REMETTRE.
- Rétablir la situation : REDRESSER.
- Rétablir un malade : GUÉRIR.
- Rétablir quelqu'un dans ses fonctions : RÉINSTALLER, RÉINTÉGRER.
- Rétablir le texte hébreu de la Bible dans sa version originale : RECONSTITUER, RESTITUER.

RETARD 2440
- Les retards dans une prise de décision : ATERMOIEMENT, LENTEUR.
- Le peloton est arrivé avec une minute de retard sur le vainqueur : DÉCALAGE.

RETARDER
- La marche du voilier a été retardée par le petit temps : CONTRARIER, FREINER, RALENTIR.
- Les trains seront retardés d'une heure : DÉCALER.
- Leur mariage a été retardé au mois prochain : REPORTER, REPOUSSER.

RETENTIR 2441
- Tout l'immeuble retentissait du bruit strident de la perceuse : RÉSONNER.
- Soudain le hululement du chat-huant retentit dans la nuit : ÉCLATER.

RETENTISSEMENT

L'allocution télévisée du Président a eu un grand retentissement dans le public : RÉPERCUSSION, RÉSONANCE.

RETOMBER 2442

1. Les projections de scories retombaient sur les pentes du volcan : S'ABATTRE, TOMBER.
- Les fusées du feu d'artifice éclataient et retombaient en étincelles multicolores : REDESCENDRE.
- On dit que le chat retombe toujours sur ses pattes : SE RECEVOIR.
- L'enthousiasme des spectateurs retomba très vite : SE CALMER, S'ÉTEINDRE.
- Toute la responsabilité de l'accident retombe sur lui : INCOMBER À, PESER SUR.

2. Retomber dans les mêmes errements : REVENIR À.

- Dans mes lectures, je retombe souvent sur cette expression : RENCONTRER.
- Il « est retombé malade » : RECHUTER.

RETOUR 2443

1. Le retour d'un exilé dans sa patrie : RENTRÉE.
- Le retour des mêmes phénomènes : RÉAPPARITION, RECOMMENCEMENT, RÉPÉTITION.
- C'est le retour du printemps : RENAISSANCE, RÉVEIL.
- Le retour d'un colis : RÉEXPÉDITION.
2. Un brusque retour de fortune : RENVERSEMENT, RETOURNEMENT, REVIREMENT.

RETOURNER

1. *v. tr.*
- Retourner une assiette sur la table : RENVERSER.
- Cette lettre ne lui était pas destinée, il l'a retournée à la poste : RENVOYER.
- *Fam. :* Voilà une histoire qui a de quoi vous retourner : BOULEVERSER.
2. *v. intr.*
- La plupart des croisés, après avoir guerroyé en Palestine, retournèrent en Occident : RENTRER, REVENIR.
- Retourner sur ses pas : REVENIR.
- Retourner à son travail : REPRENDRE.
- Ce chat abandonné est retourné à l'état sauvage : RETOMBER.

SE RETOURNER

- L'auto s'est retournée dans le fossé : CAPOTER, SE RENVERSER.
- Il s'est brusquement retourné : FAIRE VOLTE-FACE.
- S'en retourner : REPARTIR, S'EN ALLER.

RÉTRACTATION 2444

DÉSAVEU, PALINODIE, RENIEMENT.

RÉTRACTER

1. L'accusé a rétracté sa première version des faits : DÉMENTIR, DÉSAVOUER, RENIER, REVENIR SUR.
- Je rétracte tout ce que je vous ai dit : RETIRER.
2. Le chat peut rétracter ses griffes : RENTRER.

SE RÉTRACTER

1. Le témoin s'est rétracté : SE DÉDIRE.
2. Un muscle peut se rétracter : SE CONTRACTER.

RETRAIT 2445

- Le retrait d'une armée d'occupation : ÉVACUATION.
- Le retrait de la mer : REFLUX.
- Le retrait du ciment qui sèche : CONTRACTION.
- Le retrait sur soi-même : REPLIEMENT.
- Il a annoncé le retrait de sa candidature : ABANDON, ANNULATION, SUPPRESSION.

RETRAITE

1. La retraite en bon ordre d'une troupe : RECUL, REPLI.
- La retraite en désordre d'une armée : DÉBÂCLE, DÉBANDADE.
2. Chercher une retraite paisible : ABRI, ASILE, REFUGE.
- La retraite des truands : REPAIRE.
- La retraite d'un animal : ANTRE, GÎTE, TANIÈRE, TERRIER.
3. Toucher sa retraite : PENSION.

RETRANCHER 2446

- Retrancher un nom d'une liste : BARRER, BIFFER, RAYER.
- Retrancher un passage d'un texte pour le rendre plus court : COUPER, SUPPRIMER.
- Du salaire brut, on retranche le versement pour la Sécurité sociale : DÉDUIRE, DÉFALQUER, ENLEVER, PRÉLEVER, RETIRER, SOUSTRAIRE.

SE RETRANCHER

- Se retrancher dans une maison : SE BARRICADER.
- Se retrancher derrière l'autorité de quelqu'un : S'ABRITER, SE COUVRIR DE.

RETROUVER 2447

- Retrouver ce qu'on avait perdu : RÉCUPÉRER.
- Retrouver des traces : DÉCOUVRIR, REPÉRER.
- Les provinces françaises retrouvent leur histoire : REDÉCOUVRIR.
- Retrouver la santé : RECOUVRER.
- On retrouve chez la fille le sourire de la mère : RECONNAÎTRE.
- Tous les soirs, il retrouve ses amis au club : REJOINDRE.

SE RETROUVER

- Deux vieux amis qui se retrouvent pour la première fois depuis dix ans : SE RENCONTRER, SE REVOIR.

RÉUNION 2448

1. La réunion de deux pièces métalliques : ASSEMBLAGE, RIVETAGE, SOUDAGE.
2. La réunion de Trieste à l'Italie en 1954 : ADJONCTION, ANNEXION, RATTACHEMENT.
3. Une réunion entre amis : RENCONTRE.
- Une réunion de tous les mécontents : GROUPEMENT, RASSEMBLEMENT.
- Une réunion de protestation contre la vie chère : MEETING.
- La réunion annuelle des physiciens : ASSEMBLÉE, COLLOQUE, CONGRÈS, SÉMINAIRE, SYMPOSIUM.

- Une réunion internationale : CONFÉRENCE.
- Une réunion de dignitaires ecclésiastiques : CONCILE, CONSISTOIRE, SYNODE.

RÉUNIR

1. Réunir deux tuyaux : RABOUTER, RACCORDER, RELIER.
2. Par l'édit de 1532, la Bretagne fut réunie à la France : ANNEXER, INCORPORER, RATTACHER.
3. Réunir des documents pour constituer un dossier : ACCUMULER, AMASSER, ENTASSER, GROUPER, RASSEMBLER, RECUEILLIR.

- Tous ses amis étaient réunis autour de son cercueil : ASSEMBLER, GROUPER, RASSEMBLER.
- Réunir des troupes en vue d'une attaque : CONCENTRER, MASSER, RASSEMBLER, REGROUPER.
- Tous les manifestants arrêtés furent réunis dans l'enceinte du camp : PARQUER.
- Réunir des dons pour une œuvre charitable : COLLECTER.
- Elle réunit toutes les qualités pour devenir un excellent médecin : CUMULER.
- La Constitution réunit tous les pouvoirs entre les mains du Président : CENTRALISER, CONCENTRER.
- En réunissant leurs efforts, ils réussirent à déplacer le rocher : ALLIER, ASSOCIER, CONJUGUER.

SE RÉUNIR

1. Les eaux de la Garonne et de la Dordogne se réunissent au bec d'Ambès pour former la Gironde : CONFLUER, SE REJOINDRE.
2. Les deux communes ont décidé de se réunir : FUSIONNER.
3. Les cadres de l'entreprise se réunissent une fois par semaine : S'ASSEMBLER, SE RASSEMBLER.

- C'est dans ce repaire que se réunissaient les brigands après leurs coups : SE RETROUVER.

RÉUSSIR 2449

1. Charlemagne réussit à rassembler l'Europe sous son égide : PARVENIR À.

- Il ne réussit à rien : ABOUTIR À, ARRIVER À.
- Nous réussirons bien à le faire rire : FINIR PAR.

2. Tous ses enfants ont réussi dans leurs études : BRILLER.

- Un jeune cadre qui a vite réussi dans son entreprise : PERCER.
- Est-ce que votre nouvelle affaire commerciale réussit ? : PROSPÉRER.

3. Ce genre de musique réussit auprès des jeunes : PLAIRE À.

- La vigne ne réussit pas sous ce climat : POUSSER, VENIR.
- La greffe a réussi : PRENDRE.

RÉUSSITE

Le public a salué la réussite de nos cavaliers à ce concours d'obstacles : SUCCÈS, TRIOMPHE, VICTOIRE.

RÊVE 2450

- Faire un vilain rêve : CAUCHEMAR, SONGE.
- Croire à la paix universelle, c'est un rêve : CHIMÈRE, ILLUSION, MIRAGE, UTOPIE.
- Son rêve est d'entrer à Polytechnique : AMBITION.

RÊVER

1. Vous avez l'air absent, à quoi rêvez-vous ? : PENSER, RÉFLÉCHIR, SONGER.

- Un élève qui rêve en classe : RÊVASSER.
- Pouvait-on rêver mieux ? : IMAGINER.
- Ce que vous dites, vous l'avez rêvé, car je ne l'ai pas écrit dans mon roman : INVENTER.

2. Le prisonnier rêve de liberté : DÉSIRER, SOUHAITER.

RÊVERIE

Il est toujours perdu dans ses rêveries : CHIMÈRE, DIVAGATION, RÊVASSERIE, SONGERIE, UTOPIE.

RÊVEUR

1. *nom.*
   Le Père Enfantin a souvent été considéré comme un rêveur : IDÉALISTE, UTOPISTE, VISIONNAIRE.
2. *adj.*

- Être rêveur : MÉDITATIF, PENSIF, SONGEUR.
- Avoir l'esprit rêveur : CHIMÉRIQUE, IMAGINATIF, ROMANESQUE.

RÉVEIL 2451

Nous assistons, depuis quelques années, au réveil de la conscience régionale : RENAISSANCE, RENOUVEAU, RÉSURRECTION.

RÉVEILLER

1. Ne me réveillez pas avant huit heures : ÉVEILLER.
2. Ce film sur l'Occupation a réveillé en moi de bien mauvais souvenirs : RAPPELER, RESSUSCITER, FAIRE RENAÎTRE, FAIRE REVIVRE.

- Réveiller un désir : ATTISER, EXCITER, STIMULER.
- Réveiller une ardeur : EXALTER, RANIMER.

SE RÉVEILLER

1. Il se réveille plusieurs fois par nuit : S'ÉVEILLER.
2. Ma douleur se réveille : RENAÎTRE, REPRENDRE, REVENIR, SE RANIMER, SE RAVIVER.

3. Allons ! réveillez-vous un peu et répondez à ma question : SE SECOUER.

RÉVÉLATION 2452

1. La révélation d'une correspondance secrète : DÉVOILEMENT, DIVULGATION.
• Elle m'a fait des révélations : CONFIDENCE.
2. Ce jeune joueur a été la révélation du match : DÉCOUVERTE.

RÉVÉLER

• Le médecin doit-il révéler au malade la gravité de son état ? : ANNONCER, COMMUNIQUER, DÉCOUVRIR, DÉVOILER.
• Les photos aériennes ont révélé à cet endroit la présence de tombes étrusques : DÉCELER, DÉTECTER.
• Les fouilles de Sidon ont révélé l'importance de la civilisation égéenne : MONTRER, PROUVER.
• Ses traits révèlent une grande fatigue : ACCUSER, INDIQUER, TRAHIR.
• Ce geste révèle sa probité : ATTESTER, MANIFESTER, TÉMOIGNER DE.

SE RÉVÉLER

Le paysan Cavalier s'est révélé un grand chef à la tête des Camisards : APPARAÎTRE COMME, SE MANIFESTER, SE MONTRER.

REVENDRE 2453

RECÉDER, RÉTROCÉDER.

REVENIR 2454

1. Après deux ans de séjour à l'étranger, il est revenu en France : RENTRER.
2. Le plongeur est revenu à la surface : RÉAPPARAÎTRE, REMONTER.
• Revenir à ses vieilles habitudes : REPRENDRE, RETOURNER À.
• Cela revient à la même chose : ÉQUIVALOIR.
• À combien revient cette réparation ? : COÛTER.
• C'est à vous qu'il revient de parler le premier : ÉCHOIR, INCOMBER.
• Le pouvoir effectif revint à ceux qui étaient appuyés par l'armée : APPARTENIR.
3. Il n'a pas voulu revenir sur sa décision : ANNULER, RECONSIDÉRER.
• Nous reviendrons sur cette question : RÉEXAMINER, REPARLER DE.
4. Sa maladie est grave, on ne sait pas s'il en reviendra : GUÉRIR, S'EN REMETTRE, SE RÉTABLIR, S'EN SORTIR, S'EN TIRER.
5. *Fam. :* Sa tête ne me revient pas : PLAIRE.
6. On a fait revenir le médecin : RAPPELER.
7. Faire revenir une escalope de veau : SAUTER.

REVÊTIR 2455

1. Les soldats avaient revêtu des tenues civiles : ENDOSSER, METTRE.
• À cause du but poursuivi, cette expédition revêt une grande importance : PRENDRE.
2. Revêtir un fauteuil d'une housse : GARNIR, RECOUVRIR.

RÉVISER 2456

• Faire réviser sa voiture : VÉRIFIER.
• Réviser une leçon : RELIRE, REPASSER.
• Je vais réviser ma position : RECONSIDÉRER, REVOIR.

RÉVISION

• La révision d'un moteur : VÉRIFICATION.
• La révision d'une constitution : MODIFICATION, REMANIEMENT.

RÉVOLTE 2457

• Réprimer une révolte : INSURRECTION, RÉBELLION, SOULÈVEMENT.
• Une « révolte paysanne » : JACQUERIE.

SE RÉVOLTER

S'INSURGER, SE REBELLER, SE SOULEVER.

RÉVOLUTION 2458

1. La grande roue a fait une révolution complète : ROTATION, TOUR.
2. L'informatique a apporté une révolution dans le monde industriel : BOULEVERSEMENT, *et en lang. fam. :* CHAMBARDEMENT.
• Cette mesure a mis la révolution dans les esprits : EFFERVESCENCE, FERMENTATION.

RÉVOLUTIONNAIRE

1. Tenir des propos révolutionnaires : SÉDITIEUX, SUBVERSIF.
2. L'emploi d'un procédé de fabrication révolutionnaire : INÉDIT, ORIGINAL.

RÉVOLUTIONNER

Le machinisme a révolutionné le monde agricole : MÉTAMORPHOSER, TRANSFORMER.

RICHE 2459

1. *adj.*
• Les gens riches : AISÉ, COSSU, FORTUNÉ, HUPPÉ, OPULENT, *et en lang. pop. :* RUPIN.
• Les pays riches : PROSPÈRE.
• Une demeure au riche mobilier : FASTUEUX, LUXUEUX, SOMPTUEUX.
• Le repas de noces était particulièrement riche : COPIEUX, GÉNÉREUX, PLANTUREUX, SUBSTANTIEL.
• Une terre riche : FÉCOND, FERTILE.
• La mer est riche en poissons de toutes espèces : PLEIN DE.
• Dans vos devoirs, j'ai fait une riche moisson de perles : ABONDANT, AMPLE, IMPORTANT.

2. *nom.*
Comment les riches peuvent-ils comprendre les pauvres ? : CAPITALISTE, MILLIARDAIRE, NABAB, PLOUTOCRATE, POSSÉDANT, *et en lang. fam. :* GROS, NANTI, RICHARD.

RICHESSE
- Elle a été habituée à vivre dans la richesse : LUXE, OPULENCE.
- La richesse de ce banquier est mondialement célèbre : FORTUNE.
- L'agriculture a fait la richesse de la France : PROSPÉRITÉ.
- La richesse de l'imagination de Balzac : FOISONNEMENT, LUXURIANCE.
- La richesse d'un ameublement : MAGNIFICENCE, SOMPTUOSITÉ.
- La richesse d'un sol : FÉCONDITÉ, FERTILITÉ.
- La richesse en alumine de la bauxite : ABONDANCE.
- Les richesses en pétrole des pays du Moyen-Orient : RESSOURCES.
- Les richesses du musée du Caire : TRÉSORS.

RICOCHER 2460
La balle a ricoché sur le blindage : REBONDIR.

RICOCHET
1. Les ricochets d'une pierre plate sur l'eau : REBOND.
2. Les ricochets d'un scandale : CONTRECOUP, ÉCLABOUSSURE, REBONDISSEMENT, RÉPERCUSSION.

RIDICULE 2461
1. *adj.*
- Une situation ridicule : AMUSANT, BURLESQUE, COMIQUE, GROTESQUE, RISIBLE.
- J'ai acheté ce bibelot pour une somme ridicule : DÉRISOIRE, INSIGNIFIANT.

2. *nom.*
- Son obsession frôle le ridicule : ABSURDE.
- Molière a dépeint les ridicules des médecins de son temps : DÉFAUT, TRAVERS.

RIEN 2462
1. Sa fortune est réduite à rien : NÉANT, ZÉRO.
2. Un rien suffit à l'amuser : BABIOLE, BRICOLE.
- Elle s'offusque pour un rien : BAGATELLE, BROUTILLE, VÉTILLE.

RIEUR 2463
Un bébé rieur : ENJOUÉ, GAI, RÉJOUI, SOURIANT.

RIRE
1. *verbe.*
a) Les facéties du clown nous ont fait rire : SE DÉSOPILER, S'ESCLAFFER, *et en lang. pop. :* RIGOLER, SE BIDONNER, SE GONDOLER, SE MARRER, SE POILER, SE TORDRE.
- La vie n'est pas toujours drôle, il faut bien rire un peu : S'AMUSER, SE DISTRAIRE, SE DIVERTIR.
- La jeune mère rit à son enfant : SOURIRE.
- As-tu fini de rire sottement ? : RICANER.
- Ce que j'ai dit n'est pas vrai, c'était pour rire : BADINER, PLAISANTER, *et en lang. fam. :* BLAGUER.

b) Ne ris pas de lui : SE MOQUER.
- Permettez-moi de rire de vos menaces : DÉDAIGNER, MÉPRISER.

2. *nom.*
- Cette bévue de l'orateur provoqua le rire de l'assistance : HILARITÉ.

SE RIRE
- Elles se sont ri d'eux : SE MOQUER.
- Il s'est ri de toutes les difficultés : SE JOUER.

RIGOLE 2464
- La rigole pour l'écoulement des eaux de la rue : CANIVEAU, RUISSEAU.
- Creuser une rigole dans un champ pour drainer les eaux : SAIGNÉE.
- Les pluies torrentielles ont creusé des rigoles au travers du chemin : CASSIS.

RIGORISME 2465
Le rigorisme de la secte des Hutterer : AUSTÉRITÉ, PURITANISME, RIGIDITÉ, SÉVÉRITÉ.

RIGOUREUSEMENT
- Suivre rigoureusement les préceptes de la Bible : ÉTROITEMENT, SCRUPULEUSEMENT, STRICTEMENT.
- Entrée rigoureusement interdite à toute personne étrangère au service : FORMELLEMENT.

RIGOUREUX
- La morale rigoureuse des Puritains : ASCÉTIQUE, AUSTÈRE, RIGIDE, RIGORISTE.
- Un juge rigoureux : IMPITOYABLE, IMPLACABLE, INFLEXIBLE, SÉVÈRE.
- Prendre des mesures rigoureuses pour éviter l'extension d'une épidémie : DRACONIEN.
- L'hiver de 1709 fut particulièrement rigoureux : INCLÉMENT, RUDE.
- Un arbitre doit être d'une rigoureuse neutralité : PARFAIT, STRICT.
- La précision rigoureuse des opérations de lancement d'une fusée : MATHÉMATIQUE.
- L'ordonnance rigoureuse d'un jardin à la française : GÉOMÉTRIQUE.

RIGUEUR
- La rigueur de la vie d'un anachorète : ASCÈSE, AUSTÉRITÉ.

- La rigueur de la répression d'une émeute : CRUAUTÉ, DURETÉ, IMPLACABILITÉ.
- La rigueur d'un jugement de tribunal : FERMETÉ, INFLEXIBILITÉ, INTRANSIGEANCE, SÉVÉRITÉ.
- La rigueur du climat sibérien : ÂPRETÉ, INCLÉMENCE, RUDESSE.
- La rigueur d'un raisonnement : JUSTESSE, RECTITUDE.

RIPOSTE 2466

En riposte aux raids allemands sur Londres, les Anglais détruisirent des villes de la Ruhr : REPRÉSAILLES.

RIPOSTER

Riposter à un assaut de l'ennemi : CONTRE-ATTAQUER.

RISQUE 2467

Les risques d'une traversée de l'Atlantique sur un voilier : ALÉA, DANGER, PÉRIL.

RISQUER

- Les pompiers risquent souvent leur vie en essayant de sauver des sinistrés : EXPOSER.
- Il a risqué une grosse somme : AVENTURER, JOUER.
- Puis-je risquer une hypothèse ? : AVANCER, HASARDER, TENTER.
- Je ne veux pas risquer ma réputation dans cette affaire louche : COMPROMETTRE, ENGAGER.
- Il risque de gros ennuis : S'EXPOSER À.
- On a risqué la catastrophe : FRÔLER.

SE RISQUER

Se risquer en pays inconnu : S'AVENTURER, SE HASARDER, SE LANCER.

RITUEL 2468

1. *adj.*
- Le prêtre a prononcé les formules rituelles : SACRAMENTEL.
- C'est pour lui un geste rituel : COUTUMIER, HABITUEL.
- Le 1er novembre est le jour de la visite rituelle aux cimetières : TRADITIONNEL.

2. *nom.*
- Le rituel de la liturgie a été respecté : CÉRÉMONIAL.

RIVAL 2469

1. *adj.*
- Deux sectes rivales : ANTAGONISTE, ENNEMI, OPPOSÉ.
- Deux équipes rivales : ADVERSAIRE, ANTAGONIQUE.
- Deux entreprises commerciales rivales : CONCURRENT.

2. *nom.*

Ce coureur a vaincu tous ses rivaux : ADVERSAIRE, CONCURRENT.

RIVALISER

Ils ont rivalisé d'ardeur : DISPUTER, LUTTER.

RIVALITÉ

- La rivalité entre Armagnacs et Bourguignons : ANTAGONISME, CONFLIT, LUTTE, OPPOSITION.
- La rivalité entre deux élèves pour la première place : COMPÉTITION, ÉMULATION.
- La rivalité oratoire entre deux avocats : DUEL, JOUTE.
- La rivalité commerciale entre deux magasins : CONCURRENCE.

ROBE 2470

1. Le pape porte une robe blanche : SOUTANE.
- La robe d'un avocat : TOGE.
- Une robe de chambre : PEIGNOIR.

2. Un cheval à robe grise : PELAGE.

ROBOT 2471

Il agit comme un robot : AUTOMATE.

ROBOTISER

Robotiser une chaîne de montage de voitures : AUTOMATISER.

RÔDER 2472

- Pourquoi es-tu resté à rôder dans les rues ? : ERRER, TRAÎNER, VAGABONDER, *et en lang. fam. :* TRAÎNAILLER, TRAÎNASSER.
- Le renard rôdait autour du poulailler : TOURNER.

RÔDEUR

Méfie-toi des rôdeurs ! : VAGABOND.

ROI 2473

1. Louis IX est considéré comme un excellent roi : MONARQUE, SOUVERAIN.
2. Les rois de la finance : MAGNAT, POTENTAT.

ROYAL

1. Le pouvoir royal : MONARCHIQUE, RÉGALIEN.
2. Un accueil royal : GRANDIOSE, MAGNIFIQUE, SPLENDIDE.
- Une demeure royale : FASTUEUX, SOMPTUEUX.
- *Fam. :* Il a montré un mépris royal envers tout le monde : COMPLET, PARFAIT, TOTAL.

ROYALEMENT

- Nous avons été traités royalement : MAGNIFIQUEMENT, SOMPTUEUSEMENT.
- *Fam. :* Je m'en moque royalement : COMPLÈTEMENT.

RÔLE 2474

1. Être inscrit sur le rôle des impôts : REGISTRE.
2. Le rôle d'arbitre n'est pas toujours facile :

EMPLOI, FONCTION, MÉTIER, MISSION, TÂCHE, TRAVAIL.
- Elle joue le rôle de Chimène dans « Le Cid » : PERSONNAGE.

ROMANESQUE 2475
- Une aventure romanesque : EXTRAORDINAIRE, FANTASTIQUE, MERVEILLEUX.
- Avoir un esprit romanesque : IMAGINATIF, RÊVEUR, ROMANTIQUE, SENTIMENTAL.

ROMPRE 2476
1. *v. tr.*
- Rompre ses chaînes : BRISER, CASSER, SE LIBÉRER DE.
- On rompit les membres de Calas sur la roue : DISLOQUER.
- Les vagues ont rompu la digue : CREVER, FRACASSER.
- Notre armée a rompu le dispositif ennemi : ENFONCER, PERCER.
- J'ai rompu les ponts avec eux : COUPER.
- Cette immense tour rompt l'harmonie de l'ensemble architectural : DÉFAIRE, DÉTRUIRE.
- Rompre le silence : INTERROMPRE.
- Rompre un contrat : DÉNONCER, RÉSILIER.
2. *v. intr.* Les deux amants ont rompu : SE QUITTER, SE SÉPARER.

SE ROMPRE
Sous la pression du vent, le mât du voilier s'est rompu : CASSER, CÉDER, CRAQUER, SE BRISER.

ROMPU
- Je suis rompu de fatigue : EXTÉNUÉ, FOURBU, MOULU.
- Une personne rompue aux questions de droit : EXPÉRIMENTÉ EN, EXPERT EN, HABITUÉ À.

ROND 2477
1. *adj.*
a) La margelle du puits est ronde : CIRCULAIRE.
- Le ballon de rugby n'est pas rond : SPHÉRIQUE.

b) Avoir les joues rondes : REBONDI.
- Avoir le dos rond : VOÛTÉ.
- Un petit homme rond : REPLET, *et en lang. fam. :* BOULOT, RONDOUILLARD.

c) Un commerçant rond en affaires : FRANC, LOYAL.

d) Pop. : Il était complètement rond : IVRE.

2. *nom.*
a) Se mettre en rond autour de quelqu'un : CERCLE.
b) Fam. : Je n'ai plus un rond : SOU, *et en lang. pop. :* RADIS.

3. *adv.*
Un moteur qui tourne rond : NORMALEMENT, RÉGULIÈREMENT.

RONDEMENT
Mener rondement une affaire : PROMPTEMENT.

RONDEUR
1. Avoir trop de rondeur dans les formes : EMBONPOINT, ROTONDITÉ.
2. La rondeur dans les propos : BONHOMIE, CORDIALITÉ, SIMPLICITÉ.

RONGER 2478
- Les souris ont rongé le fromage : GRIGNOTER.
- L'air salin ronge le fer : ATTAQUER, CORRODER.
- Il est rongé par le remords : DÉVORER, MINER, TOURMENTER.

RÔTIR 2479
Rôtir une viande : GRILLER, RISSOLER.

ROUÉ 2480
Un politicien roué : ARTIFICIEUX, MACHIAVÉLIQUE, MADRÉ, MATOIS, RETORS, ROUBLARD, RUSÉ, *et en lang. fam. :* COMBINARD.

ROUERIE
Faire preuve de rouerie : DUPLICITÉ, FOURBERIE, MACHIAVÉLISME, ROUBLARDISE, RUSE.

ROUGE 2481
1. Avoir le teint rouge : COLORÉ, ÉCARLATE, EMPOURPRÉ, ROUGEAUD, RUBICOND.
- Le médecin lui a trouvé le visage très rouge : CONGESTIONNÉ, ENFLAMMÉ, SANGUIN, VULTUEUX.

2. *On peut préciser une nuance de la couleur rouge par l'un des mots suivants :* CARMIN, CERISE, CORAIL, CRAMOISI, GRENAT, INCARNAT, POURPRE, SANG, VERMEIL, VERMILLON, etc.
3. *Fam. :* C'est un rouge : COMMUNISTE, RÉVOLUTIONNAIRE.

ROULEMENT 2482
- Un roulement de tonnerre : GRONDEMENT.
- Un roulement de tambours : BATTERIE.

ROULER
1. *v. tr.*
a) Le torrent roule des galets : CHARRIER.
- Rouler une terre après les semailles : APLANIR.
- Rouler une truite dans la farine : ENROBER DE.

b) Fam. : On m'a roulé : BERNER, DUPER, TROMPER, *et en lang. fam. :* POSSÉDER.
- *Fam. :* Un commerçant qui roule les clients : VOLER.

2. *v. intr.*
a) L'accident s'est produit entre deux trains qui roulaient en sens inverse : CIRCULER, MARCHER, SE DÉPLACER.

- J'ai vu la voiture rouler vers moi : AVANCER.
- Au cours de l'avalanche, de gros blocs ont roulé jusqu'aux bords du village : DÉBOULER, DÉGRINGOLER, DÉVALER.
- Ce vieux marin a roulé sur toutes les mers du globe : BOURLINGUER, NAVIGUER.

b) Rouler des hanches : BALANCER, ONDULER, TORTILLER.

c) La conversation a roulé sur ce scandale : PORTER SUR, TOURNER AUTOUR.

ROUSSIR 2483

J'ai roussi la nappe en la repassant : BRÛLER.

ROUX

- Une barbe rousse : *fam. :* ROUQUIN.
- Elle s'est fait teindre les cheveux en roux : AUBURN.
- Un chat au poil roux : FAUVE, ROUSSÂTRE.
- Un cheval au pelage roux : ALEZAN.

ROUTE 2484

- J'ai étudié ma route sur la carte : PARCOURS, TRAJET.
- Je connais toutes les petites routes de la région : CHEMIN, SENTIER.
- Les routes romaines à travers la Gaule : VOIE.
- Un compagnon de route : VOYAGE.

ROUTINE

- La routine quotidienne : TRAIN-TRAIN.
- C'est la routine du métier : EXPÉRIENCE, HABITUDE.
- Cela sort de la routine : CHEMIN BATTU, ORNIÈRE.

ROUTINIER

- Un bureaucrate routinier : TRADITIONALISTE, *et avec un sens péjoratif :* ENCROÛTÉ.
- Des méthodes routinières : CLASSIQUE, TRADITIONNEL.

RUBAN 2485

- Elle met des rubans dans ses cheveux : FAVEUR.
- Un tissu bordé d'un ruban : GALON, GANSE.

RUCHE 2486

Les jours de foire, cette petite ville est une véritable ruche : FOURMILIÈRE.

RUDE 2487

1. Un drap de chanvre est rude : RÂPEUX, RÊCHE, RUGUEUX.
- Quel rude travail que celui de mineur ! : DIFFICILE, DUR, PÉNIBLE.
- La règle des Trappistes est rude : AUSTÈRE, RIGIDE, RIGOUREUX, SÉVÈRE.
- Le combat a été rude : ÂPRE, FAROUCHE, TERRIBLE.
- Un sentier de montagne très rude : ABRUPT, RAIDE.
- Le style de Corneille est parfois rude dans ses dernières pièces : HEURTÉ, RABOTEUX, ROCAILLEUX.
- Il a reçu une rude réprimande : SÉVÈRE, VERT.

2. Un rude adversaire : REDOUTABLE.
- Un rude montagnard : AGUERRI, ENDURCI.
- Un homme au caractère rude : ANGULEUX, BOURRU.
- Un cavalier trop rude avec son cheval : BRUTAL.
- Une personne aux mœurs rudes : FRUSTE, GROSSIER.

3. *Fam. :* Quelle rude chance elle a eu d'être reçue ! : FAMEUX, SACRÉ.

RUDESSE

- La rudesse de l'écorce d'un arbre : RUGOSITÉ.
- Traiter quelqu'un avec rudesse : DURETÉ, SÉVÉRITÉ.
- La rudesse de la réaction policière : BRUTALITÉ.
- La rudesse d'un combat : ÂPRETÉ.
- La rudesse d'une réplique : SÉCHERESSE, VERDEUR.
- La rudesse d'une tâche : DIFFICULTÉ.
- La rudesse de l'hiver : RIGUEUR.
- La rudesse des mœurs : GROSSIÈRETÉ, RUSTICITÉ.

RUE 2488

- *Suivant l'importance de la rue, on pourra dire :* AVENUE, BOULEVARD, RUELLE, VENELLE.
- Les différentes rues d'une ville : ARTÈRE.
- Une rue privée : PASSAGE.

RUINE 2489

1. La ruine d'une région par la guerre : DESTRUCTION, DÉVASTATION, RAVAGE.
- Attila semait la ruine sur son passage : DÉSOLATION.
- La ruine d'un régime politique : CHUTE, ÉCROULEMENT, EFFONDREMENT.
- La ruine d'un financier : BANQUEROUTE, FAILLITE.
- La ruine de la santé par la drogue : DÉLABREMENT, DÉTÉRIORATION.
- Ce fut la ruine de tous ses espoirs : ANÉANTISSEMENT, FIN, MORT, NAUFRAGE, PERTE.

2. Les ruines d'une ville bombardée : DÉCOMBRES, DÉMOLITIONS.
- Les ruines de Volubilis : VESTIGES.

3. Ce clochard n'est plus qu'une ruine : ÉPAVE, LOQUE.

RUINER
- Les inondations ont ruiné les récoltes : ANÉANTIR, DÉTRUIRE, DÉVASTER, RAVAGER.
- L'abus d'alcool a ruiné sa santé : ALTÉRER, DÉLABRER, MINER, USER.
- Ruiner la réputation de quelqu'un : DÉMOLIR.
- Les hommes d'affaires peu à peu l'ont ruiné : DÉPOUILLER, *et en lang. fam. :* PLUMER.

RUISSELANT 2490
- Mon imperméable est ruisselant d'eau : DÉGOULINANT, DÉGOUTTANT.
- Après son effort, le coureur est ruisselant de sueur : INONDÉ, TREMPÉ.

RUMINER 2491

Ruminer sa déception : REMÂCHER, RESSASSER.

RUPTURE
- La rupture entre époux : DIVORCE, SÉPARATION.
- Une rupture de fiançailles : ANNULATION.
- Une rupture de contrat : DÉNONCIATION, RÉSILIATION.
- La rupture des relations entre deux pays : CESSATION, INTERRUPTION.
- Une rupture entre amis : BROUILLE, *et en lang. fam. :* FROID.
- Soumettre une barre de fer à des essais de résistance à la rupture : CASSURE, FRACTURE.
- Le général de Gaulle est mort d'une rupture de l'aorte : DÉCHIRURE, ÉCLATEMENT.

RUSE 2492
- Attention, c'est une ruse ! : PIÈGE.
- Il utilise toutes les ruses pour arriver à ses fins : ARTIFICE, ASTUCE, MANŒUVRE, STRATAGÈME, SUBTERFUGE, *et en lang. fam. :* FICELLE, TRUC.

RUSER

Il est inutile de ruser, parlez franchement ! : BIAISER, FINASSER, LOUVOYER, RENARDER.

RYTHME 2493

Les deux danseurs sont dans le même rythme : CADENCE, MESURE, MOUVEMENT.

RYTHMÉ
- Un pas rythmé : CADENCÉ.
- Une phrase bien rythmée : HARMONIEUX.

RYTHMER

CADENCER, SCANDER.

Ss

SABBAT 2494

- Le sabbat des korrigans dans une clairière de la lande : CHARIVARI, SARABANDE.
- Quel sabbat chez les voisins, hier soir ! : CHAHUT, TAPAGE, *et en lang. pop. :* BOUCAN, RAMDAM.

SABLE 2495

- Le granite se décompose et donne du sable : ARÈNE.
- Recouvrir une allée de gros sable : GRAVIER.
- Les « sables fossilifères » de Touraine : FALUN.

SABORDER 2496

Le 27 novembre 1942, fut donné l'ordre de saborder la flotte française, pour qu'elle échappe aux Allemands : COULER.

SABOT 2497

Si tu vas dans le jardin, mets tes sabots : GALOCHE, SOCQUE.

SABOTER

1. Le 6 juin 1944, les maquisards sabotèrent 52 locomotives, au dépôt d'Ambérieu : DÉTÉRIORER, DÉTRUIRE.
2. Un apprenti qui sabote son travail : BÂCLER, GÂCHER.
- L'opposition s'applique à saboter la politique du gouvernement : TORPILLER.

SABRE 2498

Suivant la forme de l'arme blanche, on dira : CIMETERRE, ÉPÉE, GLAIVE, LATTE, RAPIÈRE, YATAGAN, *et en lang. fam. :* COUPE-CHOUX.

SABRER

- Dans son compte rendu, le journaliste a sabré l'essentiel de mon discours : COUPER.
- Le professeur a sabré une page de mon devoir : RAYER.
- Sabrer un candidat : *fam. :* SACQUER.

SAC 2499

- Un petit sac : SACHET.
- Un « sac à dos » : HAVRESAC.
- Un sac d'écolier : CARTABLE, SERVIETTE.
- Un « sac à provisions » : CABAS.
- Un « sac de chasseur » : CARNASSIÈRE, GIBECIÈRE.
- Un « sac à deux poches » : BESACE, BISSAC.
- Les bûcherons emportaient leur casse-croûte dans un sac : MUSETTE, SACOCHE.
- Un sac de couchage : DUVET.

SACCADE 2500

Avancer par saccades : À-COUP, SOUBRESAUT.

SACCADÉ

Un débit saccadé : HACHÉ, HEURTÉ.

SACERDOCE 2501

- Un garçon qui se destine au sacerdoce : PRÊTRISE.
- Son métier de médecin est pour elle un vrai sacerdoce : APOSTOLAT.

SACRÉ 2502

1. Les livres sacrés : SAINT.
- Les vases sacrés : LITURGIQUE.
- L'art sacré : RELIGIEUX.
- Un droit sacré : INTANGIBLE, INVIOLABLE.
2. *Fam. :* Ce sacré chien ne se taira donc pas ! : MAUDIT.
- *Fam. :* Il a fait preuve d'un sacré courage : EXTRAORDINAIRE, INCROYABLE.

SACRER

1. Sacrer un évêque : CONSACRER, OINDRE.
- Peu avant sa mort, Charlemagne sacra empereur son fils Louis : COURONNER.
2. Il sacre sans arrêt le nom de Dieu : BLASPHÉMER, JURER.

SACRIFICE 2503

1. Pour éprouver Abraham, Dieu lui demanda le sacrifice de son fils Isaac : HOLOCAUSTE, IMMOLATION.

- Le prêtre célèbre le saint sacrifice : MESSE.
2. Elle a mené une vie de sacrifice : ABNÉGATION, DÉVOUEMENT, RENONCEMENT, RÉSIGNATION.
3. Les parents se sont imposé des sacrifices pour permettre à leurs enfants de faire des études : PRIVATIONS.

SACRIFIER
1. Les Romains sacrifiaient des animaux mâles aux dieux, des femelles aux déesses : IMMOLER.
- Elle était prête à sacrifier sa vie pour sauver son enfant : OFFRIR.
- On a accusé ce général de sacrifier inutilement ses troupes : FAIRE TUER.
2. Mon manuscrit étant trop long, j'ai dû sacrifier quelques passages : COUPER, SUPPRIMER.
- Personne ne veut sacrifier ses vacances : RENONCER À.
- Dans les récits de l'histoire de France, le peuple est souvent sacrifié : NÉGLIGER.
- On a dit que le maquis du Vercors avait été volontairement sacrifié par les Alliés : ABANDONNER.
3. Il sacrifie tous ses loisirs au jardinage : CONSACRER.
- Sacrifier à une mode nouvelle : SE CONFORMER, SUIVRE.
- Cet athlète n'hésite pas à sacrifier à la musculation : S'ADONNER, SE LIVRER, SE SOUMETTRE.
- Le dimanche, je sacrifie à la paresse : S'ABANDONNER.
4. En fin de saison, le commerçant a sacrifié quelques marchandises : SOLDER.

SE SACRIFIER
- Se sacrifier à une noble cause : SE CONSACRER, SE DÉVOUER.
- Ces parents se sont sacrifiés pour leurs enfants : SE PRIVER.

SACRILÈGE 2504
1. *nom.*
- Un vol dans une église est un sacrilège : PROFANATION.
- Les injures contre Dieu sont un sacrilège : BLASPHÈME, OUTRAGE.
- Abattre ces jeunes chênes serait un sacrilège : CRIME.
2. *adj.*
- Une action sacrilège : IMPIE, PROFANATEUR.

SAGE 2505
1. C'est un homme sage : AVISÉ, CIRCONSPECT, POSÉ, RÉFLÉCHI.
- Votre conseil était sage : JUDICIEUX, SENSÉ.
- Par temps de verglas, il est plus sage de prendre le train que la voiture : PRUDENT, RAISONNABLE.
2. Un enfant sage : DOCILE, OBÉISSANT, TRANQUILLE.
3. Une robe sage : CHASTE, PUDIQUE.
4. Platon est le plus grand sage de l'Antiquité : PHILOSOPHE.

SAGESSE
1. Faire preuve de sagesse : CIRCONSPECTION, DISCERNEMENT, PRUDENCE.
- Le patronat a reconnu la sagesse des revendications ouvrières : MESURE, MODÉRATION, PONDÉRATION.
2. Mes enfants sont d'une sagesse remarquable : DOCILITÉ, OBÉISSANCE, TRANQUILLITÉ.
3. La sagesse aristotélicienne : PHILOSOPHIE.
- « Le Cantique des Cantiques » fait partie des Livres de Sagesse : SAPIENCE.

SAIGNANT 2506
1. Après son accident à la toupie, le menuisier avait la main toute saignante : ENSANGLANTÉ, SANGLANT.
2. Faire une critique saignante : BLESSANT, FÉROCE, MORDANT.
3. Un steak très saignant : BLEU.

SAIGNEMENT
Un saignement de nez : HÉMORRAGIE.

SAIGNER
1. Saigner un porc : ÉGORGER, TUER.
2. L'armée d'occupation a saigné le pays : PRESSURER, RANÇONNER, RUINER.

SAILLANT 2507
1. L'arcade sourcilière du pithécanthrope était saillante : PROÉMINENT.
- Des yeux saillants : GLOBULEUX.
2. Il n'y avait rien de saillant dans son discours : FRAPPANT, REMARQUABLE.

SAILLIE
1. Les saillies d'une façade d'immeuble : AVANCÉE.
- Une saillie osseuse : BOSSE, GIBBOSITÉ, PROÉMINENCE, PROTUBÉRANCE.
- L'alpiniste a pu s'accrocher à une saillie du rocher : ARÊTE, ASPÉRITÉ.
- Les saillies d'un fort à la Vauban : ENCORBELLEMENT, REDAN.
2. Un discours émaillé de saillies : BOUTADE, MOT, TRAIT D'ESPRIT.
3. Un étalon réservé à la saillie : ACCOUPLEMENT, MONTE.

SAILLIR
1. De la falaise, saillait une arête rocheuse : SE DÉTACHER.
- Deux bosses commençaient à saillir du front du jeune bélier : DÉBORDER, DÉPASSER.

• L'effort faisait saillir ses muscles : RESSORTIR.
2. Une jument ne peut concevoir que si elle est saillie pendant sa période de chaleur : COUVRIR, SERVIR.
• Un chat birman refuse de saillir une chatte persane : S'ACCOUPLER À.

SAIN 2508
1. Près de la mer, on respire un air sain : SALUBRE.
• Le climat de la montagne serait sain pour elle : BIENFAISANT, PROFITABLE, SALUTAIRE.
2. Une nourriture saine : DIÉTÉTIQUE, ÉQUILIBRÉ.
• Des mesures saines : HYGIÉNIQUE.
• Un homme au jugement sain : DROIT, SENSÉ.
• Une gestion saine : NORMAL, RÉGULIER.

SAINT 2509
1. *adj.*
• La Sainte Vierge Marie : BIENHEUREUX.
• Il se moque des choses saintes : SACRÉ, VÉNÉRABLE.
• Le curé de Saint-Eustache refusa l'inhumation de Molière en terre sainte : BÉNIT, CONSACRÉ.
• C'était une sainte femme : PIEUX, VERTUEUX.
2. Les anges et les saints glorifient Dieu : ÉLU.

SAISIE 2510
• La saisie de drogue par les douaniers : CONFISCATION.
• La saisie des meubles d'un débiteur : MISE SOUS SÉQUESTRE.

SAISIR
1. Il saisit une branche pour arrêter sa glissade : ATTRAPER, EMPOIGNER, S'AGRIPPER À.
• Le goal a pu saisir le ballon avant la ligne : S'EMPARER DE.
2. Avez-vous bien saisi le sens de ma question ? : COMPRENDRE, *et en lang. fam. :* PIGER.
• Je ne saisis pas tes vraies intentions : DISCERNER, PERCEVOIR.
3. J'ai saisi ce prétexte pour lui dire que... : PROFITER DE.
4. Saisie par la peur, elle s'arrêta net : ÉTREINDRE, PARALYSER.
• Le froid m'a saisi : TRANSIR.
• La cruauté de la scène a saisi les spectateurs : ÉBRANLER, FRAPPER, IMPRESSIONNER.
5. Les douaniers ont saisi un camion de cigarettes de contrebande : CONFISQUER.

SE SAISIR
Les gendarmes se sont saisis du voleur : APPRÉHENDER, ARRÊTER, CAPTURER.

SALE 2511
1. Un endroit sale : DÉGOÛTANT, MALPROPRE, RÉPUGNANT.
• Il est revenu de la chasse avec des bottes sales : BOUEUX, CROTTÉ, TERREUX.
• Le mécanicien avait les mains sales : CRASSEUX, GRAISSEUX, POISSEUX.
• Un mur sale : ENCRASSÉ, MACULÉ, NOIR, TACHÉ.
• Des meubles sales : POUSSIÉREUX.
• Un gris sale : TERNE.
2. *Fam. :* Ce n'est qu'un sale moment à passer : MAUVAIS, PÉNIBLE.
• *Fam. :* Quels sales gosses ! : IGNOBLE, MAUDIT, MÉCHANT, VILAIN.
• *Fam. :* Ton copain a une sale tête : ANTIPATHIQUE, DÉSAGRÉABLE.
• *Fam. :* Il s'est laissé embarquer dans une sale affaire : LOUCHE, SUSPECT.

SALETÉ
1. La saleté de ta chambre me répugne : MALPROPRETÉ.
• La saleté apportée par l'inondation dans le sous-sol : BOUE, GADOUE.
• Il faudra balayer toute cette saleté : CRASSE, ORDURE.
• Cette huile doit être filtrée, elle est pleine de saletés : IMPURETÉ.
• Les chiens ont fait leurs saletés sur le trottoir : CROTTES, EXCRÉMENTS.
2. Ce garçon ne raconte que des saletés : GROSSIÈRETÉ, OBSCÉNITÉ, *et en lang. pop. :* COCHONNERIE, SALOPERIE.
• *Fam. :* Je n'aime pas que l'on me fasse des saletés : VILENIE, *en lang. fam. :* CRASSE, ENTOURLOUPETTE, ROSSERIE, *et en lang. pop. :* VACHERIE.
3. *Fam. :* J'ai acheté quelques petites saletés à cette foire : PACOTILLE.

SALIR
1. Enlève tes souliers boueux pour ne pas salir le parquet : MACULER, TACHER.
• L'enfant a sali son visage en mangeant : BARBOUILLER.
• Les fumées de l'usine salissent l'air : ENCRASSER, POLLUER, SOUILLER.
• Salir le bas de son pantalon en marchant dans la boue : CROTTER.
2. Cette malversation a sali à jamais sa réputation : ENTACHER, FLÉTRIR, TERNIR.
• Salir quelqu'un par des critiques injustes : CALOMNIER, DIFFAMER.

SALÉ 2512
1. L'eau de mer a un goût salé : SALIN, SAUMÂTRE.

2. Une plaisanterie salée : CORSÉ, ÉPICÉ, GRIVOIS, PIMENTÉ, POIVRÉ.
• *Fam. :* La note de l'aubergiste était salée : EXAGÉRÉ, EXCESSIF.
• *Fam. :* Une punition salée : SÉVÈRE.

SEL
Sa conversation ne manque pas de sel : ESPRIT, FINESSE, HUMOUR, PIMENT, PIQUANT, SAVEUR.

SALIVE 2513
BAVE, ÉCUME.

SALIVER
BAVER.

SALON 2514
1. Un salon de réception : PIÈCE, SALLE.
2. Un salon de peinture : EXPOSITION.

SALUER 2515
1. Ce grand savant fut salué comme un bienfaiteur de l'humanité : HONORER.
2. Les spectateurs ont salué le vainqueur : APPLAUDIR.
• Lors du festin, chaque nouveau plat était salué par un murmure approbateur : ACCUEILLIR.

SALUT
1. *L'expression familière « Salut, les amis ! » signifie, suivant le cas :* ADIEU, BONJOUR, BONSOIR, AU REVOIR.
2. En passant devant l'autel, les fidèles font un salut : GÉNUFLEXION.
• Répondre par un salut de la tête : INCLINATION.
3. La ceinture de sécurité est le salut de l'automobiliste : SAUVEGARDE.
• Le Christ est mort pour le salut des hommes : RACHAT, RÉDEMPTION.

SALUTATION
• Les salutations de Monsieur Jourdain devant Dorimène : RÉVÉRENCES, *et en lang. fam. :* COURBETTES, SALAMALECS.

SANCTIFIER 2516
• Sanctifier le jour du dimanche : CÉLÉBRER, FÊTER.
• Le sang des martyrs a sanctifié ce lieu : CONSACRER.
• Que ton nom soit sanctifié ! : HONORER, RESPECTER.

SANCTION 2517
1. Le mot « alunir » n'a pas reçu la sanction de l'Académie : APPROBATION, CONFIRMATION, CONSÉCRATION, RATIFICATION.
2. Les sanctions prononcées par un tribunal : AMENDE, CONDAMNATION, PEINE, PUNITION.
• Une menace de sanction : CHÂTIMENT, RÉPRESSION.
• Des sanctions économiques prises contre un pays : REPRÉSAILLES, RÉTORSIONS.

SANCTIONNER
1. Le mot « planning » a été sanctionné par l'usage : CONFIRMER, CONSACRER, RATIFIER.
• Les députés ont sanctionné par leurs votes ce projet de loi : ADOPTER, APPROUVER, ENTÉRINER, HOMOLOGUER.
2. Cet officier a été sanctionné de trente jours d'arrêts de rigueur : CONDAMNER À, PUNIR.
• Sanctionner les infractions au code de la route : PÉNALISER, RÉPRIMER.

SANCTUAIRE 2518
1. Le sanctuaire de Lourdes : ÉGLISE.
• Les sanctuaires bouddhiques : TEMPLE.
2. Seuls les prêtres étaient autorisés à pénétrer dans le sanctuaire : SAINT DES SAINTS.

SANTÉ 2519
Elle est de santé fragile : COMPLEXION, CONSTITUTION, NATURE, TEMPÉRAMENT.

SARCLER 2520
Sarcler des carottes : BINER, DÉSHERBER.

SARCOPHAGE 2521
CERCUEIL, TOMBE, TOMBEAU.

SARRASIN 2522
De la farine de sarrasin : BLÉ NOIR.

SATIÉTÉ 2523
Manger jusqu'à satiété : RASSASIEMENT, RÉPLÉTION, SATURATION.

SATINÉ 2524
• Une étoffe satinée : BRILLANT, LUSTRÉ.
• Une peau satinée : DOUX, VELOUTÉ.

SATIRE 2525
• Écrire des satires : CATILINAIRE *(litt.)*, DIATRIBE, ÉPIGRAMME, LIBELLE, PAMPHLET, PHILIPPIQUE *(litt.)*.
• Faire une satire du milieu bourgeois : CARICATURE, CRITIQUE.

SATIRIQUE
• Des propos satiriques : CAUSTIQUE, MORDANT, PIQUANT.
• Un dessin satirique : CARICATURAL.

SATISFAIRE 2526
1. *v. tr.*
• Est-ce que mon explication vous satisfait ? : CONTENTER, CONVENIR, SUFFIRE.
• Satisfaire les désirs de quelqu'un : COMBLER, EXAUCER.

- Satisfaire sa faim : ASSOUVIR.
- Ce spectacle m'a satisfait : PLAIRE À.

2. *v. tr. ind.*
- Une seule secrétaire ne peut satisfaire à tous les appels téléphoniques : RÉPONDRE, SUFFIRE.
- Avez-vous satisfait à vos obligations militaires ? : ACCOMPLIR, REMPLIR, S'ACQUITTER DE.
- Satisfaire à une promesse : EXÉCUTER.
- Cette voiture ne satisfait pas aux besoins de la clientèle : CORRESPONDRE, RÉPONDRE.

SE SATISFAIRE
Elle se satisfait de peu : S'ACCOMMODER, SE CONTENTER.

SATISFAISANT
Il a obtenu des notes satisfaisantes : ACCEPTABLE, CONVENABLE, CORRECT, HONNÊTE, HONORABLE.

SATISFAIT
- Elle est satisfaite du succès de son fils : CONTENT, FLATTÉ, HEUREUX.
- Mon vœu s'est réalisé, je suis satisfait : COMBLÉ, EXAUCÉ.
- Sa vengeance est satisfaite : ASSOUVI.
- Son air satisfait m'agace : BÉAT, FIER, SUFFISANT, VANITEUX.

SATURÉ 2527
- Le péage de l'autoroute était saturé : ENCOMBRÉ, ENGORGÉ.
- Une éponge saturée d'eau : PLEIN, REMPLI.
- Le marché français est saturé de produits étrangers : ENVAHI, INONDÉ, SUBMERGÉ, SURCHARGÉ.
- Pendant les fêtes, les enfants ont été saturés de bonbons : GAVÉ, RASSASIÉ.
- On le dit saturé de voyages : BLASÉ, DÉGOÛTÉ, *et en lang. fam. :* SURSATURÉ.

SAUF 2528
1. *adj.*
- C'est à la chance qu'il doit d'être sauf : INDEMNE, RESCAPÉ, SAUVÉ.
- Mon honneur est sauf : INTACT.

2. *préposition.*
- Sauf erreur de ma part : À MOINS DE, SOUS RÉSERVE DE.
- Tout est perdu, sauf l'honneur : EXCEPTÉ, FORS, HORMIS, HORS.

SAUNIER 2529
Les sauniers de la Brière : PALUDIER.

SAUT 2530
- Beamon a réussi un saut de 8,90 m en longueur : BOND.
- Un saut dans le vide : CHUTE, PLONGEON.
- Un saut sur place : SAUTILLEMENT.
- Un saut dû à la peur : SURSAUT, TRESSAUTEMENT.
- Les sauts d'une charrette sur les pavés : CAHOT, SOUBRESAUT, TRESSAUT.
- Les sauts d'un chevreau : CABRIOLES, GAMBADES, *et en lang. fam. :* GALIPETTES.

SAUTER
1. *v. intr.*
- L'écureuil saute d'un arbre à l'autre : BONDIR, S'ÉLANCER.
- Le parachutiste saute dans le vide : PLONGER, SE JETER.
- Sauter d'un pied sur l'autre : SAUTILLER.
- Elle a sauté de peur : SURSAUTER, TRESSAUTER.
- La diligence sautait sur la route caillouteuse : BRIMBALER, BRINGUEBALER, CAHOTER.
- Le poulain saute dans la prairie : CABRIOLER, GAMBADER.
- Le chien a sauté sur le facteur : FONCER, SE PRÉCIPITER, SE RUER.
- Sauter sur un ennemi : ASSAILLIR, ATTAQUER.
- La mine a sauté : ÉCLATER, EXPLOSER.

2. *v. tr.*
- Sauter une haie : FRANCHIR.
- J'ai sauté plusieurs pages du roman pour arriver plus vite à la fin : PASSER.
- La secrétaire a sauté un paragraphe de mon manuscrit : OMETTRE, OUBLIER.

SAUVAGE 2531
- Un combat sauvage : FAROUCHE, FÉROCE, MEURTRIER, SANGLANT, SANGUINAIRE.
- Les bêtes sauvages : FAUVE.
- Un animal sauvage : INAPPRIVOISÉ, INDOMPTÉ.
- Les peuples que l'on dit sauvages : BARBARE, PRIMITIF.
- Un homme au caractère sauvage : INSOCIABLE, MISANTHROPE, SOLITAIRE.
- Cet homme, quel sauvage ! : OURS.
- Des mœurs sauvages : GROSSIER, INCULTE.
- Des manières sauvages : BARBARE, BESTIAL, BRUTAL, CRUEL, TUDESQUE.
- Un lieu sauvage : DÉSERT, INHABITÉ.
- L'immigration sauvage : ILLÉGAL, ILLICITE.

SAUVER 2532
- Les médecins ont réussi à le sauver : GUÉRIR.
- Sauver quelqu'un de la misère : ARRACHER À, TIRER DE.
- Le Christ est mort sur croix pour sauver les hommes : RACHETER.
- Il a pu sauver son honneur : CONSERVER, GARDER, SAUVEGARDER.
- Malgré l'inondation, ils ont pu sauver

l'essentiel de leurs meubles : PRÉSERVER, PROTÉGER.
• Il sera difficile de sauver cette entreprise en faillite : RENFLOUER.

SAUVEUR
• Jésus est appelé le Sauveur : MESSIE, RÉDEMPTEUR.
• Cet homme est considéré comme le sauveur de la patrie : LIBÉRATEUR.

SAVANT 2533
1. *adj.*
a) Une personne savante : CULTIVÉ, ÉRUDIT, INSTRUIT.
• Il est savant en mécanique : FORT, VERSÉ, *et en lang. fam. :* CALÉ, FERRÉ.
• Une explication savante : SCIENTIFIQUE.
• Cela est beaucoup trop savant pour moi : ARDU, COMPLIQUÉ, DIFFICILE.
b) Dans ce jardin, les massifs de fleurs ont été disposés dans une savante harmonie : HABILE, INGÉNIEUX.
• Un chien savant : DRESSÉ.
2. *nom.*
• Un congrès de savants : CHERCHEUR, SCIENTIFIQUE, SPÉCIALISTE.

SAVOIR
1. *verbe.*
• C'est une chose que tu devrais savoir : CONNAÎTRE.
• Savez-vous que... ? : ÊTRE AU COURANT, ÊTRE INFORMÉ.
• Sachez que... : APPRENDRE.
• Je saurai bien la convaincre : PARVENIR À, RÉUSSIR À.
• Cela, je ne saurais vous le dire : POUVOIR.
2. *nom.*
• Une personne de grand savoir : CULTURE, ÉRUDITION, SCIENCE.
• Le savoir donné par l'école : CONNAISSANCES, INSTRUCTION.
• Le savoir apporté par la longue pratique d'un métier : ACQUIS, EXPÉRIENCE.

SE SAVOIR
Cela s'est su très vite : ÊTRE CONNU.

SAYNÈTE 2534
Pendant l'entracte, les enfants interprétèrent une saynète amusante : SKETCH.

SCABREUX 2535
1. Être dans une situation scabreuse : DANGEREUX, PÉRILLEUX, RISQUÉ.
2. Des propos scabreux : CHOQUANT, INCONVENANT, INDÉCENT, LICENCIEUX.

SCANDALE 2536
• Quel scandale que la vie de débauche du pape Alexandre VI ! : HONTE, INFAMIE.
• Au grand scandale de tous, on a puni un innocent : INDIGNATION.
• Les gendarmes arrêtèrent l'ivrogne qui faisait du scandale dans la rue : DÉSORDRE, ESCLANDRE, TAPAGE, *et en lang. fam. :* BAROUF, FOIN, PÉTARD.

SCANDALEUX
• Sa partialité est scandaleuse : RÉVOLTANT.
• Sa nomination à ce poste est scandaleuse : CHOQUANT.
• Le massacre des bébés phoques est scandaleux : AVILISSANT, DÉGRADANT, DÉSHONORANT, HONTEUX, INFÂME.

SCANDALISER
Son impiété scandalise les âmes vertueuses : CHOQUER, HORRIFIER, INDIGNER, OFFUSQUER, RÉVOLTER.

SCELLER 2537
• Sceller avec de la cire : CACHETER.
• Sceller un compteur d'électricité : PLOMBER.
• Sceller un piton dans un mur : FIXER.
• Sceller des dalles : CIMENTER.
• Ces signatures scellent notre traité : CONFIRMER, CONSACRER, RATIFIER.

SCÉNARIO 2538
• Le scénario d'un film : SCRIPT, SYNOPSIS.
• Tout s'est déroulé selon le scénario prévu : PLAN.

SCÈNE 2539
1. Monter sur la scène : PLANCHES, PLATEAU, TRÉTEAUX.
• La scène représente un palais : DÉCOR.
• Ce film comporte plusieurs scènes violentes : SÉQUENCE.
• Quelle scène attendrissante ! : SPECTACLE, TABLEAU.
• Revenir sur la scène de ses exploits : LIEU.
2. Une scène entre voisins de palier : ALGARADE, ALTERCATION, DISPUTE, QUERELLE, *et en lang. fam. :* ACCROCHAGE.

SCEPTICISME 2540
J'ai accueilli ses explications avec scepticisme : INCRÉDULITÉ, MÉFIANCE.

SCEPTIQUE
• Être sceptique en matière de religion : INCRÉDULE, INCROYANT.
• Cette nouvelle me laisse sceptique : MÉFIANT.

SCHÉMA 2541
• Une explication avec schémas à l'appui : CROQUIS, DESSIN, DIAGRAMME.
• Le schéma d'un roman : CANEVAS, ESQUISSE, PLAN.

SCHÉMATIQUE
- Un exposé schématique des faits : CONCIS, RÉSUMÉ, SIMPLIFIÉ, SUCCINCT.
- Il n'a qu'une vision schématique de la réalité : RUDIMENTAIRE, SOMMAIRE.

SCHÉMATISER
CONDENSER, RÉSUMER, SIMPLIFIER.

SCISSION 2542
DISSIDENCE, DIVISION, SCHISME, SÉCESSION, SÉPARATION.

SCLÉROSE 2543
- La sclérose des artères : ARTÉRIOSCLÉROSE, DURCISSEMENT.
- La sclérose d'une administration : IMMOBILISME.

SE SCLÉROSER
- Son esprit s'est sclérosé parce qu'il ne lit jamais : S'ENGOURDIR, *et en lang. fam. :* S'ENCROÛTER.
- À faire toute sa vie un travail de bureaucrate, on se sclérose : SE FOSSILISER.

SCORIE 2544
Les scories provenant de la combustion de la houille : MÂCHEFER, RÉSIDU.

SCRIBE 2545
BUREAUCRATE, COPISTE, *et en lang. fam. :* SCRIBOUILLARD.

SCRUPULE 2546
- Avoir des scrupules : DOUTE, HÉSITATION, INQUIÉTUDE.
- Faire son travail avec scrupule : CONSCIENCE, MÉTICULOSITÉ, MINUTIE, SOIN.
- Par un scrupule d'objectivité : EXIGENCE.

SCRUPULEUX
CONSCIENCIEUX, MÉTICULEUX, MINUTIEUX, SOIGNEUX, VIGILANT.

SCRUTER 2547
- Elle scrutait les nouveaux arrivants : DÉVISAGER, EXAMINER.
- Scruter l'horizon : INSPECTER, OBSERVER, REGARDER.
- Scruter les intentions de quelqu'un : SONDER.

SCULPTER 2548
CISELER, FAÇONNER, MODELER, TAILLER.

SCULPTEUR
MODELEUR, STATUAIRE.

SCULPTURAL
Être d'une beauté sculpturale : PLASTIQUE.

SCULPTURE
- La sculpture sur bois : GRAVURE.
- La sculpture sur ivoire : CISELURE.
- Dans ce site, on a découvert des sculptures d'albâtre : FIGURINE, STATUE, STATUETTE.
- Les sculptures sur les frontons des temples grecs : BAS-RELIEF, RONDE-BOSSE.

SÉANCE 2549
- Les séances d'un tribunal : AUDIENCE.
- La séance d'un concile : SESSION.
- La salle des séances : RÉUNION.
- La clôture de la séance : DÉBATS.
- Assister à une séance de marionnettes : SPECTACLE.

SEAU 2550
Un seau en bois : SEILLE.

SEC 2551
1. Une région sèche : ARIDE, DÉSERTIQUE.
- Avoir la gorge sèche : DESSÉCHÉ.
- Des raisins secs : DÉSHYDRATÉ, SÉCHÉ.
- Du pain sec : RASSIS.
- Le puits est sec : ASSÉCHÉ, TARI, VIDE.
- En période de canicule, l'herbe est sèche : FANÉ, FLÉTRI, JAUNE.

2. Un homme au corps sec : DÉCHARNÉ, MAIGRE, NOUEUX, OSSEUX.
- Parler sur un ton sec : AUTORITAIRE, BRUTAL, CASSANT, DUR, ROGUE, RUDE.
- Recevoir un accueil très sec : DÉSOBLIGEANT, GLACIAL, REBUTANT.
- Une personne qui a l'air sec : AUSTÈRE, RIGIDE, SÉVÈRE.
- Avoir le cœur sec : FROID, INDIFFÉRENT, INSENSIBLE.
- D'un geste sec : BRUSQUE, RAPIDE.
- Assener un coup sec : FORT, VIOLENT.

3. Votre devoir est bien sec : PAUVRE.
- *Fam. :* Le candidat est resté sec : MUET, SILENCIEUX.

4. *Fam. :* Après cette grosse dépense, je me trouve « à sec » : DÉSARGENTÉ, FAUCHÉ.

5. Frapper sec : BRUTALEMENT, SÈCHEMENT, VIOLEMMENT.
- *Fam. :* Un professeur qui note sec : SÉVÈREMENT.
- *Fam. :* Il travaille sec : BEAUCOUP.

SÉCHAGE
Le séchage à la vapeur : DESSICATION.

SÈCHEMENT
- Démarrer sèchement : BRUSQUEMENT, RAPIDEMENT.
- Répliquer sèchement : BRIÈVEMENT, FROIDEMENT, RUDEMENT.

SÉCHER
1. *v. tr. a)* Le sirocco sèche l'atmosphère : DÉSHYDRATER, DESSÉCHER.

- Le soleil a séché les mares : ASSÉCHER, BOIRE.
- À force de pomper, ils ont séché le puits : ÉPUISER, TARIR.
- Sèche tes larmes : ÉTANCHER.

b) Fam. : Cet élève a séché les cours pendant une semaine : MANQUER.

2. *v. intr.*

- Les fleurs étaient trop près du radiateur, elles ont séché : SE FANER, SE FLÉTRIR.
- Des vieilles bottes dont le cuir a séché : SE RACORNIR.
- Sécher d'ennui : DÉPÉRIR, LANGUIR.

SE SÉCHER

Après une douche, on se sèche avec une serviette : S'ÉPONGER, S'ESSUYER.

SÉCHERESSE

1. La sécheresse du sol dans les régions désertiques : ARIDITÉ, PAUVRETÉ, STÉRILITÉ.

- Une atmosphère d'une grande sécheresse : SICCITÉ.

2. La solitude provoque parfois la sécheresse de l'âme : DESSÈCHEMENT, ENDURCISSEMENT.

- Il faut une grande sécheresse de cœur pour ne pas plaindre les malheureux : DURETÉ, FROIDEUR, INDIFFÉRENCE, INSENSIBILITÉ.
- Il y a beaucoup de sécheresse dans son comportement : AUSTÉRITÉ, RAIDEUR, RIGIDITÉ, SÉVÉRITÉ.
- Répondre avec sécheresse : RUDESSE.

3. La sécheresse de la narration des faits : BRIÈVETÉ, CONCISION, LACONISME.

SECOND 2552

1. *adj.*

a) Le second étage : DEUXIÈME.

- Dans le tome second de ce livre : DEUX.

b) Retrouver une seconde jeunesse : NOUVEAU.

- Sommes-nous sûrs d'avoir une seconde vie dans l'au-delà ? : AUTRE.

c) Un produit de seconde qualité : INFÉRIEUR, MÉDIOCRE.

2. *nom.*

Je vous présente mon second : ADJOINT, ASSISTANT, LIEUTENANT.

SECONDAIRE

- Tout cela est d'un intérêt secondaire : ACCESSOIRE, MINEUR.
- Des raisons secondaires : SUBSIDIAIRE.
- Les accidents secondaires d'une maladie : SUBSÉQUENT.
- Il obtint un emploi secondaire dans l'administration : SUBALTERNE.

SECOUER 2553

1. Secouer une branche d'arbre pour faire tomber les fruits : AGITER.

- Secouer la tête : HOCHER.
- En passant sur les aiguillages, le train nous secoue : BALLOTTER, BRIMBALER, CAHOTER.

2. Secouer le joug : S'AFFRANCHIR DE, SE LIBÉRER DE.

3. C'est un paresseux qu'il faut toujours secouer : BOUSCULER, HARCELER, TALONNER.

- Avant l'arrivée des gendarmes, le voleur s'est fait secouer par la foule : MALMENER, MALTRAITER.
- *Fam. :* Son père l'a secoué : MORIGÉNER, RÉPRIMANDER, TANCER.

4. Cette mort brutale de son ami l'a secoué : COMMOTIONNER, ÉBRANLER, TRAUMATISER.

SE SECOUER

À la sortie de l'eau, le chien se secoue : S'ÉBROUER.

SECOUSSE

- Les secousses d'une voiture lorsque le moteur hoquette : CAHOT, SACCADE, SOUBRESAUT, TRÉPIDATION, TRESSAUT.
- Une secousse nerveuse : AGITATION, CHOC, COMMOTION, ÉBRANLEMENT, TREMBLEMENT.
- Une secousse tellurique : SÉISME, TREMBLEMENT DE TERRE.

SECOURABLE 2554

Se montrer secourable : FRATERNEL, HUMAIN, OBLIGEANT.

SECOURIR

AIDER, ASSISTER, PROTÉGER, SOUTENIR.

SECOURS

- Apporter un secours à quelqu'un : AIDE, APPUI, ASSISTANCE, PROTECTION, RÉCONFORT, SOUTIEN.
- Une association de secours mutuel : ENTRAIDE.
- Les premiers secours aux blessés : SOINS.
- Distribuer des secours aux sinistrés : ALLOCATION, DON, SUBSIDE, SUBVENTION.
- Donner un secours à un mendiant : AUMÔNE.
- Parachuter des troupes de secours à une armée assiégée : RENFORT.

SECRET 2555

1. *adj.*

a) Un rapport militaire secret : CONFIDENTIEL.

- Une armée secrète : CLANDESTIN.
- Des agissements secrets : OCCULTE, SOUTERRAIN.

• Quelles sont ses pensées secrètes ? : INTIME, PROFOND.
• Des rites secrets connus des seuls initiés : ÉSOTÉRIQUE.
• La langue étrusque est restée secrète jusqu'à ce jour : ÉNIGMATIQUE, HERMÉTIQUE, MYSTÉRIEUX, OBSCUR.
• Un code secret : CHIFFRÉ.
• Cet appartement communique avec le voisin par une porte secrète : CACHÉ, DÉROBÉ, DISSIMULÉ.
b) C'est l'homme le plus secret que je connaisse : IMPÉNÉTRABLE, INSAISISSABLE, MYSTÉRIEUX, RENFERMÉ, RÉSERVÉ.
2. *nom.*
a) Le secret de sa disparition n'a pas été percé : MYSTÈRE.
• Je ne connais pas les secrets de cette affaire : ARCANES, DESSOUS.
• Elle fait un secret de la moindre chose : CACHOTTERIE.
b) Je vous demande le plus grand secret : DISCRÉTION, SILENCE.
• Êtes-vous dans le secret ? : CONFIDENCE.
c) Dans les secrets de mon âme : PROFONDEUR, REPLI, TRÉFONDS.
d) Un secret de fabrication : PROCÉDÉ, RECETTE, *et en lang. fam. :* TRUC.
• Voici le secret de sa réussite : CLEF, EXPLICATION.

SECTE 2556
• La secte des Esséniens : ÉGLISE.
• La secte albigeoise : HÉRÉSIE, PARTI, RELIGION.
• Les sectes théosophiques : CERCLE, CHAPELLE, CLAN, COTERIE.
• La secte des Brahmanes : CASTE.
• Les sectes utopistes du XIXe siècle : GROUPE, GROUPUSCULE.

SECTION 2557
1. La section verticale d'un édifice : COUPE, PROFIL.
• La section d'un tendon, d'une artère, etc. : COUPURE.
2. Les différentes sections du Code civil : CHAPITRE, DIVISION, PARTIE, SUBDIVISION, TITRE.
• La section locale d'un parti : CELLULE.

SÉCULAIRE 2558
• Un séquoia plusieurs fois séculaire : CENTENAIRE.
• Les valeurs morales séculaires : ANCESTRAL, MILLÉNAIRE.

SÉCULIER 2559
Jeanne d'Arc fut livrée au pouvoir séculier : LAÏQUE, TEMPOREL.

SÉCURISANT 2560
Une atmosphère sécurisante : APAISANT, CALMANT, RASSURANT.

SÉCURISER
APAISER, CALMER, RASSÉRÉNER, RASSURER, TRANQUILLISER.

SÉCURITÉ
1. Veiller sur la sécurité des gens : TRANQUILLITÉ.
• Assurer la sécurité dans la rue : ORDRE.
• En voiture, mettez votre ceinture, elle est votre meilleure sécurité : GARANTIE, PROTECTION.
• En toute sécurité : CONFIANCE.
• Être en sécurité : À L'ABRI, EN SÛRETÉ.
2. La Sécurité sociale : LES ASSURANCES SOCIALES.

SÉDATIF 2561
Prendre un sédatif : ANALGÉSIQUE, CALMANT, TRANQUILLISANT.

SÉDIMENT 2562
• Les sédiments déposés par le Nil dans son delta : ALLUVION.
• Les sédiments au fond d'une éprouvette : DÉPÔT, PRÉCIPITÉ.

SÉDUCTEUR 2563
1. *nom.*
Méfiez-vous de lui, c'est un séducteur : CASANOVA, DON JUAN, ENJÔLEUR, LOVELACE, SUBORNEUR, *et en lang. pop. :* TOMBEUR.
2. *adj.*
Un regard séducteur : CHARMEUR, ENSORCELEUR, FASCINANT, SÉDUISANT.

SÉDUCTION
• Une tentative de séduction : CONQUÊTE.
• Comment résister à la séduction ? : ATTRAIT, CHARME.
• La séduction de l'or a perdu plus d'un homme : ATTIRANCE, FASCINATION, TENTATION.

SÉDUIRE
1. Ce grand orateur m'a toujours séduit : CAPTIVER, CHARMER, FASCINER.
• Ne vous laissez pas séduire par de belles promesses : ALLÉCHER, APPÂTER, CIRCONVENIR, ENJÔLER, TENTER, *et en lang. fam. :* EMBOBINER, ENTORTILLER.
2. Cet individu pervers l'a séduite : DÉBAUCHER, DÉSHONORER, SUBORNER, *et en lang. pop. :* TOMBER.

SÉDUISANT
• C'est un homme séduisant : ATTACHANT, CHARMANT.

- Elle est d'une beauté séduisante : ENCHANTEUR, ENSORCELANT, FASCINANT.
- Votre offre est bien séduisante : ATTIRANT, TENTANT.

SÉGRÉGATION 2564

La ségrégation raciale : DISCRIMINATION.

SEIGNEUR 2565

1. Les vassaux dépendaient du seigneur : CHÂTELAIN, SUZERAIN.
2. Les seigneurs de la presse parisienne : BARON, MAÎTRE, PRINCE.

SEIN 2566

1. Presser quelqu'un contre son sein : POITRINE.
- Les seins d'une femme : *pop.* : NÉNÉ, NICHON, ROBERT, TÉTON.
- Nourrir un enfant au sein : MAMELLE.
- Porter un enfant dans son sein : ENTRAILLES, VENTRE.
2. Au sein de... : AU CŒUR DE, À L'INTÉRIEUR DE, AU MILIEU DE, DANS, PARMI.

SÉJOUR 2567

- Un lieu de séjour pour les vacances : VILLÉGIATURE.
- Le mont Olympe était le séjour des dieux : DEMEURE, RÉSIDENCE.

SÉJOURNER

1. Victor Hugo séjourna pendant trois ans à Jersey : HABITER.
- Nous allons séjourner ici pendant quelques jours : DEMEURER, RESTER, S'ARRÊTER.
- Ne séjournez pas trop longtemps en ce lieu malsain : S'ATTARDER.
2. La pente n'étant pas assez forte, l'eau séjourne dans le caniveau : CROUPIR, STAGNER.

SELLE 2568

1. La selle d'un mulet : BÂT.
2. Examiner les selles d'un malade : EXCRÉMENTS.

SELON 2569

D'APRÈS, CONFORMÉMENT À, SUIVANT.

SEMAILLES 2570

L'époque des semailles : ENSEMENCEMENT, SEMIS.

SEMENCE

Un marchand de semences : GRAINE.

SEMER

1. Semer un champ en blé : ENSEMENCER.
- Des voyous avaient semé des clous sur la route : JETER, RÉPANDRE.
- Le parcours du rallye est semé de difficultés : COUVRIR, ÉMAILLER, JONCHER, PARSEMER, REMPLIR.
2. *Fam.* : Je ne sais pas où j'ai semé mon parapluie : ABANDONNER, PERDRE.
- *Fam.* : S'il m'ennuie, je le sème en route : LAISSER, QUITTER.
- *Fam.* : Dans la montée du col, ce coureur a semé ses adversaires l'un après l'autre : DISTANCER, LÂCHER.

SEMBLABLE 2571

1. *adj.*
- Ils ont des opinions semblables : ANALOGUE, COMPARABLE, ÉQUIVALENT, IDENTIQUE, RESSEMBLANT, SIMILAIRE.
- Un semblable projet n'aboutira jamais : PAREIL, TEL.
2. *nom.*
- Cet homme n'a pas son semblable : ÉGAL, PAREIL.
- Vous et vos semblables, je ne veux plus vous revoir : CONGÉNÈRE.
- Il faut essayer de comprendre ses semblables : PROCHAIN *(au sing.)*.

SEMBLANT

Il n'a qu'un semblant de bonne foi : APPARENCE, SIMULACRE.

SEMBLER

1. Cet auguste vieillard semblait un patriarche : RESSEMBLER À.
- Cela me semble raisonnable : PARAÎTRE.
2. Il semble que tu n'avais pas tort : APPARAÎTRE.

SEMONCE 2572

- Pour cette faute, il reçut une sévère semonce : ADMONESTATION, RÉPRIMANDE, *et en lang. fam.* : SAVON, SERMON.
- En guise de semonce, la vedette des douanes tira une bordée dans la direction du bateau suspect : SOMMATION.

SENS 2573

1. Donnez le nom des cinq sens : GOÛT, ODORAT, OUÏE, TOUCHER, VUE.
- Il est doué d'un grand sens pratique : ESPRIT, INSTINCT.
- Avoir le sens de la justice : NOTION.
- Le sens moral : CONSCIENCE.
2. L'éveil des sens : SENSUALITÉ *(au sing.)*.
- Le plaisir des sens : CHAIR *(au sing.)*.
3. Tu as perdu le sens : JUGEMENT, RAISON.
- Faire preuve de bon sens : DISCERNEMENT, SAGESSE.
4. À mon sens, elle a raison : AVIS, OPINION, POINT DE VUE, SENTIMENT.
5. Employer un mot dans son sens propre : ACCEPTION.
- Le sens caché d'un oracle : SIGNIFICATION.
- Quel sens faut-il donner à son témoignage ? : PORTÉE, VALEUR.
6. Traverser l'Atlantique dans le sens est-ouest : DIRECTION.

SENSATION
- Sa sensation visuelle est très atténuée : PERCEPTION, SENSIBILITÉ.
- Avoir la sensation d'un danger immédiat : IMPRESSION, INTUITION, SENTIMENT.
- L'arrestation du notaire pour détournement de fonds a provoqué une grande sensation parmi la population : CHOC, ÉMOTION.

SENSIBILISER
Il est difficile de sensibiliser le public à ce problème : INTÉRESSER.

SENSIBILITÉ
1. La sensibilité de l'ouïe : ACUITÉ, FINESSE.
- La sensibilité d'une personne : AFFECTIVITÉ, ÉMOTIVITÉ, HUMANITÉ.
- La sensibilité du cœur : ATTENDRISSEMENT, PITIÉ, TENDRESSE, *et avec un sens péjoratif :* SENSIBLERIE.
2. L'extrême sensibilité d'un trébuchet : DÉLICATESSE, JUSTESSE.

SENSIBLE
1. Ce cheval a la bouche sensible, ménagez-le : DÉLICAT, FRAGILE, VULNÉRABLE.
- Face à la douleur physique, les femmes sont moins sensibles que les hommes : DOUILLET.
- Le médecin appuya sur le point sensible : DOULOUREUX.
- C'est le point sensible de l'affaire : CRITIQUE, NÉVRALGIQUE.
- Une personne sensible : ÉMOTIF, IMPRESSIONNABLE.
- Un cœur sensible : COMPATISSANT, TENDRE.
- Il n'a pas été sensible à mes supplications : ACCESSIBLE, RÉCEPTIF.
2. Le monde sensible : MATÉRIEL, PHYSIQUE.
- Une preuve sensible de bonne volonté : ÉVIDENT, MANIFESTE, TANGIBLE.
- La différence entre ces deux teintes n'est guère sensible : APPARENT, PERCEPTIBLE, VISIBLE.
- Un mieux sensible dans la santé d'un malade : APPRÉCIABLE, NOTABLE.

SENSUALITÉ
- Nous vivons dans un monde de sensualité : JOUISSANCE, VOLUPTÉ.
- Il la regardait avec sensualité : CONCUPISCENCE.
- La sensualité d'un film pornographique : ÉROTISME.

SENSUEL
- Un amour sensuel : CHARNEL.
- Une personne sensuelle : LASCIF, VOLUPTUEUX.

SENTIMENT
1. Il n'a pas le sentiment de la dignité qu'il devrait conserver : NOTION, SENS.
- Je n'ai pas le sentiment d'être coupable : CONSCIENCE, IMPRESSION.
- Tel est mon sentiment : AVIS, OPINION.
2. Son visage reflétait un sentiment de bonté : EXPRESSION.
- Un fort sentiment de joie l'étreignit : ÉMOTION.
- Dans un sentiment de tendresse, elle se blottit dans ses bras : EFFUSION, ÉLAN.
- Ils se sont déclaré leurs sentiments réciproques : AFFECTION, AMOUR, PASSION, TENDRESSE.
3. Quels sont ses sentiments à mon égard ? : DISPOSITIONS.

SENTIMENTAL
- Un journal spécialisé dans les récits de la vie sentimentale des vedettes : AMOUREUX, GALANT.
- Être d'un tempérament sentimental : ROMANESQUE.

SENTIR
1. Sentez-vous une douleur quand j'appuie ? : PERCEVOIR, RESSENTIR.
2. En se promenant dans le jardin, elle sentait les roses l'une après l'autre : FLAIRER, HUMER.
- La vendeuse m'a donné plusieurs parfums à sentir : RESPIRER.
- La pièce sentait la cire fraîche : EMBAUMER, EXHALER, FLEURER.
- Ses manières sentent le parvenu : DÉNOTER, RÉVÉLER.
3. Je sens un grand besoin de repos : ÉPROUVER, RESSENTIR.
4. J'avais bien senti la raison de ton mutisme : COMPRENDRE, DEVINER, SOUPÇONNER.
- Je ne sens pas une unanimité dans le pays sur ce sujet : DISCERNER, REMARQUER.
- L'homme sent sa petitesse devant l'univers : CONSTATER, S'APERCEVOIR DE.
- Sentez-vous la beauté de ce paysage ? : APPRÉCIER, GOÛTER.

SE SENTIR
1. Te sens-tu de taille à surmonter cette difficulté ? : S'ESTIMER, SE JUGER, SE TROUVER.
- Il se sentait proche de la mort : SE VOIR.
2. Elle se sent encore de sa chute : SE RESSENTIR.

SENTINELLE 2574
- Mettre des sentinelles aux avant-postes : GUETTEUR.
- Il y avait une sentinelle devant chaque porte : FACTIONNAIRE, GARDE, VIGILE.

SÉPARATION 2575
1. La séparation d'un tout en plusieurs parties : DIVISION.

- La séparation d'un parti en tendances : CLIVAGE.
- Pourquoi faire une séparation entre garçons et filles dans l'éducation ? : DISCRIMINATION, DISTINCTION, SÉGRÉGATION.
- La séparation d'une partie d'un ensemble : DISJONCTION.
- La séparation d'une province : AUTONOMIE, INDÉPENDANCE.
- La séparation d'un cortège : DISLOCATION, DISPERSION.

2. La séparation entre époux : DIVORCE, RUPTURE.
- La séparation entre amis : BROUILLE.
- Il est parti à l'étranger et elle souffre de cette séparation : ÉLOIGNEMENT.

3. La séparation entre deux pays : FRONTIÈRE.
- La séparation entre deux jardins : BARRIÈRE, CLÔTURE, MUR.
- La séparation entre deux pièces d'un appartement : CLOISON.

SÉPARATISTE

AUTONOMISTE, SÉCESSIONNISTE.

SÉPARÉMENT

Ils sont venus séparément : ISOLÉMENT.

SÉPARER

1. Séparer des touristes en plusieurs groupes : DIVISER, PARTAGER.
- Séparer deux concurrents ex-aequo : DÉPARTAGER.
- L'arbitre sépara les deux boxeurs : ÉCARTER, ÉLOIGNER.
- Séparer les malades contagieux : ISOLER.
- Séparez les bras du corps ! : DÉCOLLER, DÉTACHER.
- Les députés ont séparé cet article de l'ensemble du projet de loi : DISJOINDRE, DISSOCIER.
- Beaucoup de choses nous séparent : DÉSUNIR, DIFFÉRENCIER, OPPOSER.
- Est-ce vraiment la raison qui nous sépare des animaux ? : DISTINGUER.

2. Il a séparé les vins d'après le millésime : CLASSER, RANGER.
- Séparer les bonnes et les mauvaises graines : TRIER.
- Les constituants d'un mélange sont plus faciles à séparer que ceux d'une combinaison chimique : EXTRAIRE.
- Comment séparer le vrai du faux dans ce qu'il dit ? : DÉMÊLER.

SE SÉPARER

- Le jeune enfant ne voulait pas se séparer de sa mère : S'ÉCARTER, S'ÉLOIGNER.
- Les époux se sont séparés : DIVORCER, SE QUITTER.
- Ce chien est un vieil ami, et je ne veux pas m'en séparer : ABANDONNER.
- J'ai dû me séparer de cet apprenti indélicat : CONGÉDIER.
- Dans le delta, le fleuve se sépare en plusieurs bras : SE DIVISER.

SÉPULCRE 2576

CAVEAU, SÉPULTURE, TOMBE, TOMBEAU.

SÉPULTURE

Une cérémonie de sépulture : ENTERREMENT, FUNÉRAILLES, INHUMATION, OBSÈQUES.

SÉRIE 2577

1. Le chauffeur lança une série de jurons : CASCADE, CHAPELET, COLLECTION, *et en lang. fam. :* KYRIELLE, RIBAMBELLE.
- Une série de cataclysmes s'abattit sur le pays : SUCCESSION, SUITE.
- Une série de cinq casseroles en acier émaillé : JEU.
- Une série de tests : BATTERIE.

2. Les athlètes sont classés par séries : CATÉGORIE, GROUPE.

SÉRIEUX 2578

1. *adj.*
- Un élève sérieux : APPLIQUÉ, CONSCIENCIEUX.
- Un homme sérieux : POSÉ, RAISONNABLE, RÉFLÉCHI.
- Une jeune fille sérieuse : HONNÊTE, RANGÉ, SAGE.
- Son air sérieux me glace : FROID, GRAVE, SÉVÈRE.
- Nous avons eu une conversation sérieuse : APPROFONDI.
- Venons-en aux choses sérieuses : ESSENTIEL, IMPORTANT.
- Une information sérieuse : SÛR.
- Je me suis absenté pour un motif sérieux : FONDÉ, VALABLE.
- Elle a fait de sérieuses études : SOLIDE.
- Il a fait de sérieux progrès : GRAND, NET.
- Ce commerçant fait de sérieux bénéfices : GROS, SUBSTANTIEL.
- Ils ont eu de sérieux ennuis avec la douane : GRAVE, GROS.
- La situation commence à devenir sérieuse : ALARMANT, DANGEREUX, DRAMATIQUE, INQUIÉTANT.

2. *nom.*
- Il n'arrivait pas à conserver son sérieux naturel : DIGNITÉ, GRAVITÉ.
- Un manque de sérieux dans le travail : APPLICATION, CONSCIENCE, CONVICTION.

SERRÉ 2579

1. *adj.*

a) Un filet aux mailles serrées : ÉTROIT, PETIT, RAPPROCHÉ.

- Un vêtement serré : AJUSTÉ, COLLANT, MOULANT.
- Avoir le cœur serré : ANGOISSÉ.

b) Un troupeau de moutons serrés les uns contre les autres : ENTASSÉ, PRESSÉ, TASSÉ.

- Ils attaquaient en bataillons serrés : COMPACT.
- Un réseau serré de voies secondaires : DENSE.

c) Quand le voleur se vit serré de près par les gendarmes, il se rendit : TALONNÉ.

d) Écrire dans un style serré : CONCIS, PRÉCIS.

- Un raisonnement serré : RIGOUREUX.
- Une discussion serrée : ÂPRE.
- Une lutte serrée : ACHARNÉ.

2. *adv.*

- Jouer serré : PRUDEMMENT.

SERRER

1. Serrer quelqu'un dans ses bras : ENLACER, ÉTREINDRE, PRESSER.

- Ces souliers me serrent les pieds : COMPRIMER.
- Ce col de chemise me serre un peu : BRIDER, ÉTRANGLER.
- Serrer une courroie : SANGLER.
- Serrer une pièce entre des mors avant son usinage : BLOQUER, COINCER.
- Serrer la mâchoire : CONTRACTER, CRISPER.
- Serrer les lèvres : PINCER.
- Allons ! serrez les rangs : RAPPROCHER.

2. Pour l'éviter, la voiture dut serrer le trottoir : FRÔLER, RASER.

SE SERRER

1. Les voyageurs se serraient dans le fond de l'autobus : S'ENTASSER, SE TASSER.

- L'enfant se serrait contre sa mère : SE BLOTTIR, SE COLLER, SE RAPPROCHER DE.

2. *Fam. :* En fin de mois, nous sommes obligés de nous serrer : SE PRIVER.

SERVANTE 2580

BONNE, DOMESTIQUE, SOUBRETTE.

SERVEUR

BARMAN, GARÇON, *et au fém. :* BARMAID.

SERVICE

1. La maîtresse de maison est contente de mon service : TRAVAIL.

- J'attends de vous un service pour me tirer d'affaire : AIDE, APPUI, ASSISTANCE, SOUTIEN.
- Je suis à votre service : DISPOSITION.

2. Le service des Postes : ADMINISTRATION.

- Adressez-vous au service des pensions : BUREAU, OFFICE.
- Les divers services d'un ministère : DÉPARTEMENT, DIRECTION.
- Les différents services de la Sécurité sociale : ORGANISME.

3. Un service religieux : OFFICE.

SERVIR

1. Il n'hésite jamais à servir son prochain : AIDER, ASSISTER, SECOURIR.

- Servir une cause : SE DÉVOUER À.

2. Servir à manger : DONNER.

- Servir à boire : VERSER.
- Servir les cartes : DISTRIBUER.
- Le sort a décidé, c'est toi qui sers la balle : ENGAGER.
- Quelle fable nous sers-tu là ? : RACONTER.

3. Les circonstances l'ont servi : FAVORISER.

- Un diplôme ne sert plus à grand-chose pour trouver un emploi : ÊTRE UTILE.

4. Servir de guide à quelqu'un : FAIRE FONCTION DE, FAIRE OFFICE DE, TENIR LIEU DE.

- Ce caillou servira de presse-papiers : REMPLACER.

SE SERVIR

1. Se servir d'un outil : EMPLOYER, UTILISER.

- Une expression vieillie dont on ne se sert plus : USER DE.

2. La table est bien garnie, servez-vous selon votre goût : PRENDRE.

SERVITEUR

1. Un serviteur : DOMESTIQUE, LAQUAIS, VALET, *et en lang. fam. :* LARBIN.

2. « L'ensemble des serviteurs » d'une maison : DOMESTICITÉ, PERSONNEL, SERVICE, *et en lang. fam. :* VALETAILLE.

SET 2581

Une partie de tennis en cinq sets : MANCHE.

SEUL 2582

- C'est la seule erreur que j'ai commise : UNIQUE.
- Il vit seul dans les bois : ISOLÉ, SOLITAIRE.
- Ses amis l'ont lâché, c'est désormais un homme seul : ESSEULÉ.
- À cette seule pensée, je tremble : SIMPLE.
- Il vous reste une seule petite formalité à accomplir : DERNIER.

SEULEMENT

- C'est seulement pour toi que j'ai fait cela : EXCLUSIVEMENT, UNIQUEMENT.
- Ne craignez rien, j'ai seulement voulu vous faire peur : SIMPLEMENT.
- Si seulement j'étais libre d'agir ! : AU MOINS.
- Elle vient seulement de partir : JUSTE.
- Vous pouvez vous amuser, seulement ne faites pas trop de bruit : MAIS, EN REVANCHE.
- Elle a dit la vérité, seulement personne ne la croit : NÉANMOINS, POURTANT, TOUTEFOIS.

SOLITAIRE

- Mener une vie solitaire : RECLUS.

- Être d'une humeur solitaire : MISANTHROPE, SAUVAGE.
- Une maison solitaire : ÉCARTÉ, ISOLÉ, RETIRÉ.
- Un lieu solitaire : ABANDONNÉ, DÉSERT.

SOLITUDE
Il se plaît dans une solitude complète : ISOLEMENT, RETRAITE.

SÈVE 2583
La sève de la jeunesse : ÉNERGIE, FORCE, VIGUEUR.

SÉVÈRE 2584
1. Un professeur sévère : EXIGEANT, INTRANSIGEANT, *et en lang. pop. :* ROSSE, VACHE.
- Un juge sévère : IMPITOYABLE, IMPLACABLE, INEXORABLE, INFLEXIBLE.
- Un moraliste sévère : RIGORISTE.
2. Un ameublement sévère : AUSTÈRE, FROID, MONACAL.
- Une architecture d'un style sévère : DÉPOUILLÉ, SEC.
- Le bateau a été soumis à une quarantaine sévère : DRACONIEN, RIGOUREUX, STRICT.
- Le parcours sévère d'une course cycliste : ACCIDENTÉ, DIFFICILE, DUR.
- Une critique sévère : ÂPRE, CINGLANT.
- Une sévère défaite : GRAVE, LOURD.
- Porter un coup sévère : BRUTAL, RUDE.

SÉVÉRITÉ
- La sévérité d'un juge : DURETÉ, INTRANSIGEANCE.
- La sévérité d'une éducation : AUSTÉRITÉ, RIGIDITÉ.
- La sévérité des mœurs : PURITANISME, RIGORISME.
- La sévérité des temps que nous vivons : RIGUEUR, RUDESSE.
- La sévérité d'un décor : FROIDEUR, SÉCHERESSE.
- La sévérité d'un visage : GRAVITÉ.
- La sévérité d'une lutte : ÂPRETÉ.

SÉVICES 2585
Être victime de sévices : BRUTALITÉS, VIOLENCES.

SÉVIR
CHÂTIER, PUNIR, RÉPRIMER.

SEVRER 2586
Cet enfant a été sevré d'amour maternel : FRUSTRER, PRIVER.

SEXE 2587
1. Les problèmes du sexe ne sont plus tabous : SEXUALITÉ.
2. Le petit garçon montrait son sexe : PÉNIS, VERGE, *et en lang. fam. :* QUÉQUETTE, ZIZI.

SEXUEL
- Les organes sexuels : GÉNITAL.
- Les rapports sexuels : AMOUREUX, PHYSIQUE.
- Le plaisir sexuel : CHARNEL, ÉROTIQUE.

SIDÉRANT 2588
Fam. : C'est sidérant ! : STUPÉFIANT.

SIDÉRER
Fam. : Cela me sidère : ABASOURDIR, ÉBERLUER, STUPÉFIER.

SIÈGE 2589
1. *Suivant le cas, pour préciser la nature du siège, on emploiera l'un des mots suivants :* BANC, CANAPÉ, CHAISE, FAUTEUIL, PLIANT, POUF, STRAPONTIN, TABOURET.
- Le siège arrière d'une voiture : BANQUETTE.
- Le siège d'un scooter : SELLE.
2. Le siège épiscopal se trouve souvent dans la ville-préfecture : RÉSIDENCE.
- Le siège pontifical : TRÔNE.
3. Le siège de l'épidémie se trouve en Asie : FOYER.
4. La levée du siège de Bastogne : BLOCUS, ENCERCLEMENT, INVESTISSEMENT.

SIEN 2590
1. Il a quitté les siens : FAMILLE, PARENTS.
- Cet homme politique a été abandonné par tous les siens : AMIS, PARTISANS.
2. *Fam. :* Ce galopin a encore fait des siennes : BÊTISES, FOLIES, FREDAINES, SOTTISES.

SIESTE 2591
Faire la sieste : MÉRIDIENNE.

SIFFLEMENT 2592
Le sifflement du gaz à l'ouverture du robinet : CHUINTEMENT.

SIFFLER
1. Siffler son chien : APPELER.
- Siffler un air en sourdine : SIFFLOTER.
- *Fam. :* Les oreilles vont encore lui siffler : CORNER.
2. À cause de cette décision, l'arbitre s'est fait siffler : CONSPUER, HUER.
3. *Pop. :* Il a sifflé toute la bouteille : BOIRE, VIDER.
4. Un jet de vapeur sifflait : CHUINTER.

SIGNAL 2593
1. À mon signal, levez-vous ! : GESTE, SIGNE.
2. Un signal géodésique : REPÈRE.
- Un signal sonore : AVERTISSEUR.
- Le signal d'alarme : SIRÈNE.
- Le voilier a envoyé un signal de détresse : FUSÉE.
- Les signaux destinés à faciliter la navigation : AMER, BALISE, FANAL, PHARE.

- Avant de partir, vérifiez les signaux de votre voiture : CLIGNOTANTS, FEUX.

SIGNALER
- Par un coup de sifflet, le train signale son arrivée en gare : ANNONCER, AVERTIR DE, INDIQUER.
- Ce poteau signale la frontière entre les deux pays : MARQUER.
- Je lui ai signalé l'endroit où il avait fait une faute : DÉSIGNER, INDIQUER, MONTRER.
- Voilà un fait remarquable à signaler dans votre rapport : MENTIONNER, SOULIGNER.
- Le témoin n'avait rien de particulier à signaler : DÉCLARER.
- Il a été signalé à la police comme suspect : DÉNONCER.

SE SIGNALER
Marie Curie s'est signalée par ses recherches sur le radium : SE DISTINGUER, S'ILLUSTRER.

SIGNATURE
- L'Édit de Nantes porte la signature de Henri IV : SCEAU, SEING.
- Une place est réservée en bas de page pour la signature : ÉMARGEMENT, PARAPHE.
- Cette robe porte la signature d'un grand couturier : GRIFFE, MARQUE.
- Après de longues discussions, ils ont abouti à la signature d'un accord : CONCLUSION.

SIGNE
1. Les sourds-muets parlent par signes : GESTE.
2. Les signes de l'écriture égyptienne ancienne : HIÉROGLYPHE, IDÉOGRAMME, PICTOGRAMME.
- Les signes cunéiformes : CARACTÈRE.
- Les signes algébriques : SYMBOLE.
3. Pour interpréter la volonté de Jupiter, les Augures observaient les signes : AUSPICES.
- Lorsqu'un chat passe sa patte derrière l'oreille, c'est, dit-on, un signe de pluie : ANNONCE, PRÉSAGE.
- Dès les premiers signes de gel, rentrez vos fleurs fragiles : INDICE.
- Son visage ne présente aucun signe particulier : CARACTÉRISTIQUE.
- Faire un signe en marge d'un écrit : MARQUE.
- Donner un signe de bonne volonté : PREUVE, TÉMOIGNAGE.
- Le rire est le signe de la joie : INDICATION, MANIFESTATION.
- Les signes de sa maladie sont apparus récemment : SYMPTÔME.

SIGNER
- Signez en face de votre nom : ÉMARGER, PARAPHER.
- Signer un traité : CONCLURE.

SIGNIFICATION
1. Son rire, à ce moment précis, prenait une signification particulière : SENS.
2. La signification d'un acte par huissier : NOTIFICATION.

SIGNIFIER
1. Qu'est-ce que ton geste signifie ? : EXPRIMER, INDIQUER.
- La baisse de la fièvre signifie une nette amélioration de la santé du malade : DÉNOTER, RÉVÉLER, TRADUIRE.
- La remontée des oiseaux migrateurs signifie l'approche du printemps : PRÉSAGER.
- La liberté ne signifie pas la licence des mœurs : ÉQUIVALOIR À, IMPLIQUER.
- Cela ne signifie rien de te mettre dans un pareil état : RIMER À.
2. Je lui ai signifié l'ordre de partir : INTIMER.
- Signifier une expulsion par voie de justice : NOTIFIER.

SILENCE 2594
- Son silence est un aveu : MUTISME.
- Le silence des journaux sur cette affaire ne s'explique guère : DISCRÉTION.
- Ne viens pas troubler mon silence : CALME, PAIX, TRANQUILLITÉ.

SILENCIEUX
- Ne reste pas silencieux, parle ! : MUET.
- Il est d'un tempérament silencieux : RENFERMÉ, TACITURNE.
- La patrouille avançait en territoire ennemi à pas silencieux : FEUTRÉ.
- Le voleur pénétra dans la maison silencieuse : ENDORMI.

SILLON 2595
- Le sillon fait par la charrue : RAIE.
- Le jardinier trace des sillons pour semer des haricots : RAYON.
- Les sillons creusés sur le visage par l'âge ou la misère : PLI, RIDE.
- Le sillon blanc laissé dans le ciel par un avion qui vole à grande altitude : SILLAGE, TRACE, TRAÎNÉE.

SILLONNER
Pendant ses voyages, il a sillonné toute l'Europe : PARCOURIR.

SILO 2596
Un silo à blé : GRENIER, MAGASIN.

SIMPLE 2597
1. Nos ancêtres ne disposaient que d'un

mobilier très simple : RUDIMENTAIRE, SOMMAIRE.
- Je ne leur enseigne que les notions les plus simples de la grammaire : ÉLÉMENTAIRE.
- C'est la chose la plus simple du monde à comprendre : AISÉ, FACILE.
- Il y a un moyen bien simple de le savoir, c'est de lui téléphoner : COMMODE, PRATIQUE.
- Après vos explications, tout me paraît simple : CLAIR.
- Pour être compris, il a employé un langage très simple : FAMILIER.
- Il a trouvé tout simple de venir nous demander de l'argent : NATUREL.
- Avoir des goûts simples : MODESTE.
- Elle s'est contentée d'un repas très simple : FRUGAL.
- Je vous remercie, un simple verre de vin me suffira : SEUL, UNIQUE.

2. Ce n'est qu'un simple employé de voirie : HUMBLE, MODESTE.
- Un homme d'un abord simple : DIRECT, FRANC, SPONTANÉ.
- Être bien simple pour son âge : CANDIDE, INGÉNU, INNOCENT, NAÏF.
- Il a l'esprit si simple qu'il croit tout ce qu'on lui dit : NIAIS, *et en lang. fam. :* SIMPLET.

SIMPLICITÉ

1. La simplicité d'un travail : FACILITÉ.
- La simplicité d'une démonstration : CLARTÉ, LIMPIDITÉ.

2. Je l'ai abordé avec le plus de simplicité possible : NATUREL.
- Ils nous ont accueillis avec beaucoup de simplicité : BONHOMIE.
- J'espère que vous n'aurez pas la simplicité de croire à ses mensonges : CANDEUR, INGÉNUITÉ, NAÏVETÉ.
- Quelle simplicité d'esprit chez cet homme ! : BÊTISE, NIAISERIE.

3. La simplicité d'une cellule de moine : AUSTÉRITÉ, DÉPOUILLEMENT, NUDITÉ.
- La simplicité de l'architecture romane : SÉVÉRITÉ, SOBRIÉTÉ.

SIMPLIFICATION
- La simplification d'une argumentation : SCHÉMATISATION.
- La simplification des démarches à accomplir par les usagers des services publics : ALLÈGEMENT.

SIMPLIFIER
- Cette machine à calculer simplifiera ma tâche : FACILITER.
- Pour être mieux compris, je vais simplifier : SCHÉMATISER.
- Il faut simplifier les textes administratifs pour les rendre intelligibles : CLARIFIER, ÉLAGUER.

SIMPLISTE
- Un esprit simpliste : PRIMAIRE.
- Il nous a présenté la situation de façon trop simpliste : SOMMAIRE.

SIMULER 2598
- Cet enfant simule la maladie pour être plaint : FEINDRE.
- Il a simulé la surprise : JOUER.

SIMULTANÉ 2599
- Des faits simultanés : CONCOMITANT.
- Des mouvements simultanés : SYNCHRONE.

SIMULTANÉITÉ

COÏNCIDENCE, CONCOMITANCE, CONCORDANCE, CORRESPONDANCE, SYNCHRONISME.

SINCÈRE 2600
- Une personne sincère : FRANC, LOYAL.
- Dans ses Mémoires, Chateaubriand raconte-t-il l'histoire sincère de ses premières années ? : AUTHENTIQUE, VÉRIDIQUE, VRAI.
- Un compte rendu sincère : EXACT, FIDÈLE.
- Votre regret est-il sincère ? : RÉEL, VÉRITABLE.

SINCÉRITÉ
- La sincérité d'un témoin : FRANCHISE.
- La sincérité d'une amitié : LOYAUTÉ.
- La sincérité d'une émotion, d'un sentiment : AUTHENTICITÉ, VÉRITÉ.

SINGULARITÉ 2601

1. La biochimie nous prouve la singularité de chaque être humain : ORIGINALITÉ, UNICITÉ.
2. La singularité de l'habillement d'un clown : BIZARRERIE, ÉTRANGETÉ, EXCENTRICITÉ, EXTRAVAGANCE.
3. Les singularités de certaines normes orthographiques : ANOMALIES.

SINGULIER

1. Un fait singulier : EXTRAORDINAIRE.
- Son attitude témoignait d'une déférence singulière envers le nouvel arrivant : PARTICULIER, SPÉCIAL.
- Chacun de nous a quelque chose de singulier : ORIGINAL, PERSONNEL, UNIQUE.

2. Un accoutrement singulier : BIZARRE, CURIEUX, ÉTONNANT, ÉTRANGE, EXTRAVAGANT, INSOLITE.
3. Aux étrangers, l'orthographe de certains mots français apparaît singulière : ANORMAL, INEXPLICABLE.

SINISTRE 2602

1. *adj.*
- Le hululement sinistre de la chouette : FUNESTE, LUGUBRE.

- La tempête provoquait des bruits sinistres dans la maison : ANGOISSANT, EFFRAYANT, TERRIFIANT.
- Parler d'une voix sinistre : CAVERNEUX, FUNÈBRE, SÉPULCRAL.
- Un rôdeur à la mine sinistre : INQUIÉTANT, PATIBULAIRE.
- Une plaisanterie sinistre : AFFREUX, HORRIBLE.
- En piochant, les ouvriers firent une découverte sinistre : MACABRE.
- Son avenir apparaît bien sinistre : SOMBRE, TRISTE.
- Quelle sinistre soirée nous avons passée ! : MORTEL.
- Vous n'êtes qu'un sinistre individu : LAMENTABLE.

2. *nom.*

a) Le tremblement de terre causa un véritable sinistre : CATASTROPHE.
- On fit appel à plusieurs casernes de pompiers pour maîtriser le sinistre : INCENDIE.

b) Comment évaluer tous les sinistres dus à la marée noire ? : DÉGÂTS, DOMMAGES, PERTES.

SINUEUX 2603
- Un sentier sinueux sur le flanc d'une colline : TORTUEUX.
- Les danseurs se lancèrent dans une ronde sinueuse à travers les tables : FLEXUEUX, ONDULEUX, SERPENTIN.

SIRUPEUX 2604
- Une liqueur sirupeuse : VISQUEUX.
- Une musique sirupeuse : DOUCEÂTRE, MIELLEUX.

SITE 2605
- Le site d'Alésia : EMPLACEMENT.
- J'ai visité tous les sites touristiques de la région : LIEU.

SITUATION

1. Tanger tire avantage de sa situation sur le détroit de Gibraltar : EMPLACEMENT, POSITION.

2. La situation des artisans dans la société industrielle : CONDITION, ÉTAT, PLACE, POSITION.
- Dans la situation économique actuelle : CIRCONSTANCES, CONJONCTURE, CONTEXTE.

3. Cet ouvrier a perdu sa situation : EMPLOI, PLACE, POSTE, TRAVAIL.
- Sa situation de cadre supérieur lui donne de grandes responsabilités : FONCTION.

SITUÉ

Un appartement situé au couchant : EXPOSÉ, ORIENTÉ.

SITUER

Où situez-vous l'îlot de Clipperton ? : LOCALISER, PLACER.

SE SITUER
- C'est là que se situe la plus grande difficulté : SE TROUVER.
- Cette décision du gouvernement se situe dans le droit fil de sa stratégie : SE PLACER.
- La naissance de l'Univers se situe à environ sept milliards d'années : DATER DE.

SOBRE 2606

1. Une personne sobre : TEMPÉRANT.
- Chez eux, la table est toujours sobre : FRUGAL.

2. Il n'a pas été sobre de louanges à ton égard : AVARE.
- Un style sobre : CONCIS, DÉPOUILLÉ.
- Une robe sobre : DISCRET, SIMPLE.

SOBRIÉTÉ

1. Il a entamé une cure de sobriété : TEMPÉRANCE.
- La sobriété d'un repas : FRUGALITÉ, SIMPLICITÉ.

2. Cet avocat manque de sobriété dans ses gestes : MESURE, MODÉRATION, RÉSERVE, RETENUE.
- S'habiller avec sobriété : DISCRÉTION.
- La sobriété de l'art grec du Ve siècle : DÉPOUILLEMENT, SIMPLICITÉ.

SOCIABLE 2607

1. L'homme est-il un animal vraiment sociable ? : SOCIAL.

2. Ce sont des gens sociables : AFFABLE, AIMABLE, COURTOIS, LIANT.
- Être d'humeur sociable : ACCOMMODANT, AMÈNE, AVENANT, ENGAGEANT, TRAITABLE.

SOCIALISME

Parmi les socialismes, on peut citer : BABOUVISME, COLLECTIVISME, COMMUNISME, FOURIÉRISME, MARXISME, SAINT-SIMONISME, SOCIAL-DÉMOCRATIE, TRAVAILLISME.

SOCIÉTÉ

1. Les diverses sociétés humaines : COLLECTIVITÉ, COMMUNAUTÉ, GROUPE.
- Une société de religieux ou religieuses : COMMUNAUTÉ, CONGRÉGATION.
- Une société polymathique : ASSOCIATION, INSTITUT.
- Une société sportive : ASSOCIATION, CLUB.
- Nous formons une petite société de bons amis : ASSEMBLÉE, CERCLE, COMPAGNIE, RÉUNION.
- Il appartient à la société des gens riches : CLAN, MILIEU, MONDE.
- Les diverses couches de la société : POPULATION.

• Je n'apprécie guère la société des gens snobs : COMMERCE, COMPAGNIE, FRÉQUENTATION.
2. Une société commerciale : ENTREPRISE, ÉTABLISSEMENT.
• Les grandes sociétés capitalistes : CARTEL, CONSORTIUM, HOLDING, OMNIUM, TRUST.

SOIGNÉ 2608
• Il a toujours une tenue soignée : ÉLÉGANT, IMPECCABLE, NET, PROPRE.
• Elle écrit dans un style très soigné : CHÂTIÉ, ÉTUDIÉ, RAFFINÉ, RECHERCHÉ.
• Voilà du travail soigné : CONSCIENCIEUX, MINUTIEUX.

SOIGNER
1. Soigner une plaie : PANSER.
• On le soigne à la cortisone : TRAITER.
2. Une grand-mère qui soigne bien ses petits enfants : CHOYER, DORLOTER, *et en lang. fam. :* BICHONNER, CHOUCHOUTER.
• Je vais soigner ce travail : FIGNOLER, PEAUFINER.
• Le bon artisan soigne ses outils : ENTRETENIR.
• Il faut soigner les relations qui peuvent être utiles : CULTIVER.

SOIGNEUX
• Une secrétaire soigneuse : APPLIQUÉ, CONSCIENCIEUX, MÉTICULEUX, ORDONNÉ.
• Le douanier a fait une soigneuse fouille de tous nos bagages : MINUTIEUX, RIGOUREUX, SÉRIEUX.
• Il est soigneux de sa santé : ATTENTIF À, PRÉOCCUPÉ, SOUCIEUX.

SOIN
1. Apporter les premiers soins à un blessé : SECOURS.
• Les soins donnés à un malade : TRAITEMENT.
2. Travailler avec soin : APPLICATION, ATTENTION, MINUTIE, SÉRIEUX.
• Son principal soin est de bien éduquer ses enfants : PRÉOCCUPATION, SOUCI.
• C'est vous qui aurez le soin de mener à bien cette affaire : CHARGE, MISSION, RESPONSABILITÉ.
• Je ne comprenais pas la raison de tous les soins que l'on avait pour moi : ATTENTIONS, MÉNAGEMENTS, PRÉVENANCES, SOLLICITUDE.

SOIR 2609
Le soir tombe vite en décembre : CRÉPUSCULE, NUIT.

SOIRÉE
1. Pendant les longues soirées d'hiver : SOIR, VEILLÉE.
2. Assister à une soirée mondaine : RÉCEPTION, RÉUNION.
• Une « soirée dansante » : BAL.

SOL 2610
1. Au bruit de la fusillade, ils se jetèrent au sol : TERRE.
• Un sol mouvementé : RELIEF, TERRAIN.
• Dans la France féodale, les serfs étaient attachés au sol : GLÈBE, TERRE, TERROIR.
2. Le sol de leur séjour est en pitchpin : PARQUET, PLANCHER.
• Pour notre terrasse, j'ai choisi un sol facile à entretenir : CARRELAGE, DALLAGE.
3. En cas de guerre, nous défendrons notre sol : PATRIE, PAYS, TERRITOIRE.

SOLDAT 2611
1. Les soldats du front : COMBATTANT.
• Un soldat de carrière : MILITAIRE.
• Les soldats du contingent : CONSCRIT, RECRUE.
• Les soldats de la guerre 1914-1918 : *fam. :* POILU.
2. *Suivant l'arme dans laquelle il sert, le soldat est :* ARTILLEUR, CAVALIER, FANTASSIN, LÉGIONNAIRE, PARACHUTISTE, SAPEUR, TANKISTE, *et en argot militaire :* BIDASSE, BIFFIN, BIGOR, GAZIER, MARSOUIN, TRINGLOT, TROUFION, TROUPIER.
3. Tous les croisés ne furent pas de vaillants soldats de la foi : DÉFENSEUR, SERVITEUR.

SOLDE 2612
1. *n. fém.*
César doubla la solde de ses soldats : PRÊT, RÉMUNÉRATION, RÉTRIBUTION.
2. *n. masc.*
a) Verser le solde d'une dette : COMPLÉMENT, RELIQUAT, RESTE.
b) Vendre une marchandise en solde : AU RABAIS.

SOLDER
1. Solder un compte : ARRÊTER, CLORE.
2. Solder un stock de marchandises : BRADER, LIQUIDER, *et en lang. fam. :* BAZARDER.

SE SOLDER
Tous ses efforts pour déplacer la roche se sont soldés par des échecs : ABOUTIR À, SE TERMINER, SE TRADUIRE.

SOLEIL 2613
1. Se lever avant le soleil : AUBE, AURORE, JOUR.
2. Un champ de soleils : HÉLIANTHE, HÉLIOTROPE, TOURNESOL.

SOLENNEL 2614
1. On a fait des obsèques solennelles à ce grand écrivain : OFFICIEL, PUBLIC.
2. Louis XIV avait, dit-on, un maintien solennel : AUGUSTE, MAJESTUEUX.
• Cette haute futaie a l'allure solennelle d'une cathédrale : GRANDIOSE, IMPOSANT.

3. Il prend toujours un ton solennel pour dire les choses les plus simples : CÉRÉMONIEUX, EMPHATIQUE, GRAVE, POMPEUX, PONTIFIANT, SENTENCIEUX.

SOLENNITÉ
1. La solennité de Noël : FÊTE.
2. La solennité d'un couronnement royal : APPARAT, FASTE, MAGNIFICENCE, POMPE, SPLENDEUR.
• La duchesse avançait avec solennité : GRAVITÉ, MAJESTÉ.

SOLIDARITÉ 2615
1. Un large mouvement de solidarité envers les sinistrés : ASSISTANCE, ENTRAIDE.
• Les mineurs de fond ont un grand sens de la solidarité : CAMARADERIE, FRATERNITÉ.
2. La solidarité de deux choses entre elles : INTERDÉPENDANCE.

SOLIDE 2616
1. Une porte solide : RÉSISTANT, ROBUSTE.
• Un verre solide : INCASSABLE.
• Des souliers solides : INUSABLE.
• Une théorie assise sur des bases solides : ASSURÉ, FERME, SÛR.
• Ce pilier est solide : INÉBRANLABLE, STABLE.
• Une amitié solide les unit : DURABLE, FIDÈLE, INDÉFECTIBLE, INDESTRUCTIBLE.
• Elle a une connaissance solide du droit : APPROFONDI, SÉRIEUX.
2. Une pâte solide : CONSISTANT, DUR, FERME.
• Il avala un solide repas : SUBSTANTIEL.
• Il a toujours eu un solide appétit : GROS.
• Dans son métier, elle s'est acquis une solide réputation : GRAND, LARGE.
3. Il est solide comme un bûcheron : FORT, RÉSISTANT, ROBUSTE, VIGOUREUX, *et en lang. fam. :* COSTAUD, INCREVABLE.
• Notre armée occupe une position solide : IMPRENABLE, SÛR.
• Être le solide partisan de quelqu'un : FIDÈLE.
4. *Fam. :* Cet enfant a besoin d'une solide correction : BON, FORT, IMPORTANT.

SOLIDIFICATION
• La solidification de la lave : DURCISSEMENT.
• La solidification par le froid : CONGÉLATION.

SOLIDITÉ
• La solidité d'un lanceur de poids : FORCE, ROBUSTESSE, VIGUEUR.
• La solidité du cheval de Merens est très appréciée : ENDURANCE, RÉSISTANCE, ROBUSTESSE, RUSTICITÉ.
• La solidité d'une amitié : FIDÉLITÉ, SÛRETÉ.
• La solidité d'un témoignage : SÉRIEUX.
• La solidité de sa foi : FERMETÉ.
• La passivité des populations assure la solidité des régimes politiques : STABILITÉ.

SOLLICITATION 2617
• Il faut savoir résister aux sollicitations de la publicité : INCITATION, TENTATION.
• Malgré mes sollicitations, il n'a pas voulu céder : DEMANDES, INSTANCES, PRIÈRES, REQUÊTES, SUPPLIQUES.

SOLLICITER
• Je sollicite toute votre attention : DEMANDER, RÉCLAMER, REQUÉRIR.
• Les affiches sollicitent notre regard : ATTIRER.
• Il sollicite un emploi de cadre : POSTULER.
• Ce candidat sollicite les suffrages des électeurs : BRIGUER.
• Solliciter une aumône : MENDIER, QUÉMANDER.
• Ce revendeur de voitures est venu me solliciter jusque chez moi : RELANCER.
• Le charretier sollicitait de la voix son cheval : EXCITER, EXHORTER.
• Il ne faut pas solliciter un texte : FORCER.

SOLLICITEUR
Je ferme ma porte à tous les solliciteurs : QUÉMANDEUR.

SOLUTION 2618
1. Avez-vous la solution du mystère ? : CLEF.
• À quelle solution aboutissez-vous ? : RÉSULTAT.
• Je vais m'attaquer à la solution de ce problème : RÉSOLUTION.
• On s'attend à une heureuse solution de la crise : CONCLUSION, DÉNOUEMENT, ISSUE.
• C'était la seule solution pour me sortir de ce mauvais pas : MOYEN.
2. Cette scène introduit une « solution de continuité » dans l'action du film : COUPURE, INTERRUPTION, RUPTURE.

SOMBRE 2619
• Un couloir sombre : OBSCUR, TÉNÉBREUX.
• Il commence à faire sombre : NOIR.
• Un homme au teint sombre : BRUN, FONCÉ, HÂLÉ.
• Il a l'air bien sombre aujourd'hui : MÉLANCOLIQUE, MOROSE, TACITURNE, TRISTE.
• Remuer de sombres pensées : PESSIMISTE.
• Vivre des heures sombres : DRAMATIQUE, TRAGIQUE.
• Notre avenir est bien sombre : ANGOISSANT, INQUIÉTANT.

• *Fam. :* Quel sombre imbécile ! : SINISTRE, TRISTE.
• *Fam. :* Quelle sombre histoire ! : LAMENTABLE.

SOMBRER
1. Le navire a sombré : COULER, DISPARAÎTRE, S'ENFONCER, S'ENGLOUTIR.
2. Le blessé sombra dans une demi-inconscience : GLISSER.
• Il sombra dans le plus grand désespoir : PLONGER, TOMBER.
• J'ai l'impression que tout sombre autour de moi : S'ANÉANTIR, S'EFFONDRER.

SOMMAIRE 2620
1. *adj.*
• Un exposé sommaire : BREF, CONCIS, COURT, SUCCINCT.
• Faire l'étude sommaire d'un dossier : RAPIDE, SUPERFICIEL.
• Il se livra à de sommaires ablutions : LÉGER, RAPIDE.
• Un abri sommaire : RUDIMENTAIRE.
• L'exécution sommaire d'un traître : EXPÉDITIF.
• En matière de cinéma, mes connaissances sont très sommaires : ÉLÉMENTAIRE, VAGUE.
2. *nom.*
• Le sommaire d'un livre : ABRÉGÉ, RÉSUMÉ.

SOMME 2621
1. *nom fém. :*
• Voilà la somme de toutes mes dépenses : MONTANT, TOTAL.
• Une grande somme d'efforts : QUANTITÉ.
2. *nom masc.*
• Je suis fatigué, aussi vais-je faire un petit somme : SIESTE, *et en lang. pop. :* ROUPILLON.
• Dormir d'un bon somme : SOMMEIL.

SOMMEIL 2622
1. Après quelques heures de sommeil, il était dispos : REPOS.
• Après le repas, le vieillard fut pris d'un léger sommeil : ASSOUPISSEMENT, SOMNOLENCE.
• Le sommeil de la marmotte pendant l'hiver : ENGOURDISSEMENT, HIBERNATION, TORPEUR.
• Le magicien provoqua le sommeil des spectateurs : HYPNOSE.
2. Le mois d'août est une période de sommeil pour beaucoup d'industries : INACTIVITÉ.

SOMMEILLER
La malade ne dort pas vraiment, elle sommeille seulement : SOMNOLER.

SOMNOLENT
Une région somnolente, une économie somnolente : ASSOUPI, ENDORMI, ENGOURDI, STAGNANT.

SOMMET 2623
1. La pie fait son nid au sommet des grands arbres : CIME, FAÎTE.
• Le sommet d'un talus : DESSUS, HAUT.
• Le sommet d'une colline : CRÊTE.
• Les sommets aigus des hautes montagnes : AIGUILLE, PIC.
• Les sommets arrondis des Vosges : BALLON.
2. Il est au sommet de la gloire : APOGÉE, COMBLE, FAÎTE, SUMMUM, ZÉNITH.
3. On attend beaucoup du futur sommet entre les cinq Grands : RENCONTRE, RÉUNION.

SOMPTUEUX 2624
• La liturgie somptueuse des fêtes de Noël : FASTUEUX, MAGNIFIQUE, SPLENDIDE.
• Un cadeau somptueux : LUXUEUX, PRINCIER, ROYAL, SUPERBE.

SOMPTUOSITÉ
FASTE, LUXE, MAGNIFICENCE, RICHESSE, SPLENDEUR.

SON 2625
• Un son mat : BRUIT.
• Leurs sons de voix s'harmonisent : INTONATION, TIMBRE, TON.

SONNANT
Elle est arrivée à dix heures sonnantes : PRÉCIS, TAPANT.

SONNÉ
1. Il est midi sonné : PASSÉ.
• *Fam. :* Cet homme a une cinquantaine bien sonnée : ACCOMPLI, RÉVOLU.
2. *Fam. :* Le boxeur était sonné : GROGGY.
• *Fam. :* Cet individu est complètement sonné : CINGLÉ, FOU.

SONNER
1. *v. intr.*
• Les cloches sonnent : CARILLONNER, RÉSONNER, TINTER.
• Sonner du clairon : JOUER.
• Le concierge faisait sonner ses clefs : TINTER, TINTINNABULER.
• *Fam. :* Les oreilles vont lui sonner : CORNER, TINTER.
2. *v. tr.*
• La malade a sonné l'infirmière : APPELER.
• La cloche sonne la fin de la récréation : ANNONCER.
• *Fam. :* Il a sonné son adversaire : ASSOMMER, ESTOURBIR, ÉTOURDIR.
• *Fam. :* Pour cette incartade, il s'est fait drôlement sonner par ses parents : RÉPRIMANDER, *et en lang. pop. :* ENGUEULER.

SONNETTE
- L'enfant de chœur secouait avec énergie la sonnette : CLOCHETTE.
- Il était trop petit pour atteindre le bouton de la sonnette : SONNERIE.

SONNEUR
Les sonneurs de binious : JOUEUR.

SONORE
- Une voix sonore : RETENTISSANT, TONITRUANT, TONNANT, VIBRANT.
- Elle a le verbe sonore : HAUT.
- Un rire sonore : BRUYANT, ÉCLATANT.
- Il a le don des phrases sonores, mais vides : EMPHATIQUE, RONFLANT.
- Ce concert a été un enchantement sonore : MUSICAL.

SONORITÉ
La sonorité d'un théâtre : ACOUSTIQUE, RÉSONANCE.

SONDAGE 2626
Un sondage sur les intentions de vote : ENQUÊTE, GALLUP.

SONDER
- Sonder la hauteur de l'eau sous la quille : MESURER.
- Sonder un terrain : EXPLORER, PROSPECTER, SCRUTER.
- C'est un homme dont il est difficile de sonder les secrets : PÉNÉTRER.
- Je l'ai sondé pour savoir s'il accepterait ce poste : INTERROGER, PRESSENTIR, *et en lang. fam. :* TÂTER.

SONGER 2627
- La forêt est le lieu idéal pour songer : MÉDITER, RÊVER.
- Il ne songe guère à son avenir : PENSER, RÉFLÉCHIR À.
- Il faut de temps en temps songer à soi : PENSER, S'OCCUPER DE, SE PRÉOCCUPER DE.
- Songez à tous les efforts qu'elle a faits : CONSIDÉRER, SE SOUVENIR DE.
- Nous avions songé à vous rendre visite : ENVISAGER, PROJETER DE.
- Je songe maintenant que j'aurais dû agir autrement : S'AVISER.

SOPHISTIQUÉ 2628
- Un public sophistiqué : ÉLÉGANT, SNOB.
- Une mode sophistiquée : RAFFINÉ, RECHERCHÉ.
- Un appareil très sophistiqué : COMPLEXE, PERFECTIONNÉ.

SORDIDE 2629
- Une masure sordide : IMMONDE, INFECT, MALPROPRE.
- Les aspects les plus sordides de la vie : ABJECT, DÉGOÛTANT, IGNOBLE, VIL.
- Il est d'une mesquinerie sordide : INNOMMABLE, RÉPUGNANT.

SORT 2630
1. Les Grecs croyaient que le sort de chaque homme était fixé d'avance : AVENIR, DESTIN, DESTINÉE.
- Chacun souhaite améliorer son sort : CONDITION, SITUATION.
- C'est le sort qui l'a voulu : FORTUNE, HASARD.
- On ignore encore le sort de cette bataille : DÉNOUEMENT, FIN.
2. Jeter un sort : CHARME, MALÉFICE, SORTILÈGE.

SORTE 2631
- Quelle sorte d'homme est-il donc pour rester insensible devant la misère ? : ESPÈCE, GENRE, TYPE.
- Je ne fréquente pas cette sorte d'hommes : CATÉGORIE.
- Il a agi de telle sorte qu'il a perdu sa place : FAÇON, MANIÈRE.
- Vous trouverez au marché toutes les sortes de fruits : VARIÉTÉ.

SORTIE 2632
1. La maison a une sortie sur le jardin : ISSUE, PORTE.
2. La sortie de la foule a été lente : ÉCOULEMENT.
- La sortie des effluents se fait par cet égout : ÉVACUATION.
3. La sortie d'un livre : PARUTION, PUBLICATION.
4. Je vais faire ma petite sortie quotidienne : PROMENADE, TOUR, *et en lang. fam. :* BALADE, VIRÉE.
5. Je vais diminuer mes sorties d'argent : DÉPENSES.
6. Nous avons eu droit à sa sortie habituelle contre les mœurs actuelles : ALGARADE, INVECTIVE.

SORTIR
1. *v. intr.*
- Il est enfin sorti de sa cachette : ABANDONNER, QUITTER.
- Elle vient de sortir du bureau pour quelques instants : S'ABSENTER.
- Les prisonniers sont sortis par le tunnel qu'ils avaient creusé : S'ÉVADER.
- La fumée de l'incendie sortait par les fenêtres : S'ÉCHAPPER.
- J'ai réussi à sortir discrètement de cette réunion ennuyeuse : S'ÉCLIPSER, S'ESQUIVER, SE SAUVER.
- Il sort d'une grave maladie : RELEVER.
- L'eau sort de dessous le rocher : COULER, JAILLIR, SOURDRE.

- De cette rose, sort un suave parfum : ÉMANER, SE DÉGAGER, S'EXHALER.
- La Garonne est sortie de son lit : DÉBORDER.
- On vit la tête du plongeur sortir de l'eau : DÉPASSER, ÉMERGER.
- Les petits pois commencent à sortir : LEVER, POUSSER.
- Ce livre n'est pas encore sorti : PARAÎTRE.
- Elle ne sort jamais de son calme : SE DÉPARTIR DE.
- Il n'a pas voulu sortir de son entêtement : DÉMORDRE.
- Vous sortez du sujet de la discussion : S'ÉCARTER, S'ÉLOIGNER.
- Il sort de ses droits : OUTREPASSER.
- Un boxeur qui sort des règles d'un combat loyal : TRANSGRESSER.
- Que va-t-il sortir de cette réunion ? : DÉCOULER, RÉSULTER.
- Son geste sort d'un bon sentiment : PROVENIR, VENIR.
- Il sort d'une famille paysanne : DESCENDRE, ÊTRE ISSU.

2. *v. tr.*
- Il n'arrivait pas à sortir ses pieds de la vase : DÉGAGER, EXTIRPER, EXTRAIRE, TIRER.
- Sortez les mains de vos poches ! : ENLEVER, RETIRER.
- Les vigiles ont sorti les perturbateurs : EXPULSER, *et en lang. fam. :* VIDER, VIRER.
- Sortir son bébé tous les après-midi : PROMENER.
- Cet éditeur sort plus de deux mille livres par an : PUBLIER.
- Ce constructeur de voitures vient de sortir un nouveau modèle : LANCER, PRODUIRE.
- *Fam. :* Quelle nouvelle histoire nous sors-tu là ? : DÉBITER, RACONTER.

SE SORTIR
- Se sortir de difficultés : SE DÉPÊTRER.
- Combien de passagers se sont-ils sortis de l'accident ? : RÉCHAPPER.
- Elle s'en est sortie indemne : S'EN TIRER.

SOT 2633

1. *nom.*
- Ne tenez pas compte des ricanements de ces sots : IMBÉCILE.
- Vous n'êtes qu'un sot : *fam. :* ÂNE, BUSE, CRÉTIN.
- Quel grand sot ! : BENÊT, DADAIS, NIGAUD, *en lang. fam. :* BÊTA, CLOCHE, *et en lang. pop. :* COUILLON.
- Ce n'est qu'une petite sotte : PÉCORE, PÉRONNELLE.

2. *adj.*
- Je n'ai jamais vu quelqu'un d'aussi sot que lui : BÊTE, BORNÉ, IDIOT, STUPIDE.
- Quelle sotte manie ! : ABSURDE, RIDICULE.
- Votre question était bien sotte : INEPTE, SAUGRENU.
- À la suite de sa bévue, il s'est trouvé fort sot : CONFUS, PENAUD.

SOTTISE
- Sa sottise est sans bornes : IDIOTIE, IMBÉCILLITÉ, STUPIDITÉ.
- La sottise d'une réponse : INEPTIE.
- Il ne fait que des sottises : BÊTISE, GAFFE, IMPAIR, MALADRESSE.
- As-tu fini de raconter des sottises ? : ABSURDITÉ, BALIVERNE, CALEMBREDAINE, FARIBOLE, SORNETTES, *et en lang. fam. :* ÂNERIE.

SOUCI 2634

1. Être dans un grand souci : ANXIÉTÉ, CRAINTE, INQUIÉTUDE.
- Se faire du souci : TOURMENT, TRACAS, *et en lang. fam. :* BILE, TINTOUIN.
- Avoir des soucis financiers : EMBARRAS, ENNUI, PROBLÈME, *et en lang. fam. :* EMBÊTEMENT.
- Que de soucis ! : TRACAS, *et en lang. fam. :* ARIA.

2. Son premier souci est la sécurité : PRÉOCCUPATION.
- Cet écrivain a le continuel souci de la forme : OBSESSION.
- Par souci des convenances : RESPECT.
- Le souci de s'instruire ne le quitte pas : DÉSIR.

SOUCIER

Cela ne le soucie guère : INQUIÉTER, PRÉOCCUPER.

SE SOUCIER

Il ne se soucie pas des détails : S'EMBARRASSER, S'INQUIÉTER, SE PRÉOCCUPER.

SOUCIEUX

1. Quel air soucieux ! : PENSIF, PRÉOCCUPÉ, SONGEUR, TOURMENTÉ, TRACASSÉ.
- Cela le rend soucieux : ANXIEUX, INQUIET.

2. Un général soucieux du moral de ses soldats : ATTENTIF À.
- Napoléon était soucieux d'assurer la solidité de son Empire : PRÉOCCUPÉ.

SOUDAIN 2635

1. *adj.*
- Un accès soudain de colère : BRUSQUE, BRUTAL, SUBIT.
- Sa riposte fut soudaine : IMMÉDIAT, INSTANTANÉ, PROMPT, RAPIDE.
- Une explosion soudaine : FOUDROYANT, FULGURANT.

2. *adv.*

La rage de vaincre les anima soudain : BRUSQUEMENT, SOUDAINEMENT, SUBITEMENT.

SOUDAINETÉ
- La soudaineté de sa décision a surpris : BRUSQUERIE, RAPIDITÉ.
- La soudaineté d'une attaque : BRUTALITÉ.

SOUDARD 2636
REÎTRE, SABREUR.

SOUDER 2637
1. En atmosphère d'argon, on peut souder tous les métaux : ASSEMBLER, BRASER.
- Le tombolo soude l'île à la côte : JOINDRE, RÉUNIR, UNIR.
2. Cet incident a soudé notre amitié : CIMENTER, CONSOLIDER, RENFORCER.

SOUDURE
1. Les divers procédés de soudure : ASSEMBLAGE, BRASAGE, SOUDAGE.
2. Les réserves de blé dans les silos sont suffisantes pour assurer la soudure avec la prochaine récolte : JONCTION, LIAISON.

SOUFFLE 2638
1. Le foehn amène des souffles d'air chaud : BOUFFÉE, COURANT, VENT.
- Un léger souffle venait du nord : BISE, BRISE.
- Entendez-vous le souffle du vent dans les feuilles de bouleaux ? : BRUIT, MURMURE.
2. Retenez votre souffle ! : RESPIRATION.
- Elle sentait sur son cou la caresse du souffle de son ami : HALEINE.
- Il est à l'heure de son dernier souffle : SOUPIR.
3. Il y a dans cette œuvre un souffle poétique : INSPIRATION.
- Un souffle d'héroïsme animait les combattants : ESPRIT.

SOUFFLER
1. *v. intr.*
a) Après son effort, il soufflait de façon saccadée : HALETER.
- « Laissez-moi souffler un peu », dit-il : RESPIRER, SE REPOSER.
b) Un vent de panique souffla sur la ville : DÉFERLER.
c) Souffler dans un cor : JOUER DE, SONNER DE.
2. *v. tr.*
a) Le vent souffle les feuilles mortes : BALAYER.
- Souffler le feu : ACTIVER, ATTISER.
- Souffler une chandelle : ÉTEINDRE.
- L'explosion a soufflé la maison : DÉTRUIRE.
b) Souffler quelque chose à quelqu'un : ENLEVER, PRENDRE, SUBTILISER, *et en lang. fam. :* CHIPER, PIQUER, RAFLER.
c) On m'a soufflé à l'oreille qu'il avait des ennuis avec le fisc : CHUCHOTER, GLISSER, INSINUER, SUSURRER.
- Je lui ai soufflé d'agir autrement : CONSEILLER, SUGGÉRER.
d) *Fam. :* Son insolence nous a tous soufflés : ÉTONNER, SIDÉRER.

SOUFFRANCE 2639
1. La souffrance de perdre un être aimé : DOULEUR, PEINE.
- Les souffrances endurées par les martyrs : SUPPLICE, TOURMENT.
2. Cette affaire reste en souffrance : EN ATTENTE, EN SUSPENS.

SOUFFRIR
1. *v. tr.*
- Comment peut-il souffrir ce froid ? : ENDURER, RÉSISTER À, SUPPORTER.
- Je ne souffrirai aucune négligence dans votre travail : ACCEPTER, SUPPORTER, TOLÉRER.
- Souffrez que je m'exprime à mon tour : PERMETTRE.
- Ce texte est très clair et ne souffre aucune interprétation : ADMETTRE, ÊTRE SUSCEPTIBLE DE.
- Cet homme est un fat et je ne peux le souffrir : SUPPORTER, *et en lang. fam. :* SENTIR.
2. *v. intr.*
- Ce sont des maux dont tout le monde souffre : PÂTIR.
- Souffrir d'une injustice : ÊTRE VICTIME.
- À cause de la gelée, les fruits ont souffert : S'ABÎMER.
- « Faire souffrir » quelqu'un : MARTYRISER, TORTURER, TOURMENTER.

SOUHAIT 2640
1. Tel est mon souhait : AMBITION, DÉSIR.
2. Présenter ses souhaits de bonne année : VŒUX.

SOUHAITER
- La tranquillité, c'est tout ce que je souhaite : DEMANDER, DÉSIRER, RECHERCHER, VOULOIR.
- Il a toujours souhaité les honneurs : ASPIRER À, CONVOITER, RÊVER DE, VISER.
- Que souhaitez-vous de moi ? : ATTENDRE, ESPÉRER.

SOULAGEMENT 2641
- Le soulagement des douleurs : ADOUCISSEMENT, ALLÈGEMENT, APAISEMENT.
- Je cherche un soulagement à son état dépressif : REMÈDE.
- Éprouver un sentiment de soulagement : DÉLIVRANCE, DÉTENTE.
- Savoir qu'il était mort en chrétien fut pour elle un soulagement : CONSOLATION.
- Je l'ai vu revenir avec soulagement : SATISFACTION.

SOULAGER
- Ce médicament soulagera votre douleur : ADOUCIR, APAISER, ATTÉNUER, CALMER.
- Soulager les malheureux : AIDER, ASSISTER, SECOURIR.
- Soulager quelqu'un d'un poids : DÉCHARGER, DÉLIVRER.
- Il soulagea le poids de son sac à dos en s'appuyant contre le mur : ALLÉGER.
- Elle fut soulagée par cette réponse : CONSOLER, RÉCONFORTER.
- *Fam. :* Un vaurien l'a soulagée de son sac : VOLER.

SOULEVER 2642
1. Ils ont soulevé la voiture pour dégager le blessé : LEVER.
- Le vent soulevait son manteau : RELEVER.
2. Soulever la population contre un dictateur : AMEUTER, EXCITER.
- « Le Tartuffe » souleva tous les dévots contre Molière : DÉCHAÎNER, DRESSER.
3. Sa mort tragique souleva une vive émotion : PROVOQUER.
- Elle souleva une objection : ÉLEVER.
- La fécondation in vitro soulève de nombreux problèmes : POSER.

SOULIGNER 2643
- Il souligna la nécessité de cette réforme : INSISTER SUR.
- L'orateur soulignait chacune de ses critiques en frappant de la main sur la tribune : PONCTUER.
- Cette robe souligne les défauts de sa silhouette : ACCENTUER.

SOUMETTRE 2644
1. Soumettre un peuple : ASSERVIR, ASSUJETTIR, ENCHAÎNER, SUBJUGUER.
- Soumettre des perturbateurs : DOMPTER, MAÎTRISER, MATER.
2. Les élèves des lycées napoléoniens étaient soumis à une discipline militaire : ASTREINDRE, CONTRAINDRE.
- Les ouvriers sont soumis aux contremaîtres : SUBORDONNER.
- Les travaux agricoles sont soumis aux saisons : DÉPENDRE DE.
3. Je soumets cette lettre à votre approbation : PRÉSENTER, PROPOSER.
- Soumettre un corps à des radiations ultraviolettes : EXPOSER.

SE SOUMETTRE
1. Le forcené a fini par se soumettre : SE LIVRER, SE RENDRE.
2. Se soumettre à un ordre : OBÉIR, OBTEMPÉRER, S'INCLINER DEVANT.
- Se soumettre à la loi : SE CONFORMER, SUIVRE.
- Ils ont dû se soumettre à une fouille des douaniers : ACCEPTER, CONSENTIR, SE PLIER, SE RÉSIGNER.

SOUMISSION
- La soumission aux fatalités de la vie : ACCEPTATION.
- La soumission à la mode : ASSUJETTISSEMENT, CONFORMITÉ.
- Un peuple qui vit dans la soumission : ASSERVISSEMENT, DÉPENDANCE, ESCLAVAGE, SERVITUDE.
- Faire preuve de soumission : DOCILITÉ, OBÉISSANCE, RÉSIGNATION.

SOUPÇONNER 2645
1. Je le soupçonne de déloyauté : SUSPECTER.
- Peut-on soupçonner sa probité ? : DOUTER DE.
2. Je ne pouvais pas soupçonner qu'il fût si lâche : IMAGINER, PRÉSUMER, PRÉVOIR, SE DOUTER.

SOUPLE 2646
1. Souple comme l'osier : FLEXIBLE.
- Une semelle souple : ÉLASTIQUE.
- Un oreiller souple : MOELLEUX.
- Une pâte souple : MOU, ONCTUEUX.
- L'allure souple du guépard : FÉLIN, LÉGER.
- Le souple balancement des blés : ONDOYANT, ONDULEUX.
- Une taille souple : DÉLIÉ, SVELTE.
- Une discipline trop souple : LAXISTE, RELÂCHÉ.
2. Cet enfant a le corps assez souple pour passer par cette lucarne : AGILE, LESTE.
- Un caractère souple : ACCOMMODANT, CONCILIANT, DOCILE, MALLÉABLE.

SOUPLESSE
- La souplesse de l'osier : FLEXIBILITÉ.
- La souplesse d'un tapis : ÉLASTICITÉ, MOELLEUX, MOLLESSE.
- La souplesse d'une danseuse : AGILITÉ, AISANCE, LÉGÈRETÉ.
- La souplesse d'un caractère : DOCILITÉ.
- La souplesse de l'esprit : ADAPTABILITÉ.
- Faire preuve de souplesse dans la conduite des affaires : ADRESSE, DIPLOMATIE, HABILETÉ.

SOURCE 2647
1. Aller chercher de l'eau à la source : FONTAINE, PUITS.
2. Remonter aux sources : CAUSE, ORIGINE.
- Un peuple à la recherche de ses sources : RACINE.
- L'agriculture était autrefois la source de toute richesse : BASE, FONDEMENT, PRINCIPE.
- Les Commentaires de César sont une

source précieuse de renseignements sur la Gaule : MINE, TRÉSOR.
• Une source lumineuse : FOYER.

SOURCILLER 2648
Faire quelque chose sans sourciller : HÉSITER, *et en lang. fam. :* TIQUER.

SOURCILLEUX
Un arbitre sourcilleux : POINTILLEUX, SÉVÈRE, VÉTILLEUX.

SOURD 2649
1. Le choc sourd d'un corps qui s'écrase dans la vase : AMORTI, MAT.
• On entendait au loin des détonations sourdes : ASSOURDI, ÉTOUFFÉ.
• Une voix sourde : ENROUÉ, VOILÉ.
2. Une sourde inquiétude naissait en moi : INDISTINCT, MYSTÉRIEUX, VAGUE.
• De sourdes intrigues : CACHÉ, CLANDESTIN, OCCULTE, SECRET, SOUTERRAIN.
3. Il restait sourd aux nouvelles idées : INDIFFÉRENT, INSENSIBLE, RÉFRACTAIRE.
• Devant toutes nos revendications, il reste sourd : INEXORABLE, INFLEXIBLE.

SOURIRE 2650
1. La chance lui a souri : FAVORISER, SERVIR.
• Ce projet me sourit beaucoup : CONVENIR, PLAIRE.
2. On ne sourit pas des choses sacrées : IRONISER SUR, RIRE DE, SE MOQUER DE.

SOURNOIS 2651
• Une personne sournoise : DISSIMULÉ, FOURBE, HYPOCRITE.
• Des manières sournoises : CAUTELEUX, DOUCEREUX, MIELLEUX.
• Un air sournois : CHAFOUIN.
• Poser une question sournoise : INSIDIEUX, PERFIDE.
• Un mal sournois : CACHÉ, LATENT.

SOUSCRIRE 2652
• Je souscris à ton opinion : ADHÉRER, APPROUVER.
• Je souscris à ce projet : ACCEPTER, CONSENTIR.

SOUS-ENTENDU 2653
1. *adj.*
Une clause sous-entendue : IMPLICITE, INEXPRIMÉ, TACITE.
2. *nom.*
Parlez plus clairement, car je ne comprends pas vos sous-entendus : ALLUSION, DEMI-MOT, RESTRICTION, RÉTICENCE.

SOUS-ESTIMER 2654
DÉPRISER, MÉJUGER, MÉSESTIMER, MINIMISER, SOUS-ÉVALUER.

SOUS-JACENT 2655
• Les couches sous-jacentes : INFÉRIEUR, SUBJACENT.
• J'ignore quels sont ses motifs sous-jacents : CACHÉ, OCCULTE.

SOUS-MARIN : SUBMERSIBLE. 2656

SOUSTRACTION 2657
DÉDUCTION, DIMINUTION.

SOUSTRAIRE
1. Soustraire un nombre d'un autre : DÉDUIRE, RETRANCHER.
2. J'ai réussi à la soustraire à l'influence de ce voyou : PRÉSERVER DE, PROTÉGER DE.
3. Il a soustrait des documents importants : DÉROBER, DÉTOURNER, SUBTILISER, VOLER.

SE SOUSTRAIRE
• Elle s'est soustraite à toutes mes questions : ÉLUDER, ESQUIVER, SE DÉROBER.
• Se soustraire à une corvée : ÉCHAPPER À, FUIR.
• Puis l'ovni s'est soustrait à ma vue : DISPARAÎTRE, S'ÉLOIGNER.

SOUTENABLE 2658
1. Sa cause n'est pas soutenable : DÉFENDABLE.
2. Le bruit des motos n'est pas soutenable : SUPPORTABLE.

SOUTÈNEMENT
Un mur qui sert de soutènement : APPUI, CONTREFORT, SOUTIEN.

SOUTENEUR
PROXÉNÈTE, *et en lang. pop. :* MAC, MAQUEREAU.

SOUTENIR
1. Deux cariatides soutiennent le balcon : SUPPORTER.
• Mes jambes ne me soutenaient plus : PORTER.
• Soutenir les parois d'une tranchée : ÉTAYER, ÉTRÉSILLONNER, MAINTENIR.
• Soutenir une vieille muraille : ARC-BOUTER, CONSOLIDER, ÉTANÇONNER.
• Soutenir un navire en construction : ACCORER, ÉTAYER.
2. Soutenir les indigents : AIDER, ASSISTER, SECOURIR.
• Dans mon malheur, il m'a bien soutenu : APPUYER, ÉPAULER, RÉCONFORTER.
• Les applaudissements soutiennent l'athlète dans son effort : AIGUILLONNER, ENCOURAGER, STIMULER.
• Cette nourriture vous soutiendra : FORTIFIER, REMONTER.
• Un mécène qui soutient les arts : PROTÉGER.
• Un sponsor qui soutient un navigateur solitaire : FINANCER.

3. Dans cette affaire de roue mal revissée, le garagiste soutient son employé : COUVRIR, DÉFENDRE.
• Lors de la question de confiance, la majorité a soutenu le gouvernement : VOTER POUR.
• C'est une opinion que je soutiendrai : DÉFENDRE.
4. Il faut soutenir votre effort : CONTINUER, MAINTENIR, PERSÉVÉRER DANS, PERSISTER DANS, POURSUIVRE.
• Soutenir la conversation : ALIMENTER, ENTRETENIR.
5. Qui oserait soutenir le contraire ? : AFFIRMER, ATTESTER, AVANCER, CERTIFIER, PRÉTENDRE.
• Cet Écossais soutient que son château est hanté : ASSURER.
6. Leningrad a soutenu un siège de 900 jours : RÉSISTER À, SUPPORTER.
• Soutenir une attaque de l'infanterie par des chars : APPUYER.

SE SOUTENIR
1. L'intérêt du livre se soutient du début à la fin : DURER, SE MAINTENIR.
• Votre opinion ne peut pas se soutenir : SE DÉFENDRE.
2. Ils se sont soutenus les uns les autres : S'ENTRAIDER.

SOUTENU
1. Un match joué à un rythme soutenu : CONSTANT, RÉGULIER.
• Un effort soutenu : ASSIDU, CONTINU, PERSÉVÉRANT, SUIVI.
2. Un tapis d'un vert soutenu : VIF.
• Un style soutenu : ÉLEVÉ, NOBLE, RELEVÉ.

SOUTIEN
1. Un soutien pour la tête : ACCOTOIR, APPUI, SUPPORT.
2. Un soutien financier : AIDE, SECOURS.
• Promettre son soutien à quelqu'un : APPUI, PROTECTION.
3. Cet avocat a été le soutien de toutes les causes que l'on croyait perdues d'avance : CHAMPION, DÉFENSEUR.

SOUTIRER 2659
1. Soutirer du cidre : ÉLIER, TRANSVASER.
2. C'est une promesse que l'on m'a soutirée : ARRACHER.
• Soutirer de l'argent à quelqu'un : ESCROQUER, EXTORQUER.

SOUVENIR 2660
1. Ce fait n'est pas resté dans mon souvenir : MÉMOIRE.
• Je n'ai que de vagues souvenirs de mon enfance : RÉMINISCENCE, SOUVENANCE.
2. Offrir un bibelot comme souvenir : CADEAU.
• Ce château est le souvenir de sa grandeur passée : TÉMOIN.
• Elle garde une mèche de cheveux comme souvenir de son mari : RELIQUE.

SE SOUVENIR
RETENIR, SE RAPPELER, SE REMÉMORER.

SPARTIATE 2661
1. La flotte spartiate fut vaincue près de Cnide : LACÉDÉMONIEN.
2. Des mœurs spartiates : ASCÉTIQUE, AUSTÈRE, RIGIDE.

SPASME 2662
CONTRACTION, CONVULSION, CRAMPE, CRISPATION.

SPASMODIQUE
Un rire spasmodique : CONVULSIF.

SPEAKER 2663
ANNONCEUR, PRÉSENTATEUR.

SPÉCIAL 2664
• Avoir des aptitudes spéciales : PARTICULIER.
• Une coutume spéciale aux Celtes : PROPRE.
• Je n'ai rien de bien spécial à vous dire : EXCEPTIONNEL, EXTRAORDINAIRE.
• C'est une façon très spéciale de voir les choses : BIZARRE, CURIEUX, ORIGINAL, SINGULIER.

SPÉCIALISTE
1. Nous avons eu affaire à un véritable spécialiste : EXPERT, TECHNICIEN.
2. *Fam. :* Ne vous étonnez pas de sa bévue, il est spécialiste de ce genre de bourde : COUTUMIER.

SPÉCIFICITÉ 2665
• Les banques mutualistes présentent certaines spécificités juridiques : PARTICULARITÉ.
• La spécificité de l'enseignement agricole : PARTICULARISME.

SPÉCIFIER
Je lui ai bien spécifié ce qu'il avait à faire : INDIQUER, PRÉCISER.

SPÉCIFIQUE
• Les attributions spécifiques de chaque dieu du panthéon romain : PARTICULIER, PROPRE.
• Elle a reçu une formation spécifique : SPÉCIAL.
• Le caractère spécifique d'une race de chevaux : TYPIQUE.
• L'odeur spécifique du putois : CARACTÉRISTIQUE.

SPECTACLE 2666
1. Un spectacle théâtral : REPRÉSENTATION.
• Un spectacle de patinage artistique : EXHIBITION.
• Un spectacle de music-hall : REVUE.
2. Le spectacle de la relève de la garde devant le mausolée de Lénine : SCÈNE.
• Quel magnifique spectacle offre la baie d'Along ! : TABLEAU, VUE.

SPECTACULAIRE
Une spectaculaire métamorphose : IMPRESSIONNANT, SENSATIONNEL.

SPECTATEUR
1. Cette scène de la rue a eu de nombreux spectateurs : OBSERVATEUR, TÉMOIN.
2. Les spectateurs : ASSISTANCE, AUDITOIRE, PUBLIC.

SPECTRAL 2667
Les images spectrales d'un film fantastique : FANTOMATIQUE.

SPECTRE
1. Un château écossais hanté par des spectres : FANTÔME, REVENANT.
• Depuis sa maladie, il ressemble à un spectre : SQUELETTE.
2. Les écologistes agitent le spectre du danger nucléaire : ÉPOUVANTAIL.

SPÉCULATEUR 2668
Un spéculateur en Bourse : AGIOTEUR, BOURSICOTEUR.

SPÉCULATIF
1. *adj.*
• Une pensée spéculative : ABSTRAIT.
• Une recherche spéculative : THÉORIQUE.
• Un esprit spéculatif : CONTEMPLATIF, IDÉALISTE.
2. *nom.*
Il n'a rien d'un spéculatif : RÊVEUR, ROMANTIQUE.

SPÉCULATION
1. Les spéculations sur l'avenir de l'Univers : HYPOTHÈSE, SUPPOSITION, THÉORIE.
• La spéculation sur l'âge des étoiles : SUPPUTATION.
2. La spéculation sur le cours de l'or : AGIOTAGE, BOURSICOTAGE.
• Agir par spéculation : CALCUL.

SPÉCULER
1. Qui n'a pas spéculé sur la vie dans l'au-delà ? : MÉDITER, PENSER, RÉFLÉCHIR.
2. Un général ne doit pas spéculer sur la faiblesse de l'ennemi : COMPTER SUR, TABLER SUR.
3. Spéculer sur les valeurs pétrolières : AGIOTER, BOURSICOTER.

SPHÈRE 2669
1. La sphère terrestre : GLOBE.
2. Ce pays est dans la spère d'influence des États-Unis : CHAMP, DOMAINE, MOUVANCE, ORBITE, ZONE.

SPIRAL 2670
Les bras spiraux de notre galaxie : HÉLICOÏDAL.

SPIRALE
Les spirales d'une fumée de cigarette : VOLUTE.

SPIRITUALITÉ 2671
• Un exercice de spiritualité : DÉVOTION, FOI, PIÉTÉ.
• Un saint d'une grande spiritualité : MYSTICISME.

SPIRITUEL
1. L'âme a une substance spirituelle : IMMATÉRIEL.
• Les valeurs spirituelles : MORAL, RELIGIEUX.
• La vie spirituelle : INTÉRIEUR.
• Une amitié spirituelle : INTELLECTUEL.
• Le sens spirituel d'une parabole : ALLÉGORIQUE, ANAGOGIQUE, MYSTIQUE.
2. Un conteur spirituel : AMUSANT, HUMORISTE.
• Ce que tu as fait là, ce n'est pas très spirituel : FIN, INTELLIGENT.
• Il a fait une critique spirituelle des idées de son adversaire : PIQUANT, SATIRIQUE.

SPONTANÉ 2672
• Faire quelque chose de façon spontanée, sans y être obligé : DÉLIBÉRÉ, LIBRE, VOLONTAIRE.
• Aider les gens, c'est pour elle un geste spontané : AUTOMATIQUE, INSTINCTIF, NATUREL.
• Sa réaction a été spontanée : IMMÉDIAT.
• Le caractère spontané d'un soulèvement populaire : INORGANISÉ.
• Une jeune fille très spontanée : DIRECT, FRANC, IMPULSIF, PRIMESAUTIER.

SPORADIQUE 2673
• Des tirs sporadiques : INTERMITTENT, IRRÉGULIER.
• L'implantation de cette industrie s'est faite de façon sporadique dans la région : DISSÉMINÉ, ÉPARS.

SPORT 2674
1. Je me contente d'un peu de sport en chambre : GYMNASTIQUE.
2. *Pop. :* Il va y avoir du sport ! : BAGARRE.
3. *Fam. :* Elle a été très sport en acceptant sa défaite : CORRECT, FAIR PLAY, LOYAL, SPORTIF.

SQUELETTE 2675
• On a découvert à Cro-Magnon les sque-

lettes d'hommes préhistoriques : OS, OSSEMENTS.
- Le squelette d'un animal : CARCASSE.
- Le squelette d'un édifice en construction : CHARPENTE, OSSATURE.
- Mon futur roman n'est encore qu'à l'état de squelette : CANEVAS, PLAN.

STABILISER 2676
- Stabiliser la cargaison d'un navire : ARRIMER, CONSOLIDER, FIXER, IMMOBILISER.
- Stabiliser les prix pour enrayer l'inflation : BLOQUER, FIGER.

STABILITÉ
- L'acrobate commença par assurer sa stabilité : APLOMB, ÉQUILIBRE.
- La stabilité d'un accotement : FIXITÉ, SOLIDITÉ.
- La stabilité du temps en période anticyclonale : INVARIABILITÉ.
- La stabilité d'un amour : CONSTANCE, CONTINUITÉ, PERMANENCE.
- La stabilité du franc par rapport aux autres monnaies : FERMETÉ.

STABLE
- Sa position en haut de l'échelle n'est guère stable : FERME, SOLIDE.
- Construire une paix stable : DURABLE, PERMANENT.
- Nos prix sont stables : FIXE, INVARIABLE.
- Un caractère stable : CONSTANT, IMMUABLE.

STAGNANT 2677

Des eaux stagnantes : CROUPISSANT, IMMOBILE, MORT.

STAGNATION
- La stagnation des eaux d'une mare : CROUPISSEMENT, IMMOBILITÉ.
- L'opposition accuse le gouvernement de mener une politique de stagnation : IMMOBILISME, INERTIE.
- La stagnation des affaires : MARASME, RALENTISSEMENT.
- La stagnation des revenus : PIÉTINEMENT.

STAGNER
- Les eaux stagnent dans le ruisseau : CROUPIR.
- Les pourparlers stagnent : LANGUIR.
- Cet élève stagne au-dessous de la moyenne : RESTER, SE MAINTENIR.

STATIONNAIRE 2678
- Pendant quelques instants avant le jusant la mer est stationnaire : ÉTALE, IMMOBILE.
- La situation est stationnaire : INCHANGÉ.

STÉRÉOTYPÉ 2679
- Le sourire stéréotypé des mannequins : ARTIFICIEL, CONVENTIONNEL, FACTICE, PRÉFABRIQUÉ.
- Des formules stéréotypées : FIGÉ.
- Des mouvements stéréotypés : AUTOMATIQUE.

STÉRILE 2680

1. Un arbre stérile : IMPRODUCTIF.
- Un sol stérile : ARIDE, INFERTILE, INGRAT.

2. Une agitation stérile : INEFFICACE, VAIN.
- Une discussion stérile : OISEUX.

3. Mettre un nouveau-né en milieu stérile : ASEPTIQUE.

4. Les hybrides sont souvent stériles : INFÉCOND.

STÉRILISATION

1. La stérilisation d'un pansement : ASEPTISATION.
- La stérilisation de l'eau : DÉSINFECTION.
- La stérilisation du lait : PASTEURISATION.

2. La stérilisation d'un homme : CASTRATION, ÉMASCULATION, VASECTOMIE.

STÉRILISER

1. Stériliser une pince chirurgicale : ASEPTISER.
- Stériliser une plaie : DÉSINFECTER.
- Stériliser du lait : PASTEURISER.

2. Stériliser un animal : CASTRER, CHÂTRER, ÉMASCULER, *et pour un cheval :* HONGRER.

3. L'égoïsme stérilise le cœur : DESSÉCHER.
- L'état de subordination stérilise toute initiative : TUER.

STÉRILITÉ

1. La stérilité d'un sol : ARIDITÉ, INFERTILITÉ.

2. La stérilité d'une chambre de grand brûlé : ASEPSIE.

3. Pour certains, la stérilité est une tare : INFÉCONDITÉ.

4. La stérilité des débats pendant les campagnes électorales : INEFFICACITÉ, INUTILITÉ, PAUVRETÉ.

STIMULER 2681
- Le café me stimule : DOPER, REMONTER, REVIGORER, TONIFIER.
- L'exercice physique stimule l'appétit : AIGUISER, OUVRIR.
- Stimuler le zèle de quelqu'un : AIGUILLONNER, ENFLAMMER, ÉPERONNER, EXCITER, FOUETTER.
- Le gouvernement a pris des mesures qui stimulent la production nationale textile : ACTIVER, ENCOURAGER, RÉVEILLER.

STIPULER 2682

Ce traité stipule que... : PRÉCISER, SPÉCIFIER.

STOCKAGE 2683
- La capacité de stockage : EMMAGASINAGE.
- Le stockage des fourrages : ENSILAGE, SILOTAGE.

STOCKER
- Stocker des marchandises : EMMAGASINER, ENTREPOSER.
- Stocker des produits agricoles : ENSILER, SILOTER.

STOÏCISME 2684
Supporter son mal avec stoïcisme : COURAGE, FERMETÉ, HÉROÏSME.

STOÏQUE
- Être stoïque dans le malheur : COURAGEUX, FERME, HÉROÏQUE.
- Une attitude stoïque devant un échec : IMPASSIBLE, IMPERTURBABLE, INDIFFÉRENT, INSENSIBLE.

STORE 2685
Baisser le store : RIDEAU.

STRANGULATION 2686
Il est mort par strangulation : ÉTRANGLEMENT.

STRICT 2687
1. Au sens strict du mot : LITTÉRAL.
2. Des mesures de sécurité strictes : DRACONIEN, SÉVÈRE.
- La stricte observation du protocole : ÉTROIT, RIGOUREUX.
- C'est la stricte vérité : EXACT.
- Dans la plus stricte intimité : PARFAIT, TOTAL.
- Avoir le strict nécessaire pour vivre : JUSTE.
- Elle était vêtue d'un tailleur gris très strict : CLASSIQUE, SOBRE.

3. Un chef strict : DUR, EXIGEANT, INTRANSIGEANT, RIGIDE, SÉVÈRE.

STRIE 2688
Les stries que l'on voit sur la planète Mars sont en réalité des illusions d'optique : RAIE, RAYURE, SILLON.

STRIER
HACHURER, RAYER, VERMICULER, ZÉBRER.

STROPHE 2689
- Les strophes d'une ode : STANCE.
- Les strophes d'une chanson : COUPLET.

STRUCTURE 2690
- La structure régulière des plis dans le relief jurassien : DISPOSITION, FORME.
- La structure des macromolécules : ARCHITECTURE, COMPOSITION, CONSTITUTION, CONTEXTURE.
- La structure économique d'un pays : ORGANISATION, RÉGIME.
- La structure métallique d'un édifice : ARMATURE, OSSATURE.
- La structure d'un discours : PLAN.

STUPÉFACTION 2691
À ma grande stupéfaction : AHURISSEMENT, ÉTONNEMENT, STUPEUR, SURPRISE.

STUPÉFAIT
- Un regard stupéfait : AHURI, ÉBAHI, EFFARÉ, ÉTONNÉ, MÉDUSÉ, SIDÉRÉ, SURPRIS.
- Être stupéfait : ABASOURDI, CONSTERNÉ, DÉCONCERTÉ, ÉBERLUÉ, INTERDIT, INTERLOQUÉ, SUFFOQUÉ.

STUPÉFIANT
C'est stupéfiant ! : AHURISSANT, EFFARANT, ÉTONNANT, RENVERSANT.

STUPÉFIER
ATTERRER, CONSTERNER, EFFARER, MÉDUSER, SIDÉRER, SUFFOQUER, *et en lang. fam. :* ÉPOUSTOUFLER, ESTOMAQUER.

STUPIDE 2692
- Comme il a l'air stupide ! : BÊTE, IDIOT, SOT, *et en lang. fam. :* CRÉTIN.
- Un esprit stupide : BORNÉ, LOURD, OBTUS, PESANT, *et en lang. fam. :* BOUCHÉ.
- Tu poses des questions stupides : ABSURDE, INEPTE, INSENSÉ, SAUGRENU.

STUPIDITÉ
- La stupidité de quelqu'un : BÊTISE, CRÉTINISME, IDIOTIE, IMBÉCILLITÉ, SOTTISE.
- La stupidité d'une réponse : ABSURDITÉ, INEPTIE, INSANITÉ.

STYLE 2693
1. Le style précieux de Giraudoux : ÉCRITURE, LANGAGE, LANGUE.
2. C'est un style de vie qui ne me plairait pas : GENRE.
3. Le style corinthien : ORDRE.

- Le style de Gauguin : FACTURE, MANIÈRE, TOUCHE.

SUBIR 2694
- Les mauvais traitements qu'il a subis : ENDURER, ÉPROUVER, SOUFFRIR, SUPPORTER.
- Il a subi une sévère défaite : ESSUYER.
- Nous subissons l'influence du temps : RESSENTIR.
- Le projet de loi a subi quelques modifications : RECEVOIR.

SUBLIME 2695
- La sublime pureté de l'inspiration poétique : DIVIN.
- Un sentiment sublime : ÉLEVÉ, NOBLE, PUR.
- Un génie sublime : SUPÉRIEUR, TRANSCENDANT.
- Un sublime dévouement : HÉROÏQUE.
- Un spectacle sublime : ADMIRABLE, MERVEILLEUX, PARFAIT, PRODIGIEUX.

SUBORDINATION 2696
• La subordination à quelqu'un : DÉPENDANCE.
• La subordination aux usages : ASSUJETTISSEMENT.

SUBREPTICE 2697
• Obtenir une faveur par des procédés subreptices : CLANDESTIN, FRAUDULEUX, SECRET, SOURNOIS.
• Un coup d'œil subreptice : FURTIF.

SUBSISTER 2698
1. Cette allocation lui permet à peine de subsister : SURVIVRE, VIVRE.
2. Un doute subsiste dans mon esprit : DEMEURER, PERSISTER, RESTER.
• Cette coutume a subsisté : SE CONSERVER, SE MAINTENIR.

SUBSTANCE 2699
1. Les substances organiques naturelles : CORPS, MATIÈRE.
2. La substance d'un discours, d'un livre : ESSENTIEL, FOND, OBJET, SUJET.
3. En substance : EN GROS, EN RÉSUMÉ.

SUBSTANTIEL
1. Des aliments substantiels : NOURRISSANT, NUTRITIF, RICHE.
2. Qu'y avait-il de substantiel dans son discours ? : CAPITAL, ESSENTIEL, FONDAMENTAL.
• Obtenir des avantages substantiels : IMPORTANT.

SUBTIL 2700
• Un négociateur subtil : ADROIT, HABILE.
• Un esprit subtil : DÉLIÉ, FIN, PÉNÉTRANT, PERSPICACE, RAFFINÉ, SAGACE.
• Un stratagème subtil : ASTUCIEUX, INGÉNIEUX.
• Un arôme subtil : DÉLICAT.
• Une nuance très subtile : FIN, LÉGER.

SUBTILITÉ
1. Sa subtilité lui faisait flairer le danger : FINESSE, LUCIDITÉ, PERSPICACITÉ.
• La subtilité d'un parfum : DÉLICATESSE.
2. La subtilité de la langue de Gongora : AFFÉTERIE, MANIÉRISME, PRÉCIOSITÉ, RAFFINEMENT.
• La subtilité d'un problème : COMPLICATION, DIFFICULTÉ.
• La subtilité d'une manœuvre : INGÉNIOSITÉ.
3. La discussion se perdait en subtilités : ARGUTIE, DISTINGUO, ERGOTAGE, *et en lang. fam.* : CHINOISERIE.

SUC 2701
1. Extraire le suc d'une orange : JUS.
• Le suc de l'hévéa : LATEX.
2. Tirer le suc d'une doctrine philosophique : QUINTESSENCE, SUBSTANCE.

SUCCÉDANÉ 2702
Un succédané du café : ERSATZ.

SUCCÉDER 2703
• Louis XIII succéda à son père Henri IV en 1610 : REMPLACER.
• Un court moment d'embellie succéda à une longue tempête : SUIVRE.

SE SUCCÉDER
• Attaques et contre-attaques se sont succédé : SE SUIVRE.
• Scènes de bravoure et scènes d'horreur se succèdent dans ce film : ALTERNER, S'ENCHAÎNER.

SUCCESSEUR
• Auguste choisit Tibère comme successeur : HÉRITIER, REMPLAÇANT.
• Torricelli fut le successeur de Galilée : CONTINUATEUR.

SUCCESSION
1. Ils se sont partagé la succession : HÉRITAGE.
• La succession de Denys le tyran se révéla difficile, car ses fils s'opposèrent entre eux : REMPLACEMENT.
2. De Pierre à Jean-Paul II, la longue succession de 264 papes : LISTE, SUITE.
• La succession ininterrompue des voitures sur l'autoroute : DÉFILÉ, PROCESSION.
• La succession des événements : COURS, DÉROULEMENT.
• La succession des idées dans un discours : ENCHAÎNEMENT, FILIATION, LIAISON, ORDONNANCE, ORDRE.
• La succession des formalités à accomplir pour obtenir un permis de construire : SÉRIE, SUITE.
• Une succession régulière de bruits et de silences : ALTERNANCE.

SUCCÈS 2704
• Les chances de succès me paraissent bien minces : RÉUSSITE, VICTOIRE.
• Remporter un grand succès : TRIOMPHE.
• Le succès d'une mode : VOGUE.

SUCCOMBER 2705
1. Le 1er septembre 1715, Louis XIV succomba : MOURIR.
2. Succomber sous la charge : FLÉCHIR, PLOYER.
• Succomber à la tentation : CÉDER.

SUCCURSALE 2706
Les succursales d'une banque : AGENCE, FILIALE.

SUCER 2707
- Sucer le lait maternel : TÉTER.
- Sucer un bâton de sucre d'orge : LÉCHER.
- *Fam. :* Il s'est fait sucer tout son argent : SOUTIRER.

SUD 2708
1. Le sud de la France : MIDI.
2. L'hémisphère Sud : AUSTRAL.
- Le pôle Sud : ANTARCTIQUE.
- La partie sud de l'Europe : MÉRIDIONAL.

SUER 2709
1. Après l'effort, il suait à grosses gouttes : TRANSPIRER.
- Nous avons sué pour rien : PEINER, SE FATIGUER, TRAVAILLER.
2. Au moment du dégel, les murailles suent : EXSUDER, SUINTER.
- Son attitude sue l'orgueil : EXHALER, SENTIR, *et avec un sens péjoratif :* PUER.
3. *Fam. :* Tu nous fais suer ! : EMBÊTER.
- *Fam. :* « Se faire suer » : S'ENNUYER.

SUEUR
- La sueur inondait son front : TRANSPIRATION.
- Il vit de la sueur des autres : PEINE, TRAVAIL.

SUFFIRE 2710

Il ne pouvait suffire à toutes ses tâches : REMPLIR, SATISFAIRE À.

SUFFOCANT 2711
1. Le chlore est un gaz à l'odeur suffocante : ASPHYXIANT, ÉTOUFFANT, OPPRESSANT.
2. *Fam. :* Son effronterie est suffocante : AHURISSANT, STUPÉFIANT.

SUFFOCATION

La suffocation caractéristique de la crise d'asthme : ESSOUFFLEMENT, ÉTOUFFEMENT, OPPRESSION.

SUFFOQUER
1. Cette chaleur accablante me suffoque : ÉTOUFFER, OPPRESSER.
2. Ses propos insolents m'ont suffoqué : STUPÉFIER, *et en lang. fam. :* SOUFFLER.

SUFFRAGE 2712
- Les scrutateurs comptent les suffrages des électeurs : VOIX, VOTE.
- Cette intervention n'a recueilli que quelques suffrages : APPLAUDISSEMENT, APPROBATION.

SUGGÉRER 2713
- Que suggérez-vous ? : CONSEILLER, PROPOSER.
- Qu'est-ce que ce tableau vous suggère ? : ÉVOQUER, INSPIRER.

SUGGESTIF
1. Un diagramme particulièrement suggestif : ÉVOCATEUR.
2. Une danse du ventre suggestive : ÉROTIQUE, LASCIF, PROVOCANT, VOLUPTUEUX.

SUGGESTION
- La force de suggestion d'une image : ÉVOCATION.
- J'ai suivi votre suggestion : CONSEIL, PROPOSITION.

SUGGESTIONNER

Ne vous laissez pas suggestionner par une publicité mensongère ? : INFLUENCER, MANIPULER.

SUICIDER (SE) 2714

Suivant les circonstances du suicide : SE DÉTRUIRE, SE NOYER, SE PENDRE, SE SUPPRIMER, SE TUER, *et en lang. fam. :* SE BRÛLER LA CERVELLE, SE FAIRE HARA-KIRI.

SUITE 2715
1. Vous verrez la suite de notre programme dans quelques instants : CONTINUATION.
- Comment envisagez-vous la suite de votre vie ? : RESTE.
2. Il y a peu de suite dans ses idées : COHÉRENCE, ENCHAÎNEMENT, LIAISON, ORDRE.
- Quel dommage qu'il n'ait pas plus de suite dans ses résolutions : PERSÉVÉRANCE.
3. Sur ce canal, il y a toute une suite d'écluses : SÉRIE, SUCCESSION.
- Une suite de voitures : FILE.
- Une suite de petits étangs : CHAÎNE.
- Il débita toute une suite de jurons : CASCADE, CHAPELET, KYRIELLE.
- Dans la main, il a une belle suite à cœur : SÉQUENCE.
4. J'attends les suites de ma démarche : EFFET, RÉSULTAT.
- Cette affaire aura-t-elle des suites ? : CONSÉQUENCE, DÉVELOPPEMENT, PROLONGEMENT, REBONDISSEMENT, RÉPERCUSSION.
- Ce fut un bonheur sans suite : LENDEMAIN.
- Les suites d'une dévaluation monétaire : CONTRECOUP, INCIDENCE.
- Cette claudication est une suite de l'accident qu'il a eu : SÉQUELLE.
- Son indigestion est la suite de ses excès de table : RANÇON.
5. Le Président et sa suite viennent d'arriver : CORTÈGE, ESCORTE.

SUIVI
- Une émission de radio, de télévision, très suivie : ÉCOUTÉ, REGARDÉ.
- Un travail suivi : CONTINU.
- Une correspondance suivie : RÉGULIER.

• Un raisonnement suivi : COHÉRENT, LOGIQUE.

SUIVRE
1. Suivre quelqu'un pas à pas : TALONNER.
• Pantagruel était suivi de son fidèle Panurge : ACCOMPAGNER.
• Le navire de commerce était suivi d'un aviso : ESCORTER.
• Les policiers ont suivi le suspect pendant plusieurs jours avant de l'arrêter : FILER, PISTER.
2. Suivre le bord d'un lac : LONGER.
• Suivez ce chemin jusqu'au petit bois : EMPRUNTER, PRENDRE.
• La barque suivait le fil de l'eau : DESCENDRE.
• Il suit toujours la même idée : POURSUIVRE.
3. Le guetteur suivait par le créneau les mouvements de l'ennemi : ÉPIER, OBSERVER, SURVEILLER.
• Suivre un match à la télévision : REGARDER.
• On peut suivre la relation de ce voyage dans ses mémoires : LIRE.
• Elle suit tous les événements sportifs : S'INTÉRESSER À, SE PASSIONNER POUR.
• Je suivrai cette affaire : S'OCCUPER DE.
• J'ai suivi votre conversation : ÉCOUTER.
• Je n'arrive pas à suivre votre raisonnement : COMPRENDRE.
4. Ovide suivit les cours de Sénèque : ASSISTER À, FRÉQUENTER.
• Pourquoi suivre une religion plutôt qu'une autre ? : ADHÉRER À, ADOPTER, EMBRASSER.
• Suivre les usages, la mode : OBÉIR À, OBSERVER, SACRIFIER À, SE CONFORMER À.
• Il faut suivre les consignes : RESPECTER.
• Le médecin lui a conseillé de suivre un régime : SE SOUMETTRE.
• Suivre ses penchants : S'ABANDONNER À.
• Son exemple n'a pas été suivi : IMITER.
• J'ai suivi votre avis : ÉCOUTER.
5. Dans les heures qui vont suivre : S'ÉCOULER, VENIR.
• La nuit suit le jour : SUCCÉDER À.
6. La famine qui a suivi la sécheresse : DÉCOULER DE, RÉSULTER DE.

SUJET 2716
1. *adj.*
a) Les villes sujettes à Rome : DÉPENDANT DE, SOUMIS.
• Êtes-vous sujet à l'impôt sur le revenu ? : ASSUJETTI.
b) Il est sujet à la colère : ENCLIN, PORTÉ.
• Ce texte est sujet à deux interprétations : SUSCEPTIBLE DE.
2. *nom.*
a) Les sujets britanniques vivant en France : RESSORTISSANT.
b) Ce sujet a déjà été traité par d'autres : IDÉE, THÈME.
• Ce sujet doit être débattu : PROBLÈME, QUESTION.
• Quel est le sujet de votre conversation ? : MATIÈRE, OBJET, PROPOS.
c) Quels sont vos sujets de mécontentement ? : CAUSE, MOTIF, RAISON.
• Vous n'avez pas sujet de vous plaindre : LIEU.
d) En classe, il a toujours été un brillant sujet : ÉLÈVE.
e) Pour les médecins, ce malade est un sujet intéressant : CAS.

SUPERBE 2717
1. *nom.*
• Un homme plein de superbe : ARROGANCE, ORGUEIL.
2. *adj.*
a) Il adopta une attitude superbe pour m'écouter : ARROGANT, DÉDAIGNEUX, HAUTAIN, ORGUEILLEUX.
b) Une jeune fille superbe : SPLENDIDE.
• Un temps superbe : MAGNIFIQUE, MERVEILLEUX, RADIEUX.
• Une parure superbe : RICHE, SOMPTUEUX.
• Un palais superbe : GRANDIOSE, IMPOSANT, MAJESTUEUX.

SUPERFICIEL 2718
• La température de la couche superficielle du Soleil est voisine de 6 000° C : EXTERNE.
• Ses réactions ne sont que superficielles : ÉPIDERMIQUE.
• Une blessure superficielle : BÉNIN, LÉGER.
• Un esprit superficiel : FRIVOLE.
• Il ne s'occupe que de choses superficielles : FUTILE, VAIN.
• L'examen superficiel d'un dossier : SOMMAIRE.
• Son exposé de la situation était bien superficiel : SIMPLISTE.
• Un optimisme superficiel : APPARENT, ILLUSOIRE, TROMPEUR.

SUPERFLU 2719
1. *adj.*
• Dans l'expression pléonastique « puis ensuite », l'un des mots est superflu : REDONDANT.
• Vos précautions étaient tout à fait superflues : INUTILE, SUPERFÉTATOIRE, SURÉROGATOIRE.
2. *nom.*
Nous partagerons le superflu entre tous : EXCÉDENT, SURPLUS.

SUPERFLUITÉ
- La superfluité dans le langage : PROLIXITÉ, REDONDANCE, SUPERFÉTATION, VERBALISME, VERBOSITÉ, *et en lang. fam. :* DÉLAYAGE.
- La superfluité d'une intervention dans un débat : INUTILITÉ.

SUPÉRIEUR 2720

1. *adj.*

a) Un produit de qualité supérieure : EXCELLENT, EXTRA.
- Elle s'est révélée supérieure à toutes les autres : MEILLEUR QUE.
- Une intelligence supérieure : ÉMINENT, EXCEPTIONNEL, TRANSCENDANT.
- Les intérêts supérieurs du pays : PRÉÉMINENT.

b) Les classes supérieures de la société : DOMINANT.

c) Prendre un air supérieur : CONDESCENDANT, DÉDAIGNEUX, FIER, HAUTAIN, OUTRECUIDANT.

2. *nom.*
- Doit-on toujours obéir à son supérieur ? : CHEF.
- Le supérieur d'un monastère : PRIEUR.

SUPÉRIORITÉ

1. Très jeune, Alcibiade manifesta un amour de la supériorité : DOMINATION, POUVOIR.
- La supériorité économique d'un pays : HÉGÉMONIE, PRÉPONDÉRANCE, SUPRÉMATIE.
- La supériorité de l'âme sur le corps : PRÉÉMINENCE, PRIMAUTÉ, TRANSCENDANCE.
- La supériorité de la voie ferrée sur la route : AVANTAGE.

2. Prendre un ton de supériorité : CONDESCENDANCE, OUTRECUIDANCE, SUFFISANCE.

SUPPLANTER 2721

Cet ambitieux voudrait bien me supplanter : DÉTRÔNER, ÉVINCER.

SUPPLÉER 2722

1. *v. tr.*
- Dans cette phrase elliptique, il faut suppléer par la pensée les mots sous-entendus : AJOUTER.
- Le tuteur supplée le mineur dans tous les actes administratifs : REMPLACER, REPRÉSENTER, SE SUBSTITUER À.

2. *v. tr. ind.*
- Sa bonne volonté supplée à son manque d'expérience : COMPENSER, RACHETER.
- Porter des lunettes pour suppléer à la faiblesse de la vue : PALLIER, REMÉDIER À.
- Il n'a pas de mémoire et je dois suppléer à tous ses oublis : CORRIGER, RÉPARER.

SUPPLÉMENT

1. Le juge a demandé un supplément d'enquête : COMPLÉMENT.
- Cela me donnera un supplément de travail : SURCHARGE, SURCROÎT, SURPLUS.
- Payer une taxe pour un supplément de poids : EXCÉDENT.
- Il lui faudrait un supplément de congé : RALLONGE.
- À table, il réclame toujours un supplément de dessert : SURPLUS, *et en lang. fam. :* RAB, RABIOT.

2. Les notes explicatives sont regroupées dans un supplément : ADDENDA, APPENDICE.

SUPPLÉMENTAIRE

J'ai besoin d'informations supplémentaires : COMPLÉMENTAIRE.

SUPPLICATION 2723
- ADJURATION, CONJURATION, IMPLORATION.

SUPPLIER

Supplier quelqu'un : ADJURER, CONJURER, IMPLORER.

SUPPORTABLE 2724

Ce bruit est à peine supportable : TOLÉRABLE.

SUPPORTER

1. Une rangée de colonnes supporte la poutre faîtière : PORTER, SOUTENIR.
- Je ne veux pas en supporter la responsabilité : ASSUMER, ENDOSSER.

2. Quel martyre il a supporté ! : ENDURER, SOUFFRIR, SUBIR.
- Je ne peux supporter ton insolence : ACCEPTER, ADMETTRE, TOLÉRER.
- J'ai l'impression que le blessé ne supportera pas les fatigues du voyage : RÉSISTER À.

3. Les spectateurs supportent leur équipe : ENCOURAGER, SOUTENIR.

SUPPOSÉ 2725
- Il est le père supposé de cet enfant : PRÉSUMÉ, PUTATIF.
- Salomon est l'auteur supposé du « Cantique des Cantiques » : PRÉTENDU.
- Ce fait supposé, continuons... : ADMIS.

SUPPOSER

1. Les astronomes supposent que la formation de l'Univers a été progressive : CONJECTURER, PRÉSUMER.
- Comment supposer une telle chose ? : CROIRE, IMAGINER.

2. Vous me supposez des qualités que je n'ai pas : ATTRIBUER, INVENTER, PRÊTER.

3. Cela supposerait une transformation de la société : IMPLIQUER, RÉCLAMER.
- Tout laisse supposer que la fin est proche : INDIQUER.

SUPPÔT 2726
- Un chef de bande entouré de ses suppôts : COMPLICE, PARTISAN, SÉIDE.
- Les suppôts de la subversion internationale : AGENT.

SUPPRESSION 2727
1. La suppression des privilèges par l'Assemblée dans la nuit du 4 août 1789 : ABOLITION.
- La suppression d'une loi : ABROGATION.
- La suppression d'une clause de contrat : ANNULATION.
2. La suppression d'une clôture, d'un obstacle : DESTRUCTION, ENLÈVEMENT.
- La suppression d'une séquence dans un film : COUPURE, RETRANCHEMENT.
- La suppression du permis de conduire : RETRAIT.
- La suppression des parasites dans un récepteur : CESSATION, DISPARITION, EXTINCTION.
3. La suppression d'un chef de bande rivale : ASSASSINAT, MEURTRE.

SUPPRIMER
1. Napoléon supprima le régime féodal en Espagne : ABOLIR, ABROGER, ANNULER.
2. Supprimer une cloison : ABATTRE, DÉTRUIRE, ENLEVER.
- Supprimer une sanction : LEVER.
- Avait-on le droit de lui supprimer sa pension ? : PRIVER DE, RETIRER.
- Pourquoi me supprimez-vous le droit de parole ? : INTERDIRE.
- Ce régime dictatorial a supprimé toutes les libertés : ABOLIR, SUSPENDRE.
- Le meurtrier n'a pas réussi à supprimer toutes les preuves de son crime : FAIRE DISPARAÎTRE.
- Il a réussi à supprimer une pièce compromettante de son dossier : DÉROBER, ESCAMOTER.
3. Supprimer un complice qui a trop parlé : ASSASSINER, TUER.
4. Supprimer tous les détails inutiles : COUPER, ÉLAGUER, ÉLIMINER, ENLEVER, RETIRER, RETRANCHER.
- Voilà un mot qu'il faut supprimer de votre vocabulaire : RAYER.

SUPPUTATION 2728

ESTIMATION, ÉVALUATION, HYPOTHÈSE, SUPPOSITION.

SUPPUTER
- Les joueurs du tiercé supputent les chances des différents chevaux : CALCULER, ESTIMER, ÉVALUER, SOUPESER.
- Pour plaire, le journaliste est conduit à supputer ce que le lecteur ou l'auditeur aimerait lire ou entendre : IMAGINER, SUPPOSER.

SUPRÊME 2729
1. L'Angleterre avait la maîtrise suprême des mers : ABSOLU, SOUVERAIN.
2. Cette jeune fille est d'une beauté suprême : DIVIN, IDÉAL, PARFAIT.
3. Pour mon suprême malheur : EXTRÊME.
- Dans un suprême effort, il essaya de soulever la pierre qui l'immobilisait : DÉSESPÉRÉ.
- Le suprême adieu d'un commandant qui s'enfonce avec son navire : DERNIER, ULTIME.

SÛR 2730
1. Ce fait est sûr : AUTHENTIQUE, AVÉRÉ, CERTAIN, ÉTABLI, INDUBITABLE, IRRÉCUSABLE, VRAI.
- Des données sûres : EXACT, SOLIDE.
- Opérer d'une main sûre : ASSURÉ, FERME.
- Avoir le coup d'œil sûr : EXACT, JUSTE.
- Une mémoire sûre : FIDÈLE.
- Un remède sûr : EFFICACE, INFAILLIBLE.
- Étant donné qu'il conduisait comme un fou, l'accident était sûr : CERTAIN, FATAL, INÉLUCTABLE, INÉVITABLE.
2. Un quartier sûr : PAISIBLE, TRANQUILLE.
3. Il est sûr de son succès : CONVAINCU.
- Je n'en suis pas si sûr : ASSURÉ, CERTAIN.
- Elle est sûre de lui : CONFIANT EN.

SÛRETÉ
1. Garantir la sûreté de quelqu'un : SÉCURITÉ.
2. La sûreté d'une amitié : FIDÉLITÉ.
- La sûreté du goût, du jugement : JUSTESSE.
- La sûreté de main d'un chirurgien : FERMETÉ, HABILETÉ, PRÉCISION.
- La sûreté d'une méthode : EFFICACITÉ, INFAILLIBILITÉ.
- Une gymnaste qui évolue sur la poutre avec beaucoup de sûreté : ASSURANCE.
3. La sûreté de fonctionnement d'un appareil, d'un dispositif : FIABILITÉ.
4. Deux sûretés valent mieux qu'une : GARANTIE, PRÉCAUTION.

SUREXCITATION 2731

ÉNERVEMENT, EXALTATION, FIÈVRE, FRÉNÉSIE.

SUREXCITER

Ce discours surexcita la foule : ENFIÉVRER, ENFLAMMER, GALVANISER, SURVOLTER.

SURFACE 2732
1. La surface d'un terrain : AIRE, ÉTENDUE, SUPERFICIE.
2. Il n'est calme qu'en surface : EN APPARENCE, À L'EXTÉRIEUR, EN FAÇADE.

SURFAIRE 2733

On a surfait l'importance de ce roman : SURESTIMER, SURÉVALUER.

SURGIR 2734

À tout moment il s'attendait à voir un ennemi surgir : APPARAÎTRE.

- Il surgit de l'ombre comme un diable : ÉMERGER, JAILLIR, SORTIR.
- J'attends de voir surgir l'occasion : SE MANIFESTER, SE MONTRER, S'OFFRIR, SE PRÉSENTER.
- Des difficultés ont surgi : NAÎTRE, S'ÉLEVER.

SURMENER 2735

- Ne surmène pas ton cheval ! : FORCER.
- Surmener quelqu'un : ÉPUISER, ÉREINTER, EXTÉNUER, FATIGUER.

SURMONTER 2736

1. Un fronton surmonte la porte d'entrée : COIFFER, COURONNER, DOMINER, SURPLOMBER.
2. Surmonter sa peur : DOMPTER, MAÎTRISER, VAINCRE.
- Surmonter une difficulté : TRIOMPHER DE.
- Surmonter un obstacle : FRANCHIR.

SURNAGER 2737

1. Un bouchon de liège surnage : FLOTTER.
2. De mon enfance, quelques souvenirs surnagent : PERSISTER, SE MAINTENIR, SUBSISTER, SURVIVRE.

SURNOM 2738

- À cause de ses cheveux roux, il reçut le surnom de « Poil de carotte » : SOBRIQUET.
- Rémy est le surnom de l'agent secret Gilbert Renault : NOM DE GUERRE, PSEUDONYME.

SURPEUPLEMENT 2739

Le surpeuplement des deltas de l'Asie du Sud-Est : SURPOPULATION.

SURPRENDRE 2740

1. Cette décision n'a surpris personne : ÉTONNER.
2. J'ai surpris son secret : DÉCOUVRIR.
- La police a surpris une conversation téléphonique entre les deux truands : CAPTER.
- Surprendre un voleur à la tire : *en lang. fam. :* ATTRAPER, COINCER, PINCER, *et en lang. pop. :* PIQUER.
3. Il s'est laissé surprendre par la fausse ingénuité de cet enfant : ABUSER, TROMPER.

SURPRISE

1. À l'annonce de ces mauvais résultats, ce fut la surprise générale : CONSTERNATION, ÉTONNEMENT, STUPÉFACTION.
2. Une attaque-surprise : BRUSQUE, SOUDAIN.
- Une visite-surprise : IMPRÉVU, INATTENDU, INOPINÉ.

SURTAXE 2741

Un produit frappé d'une surtaxe : SURIMPOSITION.

SURTAXER

SURIMPOSER.

SURVEILLANCE 2742

- Assurer la surveillance d'un dépôt de munitions : GARDE.
- La surveillance de la sentinelle doit être constante : VIGILANCE.
- Le poulinage d'une jument demande une surveillance discrète : ATTENTION.
- Il est sous surveillance médicale : CONTRÔLE, OBSERVATION.

SURVEILLANT

- Les surveillants d'un grand magasin : CONTRÔLEUR, GARDE, GARDIEN, VIGILE.
- Un surveillant de lycée : *en argot scolaire :* PION.

SURVEILLER

1. Surveiller les allées et venues d'un rôdeur : ÉPIER, OBSERVER.
- Surveiller un ennemi : ESPIONNER.
- Le chat surveille sa proie : GUETTER.
2. Surveiller de jeunes enfants : GARDER.
- Les parents doivent surveiller les études de leurs enfants : SUIVRE.
- Surveiller les travaux de construction d'une maison : CONTRÔLER, INSPECTER, VÉRIFIER.
- Surveillez votre langage ! : VEILLER À.

SURVENIR 2743

- Un accident peut survenir à n'importe quel moment : ARRIVER, SE PRODUIRE.
- Des changements sont survenus : APPARAÎTRE, INTERVENIR, SE MANIFESTER.
- Tout à coup, la police survint : SURGIR.

SURVIVANT 2744

Les survivants d'une bataille, d'un accident d'avion, etc. : RÉCHAPPÉ, RESCAPÉ.

SURVOLTÉ 2745

- Une foule survoltée : DÉCHAÎNÉ, ÉLECTRISÉ, ENTHOUSIASTE, EXALTÉ, GALVANISÉ, SURCHAUFFÉ, SUREXCITÉ.
- L'atmosphère survoltée d'une salle de danse : BRUYANT, EXUBÉRANT, FRÉNÉTIQUE, TRÉPIDANT.

SUSCEPTIBLE 2746

1. Cet accord est susceptible de révision : SUJET À.
- L'énergie potentielle de l'eau d'un barrage est susceptible de produire du travail : APTE À.

2. Être d'un caractère susceptible : IRRITABLE, OMBRAGEUX.

SUSCITER 2747

- Ce léger mieux suscite des espoirs de guérison complète : FAIRE NAÎTRE.
- Cette victoire suscita l'enthousiasme : PROVOQUER, SOULEVER.
- Ce film suscita approbations et critiques passionnées : DÉCHAÎNER, DÉCLENCHER.
- Son succès suscita la jalousie des autres joueurs : ÉVEILLER, EXCITER.
- Cela lui a suscité des ennuis : ATTIRER, CAUSER, OCCASIONNER.
- Il passe son temps à susciter des troubles : FOMENTER.

SUSPECT 2748

- Un témoignage suspect : DOUTEUX.
- Une conduite suspecte : ÉQUIVOQUE.
- Elle remarqua quelque chose de suspect : LOUCHE.
- Déceler un bruit suspect : INQUIÉTANT.
- Un négociant suspect : MARRON, VÉREUX.
- Une personne suspecte de conspiration : SOUPÇONNÉ, SUSPECTÉ.

SUSPENDRE 2749

1. Suspendre un manteau à une patère : ACCROCHER, PENDRE.
2. On ne peut suspendre l'aide économique aux pays du tiers monde : ARRÊTER, INTERROMPRE.
- Les grévistes ont dû suspendre leur marche vers Paris : CESSER, STOPPER.

3. Je suspends ma décision jusqu'à demain : AJOURNER, DIFFÉRER.
4. Suspendre un fonctionnaire : DÉMETTRE.

SUSPENSION

1. Accrocher une suspension au plafond : LUSTRE.
2. La suspension des travaux pendant la période de gel : ARRÊT, CESSATION, INTERRUPTION.
- La suspension du championnat de football pendant l'hiver : TRÊVE.

SYMBOLE 2750

- Chatterton est le symbole du génie incompris : PERSONNIFICATION.
- Marianne est le symbole de la République : REPRÉSENTATION.
- Le taureau est le symbole de la force physique et du courage : IMAGE.
- Le glaive et la balance sont les symboles de la justice : ATTRIBUT.
- Le sceptre est le symbole de la souveraineté : EMBLÈME.
- Les symboles contenus dans une légende : ALLÉGORIE.
- La moto est symbole de puissance pour les jeunes : SIGNE.

SYMBOLIQUE

La représentation symbolique de l'enfer par une danse macabre : ALLÉGORIQUE, FIGURATIF.

SYMBOLISER

- Monsieur Prudhomme symbolise la bourgeoisie : INCARNER, PERSONNIFIER, REPRÉSENTER.
- Le développement de l'informatique dans un pays symbolise son avance technologique : ILLUSTRER, MATÉRIALISER.

SYMPATHIE 2751

- Éprouver de la sympathie pour quelqu'un : AMITIÉ, ATTIRANCE, INCLINATION, PENCHANT.
- Recevoir des marques de sympathie à l'occasion d'un deuil : COMPASSION, PITIÉ.
- La sympathie du public est tout acquise à cet artiste : FAVEUR, INTÉRÊT.

SYMPATHIQUE

- Une jeune fille sympathique : AGRÉABLE, AIMABLE.
- Un air sympathique : AFFABLE, AVENANT, ENGAGEANT.
- Un accueil sympathique : AMICAL, CORDIAL.
- Un lieu sympathique : CHARMANT, PLAISANT.

SYMPHONIE 2752

Une symphonie de couleurs : HARMONIE.

SYMPTÔME 2753

- Il a tous les symptômes du rhume des foins : SIGNE, SYNDROME.
- Les symptômes de décadence de l'Empire romain : INDICE, PRÉSAGE, PRODROME, SIGNE.

SYNCRÉTIQUE 2754

Le jeune enfant n'a qu'une vue syncrétique de son environnement : GLOBAL.

SYNODE 2755

- Le synode des évêques : ASSEMBLÉE.
- Un synode de pasteurs, de rabbins : CONSISTOIRE.

SYNONYME 2756
1. Pédant et savant ne sont pas des mots synonymes : ÉQUIVALENT.
2. Pour George Sand, l'amour est synonyme de la vie : SE CONFONDRE AVEC.

SYSTÉMATIQUE 2757
• Des recherches systématiques : MÉTHODIQUE.
• Un entraînement systématique : RÉGULIER.
• La majorité apporte son soutien systématique au gouvernement : INCONDITIONNEL.
• Un refus systématique de tout progrès : OBSTINÉ.
• Un esprit systématique : DÉDUCTIF, LOGIQUE.
• Cet homme est trop systématique pour que l'on puisse discuter avec lui : DOCTRINAIRE, DOGMATIQUE.

SYSTÈME
1. Un système philosophique : DOCTRINE, THÉORIE.
2. Le système féodal : RÉGIME.
• Le système bancaire d'un pays : ORGANISATION, STRUCTURE.
• Le système de surveillance électronique d'un grand magasin : DISPOSITIF, MÉCANISME.
• L'avocat met au point avec l'accusé un système de défense : MÉTHODE, PLAN, TACTIQUE.
3. *Fam. :* Il a trouvé un système pour se tirer d'affaire : MOYEN, PROCÉDÉ.

Tt

TABLE 2758

1. S'installer à sa table pour écrire : BUREAU.
• Une table où l'on pose divers objets : CONSOLE, DESSERTE, GUÉRIDON, SERVANTE.
• Une table de menuisier : ÉTABLI.
• Une table pour exposer des marchandises : ÉTAL.
2. Un gourmet qui recherche les bonnes tables : RESTAURANT.
• Chez eux, la table est toujours frugale : CHÈRE, NOURRITURE.
• Le grand-père présidait la table : TABLÉE.
3. Une table chronologique : TABLEAU.
• La table des matières : INDEX, SOMMAIRE.

TABLEAU

1. Une exposition de tableaux : PEINTURE, TOILE.
2. Une chronique découpée en tableaux dramatiques : SCÈNE.
• Ces jeunes enfants qui jouent, quel charmant tableau ! : SPECTACLE.
• Dans « les Géorgiques », Virgile fait un tableau de la vie rurale : DESCRIPTION, PEINTURE, RÉCIT.
• Un riant tableau de la vie bucolique : IMAGE, PORTRAIT.
• L'œuvre de Balzac forme un vaste tableau de la société du 19e siècle : FRESQUE.
• Il nous a fait un sombre tableau de la situation économique : ANALYSE, DESCRIPTION.
3. Un tableau d'affichage : PANNEAU.
• Être inscrit sur le tableau d'avancement : LISTE.

TABOU 2759

1. *nom.*
Enfreindre un tabou : INTERDIT.
2. *adj.*
• Un personnage tabou : INTOUCHABLE, SACRÉ, VÉNÉRABLE.
• Un lieu tabou : INVIOLABLE, SACRO-SAINT.
• C'est un sujet tabou : INTERDIT.

TACHE 2760

1. Le bas de ton pantalon est couvert de taches : ÉCLABOUSSURE, SALISSURE.
2. Tous les onze ans, les taches solaires sont plus nombreuses : MACULE.
• Une tache de naissance sur la peau : NAEVUS.
• Une tache de rousseur : ÉPHÉLIDE, LENTIGO.
• Une tache résultant d'un coup reçu : BLEU.
• Une tache blanche sur l'ongle : ALBUGO.
• Une tache brune sur un fruit : TAVELURE.
3. L'enfant a fait une grosse tache d'encre sur sa feuille : PÂTÉ.
• Une page imprimée où il y a des taches : BAVURE.
4. Une vie sans tache : FLÉTRISSURE, SOUILLURE.

TACHER

1. Ne tache pas tes vêtements : MACULER, SALIR.
2. Cette forfaiture tachera pour toujours son honneur : ENTACHER, FLÉTRIR, SOUILLER, TERNIR.

TÂCHE 2761

• Elle a bien rempli sa tâche : DEVOIR, MISSION, RÔLE.
• C'est une tâche presque impossible : BESOGNE, OUVRAGE, TRAVAIL.

TÂCHER

Tâchez de le convaincre : ESSAYER, S'EFFORCER.

TACITE 2762

Un aveu tacite, une clause tacite : IMPLICITE, SOUS-ENTENDU.

TACITURNE 2763

• Il est de caractère taciturne : MOROSE, RENFERMÉ, SOMBRE.
• Rester taciturne : SILENCIEUX.

TAILLE 2764
1. Rangez-vous par ordre de taille : GRANDEUR, HAUTEUR.
• Un haltérophile d'une belle taille : GABARIT, STATURE.
• Seuls l'éléphant et la baleine rivalisent en taille avec les animaux de l'ère secondaire : GRANDEUR, GROSSEUR.
• Les pêcheurs doivent rejeter à l'eau les truites qui n'atteignent pas la taille réglementaire : LONGUEUR.
• Si vous commandez des vêtements par correspondance, précisez votre taille : MENSURATIONS, MESURES.
• Quel est votre tour de taille ? : CEINTURE.
• Une propriété de belle taille : SUPERFICIE.
• Une photo de la taille d'une carte postale : FORMAT.
• Les hommes d'État de cette taille sont rares : ENVERGURE.
• Les bévues de cette taille sont peu fréquentes : CALIBRE, DIMENSION, IMPORTANCE.
2. La taille d'une haie : ÉLAGAGE, TONTE.
• La taille des arbres : ÉMONDAGE.

TAILLER
• Les riverains sont tenus de tailler les branches de leurs arbres qui touchent les lignes téléphoniques : COUPER, ÉLAGUER, TRANCHER.
• Tailler des arbres : ÉMONDER.
• Tailler une haie de buis : TONDRE.
• Tailler une grosse poutre : ÉQUARRIR.
• Tailler une statue : SCULPTER.
• Tailler un diamant : CISELER, FACETTER.
• Tailler un crayon : APPOINTER.
• Tailler un oignon en fines lamelles : ÉMINCER.
• Tailler une robe d'après un patron : COUPER.

SE TAILLER
1. Chaque entreprise veut se tailler la plus grosse part du marché : S'ADJUGER, S'APPROPRIER.
2. *Pop. :* Taillons-nous ! : PARTIR, S'ENFUIR.

TAILLIS
Un taillis de châtaigniers : TAILLE.

TAIRE 2765
1. Je ne vous tairai aucun détail : CACHER, CELER, DISSIMULER.
2. Faire taire les récriminations de quelqu'un : FAIRE CESSER.
• « Faire taire » la presse d'opposition : MUSELER.

SE TAIRE
• La musique s'est tue : S'ARRÊTER.
• La tempête s'est tue : S'APAISER, SE CALMER.

TALON 2766
Un talon de mandat : SOUCHE.

TALONNER
• Talonner un cheval : ÉPERONNER.
• Les gendarmes talonnent le fuyard : POURSUIVRE, SERRER DE PRÈS, TRAQUER.
• Un contremaître qui ne cesse de talonner ses ouvriers : HARCELER, PRESSER.

TALUS 2767
Sur le talus des fortifications : GLACIS, REMBLAI.

TAMBOUR 2768
• Dans la brousse, le tambour permet de communiquer d'un village à l'autre : TAM-TAM.
• Un tambour long et étroit : TAMBOURIN.

TAMBOURINER
• Arrête de tambouriner sur la table ! : PIANOTER, TAPOTER.
• Il a tambouriné partout son succès : CLAIRONNER, PROCLAMER.

TAMIS 2769
• Passer du sable au tamis : CRIBLE, SAS.
• Passer de la farine au tamis : BLUTOIR.
• Secouer un tamis couvert de grain : VAN.
• Passer une sauce tomate au tamis : CHINOIS.
• Filtrer un bouillon de poisson à travers un tamis très fin : PASSOIRE.

TAMISER
• Tamiser de la farine : BLUTER, SASSER.
• Tamiser du blé : CRIBLER, VANNER.
• Les feuilles des arbres tamisent la lumière du soleil : ESTOMPER, VOILER.

TANGENT 2770
Fam. : La voiture a pu passer entre les deux arbres, mais c'était tangent : JUSTE.

TANIÈRE 2771
ANTRE, GÎTE, REPAIRE, TERRIER.

TANK 2772
Une attaque de tanks : BLINDÉ, CHAR.

TANNANT 2773
Fam. : Une personne tannante : ENNUYEUX, FATIGANT, LASSANT.

TANNÉ
Les vieux marins ont le visage tanné : BASANÉ, BOUCANÉ, BRUNI, HÂLÉ.

TANNER
1. Le soleil lui a tanné la peau : BRONZER, BRUNIR, HÂLER.
2. *Fam. :* Cesse de me tanner avec tes questions ! : ENNUYER, FATIGUER, IMPORTUNER, TARABUSTER.

TAPAGE 2774
Quel tapage ! : CHAHUT, TINTAMARRE, VACARME, *et en lang. fam. :* BAROUF, BOUCAN, BOUSIN, CHAMBARD, POTIN, RAFFUT.

TAPAGEUR
• Des enfants tapageurs : BRUYANT.
• Une toilette tapageuse : CRIARD, VOYANT.

TAPE
Je lui ai donné une bonne tape : CLAQUE, GIFLE.

TAPÉE
• *Fam. :* Ils ont une tapée d'enfants : FLOPÉE, RIBAMBELLE.
• *Fam. :* J'ai eu des tapées d'ennuis : FOULE, MASSE, TAS.

TAPER
1. Maman, il m'a tapé : BATTRE, FRAPPER.
• Sa tête a tapé le trottoir : COGNER, HEURTER.
• « Si vous êtes d'accord, tapez là », dit-il, en tendant la main : TOPER.
2. Voulez-vous me taper ce texte pour demain ? : DACTYLOGRAPHIER.
3. Le soleil tape fort aujourd'hui : CHAUFFER.
• Ce vin tape à la tête : MONTER, PORTER.
4. *Fam. :* Il tape sur tous ses collègues : CRITIQUER, DÉBLATÉRER, MÉDIRE DE.
5. *Fam. :* Je vais être obligé de taper dans mes économies : PUISER.
• *Fam. :* Taper de l'argent à un ami : EMPRUNTER.

SE TAPER
• *Fam. :* C'est lui qui s'est tapé tout le travail : FAIRE.
• *Pop. :* Je vais me taper un bon repas : S'OFFRIR.
• *Pop. :* Ils se sont tapé tous les petits fours : S'EMPIFFRER, SE TASSER.
• *Pop. :* Tout cela, je m'en tape : SE MOQUER.

TAPIS 2775
1. Le sol de la chambre était recouvert d'un tapis bleu : MOQUETTE.
• Un petit tapis : CARPETTE.
• Un « tapis-brosse » : PAILLASSON.
2. Un tapis de neige sur les champs : COUCHE, COUVERTURE, MANTEAU.

TAPISSER
L'hirondelle tapisse le fond de son nid avec des plumes : RECOUVRIR.

TAQUINER 2776
• Cesse de taquiner ta sœur ! : AGACER, CHINER, *et en lang. fam. :* ASTICOTER.
• Ne taquine pas le chien ! : EXCITER, FAIRE ENRAGER.
• Cette idée me taquine : INQUIÉTER, TOURMENTER.

SE TAQUINER
Ils n'arrêtent pas de se taquiner : SE CHICANER.

TAQUINERIE
• Une taquinerie de mauvais goût : PLAISANTERIE.
• Faire des taquineries à quelqu'un : MISÈRES.

TARDER 2777
Viens sans tarder ! : ATTENDRE, TRAÎNER, *et en lang. fam. :* LAMBINER.

TARDIF
Malgré l'heure tardive du spectacle, il y avait foule : AVANCÉ.

TARÉ 2778
• Des fruits tarés : AVARIÉ, GÂTÉ.
• Un individu taré : CORROMPU, DÉPRAVÉ, VICIEUX.

TARIR 2779
1. Tarir un puits artésien : ASSÉCHER, ÉPUISER.
• Rien ne pouvait tarir ses larmes : SÉCHER.
2. Ses éloges sur vous ne tarissent pas : CESSER, S'ARRÊTER.
• En lui, toute pitié est tarie : DISPARAÎTRE, ÉTEINDRE.

TAS 2780
• Un tas de feuilles mortes : AMAS, MONCEAU.
• Un tas de foin : MEULE.
• *Fam. :* Un tas de gens : FOULE, MULTITUDE.

TASSEMENT
1. Un tassement de terrain : AFFAISSEMENT.
2. Le tassement de l'économie : RALENTISSEMENT, RÉCESSION.

TASSER
• Il faut tasser la terre au pied du rosier qu'on vient de planter : DAMER, FOULER, PILONNER.
• Tasser du tabac dans le fourneau de sa pipe : BOURRER.
• Tasser tout le linge dans l'armoire : EMPILER, ENTASSER.

SE TASSER
1. « Tassez-vous dans le fond », cria le chauffeur de l'autobus : SE PRESSER, SE SERRER.
2. Un vieillard qui se tasse : SE RATATINER, SE RECROQUEVILLER.
• La route s'est tassée en plusieurs endroits : S'AFFAISSER.
3. *Fam. :* L'affaire finira par se tasser : S'ARRANGER.

TAUDIS 2781
Ils vivent dans un véritable taudis : BAUGE, BOUGE, GALETAS, MASURE.

TAUX 2782
• Vendre une denrée alimentaire au taux officiel : BARÈME, TARIF.
• Le taux du change entre deux monnaies : COURS.
• Un taux d'inflation de 10 % : POURCENTAGE.

TAXATION
1. La taxation de certains produits alimentaires pour enrayer la hausse des prix : TARIFICATION.
2. La taxation des signes extérieurs de richesse : IMPOSITION.

TAXE
1. Un commerçant poursuivi pour avoir vendu au-dessus de la taxe : TARIF.
2. Les avions de tourisme sont soumis à une taxe annuelle : IMPÔT.

TAXER
1. Le gouvernement a décidé de taxer le pain : TARIFER.
2. Taxer les alcools d'importation : IMPOSER.
3. Il fut taxé de dureté envers ses employés : ACCUSER.
• Son indulgence fut taxée de faiblesse : TRAITER.

TECHNIQUE 2783
• La technique des émaux : ART.
• Ce joueur fait preuve d'une bonne technique dans l'utilisation du ballon : HABILETÉ, MAÎTRISE.
• Les techniques ancestrales de fabrication de la brique : MÉTHODE, PROCÉDÉ.
• Les nouvelles techniques électroniques : TECHNOLOGIE.

TEIGNE 2784
Fam. : Quelle teigne, cet enfant ! : GALE, PESTE.

TEIGNEUX
Fam. : Un garçon teigneux : HARGNEUX, MÉCHANT.

TEINDRE 2785
Teindre ses cheveux en auburn : COLORER.

TEINTER
• Teinter un meuble au brou de noix : COLORER, PEINDRE.
• Ses regrets étaient teintés d'espoir : NUANCER.

TEINTURE
1. La garance a servi de teinture : COLORANT.
2. Il n'a qu'une légère teinture de science économique : VERNIS.
• Il n'y a en lui aucune teinture d'honnêteté : APPARENCE, SOUPÇON, TRACE.

TEL 2786
1. Je n'ai jamais rien vu de tel : PAREIL, SEMBLABLE.
• Une personne d'un tel orgueil est insupportable : SI GRAND.
2. Si telle personne venait me dire que... : CERTAIN.
3. Un homme tel que lui n'aurait pas dû le faire : COMME.

TELLEMENT
• Il y avait tellement de gens que je n'ai pas pu entrer : TANT.
• Le vent souffla tellement fort que... : SI.

TÉLÉGRAPHIER 2787
Télégraphier un message : CÂBLER.

TÉLÉGRAPHIQUE
En style télégraphique : ABRÉGÉ, ELLIPTIQUE, LACONIQUE.

TÉLÉGUIDER 2798
1. Téléguider une fusée : TÉLÉCOMMANDER.
2. Des agitateurs téléguidés par une puissance étrangère : MANIPULER.

TÉMOIGNAGE 2789
1. Sur ces faits, tous les témoignages concordent : RAPPORT, RELATION.
• La police recueillait les témoignages de ceux qui avaient assisté à l'accident : DÉPOSITION.
2. Des témoignages de déférence envers quelqu'un : DÉMONSTRATION, MANIFESTATION, MARQUE, PREUVE, SIGNE.

TÉMOIGNER
1. Il a été appelé à témoigner en justice : DÉPOSER.
2. Comment lui témoigner ma reconnaissance ? : MANIFESTER, MARQUER, MONTRER.
• Cela témoigne de son bon goût : ATTESTER, DÉNOTER, INDIQUER, PROUVER, RÉVÉLER.

TÉMOIN
1. *Selon les circonstances, le témoin peut être :* ASSISTANT, AUDITEUR, SPECTATEUR.
2. Les dolmens et les menhirs sont les témoins muets d'une civilisation mystérieuse : SIGNE, SOUVENIR, TÉMOIGNAGE.

TEMPÊTE 2790
1. *Selon le cas :* BOURRASQUE, CYCLONE, OURAGAN, TOURMENTE.
2. Son discours fut suivi d'une tempête d'applaudissements : DÉCHAÎNEMENT, DÉFERLEMENT, EXPLOSION, TONNERRE.

TEMPS 2791

- Dans les temps préhistoriques : ÂGE, ÉPOQUE, ÈRE, PÉRIODE.
- Au temps de Louis XIV : SIÈCLE.
- Pendant le temps du voyage : DURÉE.
- Il a réussi le meilleur temps aux essais : *fam. :* CHRONO.

TENABLE 2792

La situation n'était plus tenable : SUPPORTABLE.

TENACE

- Le nickel est le plus tenace des métaux usuels : RÉSISTANT.
- Un parfum tenace : PERSISTANT.
- Des préjugés tenaces : INDÉRACINABLE, INEXTIRPABLE.
- Une haine tenace : IRRÉDUCTIBLE.
- Une passion tenace : INDESTRUCTIBLE.
- Une tache tenace : INDÉLÉBILE, INEFFAÇABLE.
- Un adversaire tenace : ACCROCHEUR, ACHARNÉ, OBSTINÉ, OPINIÂTRE, *et en lang. fam. :* CORIACE.

TENANCIER

Le tenancier d'une maison de jeu : PATRON, *et en lang. pop. :* TÔLIER.

TENANT

Les tenants du libéralisme économique : ADEPTE, APÔTRE, DÉFENSEUR, PARTISAN.

TENEUR

1. La teneur des résolutions adoptées par le congrès : CONTENU.
2. La teneur en vapeur d'eau de l'atmosphère est variable : PROPORTION.

TENIR

1. *v. tr.*

- Je tenais dans ma main un marteau : AVOIR.
- Tenez bien la corde ! : SERRER.
- Tenez le blessé sous les bras ! : SOUTENIR.
- Je l'ai tenu par la main pour qu'il ne tombe pas : MAINTENIR, RETENIR.
- Il a tenu son agresseur jusqu'à l'arrivée de la police : MAÎTRISER.
- C'est un enfant qu'il faut tenir de près : SURVEILLER.
- De qui tenez-vous cette nouvelle ? : AVOIR APPRIS.
- Tenez note de cela ! : PRENDRE.
- Je tiens la bonne solution : DÉTENIR, POSSÉDER.
- Il n'a pu tenir son calme : CONSERVER, GARDER.
- Il faut tenir un serment : HONORER, RESPECTER.
- C'est lui qui tient la permanence : ASSURER.
- Ce gros homme tient la place de deux personnes : OCCUPER.
- Elle a bien tenu son rôle : REMPLIR.
- Elle tient un grand hôtel : DIRIGER, GÉRER.
- Je n'ai jamais tenu de tels propos : PRONONCER.
- Ce travail m'a tenu pendant plusieurs jours : ABSORBER, ACCAPARER, PRENDRE.
- Sa maladie le tient au lit : IMMOBILISER.
- Cette bibliothèque peut tenir mille volumes : CONTENIR, RENFERMER.
- Coupez la ficelle qui tient ce paquet : ATTACHER, LIER.
- La critique tient cet ouvrage pour apocryphe : CONSIDÉRER COMME, REGARDER COMME.
- Il est tenu pour fort avare : RÉPUTER.
- La voiture tenait bien la droite : ROULER À.
- Pour ma part, je tiens que c'est faux : SOUTENIR.

2. *v. tr. ind.*

- Il tient beaucoup à sa mère : AIMER, ÊTRE ATTACHÉ À.
- Le sparadrap tenait à la peau : ADHÉRER, COLLER.
- Ma propriété tient à la forêt : CONFINER, TOUCHER.
- Sa santé tient à une stricte observation de ce régime : DÉPENDRE DE.
- Sa réussite tient à sa persévérance : DÉCOULER DE, PROVENIR DE, RÉSULTER DE.
- Je tiens à vous faire remarquer que... : DÉSIRER, SOUHAITER, VOULOIR.
- Ce garçon tient de son père : RESSEMBLER À.
- Cela semble tenir du miracle : PROCÉDER, RELEVER.

3. *v. intr.*

- La défense de notre équipe a bien tenu : RÉSISTER.
- Est-ce que le beau temps tiendra ? : CONTINUER, DURER, PERSISTER, SE MAINTENIR.
- Est-ce que notre accord tient ? : SUBSISTER.
- Toutes mes affaires ne tiendront pas dans cette valise : ENTRER.
- Ils tiennent à dix dans ce petit appartement : LOGER.

SE TENIR

- Tenez-vous à la branche ! : S'ACCROCHER, S'AGRIPPER, SE RETENIR.
- Un raisonnement où toutes les idées se tiennent : S'ENCHAÎNER.
- Il s'est tenu debout pendant toute la cérémonie : DEMEURER, RESTER.
- Elle se tenait sur le seuil et m'attendait : SE TROUVER.
- Tâche de bien te tenir : SE CONDUIRE.

- La foire se tient une fois par mois : AVOIR LIEU.
- Je m'en tiens à ce que j'ai déjà dit : SE BORNER.
- Il se tient pour invincible : S'ESTIMER.

TENU

1. Un jardin bien tenu : ENTRETENU, SOIGNÉ.
- Les enfants ne sont plus tenus par leurs parents, comme autrefois : SURVEILLÉ.
2. Je ne suis pas tenu de faire cela : ASTREINT À, CONTRAINT, OBLIGÉ.

TENUE

1. Les troupes ont été félicitées pour leur fière tenue pendant le défilé : ALLURE, MAINTIEN.
- Il a été puni pour sa mauvaise tenue : CONDUITE.
- Il a manqué de tenue envers son grand-père : CORRECTION.
- Un établissement scolaire très sévère sur la tenue : DISCIPLINE.
2. La tenue de son commerce l'accapare : ADMINISTRATION, DIRECTION, GESTION.
- Les cantonniers veillent à la bonne tenue de la voirie municipale : ENTRETIEN.
3. Une tenue de soirée : COSTUME, HABIT.
- Une tenue soignée : MISE, TOILETTE.
- Quelle tenue débraillée ! : ACCOUTREMENT.
- Être revêtu de la tenue réglementaire : UNIFORME.
4. Pendant la tenue du congrès : RÉUNION, SÉANCE, SESSION.
5. Une propriété d'une seule tenue : TENANT.

TENDANCE 2793

- Avoir une tendance à la paresse : INCLINATION, PENCHANT, PROPENSION.
- Les tendances inconscientes d'un individu : PULSION.
- Les diverses tendances d'un parti politique : COURANT, SENSIBILITÉ.
- Les tendances de la littérature nouvelle : DIRECTION, ORIENTATION.
- La tendance des prix est à la baisse : ÉVOLUTION.

TENDRE

1. *v. tr.*
- Tendre un arc : BANDER.
- Tendre un cordage : ÉTARQUER, RAIDIR, TIRER.
- Tendre un piège : DRESSER.
- Tendre de la toile de Jouy sur un mur : TAPISSER.
- Tendre son esprit : CONCENTRER.
- Tendre l'oreille : DRESSER, PRÊTER.
- Le portier de l'hôtel me tendit les clefs : DONNER.
- Il me tendit une boîte de cachets : PRÉSENTER.
- Elle tendit la main vers le paquet : AVANCER.
- Tendre le bras dans une direction : ALLONGER, POINTER.
2. *v. tr. ind.*
- Un écrivain qui tend à la perfection du style : S'EFFORCER, VISER.
- À quoi tendez-vous en agissant ainsi ? : ASPIRER, PRÉTENDRE.
- Le taux de croissance tend vers zéro : SE RAPPROCHER DE.

TENDU

- Une situation internationale tendue : CRITIQUE, EXPLOSIF.
- Elle avait l'air tendu : CONCENTRÉ, PRÉOCCUPÉ, SOUCIEUX.
- Un silence tendu : LOURD, OPPRESSANT.

TENSION

- La tension d'un câble : RAIDISSEMENT.
- La tension des muscles : CONTRACTION.
- La tension de l'esprit : CONCENTRATION, CONTENTION.
- Une très vive tension entre deux pays : DISCORDE, HOSTILITÉ, RIVALITÉ.

TENDRE 2794

1. *adj.*

a) Un crayon à mine tendre : MOU.
- Du pain tendre : FRAIS.
- La peau tendre d'un bébé : DOUX.
- Les bourgeons sont tendres et ne supporteront pas la gelée : FRAGILE.
- Dans mes tendres années : JEUNE, PREMIER.
- Une couleur d'un bleu tendre : PÂLE, PASTEL.

b) Avoir le cœur tendre : SENSIBLE.
- Un regard tendre : AMOUREUX, CAJOLEUR, CÂLIN, CARESSANT, DOUX, ENJÔLEUR.
- Il ne chante que des airs tendres : LANGOUREUX.
- Avoir de tendres égards pour quelqu'un : AFFECTUEUX, DÉLICAT.
- Quel tendre spectacle ! : ATTENDRISSANT, GRACIEUX, TOUCHANT.
- Ses propos n'ont pas été tendres envers vous : BIENVEILLANT.

2. *nom.*
- Malgré son aspect bourru, c'est un tendre : SENTIMENTAL.
- Il a bien supporté son mal, ce n'est pas un tendre : DOUILLET.

TENDRESSE

- Témoigner sa tendresse : AFFECTION, AMITIÉ, AMOUR.
- Il est dans l'une de ses heures de tendresse : ATTENDRISSEMENT, EFFUSION, ÉPANCHEMENT, SENSIBILITÉ.

TÉNOR 2795

Cet avocat est l'un des ténors du barreau : CÉLÉBRITÉ, SOMMITÉ.

TENTER 2796

1. Ne tentez pas de me dissimuler la vérité : CHERCHER À, ESSAYER DE.
• Tenter d'apaiser la colère de quelqu'un : S'EFFORCER DE.
2. Cette affaire me tente : ATTIRER.
• Ses promesses n'ont pas réussi à me tenter : ALLÉCHER, APPÂTER, SÉDUIRE.
• On est tenté de tous les côtés : SOLLICITER.
• On serait tenté de dire que... : INCITER À, INDUIRE À, PORTER À, POUSSER À.
3. Je suis prêt à tout tenter : ESSAYER, OSER, RISQUER.

TERGIVERSER 2797

Sans tergiverser : ATERMOYER, ERGOTER, HÉSITER, LOUVOYER, *et en lang. fam.* : BARGUIGNER *(anc.)*, TORTILLER.

TERME 2798

1. Au terme du voyage : BOUT.
• Ce député, au terme de son mandat, ne se représentera pas devant les électeurs : FIN.
• Les congressistes, au terme de leurs travaux, ont adopté une résolution : ISSUE.
• Il arrive au terme de son discours : CONCLUSION.
• Quel a été le terme de ce litige ? : DÉNOUEMENT.
• Conduire une œuvre de restauration jusqu'à son terme : ACHÈVEMENT.
• Il a atteint le terme de ses forces : LIMITE.
• Il n'y a pas de terme à son ambition : BORNE.
2. À l'expiration de ce terme : DÉLAI.
• Payer son loyer à terme fixe : DATE, ÉCHÉANCE.
3. Ce sont ses propres termes : MOT.
4. Nous sommes dans les meilleurs termes : RAPPORTS, RELATIONS.

TERMINAL

Nous en sommes à la phase terminale : DERNIER, FINAL, ULTIME.

TERMINER

• A-t-il terminé son travail ? : ACHEVER, FINIR.
• Il a terminé sa plaidoirie par un appel à l'indulgence des jurés : CONCLURE.
• Un défilé de tous les participants a terminé cette fête folklorique : CLORE, CLÔTURER.

SE TERMINER

• L'autoroute se termine ici : S'ARRÊTER.
• Comment se termine l'histoire ? : FINIR.
• Mon congé de maladie se termine : S'ACHEVER.
• Leur discussion s'est terminée par un accord : ABOUTIR À, SE CONCLURE.
• Ces aboiements ne se termineront donc jamais ! : CESSER.

TERMINOLOGIE

Les informaticiens ont inventé une nouvelle terminologie : LANGAGE, VOCABULAIRE.

TERNE 2799

1. Une couleur terne : DÉLAVÉ, EFFACÉ, PÂLE, PASSÉ, SALE.
• Des cuivres ternes : DÉPOLI, MAT.
• Un teint terne : BLAFARD, BLÊME.
• Il a le regard terne : ATONE, ÉTEINT, INEXPRESSIF, MORNE.
• Les jours ternes de l'hiver : GRIS, MAUSSADE, SOMBRE.
2. Un style terne : FADE, INCOLORE, INSIPIDE, PLAT.
• On le prenait pour un individu terne : ANODIN, FALOT, INSIGNIFIANT.

TERNIR

1. Le soleil a terni cette tenture : DÉCOLORER, FANER.
2. Ternir l'honneur de quelqu'un : ENTACHER, FLÉTRIR, SALIR.

TERRAIN 2800

1. Les plissements du terrain : RELIEF.
• Le genêt pousse sur les terrains siliceux : SOL, TERRE.
• Les terrains sédimentaires : FORMATION, ROCHE.
2. Se promener sur son terrain : DOMAINE, FIEF, PROPRIÉTÉ, TERRE, TERRITOIRE.
• Acheter un terrain à bâtir : EMPLACEMENT, PARCELLE.
• Un terrain vague : ESPACE.
• Un terrain d'aviation : CAMP.
• Un terrain militaire : ZONE.
3. Ils ont trouvé un terrain d'entente : BASE.
• Sur ce terrain, il est imbattable : CHAPITRE, SUJET.

TERRASSE

• Un château précédé d'une terrasse : PLATE-FORME, TERRE-PLEIN.
• Des cultures en terrasses : PALIER.

TERRASSER

1. Les ouvriers du bâtiment commencent par terrasser : CREUSER.
2. Terrasser un adversaire : ABATTRE, RENVERSER.
• Terrasser une émeute : ÉCRASER, MATER.
3. Être terrassé par une crise cardiaque : FOUDROYER.
• Être terrassé de fatigue : S'EFFONDRER.

- Cette mauvaise nouvelle l'a terrassé : ACCABLER, ATTERRER, CONSTERNER.

TERRE
1. Les terres sont la propriété de la coopérative agricole : CHAMP, TERRAIN.
- La nature de la terre influe sur les récoltes : SOL, TERROIR.
- Mettre de la bonne terre au pied d'un plant : HUMUS, TERREAU.
2. Les réfugiés ont trouvé une terre d'asile : LIEU, PAYS.
- La ville de Quiberon est reliée à la terre par un tombolo : CONTINENT.
- Un voyage autour de la Terre : GLOBE, MONDE.

TERRESTRE
Être détaché de tous les biens terrestres : MATÉRIEL, TEMPOREL.

TERRIEN
1. Un propriétaire terrien : FONCIER.
2. Être d'origine terrienne : PAYSAN.
3. Les îliens et les terriens : CONTINENTAL.

TERREUR 2801
1. Il fut pris d'une terreur rétrospective : ÉPOUVANTE, FRAYEUR, PEUR.
2. Faire régner la terreur : TERRORISME.
3. *Pop. :* Jouer les terreurs : CAÏD, DUR.

TERRIBLE
1. L'hydre de Lerne avait un aspect terrible : EFFRAYANT, TERRIFIANT.
- Les premiers sauveteurs découvrirent un terrible spectacle : AFFREUX, EFFROYABLE, ÉPOUVANTABLE, HORRIBLE.
- Nous vivons une époque terrible : DANGEREUX, REDOUTABLE.
- La terrible fin d'une aventure malheureuse : DRAMATIQUE, TRAGIQUE.
- La terrible croisade des Albigeois : MEURTRIER, SANGLANT.
- Sa riposte fut terrible : BRUTAL, FOUDROYANT.
- Il dut accomplir un terrible effort pour soulever la roche : FURIEUX, INTENSE, VIOLENT.
- C'est un terrible jouteur : REDOUTABLE, RUDE.
- Ce sont de terribles soldats : FAROUCHE.
2. Ces enfants sont terribles ! : INFERNAL, INSUPPORTABLE.
- *Fam. :* J'ai un terrible appétit : FÉROCE.
- *Fam. :* Notre nouveau professeur est terrible ! : FORMIDABLE, REMARQUABLE.
- *Fam. :* Il a une moto terrible ! : SENSATIONNEL, SUPERBE.
- *Fam. :* Cette année, nous avons une équipe terrible ! : IMBATTABLE.

TERRORISER
Les otages étaient terrorisés : AFFOLER, APEURER, EFFRAYER, ÉPOUVANTER, TERRIFIER.

TESSITURE 2802
La tessiture d'une voix : REGISTRE.

TÊTE 2803
1. Recevoir un coup sur la tête : CRÂNE, *et en lang. pop. :* CABOCHE, CAFETIÈRE, CAILLOU, CARAFE, CASSIS, CITRON, CITROUILLE.
- Il fait une drôle de tête : FIGURE, VISAGE, *et en lang. pop. :* BILLE, BINETTE, BOBINE, BOUILLE, GUEULE, TROMBINE, TRONCHE.
- Une tête de sanglier : HURE.
2. Payer tant par tête : INDIVIDU, PERSONNE.
3. Perdre la tête : RAISON, *et en lang. fam. :* BOUSSOLE.
- Qu'a-t-il dans la tête ? : ESPRIT, *et en lang. fam. :* CIBOULOT.
- Ne fais pas ta mauvaise tête : CARACTÈRE.
4. C'est lui, la tête du mouvement revendicatif : CERVEAU, CHEF, MENEUR, ORGANISATEUR.
- Prendre la tête d'une opération : COMMANDEMENT.
- Elle était en tête de la colonne : AVANT-GARDE.
5. La tête d'un défilé : COMMENCEMENT, DÉBUT.
- La tête des arbres : CIME, FAÎTE, SOMMET.
- La tête d'un champignon : CHAPEAU.
- Une tête d'ail : BULBE, CAÏEU (ou CAYEU), GOUSSE.
- La tête d'une fusée : OGIVE.
- À la tête du lit : CHEVET.
6. Un troupeau d'une centaine de têtes : BÊTE.

TEXTE 2804
1. Votre traduction est très éloignée du texte grec : ORIGINAL.
- Un mauvais orateur qui ne lève pas les yeux de son texte : MANUSCRIT.
- Le texte d'un article de loi : LIBELLÉ, RÉDACTION, TENEUR.
- Le texte d'une chanson : PAROLES.
- Le texte d'un opéra : LIVRET.
- Voici le texte de votre prochain devoir : SUJET.
- Le texte d'un théorème : ÉNONCÉ.
2. La critique des textes doit être l'une des règles de l'historien : DOCUMENT, SOURCE.
- Des textes choisis : EXTRAIT, MORCEAU.

TEXTUEL
C'est sa réponse textuelle : LITTÉRAL.

TEXTURE 2805
- La texture des fibres du bois : DISPOSITION.

• La texture d'une roche granitique : COMPOSITION, CONSTITUTION, STRUCTURE.
• La texture d'une pièce de théâtre : AGENCEMENT, COMPOSITION, OSSATURE, TRAME.

THÉÂTRAL 2806
1. L'art théâtral : DRAMATIQUE.
• La valeur théâtrale d'une pièce : SCÉNIQUE.
2. Un ton théâtral : DÉCLAMATOIRE, EMPHATIQUE, POMPEUX.
• Des manières théâtrales : GRANDILOQUENT, SPECTACULAIRE.

THÉÂTRE
1. Aller au théâtre : SPECTACLE.
2. *Fam. :* Il a fait son théâtre habituel : COMÉDIE.
3. La Normandie a été le théâtre de violents combats en 1944 : CADRE, LIEU.

THÉBAÏDE 2807
Se retirer dans une thébaïde : RETRAITE, SOLITUDE.

THÉORIE 2808
1. Les théories d'un philosophe sur l'au-delà : CONCEPTION, IDÉE, SPÉCULATION, THÈSE.
• Une théorie scientifique : DOCTRINE, SYSTÈME.
• La théorie de Wegener sur la dérive des continents a été vérifiée : HYPOTHÈSE.
2. Entre le bateau et le quai, c'était une théorie de coolies : DÉFILÉ, PROCESSION.

THÉORIQUE
• Il a une vue bien théorique des choses : ABSTRAIT, IDÉAL, IMAGINAIRE.
• Des études théoriques : SPÉCULATIF.

THÉRAPEUTE 2809
Les moyens dont disposent les thérapeutes pour supprimer la souffrance : MÉDECIN.

THÉRAPEUTIQUE
1. *adj.*
• Les propriétés thérapeutiques des eaux thermales : CURATIF, MÉDICINAL.
• Un cyclotron à usage thérapeutique : MÉDICAL.
• L'arsenal thérapeutique dont disposent les médecins : MÉDICAMENTEUX.
2. *nom.*
Découvrir une nouvelle thérapeutique : MÉDICATION, THÉRAPIE, TRAITEMENT.

THERMES 2810
Les fouilles ont permis de mettre à jour des thermes romains : BAINS.

THORAX 2811
Être blessé au thorax : POITRINE, *et en lang. fam. :* COFFRE.

TIARE 2812
La tiare pontificale : COURONNE, DIADÈME.

TIÈDE 2813
1. La tiède caresse du zéphyr : DOUX.
2. Son patriotisme est bien tiède : MOU.
• Vous vous êtes montré bien tiède pour ce projet : RÉSERVÉ, RÉTICENT.

TIÉDEUR
1. Le poêle répandait une tiédeur bienfaisante : DOUCEUR.
• La tiédeur de l'atmosphère : TÉPIDITÉ.
2. Applaudir avec tiédeur : MOLLESSE, RÉSERVE, RÉTICENCE.

TIÉDIR
1. Une flambée dans la cheminée va tiédir l'atmosphère de la pièce : ADOUCIR, RÉCHAUFFER.
2. Laisser tiédir son café avant de le boire : REFROIDIR.

TIERS 2814
Je ne l'aurais pas dit en présence d'un tiers : ÉTRANGER, INCONNU.

TIGE 2815
1. La tige des pissenlits : HAMPE.
• La tige des roseaux : CHALUMEAU.
• La tige des champignons : PÉDICULE.
• La tige des palmiers, des fougères : STIPE.
• La tige des arbres : FÛT, TRONC.
• Les tiges des blés coupés : CHAUME, ÉTEULE.
• Les tiges souterraines de l'iris : RHIZOME.
2. Une longue tige de fer : BARRE, TRINGLE.

TIMBALE 2816
Boire dans une timbale : GOBELET.

TIMBRE 2817
1. Une bicyclette munie d'un timbre : SONNETTE.
• Le timbre d'un réveil : SONNERIE.
• Le timbre d'une cloche : SONORITÉ.
1. Une collection de timbres : TIMBRES-POSTE.
• Un timbre de surtaxe : VIGNETTE.
• Cette lettre porte le timbre de la poste de Lille : CACHET, TAMPON.

TIMBRER
• Timbrer une lettre : AFFRANCHIR.
• Le vétérinaire timbre les viandes reconnues saines : ESTAMPILLER, TAMPONNER.

TIMIDE 2818
• Être d'un caractère timide : CRAINTIF, PUSILLANIME, TIMORÉ.

• D'un geste timide : EMBARRASSÉ, GAUCHE, HÉSITANT.
• Des progrès timides : LENT.
• Le soleil a été bien timide aujourd'hui : DISCRET, PÂLE.

TIR 2819
1. Un tir nourri de mousquetons : FEU.
• Un tir d'artillerie : SALVE.
2. Le prochain tir de la fusée Ariane : LANCEMENT.
3. Le goal a été battu par un tir puissant : SHOOT.

TIRAILLEMENT
1. Que de tiraillements entre le frère et la sœur ! : ACCROCHAGE, DÉSACCORD, DISCORDE, FRICTION, *et en lang. fam. :* TIRAGE.
2. Avoir des tiraillements d'estomac : CRAMPE.

TIRAILLER
Être tiraillé entre deux envies : BALLOTTER, ÉCARTELER.

TIRER
1. *v. tr.*
a) Les pêcheurs tiraient les filets sur la grève : HALER.
• Un bateau qui en tire un autre : REMORQUER, TOUER.
• La locomotive tire une dizaine de wagons : ENTRAÎNER, TRACTER, TRAÎNER.
• Il la tira vers lui d'une main ferme : AMENER, ATTIRER.
• Tirer un élastique : ALLONGER, ÉTIRER, TENDRE.
• N'oublie pas de tirer la barrière derrière toi : FERMER.
b) Tirer une flèche : LANCER.
• Tirer un trait : TRACER.
• Tirer un chèque : ÉMETTRE.
• Tirer des plans : ÉLABORER.
• Il n'arrive pas à tirer un son de sa trompette : PRODUIRE.
• Donner un bon à tirer : IMPRIMER.
c) Tirer quelque chose de sa poche : EXTRAIRE, RETIRER, SORTIR.
• Les pompiers ont tiré plusieurs personnes des ruines : DÉGAGER, SORTIR.
• Tirer une écharde de dessous l'ongle : ARRACHER, RETIRER.
• Il est si avare qu'on n'arrive pas à lui tirer de l'argent : SOUTIRER.
• Quelles conclusions en tirez-vous ? : DÉDUIRE.
• J'espère en tirer des profits : RECUEILLIR.
• Je n'ai pu en tirer le moindre renseignement : OBTENIR.
• Tirer une citation d'un livre : EMPRUNTER À.
• Les premiers hommes tiraient leur nourriture de la forêt : PRENDRE DANS, PUISER DANS, SE PROCURER DANS.
d) Fam. : Encore sept mois de caserne à tirer ! : FAIRE, SUBIR.
2. *v. intr.*
a) Le prisonnier essaya de tirer sur ses liens : DISTENDRE.
b) Ils étaient prêts à tirer à la moindre alerte : FAIRE FEU.
• *Fam. :* Ça tirait dans tous les azimuts : CANARDER, MITRAILLER, TIRAILLER.
c) La séance tire à sa fin : TOUCHER.
d) Une couleur orange qui tire sur le rouge : RESSEMBLER À, SE RAPPROCHER DE.
e) Tirer sur une paille pour boire : ASPIRER.

SE TIRER
• Le blessé a réussi à se tirer de dessous la voiture : SE DÉGAGER.
• Il s'est tiré des mains de ses ravisseurs : S'ÉCHAPPER.
• Avons-nous une chance de nous en tirer ? : EN RÉCHAPPER, S'EN SORTIR.
• *Pop. :* Et maintenant, tire-toi ! : PARTIR, S'ENFUIR.

TIRELIRE 2820
Sortir de l'argent de sa tirelire : CAGNOTTE, CASSETTE.

TISON 2821
Souffler sur les tisons : BRANDON.

TISSU 2822
1. Les tissus synthétiques : ÉTOFFE, TEXTILE.
• Un tissu de chanvre : TOILE.
2. Ce livre est un tissu d'anecdotes sans importance : MÉLANGE, SUITE.
• Son histoire est un tissu de mensonges : ENCHAÎNEMENT, ENCHEVÊTREMENT.
3. Les événements qui forment le tissu de notre existence : TRAME.

TITRE 2823
1. On a choisi le candidat qui avait le plus de titres : CERTIFICAT, DIPLÔME, QUALIFICATION, *et en lang. fam. :* PARCHEMIN.
• Votre titre de duc ne vous donne aucun droit particulier : DIGNITÉ, QUALITÉ.
2. Elle a réclamé à juste titre : AVEC RAISON.
3. Avez-vous votre titre de transport ? : BILLET, TICKET.
4. Le titre d'un alcool : DEGRÉ.
5. Les titres de journaux : MANCHETTE.
6. Acheter des titres négociables : ACTION, BON, OBLIGATION, VALEUR.

TITUBANT 2824
La démarche titubante d'un ivrogne : CHANCELANT, FLAGEOLANT, TRÉBUCHANT, VACILLANT, ZIGZAGANT.

TOAST 2825
Pour le petit déjeuner, je me contenterai de quelques toasts beurrés : RÔTIE, TARTINE.

TOASTEUR
GRILLE-PAIN.

TOILETTE 2826
1. Le matin, il se livre à une légère toilette : ABLUTIONS.
2. Elle porte une toilette seyante : MISE, PARURE, TENUE.
3. Aller aux toilettes : CABINETS, LAVABOS, W.C.

TOISON 2827
• La toison des moutons : LAINE.
• La toison de l'ours : FOURRURE, PELAGE.

TOIT 2828
1. Le toit d'une maison : COUVERTURE, TOITURE.
2. Chercher un toit : ABRI, DOMICILE, LOGEMENT, MAISON.

TOLÉRER 2829
• Le camping sauvage n'est pas toléré sur ce terrain : AUTORISER, PERMETTRE.
• Sa présence est très mal tolérée par les autres : ADMETTRE, SOUFFRIR, SUPPORTER.
• Je lui tolère ce petit caprice : PARDONNER, PASSER.

TOMBE 2830
• Creuser une tombe : FOSSE, SÉPULTURE.
• Les tombes de la Vallée des Rois : HYPOGÉE, TOMBEAU.

TOMBEAU
• Un tombeau de famille : CAVEAU.
• Les tombeaux dans lesquels les Anciens mettaient les morts : SARCOPHAGE.
• Ériger un tombeau : MAUSOLÉE, MONUMENT FUNÉRAIRE, *chez les anciens Égyptiens :* MASTABA, *et chez les Celtes :* TUMULUS.

TOMBER 2831
1. Il buta contre une racine et faillit tomber : CHUTER, S'AFFALER, S'ÉTALER.
• Exténués, les soldats se laissèrent tomber là où ils se trouvaient : CHOIR.
• Un gros rocher tomba du haut de la falaise : DÉBOULER, DÉGRINGOLER, ROULER.
• La barre d'appui céda et il tomba dans le vide : BASCULER, CULBUTER.
• Des pans de mur tombèrent : CROULER, S'AFFAISSER, S'ÉCROULER, S'EFFONDRER.
• L'avion est tombé sur le village : S'ABATTRE.
• On voyait les bombes tomber : DESCENDRE.
• L'aigle tombe sur sa proie : FONDRE SUR, SE JETER.
• Les corsaires tombèrent sur le navire marchand : ASSAILLIR, ATTAQUER.
• Quand un rayon de soleil tombe sur un miroir : FRAPPER.
• Un lourd silence tomba dans la pièce : S'APPESANTIR SUR.
• La lie tombe au fond de la bouteille : SE DÉPOSER.
• La sueur lui tombait du front : DÉGOUTTER.
• Le plat lui est tombé des mains : ÉCHAPPER, GLISSER.
• Ses longs cheveux tombaient en ondulations gracieuses : PENDRE.
2. Combien de résistants sont tombés sous les balles d'un peloton d'exécution ! : MOURIR, PÉRIR.
• La cité de Véies est tombée après un siège de dix ans : CAPITULER, SE RENDRE.
3. Le jour commence à tomber : DÉCLINER, DIMINUER.
• Le vent est tombé : S'APAISER, SE CALMER.
• En quelques heures, la température est tombée de plusieurs degrés : BAISSER, DESCENDRE.
• Les illusions tombent avec l'âge : DISPARAÎTRE.
• Ce commerce est en train de tomber : PÉRICLITER.
• Dès la première représentation, la pièce est tombée : ÉCHOUER.
4. Notre escouade est tombée sur une patrouille ennemie : RENCONTRER.
• Il lançait tout ce qui lui tombait sous la main : SE PRÉSENTER.
• Cette rue tombe sur le boulevard : ABOUTIR À.
• C'est sur vous que tombe cet honneur : ÉCHOIR.
• *Fam. :* Vous tombez bien : ARRIVER, SURVENIR.
5. Ils sont tombés d'accord : SE METTRE.
• Un homme qui tombe amoureux d'une femme : DEVENIR.
6. *Fam. :* Tomber la veste : ENLEVER, ÔTER.
• *Fam. :* Tomber un adversaire : ABATTRE, RENVERSER.

TONDRE 2832
1. Certains moines se font tondre le crâne : RASER.
• Se faire tondre les cheveux : COUPER, TAILLER.
2. *Fam. :* Il s'est fait tondre par ses héritiers : DÉPOSSÉDER, DÉPOUILLER, *et en lang. fam. :* PLUMER.

TONNEAU 2833
Selon la capacité : BARIL, BARRIQUE, FEUIL-

LETTE, FOUDRE, FÛT, FUTAILLE, MUID, PIÈCE, QUARTAUT, TONNE, TONNELET.

TONNELLE 2834
Sous la tonnelle : BERCEAU, CHARMILLE, PERGOLA.

TONNER 2835
1. Les canons tonnent au loin : GRONDER.
2. Tonner contre quelqu'un : BRAILLER, FULMINER, HURLER, TONITRUER, VOCIFÉRER.

TONUS 2836
Manquer de tonus : COMBATIVITÉ, DYNAMISME, ÉNERGIE, NERF, RESSORT, VITALITÉ.

TOPIQUE 2837
Il répondit à son adversaire par des arguments très topiques : CONGRUENT, PERTINENT.

TORCHE 2838
• Une torche électrique : LAMPE.
• Ils s'éclairaient avec des torches fabriquées avec des chiffons torsadés : FLAMBEAU.

TORCHÈRE
Un balustre surmonté d'une torchère : CANDÉLABRE, LUMINAIRE.

TORCHER 2839
1. *Pop. :* Le chien a torché le plat en trois coups de langue : ESSUYER, NETTOYER.
2. *Pop. :* Torcher un travail : BÂCLER, TORCHONNER.

TORDANT 2840
Fam. : Une histoire tordante : DÉSOPILANT, HILARANT, *en lang. fam. :* GONDOLANT, MARRANT, *et en lang. pop. :* BIDONNANT, CREVANT, POILANT, ROULANT.

TORDRE
1. Tordre une barre de fer : COURBER, PLIER.
• Tordre une clef : FAUSSER.
• Un rictus lui tordit la bouche : DÉFORMER.
2. La peur lui tordait les entrailles : NOUER.
• « Tordre le cou » : ÉTRANGLER.

SE TORDRE
1. Le prisonnier se tordait dans ses liens : SE TORTILLER.
• Se tordre de douleur : SE PLIER.
• Se tordre la cheville : SE FOULER.
2. *Fam. :* Se tordre de rire : SE GONDOLER, *et en lang. pop. :* SE POILER.

TORDU
1. Des jambes tordues : ARQUÉ, CAGNEUX, TORS.
• Les branches tordues d'un vieil olivier : TORTU.
• Un vieillard tordu : DÉJETÉ.
2. *Fam. :* On m'a confié une mission tordue : BIZARRE, EXTRAVAGANT.

TORPEUR 2841
• Le professeur essayait de secouer la torpeur de ses élèves : APATHIE, LANGUEUR, PROSTRATION.
• Sous le soleil torride, la nature était dans un état de torpeur : ASSOUPISSEMENT, ENGOURDISSEMENT, LÉTHARGIE, SOMNOLENCE.

TORRÉFIER 2842
Torréfier du café : GRILLER.

TORRENT 2843
1. L'automne a été marqué par des torrents de pluie : CATARACTE.
2. Un torrent d'injures : BORDÉE, DÉLUGE, FLOT.

TORRENTIEL
Des pluies torrentielles : DILUVIEN.

TORSE 2844
Il avait le torse squelettique : BUSTE, POITRINE, TRONC.

TORT 2845
• Il a le tort de mésestimer ses adversaires : DÉFAUT.
• Réparer les torts causés : DOMMAGE, PRÉJUDICE.

TORTIONNAIRE 2846
Il a pu échapper à ses tortionnaires : BOURREAU.

TORTURE
• Il est mort des tortures qu'il a subies : MARTYRE, SUPPLICE.
• Autrefois tous les accusés étaient soumis à la torture : QUESTION.
• Les tortures du remords : SOUFFRANCE, TOURMENT.

TORTURER
1. Il est ignoble de torturer un être, personne ou animal : MARTYRISER, PERSÉCUTER, SUPPLICIER.
• La jalousie le torture : TOURMENTER.
• La soif le torture : TENAILLER.
2. Torturer un texte : DÉFIGURER, DÉFORMER, DÉNATURER, FORCER, VIOLENTER.

TOTAL 2847
1. *adj.*
• Une obscurité totale : COMPLET, PROFOND.
• Une déroute totale : COMPLET, GÉNÉRAL.
• Un mépris total du danger : ABSOLU, COMPLET.
• Je dispose d'une totale liberté : ENTIER, PARFAIT, PLEIN.
• Mon revenu total : GLOBAL.

- Le remboursement total d'une dette : INTÉGRAL.

2. *nom.*
 Voici le total de la collecte : MONTANT, SOMME.

TOTALEMENT
- Cela est totalement faux : ABSOLUMENT, COMPLÈTEMENT, ENTIÈREMENT, INTÉGRALEMENT.
- Être totalement satisfait : PLEINEMENT.
- Être totalement guéri : PARFAITEMENT.
- Votre jugement est à réviser totalement : FONDAMENTALEMENT, RADICALEMENT.

TOTALISER
ADDITIONNER.

TOTALITÉ
- Le monde pris dans sa totalité : ENSEMBLE, INTÉGRALITÉ.
- La totalité des connaissances humaines : MASSE, TOTAL.
- Il n'a pas la totalité de ses moyens : PLÉNITUDE.

TOUCHE 2848

1. On reconnaît à ce détail la touche de l'artiste : MANIÈRE, STYLE, *et en lang. fam. :* PATTE.
- Il y a dans sa tenue une légère touche d'originalité : CACHET, NOTE, NUANCE.

2. *Fam. :* Ton copain a une drôle de touche : ALLURE, *et en lang. fam. :* DÉGAINE.

TOUCHER

1. *verbe.*

a) Il est défendu de toucher les fruits qui sont sur l'étal : PALPER, TÂTER.
- Toucher légèrement quelque chose : EFFLEURER.
- Cet enfant touche à tout : *fam. :* TRIPOTER.

b) La bombe a touché le château arrière du navire : ATTEINDRE.
- Il a été touché à l'épaule par une balle : BLESSER.
- La voiture a touché l'arbre : HEURTER.
- Où puis-je le toucher pour prendre rendez-vous ? : JOINDRE.
- La grève des cheminots touche surtout la région est : AFFECTER, PERTURBER.
- Le voilier touche au terme de la traversée : ARRIVER, PARVENIR.
- Ce livre touche à un sujet tabou : ABORDER, TRAITER DE.
- Sa démarche touche à la folie : CONFINER À, TENIR DE.

c) Nos paysans ne sauraient plus toucher des bœufs attelés : CONDUIRE.

d) Il a tenu un langage qui a touché les auditeurs : BOULEVERSER, ÉBRANLER, ÉMOUVOIR, IMPRESSIONNER, REMUER.
- Elle s'est laissé toucher par les larmes du fautif : ATTENDRIR.
- Cette décision touche tout le personnel : CONCERNER, INTÉRESSER.
- Je vais lui en toucher un mot : DIRE.

e) Il a touché gros à la loterie : GAGNER.
- J'ai un mandat à toucher à la poste : ENCAISSER.
- Il touche un fort traitement : ÉMARGER POUR.
- Elle a touché un dédommagement : PERCEVOIR, RECEVOIR.

f) Les convives rassasiés n'ont pas touché au dessert : GOÛTER.
- Je ne veux pas toucher à mes économies : ENTAMER.
- Je n'ai jamais touché à ce genre d'armes : UTILISER.

2. *nom.*
 Une râpe est rude au toucher : CONTACT.

SE TOUCHER
Nos deux maisons se touchent : ÊTRE CONTIGU.

TOUFFE 2849
- Une touffe de cheveux : ÉPI, HOUPPE, MÈCHE, TOUPET.
- L'alouette porte une touffe de plumes sur la tête : HUPPE.
- Une touffe de marguerites sur le pré : BOUQUET.

TOUFFU
- Une barbe touffue : BROUSSAILLEUX.
- Une végétation touffue : DENSE, ÉPAIS, FOISONNANT, LUXURIANT.
- Un langage touffu : CONFUS, EMBROUILLÉ.

TOUJOURS 2850
- Je m'en souviendrai toujours : ÉTERNELLEMENT, PERPÉTUELLEMENT.
- Il faut toujours recommencer : CONSTAMMENT, CONTINUELLEMENT.
- Avoue que tu l'aimes toujours : ENCORE.
- Il est handicapé pour toujours : À JAMAIS, DÉFINITIVEMENT.

TOUR 2851

1. *n. fém.*
- Habiter au 25e étage d'une tour : BUILDING, GRATTE-CIEL.
- La tour de l'hôtel de ville : BEFFROI.
- La tour d'une église : CAMPANILE, CLOCHER.
- La tour d'une mosquée : MINARET.
- Les tours d'un château fort : DONJON, TOURELLE.

2. *n. masc.*

a) La Terre fait un tour complet sur elle-même en 24 heures : ROTATION.
• Le tour que la Terre fait autour du Soleil : RÉVOLUTION.
• L'acrobate termina son exhibition par une série de tours sur lui-même : CULBUTE, PIROUETTE.

b) Le tronc de ce chêne a plus d'un mètre de tour : CIRCONFÉRENCE.
• Le tour de sa propriété fait plus d'un kilomètre : PÉRIMÈTRE.
• Des maisons à colombages ornent le tour de la place : POURTOUR.
• Farder le tour de ses yeux : CONTOUR.

c) Avant Noël, nous faisons le tour de tous les grands magasins : CIRCUIT, TOURNÉE.
• Faire un tour en vélo dans la campagne : PROMENADE, SORTIE, *et en lang. fam. :* BALADE, VIRÉE.

d) Faire un mauvais tour à quelqu'un : ATTRAPE, FARCE, NICHE, PLAISANTERIE, *et en lang. fam. :* BLAGUE, ENTOURLOUPETTE.
• Il a plus d'un tour dans son sac : MALICE.
• C'est un « tour de passe-passe » : ESCAMOTAGE, JONGLERIE.

e) Chez cet écrivain, j'ai relevé plusieurs tours originaux : EXPRESSION.
• Je n'aime pas le tour que prennent les événements : FORME, TOURNURE.

TOURISTE 2852

ESTIVANT, VACANCIER.

TOURMENT 2853

• Il a avoué sous les tourments : SÉVICES, SUPPLICES, TORTURES.
• Cette affaire me cause du tourment : SOUCI, TRACAS.
• Les tourments de l'incertitude : ANGOISSE, INQUIÉTUDE.
• L'idée de l'enfer était son tourment : CAUCHEMAR.

TOURMENTÉ

• Il a le front tourmenté : ANXIEUX, INQUIET.
• Mener une existence tourmentée : AGITÉ, TROUBLÉ, TUMULTUEUX.
• Un individu tourmenté par le remords : BOURRELÉ DE, TORTURÉ.
• Les formes tourmentées des eucalyptus : TARABISCOTÉ, TORDU.
• Un paysage tourmenté : ACCIDENTÉ, MONTUEUX.

TOURMENTER

• Les geôliers tourmentaient les prisonniers : BRUTALISER, MALTRAITER, PERSÉCUTER.
• Le patron ne cesse de tourmenter ses employés : HARCELER, TALONNER, *et en lang. fam. :* ASTICOTER, TARABUSTER.
• Ses créanciers venaient le tourmenter jusque chez lui : ASSIÉGER, POURSUIVRE.
• Les anciens élèves tourmentaient les nouveaux : BRIMER.
• Cesse de tourmenter le chien ! : AGACER, ÉNERVER.
• La faim et la soif le tourmentent : TENAILLER, TORTURER.
• Son retard me tourmente : INQUIÉTER, TRACASSER.
• Le remords le tourmente : DÉVORER, MINER, RONGER.
• Le salut de son âme est un problème qui le tourmente : ANGOISSER, HANTER, OBSÉDER, TRAVAILLER, *et en lang. fam. :* TURLUPINER.
• Tourmenter quelqu'un de questions : ASSAILLIR, HARCELER, IMPORTUNER.

TOURNER 2854

1. *v. tr.*

a) Tourner un câble autour d'un cabestan : ENROULER.
• Tourner un cordage sur lui-même : LOVER.

b) Elle tourna ses jumelles vers la mer : BRAQUER, DIRIGER, ORIENTER.

c) Il sait très bien tourner une vinaigrette : REMUER, *et en lang. fam. :* TOUILLER.

d) Tourner une scène : CINÉMATOGRAPHIER, FILMER.
• Tourner une poterie : FAÇONNER.
• Il sait tourner un compliment : ARRANGER, COMPOSER.
• Elle tourna la situation à son avantage : TRANSFORMER.

e) Tourner une position ennemie : CONTOURNER, DÉBORDER.
• Tourner une difficulté : ÉLUDER, ESQUIVER, ÉVITER.

2. *v. intr.*

a) La Lune tourne autour de la Terre : GRAVITER, ORBITER.
• Les papillons tournent autour de la lampe : TOURBILLONNER, TOURNOYER, VIREVOLTER, VOLTIGER, *et en lang. fam. :* TOURNAILLER, TOURNICOTER, TOURNILLER, TOURNIQUER.

b) Le soleil tourne sur lui-même en 27 jours environ : PIVOTER.
• La patineuse tournait très vite sur elle-même : PIROUETTER.
• La boule tourne sur la table : ROULER.
• Il sentit que tout tournait : CHAVIRER, VACILLER.

c) La turbine tourne bien : FONCTIONNER, MARCHER.
• Elle était étonnée de la façon dont les choses tournaient : ÉVOLUER, SE DÉROULER.

d) Le vent a tourné : CHANGER.
- Le lait a tourné : AIGRIR, CAILLER.
- Le vin a tourné : S'ALTÉRER.

e) La voiture a tourné à angle droit : VIRER.
- Cela tournera à la catastrophe : ABOUTIR, SE TRANSFORMER EN.
- Cela tourne au ridicule : TENDRE À.

SE TOURNER
- Elle se tourna brusquement vers moi : SE RETOURNER.
- Elle s'est tournée vers des études scientifiques : S'ORIENTER.
- Tournons-nous maintenant vers un autre problème : ABORDER, EXAMINER.

TOURNIS

Fam. : Tu me donnes le tournis : VERTIGE.

TOUT 2855

1. *adj.*
- Toute médaille a son revers : CHAQUE.
- Donner toute satisfaction : ENTIER, PLEIN.
- Pour toute consolation : SEUL, UNIQUE.

2. *adv.*
- Il était tout nu : COMPLÈTEMENT, ENTIÈREMENT.
- La différence est toute petite : EXTRÊMEMENT.
- Il n'est plus tout jeune : TRÈS.

3. *nom.*
- Prenez le tout : ENSEMBLE, TOTALITÉ.
- Le tout est de sortir vivant de cet endroit : ESSENTIEL, IMPORTANT, PRINCIPAL.

TOXIQUE 2856

L'oxyde de carbone est un gaz très toxique : DÉLÉTÈRE, NOCIF.

TRACE 2857
- La neige gardait les traces de notre passage : EMPREINTE, MARQUE.
- Des traces d'huile de vidange sur le sol : TACHE.
- Dans l'atmosphère de Vénus, il y a des traces de vapeur d'eau : INDICE.
- Il porte la trace de son opération : CICATRICE, STIGMATE.
- Les traces d'un feu de bois dans la forêt : RESTES, VESTIGES.

TRACÉ

Établir le tracé d'une course cycliste : PARCOURS.

TRACER
- Tracer une figure géométrique : DESSINER.
- Il a pu tracer le portrait de son agresseur : DRESSER.
- Tracer les grandes lignes d'un projet : ESQUISSER.
- Tracer un tableau général de la situation : BROSSER.

TRADITION 2858
- Être respectueux des traditions : COUTUME, HABITUDE, USAGE.
- Selon les traditions populaires : CROYANCE, LÉGENDE.

TRADITIONNEL
- La clientèle traditionnelle de ce magasin : HABITUEL.
- Le traditionnel dépôt de gerbe au monument aux morts : RITUEL.
- Il est revenu à ses activités traditionnelles : COUTUMIER, ROUTINIER.
- Selon les croyances traditionnelles : ANCESTRAL.
- Une maison de construction traditionnelle : CLASSIQUE.

TRADUCTION 2859

Une traduction de la Bible à l'usage des enfants : ADAPTATION.

TRADUIRE

1. Un gallicisme impossible à traduire en anglais : RENDRE.
- Je suis certain de traduire l'émotion générale : EXPRIMER.
- J'ai traduit son geste comme un refus : INTERPRÉTER.
- Cette grève traduit le mécontentement des ouvriers : MANIFESTER, MONTRER, RÉVÉLER.
- L'interprète traduisait aux supplétifs les ordres de l'officier : COMMENTER, EXPLIQUER.
- Il faut traduire ce langage dans les faits : CONCRÉTISER, CONVERTIR.

2. Traduire quelqu'un devant un tribunal : CITER, DÉFÉRER.

SE TRADUIRE
- Le handicap visuel d'un enfant se traduit souvent par un retard scolaire : SE MANIFESTER.
- Cette mesure ne s'est pas traduite par des résultats concrets : APPORTER, ÊTRE SUIVI DE.

TRAFIQUER 2860
- Trafiquer du vin, du lait : FALSIFIER, FRELATER.
- Trafiquer les plaques minéralogiques d'une voiture : MAQUILLER, TRUQUER.
- Il trafique dans l'immobilier : SPÉCULER, *et en lang. fam. :* FRICOTER, TRAFICOTER, TRIPATOUILLER, TRIPOTER.
- *Fam. :* Il est en train de trafiquer quelque chose de louche : COMBINER, MANIGANCER, MAQUIGNONNER.

TRAGIQUE 2861

1. J'ai vécu là les heures les plus tragiques de mon existence : DRAMATIQUE, TERRIBLE.

• Il est mort de manière tragique : EFFROYABLE, HORRIBLE.
• Un destin tragique : ATROCE, CRUEL.
• Qui se souvient de l'épisode tragique de la rue Transnonain ? : MEURTRIER, SANGLANT.
2. *Fam. :* Après tout, ce n'est pas si tragique : GRAVE.

TRAHIR 2862
1. Trahir un complice : DÉNONCER.
• Un soldat qui trahit : DÉSERTER.
• Trahir un ami : TROMPER.
• Trahir un secret : DIVULGUER.
• Trahir sa foi : MANQUER À, RENIER.
2. Ses propos trahissaient son embarras : MONTRER, RÉVÉLER.
3. Votre traduction trahit la pensée de l'auteur : DÉNATURER.
4. Ses jambes le trahissaient : LÂCHER, SE DÉROBER.

TRAHISON
• La trahison d'un soldat : DÉSERTION.
• La trahison d'un époux envers l'autre : INFIDÉLITÉ.
• Son geste est une trahison : FÉLONIE, FORFAITURE, TRAÎTRISE.

TRAÎTRE
1. *nom.*
• Les traîtres étaient exécutés sans jugement : DÉSERTEUR.
• Il a rallié la cause ennemie, c'est un traître : FÉLON *(anc.)*, JUDAS, RENÉGAT, TRANSFUGE, VENDU.
2. *adj.*
a) Être traître à sa promesse : PARJURE.
• Il buta dans une racine traîtresse : PERFIDE, SOURNOIS.
b) *Fam. :* Il ne comprenait pas un traître mot de ce que l'autre disait : SEUL.

TRAÎTRISE
Il est prêt à toutes les traîtrises : DÉLOYAUTÉ, FOURBERIE, PERFIDIE.

TRAIN 2863
1. *Un train de voyageurs est, suivant le cas, un :* DIRECT, EXPRESS, OMNIBUS, RAPIDE.
• Les autocars ont remplacé les petits trains de campagne : *fam. :* TORTILLARD.
• Un train de bateaux sur le canal : CONVOI.
• Le gouvernement a pris tout un train de mesures sociales : SÉRIE.
2. Elle marchait à un bon train : ALLURE.
3. Mettre quelque chose en train : BRANLE, MARCHE.
• Aujourd'hui je suis en train : EN FORME.

TRAÎNEAU
• Un traîneau pour la neige : LUGE, TOBOGGAN.
• Les forestiers vosgiens descendent le bois sur des traîneaux : SCHLITTE.
• Un traîneau tiré par trois chevaux : TROÏKA.

TRAÎNER
• Deux bœufs traînaient une charrette : TIRER.
• Il traîne son transistor partout : *fam. :* TRIMBALER.
• Ne traînez pas en route ! : FLÂNER, MUSER, S'ATTARDER, *et en lang. fam. :* LAMBINER, TRAÎNAILLER, TRAÎNASSER.
• La guerre entre les deux pays traîne : S'ÉTERNISER, SE PROLONGER.

SE TRAÎNER
Malgré la fusillade, il a pu se traîner jusqu'au rocher : RAMPER.

TRAIT 2864
1. Les soldats romains étaient armés de traits : DARD, JAVELOT.
• Filer comme un trait : FLÈCHE.
2. Tracer un trait : BARRE, FILET, LIGNE.
3. Un trait de courage : ACTE.
• Un trait de lumière : RAI, RAYON.
• Un trait d'esprit : MOT.
• Elle eut un trait de génie : ÉCLAIR, ÉTINCELLE.
• Une histoire semée de traits malicieux : POINTE, SAILLIE.
• C'est un trait historique : ANECDOTE, FAIT.
4. Le désespoir s'inscrivit sur ses traits : FIGURE, VISAGE.
• Les traits propres de l'économie française : CARACTÈRE.
• Les traits caractéristiques de la civilisation phénicienne : ASPECT.
5. Boire à longs traits : GORGÉE, *et en lang. fam. :* LAMPÉE.

TRAITÉ 2865
1. Ce traité sur l'agronomie est d'une grande précision : ÉTUDE, MÉMOIRE.
2. Signer un traité : ACCORD, CONVENTION, PACTE.

TRAITER
1. Traiter quelqu'un avec désinvolture : SE CONDUIRE ENVERS.
• Elle se sentait adulte et voulait qu'on la traitât comme telle : CONSIDÉRER.
• Il a osé me traiter de fainéant : QUALIFIER.
2. Traiter un produit pour le conserver : CONDITIONNER.
• Traiter une allergie : SOIGNER.
• Traiter un dossier : ÉTUDIER, EXAMINER.
3. Savoir traiter ses amis : RÉGALER.
4. C'est un homme qui traite beaucoup d'affaires : BRASSER.
5. La cinématique traite des trajectoires des mobiles : ÉTUDIER.

- Le ministre traitera des problèmes de l'emploi : PARLER DE.
- Le conférencier traitera de la vie des fourmis : DISSERTER.

6. Il reçut la mission de traiter : NÉGOCIER, PARLEMENTER.

TRAJECTOIRE 2866

- Les trajectoires décrites par les étoiles : ORBITE, SPIRALE.
- La voiture n'a pas gardé sa trajectoire : LIGNE.

TRAJET

- Il nous reste un long trajet à faire : CHEMIN, PARCOURS, ROUTE, TRAITE.
- Cette ville n'est pas sur mon trajet : ITINÉRAIRE.

TRANCHANT 2867

1. *adj.*

a) Les angles tranchants d'un outil : COUPANT.

- Une lame bien tranchante : ACÉRÉ, AFFILÉ, AIGUISÉ.

b) Il lui intima d'une voix tranchante : « Taisez-vous ! » : CASSANT, IMPÉRIEUX, INCISIF, PÉREMPTOIRE.

2. *nom.*

Raviver le tranchant d'un couteau sur une meule : FIL.

TRANCHE

1. Une tranche de tarte : MORCEAU, PART, PORTION.

- Une tranche de saucisson : RONDELLE, ROUELLE.
- Une tranche de lieu : DARNE.
- Une tranche de pomme : QUARTIER.
- Une mince tranche de lard : BARDE.

2. La première tranche des travaux est terminée : PARTIE.

TRANCHÉ

- C'est un cas tranché : RÉSOLU.
- Un refus tranché : CATÉGORIQUE, NET.
- Il y a dans ma vie deux parties bien tranchées : DIFFÉRENT, DISTINCT, SÉPARÉ.

TRANCHER

1. *v. tr.*

- Trancher un lien : COUPER.
- Trancher les points de désaccord : RÉGLER, RÉSOUDRE.

2. *v. intr.*

- Il veut trancher de tout : DÉCIDER.
- La justice a tranché en sa faveur : ARBITRER, JUGER, STATUER.
- Son caractère tranche avec le mien : CONTRASTER.
- Ce titre en jaune tranche sur la couverture noire : RESSORTIR, SE DÉTACHER.

TRANQUILLITÉ 2868

- Elle attendait en toute tranquillité le moment d'agir : QUIÉTUDE, SÉRÉNITÉ.
- La tranquillité de son visage nous rassurait : PLACIDITÉ.
- Rechercher avant tout la tranquillité : CALME, PAIX, REPOS.
- Assurer la tranquillité publique : SÉCURITÉ.

TRANSACTION 2869

1. Accepter une transaction : ACCOMMODEMENT, ARRANGEMENT, COMPROMIS.
2. Les transactions entre banques : ÉCHANGE.

TRANSCODER 2870

Transcoder une image télévisée d'un système dans un autre : TRANSPOSER.

TRANSCRIRE 2871

- Transcrire un texte : COPIER, RECOPIER.
- Transcrire en clair un message codé : TRADUIRE.
- Transcrire une langue sémitique en caractères cunéiformes : TRANSPOSER.

TRANSE 2872

Être dans de grandes transes : AFFRES, ANGOISSE, ANXIÉTÉ.

TRANSFERT 2873

1. Le transfert d'un prisonnier d'une prison à une autre : TRANSLATION.

- Il est mort pendant son transfert à l'hôpital : TRANSPORT.
- Les transferts de personnel d'un secteur industriel vers un autre : DÉPLACEMENT.
- Les transferts de technologies d'un pays à l'autre : TRANSMISSION.

2. En football, la période des transferts est ouverte : MUTATION.

TRANSFORMATION 2874

- Les transformations apportées à une vieille maison de campagne : AMÉLIORATION, AMÉNAGEMENT, RÉNOVATION.
- Ce navire doit subir d'importantes transformations : MODIFICATION.
- Les conservateurs sont hostiles à toute transformation de la société : CHANGEMENT, ÉVOLUTION.
- La transformation d'un atome de mercure en un atome d'or par bombardement de neutrons : CONVERSION, TRANSMUTATION.
- Les roches cristallophyliennes sont le résultat de la transformation des roches sédimentaires : MÉTAMORPHISME.
- La transformation d'Io en génisse : MÉTAMORPHOSE.

TRANSFORMER
1. Transformer une vieille maison : MODERNISER, RÉNOVER.
- Transformer un ameublement : RENOUVELER.
- Les ordinateurs ont transformé l'économie : CHANGER, MODIFIER.
- Une furieuse envie de vivre transforma le prisonnier : MÉTAMORPHOSER, TRANSFIGURER.
- Au centre du Soleil, se produisent des réactions nucléaires qui transforment l'hydrogène en hélium : CONVERTIR, TRANSMUER.

2. Ne transformez pas mes propos : DÉFIGURER, DÉFORMER, DÉNATURER, TRAHIR, TRAVESTIR.
3. *Fam. :* Je vais vous transformer en charpie : RÉDUIRE.

SE TRANSFORMER
- La condition des paysans s'est transformée : CHANGER, SE MODIFIER.
- Les mœurs se transforment lentement : ÉVOLUER.
- L'énergie électrique peut se transformer en énergie mécanique : SE CONVERTIR.
- Son inquiétude se transforma en colère : SE MUER.
- Cette vieille sorcière voulait se transformer en oiseau : SE MÉTAMORPHOSER.

TRANSIT 2875
Les droits de transit par le canal de Suez : PASSAGE.

TRANSITION
- Une transition progressive : CHANGEMENT, ÉVOLUTION.
- La transition du roman au gothique ne s'est pas faite brusquement : PASSAGE.
- Il saute d'une idée à l'autre sans transition : INTERMÉDIAIRE, LIAISON.

TRANSMETTRE 2876
- Transmettre une nouvelle : COMMUNIQUER, DIFFUSER.
- Lui as-tu transmis la consigne ? : PASSER, RÉPERCUTER.
- Transmettre ses pouvoirs : DÉLÉGUER, TRANSFÉRER.
- Le nouveau satellite pourra transmettre simultanément douze mille communications téléphoniques : VÉHICULER.
- Les Celtes ont transmis à leurs descendants le goût du rêve et de l'aventure : LÉGUER.
- Il m'a transmis son doute : INOCULER.
- Un officier qui sait transmettre son ardeur à sa troupe : INFUSER, INSUFFLER.

SE TRANSMETTRE
Dans l'eau, le son se transmet quatre fois plus vite que dans l'air : SE PROPAGER.

TRANSMISSION
1. La transmission de documents d'un service à un autre : COMMUNICATION.
- La transmission des ondes électromagnétiques : PROPAGATION.
- La transmission des pouvoirs : PASSATION, TRANSFERT.

2. Croyez-vous à la « transmission de pensée » ? : TÉLÉPATHIE.

TRANSPARAÎTRE 2877
Dans ce roman, transparaît l'inquiétude religieuse de l'auteur : APPARAÎTRE, PERCER, SE RÉVÉLER.

TRANSPARENT
- Une eau de source transparente : CLAIR, CRISTALLIN, LIMPIDE.
- Une allusion transparente : CLAIR, ÉVIDENT, LIMPIDE.
- Une soierie transparente : LÉGER, VAPOREUX.

TRANSPLANTATION 2878
Une transplantation cardiaque : GREFFE.

TRANSPORT 2879
1. Le transport des marchandises par véhicules : CAMIONNAGE, ROULAGE.
- Le transport de sable par tombereaux : CHARROI.
- Le transport de terre par brouettes : BROUETTAGE.
- Le transport de troupes par hélicoptère : HÉLIPORTAGE.
- Le transport de l'énergie électrique jusqu'aux points d'utilisation : ACHEMINEMENT, TRANSMISSION.

2. Être dans un transport mystique : EXTASE, RAVISSEMENT, TRANSE.
- Dans un transport d'allégresse : ÉLAN.

TRANSPORTÉ
Être transporté de joie : ÉPERDU, FOU, IVRE, SOULEVÉ.

TRANSPORTER
1. *Suivant le moyen de transport employé, transporter peut avoir pour synonyme :* BROUETTER, CAMIONNER, CHARRIER, CHARROYER, HÉLIPORTER, VÉHICULER, VOITURER.
- Ils ont transporté des madriers toute la journée : COLTINER.
- Transporter ses meubles : DÉMÉNAGER, *et en lang. fam. :* TRANSBAHUTER.
- Transporter une marchandise de porte en porte pour la vendre : COLPORTER.
- Le blessé fut transporté à l'hôpital : CONDUIRE.

- Les ondes électromagnétiques transportent de l'énergie d'un point à un autre : TRANSFÉRER, TRANSMETTRE.

2. Un orateur qui transporte l'auditoire : ENTHOUSIASMER, *et en lang. fam. :* EMBALLER.

SE TRANSPORTER

- En quelque lieu que nous nous transportions : ALLER, SE DÉPLACER, SE RENDRE.
- Transportons-nous vingt ans en arrière : REPORTER.

TRANSPOSER 2880

Le même raisonnement peut être transposé à un autre cas : ADAPTER, APPLIQUER.

TRAPPE 2881

La trappe qui menait à fond de cale : ÉCOUTILLE.

TRAPU 2882

1. Un homme trapu : COURTAUD, RÂBLÉ.
- Il a une silhouette trapue : RAMASSÉ.
2. *Fam. :* Il est trapu en math : FORT.
- *Fam. :* Une question trapue : DIFFICILE.

TRAQUER 2883

La police traque les terroristes : POURSUIVRE.

TRAUMATISER 2884

Être traumatisé par un bombardement : CHOQUER, COMMOTIONNER.

TRAVAIL 2885

1. Cinq jours de travail et deux jours de repos : LABEUR, *en lang. fam. :* BOULOT, *et en lang. pop. :* TURBIN.
- Il cherche un travail : EMPLOI.
- Un très bon travail d'artisan : ŒUVRE, OUVRAGE.
- Cette gymnaste a fait un excellent travail à la poutre : EXERCICE.
- Que chaque élève me remette son travail ! : DEVOIR.
- Surveiller le travail d'une machine : FONCTIONNEMENT.
- Ce napperon est d'un travail soigné : FACTURE.

2. Se livrer à quelques petits travaux de jardinage : ACTIVITÉ, OCCUPATION.
- L'automatisation des travaux administratifs : BESOGNE, TÂCHE.
- Les travaux de percement d'un tunnel routier sous le canal de Suez : OPÉRATION.
- Fermé pour cause de travaux : RÉPARATION, TRANSFORMATION.
- Les travaux des linguistes : ÉTUDES, RECHERCHES.
- Au terme de leurs travaux, les congressistes ont voté une motion : DÉBATS.

3. Il s'absente pendant ses heures de travail : SERVICE.
- Les collègues de travail : *suivant le cas,* ATELIER, BUREAU, CHANTIER.

4. La chaleur peut se transformer en travail : ÉNERGIE.
- Vos résultats seront proportionnels à votre travail : EFFORT.

TRAVAILLER

1. *v. tr.*

a) Les artisans de la préhistoire savaient travailler le fer : FAÇONNER.
- Travailler une question : ÉTUDIER, *en lang. fam. :* BÛCHER, PIOCHER, POTASSER, *et en lang. pop. :* CHIADER.
- Il faut bien travailler une terre pour qu'elle rende : CULTIVER.
- Travailler son style : PERFECTIONNER, SOIGNER, *et en lang. fam. :* FIGNOLER.
- Travailler une pâte : PÉTRIR.
- Travailler un cheval avant une course : ENTRAÎNER.

b) Cette idée me travaille : OBSÉDER, PRÉOCCUPER, TOURMENTER, TROUBLER.

2. *v. tr. ind.*
- Je vais travailler à mon discours : PRÉPARER.
- Travailler à bien faire : S'EFFORCER DE, TÂCHER DE.

3. *v. intr.*

a) Ils avaient travaillé toute la journée pour arranger le bivouac : BESOGNER, ŒUVRER, *et en lang. fam. :* BOSSER, BOULONNER, TRIMER, *et en lang. pop. :* MARNER, TURBINER.

b) Faire travailler son capital : PRODUIRE.
- La porte a travaillé : GAUCHIR.
- Le vin travaille : FERMENTER.

TRAVERSÉE 2886

- S'embarquer pour une longue traversée : VOYAGE.
- La traversée de l'atmosphère par les météorites : PASSAGE DANS.
- La traversée de la Manche par Blériot en 1909 : SURVOL.

TRAVERSER

- Il ne nous restait plus qu'une frontière à traverser : FRANCHIR, PASSER.
- L'Ill traverse l'Alsace du Sundgau à Strasbourg : PARCOURIR.
- La balle lui a traversé l'épaule : TRANSPERCER.
- Cette piste de chameaux traverse la route : COUPER, CROISER.
- Les relations entre les deux pays ont traversé une phase critique : PASSER PAR.

TRAVERSIN

Une bataille de traversins dans un dortoir : POLOCHON.

TRÉBUCHER 2887

1. Trébucher contre un caillou : BUTER.
• De grosses racines le faisaient trébucher continuellement : CHANCELER, TITUBER.
2. Il trébuche sur les mots difficiles : ACHOPPER, HÉSITER.

TREMBLANT 2888

• Une voix tremblante : CHEVROTANT, TRÉMULANT.
• Une ombre tremblante : OSCILLANT, TREMBLOTANT, VACILLANT.

TREMBLEMENT

1. Le tremblement des feuilles sous un vent léger : FRÉMISSEMENT.
• Un tremblement dû à la fièvre : FRISSON, FRISSONNEMENT.
• Les tremblements continus d'un grand malade : TRÉMULATION.
• Avec un tremblement dans la voix : CHEVROTEMENT.
• Le tremblement du sol au passage du train : TRÉPIDATION, VIBRATION.
2. *Fam. :* Et tout le tremblement : RESTE.

TREMBLER

1. Trembler de froid : FRISSONNER, GRELOTTER.
• Ses lèvres tremblaient : FRÉMIR.
• Ses jambes tremblaient de fatigue : FLAGEOLER.
• Sa voix tremblait : CHEVROTER.
• La flamme du lumignon tremblait : TREMBLOTER, VACILLER.
• Le sol se mit à trembler sous les impacts des obus : TRÉPIDER, VIBRER.
2. Je tremble pour elle : CRAINDRE.

TREMPE 2889

1. On rencontre peu d'hommes de cette trempe : QUALITÉ.
2. *Pop. :* Son père lui a flanqué une bonne trempe : DÉGELÉE, FROTTÉE, PEIGNÉE, RACLÉE, TRIPOTÉE, VOLÉE.
3. La vitesse critique de trempe varie avec les métaux : REFROIDISSEMENT.

TREMPER

1. Tremper une serpillière : IMBIBER, MOUILLER.
• Il hésitait à tremper ses pieds dans l'eau froide : BAIGNER, PLONGER.
• Être trempé de sueur : INONDER.
2. Faire tremper des cornichons dans du vinaigre : MACÉRER, MARINER.
3. Il se défend d'avoir trempé dans cette affaire de vol : PARTICIPER À.
4. La vie d'internat lui a trempé le caractère : ENDURCIR, FORTIFIER, RAFFERMIR.

TRÈS 2890

• Ce n'est pas très loin : BIEN.
• Être très mécontent : FORT.
• Une jeune fille très douée : EXTRÊMEMENT.
• Une apparition très belle : PRODIGIEUSEMENT.
• Être très heureux : INFINIMENT.
• Être très satisfait : PLEINEMENT.
• Être très amoureux : FOLLEMENT.
• Être très malade : SÉRIEUSEMENT.
• Être très riche : IMMENSÉMENT.
• Être très laid : EFFROYABLEMENT.
• Être très grand : ÉNORMÉMENT.
• Ce col de chemise n'est pas très propre : PARFAITEMENT.
• Un spectacle très ennuyeux : TERRIBLEMENT.
• J'ai très faim : *Fam. :* BIGREMENT, RUDEMENT.

TRÉSOR 2891

L'avare cache son trésor : FORTUNE, RICHESSE, *et en lang. fam. :* MAGOT.

TRÉSORIER

Le trésorier d'une société : COMPTABLE, *et en lang. ironique :* ARGENTIER.

TRESSAILLIR 2892

• Le moindre bruit le faisait tressaillir : SURSAUTER, TRESSAUTER.
• Elle tressaillait d'aise : FRÉMIR.

TRI 2893

Faire un tri : CHOIX, SÉLECTION, TRIAGE.

TRIER

• Trier les meilleures graines : CHOISIR, SÉLECTIONNER.
• Trier des papiers : CLASSER.

TRIBU 2894

Les diverses tribus celtes : CLAN, PEUPLADE.

TRIBULATIONS 2895

• Les tribulations amoureuses d'une star : MALHEURS, MÉSAVENTURES.
• Les tribulations de l'existence : ALÉAS, HASARDS, VICISSITUDES.

TRIBUNAL : COUR, PARQUET. 2896

TRIBUNE 2897

L'orateur monte à la tribune : ESTRADE.

TRIBUT 2898

Payer un lourd tribut au vainqueur : CONTRIBUTION, IMPÔT, REDEVANCE.

TRIBUTAIRE

1. Dans le domaine de l'énergie, l'Europe est tributaire des pays producteurs de pétrole : DÉPENDANT, SUBORDONNÉ.
2. L'Yvette est tributaire de la Seine : AFFLUENT.

TRIOMPHAL 2899
- Un accueil triomphal : DÉLIRANT, ENTHOUSIASTE.
- Un chant triomphal : ÉCLATANT, GLORIEUX.

TRIOMPHANT
1. L'équipe triomphante fit un tour d'honneur : GAGNANT, TRIOMPHATEUR, VICTORIEUX.
2. Un visage triomphant : RADIEUX, RAYONNANT.
- Une allure triomphante : MAJESTUEUX, ROYAL.

TRIOMPHATEUR
Il est le grand triomphateur de ce tournoi de tennis : VAINQUEUR.

TRIOMPHE
- Le triomphe du droit sur la force : VICTOIRE.
- Ce fut son jour de triomphe : APOTHÉOSE.

TRIOMPHER
1. César triompha de Vercingétorix à Alésia : BATTRE, DÉFAIRE, VAINCRE.
- Saura-t-il triompher de toutes les difficultés ? : SURMONTER.
- Triompher d'une passion : DOMINER, MAÎTRISER.
2. La vérité finira par triompher : L'EMPORTER, PRÉVALOIR.
- Ce parti a triomphé aux dernières élections : GAGNER.
- C'est dans ce rôle qu'il triomphe : EXCELLER.
- Le résultat n'est pas encore certain, ne triomphez pas trop vite : JUBILER, SE RÉJOUIR.

TRIPOTER 2900
1. Ne tripotez pas mes fruits ! : TRITURER, *et en lang. fam. :* PATOUILLER, TRIPATOUILLER.
2. *Fam. :* Elle ne cesse de tripoter dans son sac : FARFOUILLER, TRIFOUILLER.

TRISTE 2901
- Quel air triste ! : CHAGRIN, MALHEUREUX, MOROSE, SOMBRE.
- Pourquoi fais-tu cette tête triste ? : FUNÈBRE.
- Il est naturellement triste : MÉLANCOLIQUE, TACITURNE.
- Les vaincus étaient tristes : ABATTU, CONSTERNÉ, DÉCOURAGÉ, DÉSABUSÉ.
- Mon cœur est triste de la voir partir : AFFLIGÉ, DÉSESPÉRÉ.
- Une atmosphère triste régnait dans la maison : DÉPRIMANT, LUGUBRE, MAUSSADE, MORNE, SINISTRE.
- Sa fin fut bien triste : AFFLIGEANT, DRAMATIQUE, PÉNIBLE.
- Quelle triste affaire ! : DÉPLORABLE, DÉSOLANT, NAVRANT, PÉNIBLE.
- Les tristes accents d'une complainte : DOULOUREUX, LUGUBRE, PLAINTIF.
- De tristes adieux : DÉCHIRANT.
- Le boxeur était dans un triste état : LAMENTABLE, PITOYABLE.
- Avoir bien triste mine : MAUVAIS.
- Il n'a obtenu qu'un bien triste avantage : MÉDIOCRE, MISÉRABLE.
- Tout cela est bien triste : DÉPLORABLE, FÂCHEUX.
- Il est triste qu'elle ne soit pas venue : DOMMAGE, ENNUYEUX, REGRETTABLE.

TROMPER 2902
- Notre imagination nous trompe souvent : ABUSER, ÉGARER.
- Tromper quelqu'un : BERNER, DUPER, FLOUER, LEURRER, MYSTIFIER, SE JOUER DE, *en lang. fam. :* BLOUSER, BLUFFER, ROULER, *et en lang. pop. :* ENTUBER.
- Tromper la confiance de quelqu'un : TRAHIR.
- Tromper la vigilance de quelqu'un : DÉJOUER, SURPRENDRE, *et en lang. fam. :* FEINTER.
- Tromper la douane : FRAUDER.
- Elle ne peut guère tromper sur son âge : MENTIR, TRICHER.
- Le résultat des élections a trompé son espoir : DÉCEVOIR.
- Il tentait de tromper sa faim en grignotant un gâteau sec : APAISER.

SE TROMPER
- Tous les hommes sont sujets à se tromper : ERRER.
- Il se trompe sur ses capacités de résistance : S'ABUSER, S'ILLUSIONNER.
- Il n'y a pas à se tromper sur le sens réel de ses paroles : SE MÉPRENDRE.
- La sorcière s'était trompée d'ingrédient : *Pop. :* SE GOURER.

TROMPERIE
DUPERIE, FOURBERIE, FRAUDE, IMPOSTURE, MENSONGE, MYSTIFICATION, SUPERCHERIE, TRICHERIE, *et en lang. fam. :* BLUFF, CAROTTAGE.

TROMPEUR
1. *adj.*
- Méfiez-vous des paroles trompeuses : CAPTIEUX, FALLACIEUX, INSIDIEUX, MENSONGER, PERFIDE.
- Un sourire trompeur : HYPOCRITE.
- Un espoir trompeur : ILLUSOIRE.

2. *nom.*
Il y a un certain plaisir à tromper les trompeurs : FRAUDEUR, IMPOSTEUR, MENTEUR, MYSTIFICATEUR, TRICHEUR.

TROMPETTE 2903
CLAIRON, TROMPE.

TRONÇON 2904
Un tronçon d'autoroute : PARTIE, PORTION, SEGMENT.

TROP 2905
1. *adv.*
• Il se plaint d'être trop occupé : EXCESSIVEMENT.
• Payer une taxe pour des bagages en trop : EXCÉDENT, SURPLUS.
• Je me suis senti « de trop » : GÊNANT, IMPORTUN.
2. *nom.*
Le trop de confiance peut nuire : EXCÈS.

TROU 2906
1. Pratiquer un trou dans une haie : BRÈCHE, OUVERTURE, TROUÉE.
• Il s'était dissimulé dans un trou entre deux rochers : CAVITÉ, CREUX.
• Le lapin rentre dans son trou : TERRIER.
• Le trou pratiqué dans une digue pour le passage des bateaux : PERTUIS.
• Un trou percé dans un mur : OPE.
• Le trou d'une aiguille : CHAS.
• Faire un trou à son bas : ACCROC, DÉCHIRURE.
2. Avoir des trous de mémoire : ABSENCE, DÉFAILLANCE, OUBLI.
• Avoir un trou dans son budget : DÉFICIT.
3. *Fam. :* Chercher un trou tranquille pour sa retraite : COIN.
• *Fam. :* Il n'était jamais sorti de son trou : VILLAGE, *et en lang. fam. :* BLED.

TROUÉE
Une trouée dans les bois : PERCÉE.

TROUER
Le soleil n'arrive pas à trouer la couche nuageuse : DÉCHIRER, PERCER, TRAVERSER.

TROUBLANT 2907
• Une question troublante : DÉCONCERTANT, DÉROUTANT, EMBARRASSANT.
• C'est l'un des points troublants de l'affaire : INQUIÉTANT.
• La déesse Vénus était d'une beauté troublante : ENSORCELANT, ENVOÛTANT.

TROUBLE
1. *adj.*
• Des eaux troubles : BOUEUX, BOURBEUX, FANGEUX, LIMONEUX, VASEUX.
• Une vue trouble : BROUILLÉ, CONFUS, INDISTINCT.
• Une image trouble : FLOU.
• Un ciel trouble : BRUMEUX, NUAGEUX.
• Ses motifs sont troubles : ÉQUIVOQUE, LOUCHE, SUSPECT.
2. *nom.*
a) Le trouble dans les idées : CONFUSION.
• Le trouble de l'esprit : ABERRATION, ALIÉNATION, AVEUGLEMENT, DÉRANGEMENT, DÉSÉQUILIBRE, ÉGAREMENT.
• Il remarqua le trouble de son interlocuteur : DÉSARROI, EFFAREMENT, EMBARRAS, ÉMOI, ÉMOTION, INQUIÉTUDE.
• L'arrivée du renard provoqua un trouble dans le poulailler : AFFOLEMENT, AGITATION, EFFERVESCENCE, EFFROI, EXCITATION.
• Le trouble dans une famille : BROUILLE, DÉSACCORD, DÉSUNION, MÉSENTENTE, MÉSINTELLIGENCE, ZIZANIE.
• Les troubles atmosphériques : PERTURBATIONS.
• Le trouble dans les affaires : BOULEVERSEMENT, DÉSORDRE.
• Le trouble dans une salle de réunion : AGITATION, TUMULTE.
• Il y a eu des troubles dans la prison : MUTINERIE, RÉVOLTE, SOULÈVEMENT.
• Les mauvaises récoltes provoquèrent des troubles dans les campagnes : ÉMEUTE, INSURRECTION, MANIFESTATION.
b) Les troubles de l'audition, de la vue : ANOMALIE.
• Être victime d'un trouble passager : ÉTOURDISSEMENT, MALAISE, SYNCOPE, VERTIGE.

TROUBLER
• Troubler la vue : BROUILLER, OBSCURCIR.
• Cela a troublé sa raison : DÉRÉGLER, ÉGARER, *et en lang. fam. :* DÉTRAQUER.
• Troubler les esprits : AFFOLER, AGITER.
• Rien ne le trouble : DÉCONCERTER, DÉMONTER, DÉROUTER, DÉSARÇONNER, DÉSORIENTER, EMBARRASSER.
• Cette nouvelle l'a troublée : BOULEVERSER, ÉBRANLER, ÉMOUVOIR, INQUIÉTER, *et en lang. fam. :* RETOURNER.
• Ne trouble pas mes affaires : BOULEVERSER, DÉRANGER, DÉSORGANISER.
• Troubler la vie politique d'un pays : PERTURBER.
• Il est venu troubler notre entretien : INTERROMPRE.
• Cela a troublé mon bonheur : GÂTER.

TROUPE 2908
1. Une troupe de voyous : BANDE, GANG, HORDE, MEUTE.
• Une troupe d'animaux : TROUPEAU.
• Une troupe de chiens attachés par quatre : HARDE.
• Une troupe d'hirondelles : VOLÉE.

- La troupe des touristes commence à envahir les plages : ARMÉE, ESSAIM, FOULE.
2. Une troupe de comédiens : COMPAGNIE.
- La troupe céleste des anges : COHORTE, LÉGION, MILICE, PHALANGE.
3. Les troupes ont défilé par sections de trente soldats : *suivant le cas :* BATAILLON, BRIGADE, COMPAGNIE, ESCADRON, RÉGIMENT.

TROUVER 2909
- Il essayait de trouver le mot juste qui exprimât sa pensée : DÉCOUVRIR.
- A-t-on trouvé la cause de la panne ? : DÉCELER, DÉTECTER.
- J'ai trouvé une vipère sur mon chemin : RENCONTRER.
- J'ai trouvé par hasard ce que je cherchais depuis longtemps : TOMBER SUR.
- Je l'ai trouvé en train de fouiller dans mon sac : SURPRENDRE.
- J'ai trouvé un coin où nous serons tranquilles : *fam. :* DÉNICHER.
- Où as-tu trouvé ce chapeau ridicule ? : *fam. :* DÉGOTER, PÊCHER.
- Il a trouvé un système révolutionnaire : IMAGINER, INVENTER.
- Avez-vous trouvé du plaisir à ce spectacle ? : ÉPROUVER.
- Je la trouve très intelligente : JUGER.
- Je trouve qu'elle a raison : PENSER.

SE TROUVER
- Ils ont fini par se trouver : SE RENCONTRER.
- C'est là que se trouve la racine du mal : RÉSIDER, SIÉGER.
- Ce mot se trouve dans l'index : FIGURER.
- Il se trouve beau ainsi : S'ESTIMER.

TRUBLION 2910
AGITATEUR, PERTURBATEUR, PROVOCATEUR.

TRUCHEMENT 2911
Par le truchement de... : INTERMÉDIAIRE.

TRUCULENCE 2912
La truculence populaire médiévale : GAULOISERIE, VERDEUR.

TRUFFER 2913
- Ce scénario est truffé d'invraisemblances : ÉMAILLER, PARSEMER.
- Ils ont truffé le terrain de mines et de pièges : BONDER, BOURRER, REMPLIR.
- Il a truffé son discours d'exemples : FARCIR.

TUBE 2914
1. Un tube de caoutchouc : TUYAU.
2. Les hommes ne portent plus guère le tube : HAUT-DE-FORME.
3. *Fam. :* Toutes ses chansons ont été des tubes : SUCCÈS.

TUER 2915
1. *Suivant le cas :* ABATTRE, ASSASSINER, ASSOMMER, DÉCAPITER, ÉGORGER, ÉLECTROCUTER, EMPOISONNER, EXÉCUTER, FUSILLER, LIQUIDER, LYNCHER, OCCIRE, PENDRE, POIGNARDER, SUPPRIMER, *en lang. fam. :* BOUSILLER, TRUCIDER, *et en lang. pop. :* BUTER, ESCOFIER, FLINGUER, REFROIDIR, SURINER, ZIGOUILLER.
- De nombreuses tribus indiennes ont été tuées par les premiers colons : EXTERMINER, MASSACRER.
- Tuer un animal blessé : ACHEVER.
- La route des vacances tue des milliers de personnes : FAUCHER.
2. Les grands magasins n'ont pas tué tous les petits commerces : DÉTRUIRE, ÉLIMINER, RUINER.
- Le travail à la chaîne me tue : ÉREINTER.
3. Comment tuer le temps pendant la retraite ? : OCCUPER, PASSER.

SE TUER
1. Il s'est tué d'une balle dans la tête : SE SUICIDER.
2. Je me tue à vous dire que... : S'ESCRIMER, S'ÉVERTUER, *et en lang. fam. :* SE CREVER.

TUEUR
ASSASSIN, SICAIRE, SPADASSIN.

TUMEUR 2916
Suivant le cas : ADÉNITE, ADÉNOME, ANÉVRISME, BUBON, CANCER, ÉPULIDE, EXCROISSANCE, FIBROME, FONGUS, GRENOUILLETTE, GROSSEUR, KYSTE, LOUPE, POLYPE, SARCOME, TANNE.

TUMULTE 2917
- Quel tumulte dans la salle ! : CHAHUT, TOHU-BOHU, VACARME.
- Le tumulte qui montait de la ville : BROUHAHA, CLAMEUR.
- Le tumulte des passions : BOUILLONNEMENT, DÉSORDRE.

TUMULTUEUX
- Des eaux tumultueuses : BOUILLONNANT.
- Des débats tumultueux : HOULEUX, ORAGEUX.
- Il a un passé tumultueux : AGITÉ.

TUNNEL 2918
Creuser un tunnel : SOUTERRAIN.

TURBULENT 2919
Des élèves turbulents : AGITÉ, BRUYANT, DISSIPÉ, INSUPPORTABLE, REMUANT.

TUTELLE 2920

- Vivre sous la tutelle de quelqu'un : DÉPENDANCE, SURVEILLANCE.
- Les citoyens sont sous la tutelle des lois : PROTECTION, SAUVEGARDE.

TYPE 2921

1. Une société de type matriarcal : CARACTÈRE, FORME.
- Quel type de formation faut-il donner au futur ingénieur ? : GENRE, SORTE.
- C'est le type même du brave garçon : EXEMPLE.
- Il est le type parfait du nordique : PORTRAIT, REPRÉSENTANT.
- Les différents types de voitures : MODÈLE.
- C'est un type de plante qui ne se plaît pas en appartement : ESPÈCE.

2. *Fam. :* Quel drôle de type ! : BONHOMME, INDIVIDU, *en lang. fam. :* COCO, PHÉNOMÈNE, ZÈBRE, *et en lang. pop. :* GONZE, MEC, ZIGUE.

TYPÉ

- Le milieu très typé des journalistes : CARACTÉRISTIQUE.
- Il a les traits fortement typés de l'Asiatique : ACCUSÉ, MARQUÉ.

TYPER

Savez-vous typer une silhouette ? : DESSINER.

TYPIQUE

- Un exemple typique : CARACTÉRISTIQUE.
- Le caractère typique de cette race de chiens : DISTINCTIF, SPÉCIFIQUE.

TYPIQUEMENT

Une éducation typiquement anglo-saxonne : SPÉCIFIQUEMENT.

Uu

UKASE 2922

INJONCTION, INTIMATION, SOMMATION, ULTIMATUM.

ULCÉRATION 2923

Suivant le cas : APHTE, CAUTÈRE, CHANCRE, EXUTOIRE, LUPUS, ULCÈRE.

ULTIME 2924

Ce furent ses ultimes paroles : DERNIER.

ULTRA 2925

On peut le ranger parmi les ultras de droite : EXTRÉMISTE.

UNANIME 2926

L'accord est unanime : GÉNÉRAL.

UNANIMITÉ

Il a recueilli l'unanimité des suffrages : ENSEMBLE, TOTALITÉ.

UNIFORME 2927

- Avancer d'un pas uniforme : RÉGULIER.
- Parler d'une voix uniforme : MONOCORDE, MONOTONE.
- Des opinions uniformes : ANALOGUE, PAREIL, SEMBLABLE.
- Les prix ne sont pas uniformes d'un magasin à l'autre : ÉGAL, IDENTIQUE.

UNIFORMISER

STANDARDISER, UNIFIER.

UNIFORMITÉ

- Il se plaignait de l'uniformité de son existence : MONOTONIE, PLATITUDE.
- L'uniformité de leurs vues sur ce problème : ÉGALITÉ, IDENTITÉ.

UNION 2928

1. L'union de deux communes pour n'en former qu'une seule : FUSION.
- La Sarre refusa en 1955 son union avec la France : RATTACHEMENT, RÉUNION.
- Dans l'action de l'acide chlorhydrique sur la soude, l'union des cations H et des anions OH donnent des molécules d'eau : COMBINAISON.
- L'union de quatre volumes d'azote et d'un volume d'oxygène donne un autre gaz, l'air : MÉLANGE.
- L'union du mercure et de l'argent : ALLIAGE, AMALGAME.
- Le manque d'union entre les différentes parties d'un discours : LIAISON.
- Il a fallu l'union de toutes leurs forces pour qu'ils réussissent : CONJUGAISON, JONCTION.

2. Leur union est bien assortie : MARIAGE.
- L'union du tigre et de la lionne produit un tigron : ACCOUPLEMENT.

3. L'union règne dans cette famille : CONCORDE, ENTENTE, HARMONIE.
- Vivre en parfaite union : COMMUNION, INTELLIGENCE, SYMBIOSE.
- L'union devrait régner entre tous les hommes : FRATERNITÉ.
- Une union entre deux pays : ACCORD, ALLIANCE, ENTENTE.

4. L'union des cantons suisses : CONFÉDÉRATION.
- Une union de syndicats : FÉDÉRATION, GROUPEMENT.
- Une union d'États dans un but commun : COALITION, LIGUE.
- Une union de plusieurs personnes pour réaliser une œuvre : ASSOCIATION, RASSEMBLEMENT.

UNIR

1. Le tonnelier unit les douves de la barrique : ASSEMBLER, JOINDRE, RAPPROCHER, RÉUNIR.
- Le canal de Suez unit la Méditerranée à la mer Rouge : RELIER.
- Un intérêt commun les unit : LIER.
- Unir diverses choses entre elles : AMALGAMER, MÉLANGER.

• Unissons nos efforts : ASSOCIER, COMBINER, CONJUGUER.
• Cette mère unit tous ses enfants dans le même amour : CONFONDRE.
• Unir deux bœufs sous le joug : COUPLER.
• J'ai reçu une éducation qui unissait la fermeté à la bienveillance : ALLIER, CONCILIER AVEC.
2. Unir une surface : ÉGALISER, POLIR.

S'UNIR
1. L'hydrogène et le chlore s'unissent pour donner du chlorure d'hydrogène : SE COMBINER.
• Les eaux de la Seine et celles de l'Yonne s'unissent à Montereau : SE MÊLER.
2. Ils se sont tous unis contre lui : S'ALLIER, S'ASSOCIER, SE COALISER, SE LIGUER.
3. Ils se sont unis devant Dieu et devant les hommes : SE MARIER.

UNITÉ
1. L'unité de chaque individu : UNICITÉ.
2. Cette œuvre manque d'unité : COHÉSION, HARMONIE, HOMOGÉNÉITÉ.
• Il y a une grande unité entre les ouvriers du bâtiment : CAMARADERIE, FRATERNITÉ, SOLIDARITÉ.

UNIQUE 2929
1. Ce n'est pas l'unique raison : SEUL.
• C'est le but unique de sa vie : EXCLUSIF.
2. C'est un fait unique au monde : EXCEPTIONNEL.
• L'œuvre de La Fontaine est unique en son genre : INCOMPARABLE, INÉGALABLE.
3. *Fam. :* Ce garçon est unique avec ses prétentions : EXTRAVAGANT, INOUÏ, RIDICULE.

UNIVERS 2930
1. L'Univers est en expansion continuelle : COSMOS, MONDE.
2. L'univers entier approuverait cette décision : HUMANITÉ.
3. Il est enfin sorti de son univers restreint : DOMAINE, SPHÈRE.

UNIVERSEL
1. Une catastrophe universelle : COSMIQUE, MONDIAL, PLANÉTAIRE.
2. C'est une règle universelle : GÉNÉRAL.
• Il a un esprit universel : ENCYCLOPÉDIQUE.
• Le concile universel des évêques : ŒCUMÉNIQUE.

URINE 2931
En lang. enfantin : PIPI, *en lang. pop. :* PISSE, *et pour les animaux :* PISSAT.

URINER
Pop. : PISSER.

URINOIR
VESPASIENNE, *et en lang. pop. :* PISSOIR, PISSOTIÈRE.

USAGE 2932
1. Un outil d'usage courant : EMPLOI, UTILISATION.
• Quel est l'usage de ce dispositif ? : DESTINATION, FONCTION, RÔLE, UTILITÉ.
• Cela me fera usage de... : OFFICE.
• Avoir l'usage de... : DISPOSITION.
2. Selon l'usage : COUTUME, HABITUDE.
• Une femme qui a l'usage du monde : EXPÉRIENCE, PRATIQUE.
• C'est un homme qui manque d'usage : CIVILITÉ, ÉDUCATION, POLITESSE, URBANITÉ.

USAGER
Les usagers du téléphone : UTILISATEUR.

USÉ
• Un veston usé aux coudes : ÉLIMÉ, RÂPÉ.
• Des souliers usés : ÉCULÉ, FATIGUÉ.
• Un sujet usé : BANAL, COMMUN.
• Une plaisanterie usée : REBATTU, RESSASSÉ.
• C'est un homme usé : FINI.

USER
1. *v. tr.*
• Ce moteur use trop d'essence : CONSOMMER.
• Elle use ses talons : ABÎMER, DÉTÉRIORER.
• Le cours d'eau use son lit : CREUSER, ÉRODER.
• Dans le désert, les vents chargés de sable usent le soubassement des rochers : CORRODER.
• Les excès ont usé cet homme : AFFAIBLIR, AMOINDRIR, VIEILLIR.
• Ce travail m'a usé : ÉPUISER.
2. *v. tr. ind.*
a) Elle a usé de son pouvoir séducteur : JOUER DE, SE SERVIR DE.
• Il a usé de beaucoup de circonlocutions pour dire la vérité : EMPLOYER, UTILISER.
b) Il en a très mal usé avec moi : SE COMPORTER, SE CONDUIRE.

S'USER
• Elle s'est usé la vue à coudre : S'ABÎMER, SE DÉTÉRIORER.
• Les marches des escaliers en pierre s'usent avec le temps : SE CREUSER.
• La terre cultivée s'use si l'on n'y met pas d'engrais : S'APPAUVRIR, S'ÉPUISER.

USUEL
Le parler usuel des soldats : COURANT, FAMILIER, HABITUEL, USITÉ PAR, UTILISÉ PAR.

USURE

Une lente usure due au temps : CORROSION, DÉGRADATION, DÉTÉRIORATION, ÉROSION.

USINE 2933

FABRIQUE, MANUFACTURE.

USURPER 2934

Usurper le bien d'autrui : RAVIR, S'APPROPRIER, S'EMPARER DE.

UTILE 2935

- Je n'ai pas cru utile de le prévenir : INDISPENSABLE, NÉCESSAIRE.
- Ce repos te sera très utile : PROFITABLE, SALUTAIRE.

UTILISER

- Il m'a fallu utiliser un levier pour déplacer ce rocher : RECOURIR À, SE SERVIR DE.
- Il ne savait pas comment utiliser ses heures de liberté : EMPLOYER, OCCUPER.
- J'utilise les transports en commun : EMPRUNTER.

UTILITAIRE

Des études au caractère strictement utilitaire : PRAGMATIQUE, PRATIQUE.

UTILITÉ

1. Je ne vois pas l'utilité de cette démarche : INTÉRÊT, NÉCESSITÉ.
2. Jouer les utilités : COMPARSE, FIGURANT.

Vv Ww

VACANCES 2936

- Les vacances scolaires : CONGÉ.
- Je suis fatigué, j'ai besoin de quelques jours de vacances : REPOS.

VACANT

- Un poste vacant : INOCCUPÉ.
- Une chaise vacante : DISPONIBLE, LIBRE.

VAQUER

1. *v. intr.*
Les cours vaqueront du 29 juin au 15 septembre : CESSER.

2. *v. tr. ind.*
Vaquer à... : S'OCCUPER DE.

VACCINÉ 2937

1. Elle est vaccinée contre la poliomyélite : IMMUNISÉ.

2. *Fam. :* Depuis son accident, il est vacciné contre l'envie de conduire très vite : GUÉRI DE.

VACILLER 2938

- Le bébé vacillait sur ses jambes : CHANCELER.
- Au moment du séisme, la ville a vacillé pendant une minute : TREMBLER.
- La flamme vacille : OSCILLER, TREMBLOTER.
- La lumière vacille : PAPILLOTER.
- Sa raison vacille : S'AFFAIBLIR.

VADE-MECUM 2939

AIDE-MÉMOIRE, GUIDE, MEMENTO.

VAGABOND 2940

1. *adj.*

- Une existence vagabonde : ERRANT, ITINÉRANT.
- Des peuplades vagabondes : NOMADE.
- Une imagination vagabonde : DÉBRIDÉ, DÉSORDONNÉ.

2. *nom.*
CHEMINEAU, CLOCHARD, RÔDEUR, *et en lang. pop. :* TRIMARDEUR.

VAGUE 2941

1. *n. fém.*

a) Une barque balancée par les vagues : FLOTS, HOULE.

- Une vague de fond : LAME.
- À chaque marée, une forte vague remonte l'estuaire de la Gironde : MASCARET.

b) Une première vague de touristes est arrivée : AFFLUX, FLOT, RUÉE, RUSH.

- Une vague d'applaudissements : DÉFERLEMENT, SALVE.
- Les bourgeons n'ont pas résisté à cette vague soudaine de froid : ASSAUT, OFFENSIVE.
- Ce pays a connu une vague d'exécutions sommaires : SÉRIE.

c) Un écrivain de la nouvelle vague : GÉNÉRATION.

2. *n. masc.*

a) Son discours est resté dans le vague : IMPRÉCISION.

b) Le « vague à l'âme » : MÉLANCOLIE.

3. *adj.*

- Ses explications m'ont paru bien vagues : CONFUS, FLOU, IMPRÉCIS, NÉBULEUX, OBSCUR.
- La nuit, toutes les formes sont vagues : INDÉCIS, INDISTINCT.
- Une vague lueur : INCERTAIN.
- Un vague souvenir : FAIBLE, LOINTAIN.
- Un vague soupçon : INDÉFINI, INDÉTERMINÉ.
- Une vague appréhension : SOURD.
- Il a pris un air vague en nous écoutant : DISTRAIT.
- Le ministre est resté très vague dans sa réponse : ÉVASIF.
- Ce romancier n'est qu'un vague écrivailleur : QUELCONQUE.

VAGUER

Laisser vaguer sa pensée : DIVAGUER, ERRER, VAGABONDER.

VAILLANT 2942
- Un soldat vaillant : BRAVE, COURAGEUX, VALEUREUX.
- Un vieillard encore vaillant : SOLIDE, VERT, VIGOUREUX.
- Charlemagne était entouré de ses vaillants compagnons : PREUX.

VAIN 2943
1. Toute résistance était désormais vaine : INUTILE.
- De vaines discussions : INEFFICACE, STÉRILE.
- De vains propos : CREUX, DÉRISOIRE, FUTILE, SUPERFICIEL, VIDE.
- Leurs craintes se sont révélées vaines : CHIMÉRIQUE, FAUX, ILLUSOIRE.
2. Comme ce garçon peut être vain ! : FAT, INFATUÉ, ORGUEILLEUX, PRÉTENTIEUX, SUFFISANT, VANITEUX, *et en lang. fam. :* POSEUR, PUANT.

VANITÉ
1. Pour un saint, la vanité des choses d'ici-bas : INSIGNIFIANCE, NÉANT, VIDE.
- La vanité des plaisirs : FRIVOLITÉ, FUTILITÉ.
- La vanité de tous les pouvoirs : FRAGILITÉ, INSTABILITÉ, PRÉCARITÉ.
- La vanité de tous mes efforts : INANITÉ, INEFFICACITÉ, INUTILITÉ.
2. Le Parisien est souvent accusé de vanité : FATUITÉ, INFATUATION, ORGUEIL, PRÉTENTION, SUFFISANCE.

VAINCRE 2944
- Vaincre une armée ennemie : BATTRE, ÉCRASER, TRIOMPHER DE.
- Vaincre un concurrent à la course : SURCLASSER, SURPASSER.
- Vaincre ses passions : DOMINER, DOMPTER, MAÎTRISER, MATER.
- Elle a vaincu tous les obstacles : SURMONTER.
- Saint Michel a vaincu le dragon : TERRASSER.
- C'était le seul moyen de vaincre : GAGNER.

VALEUR 2945
1. La valeur d'un objet : PRIX.
- La valeur d'une monnaie par rapport aux autres : COTE, COURS.
- Un homme d'une grande valeur : CLASSE, MÉRITE, QUALITÉ.
- Une hypothèse d'une grande valeur scientifique : INTÉRÊT, PORTÉE.
- Attacher de la valeur à quelque chose : IMPORTANCE, PRIX.
- Accorder de la valeur à l'opinion de quelqu'un : POIDS.
- La valeur d'un mot : SENS, SIGNIFICATION.
- La valeur guerrière : BRAVOURE, COURAGE, VAILLANCE.
2. *a)* Acheter des valeurs boursières : ACTION, TITRE.
b) Les valeurs humanistes : IDÉAL.

VALOIR
1. Combien vaut ce tracteur ? : COÛTER.
- Un hectare vaut dix mille mètres carrés : ÉQUIVALOIR À.
- Comme ébéniste, le fils ne vaut pas encore le père : ÉGALER.
- Cela vaut une récompense : MÉRITER.
- Cette action lui a valu des reproches : ATTIRER.
- Ce premier roman lui a valu la célébrité : APPORTER, PROCURER.
- Cette remarque vaut pour tout le monde : CONCERNER, INTÉRESSER.
2. « Faire valoir » ses produits : VANTER.
- « Faire valoir » un domaine : EXPLOITER.
- « Faire valoir » une objection : OPPOSER.
3. Il « vaut mieux » ne pas en parler : ÊTRE PRÉFÉRABLE.

VALIDE 2946
1. Il n'est pas bien valide : FORT, VIGOUREUX.
2. Votre passeport n'est plus valide : VALABLE.

VALIDER
Valider un contrat : ENTÉRINER, HOMOLOGUER, RATIFIER.

VALLÉE 2947
Suivant le cas : CLUSE, COMBE, VAL, VALLEUSE, VALLON.

VANTAIL 2948
Une porte à deux vantaux : BATTANT.

VANTER 2949
- Vanter les hauts faits de quelqu'un : CÉLÉBRER, EXALTER, LOUER.
- Vanter un nouveau remède : PRÔNER, RECOMMANDER.

SE VANTER
- Ne le croyez pas, il se vante : BLUFFER, EXAGÉRER.
- Il se vante de ses titres : SE PRÉVALOIR, SE TARGUER.
- À sa place, je ne m'en vanterais pas : SE GLORIFIER.
- Elle se vante de pouvoir réussir : PRÉTENDRE, SE FLATTER, SE PIQUER.

VAPEUR 2950
- La vapeur qui s'élève d'un liquide bouillant : FUMÉE.
- La vapeur qui monte des eaux d'un étang : BRUME.

• Des vapeurs nocives : ÉMANATION, EXHALAISON.

VARIATION 2951
• Les variations de l'opinion publique : CHANGEMENT, FLUCTUATION, MODIFICATION.
• Une brusque variation de température : ÉCART, SAUTE.
• Les variations périodiques d'un courant électrique : OSCILLATION.

VARIÉ
Son activité s'exerce dans des domaines variés : DIFFÉRENT, DIVERS, MULTIPLE.

VARIER
1. *v. intr.*
• Son opinion n'a pas varié : CHANGER, ÉVOLUER, SE MODIFIER.
• Le besoin de sommeil varie d'un individu à l'autre : DIFFÉRER.
2. *v. tr.*
Varier ses activités : DIVERSIFIER.

VARIÉTÉ
• La variété des roches éruptives : DIVERSITÉ.
• La variété des opinions : DISPARITÉ.

VASE 2952
1. *n. masc.*
Suivant la forme et la destination : AMPHORE, COUPE, CRUCHE, JARRE, POT, POTICHE, URNE.
2. *n. fém.*
Après la crue de la rivière, la prairie était recouverte d'une couche de vase : BOUE, LIMON.

VASEUX
1. Des terres vaseuses : BOUEUX, BOURBEUX, FANGEUX.
2. *Fam. :* Des explications vaseuses : EMBROUILLÉ.

VASOUILLER
Fam. : Le candidat a vasouillé : S'EMBROUILLER.

VASTE 2953
• La vaste plaine de Russie : IMMENSE.
• La cour est très vaste : SPACIEUX.
• Un vaste mouvement de troupes : IMPOSANT.
• Elle a de vastes connaissances : AMPLE, ÉTENDU.
• *Fam. :* Tout cela n'est qu'une vaste fumisterie : ÉNORME.

VAURIEN 2954
Une bande de jeunes vauriens : CANAILLE, CHENAPAN, CRAPULE, DÉVOYÉ, GARNEMENT, GREDIN, VOYOU, *en lang. fam. :* SACRIPANT, *et en lang. pop. :* FRIPOUILLE, GALAPIAT.

VEDETTE 2955
1. Les vedettes de la chanson : ÉTOILE, STAR.
• Ce journaliste est l'une des vedettes du petit écran : CÉLÉBRITÉ.
• Cette voiture a été la vedette du salon : ATTRACTION, CLOU.
2. Ils ont été arraisonnés par la vedette de la police : BATEAU.

VÉGÉTER 2956
• Le sol est ingrat, les plantes végètent : DÉPÉRIR, S'ÉTIOLER.
• Ce petit commerce leur permet juste de végéter : VIVOTER.
• Il végète dans un emploi de gratte-papier : MOISIR, S'ENCROÛTER.
• Cette usine végète : PÉRICLITER.

VÉHÉMENCE 2957
• Protester avec véhémence : ARDEUR, ÉNERGIE, FRÉNÉSIE, IMPÉTUOSITÉ, VIOLENCE.
• Plaider avec véhémence : FOUGUE, PASSION.

VÉHÉMENT
• Des propos véhéments : ARDENT, ENFLAMMÉ, FRÉNÉTIQUE, IMPÉTUEUX, VIOLENT.
• Un orateur véhément : FOUGUEUX, PASSIONNÉ.

VÉHICULE 2958
1. Déplacez votre véhicule ! : VOITURE.
2. La télévision devrait être le meilleur véhicule de la culture : SUPPORT, VECTEUR.

VÉHICULER
1. Les auto-stoppeurs se font véhiculer à bon compte : VOITURER.
2. Dans l'encre, l'eau ou un vernis véhiculent un pigment : TRANSPORTER.
• Pendant longtemps, la tradition orale a été seule à véhiculer l'information : DIFFUSER.

VEILLE 2959
La veille au créneau : GARDE, SURVEILLANCE.

VEILLER
1. Les miradors dans lesquels veillaient les gardiens : GUETTER.
2. Veillez à bien fermer votre porte ! : PRENDRE SOIN DE.
• Le père veillait sur ses jeunes enfants : GARDER, S'OCCUPER DE, SURVEILLER.
• Notre-Dame-de-la-Garde veille sur Marseille : PROTÉGER.

VEILLEUR
Un veilleur de nuit : GARDIEN.

VÉNAL 2960
Un juge vénal : CORRUPTIBLE.

VÉNALITÉ
Être accusé de vénalité : CORRUPTION.

VENDRE 2961
1. En quelques jours, j'ai vendu tout mon stock : ÉCOULER, LIQUIDER.
- Vendre une marchandise à bas prix : BRADER, SACRIFIER, SOLDER, *et en lang. fam. :* BAZARDER.
- Je suis prêt à vous vendre cette voiture au prix de l'argus : CÉDER, LAISSER.
- Pour payer leurs dettes, ils ont dû vendre leurs meubles : SE DÉFAIRE DE.
2. Un joueur de football qui sait vendre son talent : MONNAYER.
3. Vendre un complice : TRAHIR.

VENDU
Un arbitre vendu : CORROMPU.

VENTE
Un magasin où la vente est bonne : DÉBIT, ÉCOULEMENT.

VÉNÉRABLE 2962
Un vieillard vénérable : HONORABLE, RESPECTABLE.

VENGEANCE 2963
- Les dragons exerçaient leur vengeance sur les huguenots : REPRÉSAILLES.
- S'attirer la vengeance des dieux : CHÂTIMENT.
- Demander vengeance : RÉPARATION.
- Par mesure de vengeance : RÉTORSION.
- Dans un esprit de vengeance : REVANCHE.
- Dans « Colomba », Mérimée raconte une histoire de vengeance : VENDETTA.

VENGER
Venger son honneur d'un affront : LAVER.

VENGEUR
Jouer les vengeurs : JUSTICIER.

VENIR 2964
1. Venez près de moi ! : APPROCHER, AVANCER VERS, SE DÉPLACER VERS, SE RAPPROCHER DE.
- Venez vite pour nous aider ! : *pop. :* RADINER, RAPPLIQUER, S'ABOULER, S'AMENER.
- Venez avec moi ! : ACCOMPAGNER.
2. Il est enfin venu : ARRIVER.
- Cela vient bien mal à propos : SURVENIR.
- Une idée m'est venue brusquement : SE PRÉSENTER, SURGIR.
- Des boutons lui sont venus sur le front : APPARAÎTRE.
- Le maïs vient bien sur cette terre : POUSSER.
3. Cela vient d'un bon sentiment : DÉCOULER, ÉMANER, PARTIR, PROCÉDER, SORTIR.
- Ces bananes viennent des Antilles : PROVENIR.
- Le mot « homme » vient du latin « homo » : DÉRIVER.
- Cette coutume vient des temps anciens : DATER, REMONTER À.
4. Venons-en maintenant à votre affaire ! : ABORDER, PARLER DE, PASSER À.
- Ils en vinrent à s'insulter : FINIR PAR.

VENT 2965
1. Suivant la nature du vent ou la région où il souffle : ALIZÉ, AQUILON, AUTAN, BISE, BLIZZARD, BORÉE, BRISE, FOEHN, GALERNE, MISTRAL, MOUSSON, NOROÎT, SIMOUN, SIROCCO, SUROÎT, TRAMONTANE, ZÉPHYR...
- Il n'y avait pas le moindre vent : SOUFFLE.
2. Être dans le vent : À LA MODE.
3. Avoir des vents : FLATULENCE.
- Lâcher un vent : *vulg. :* PET.

VENTEUX
Une plage venteuse : ÉVENTÉ, VENTÉ.

VENTILATION
1. La ventilation d'une pièce : AÉRATION.
2. La ventilation de crédits entre plusieurs services : RÉPARTITION.

VENTILER
1. Ventiler une salle après une réunion de fumeurs : AÉRER.
2. Ventiler des dépenses : RÉPARTIR.

VENTRE 2966
1. Recevoir un coup dans le ventre : ABDOMEN.
- Ce gros homme doit être incommodé par son ventre : *en lang. fam. :* BEDAINE, BEDON, BRIOCHE, PANSE, *et en lang. pop. :* BIDE, BIDON.
2. Il a reçu un violent coup de ballon dans le bas-ventre et s'est tordu de douleur : *fam. :* PARTIES.
3. Les ventres des ondes stationnaires transversales : RENFLEMENT.

VER 2967
- Le jardinier coupe souvent des vers avec sa pelle : LOMBRIC.
- Le pêcheur accroche un ver à l'hameçon : ASTICOT.
- Le « ver solitaire » : TÉNIA.

VÉRACITÉ 2968
Je ne doute pas de la véracité de son récit : AUTHENTICITÉ, EXACTITUDE, FIDÉLITÉ, SINCÉRITÉ, VÉRITÉ.

VÉRIDIQUE
- Un compte rendu véridique : EXACT, FIDÈLE, SINCÈRE.
- Une histoire véridique : AUTHENTIQUE, RÉEL, VRAI.

VÉRITABLE
- Est-ce la véritable raison ? : VRAI.
- Le poids véritable d'un objet : EFFECTIF, RÉEL.
- Un amour véritable : SINCÈRE.

VÉRITÉ
1. Il ne voulait pas voir la vérité : RÉALITÉ.
- Elle s'exprima avec un accent de vérité : FRANCHISE, SINCÉRITÉ.
- La vérité d'un témoignage : EXACTITUDE, FIDÉLITÉ.
- La vérité d'un fait : AUTHENTICITÉ, CERTITUDE.
- La vérité d'un portrait, d'un tableau : RESSEMBLANCE.
2. C'est la vérité même : ÉVIDENCE.
- Ce sont des vérités pour lesquelles il a sacrifié sa vie : PRINCIPE.
- Les vérités religieuses : CROYANCE.

VRAI
1. Il n'y a rien de vrai dans ce qu'il dit : AUTHENTIQUE, EXACT, RÉEL.
- Ce qui est vrai, c'est que... : AVÉRÉ, CERTAIN, EXACT, INDUBITABLE, SÛR.
- Il est vrai de dire que... : JUSTE.
- Est-ce le vrai esprit de la loi ? : RÉEL, VÉRITABLE.
- Cet homme est une vraie crapule : FRANC, PUR, VÉRITABLE.
- Ce n'est pas la vraie couleur de ses cheveux : NATUREL.
2. *Employé comme nom :* Je cherche le vrai : VÉRITÉ.

VRAIMENT
- Quelque chose de vraiment important : RÉELLEMENT, VÉRITABLEMENT.
- A-t-elle vraiment dit cela ? : EFFECTIVEMENT.

VERBAL 2969

Une communication verbale : ORAL.

VERBALISME

Son discours n'est composé que de mots creux, c'est du verbalisme : LOGOMACHIE.

VERBEUX

Un orateur verbeux : BAVARD, DIFFUS, PROLIXE.

VERBIAGE
- Un commentaire sans verbiage : BAVARDAGE, VERBOSITÉ, *et en lang. fam. :* DÉLAYAGE.

VERDEUR 2970
1. Malgré son âge, il est encore plein de verdeur : ÉNERGIE, FORCE, VIGUEUR.
2. La verdeur du langage : CRUDITÉ, GAILLARDISE, TRUCULENCE.

VÉRIFICATION 2971
- La vérification d'une comptabilité : CONTRÔLE, EXPERTISE.
- Ce fait est la vérification de mes prévisions : CONFIRMATION.

VÉRIFIER
- La Cour des comptes est chargée de vérifier la régularité des dépenses publiques : CONTRÔLER.
- Chacun vérifiait le bon fonctionnement de son arme : S'ASSURER DE, TESTER.
- J'ai pu vérifier l'exactitude de ses dires : CONSTATER.
- Vérifier un inventaire : RÉCOLER.
- L'hypothèse de la dérive des continents a été vérifiée : CONFIRMER, JUSTIFIER, PROUVER.

VERNIS 2972
1. Un vernis antirouille : ENDUIT.
2. La politesse de cour n'est souvent qu'un vernis : FAÇADE, SIMULACRE.
- Il n'a qu'un vernis de culture scientifique : APPARENCE, TEINTE.

VERSEMENT 2973

Le versement de dommages-intérêts : PAIEMENT.

VERSER

1. *v. intr.*

a) Par suite d'une fausse manœuvre du conducteur, le tracteur a versé dans le chemin en contrebas : BASCULER, CAPOTER, CULBUTER, SE RENVERSER.

b) Depuis qu'il est veuf, il a versé dans la morosité : SOMBRER, TOMBER.

2. *v. tr.*

a) Une pluie violente a versé les foins : COUCHER, RENVERSER.

b) Verser un seau d'eau sale dans le caniveau : DÉVERSER.
- Verser du vin à quelqu'un : SERVIR.
- Les agriculteurs mécontents ont versé leurs camions d'artichauts sur toute la chaussée : RÉPANDRE.

c) Un saint-cyrien qui demande à être versé dans la Légion : AFFECTER.

d) Il faut me verser un acompte : DONNER, REMETTRE.
- Verser le reliquat d'une dette : PAYER, RÉGLER.
- Je verserai cette pièce à votre dossier : AJOUTER, INCORPORER.

VERSION 2974
• La version latine de la Bible : TRADUCTION.
• Les différentes versions d'un conte populaire : VARIANTE.
• Quelle est votre version des faits ? : INTERPRÉTATION.

VERSO 2975
Au verso d'une page : DOS, REVERS.

VERT 2976
1. *Pour exprimer les diverses nuances du vert, on peut utiliser, suivant le cas :* CÉLADON, ÉMERAUDE, GLAUQUE, JADE, OLIVÂTRE, PERS, VERDÂTRE.
2. Un octogénaire encore vert : VIGOUREUX.
• Un vin trop vert pour être bu : JEUNE, VERDELET.
• Il a reçu une verte semonce : RUDE, SÉVÈRE.
• Il a lancé une plaisanterie assez verte : CRU, ÉGRILLARD, GRIVOIS.

VERTEMENT
Tancer vertement quelqu'un : BRUTALEMENT, RUDEMENT.

VERTIGINEUX 2977
• La distance vertigineuse qui nous sépare des étoiles : FANTASTIQUE, STUPÉFIANT.
• La crise financière a provoqué une hausse vertigineuse des prix : ASTRONOMIQUE, EXORBITANT.

VERTU 2978
1. La prudence est une vertu : QUALITÉ.
2. Cette religieuse croit en la vertu de la prière : EFFICACITÉ.
• La vertu antispasmodique de la menthe : POUVOIR, PROPRIÉTÉ.

VERVE 2979
La verve satirique d'un chansonnier : ESPRIT, FACONDE, HUMOUR.

VESTE 2980
Suivant le cas : ANORAK, BLAZER, BOLÉRO, CANADIENNE, SAHARIENNE, VAREUSE, VESTON.

VÊTEMENT
Range ton vêtement dans la penderie : *suivant le cas :* COMPLET, COSTUME, HABIT, MANTEAU, ROBE, TENUE, TOILETTE, UNIFORME.

VÊTIR
• Vêtir un uniforme : ENDOSSER, REVÊTIR.
• Vêtir une robe : ENFILER, METTRE.
• En été, il ne faut pas trop vêtir les jeunes enfants : COUVRIR, HABILLER.

SE VÊTIR
• Elle se vêtait de noir : S'HABILLER.
• Se vêtir pour affronter le froid : SE COUVRIR, S'ÉQUIPER.
• Se vêtir en majorette : SE COSTUMER.

VÊTU
• Il est drôlement vêtu : ACCOUTRÉ, AFFUBLÉ, HABILLÉ, MIS, *en lang. fam. :* FAGOTÉ, FICELÉ, HARNACHÉ, NIPPÉ, *et en lang. pop. :* FRINGUÉ.
• Le toit de la maison était vêtu de neige : COUVERT, RECOUVERT.

VESTIBULE 2981
ANTICHAMBRE, ENTRÉE, GALERIE, HALL, *et spéc. pour les basiliques :* NARTHEX, PORCHE.

VESTIGE 2982
• Les vestiges d'une forteresse médiévale : DÉBRIS, RUINES.
• Les vestiges de la civilisation des Mayas : MARQUE, TRACE.
• Le lac Tchad est le vestige d'une méditerranée qui occupait le centre du Soudan : RESTE.

VEUVAGE 2983
Une femme en état de veuvage : VIDUITÉ *(dr).*

VEXANT 2984
• Vos soupçons à mon égard sont vexants : BLESSANT, DÉSOBLIGEANT.
• C'est quand même vexant, je ne retrouve pas son nom : CONTRARIANT, EXASPÉRANT, IRRITANT, RAGEANT.

VEXATION
Il a ressenti son échec comme une vexation : HUMILIATION, MORTIFICATION.

VEXER
Elle a été vexée que vous ne l'ayez pas reconnue : CONTRARIER, FROISSER, HUMILIER, OFFENSER.

SE VEXER
Se vexer pour une vétille : SE FORMALISER, SE FROISSER.

VIANDE 2985
De la viande pour animaux : CHAIR, *et en lang. pop. :* BARBAQUE, BIDOCHE, CARNE.

VIBRANT 2986
• En arrivant, elle jeta un vibrant : « Salut, les copains ! » : RETENTISSANT, SONORE.
• Lancer un vibrant appel en faveur des réfugiés : ÉMOUVANT, PATHÉTIQUE, POIGNANT.

VIBRATION
• La propagation du son dans un liquide est dû à des vibrations longitudinales : OSCILLATION.

• On sent les vibrations du sol au passage d'un train : TREMBLEMENT.
• Les vibrations d'une voiture sur une piste ondulée du Sahara : TRÉPIDATION.

VIBRATOIRE
En sc. physiques : Un point animé d'un mouvement vibratoire : HARMONIQUE, PENDULAIRE, PÉRIODIQUE, SINUSOÏDAL.

VIBRER
• Les branches du diapason vibrent : OSCILLER.
• À chaque passage d'avion à basse altitude, les vitres vibrent : TREMBLER.
• Le plancher du wagon vibre au passage sur un aiguillage : TRÉPIDER.
• Des milliers d'oiseaux faisaient vibrer l'air de leurs piaillements et du bruissement de leurs ailes : RÉSONNER.
• Sa voix vibrait d'une colère indignée : FRÉMIR, TREMBLER.

VICE 2987
1. Le vice a mille formes : IMMORALITÉ.
• Vivre dans le vice : CORRUPTION, DÉBAUCHE, DÉVERGONDAGE, LIBERTINAGE, LUXURE, PERVERSION.
2. Le vice d'Harpagon : DÉFAUT, TARE, TRAVERS.
3. Cette pièce présente un vice de fabrication : DÉFAUT, DÉFECTUOSITÉ, MALFAÇON.

VICIER
Les fumées de l'usine chimique vicient l'atmosphère : POLLUER.

VICIEUX
1. Un individu vicieux : CORROMPU, DÉBAUCHÉ, DÉPRAVÉ, IMMORAL, LIBERTIN, PERVERS, TARÉ, *et en lang. pop. :* VICELARD.
• Un geste vicieux : IMPUDIQUE, *et en lang. fam. :* COCHON.
2. Sa prononciation de l'anglais est vicieuse : DÉFECTUEUX, MAUVAIS.
• Une tournure vicieuse : FAUTIF, IMPROPRE, INCORRECT.

VICTIME 2988
1. Cette guerre a fait de nombreuses victimes : MORT.
• Secourir les victimes d'une inondation : SINISTRÉ.
2. Cet enfant chétif est la victime de ses camarades : MARTYR, SOUFFRE-DOULEUR.
• Être la victime de son imagination : JOUET, PROIE.

VIDE 2989
1. *adj.*
a) Les régions vides du globe : DÉSERT, INHABITÉ.
• Sur le bord de mer, les villas sont vides en hiver : INOCCUPÉ.
• Un siège vide : LIBRE, VACANT.
b) Les murs vides d'un couloir : NU.
• Une plaine vide, où il n'y a pas d'arbres : DÉNUDÉ.
c) Avoir l'estomac vide : CREUX.
• Avoir les poches vides : DÉGARNI.
d) Mener une existence vide : MORNE.
• Ce ne sont que des propos vides : INSIGNIFIANT, VAIN.
• Un discours vide de toute idée neuve : DÉPOURVU DE.
2. *nom.*
a) Le vide interstellaire : ESPACE.
• Laisser un vide entre deux planches : FENTE, OUVERTURE.
• Il y a des vides dans ma mémoire : LACUNE, TROU.
• Cette collection de timbres présente quelques vides : MANQUE.
b) Le vide des plaisirs mondains : INANITÉ, NÉANT, VANITÉ.
• Dans son esprit, c'est le vide : VACUITÉ.

VIDER
1. Vider l'huile d'un moteur : VIDANGER.
• Vider un étang pour le curer : ASSÉCHER.
• Vider une volaille : ÉTRIPER.
• Un ivrogne qui vide plusieurs litres par jour : BOIRE, INGURGITER.
• Les voleurs ont vidé toute la bijouterie : DÉVALISER, PILLER, *et en lang. Fam. :* NETTOYER.
2. Il a vidé sa colère sur moi : DÉVERSER.
• Vider un différend : RÉGLER, TRANCHER.
3. *Fam. :* Les vigiles ont vidé les perturbateurs : CHASSER, ÉCONDUIRE.
• *Fam. :* Il s'est fait vider de son entreprise : CONGÉDIER, LIMOGER, RENVOYER, VIRER.
• *Fam. :* Je vous donne cinq minutes pour vider les lieux : ABANDONNER, ÉVACUER, QUITTER.
4. *Fam. :* Cette longue course m'a vidé : ÉPUISER, EXTÉNUER, *et en lang. pop. :* CREVER, POMPER.

SE VIDER
• Nos campagnes se vident : SE DÉPEUPLER.
• Le haut du sablier se vide peu à peu : SE DÉSEMPLIR.
• L'étang s'est vidé pendant la nuit : SE DÉBONDER.
• Les eaux usées se vident dans l'égout : SE DÉVERSER, S'ÉCOULER.

VIE 2990
1. Durant toute sa vie, il est resté fidèle à son idéal : EXISTENCE.
• Il a achevé sa vie dans un hospice : JOURS.
• Je ne risquerai pas ma vie pour rien : *fam. :* PEAU.
• Il a fait tous les métiers pour gagner sa

vie : SUBSISTANCE, *et en lang. pop. :* BIFTECK, CROÛTE.
2. Une petite fille pleine de vie : ENTRAIN, SANTÉ, VITALITÉ.
• Ce portrait manque de vie : EXPRESSION.
• Le marché du jeudi met un peu de vie dans le bourg : ANIMATION, MOUVEMENT.
• Sa vie professionnelle l'accapare : ACTIVITÉ.
• *Fam. :* Faire la vie : NOCE.
3. Telle a été la vie de Gengis Khan : DESTIN, HISTOIRE.
• Maurois a écrit une vie de George Sand : BIOGRAPHIE.
• Maeterlinck a publié une étude sur la vie des fourmis : MŒURS.

VIEILLARD 2991
• Les vieillards : LES VIEILLES GENS.
• Un vénérable vieillard entouré de sa famille : PATRIARCHE.

VIEILLERIE
Il faut jeter toutes ces vieilleries : ANTIQUITÉ, FRIPERIE, *et en lang. fam. :* ANTIQUAILLE.

VIEILLESSE
1. Cette maison porte des marques de vieillesse : ANCIENNETÉ, VÉTUSTÉ.
2. Les infirmités provoquées par la vieillesse : DÉCRÉPITUDE, SÉNESCENCE, SÉNILITÉ, VIEILLISSEMENT.

VIEILLI
• Une tournure vieillie : ARCHAÏQUE, DÉSUET, OBSOLÈTE, PÉRIMÉ, VIEILLOT.
• Une méthode vieillie : DÉMODÉ, DÉPASSÉ, SURANNÉ.
• Un visage vieilli par les chagrins : FLÉTRI.

VIEILLIR
1. Un artiste dont le talent vieillit : DÉCLINER.
• Cette mode vieillira vite : PASSER.
2. Laisser vieillir un fromage : MÛRIR, S'AFFINER.

VIEUX
1. *adj.*
a) Il me semble très vieux : ÂGÉ.
• Être vieux avant l'âge : DÉCRÉPIT, SÉNILE, USÉ.
b) Une vieille coutume : ANCESTRAL, ANCIEN, ANTIQUE.
• Une vieille masure : DÉLABRÉ, VÉTUSTE.
• Mes souliers sont bien vieux : FATIGUÉ, USAGÉ.
• Un vieux manteau : DÉFRAÎCHI, ÉLIMÉ, USÉ.
• Un vieux célibataire : ENDURCI.
• Un vieil ivrogne : IMPÉNITENT, INVÉTÉRÉ.
2. *nom.*
Le coin des vieux : ANCÊTRE, VÉTÉRAN, VIEILLARD.

VIERGE 2992
1. Une jeune vierge : *fam. :* PUCELLE.
• Il est resté vierge jusqu'à son mariage : *fam. :* PUCEAU.
2. Ne sachant pas répondre à la question, il a remis une copie vierge : BLANC.
• Sa réputation est vierge : IMMACULÉ, INTACT.
• Un casier judiciaire vierge de toute condamnation : VIDE.
• À la mi-temps du match, le score était vierge 0 à 0 : NUL.
3. Une icône de la Vierge : MADONE.

VIF 2993
1. *adj.*
a) Les anguilles s'écorchent vives : VIVANT.
b) Un tempérament vif : FOUGUEUX, IMPÉTUEUX, PÉTULANT.
• Elle s'est montrée très vive dans ses propos : COLÉREUX, EMPORTÉ, IRASCIBLE.
• La discussion a été vive : ANIMÉ, CHAUD.
• Un vif incident de séance : VIOLENT.
• Élever une vive protestation : ÉNERGIQUE.
• Avoir une vive méfiance : FORT.
• Éprouver un vif désir : ARDENT.
c) Un homme aux réactions vives : BRUSQUE, PROMPT, RAPIDE.
• Elle avait une allure vive : FRINGANT, SÉMILLANT.
• Avancer d'un pas vif : ALERTE, ALLÈGRE, RAPIDE.
• Avoir l'esprit vif : ÉVEILLÉ.
• Une intelligence vive : BRILLANT.
d) Ressentir une vive douleur à la hanche : AIGU, CUISANT, TÉRÉBRANT.
• Un froid vif : AIGRE, MORDANT, PÉNÉTRANT, PIQUANT.
• Une remarque très vive : ACERBE, BLESSANT, INCISIF.
• Une vive surprise : PROFOND.
• Avoir un goût très vif pour... : MARQUÉ, NET.
e) Une lumière qui brille d'un vif éclat : INTENSE.
• Des couleurs vives : CRU, ÉCLATANT.
• De vifs applaudissements : CHALEUREUX.
2. *nom.*
Arrivons au vif du sujet : CŒUR.

VIVACITÉ
• La vivacité d'une personne : PÉTULANCE.
• La vivacité d'un combattant : FOUGUE, IMPÉTUOSITÉ.
• Il s'est retourné avec la vivacité d'un chat : AGILITÉ, PROMPTITUDE, RAPIDITÉ.
• Répondre avec vivacité : EMPORTEMENT, VIOLENCE.

- La vivacité d'une passion : ARDEUR, FORCE.
- La vivacité d'une couleur : ÉCLAT, INTENSITÉ.

VIVEMENT
- La gazelle s'est vivement enfuie : PROMPTEMENT, RAPIDEMENT.
- Répliquer vivement : BRUTALEMENT, DUREMENT, SÈCHEMENT.
- Souhaiter vivement quelque chose : ARDEMMENT.
- Être vivement touché : FORTEMENT, INTENSÉMENT.
- Je le regrette vivement : BEAUCOUP, INFINIMENT, PROFONDÉMENT.

VIGILANCE 2994

Tromper la vigilance de quelqu'un : ATTENTION, SURVEILLANCE.

VIGILANT

Sur route verglacée, il faut être vigilant : ATTENTIF.

VIGNE 2995

Les collines sous-vosgiennes sont recouvertes de vignes : VIGNOBLE.

VIGNERON

VITICULTEUR.

VIN
- Un grand vin : CRU.
- Un verre de vin : *suivant le cas :* BLANC, ROUGE, *et en lang. pop. :* PICRATE, PINARD.
- C'est du « mauvais vin » : VINASSE.

VINICOLE

Les régions vinicoles : VITICOLE.

VIGOUREUX 2996
- Un forgeron vigoureux : ROBUSTE, SOLIDE, *et en lang. fam. :* COSTAUD.
- Le percheron est un cheval vigoureux : PUISSANT.
- Elle tenait son enfant d'une main vigoureuse : FERME.
- Il eut une réaction très vigoureuse : ÉNERGIQUE, VIF.
- Une vigoureuse critique : VIOLENT.
- Il y a, dans Victor Hugo, des pages très vigoureuses : FORT.
- Le brugnonnier est un arbre vigoureux : VIVACE.

VIGUEUR

1. La vigueur de la jeunesse : DYNAMISME, FORCE.
- Il manque de vigueur dans les reins : PUISSANCE, ROBUSTESSE.
- La vigueur d'une protestation : VÉHÉMENCE, VIOLENCE.
- La vigueur du trait dans un dessin : FERMETÉ.
- Redonner de la vigueur à une langue régionale : VITALITÉ.

2. La mise en vigueur d'un plan de préretraite : EN APPLICATION, EN USAGE.

VIL 2997
- Une action vile : ABJECT, BAS, IGNOBLE, INFÂME, LÂCHE, LAID.
- Des gens vils : CORROMPU, INDIGNE, MÉPRISABLE.
- Acheter à vil prix : BAS.

VILAIN 2998

1. Que ce singe est vilain ! : AFFREUX, HIDEUX, LAID.
2. Les moustiques sont de vilaines bêtes qui vous piquent : MÉCHANT, *et en lang. fam. :* SALE.
- Quel vilain temps ! : DÉTESTABLE, EXÉCRABLE, MAUVAIS.
- Il a reçu une vilaine blessure : GRAVE, INQUIÉTANT, MAUVAIS.

3. Son père lui a recommandé de ne pas employer ces vilains mots : GROSSIER.
4. *Fam. :* Il va y avoir du vilain : GRABUGE.
- *Fam. :* La discussion a tourné au vilain : À L'AIGRE.

VILIPENDER 2999

Il vilipende sans arrêt ses collègues : DÉCRIER, DÉNIGRER, DISCRÉDITER.

VILLA 3000

Suivant la forme : BUNGALOW, CHALET, COTTAGE, PAVILLON.

VILLE 3001

1. *Suivant la nature et l'importance :* AGGLOMÉRATION, CITÉ, CONURBATION, MÉGALOPOLE, MÉTROPOLE.
- Une ville industrielle, commerciale : CENTRE.

2. Le maire signe au nom de la ville : MUNICIPALITÉ.

VINDICATIF 3002

Avoir un caractère vindicatif : RANCUNIER.

VINDICTE

Il a été victime de la vindicte populaire : VENGEANCE.

VIOL 3003

Le viol d'une nécropole étrusque par les pillards : PROFANATION, VIOLATION.

VIOLATION
- La violation d'un règlement : INFRACTION, TRANSGRESSION, *et en lang. fam. :* ENTORSE.
- Une violation du secret professionnel : MANQUEMENT À, TRAHISON.
- Une violation de territoire : INCURSION.

VIOLER
1. Violer un lieu sacré : PROFANER.
2. Violer un secret : TRAHIR.
- Violer un serment : MANQUER À.
- Violer une loi : CONTREVENIR À, DÉROGER À, ENFREINDRE, TRANSGRESSER.
3. Violer une vierge : ABUSER DE, VIOLENTER.

VIOLEMMENT 3004
- Le vent souffle violemment : FURIEUSEMENT, PUISSAMMENT.
- Frapper violemment : BRUTALEMENT, ÉNERGIQUEMENT.
- Haïr violemment : INTENSÉMENT.
- Être violemment soupçonné de... : FORTEMENT.

VIOLENCE
- La violence d'une répression : BRUTALITÉ.
- Recourir à la violence : CONTRAINTE, SÉVICES.
- La violence d'une passion : ARDEUR, FRÉNÉSIE, FUREUR.
- La violence des flots : DÉCHAÎNEMENT, FURIE, IMPÉTUOSITÉ.
- La violence des combats : ÂPRETÉ, FUREUR, INTENSITÉ.
- Un discours d'une violence calculée : AGRESSIVITÉ, VÉHÉMENCE, VIRULENCE.
- Répondre avec violence : EMPORTEMENT.

VIOLENT
1. Un individu violent : BRUTAL.
- Être d'un caractère violent : COLÉREUX, IMPULSIF.
- Un violente émotion : FORT.
- Une gifle violente l'envoya contre le mur : PUISSANT.
- Faire de violents efforts : ÉNERGIQUE.
- Un amour violent : ARDENT, EFFRÉNÉ, ÉPERDU, FRÉNÉTIQUE.
- Le combat fut violent : ENRAGÉ.
- Un violent engagement entre deux troupes ennemies : ÂPRE, DUR, FAROUCHE, FURIEUX.
- Une violente tornade : EFFROYABLE, TERRIBLE.
- Un violent réquisitoire : VÉHÉMENT, VIRULENT.
- Un discours violent : FOUGUEUX.
2. Un tableau aux teintes violentes : CRIARD.
3. *Fam. :* Il est encore absent, c'est quand même violent ! : ABUSIF, FORT, INTOLÉRABLE.

VIOLENTER
- Violenter sa nature : BRUSQUER, FORCER.
- Violenter une femme : VIOLER.

VIPÈRE 3005
Suivant l'aspect et les lieux d'habitat : ASPIC, CÉRASTE, PÉLIADE.

VIRAGE 3006
1. Supprimer les virages dangereux d'une route : TOURNANT.
2. Cette rencontre entre les deux Présidents est le signe d'un virage décisif dans les relations des deux pays : CHANGEMENT.

VIRER
1. La voiture a viré à droite : TOURNER.
- Le temps vire à l'orage : TOURNER.
2. Virer une somme sur un compte : VERSER.
3. *Fam. :* Virer des perturbateurs : EXPULSER, VIDER.

VIRAGO 3007
Cette femme, quelle virago ! : DRAGON, GENDARME.

VIRTUOSE 3008
Un virtuose de l'accordéon : AS, CHAMPION.

VIRTUOSITÉ
La virtuosité d'un artiste : BRIO, HABILETÉ, MAÎTRISE.

VIRUS 3009
- Elle a attrapé le virus de l'équitation : PASSION.
- Le virus inflationniste atteint tous les pays d'Europe : CRISE.

VISCÈRES 3010
ENTRAILLES, INTESTINS, *et en lang. pop. :* BOYAUX, TRIPES.

VISÉES 3011
- Les visées hégémoniques d'Alexandre le Grand : AMBITION, PRÉTENTION.
- Les visées politiques d'un candidat aux élections : BUT, DESSEIN, INTENTION, OBJECTIF.

VISER
1. *v. tr.*
a) Il faut bien viser la cible avant de tirer : AJUSTER.
b) Il vise le poste de maire de sa commune : AMBITIONNER, CONVOITER, DÉSIRER.
- En agissant ainsi, quel but vise-t-elle ? : POURSUIVRE, RECHERCHER.
c) Cette mesure vise tous les salariés : CONCERNER, S'APPLIQUER À, TOUCHER.
d) *Pop. :* Vise un peu son allure ridicule : REGARDER.
2. *v. tr. ind.*
- Je vise à équilibrer mon budget : CHERCHER.
- Ce projet vise à la mise en place d'une politique contractuelle : TENDRE À.

VISIBLE 3012
- De manière visible : APPARENT, OSTENSIBLE.

- Son trouble était visible : CONSTATABLE, ÉVIDENT, FLAGRANT, MANIFESTE.
- Le changement est visible : PERCEPTIBLE, SENSIBLE.
- Une trace très visible : DISTINCT, NET.
- Une éclipse totale de soleil visible en France : OBSERVABLE.

VISION 3013

1. Elle prétend avoir des visions célestes : APPARITION.
- Il a des visions étranges : FANTASME, HALLUCINATION.
- Ce ne sont que pures visions : CHIMÈRE, ILLUSION, RÊVE.
2. Il a une vision très personnelle du monde : CONCEPTION.
- Ce documentaire présente une vision du comportement des animaux prédateurs : APERÇU, IMAGE.
3. Pour être cheminot, il faut avoir une excellente vision des couleurs : VUE.

VISIONNAIRE

Suivant le contexte : DEVIN, HALLUCINÉ, ILLUMINÉ, RÊVEUR, SONGE-CREUX, VATICINATEUR.

VISITE 3014

1. J'attends une visite : VISITEUR.
2. Le médecin a changé ses heures de visites : CONSULTATION.
3. La visite des valises par les douaniers : FOUILLE.
- La visite des lieux par la police : INSPECTION.
- La visite de surveillance d'un gardien de nuit : RONDE.
- Un courtier qui fait la visite de tous ses clients : TOURNÉE.
- Le syndicat d'initiative organise des visites de la ville en autocar : TOUR.

VISITER

- Depuis longtemps, je ne vais plus visiter ces gens : VOIR.
- Un jardinier qui visite ses plantations tous les matins : EXAMINER, INSPECTER.
- J'ai visité cette région en tous sens : EXPLORER, PARCOURIR, SILLONNER.
- J'ai visité toutes les agences pour trouver un logement : COURIR.
- La police a visité la maison de fond en comble : FOUILLER.

VISQUEUX 3015

1. Il sentit un liquide visqueux couler entre ses doigts : GLUANT, POISSEUX.
2. Un individu aux manières visqueuses : DOUCEREUX, PAPELARD, PATELIN.
- Que ce garçon est visqueux ! : *Fam. :* COLLANT.

VITAL 3016

- La sauvegarde de nos intérêts vitaux : CAPITAL, ESSENTIEL, PRIMORDIAL.
- Il est vital que je sois prévenu à temps : ESSENTIEL, INDISPENSABLE.
- C'est une question vitale : FONDAMENTAL.

VITALITÉ

- La vitalité d'une petite commune : DYNAMISME.
- Manquer de vitalité : ÉNERGIE, VIGUEUR.

VITE 3017

1. *adj.*
- C'est le cheval le plus vite du lot : RAPIDE.
2. *adv.*
- Viens vite ! : PROMPTEMENT, RAPIDEMENT, *et en lang. fam. :* DARE-DARE.
- Il ne faut pas juger trop vite : HÂTIVEMENT, PRÉCIPITAMMENT.
- C'est une affaire qui a été vite faite : PRESTEMENT, RONDEMENT, VIVEMENT.
- Je viendrai le plus vite possible : TÔT.

VITESSE

- La vitesse d'un sprinter : RAPIDITÉ, VÉLOCITÉ.
- La vitesse de propagation d'un signal sonore : CÉLÉRITÉ.
- La vitesse de frappe d'une dactylo : PRESTESSE, PROMPTITUDE, RAPIDITÉ, VIVACITÉ.
- L'Administration n'est pas réputée pour la vitesse de ses réponses : DILIGENCE, RAPIDITÉ.
- S'enfuir en vitesse : EN HÂTE, AVEC PRÉCIPITATION.
- Un train qui roule à petite vitesse : ALLURE.

VITRAIL 3018

Les vitraux d'une cathédrale : ROSACE, VERRIÈRE.

VITRE

- Les vitres d'une fenêtre : CARREAU.
- Les vitres d'une voiture : GLACE.

VITREUX

Un regard vitreux : EMBRUMÉ.

VITUPÉRER 3019

Vitupérer quelqu'un ou quelque chose : ANATHÉMISER, BLÂMER, CONDAMNER, FULMINER CONTRE, FUSTIGER, INVECTIVER, S'EMPORTER CONTRE, S'INDIGNER CONTRE.

VIVABLE 3020

- *Fam. :* Cet homme n'est plus vivable : SUPPORTABLE.
- *Fam. :* Cet appartement n'est pas vivable : HABITABLE.

VIVANT
- Une petite fille très vivante : ACTIF, DYNAMIQUE.
- Un quartier très vivant : ANIMÉ.
- Une tradition bien vivante : VIVACE.
- Peindre de façon vivante : EXPRESSIF.

VIVRE
1. *v. intr.*
a) Aussi longtemps que je vivrai : EXISTER.
- Le blessé avait cessé de vivre : RESPIRER.
- Les fleurs coupées ne vivent pas longtemps : DURER.
- Son souvenir vit encore : SUBSISTER.

b) Nos ancêtres vivaient dans des huttes en branchages : HABITER, LOGER.
- Il a vécu quelques années à l'étranger : RÉSIDER, SÉJOURNER.

c) Cette retraitée a-t-elle de quoi vivre ? : SE NOURRIR, SUBSISTER.
- Elle vit de peu : SE CONTENTER, SE SUFFIRE.

d) Il a toujours vécu avec sagesse : SE CONDUIRE.

2. *v. tr.*
a) Il a vécu toute son enfance au sein d'une famille unie : PASSER.
- Nous avons vécu des moments pénibles : TRAVERSER.

b) La liberté permet à chacun de vivre sa foi : PRATIQUER.

VIVRES
Un camion chargé de vivres : ALIMENTS, NOURRITURE, PROVISIONS, VICTUAILLES.

VOCATION 3021
1. Elle n'avait aucune vocation pour la vie monacale : ATTRAIT, DISPOSITION, GOÛT, INCLINATION.
2. Une région à vocation touristique : DESTINATION.

VŒU 3022
- Un moine parjure à ses vœux : ENGAGEMENT, PROMESSE, RÉSOLUTION, SERMENT.
- Cela comble mes vœux : DÉSIR, SOUHAIT.

VOUÉ
- Ses efforts semblent voués à l'échec : PROMIS.
- Ce genre de contrat est voué à disparaître : CONDAMNÉ.
- Par sa nature, cette terre était vouée au nomadisme : DESTINÉ, PRÉDESTINÉ.

VOUER
- Je lui ai voué une reconnaissance infinie de m'avoir sauvé la vie : PROMETTRE.
- Vouer une haine féroce à quelqu'un : JURER.
- Ses origines le vouaient à un grand rôle dans la politique : DESTINER, PRÉDESTINER.

SE VOUER
C'est à cette mission qu'ils se vouèrent : S'ADONNER, SE CONSACRER, S'EMPLOYER.

VOGUE 3023
- La vogue dont jouit une actrice de cinéma est souvent éphémère : COTE, FAVEUR, SUCCÈS.
- La vogue dont a joui Victor Hugo : CÉLÉBRITÉ, POPULARITÉ, RENOM, RÉPUTATION.
- La vogue de la mini-jupe a duré quelques années : MODE.

VOIE 3024
1. Avec leurs coupe-coupe, ils se frayaient une voie dans la forêt vierge : CHEMIN, PASSAGE, PISTE, SENTIER.
- La voie principale d'une ville : ARTÈRE, AVENUE, RUE.
- La voie d'accès à l'autoroute : ROUTE.
- Suis-je dans la bonne voie ? : CHEMIN, DIRECTION.

2. Par la voie diplomatique : CANAL.
- Deux voies s'offrent aux techniciens pour parvenir à un résultat : MOYEN, POSSIBILITÉ.

3. Il a choisi la voie des armes : CARRIÈRE.
- Les voies de la Providence sont mystérieuses : DESSEIN.

4. Les chiens sont sur les voies d'un sanglier : BRISÉES, PISTE, TRACE.

VOILE 3025
1. *n. masc.*
a) Du voile à rideaux : VITRAGE, VOILAGE.
- Recouvrir d'un voile léger : GAZE.
- Elle abaissa le voile de son chapeau : VOILETTE.
- Le voile d'une femme musulmane : LITHAM.

b) C'est d'abord sous le voile de la bonhomie qu'il leur a adressé la parole : APPARENCE, COUVERT, MANTEAU, MASQUE.

2. *n. masc.*
- Le voile d'une roue de bicyclette : VOILEMENT.
- Le voile d'une planche : GAUCHISSEMENT, VOILURE.

3. *n. fém.*
- *Parmi les voiles utilisées sur un bateau :* BONNETTE, BRIGANTINE, CACATOIS, FOC, HUNIER, MISAINE, PERROQUET, PERRUCHE, SPINNAKER, TRINQUETTE.
- Déployer toutes les voiles : VOILURE *(au sing.).*

VOILÉ
1. *a)* Un ciel voilé : BRUMEUX.
- Une lumière voilée : ATTÉNUÉ, ESTOMPÉ, TAMISÉ.

• Des yeux voilés par les larmes : EMBRUMÉ, NOYÉ.
• Une voix voilée : ENROUÉ, SOURD.
b) Des menaces voilées : ALLUSIF, DISCRET.
• Ses phrases ont pour moi un sens voilé : ÉNIGMATIQUE, MYSTÉRIEUX, OBSCUR, SIBYLLIN.
2. Une roue voilée : TORDU.
• Une latte de bois voilée : GAUCHI.

VOILER
1. *a)* Les nuages voilent le soleil : CACHER, COUVRIR, ÉCLIPSER, MASQUER.
b) Il nous a voilé la vérité : DISSIMULER, FARDER, *et en lang. fam. :* CAMOUFLER.
2. Elle a voilé la roue de son vélo : TORDRE.
• Ce panneau de bois a voilé : GAUCHIR.

VOIR 3026
1. Il ne voit pas bien les couleurs : PERCEVOIR.
• On voyait nettement le profil de la montagne : APERCEVOIR, DISCERNER, DISTINGUER.
• Les gens ne savent plus voir la nature : CONTEMPLER, OBSERVER, REGARDER.
• Du haut de la colline, on voit toute la ville : EMBRASSER.
• Je n'ai vu que deux ombres se glisser dans le fourré : ENTREVOIR.
• Avez-vous vu cet accident ? : ASSISTER À.
• On peut encore voir des abreuvoirs en bois taillés à la hache : DÉCOUVRIR, RENCONTRER, TROUVER.
• À quelle page du journal avez-vous vu cette information ? : LIRE.
2. J'ai vu son dossier ; il n'est pas bon : ÉTUDIER, EXAMINER.
• Un contrôleur est venu voir les lieux : INSPECTER.
3. Cette région a vu de nombreux tremblements de terre : CONNAÎTRE, SUBIR.
• Cette fenêtre ne voit jamais le soleil : RECEVOIR.
4. J'ai appris que vous vouliez me voir : RENCONTRER.
• J'irai voir mon avocat : CONSULTER.
• Ce ne sont pas des gens à voir : FRÉQUENTER.
• Cet individu, je ne peux plus le voir : SOUFFRIR, SUPPORTER.
• Elle a vu beaucoup de pays : VISITER, VOYAGER DANS.
5. Je vais voir s'il est rentré : S'INFORMER.
• Je vais voir si le biberon est assez chaud : APPRÉCIER.
• Je vais voir si cette robe me va : ESSAYER.
• Il est difficile de voir si cela est vrai ou faux : JUGER.
• C'est à vous de voir si tout est prêt : S'ASSURER, VÉRIFIER.
6. Il s'agissait, on le voit, d'une décision importante : CONSTATER, REMARQUER.
• Je ne vois pas ce qu'il veut dire : COMPRENDRE, SAISIR.
• Le fond de sa pensée est difficile à voir : PÉNÉTRER.
• Je vois que rien ne vous échappe : S'APERCEVOIR.
• Vous le verrez à vos dépens : APPRENDRE.
• Je ne vois aucune raison pour refuser : TROUVER.
• Il voit les défauts des autres, mais pas les siens : APERCEVOIR, REMARQUER.
• Ce n'est pas ma façon de voir les choses : CONCEVOIR.
• Est-ce que vous voyez une autre solution ? : ENVISAGER.
7. La mère voyait son fils en brillant avocat : IMAGINER, SE REPRÉSENTER.
• Elle prétend avoir le don de voir l'avenir : PRÉVOIR.
• Je voudrais bien voir ce qu'il dirait à ma place : SAVOIR.
8. Voyez à la dépense : VEILLER À.
• Voyez comme c'est facile : REGARDER.
• Voyez combien il est difficile d'être arbitre : CONSIDÉRER.
• Voyez la note de la page précédente : SE REPORTER À.
• Et maintenant, voyons la suite : PASSER À.
• Voyons votre cas : ÉTUDIER, EXAMINER.
• Voyons une autre hypothèse : ENVISAGER.
9. Faites-moi voir vos papiers ! : MONTRER, PRÉSENTER.
• Je lui ai fait voir qu'il se trompait : DÉMONTRER, PROUVER.
• Il aime faire voir sa force : ÉTALER.
• Elle aime se faire voir dans les salons : PARAÎTRE, SE MONTRER.
• Il laissait voir un grand mépris pour le spectacle : AFFICHER, MONTRER.
• Un court instant, elle laissa voir deux seins parfaits : DÉCOUVRIR, DÉVOILER.

SE VOIR
1. On ne se voit jamais tel que l'on est : SE REPRÉSENTER.
• Il se voyait perdu : SE CONSIDÉRER, SE FIGURER, S'IMAGINER, SE JUGER.
• Dois-je toujours me voir menacé par la faillite ? : SE TROUVER.
2. Ils ne se voient plus : SE FRÉQUENTER.
3. Cette tache se voit nettement : APPARAÎTRE, SE REMARQUER.
• Une telle situation ne se voit pas souvent : ARRIVER, SE PRÉSENTER, SE PRODUIRE.

VU
1. *adj.*
• Vu de profil, il est bien : REGARDÉ.

- Il n'est pas bien vu dans son village : APPRÉCIÉ, CONSIDÉRÉ, ESTIMÉ.
- C'est une chose vue, je n'y reviendrai pas : DÉCIDÉ.
- Bien vu ! vous avez raison : JUGÉ.
- *Fam. :* Vu ? alors, allez-y : COMPRIS.

2. *n. masc.*
Il l'a fait au vu de tout le monde : OSTENSIBLEMENT.

3. *prép.*
Vu son ancienneté, je lui cède la première place : EU ÉGARD À.

VUE

1. Le lynx a une excellente vue : VISION.
- Détacher sa vue d'un spectacle horrible : REGARD, YEUX.

2. La vue de ces ruines me désole : IMAGE, SPECTACLE.
- De ce belvédère, quelle magnifique vue ! : PANORAMA, PAYSAGE, TABLEAU.

3. De mon voyage, j'ai ramené de très belles vues : DIAPOSITIVE, PHOTOGRAPHIE.

4. Il a des vues très originales sur l'évolution de l'univers : CONCEPTION, IDÉE.
- Les littéraires n'ont souvent qu'une vue fragmentaire du monde actuel : APERÇU, IDÉE, OPTIQUE.
- Je partage vos vues sur la situation : JUGEMENT, OPINION, PENSÉE.
- Pour votre avenir, quelles sont vos vues ? : INTENTION, PROJET.

5. Une statue bien en vue : EN ÉVIDENCE.
- Il aime se mettre en vue : EN VEDETTE.

VOISIN 3027

1. Ces deux arbres sont trop voisins l'un de l'autre : PROCHE, RAPPROCHÉ.
- Deux champs voisins : ATTENANT, CONTIGU.
- La propriété voisine de la mienne : AVOISINANT, JOUXTANT, LIMITROPHE.

2. Deux conceptions voisines : ANALOGUE, COMPARABLE, RESSEMBLANT.
- Deux espèces d'animaux voisines : APPARENTÉ.
- Une teinte voisine d'une autre : APPROCHANT.

VOISINAGE

1. Il est insupportable pour son voisinage : ENTOURAGE.

2. Toutes les terres qui sont dans le voisinage de l'usine chimique sont devenues incultes : ABORDS, ALENTOURS, ENVIRONS, PARAGES, PROXIMITÉ.

VOISINER

Dans cette échoppe, l'utile voisine avec l'inutile : JOUXTER.

VOITURE 3028

1. *Parmi les voitures hippomobiles destinées aux voyageurs et utilisées autrefois :* BERLINE, BREAK, CABRIOLET, CALÈCHE, CARROSSE, COCHE, COUPÉ, DILIGENCE, FIACRE, LANDAU, PATACHE, PHAÉTON, TILBURY, VICTORIA.
- *Parmi les voitures destinées au transport des marchandises ou de produits divers :* CAMION, CARRIOLE, CHARIOT, CHARRETTE, FARDIER, HAQUET, TOMBEREAU.
- Une voiture pour les courses attelées : SULKY.

2. Acheter une nouvelle voiture : AUTOMOBILE, *en lang. fam. :* BAGNOLE, *et en argot :* TIRE.
- Une vieille voiture : *fam. :* CHIGNOLE, GUIMBARDE, TACOT.

3. Un train de dix voitures : WAGON.

4. Installer un jeune enfant dans sa voiture : LANDAU, POUSSETTE.

VOIX 3029

1. Il nous parla avec une voix grave : ACCENT, TON.
- Encourager quelqu'un de la voix et du geste : PAROLE.

2. La voix des cloches : SON.
- La voix de la tempête : BRUIT, GRONDEMENT.
- Au petit matin, les voix des coqs se répondent : CHANT, CRI.
- La voix de l'agneau : BÊLEMENT.
- La voix de l'âne : BRAIMENT.
- La voix du cerf : BRAME.
- La voix du chat : MIAULEMENT.
- La voix du cheval : HENNISSEMENT.
- La voix du chien : ABOIEMENT, JAPPEMENT.
- La voix du corbeau : CROASSEMENT.
- La voix de l'éléphant : BARRISSEMENT.
- La voix des grenouilles : COASSEMENT.
- La voix du lion : RUGISSEMENT.
- La voix du loup : HURLEMENT.
- La voix de l'ours : GROGNEMENT.
- La voix du renard : GLAPISSEMENT.

3. Écoutez la voix de votre conscience : AVERTISSEMENT, AVIS.
- Répondre à la voix de Dieu : APPEL.

4. La voix de la nation : OPINION.
- Donner sa voix à un candidat : SUFFRAGE, VOTE.

VOL 3030

1. L'aigle prit son vol : ENVOL, ESSOR.

2. Avec un avion supersonique, la durée du vol entre Paris et New York ne dépasse pas quatre heures : VOYAGE.
- Pendant le vol au-dessus de l'océan, l'avion était sur pilote automatique : NAVIGATION.

3. Je regardais le vol des oiseaux migrateurs : PASSAGE.

- Un vol de criquets obscurcissait le ciel : NUAGE, NUÉE.
- Un vol d'étourneaux s'abattit sur le champ : BANDE, VOLÉE.

VOLANT

1. *adj.*
- Le personnel volant d'une compagnie aérienne : NAVIGANT.
- Une table volante : MOBILE.
2. *nom.*
- Prévoir un volant de pièces de rechange : RÉSERVE.
- Avoir un volant de sécurité : MARGE.

VOLÉE

1. Reprendre une balle à la volée : AU VOL.
2. Soudain une volée de petites filles envahit le magasin : ESSAIM.
- Une volée d'obus fumigènes : DÉCHARGE, SALVE.
3. *Fam. :* À cause de son insolence, il a reçu une bonne volée : CORRECTION, *et en lang. pop. :* DÉROUILLÉE, TOURNÉE, TREMPE.

VOLER

1. Les frères Montgolfier, en 1783, firent voler un ballon : S'ENVOLER.
- L'avion volait au-dessus des Alpes : SURVOLER.
- Moteur arrêté, l'avion put voler jusqu'à la piste : PLANER.
- Les Airbus volent sous les couleurs de plusieurs compagnies : NAVIGUER.
- L'oiseau volait d'un arbre à l'autre : VOLETER.
- Les feuilles volent en tombant : VOLTIGER.
- Son écharpe volait au vent : FLOTTER.
2. Voler au secours de quelqu'un : COURIR, *et en lang. fam. :* FONCER.

VOL 3031

- Ces gens-là ne vivent que de vols : CAMBRIOLAGE, CHAPARDAGE, ESCROQUERIE, FILOUTERIE, GRIVÈLERIE, LARCIN, MARAUDE, PILLAGE, RAPINE.
- Un vol à main armée : HOLD-UP.
- Un vol de fonds publics : DÉTOURNEMENT.

VOLER

- Elle s'est fait voler son sac à main : DÉROBER, ESCAMOTER, SUBTILISER, *et par euphémisme :* ALLÉGER DE, DÉLESTER DE, SOULAGER DE.
- Il s'est fait voler ses économies : DÉPOUILLER DE, RAVIR, *en lang. fam. :* BARBOTER, FILOUTER, RAFLER, *et en lang. pop. :* FAUCHER, PIQUER, RATIBOISER.
- Le vieillard s'est fait voler par ses enfants : GRUGER, *et en lang. fam. :* PLUMER, TONDRE.
- Dans ce pays, de nombreux voyageurs se font voler : DÉTROUSSER, DÉVALISER.
- On lui a volé sa moto : *par euphémisme :* EMPRUNTER.
- Voler des fonds publics : DÉTOURNER, SOUSTRAIRE.
- L'enfant volait des bonbons à l'étalage : *fam. :* CHAPARDER, CHIPER.
- Tous les jours, il volait quelques francs dans le sac de sa mère : GRAPPILLER.
- Voler dans les champs : MARAUDER.
- Pendant leur absence, ils ont été volés : CAMBRIOLER, PILLER.
- Voler un enfant contre rançon : ENLEVER, KIDNAPPER.
- Ce courtier vole ses clients : ESCROQUER, EXTORQUER.
- Cet hôtelier vole les touristes de passage : EXPLOITER, *et en lang. fam. :* ÉCORCHER, ESTAMPER, ÉTRILLER.
- Ce titre de comte qu'il porte, il l'a volé : USURPER.
- Il a volé mes idées : COPIER, PLAGIER, S'APPROPRIER.

VOLEUR

- Dans le métro, méfiez-vous des voleurs ! : CLEPTOMANE, FILOU, PICKPOCKET.
- Dans ce grand magasin, on traque les voleurs : CHAPARDEUR.
- Des voleurs ont visité leur appartement : CAMBRIOLEUR.
- Les soldats ennemis se conduisaient en voleurs : MARAUDEUR, PILLARD.
- Un voleur d'enfant : KIDNAPPEUR, RAVISSEUR.
- Ce promoteur est un voleur : AIGREFIN, ESCROC.
- Cet usurier, quel voleur ! : RAPACE, REQUIN.
- La banque a été attaquée par de jeunes voleurs : BANDIT, BRIGAND, GANGSTER, MALFAITEUR.

VOLAILLE 3032

Un élevage de volailles : VOLATILE.

VOLATILISER (SE) 3033

1. Le bouclier thermique de la fusée s'est volatilisé pendant la rentrée dans l'atmosphère : SE VAPORISER.
2. Le fuyard s'est volatilisé : DISPARAÎTRE, *et en lang. fam. :* S'ÉVAPORER.

VOLET 3034

1. Fermer les volets avant de quitter une maison : CONTREVENT, PERSIENNE.
2. Un plan en plusieurs volets : PARTIE.

VOLIÈRE 3035

Des oiseaux en volière : CAGE.

VOLONTAIRE 3036
1. Son aveu a-t-il été volontaire ? : LIBRE.
• Il a été la victime volontaire de cette plaisanterie : CONSENTANT.
• Elle a apporté sa contribution volontaire aux secours : BÉNÉVOLE.
2. Un oubli volontaire : DÉLIBÉRÉ, INTENTIONNEL, VOULU.
3. Une jeune fille très volontaire : DÉCIDÉ, OPINIÂTRE, RÉSOLU, TENACE.
• Un gamin trop volontaire : ENTÊTÉ, OBSTINÉ, TÊTU.

VOLONTAIREMENT
1. Il est venu nous aider volontairement : BÉNÉVOLEMENT.
• Il s'est exposé volontairement au danger : DE SON PLEIN GRÉ.
2. C'est volontairement qu'elle est arrivée en retard : DÉLIBÉRÉMENT, EXPRÈS, INTENTIONNELLEMENT.

VOLONTÉ
1. Le ministre a confirmé sa volonté d'aboutir à un accord : DÉSIR, INTENTION.
• Telle est la volonté de la nation : SOUHAIT, VŒU.
2. La volonté ne lui manque pas : CARACTÈRE, DÉTERMINATION, ÉNERGIE, FERMETÉ, OPINIÂTRETÉ, RÉSOLUTION, TÉNACITÉ.
3. Comment résister à ses volontés ? : EXIGENCES.
• Les parents ne doivent pas laisser un enfant faire ses volontés : CAPRICES, FANTAISIES.
4. Avec bonne volonté : AVEC BONNE GRÂCE.
• Elle s'est mariée contre ma volonté : GRÉ.
5. Le vin était servi à volonté : À DISCRÉTION.
6. Le notaire nous a lu ses dernières volontés : TESTAMENT.

VOLONTIERS
• Je vous prêterais volontiers de l'argent, si j'en avais : DE BON CŒUR.
• Je reprendrais volontiers un peu de dessert : AVEC PLAISIR.
• Je vous crois volontiers : AISÉMENT, FACILEMENT.

VOLTE-FACE 3037
Un homme politique aux volte-face célèbres : RETOURNEMENT, REVIREMENT, VIREVOLTE.

VOLTIGE
Un exercice de voltige : ACROBATIE.

VOLUME 3038
1. Une bibliothèque de plusieurs milliers de volumes : LIVRE, OUVRAGE.
• Les œuvres complètes de Zola en quinze volumes : TOME.
2. Avec cette entorse, sa cheville a doublé de volume : GROSSEUR.
• Au point de vue du rangement, le gain en volume des microfiches par rapport au papier est de plus de 95 % : ENCOMBREMENT, PLACE.
• Le volume des alluvions déposées par un fleuve : MASSE.
• Le volume des échanges entre deux pays : IMPORTANCE, QUANTITÉ.
• Augmenter le volume sonore d'un haut-parleur : INTENSITÉ, PUISSANCE.
• Sa voix manque de volume : AMPLEUR.
• Le volume de mes meubles a été estimé par les déménageurs à trente mètres cubes : CUBAGE.
• Le volume d'eau écoulé en une seconde : DÉBIT.

VOLUMINEUX
• Un volumineux tas d'ordures : ÉNORME, GROS.
• Les paquets trop volumineux ne sont pas acceptés dans les cabines d'avions : ENCOMBRANT.
• Après son passage à la télévision, il a reçu un volumineux courrier : ABONDANT, IMPORTANT.

VOLUPTÉ 3039
DÉLECTATION, JOUISSANCE, PLAISIR.

VOLUTE 3040
Les volutes de la fumée : ARABESQUE, SPIRALE.

VOMIR 3041
1. Il a vomi son déjeuner : REJETER, RENDRE, RESTITUER, *en lang. fam. :* DÉGOBILLER, *et en lang. vulgaire :* DÉGUEULER.
• Vomir de la bile : CRACHER.
2. Vomir des jurons : LANCER.
• Je vomis les hypocrites : ABHORRER, EXÉCRER, HONNIR.

VOMITIF
Prendre un vomitif : ÉMÉTIQUE.

VORACE 3042
• On dit les taupes voraces : GLOUTON.
• Un appétit vorace : INSATIABLE.
• Un commerçant vorace : AVIDE, RAPACE.

VORACITÉ
1. Manger avec voracité : GLOUTONNERIE, GOINFRERIE.
2. Il avait la peau cuite par la voracité du soleil : ARDEUR.

VOTE 3043
1. Compter les votes : SUFFRAGE.
2. Organiser un vote : *suivant le cas :*

CONSULTATION, ÉLECTION, PLÉBISCITE, RÉFÉRENDUM, SCRUTIN.

VOTER
Le projet de loi n'a pas été voté : ADOPTER.

VOULOIR 3044
1. *verbe.*
a) Elle voulait en savoir plus : DÉSIRER, SOUHAITER.
• Que veux-tu de plus ? : DEMANDER.
• Que veux-tu de moi ? : ATTENDRE.
• Je veux que l'on m'écoute : ENTENDRE, EXIGER, ORDONNER.
• Les grévistes voulaient une augmentation : RÉCLAMER, REVENDIQUER.
• Il veut la première place : AMBITIONNER, ASPIRER À, BRIGUER, VISER.
• Je voudrais bien le rencontrer : AIMER.
• Le prisonnier voulait se débarrasser de ses liens : ESSAYER, TENTER.
b) Ce n'est pas comme il veut le faire croire : PRÉTENDRE.
• Comment voulez-vous que je procède ? : SUGGÉRER.
• Pourquoi voulez-vous que cela m'étonne ? : PENSER.
• Cela veut-il dire que... ? : SIGNIFIER.
c) Veux-tu m'accompagner ? : ACCEPTER.
• Veuillez me suivre : DAIGNER.
• Je veux bien te le prêter : CONSENTIR À.
• Si le temps le veut : PERMETTRE.
d) Le maïs veut un climat chaud et humide : EXIGER, NÉCESSITER, RÉCLAMER.
• La loi veut que... : PRESCRIRE, REQUÉRIR.
2. *nom.*
Un mauvais vouloir flagrant : VOLONTÉ.

VOYAGE 3045
1. Un voyage autour de l'Afrique : CROISIÈRE, PÉRIPLE.
• Un voyage touristique : CIRCUIT, EXCURSION.
• Un voyage dans une région inconnue : EXPÉDITION, EXPLORATION.
• Un voyage semé d'aventures : ODYSSÉE.
• Un voyage à bicyclette : RANDONNÉE, TOURNÉE.
• Ce ne sera qu'un court voyage : DÉPLACEMENT.
• La vedette a fait plusieurs voyages entre le navire et le quai pour débarquer les passagers : ALLER ET RETOUR, NAVETTE, VA-ET-VIENT.
2. Au temps de Napoléon Ier, le voyage entre Paris et Lyon demandait une bonne centaine d'heures : PARCOURS, TRAJET.
• Le voyage entre Marseille et Alger : TRAVERSÉE.
• Bon voyage ! : BONNE ROUTE !

VOYAGER
• Il n'aime pas beaucoup voyager : SE DÉPLACER.
• Un automobiliste qui préfère voyager de nuit : ROULER.
• Un marin qui a beaucoup voyagé : BOURLINGUER, NAVIGUER.

VOYAGEUR
Suivant le cas : GLOBE-TROTTER, PASSAGER, TOURISTE.

VOYANTE 3046
CARTOMANCIENNE, CHIROMANCIENNE, PYTHONISSE.

VOYOU 3047
1. *nom.*
• Ce n'est qu'un voyou : CRAPULE, DÉVOYÉ, VAURIEN, *et en lang. pop. :* FRAPPE, GOUAPE.
2. *adj.*
Un air voyou : CANAILLE, VULGAIRE.

VRAISEMBLABLE 3048
• Son histoire n'est pas vraisemblable : CROYABLE.
• Une hypothèse vraisemblable : PLAUSIBLE.
• Il est vraisemblable que... : ENVISAGEABLE, PROBABLE.

VRAISEMBLANCE
• La vraisemblance d'un personnage de roman : CRÉDIBILITÉ.
• Selon toute vraisemblance : PROBABILITÉ.

VRILLER 3049
1. *v. intr.*
Une corde qui vrille : SE TORDRE.
2. *v. tr.*
• Le crépitement rageur de la mitrailleuse vrillait mes tympans : TARAUDER.
• La peur commençait à vriller ses nerfs : TORDRE.

VROMBIR 3050
• Les moteurs des voitures de course commencèrent à vrombir : GRONDER, RONFLER.
• Les avions piquèrent en vrombissant : MUGIR.
• Plusieurs taons vrombissaient autour du cheval : BOURDONNER.

VROMBISSEMENT
• Le vrombissement d'une tondeuse à gazon : RONFLEMENT.
• Le vrombissement des abeilles : BOURDONNEMENT.

VULGAIRE 3051
1. « Poisson volant » est le nom vulgaire de l'exocet : COURANT, USUEL.
• Ce sont des meubles vulgaires, sans aucun style : ORDINAIRE, QUELCONQUE.

- Ce n'est pas un chien de race, c'est un vulgaire bâtard : SIMPLE.

2. Un chansonnier vulgaire : GROSSIER.

- Un mot vulgaire : TRIVIAL.
- Il a un accent vulgaire qui ne me plaît pas : FAUBOURIEN.
- Ses ambitions sont bien vulgaires : COMMUN, PROSAÏQUE, TERRE À TERRE.

VULGAIREMENT

1. Le plantain appelé vulgairement « herbe à cinq côtes » : COMMUNÉMENT, COURAMMENT, POPULAIREMENT.
2. Il s'exprime vulgairement : GROSSIÈREMENT, TRIVIALEMENT.

VULGARISER

Cette revue vulgarise des connaissances scientifiques en les simplifiant : DIFFUSER, PROPAGER, RÉPANDRE.

VULGARITÉ

GROSSIÈRETÉ, OBSCÉNITÉ, TRIVIALITÉ.

VULNÉRABLE 3052

- Le jeune enfant est un être vulnérable : FRAGILE.
- C'est le point le plus vulnérable de notre défense : FAIBLE, SENSIBLE.

VUMÈTRE 3053

Contrôler le niveau sonore avec un vumètre : MODULOMÈTRE.

WAGON 3054

- Un wagon de première classe : VOITURE.
- Des wagons pour le transport des marchandises : *suivant la forme :* FOURGON, PLATEAU, PLATE-FORME.
- Des wagons pour le transport des véhicules : TRUCK.

WHISKY 3055

Prendre un whisky : *suivant l'origine :* BOURBON, SCOTCH.

Yy Zz

YOUYOU 3056
Un youyou faisait la navette entre le navire et le quai : CANOT.

ZÉBRER 3057
- Les marques de coups de fouet zébraient son dos : RAYER.
- Des balles traceuses zébrèrent la nuit : HACHURER, STRIER.

ZÉE 3058
Le zée est un poisson des mers tempérées : DORÉE, SAINT-PIERRE.

ZÈLE 3059
- Le zèle religieux d'un catéchumène : ENTHOUSIASME, FERVEUR.
- Le zèle d'un douanier : ATTENTION, VIGILANCE.
- Rivaliser de zèle : APPLICATION, ARDEUR, DÉVOUEMENT, DILIGENCE, EMPRESSEMENT, ÉMULATION.

ZÉLÉ
- Un serviteur zélé : DÉVOUÉ, EMPRESSÉ.
- Une secrétaire zélée : DILIGENT.
- Un partisan zélé : CHALEUREUX, ENTHOUSIASTE, FERVENT.
- Un défenseur zélé : ARDENT, VIGILANT.

ZÉRO 3060
1. Aujourd'hui il a une belle situation, mais il est parti de zéro : RIEN.
2. Faire zéro faute dans une dictée : AUCUN.
3. Cet homme politique est un zéro : INCAPABLE, NULLITÉ.
4. Il est juste zéro heure : MINUIT.

ZÉZAIEMENT 3061
BLÈSEMENT, *et en lang. fam. :* ZOZOTEMENT.

ZÉZAYER
Un enfant qui zézaie : BLÉSER, *et en lang. fam. :* ZOZOTER.

ZINC 3062
1. *Pop. :* Tous les soirs, ils se retrouvaient au zinc du bar : COMPTOIR.
2. *Fam. :* Il a appris à piloter sur un vieux zinc : AVION.

ZIZANIE 3063
Semer la zizanie dans une famille : BROUILLE, DÉSUNION, DISCORDE, MÉSINTELLIGENCE.

ZOÏLE 3064
Durant sa vie, cet écrivain a été la cible de nombreux zoïles : DÉTRACTEUR.

ZONE 3065
1. Les zones désertiques du globe : RÉGION.
- Une zone de défrichement : SECTEUR.
2. Les nomades sont relégués dans la zone : LES FAUBOURGS.

ZOUAVE 3066
Fam. : Faire le zouave : MALIN, *et en lang. pop. :* ZIGOTO.

ZUT 3067
Fam. : Et puis, zut ! je m'arrête : FLÛTE.

Index

Index

Figurent ci-dessous tous les mots cités dans le dictionnaire, à l'exclusion des mots d'entrée.
Dans cet index, les nombres qui figurent à côté de chaque mot renvoient aux numéros des mots d'entrée du texte.
Voir mode d'emploi pages 6 et 7

ACCROCHEUR 441, 2792.
ACCROISSEMENT 573, 918, 1336, 1858, 2211, 2344.
ACCROÎTRE 84, 111, 171, 774, 922, 1085, 1115, 1858.
ACCROÎTRE (S') 573, 1336, 1858.
ACCUEIL 1379, 2327.
ACCUEILLANT 60, 80, 1379.
ACCULER 482.
ACCUMULATION 100, 2251.
ACCUMULER (S') 156.
ACCUSÉ 1230, 2219, 2921.
ACERBE 78, 330, 1448, 1841, 2099, 2993.
ACÉRÉ 79, 1841, 2099, 2867.
ACHARNEMENT 145, 1252, 1269, 1944.
ACHEMINEMENT 2879.
ACHETEUR 413, 2171.
ACHÈVEMENT 552, 2798.
ACHEVER (S') 150, 1214, 2798.
ACHOPPER 2887.
ACIDE 78, 330, 2099.
ACOLYTE 464.
ACOMPTE 2232.
À-COUP 2500.
ACOUSTIQUE 2625.
ACQUÉREUR 2171.
ACQUÉRIR 41, 182, 521, 1168, 1276, 1945, 2171.
ACQUIESCEMENT 35, 51, 140.
ACQUIESCER 29, 502.
ACQUIS 189, 497, 2533.
ACQUISITION 41.
ACQUIT 609, 2327.
ACQUITTEMENT 2367.
ÂCRE 78, 107, 2099.
ACRIMONIE 107.
ACROBATE 1607.
ACROBATIE 3037.
ACTION 45, 902, 903, 1305, 1568, 1705, 1952, 1964, 2823, 2945.
ACTIONNER 1855.
ACTIVER 28, 2154, 2163, 2178, 2638, 2681.
ACTRICE 1555.
ACTUALISER 1823, 2399.
ACTUALITÉ 1895.
ACUITÉ 1215, 1547, 1616, 2051, 2573.
ADAPTABILITÉ 2646.
ADAPTATION 85, 1344, 2859.
ADAPTÉ 141, 492.
ADAPTER 32, 35, 85, 492, 1823, 2880.
ADAPTER (S') 32, 1047, 1344.
ADDENDA 2722.
ADDITIF 50.
ADDITIONNER 84, 2847.
ADÉNITE 2916.
ADÉNOME 2916.
ADEPTE 2027, 2792.
ADÉQUAT 141, 527.
ADÉQUATION 527.
ADHÉRENCE 51.
ADHÉRENT 1770.
ADHÉSIF 430.
ADIEU 2515.
ADIPEUX 1323.
ADIPOSITÉ 1931.
ADJOINDRE 84, 163, 165, 1462.
ADJOINDRE (S') 2171.
ADJOINT 77, 429, 2552.
ADJONCTION 50, 2448.
ADJUGER 169.
ADJUGER (S') 169, 2764.
ADJURATION 2190, 2723.
ADJURER 2190, 2723.
ADMETTRE 29, 32, 35, 140, 183, 468, 470, 473, 502, 527, 572, 959, 1403, 2017, 2033, 2064, 2327, 2339, 2639, 2724, 2829.
ADMINISTRATEUR 1304.
ADMINISTRATIF 1955.
ADMINISTRATION 175, 485, 800, 885, 1083, 1304, 1727, 2580, 2792.
ADMINISTRER 485, 800, 841, 1201, 1304.
ADMIRABLEMENT 1781.
ADMIS 2725.
ADMISSIBLE 572, 2115, 2142, 2327.
ADMISSION 1025, 1569.
ADMONESTATION 1640, 1935, 2419, 2572.
ADMONESTER 232, 999, 2418.
ADOLESCENTE 1211.
ADONNER (S') 165, 499, 583, 841, 1667, 1949, 2158, 2503, 3022.
ADOPTION 391.
ADORATION 110, 779, 2034.
ADORÉ 377.
ADORER 80, 377, 1374.
ADOSSER 142.
ADOSSER (S') 142.
ADOUCISSEMENT 2641.
ADRESSER 1036, 2177.
ADRESSER (S') À 2340.
ADROITEMENT 225.
ADULATEUR 1218, 1676, 1941.
ADULATION 1220, 1941.
ADULER 1676.
ADULTE 1322, 1862.
ADULTÈRE 1503.
ADULTÉRER 97.
ADVENIR 2206.
ADVERSE 1967.
ADVERSITÉ 1509, 1717.
AÈDE 2124.
AÉRATION 2965.
AÉROPORT 1288.
AFFABILITÉ 405, 845, 2130.
AFFAIBLI 1165.
AFFAIBLIR 1, 3, 56, 862, 1504, 1802, 1923, 2293, 2351, 2932.
AFFAIBLIR (S') 191, 614, 633, 713, 797, 1630, 1996, 2938.
AFFAIBLISSANT 725.
AFFAIBLISSEMENT 1, 3, 797.
AFFAIRÉ 1949.
AFFAISSEMENT 2780.
AFFAISSER (S') 3, 333, 575, 1731, 2780, 2831.
AFFALER (S') 324, 1081, 2831.
AFFAMÉ 1171.
AFFECTÉ 343, 792, 1095, 1798, 2162, 2183, 2330.
AFFECTION 110, 165, 421, 537, 1449, 1712, 2089, 2573, 2794.
AFFECTIONNER 80, 377.
AFFECTIVITÉ 2573.
AFFECTUEUX 108, 292, 2794.
AFFERMER 1676.
AFFÉTERIE 62, 2700.
AFFICHE 889, 2103, 2239.
AFFICHER 841, 1837, 2103, 2208, 3026.
AFFICHER (S') 1081.
AFFILÉ 79, 2867.
AFFILER 79.
AFFILIÉ 1770.
AFFILIER (S') 51, 1527.
AFFINAGE 2282.
AFFINER 2282.
AFFINER (S') 2991.
AFFINITÉ 35, 114, 423, 454, 479, 527.
AFFIRMATIF 2140.
AFFIRMATION 612.
AFFLICTION 610, 847, 2049.
AFFLIGEANT 847, 1717, 2901.
AFFLIGÉ 2901.
AFFLIGER 62, 170, 347, 1245, 2049.
AFFLIGER (S') DE 2118.
AFFLUENCE 13, 480, 1237, 2251.
AFFLUENT 553, 2898.
AFFLUER 2119.
AFFLUX 13, 2941.
AFFOLANT 908.
AFFOLÉ 898.
AFFOLEMENT 945, 2077, 2907.
AFFOUILLER 565, 1802.
AFFRANCHISSEMENT 930, 1655.
AFFRES 2872.
AFFRONTER (S') 1364, 1687, 1967.
AFFUBLÉ 2980.
AFFUBLER 1164, 1343.
AFFÛTER 79, 2409.
AFIN DE 2149.
AGAÇANT 739, 1115, 1586, 1628.
ÂGE 1046, 2791.
ÂGÉ 2991.

AGENCE 1954, 2706.
AGENCEMENT 85, 163, 469, 815, 1973, 1975, 2805.
AGENCER 85, 149, 209, 815, 1973.
AGENDA 95, 318.
AGENOUILLER (S') 2226.
AGENT SECRET 1072.
AGGLOMÉRATION 250, 340, 3001.
AGGLOMÉRER 1747.
AGGRAVATION 656, 2211.
AGGRAVER (S') 171, 466, 656, 950, 2211.
AGILITÉ 57, 1641, 2646, 2993.
AGIOTAGE 2668.
AGIOTER 2668.
AGIOTEUR 2668.
AGISSEMENT 485, 1730, 2158.
AGITATEUR 2910.
AGITÉ 819, 1206, 1383, 1755, 1855, 1893, 2391, 2853, 2917, 2919.
AGITER (S') 61, 117, 592, 686, 2391.
AGONIR 1515.
AGONISANT 1842.
AGONISER 1084, 1842.
AGRAFE 165.
AGRAFER 36, 165.
AGRANDIR 94, 111, 171, 774, 794, 1085.
AGRANDIR (S') 573.
AGRANDISSEMENT 573, 918.
AGRÉABLEMENT 225.
AGRÉER 29, 140, 527, 2107, 2327.
AGRÉMENT 51, 140, 360, 845, 1605, 2107.
AGRÉMENTER 622, 1980.
AGRESSER 166.
AGRESSEUR 1953.
AGRESSIVITÉ 441, 1841, 3004.
AGRESTE 2035.
AGRICULTEUR 1622, 2045.
AGRIPPER 36, 168, 2171.
AGRIPPER (S') 36, 2270, 2510, 2792.
AGUERRI 2487.
AGUERRIR 978.
AGUICHANT 2233.
AGUICHER 70, 1119.
AHANER 2049.
AHURI 859, 898, 2691.
AHURIR 1089.
AHURISSANT 1089, 2402, 2691, 2711.
AHURISSEMENT 2691.
AIDE (À L') DE 1320.
AIDE-MÉMOIRE 2939.
AÏEUL 115.
AÏEUX 1842.
AIGREFIN 1067, 3031.
AIGRETTE 2122.
AIGREUR 107, 715.
AIGRIR 2854.
AIGRIR (S') 2099.
AIGUILLE 2623.
AIGUILLER 1978.
AIGUILLONNER 117, 966, 1119, 2099, 2154, 2658, 2681.
AIGUISÉ 2867.
AILE 543.
AIMÉ 377.
AIMER (S') 2107.
AIMER MIEUX 2166.
AIRE 1899, 2732.
AIS 2109.
AISANCE 13, 57, 82, 164, 265, 920, 1157, 1641, 1655, 1888, 2646.
AISÉMENT 1157, 1888, 3036.
AJOURNEMENT 2385, 2403.
AJOUT 50.
AJOUTER (S') À 1331.
AJUSTÉ 430, 492, 2579.
ALANGUI 1486.
ALANGUISSEMENT 3.
ALARMANT 1328, 1523, 1773, 2071, 2578.
ALARMÉ 1523.
ALARMER 908, 945, 1523.
ALARMISTE 2071.
ALBUGO 2760.
ALBUM 2346.
ALCOOL 858, 1660.
ALCOOLIQUE 1590.
ALCOOLISME 1590.
ALÉATOIRE 179, 848, 1105.
ALENTOURS 3027.
ALERTE (adj.) 72, 814, 1256, 1641, 2297, 2993.
ALERTE (n.) 86.
ALERTER 2188.
ALÉSEUSE 1697.
ALEZAN 2483.
ALGARADE 96, 2539, 2632.
ALGUE 1311.
ALIÉNATION 1228, 2907.
ALIÉNÉ 685, 1228.
ALIGNEMENT 1658.
ALIGNER 492.
ALIGNER (S') 492, 2295.
ALIMENTATION 1919.
ALIMENTER (S') 1029, 1726, 1919.
ALITER (S') 544.
ALIZÉ 2965.
ALLAITER 1919.
ALLANT 47.
ALLÉE 374, 553, 2033.
ALLÉES ET VENUES 1855.
ALLÉGATION 1437.
ALLÈGEMENT 2597, 2641.
ALLÉGORIE 2750.
ALLÉGORIQUE 1874, 2671, 2750.
ALLÈGRE 72, 814, 1641, 2993.
ALLÉGRESSE 1277, 1365, 1605.
ALLÉGUER 64, 176, 1932, 1967, 2183, 2187, 2206.
ALLER À CHEVAL 379.
ALLER ET RETOUR 1889, 3045.
ALLER MIEUX 149.
ALLER (S'EN) 2, 927, 1650, 2032, 2260, 2443.
ALLERGIE 121.
ALLIAGE 1769, 2928.
ALLIER 163, 442, 1769, 2448, 2928.
ALLIER (S') 163, 1606, 1739, 2928.
ALLOCATION 2053, 2180, 2232, 2554.
ALLONGÉ 1673.
ALLONGEMENT 2214.
ALLOUER 35, 169, 473, 502, 1324.
ALLUMER 608, 987.
ALLUMER (S') 2171.
ALLURE 81, 282, 313, 468, 680, 1146, 1706, 1734, 2033, 2136, 2792, 2848, 2863, 3017.
ALLUSIF 1481, 3025.
ALLUSION 1531, 2653.
ALLUVION 720, 2562.
ALOURDI 934.
ALOURDISSEMENT 1678.
ALPAGE 1835.
ALPENSTOCK 210.
ALTÉRATION 352, 542, 1869.
ALTÉRER (S') 617, 2151, 2854.
ALTERNANCE 2703.
ALTERNATIF 2061.
ALTERNATIVE 391.
ALTITUDE 1354, 1835.
ALTRUISME 10, 240, 357.
ALTRUISTE 750, 1386.
ALVÉOLE 323.
AMABILITÉ 240, 462, 1302, 1320, 2130, 2188.
AMADOUER 124, 139.
AMAIGRI 634, 1181.
AMALGAME 442, 1769, 2928.
AMALGAMER 491, 1462, 1769, 2928.
AMANT 1369.
AMANTE 1708.
AMARRE 165.
AMARRER 165.
AMATEUR 1254.
AMBASSADE 1815.
AMBASSADEUR 2417.
AMBIGUÏTÉ 1055, 1446, 1938.
AMBULANT 1060.
AMÉLIORABLE 2059.
AMÉLIORATION 176, 1797, 2059, 2211, 2874.
AMÉLIORER (S') 1168.
AMÉNAGEMENT 825, 1975, 2874.
AMÉNAGER 149, 513, 815, 1973, 1975.

AMENDE 2517.
AMENDER 105, 540, 2356.
AMÈNE 60, 80, 2607.
AMENER (S') 2964.
AMÉNITÉ 845, 1961.
AMENUISER 797.
AMENUISER (S') 191, 797.
AMER (n.) 2593.
AMEUBLEMENT 1818.
AMEUTER 2642.
AMICAL 108, 537, 1173, 2751.
AMICALE 163.
AMIE 1708.
AMINCIR 797, 1702.
AMITIÉ 110, 537, 1184, 1449, 1562, 2107, 2751, 2794.
AMNISTIER 1320.
AMOCHER 8, 234.
AMOINDRIR 90, 797, 2351, 2932.
AMOINDRISSEMENT 797, 2436.
À MOINS DE 2528.
AMOLLI 901.
AMOLLIR 2293.
AMOLLIR (S') 973.
AMOLLISSANT 725, 1825.
AMONCELER 38, 100.
AMONCELER (S') 156, 949.
AMONCELLEMENT 100, 1835.
AMORCER (S') 447.
AMORPHE 973, 1459, 1486, 1825.
AMORTI 2649.
AMORTIR 56, 1090.
AMOURACHER (S') 424.
AMOURETTE 179, 308.
AMOUREUX 1279, 2034, 2573, 2587, 2794.
AMPHIBOLOGIQUE 1938.
AMPHIGOURI 1282.
AMPHIGOURIQUE 1938.
AMPHITRYON 1381.
AMPHORE 2952.
AMPLEMENT 215, 1673.
AMPLIATION 533.
AMPLIFICATION 1336.
AMPLIFIER (S') 1836.
AMPUTATION 1869.
AMPUTÉ 1869.
AMPUTER 548, 1869, 1964.
AMULETTE 1196.
AMUSANT 187, 240, 420, 853, 1228, 1277, 2099, 2107, 2461, 2671.
AMUSETTE 185.
AN 219.
ANACHORÈTE 1058.
ANACOLUTHE 1209.
ANAGOGIQUE 1874, 2671.
ANALGÉSIQUE 2561.
ANALOGUE 492, 1771, 2011, 2571, 2927, 3027.
ANALPHABÈTE 1397.
ANALYSE 571, 1114, 2758.
ANALYSER 571, 617, 1095, 1114, 2396.
ANARCHIE 493, 756.
ANARCHIQUE 756.
ANARCHISTE 1655.
ANATHÉMATISER 1752, 3019.
ANATHÈME 1715.
ANCESTRAL 1888, 2558, 2858, 2991.
ANCIENNETÉ 2991.
ANCRAGE 1850.
ANCRER 1850.
ANÉANTIR 3, 515, 764, 888, 2245, 2312, 2351, 2489.
ANÉANTIR (S') 2619.
ANÉANTISSEMENT 3, 764, 906, 1214, 1842, 2489.
ANECDOTE 1367, 1895, 2864.
ANÉMIE 1165.
ANÉMIQUE 1165.
ÂNERIE 223, 1897, 2633.
ANESTHÉSIER 389, 973.
ANÉVRISME 2916.
ANFRACTUOSITÉ 332.
ANGLE 543, 878, 1155, 1610, 2068, 2300.
ANGLICAN 2229.
ANGOISSANT 849, 1523, 1773, 2602, 2619.
ANGOISSE 86, 136, 561, 742, 945, 1523, 2853, 2872.
ANGOISSÉ 123, 561, 1523, 2579.
ANGOISSER 908, 1523, 2853.
ANGULEUX 2487.
ANICROCHE 789, 1447.
ANIMAL 271.
ANIMATEUR 104, 372.
ANIMÉ 1144, 1855, 2993, 3020.
ANIMOSITÉ 1204, 1724, 2188, 2430.
ANKYLOSE 2285.
ANKYLOSÉ 997, 2285.
ANNALES 1772.
ANNALISTE 1367.
ANNEAU 92, 1703.
ANNEXE 454, 711.
ANNEXER 1606, 2309, 2448.
ANNEXION 2448.
ANNIHILER 764, 1896, 2351.
ANNONCEUR 2663.
ANNONCIATEUR 1782.
ANNOTATION 448, 1916, 2381.
ANNOTER 540.
ANNUAIRE 95, 2346.
ANNULATION 704, 820, 2425, 2445, 2476, 2727.
ANNULER 11, 324, 704, 820, 1084, 1504, 1650, 2300, 2454, 2727.
ANODIN 1518, 1641, 2799.
ANOMALIE 790, 1117, 1581, 2601, 2907.
ÂNONNER 1662.
ANONYMAT 1938.
ANONYME 1457.
ANORAK 2980.
ANORMAL 229, 1089, 1148, 1513, 2009, 2601.
ANSE 1313, 2126.
ANTAGONIQUE 2469.
ANTAGONISME 390, 490, 1453, 1967, 2469.
ANTAGONISTE 58, 2469.
ANTARCTIQUE 2708.
ANTÉCÉDENT 119.
ANTHOLOGIE 391, 2346.
ANTHRAX 2079.
ANTHROPOPHAGE 301.
ANTHROPOPHAGIE 301.
ANTICHAMBRE 2981.
ANTIDOTE 2384.
ANTIENNE 303.
ANTIMILITARISTE 1991.
ANTINOMIE 522, 1967.
ANTINOMIQUE 1967.
ANTIPATHIQUE 717, 739, 2323, 2511.
ANTIPODES 1967.
ANTIQUE 115, 2991.
ANTIQUITÉ 2991.
ANTITHÈSE 1209, 1967.
ANTITHÉTIQUE 1967.
ANTONYME 1967.
ANXIÉTÉ 86, 136, 561, 1523, 2634, 2872.
APAISANT 476, 2560.
APAISEMENT 507, 1339, 2385, 2641.
APANAGE 1832, 2040, 2223.
APARTÉ 528, 1831.
APATHIQUE 1165, 1486, 1492, 1691, 1825.
APERÇU 867, 1124, 1396, 3013, 3026.
APEURER 65, 1563, 2801.
APHORISME 49, 1756.
APHTE 2923.
APITOIEMENT 458.
APITOYANT 945.
APITOYER 945.
APITOYER (S') 458, 945, 2106.
APLANIR 911, 1663, 2108, 2482.
APLANISSEMENT 1902.
APLATI 2113.
APLATIR 888, 2264.
APLOMB 164, 2676.
APOGÉE 443, 2623.
APOLOGISTE 1676.
APOLOGUE 1153.
APOSTASIE 2397.

ASSÉCHER 1049, 2551, 2779, 2989.
ASSEMBLAGE 163, 442, 1606, 1653, 1836, 2448, 2637.
ASSENER 94, 1245.
ASSENTIMENT 51, 140.
ASSERVISSEMENT 711, 1065, 1968, 2644.
ASSIDUITÉ 134, 1279.
ASSIETTE 1051.
ASSIETTÉE 2113.
ASSIGNER 132, 404, 531, 762.
ASSIMILATION 1544.
ASSISE 206.
ASSISTANCE 77, 142, 156, 1237, 1705, 1954, 2176, 2228, 2239, 2554, 2580, 2615, 2666.
ASSISTANT 77, 429, 2552, 2789.
ASSISTER 77, 638, 1949, 2228, 2554, 2580, 2641, 2658, 2715, 3026.
ASSOCIÉ 92, 429.
ASSOIFFER 97.
ASSOMBRIR 1938.
ASSOMBRIR (S') 559, 1292, 1907.
ASSOMMANT 430, 1005, 1181, 1842.
ASSOMMER 324, 695, 936, 973, 1005, 1091, 1750, 2625, 2915.
ASSORTI 141, 492.
ASSORTIMENT 1014, 1602, 1675, 1739, 1769.
ASSORTIR 33, 35, 163, 442, 492, 1739, 2221.
ASSORTIR (S') 163, 283, 527, 1168, 1739.
ASSOUPI 2622.
ASSOUPIR (S') 973.
ASSOUPISSEMENT 997, 1648, 2622, 2841.
ASSOUPLIR 2373.
ASSOURDI 1199, 1825, 2649.
ASSOURDIR 1090.
ASSOURDISSANT 1091, 1336.
ASSOUVI 2303, 2526.
ASSOUVIR 124, 293, 2033, 2303, 2526.
ASSUJETTI 2716.
ASSUJETTIR 158, 290, 498, 962, 1968, 2120, 2644.
ASSUJETTISSEMENT 1968, 2644, 2696.
ASSUMER 356, 974, 2171, 2724.
ASSURÉ 345, 1190, 1217, 1496, 2616, 2730.
ASSURÉMENT 1106, 1984.
ASTHÉNIE 1165.
ASTHÉNIQUE 1165.
ASTICOT 2967.
ASTICOTER 2776, 2853.
ASTIQUER 1239.
ASTRE 1088.
ASTREIGNANT 1128.
ASTREINDRE 482, 1230, 1936, 2351, 2644.
ASTREINT À 2792.
ASTROLOGUE 1699.
ASTRONOMIQUE 2977.
ASTUCE 1200, 2492.
ASTUCIEUX 57, 601, 653, 1300, 1719, 2700.
ASYMÉTRIE 1581.
ATAVIQUE 1358.
ATAVISME 1358.
ATELIER 2885.
ATERMOIEMENT 1362, 1645, 2440.
ATERMOYER 2797.
ATHÉE 1420, 1464.
ATHÉISME 1464, 1582.
ATHLÉTIQUE 1230.
ATMOSPHÈRE 81, 101, 414, 1069.
ATOME 2015.
ATONE 1408, 2799.
ATONIE 1825.
ATOURS 85, 2019.
ATOUT 177.
ATRABILAIRE 1810.
ÂTRE 1242.
ATROCE 12, 67, 578, 847, 2861.
ATROCITÉ 200, 271, 578, 1378, 1834, 1907.
ATTACHANT 2563.
ATTACHÉ 2792.
ATTACHEMENT 110, 165, 1073, 1653, 2034.
ATTARDER (S') 150, 690, 1085, 1086, 2435, 2567, 2863.
ATTEINDRE 14, 151, 911, 922, 1245, 1276, 1606, 1836, 2848.
ATTEINTE 2136.
ATTELER 1789.
ATTELER (S') 166.
ATTENANT 52, 2203, 3027.
ATTENDRIR 945, 1221, 2848.
ATTENDRIR (S') 458, 2106.
ATTENDRISSANT 845, 945, 2794.
ATTENDRISSEMENT 2573, 2794.
ATTENDU 1845.
ATTENTAT 76, 1953.
ATTENTE 1071,1133, 2068, 2639.
ATTENTIF 134, 474, 1808, 1942, 2037, 2236, 2608, 2634, 2994.
ATTENTION 134, 474, 505, 669, 1288, 1302, 1551, 1774, 2160, 2188, 2236, 2346, 2354, 2363, 2608, 2742, 2994, 3059.
ATTENTIONNÉ 462, 2188.
ATTENTISME 1966.
ATTÉNUATION 797, 1665.
ATTÉNUÉ 3025.
ATTÉNUER 1, 56, 90, 191, 293, 540, 797, 1504, 1822, 1921, 1997, 2351, 2641.
ATTÉNUER (S') 927, 973, 1996.
ATTERRÉ 906
ATTERRER 65, 2691, 2800.
ATTERRIR 876, 2139.
ATTESTATION 261, 488.
ATTESTER 64, 164, 345, 488, 1743, 1837, 2186, 2452, 2658, 2789.
ATTIÉDIR 1822, 2329, 2359.
ATTIFER 1343.
ATTIRAIL 1748.
ATTIRANCE 1319, 2563, 2751.
ATTIRANT 68, 89, 991, 2034, 2563.
ATTIRER 68, 89, 106, 109, 309, 360, 1946, 2233, 2617, 2747, 2796, 2819, 2945.
ATTIRER (S') 476, 967, 1168, 1276.
ATTISER 987, 2296, 2451, 2638.
ATTITUDE 81, 468, 485, 1209, 1706, 2139.
ATTOUCHEMENT 905.
ATTRACTIF 68.
ATTRACTION 2955.
ATTRAIT 360, 384, 1319, 2563, 3021.
ATTRAPE 208, 1873, 2851.
ATTRAYANT 75, 89, 1119, 2107.
ATTRIBUT 2250, 2750.
ATTRIBUTION 2157.
ATTRISTANT 718, 847, 2049.
ATTRISTÉ 347, 1156, 1717.
ATTROUPEMENT 2304.
AUBAINE 350, 1946.
AUBE 447, 1650, 2613.
AUBERGE 1382, 2434.
AUBERGISTE 2434.
AUBURN 2483.
AUCUN 1924, 3060.
AUCUNEMENT 1924.
AUDACE 421, 549, 1261, 1350.
AUDACIEUX 179, 259, 549, 1028, 1350, 1434, 1567.
AU-DELÀ DE 2033.
AU-DEVANT DE 2395.
AUDIBLE 2056.
AUDIENCE 2549.
AUDITEUR 2239, 2789.
AUDITION 1985, 2056.
AUDITOIRE 156, 1281, 2239, 2666.
AUGMENTATION 573, 918, 922, 1062, 1336, 1711, 1836, 1858, 2154, 2211, 2344, 2378.
AUGURE 775, 2174, 2185.
AUGURER 2164, 2174.
AUGUSTE 418, 1709, 1903, 2614.
AUJOURD'HUI 48.
AU MOINS 2582.
AUMÔNE 357, 1957, 2554.
AUMÔNIÈRE 253.
AURÉOLE 1901.
AURÉOLER 1901.
AURORE 447, 1650, 2613.
AUSCULTER 1114.
AUSPICES 2174, 2593.

AUSSITÔT 1406.
AUSTÉRITÉ 1328, 1843, 2285, 2465, 2551, 2584, 2597.
AUSTRAL 2708.
AUTAN 2965.
AUTANT 172.
AUTHENTICITÉ 2600, 2968.
AUTHENTIFIÉ 1955.
AUTHENTIFIER 345.
AUTHENTIQUE 1616, 1955, 2140, 2318, 2600, 2730, 2968.
AUTOBIOGRAPHIE 1772.
AUTOCHTONE 1479.
AUTOCRATE 1826.
AUTOCRATIQUE 20.
AUTOMATE 1741, 2471.
AUTOMATIQUE 1537, 1758, 2672, 2679.
AUTOMATISER 2471.
AUTOMOBILE 1697, 3028.
AUTONOME 1475, 1655.
AUTONOMIE 1475, 1655, 2575.
AUTONOMISTE 2575.
AUTORISATION 35, 852, 1655, 1656, 2064.
AUTORISÉ 1655, 1955, 2064.
AUTORISER 35, 140, 502, 2064, 2829.
AUTORISER (S') 142, 2064.
AUTORITAIRE 20, 328, 979, 1020, 1190, 1230, 1416, 2285, 2551.
AUTRE 788, 1895, 2552.
AUTREFOIS 115, 2033.
AUTRUI 2203.
AUXILIAIRE 77.
AVACHI 1181, 1825.
AVALANCHE 394, 677, 2119, 2251.
AVALER 21, 572, 778, 994, 1726, 2171.
AVANCE 70, 1734, 1957, 1987, 2182, 2232.
AVANCÉ 1168, 1322, 2777.
AVANCÉE 2507.
AVANIE 1953.
AVANT 119, 1885.
AVANTAGÉ 2196.
AVANTAGER 1184, 1220.
AVANTAGEUSEMENT 225.
AVANT-COUREUR 1782.
AVANT-GARDE 2128, 2803.
AVANT-PROPOS 180, 2165.
AVARICIEUX 178.
AVARIE 840.
AVARIÉ 1292, 2778.
AVARIER 97, 542, 2151.
AVARIER (S') 2151.
AVATAR 1784.
AVEC 1320.
AVENANT 2607, 2751.
AVENIR 762, 1271, 1376, 2630.
AVENTURER 1352, 2467.
AVENTURER (S') 2467.
AVENUE 553, 2215, 2488, 3024.
AVÉRÉ 1918, 2730, 2968.
AVÉRER (S') 488.
AVERSE 2119, 2251.
AVERSION 121, 654, 1378, 2077, 2421.
AVERTI 1136.
AVERTIR 118, 799, 1507, 2188, 2593.
AVERTISSEUR 1620, 2593.
AVEU 487, 2339.
AVEUGLANT 577, 861.
AVEUGLEMENT 6, 1060, 2907.
AVEUGLER 243, 861, 913, 1861.
AVEULIR 2293.
AVIDE 584, 1034, 1254, 1414, 1525, 3042.
AVIDITÉ 530, 584, 1310, 1317.
AVILI 2226.
AVILIR 1, 542, 656, 748, 2226, 2313.
AVILIR (S') 1, 650, 722, 745, 2262, 2313.
AVILISSANT 205, 1375, 1480, 2536.
AVILISSEMENT 1, 205, 542, 656, 2151.
AVION 3062.
AVIRON 2291.
AVISÉ 240, 408, 1535, 2236, 2505.
AVISER 118, 1507, 2188.
AVISER (S') 1981, 2381, 2627.
AVIVER 1115, 2154, 2296.
AVIVER (S') 117.
AVOCAT 638.
AVOIR APPRIS 2792.
AVOIR AVANTAGE 1276.
AVOIR LIEU 34, 151, 2206, 2792.
AVOIR PEUR 136, 561.
AVOISINANT 52, 2203, 3027.
AVORTER 876.
AVORTON 1879.
AVOUABLE 1373.
AVOUER (S') 2339.
AXE 800, 2102.
AXER 340.
AXIOME 49.

B

BABILLAGE 184, 212, 1863.
BABINES 1651.
BABOUCHE 370.
BABOUVISME 2607.
BAC 208.
BACCHANALE 1976.
BACCHANTES 1853, 2185.
BÂCHER 559.
BACILLE 1794.
BÂCLÉ 1353.
BÂCLER 1135, 1274, 2497, 2839.
BACTÉRIE 1794.
BADAUDER 1631.
BADIGEONNER 976, 2048.
BADINE 210.
BADINERIE 187.
BAFOUILLE 1649.
BAFOUILLER 194.
BÂFRE 547.
BAGARREUR 216, 441.
BAGATELLE 185, 195, 223, 766, 1812, 2107, 2462.
BAGNE 1280.
BAGNOLE 3028.
BAGOUT 212.
BAGUE 92.
BAGUENAUDER 1631.
BAGUER 1743.
BAGUETTE 210.
BAHUT 1690.
BAIE 1188, 1313, 1987.
BAIGNER 1876, 2889.
BAIGNEUR 1876.
BAIGNEUSE 1877.
BAIL 45.
BAÎLLONNER 1866.
BAINS 2810.
BAISER 939.
BAISSE 1, 394, 614, 797, 2355, 2412.
BAKCHICH 2150.
BAL 2609.
BALADIN 46, 246, 1607.
BALAFRE 234, 395, 548.
BALAFRER 234.
BALANCÉ 1168.
BALAYER 1894, 2638.
BALAYURES 1974.
BALCON 1281.
BALISE 2593.
BALISÉ 1593.
BALISER 1593, 1743.
BALLADE 2124.
BALLE 2213.
BALLER 2050.
BALLON 1835, 2623.
BALLONNÉ 988.
BALLOT 1897, 2006.
BALLOTTEMENT 193.
BALLOTTER 286, 2553, 2819.
BALLUCHON 2006.
BALOURD 1678.
BAMBIN 982, 2072.
BAMBOCHEUR 1904.
BANAL 208, 454, 1163, 1477, 1530, 1972, 2113, 2224, 2320, 2932.

BANALITÉ 412, 1299, 1764, 2044, 2113.
BANC 2589.
BANCAL 239.
BANDAGE 197.
BANDEAU 197.
BANDELETTE 197.
BANDER 521, 2002, 2285, 2793.
BANDEROLE 197.
BANLIEUE 2062.
BANNE 2001.
BANNIÈRE 850.
BANNISSEMENT 719, 1129.
BANQUEROUTE 1166, 2489.
BANQUET 1194, 2408.
BANQUETTE 2589.
BANQUIER 1216.
BAPTISER 132, 548.
BAPTISTE 2229.
BAR 284, 595.
BARAGOUIN 1282, 2038.
BARAKA 350.
BARAQUE 275.
BARATIN 1279.
BARBANT 1005, 1181, 1833.
BARBAQUE 2985.
BARBARISME 1433.
BARBE 2127.
BARBER 936, 1005.
BARBER (SE) 1005.
BARBU 2127.
BARCAROLLE 353.
BARDA 189.
BARDE 2124, 2867.
BARDER 368.
BARÈME 2782.
BARGUIGNER 2797.
BARIL 2833.
BARIOLER 2048.
BARMAID 2580.
BARMAN 2580.
BARON 2565.
BAROQUE 229.
BAROUD 1340.
BAROUF 2536, 2774.
BARQUE 208.
BARRAGE 793, 1943.
BARREAU 204.
BARRER (SE) 658, 2032.
BARRICADE 204, 1943.
BARRICADER 204, 417, 1191.
BARRICADER (SE) 984, 2446.
BARRIQUE 2085, 2833.
BARRISSEMENT 3029.
BASANÉ 2773.
BASCULE 193.
BASCULER 371, 581, 2402, 2831, 2973.
BASER 1080.
BASER (SE) 2414.
BAS-FOND 2323.
BASILIQUE 914.
BAS-RELIEF 2548.
BASSET 384.
BASSINE 207.
BASTION 1988.
BÂT 2568.
BATAILLE 190, 390, 441, 490, 1340, 1687, 1953, 2395.
BATAILLER 592, 1340, 1687.
BATAILLEUR 216, 441, 2256.
BATAILLON 2908.
BÂTARD 1788.
BATELEUR 1607.
BATELIER 1740.
BATH 381.
BÂTI 283, 361, 1168.
BATIFOLER 860, 1228.
BÂTISSE 209.
BÂTONNER 211.
BATTAGE 1750.
BATTANT 2948.
BATTEMENT 193, 2043.
BATTERIE 2482, 2577.
BATTRE (SE) 190, 441, 592, 1340.
BATTU 2058.
BAUDET 116.
BAUGE 2781.
BAUME 1963, 2384.
BAVASSER 212.
BAVE 2513.
BAVER 2513.
BAVURE 1060, 2760.
BAZAR 256.
BAZARDER 193, 591, 634, 2612, 2961.
BÉANT 1987.
BÉATITUDE 241.
BÉBÉ 982.
BÉBÊTE 1897.
BEC 305.
BÊCHER 1765, 2391.
BÊCHEUSE 2096, 2183.
BÉCOTER 939.
BECQUETANCE 1919.
BECQUETER 1726, 2084.
BEDAINE 2966.
BEDON 2966.
BEDONNANT 1336.
BEFFROI 2851.
BÉGUEULE 2235.
BÉGUIN 308.
BEIGNE 547.
BÉJAUNE 1897.
BÊLEMENT 3029.
BELVÉDÈRE 2113.
BÉNÉFICIER 1609, 2141, 2209.
BENÊT 1878, 1897, 2633.
BÉNÉVOLEMENT 3036.
BÉNIN 1518, 2718.
BÉNIT 2509.
BENOÎT 1796.
BÉOTIEN 200, 1678, 2207.
BERCEAU 2834.
BERCEMENT 193.
BERCER 193.
BERCER (SE) 1919.
BERCEUSE 353.
BÉRET 424.
BERLINE 3028.
BERNER 26, 1734, 1838, 1873, 2352, 2482, 2902.
BESACE 2499.
BESICLES 1684.
BESOGNER 2885.
BESTIAL 271, 2531.
BESTIALITÉ 271.
BESTIAUX 376.
BÊTA 1897, 2633.
BÉTAIL 376.
BÊTE 1897, 2633, 2692, 2803.
BÊTIFIER 18.
BEUGLER 353, 567, 1791.
BEUVERIE 1976.
BIAIS 772.
BIAISER 1679, 2492.
BIBELOT 185.
BIBERONNER 237.
BIBLE 889.
BICHONNER 2608.
BICHONNER (SE) 2019.
BICOQUE 275.
BICYCLETTE 1697.
BIDASSE 2611.
BIDE 871, 2966.
BIDET 379.
BIDOCHE 2985.
BIDON 1919, 2966.
BIDONNANT 2840.
BIDONNER (SE) 2463.
BIDULE 392, 993.
BIEN-ETRE 82, 241.
BIENFAISANCE 357.
BIENFAISANT 2508.
BIENFAIT 225, 1184.
BIENFAITEUR 2228.
BIEN-FONDÉ 1643.
BIENHEUREUX 2509.
BIENSÉANT 214, 462, 527, 540.
BIEN SÛR 1984.
BIENVEILLANCE 240, 411, 470, 537, 1184, 1302, 1386, 1551.
BIENVEILLANT 60, 80, 108, 240, 411, 462, 470, 537, 597, 845, 1184, 1386, 2794.

BIENVENU 1966.
BIFFER 204, 897, 2286, 2446.
BIFFIN 2611.
BIFTECK 2990.
BIFURCATION 319.
BIGARRÉ 203, 1743.
BIGLER 1677.
BIGOR 2611.
BIGREMENT 2890.
BIJOU 1611.
BIJOUTIER 1604.
BILAN 193.
BILE 2634.
BILER (SE) 1523.
BILLE 2803.
BINER 2520.
BINETTE 1209, 2803.
BINOCLE 1674.
BIOGRAPHIE 1367, 2990.
BISBILLE 382.
BISCORNU 1149, 1228.
BISE 81, 2638, 2965.
BISER 939.
BISET 2090.
BISQUER 2284.
BISSAC 2499.
BISTRO (T) 284, 595.
BIVOUAC 298.
BIVOUAQUER 298.
BIZARRERIE 1979, 2601.
BLACKBOULER 2361.
BLAGUER 187, 362, 1776, 1838, 2107, 2463.
BLAGUEUR 1838, 2107.
BLAIR 1885.
BLÂMABLE 718, 1755.
BLANC 1069, 2992, 2995.
BLANCHIR 44, 1122, 1518, 1617.
BLANCHIR (SE) 805.
BLANCHISSERIE 1638.
BLANCHISSEUSE 1638.
BLASE 1885.
BLASPHÈME 1615, 2504.
BLASPHÉMER 1615, 2502.
BLAZER 2980.
BLED 2906.
BLÊME 230, 615, 1165, 1996, 2799.
BLÊMIR 1996.
BLÉ NOIR 2522.
BLÉSEMENT 3061.
BLÉSER 3061.
BLESSANT 580, 717, 739, 856, 1515, 1843, 1953, 2099, 2506, 2984, 2993.
BLESSÉ 30.
BLESSER (SE) 548, 1953.
BLEU (adj.) 2506.
BLEU (n.) 442, 1743, 1895, 2097, 2760.
BLINDÉ 2772.
BLINDER 978, 2228.
BLIZZARD 2965.
BLOC 337, 418, 1261, 2194.
BLOCAGE 2012.
BLOCKHAUS 1230, 1988.
BLOCUS 1574, 2589.
BLOND 406.
BLOUSER 26, 2902.
BLUFF 276, 388, 444, 1873, 2902.
BLUFFER 1873, 2902, 2949.
BLUTER 2033, 2769.
BLUTOIR 2769.
BOBARD 231, 516, 1776.
BOBINE 2803.
BOCAGE 238.
BŒUF 1834.
BOHÉMIEN 1909.
BOISER 2110.
BOISSON 1661, 2283.
BOÎTE 1690, 1890.
BOÎTILLER 239.
BOL 1598.
BOLÉRO 2980.
BOLIDE 1785.
BOMBARDER 302, 2093.
BOMBE 2213.
BOMBER 550, 1314.
BOMBER (SE) 1293.
BONACE 293.
BONASSE 259, 597, 1165.
BONBON 1254.
BOND 278, 286, 2530.
BONDÉ 443, 463, 2116.
BONDER 2913.
BONDIR 917, 1285, 2032, 2530.
BON DROIT 1643.
BONHOMIE 2477, 2597.
BONHOMME 259, 1278, 2921.
BONIFIER 105.
BONIFIER (SE) 1168.
BONIMENT 2080, 2222.
BONJOUR 2515.
BONNE 2580.
BONNE D'ENFANT 1926.
BONNET 424.
BONNETTE 3025.
BONSOIR 2515.
BONZE 2067, 2185.
BOQUETEAU 238.
BORBORYGME 1290.
BORDÉE 2843.
BORDER 543, 1021.
BORDURE 242, 1659, 1738.
BORÉAL 1913.
BORÉE 2965.
BORGNE 1677.
BORNE 1659, 1783, 2798.
BORNÉ 1094, 2072, 2633, 2692.
BORNER 400, 671, 1659.
BORNER (SE) 518, 1168, 1659, 2264, 2351, 2792.
BOSQUET 238, 1747.
BOSS 372.
BOSSE 841, 1490, 2507.
BOSSELÉ 1490.
BOSSER 2885.
BOSSEUR 1621.
BOTTE 370.
BOTTINE 370.
BOUCAN 269, 2494, 2774.
BOUCANÉ 2773.
BOUCANER 1266.
BOUCHÉ 559, 2692.
BOUCHÉE 1840.
BOUCHER (SE) 559.
BOUCHERIE 317.
BOUCHONNER 385, 2002.
BOUCLE 165, 772, 1906.
BOUCLÉ 1257, 1854.
BOUCLER 344, 984, 1191, 1962.
BOUDERIE 1156.
BOUEUX 2511, 2907, 2952.
BOUFFARDE 2098.
BOUFFE 1919.
BOUFFÉE 2638.
BOUFFER 1726.
BOUFFI 988, 1336, 1608, 2116.
BOUFFONNERIE 2107.
BOUGE 2781.
BOUGER 352, 716, 1855, 2391.
BOUGIE 1683.
BOUGONNER 1335, 1753, 1863.
BOUGRE 780, 1685.
BOUILLANT 145, 368, 1419.
BOUILLE 1209, 2803.
BOUILLIE 1742, 2036.
BOUILLIR 368.
BOUILLONNANT 2917.
BOUILLONNEMENT 74, 2917.
BOULAIE 238.
BOULEDOGUE 384.
BOULET 2213.
BOULETTE 231, 1183.
BOULEVARD 2215, 2488.
BOULEVERSANT 945.
BOULEVERSÉ 2391.
BOULEVERSEMENT 74, 352, 728, 756, 945, 2458, 2907.
BOULIMIE 1167.
BOULONNER 2885.
BOULOT 1787, 2477, 2885.
BOULOTTER 1726.
BOUQUET 147, 1950, 2849.
BOUQUIN 1666.
BOUQUINER 1662.
BOURBE 245.

BOURBEUX 2907, 2952.
BOURBIER 415.
BOURBON 3055.
BOURDE 223.
BOURDON 416.
BOURDONNEMENT 269, 1863, 3050.
BOURGADE 250, 2045.
BOURGEON 2154.
BOURLINGUER 2482, 3045.
BOURRÉ 443, 2116.
BOURREAU 2846.
BOURRELÉ 2853.
BOURRER 1291, 2390, 2780, 2913.
BOURRICHE 2001.
BOURRICOT 116.
BOURRIN 379.
BOURRIQUE 116.
BOURSICOTAGE 2668.
BOURSICOTER 2668.
BOURSICOTEUR 2668.
BOURSOUFLÉ 112, 988, 1336.
BOURSOUFLURE 988.
BOUSE 1778.
BOUSILLER 8, 695, 1746, 2915.
BOUSIN 2774.
BOUSSOLE 2803.
BOUSTIFAILLE 1919.
BOUTADE 1844, 2107, 2507
BOUTIQUIER 449.
BOUTONNER 1191.
BOUVIER 384.
BOXER (v.) 211.
BOXER (n.) 384.
BOYAU 2033, 3010.
BRADER 2612, 2961.
BRAHMANE 2185.
BRAIEMENT 3029.
BRAILLARD 567.
BRAILLER 353, 567, 2118, 2835.
BRAISER 580.
BRAME 3029.
BRANCHAGE 258.
BRANCHER 1606, 2268.
BRANCHIES 1985.
BRANDON 2821.
BRANLANT 239.
BRANLE 1855, 2863.
BRANLER 193, 2391.
BRAQUE 384.
BRAQUER 800, 851, 2128, 2854.
BRAQUER (SE) 277.
BRAS 1705.
BRASAGE 2637.
BRAS DROIT 77.
BRASER 2637.
BRASSAGE 1769.
BRASSER 2073, 2391, 2865.
BRASSERIE 284, 2434.
BRAVACHE 1175.
BRAVADE 640, 1175.
BRAVEMENT 1205.
BRAVOURE 421, 549, 1350, 2945.
BREAK 3028.
BRÈCHE 427, 1987, 2906.
BREDOUILLER 194.
BRIBE 255, 1840.
BRIC-À-BRAC 756.
BRICOLE 185, 223, 2462.
BRIDER 1866, 2579.
BRIÈVEMENT 2551.
BRIÈVETÉ 477, 2551.
BRIGADE 2908
BRIGAND 198, 3031.
BRIGANDAGE 2298.
BRIGANTINE 3025.
BRIMBALER 2530, 2553.
BRIMER 2853.
BRIN 255, 1210, 2015.
BRINDILLE 258.
BRINGUEBALER 286, 2530.
BRIOCHE 2966.
BRIQUER 1239.
BRISANT 891.
BRISE 2638, 2965.
BRISÉ 1848.
BRISÉES 3024.
BRISER 324, 610, 695, 764, 809, 1230, 2402, 2476.
BRISER (SE) 324, 563, 888, 989, 2476.
BROCARD 1838, 2128.
BROCARDER 1838, 2287.
BROCHURE 1432, 1666.
BRODEQUIN 370.
BRODER 1572, 1980.
BRONCHER 1863.
BRONDIR 249.
BRONZÉ 1346.
BRONZER 2773.
BROSSER 1894, 2002, 2857.
BROSSER (SE) 1236.
BROUETTAGE 2879.
BROUETTER 2879.
BROUHAHA 1863, 2917.
BROUILLASSE 266.
BROUILLE 738, 1156, 2476, 2575, 2907, 3063.
BROUILLÉ 2907.
BROUILLON 756.
BROUSSAILLE 272.
BROUSSAILLEUX 2849.
BROUTER 1726.
BROUTILLE 185, 766, 2462.
BROWNING 2100.
BRUINE 2119.
BRUINER 2119.
BRUIRE 249, 1296, 1863.
BRUISSEMENT 269, 1251, 1863.
BRÛLANT 145, 368.
BRÛLE-GUEULE 2098.
BRÛLER (SE) LA CERVELLE 2714.
BRÛLURE 1841.
BRUME 266, 2950.
BRUMEUX 559, 1226, 2907, 3025.
BRUN 2619.
BRUNI 1346, 2773.
BRUNIR 2773.
BRUSQUE 17, 252, 271, 1893, 2218, 2297, 2551, 2635, 2740, 2993.
BRUSQUEMENT 1894, 2551, 2635.
BRUSQUER 176, 254, 2163, 3004.
BRUSQUERIE 271, 2163, 2635.
BRUTALEMENT 856, 2551, 2976, 2993, 3004.
BRUYANT 2625, 2745, 2774, 2919.
BUBON 2916.
BUCÉPHALE 379.
BÛCHE 394.
BÛCHER 1095, 2885.
BÛCHEUR 1621.
BUCOLIQUE 2035.
BUDGÉTAIRE 1216.
BUFFET 2103, 2434.
BUILDING 2851.
BULBE 2803.
BULLETIN 1610.
BUNGALOW 3000.
BUNKER 1230.
BUREAU 1954, 1975, 2580, 2758, 2885.
BUREAUCRATE 951, 2545.
BURLESQUE 420, 1337, 2461.
BURNOUS 1732.
BUSE 116, 2633.
BUSTE 2844.
BUTÉ 1094, 1191.
BUTER 1364, 2887, 2915.
BUTER (SE) 1018.
BUTIN 312, 2193.
BUTOR 1316.
BUTTER 370.
BUVETTE 284.
BUVEUR 1590.
BUVOTER 237.

CABALE 263, 1568.
CABALER 1568.
CABALISTIQUE 1699.
CABAN 1732.
CABANON 337.

CABARET 284, 2434.
CABAS 2001, 2499.
CABINET 1805, 1865.
CABINETS 1657, 2826.
CÂBLE 710.
CÂBLER 2787.
CABOCHARD 1944.
CABOCHE 2803.
CABOT 46, 384.
CABOTIN 46.
CABOULOT 284.
CABRIOLER 1228, 2530.
CABRIOLET 3028.
CACA 1778.
CACATOIS 3025.
CACHE 16.
CACHÉ 1637, 1938, 1948, 2210, 2555, 2649, 2651, 2655.
CACHETER 1191, 2537.
CACHETTE 16.
CACHOT 337, 2194.
CACHOTTERIE 1872, 2555.
CACOCHYME 1712.
CACOPHONIQUE 803.
CADAVRE 539, 1842.
CADENASSER 1191.
CADENCÉ 2493.
CADENCER 2493.
CADUC 2155.
CADUCITÉ 1924.
CAFARD 1005, 1768, 1847, 2300.
CAFARDAGE 2300.
CAFARDER 704.
CAFARDEUX 1768.
CAFÉTÉRIA 284.
CAFETIÈRE 2803.
CAGE 3035.
CAGIBI 1668, 2351.
CAGNEUX 2840.
CAGNOTTE 2820.
CAGOULE 1745.
CAHIER 1666.
CAHUTE 275.
CAÏD 372, 2801.
CAÏEU 2803.
CAILLASSE 2088.
CAILLER 2854.
CAILLETER 184.
CAILLOU 2088, 2803.
CAILLOUTEUX 2088.
CAJOLER 292, 315.
CAJOLERIE 315.
CAJOLEUR 292, 2794.
CALAMISTRER 1962.
CALCINER 270.
CALCUL 1783, 1964, 2668.
CALCULÉ 1095.
CALÉ 1230, 1539, 2533.
CALÈCHE 3028.
CALEMBOUR 1602.
CALEMBREDAINE 2633.
CALENDRIER 95.
CALEPIN 318.
CALFATER 243.
CALFEUTRER 243.
CALIBRE 2764.
CÂLINERIE 315.
CALMANT 2560, 2561.
CALMIR 293.
CALOMNIATEUR 39, 1765.
CALOMNIEUX 1755.
CALOT 424.
CALOTTER 211, 1306.
CALTER 2032.
CALUMET 2098.
CALVINISTE 2229.
CAMARADERIE 1173, 2615, 2928.
CAMARDE 1842.
CAMBRIOLAGE 3031.
CAMBRIOLER 3031.
CAMBRIOLEUR 3031.
CAMBRURE 550.
CAMION 3028.
CAMIONNAGE 2879.
CAMIONNER 2879.
CAMOUFLER 279, 559, 659, 1031, 1733, 3025.
CAMOUFLET 69, 1843, 1953.
CAMPAGNARD 2045.
CAMPAGNE 1888, 1953, 1964.
CAMPANILE 2851.
CAMPEMENT 298.
CAMPING 298.
CAMUS 2113.
CANADIENNE 2980.
CANAL 375, 553, 1553, 3024.
CANALISATION 485.
CANALISER 474, 801.
CANAPÉ 2589.
CANARD 1610.
CANARDER 302, 2819.
CANASSON 379.
CANCAN 212, 1482.
CANCANER 212, 1765.
CANCANIER 1482.
CANCER 2916.
CANDÉLABRE 2838.
CANDIDAT 480, 2144, 2183.
CANER 2347.
CANEVAS 2108, 2541, 2675.
CANICHE 384.
CANICULAIRE 1322, 1336.
CANICULE 348.
CANIF 556.
CANIVEAU 2464.
CANNE 210.
CANON 1821, 1914, 2085, 2367.
CANOT 208, 3056.
CANTATE 353.
CANTILÈNE 353.
CANTINE 1720, 2353, 2434.
CANTONNEMENT 298, 2252.
CANTONNER 298.
CANTONNER (SE) 984, 1659.
CAPE 1732.
CAPHARNAÜM 756.
CAPILOTADE 1742.
CAPITAINE 2094.
CAPITAL 225, 611, 1076, 1423, 1710, 2170, 2191, 2699, 3016.
CAPITALISTE 2459.
CAPITEUX 1002.
CAPITONNER 2382.
CAPITULATION 2349.
CAPOTE 1732.
CAPOTER 581, 2443, 2973.
CAPTIEUX 1169, 1776, 2902.
CAPTIF 2194.
CAPTIVANT 264, 1179, 1551, 1999, 2034.
CAQUET 184.
CAQUETAGE 212.
CAQUETER 184, 212.
CARACTÉRISATION 769.
CARACTÉRISER 769, 823.
CARACTÉRISER (SE) 823.
CARAFE 2803.
CARAMBOLAGE 390.
CARAMBOUILLAGE 1067.
CARAPATER (SE) 2032.
CARAVELLE 208.
CARBET 323.
CARBONISER 270.
CARCASSE 361, 2675.
CARÉNER 2405.
CARESSANT 292, 2794.
CARGAISON 356.
CARGO 208.
CARICATURAL 2525.
CARIÉ 1292.
CARILLON 1377.
CARILLONNER 407, 2625.
CARLIN 384.
CARMIN 2481.
CARNASSIÈRE 2499.
CARNATION 546.
CARNAVAL 1745.
CARNE 2985.
CAROTTAGE 2902.
CARPETTE 2775.
CARREAU 3018.
CARRELAGE 2610.
CARRÉMENT 328, 1655, 1894.
CARRIÈRE 1787, 3024.

CARRIOLE 3028.
CARROSSABLE 2158.
CARROSSE 3028.
CARRURE 1272, 1634.
CARTABLE 1867, 2499.
CARTE 2108.
CARTEL 2607.
CARTÉSIEN 1670.
CARTOMANCIENNE 3046.
CARTON 1821.
CARTOUCHE 356.
CASANOVA 2563.
CASEMATE 1230.
CASERNE 2252.
CASIER 323.
CASOAR 2122.
CASQUE 424.
CASQUER 560, 1993.
CASQUETTE 424.
CASSATION 2425.
CASSE-COU 1434.
CASSE-CROÛTER 1726.
CASSE-PIEDS 430, 1156.
CASSE-PIPE 1340.
CASSER SA PIPE 1842.
CASSE-TÊTE 1747.
CASSETTE 2820.
CASSIS 2464, 2803.
CASSURE 1189, 2476.
CASTE 2556.
CASTRATION 2680.
CASTRER 2680.
CATACLYSME 288.
CATACOMBES 397.
CATALEPSIE 1648.
CATALOGUER 409, 1613.
CATARACTE 322, 394, 2843.
CATASTROPHE 30, 288, 743, 849, 1717, 2602.
CATASTROPHÉ 906.
CATÉCHISER 972, 2161.
CATHÉDRALE 914.
CATILINAIRE 2525.
CATIN 2227.
CAUCHEMAR 2450, 2853.
CAUSE (À) DE 2149.
CAUSETTE 212.
CAUSEUR 2023.
CAUSTICITÉ 1841.
CAUTELEUX 1394, 2651.
CAUTÈRE 2923.
CAUTIONNEMENT 331, 720.
CAVALER 551.
CAVALER (SE) 2032.
CAVALIER 1173, 1655, 2611.
CAVEAU 332, 2576, 2830.
CAVERNE 122.
CAVERNEUX 2602.
CAVIARDER 339, 897.
CEINTURER 334, 939, 1021.
CEINTURON 334.
CÉLADON 2976.
CÉLÉBRANT 1954.
CÉLÈBRE 1172, 1309, 1367, 1743, 2422.
CÉLÉRITÉ 47, 955, 2218, 2297, 3017.
CÉLESTE 827.
CELLIER 332.
CÉNACLE 342.
CENDRES 2435.
CENTENAIRE 2558.
CENTRALISER 2448.
CENTRISTE 1822.
CÉRASTE 3005.
CERBÈRE 384, 2137.
CERCUEIL 2521.
CERISE 2481.
CERTAINEMENT 1106, 1496, 1984.
CERTES 1984.
CERTIFICAT 261, 2823.
CERTIFIÉ 1955.
CERVEAU 104, 1073, 2803.
CÉSARISME 785.
CESSATION 1214, 2476, 2727, 2749.
CESSION 2.
CHAFOUIN 2651.
CHAGRINÉ 715, 1156, 1717.
CHAHUT 269, 358, 756, 2494, 2774, 2917.
CHAI 332.
CHAÎNE 165, 1653, 2715.
CHAÎNON 1703.
CHAIR 539, 2573, 2985.
CHAISE 2589.
CHÂLE 1201.
CHALET 1707, 3000.
CHALLENGE 461.
CHALUMEAU 2815.
CHAMAILLER (SE) 382, 816.
CHAMAILLEUR 2256.
CHAMARRÉ 203.
CHAMBARD 756, 2774.
CHAMBARDEMENT 728, 2458.
CHAMBARDER 248, 728.
CHAMBOULER 248, 728.
CHAMBRE 337, 2085.
CHAMBRETTE 337.
CHAMP 1085, 2669, 2800.
CHAMPÊTRE 2035.
CHAMPION 638, 2658, 3008.
CHAMPIONNAT 461.
CHANCELANT 239, 661, 1446, 2824.
CHANCIR 1824.
CHANCISSURE 1824.
CHANCRE 2923.
CHANDAIL 1704.
CHANDELLE 1683.
CHANGÉ 788.
CHANSON 81, 353, 1868, 2357.
CHANTAGE 1563, 1773.
CHANTIER 2885.
CHANTONNER 353.
CHANTRE 2124.
CHAPARDAGE 3031.
CHAPARDER 732, 3031.
CHAPARDEUR 3031.
CHAPEAU 424, 2803.
CHAPEAUTER 424.
CHAPELET 322, 2577, 2715.
CHAPELLE 342, 914, 2556.
CHAPITRE 1748, 2031, 2557, 2800.
CHAQUE 2855.
CHAR 2772.
CHARABIA 1282, 2038.
CHARADE 1001.
CHARGÉ 1678, 2116.
CHARGEMENT 356.
CHARIOT 3028.
CHARMANT 75, 80, 214, 240, 670, 963, 1179, 1799, 2107, 2563, 2751.
CHARMEUR 2563.
CHARMILLE 2834.
CHARNEL 1748, 2081, 2573, 2587.
CHARNU 1336.
CHARRETTE 3028.
CHARROI 2879.
CHARROYER 362, 2879.
CHAS 2906.
CHASSE 2330.
CHÂSSE 1836.
CHÂSSIS 283.
CHASTETÉ 2247.
CHÂTAIGNE 547.
CHÂTAIGNERAIE 238.
CHÂTELAIN 2565.
CHÂTIÉ 2608.
CHÂTIMENT 540, 2049, 2246, 2517, 2963.
CHATOIEMENT 264, 2354.
CHATOUILLEMENT 679.
CHATOYANT 264, 1962.
CHATOYER 264.
CHÂTRER 1869, 2680.
CHATTERIE 1317.
CHAUFFEUR 2094.
CHAUME 2815.
CHAUMIÈRE 275.
CHAUSSE-TRAPPE 2087.
CHAUVIN 2039.
CHAUVINISME 2027.
CHEF DE SERVICE 283.
CHEMIN BATTU 2484.

CHEMINEAU 1775, 2940.
CHEMINÉE 1242.
CHEMINEMENT 680.
CHEMISE 844.
CHÊNAIE 238.
CHENAPAN 1284, 2954.
CHÉQUIER 318.
CHERCHEUR 2533.
CHÈRE 1919, 2758.
CHÉRI 377.
CHÉTIF 594, 1165, 1702, 1712, 2044, 2273.
CHEVALERESQUE 1903.
CHEVET 2803.
CHEVEUX 2122, 2127.
CHEVILLE OUVRIÈRE, 2102.
CHEVROTANT 2888.
CHEVROTEMENT 2888.
CHEVROTER 2888.
CHEZ-SOI 1707.
CHIADER 2885.
CHIALER 2118.
CHICHEMENT 2072.
CHICHI 444, 934, 1800.
CHICHITEUSE 2096.
CHIFFE 1825.
CHIFFONNIER 452.
CHIFFRE 1830, 1836, 1910.
CHIFFRÉ 2555.
CHIGNOLE 3028.
CHINER 2107, 2776.
CHINOIS 2769.
CHINOISER 1057.
CHINOISERIE 1231, 2700.
CHIPER 201, 732, 2099, 2171, 2638, 3031.
CHIPIE 2096.
CHIPOTER 382.
CHIQUER 1695.
CHIROMANCIENNE 3046.
CHIURE 1778.
CHŒUR (EN) 1014.
CHOIR 2831.
CHOISI 2282.
CHOQUANT 567, 1336, 1463, 2535, 2536.
CHOQUER (SE) 899, 1953.
CHOUCHOU 1184.
CHOUCHOUTER 292, 2608.
CHOUETTE 381.
CHOYER 292, 558, 1292, 2608.
CHRONIQUE 520, 970.
CHRONIQUES 1772.
CHRONIQUEUR 1367, 1610.
CHRONO 2791.
CHRONOGRAPHE 1837.
CHRONOMÈTRE 1837.
CHUCHOTEMENT 1863.
CHUCHOTIS 1863.
CHUINTEMENT 2592.
CHUINTER 2592.
CHUTER 2831.
CIBLE 273.
CIBOULOT 2803.
CICATRISATION 1339.
CICATRISER (SE) 1191, 1339.
CICERONE 2094.
CIEL 1069, 1920, 2008.
CILLER 2005.
CIMENTER 63, 508, 1653, 2537, 2637.
CIMETERRE 2498.
CINÉMA 388, 887.
CINÉMATOGRAPHIER 2854.
CINGLANT 580, 856, 1841, 2584.
CINGLÉ 1228, 2625.
CINTRÉ 550.
CINTRER 550.
CIRCONFÉRENCE 2851.
CIRCONLOCUTION 772.
CIRCONSCRIPTION 2366.
CIRCONSTANCE 320, 496, 766, 1352, 1946, 2605.
CIRCONSTANCIÉ 766.
CIRCONVENIR 972, 2563.
CIRCULAIRE 2477.
CIRÉ 1417.
CIRER 1894.
CIREUX 1600, 1996.
CIRRUS 1920.
CISAILLER 548.
CISELER 2021, 2548, 2764.
CISELURE 2548.
CITADELLE 2104.
CITATION 1124, 1147, 2206, 2335.
CITÉ 340, 3001.
CITERNE 2423.
CITOYEN 1485.
CITRON 2803.
CITROUILLE 2803.
CIVIL 2130.
CIVILISATION 1828.
CIVILISER 1386.
CLAIREMENT 1894.
CLAIRON 2903.
CLAIRSEMÉ 406, 1702, 2302.
CLAMECER 1842.
CLAMER 567, 2204.
CLAMEUR 269, 567, 2917.
CLAN 197, 1161, 2556, 2607, 2894.
CLANDESTIN 1907, 1948, 2011, 2555, 2649, 2697.
CLAPIR (SE) 236.
CLAPOTIS 269.
CLAQUAGE 610.
CLAQUE 295, 547, 2774.
CLAQUÉ 1181, 1848.
CLAQUEMENT 880.
CLAQUEMURER 984.
CLAQUEMURER (SE) 291.
CLAQUER 211, 563, 1056, 1842.
CLARIFICATION 1050.
CLARIFIER (SE) 604, 879.
CLARINE 416.
CLASSEMENT 1973.
CLASSER (SE) 2104.
CLASSEUR 844.
CLASSIQUE 527, 2484, 2687, 2858.
CLAUDIQUER 239.
CLAUSTRAL 1827.
CLAUSTRATION 1587.
CLAUSTRER (SE) 984, 1861.
CLÉBARD 384.
CLEBS 384.
CLEF 2033, 2193, 2555, 2618.
CLEPTOMANE 3031.
CLIENTÈLE 1735.
CLIGNER 2005
CLIGNOTANT 2593.
CLIGNOTER 2005.
CLIMATISATION 1587.
CLINQUANT 264.
CLIQUE 197, 1868, 1971.
CLIQUETIS 269.
CLIVAGE 2575.
CLOCHARD 1341, 1775, 2044, 2940.
CLOCHER 239, 2851.
CLOCHETTE 416, 2625.
CLOISON 1861, 2575.
CLOÎTRE 4.
CLOÎTRER 349.
CLOÎTRER (SE) 291, 984, 1861.
CLOPINER 239.
CLÔTURER 417, 1021, 1191, 2798.
CLOU 2128, 2955.
CLOUÉ 1408.
CLOUER 156.
CLOWNERIE 2107.
CLUB 163, 342, 2607.
CLUSE 2947.
COALISER (SE) 2928.
COASSEMENT 3029.
COCARDIER 2039.
COCHE 1743, 3028.
COCHER 1916, 2128.
COCHON 654, 1336, 2135, 2987.
COCHONNER 1274.
COCHONNERIE 1336, 1378, 1937, 1974, 2511.
COCHONNET 2135.
COCKER 384.
COCKTAIL 1769.
COCO 2921.
COCOTER 2238.
CODE 1671, 1914, 2367.
CODIFIER 2367.

COERCITIF 1968.
CŒUR (AU) DE 2210, 2566.
CŒUR (DE BON) 3036.
COFFRE 287, 1720, 2811.
COFFRE-FORT 287.
COFFRER 890, 984.
COFFRET 1890.
COGITER 2052.
COGNER 1245, 1364, 2136, 2774.
COHÉRENT 1351, 1370, 1670, 1973, 2715.
COHORTE 437, 1642, 2908.
COHUE 354.
COI 1857.
COIFFE 424.
COIFFÉ 559.
COINCER 2097, 2579, 2740.
COÏNCIDER 479.
COLÉRIQUE 428.
COLIFICHET 185, 1258.
COLIMAÇON 1064.
COLIQUE 728.
COLIS 2006.
COLLABORATION 77, 480, 2028.
COLLATION 1319.
COLLATIONNEMENT 457.
COLLE 2246.
COLLECTER 2290, 2346, 2448.
COLLECTEUR 485.
COLLECTIF 454, 1299, 2239.
COLLECTION 1014, 2346, 2577.
COLLECTIVISATION 1886.
COLLECTIVISER 1886.
COLLECTIVISME 2607.
COLLECTIVITÉ 454, 2607.
COLLÈGE 1080.
COLLÉGIALE 914.
COLLÉGIEN 922.
COLLÈGUE 296.
COLLER (SE) 142, 2579.
COLLERETTE 432.
COLLEY 384.
COLMATER 243.
COLOMBE 2090.
COLOMBIER 2090.
COLONIE 197.
COLONNADE 2137.
COLORANT 546, 2785.
COLORATION 546.
COLORÉ 987, 2481.
COLORIER 438.
COLORIS 546.
COLTINER 2879.
COLUMBARIUM 397.
COMBATTANT 1340, 2611.
COMBE 2947.
COMBINARD 2480.
COMBINE 442, 1856.
COMBINER (SE) 1739, 2928.
COMBLÉ 2526.
COMÉDIEN 46.
COMIQUE 420, 853, 1277, 1337, 1491, 2107, 2461.
COMITÉ 163, 451.
COMMANDE 678.
COMMANDITER 1216.
COMMANDO 765.
COMMÉMORATION 1772, 2299.
COMMENTATEUR 571, 1555.
COMMÉRAGE 212, 448, 1482, 1765, 2222.
COMMÈRE 212.
COMMETTRE (SE) 1850.
COMMINATOIRE 1773.
COMMIS 71, 951.
COMMISÉRATION 1813, 2101.
COMMISSIONNAIRE 1553, 1782.
COMMISSURE 425.
COMMODÉMENT 1157.
COMMODITÉ 527, 1157.
COMMOTIONNER 1245, 2553, 2884.
COMMUN (EN) 1014.
COMMUNAL 1860.
COMMUNÉMENT 3051.
COMMUNICATIF 1151, 1987, 2023.
COMMUNION 35, 2928.
COMMUNIQUÉ 118, 181, 455, 612, 1916.
COMMUNISME 2607.
COMMUNISTE 2481.
COMMUTATEUR 1557.
COMPACITÉ 1190.
COMPAGNE 108, 296.
COMPAGNIE 163, 197, 2607, 2908.
COMPAGNON 108, 296, 1369.
COMPARABLE 454, 1054, 2011, 2203, 2571, 3027.
COMPARAÎTRE 2177.
COMPARSE 464, 2067, 2935.
COMPARTIMENT 323, 337.
COMPASSÉ 343, 792.
COMPÈRE 464, 1685.
COMPÉTITIF 480.
COMPLAINTE 353.
COMPLAIRE (SE) 2107.
COMPLÉMENT 50, 788, 2435, 2612, 2722.
COMPLÉMENTAIRE 2722.
COMPLÈTEMENT 20, 225, 2473, 2847, 2855.
COMPLEXE 466, 789, 2628.
COMPLEXION 1888, 2081, 2519.
COMPLEXITÉ 789.
COMPLICATION 61, 343, 493, 789, 2700.
COMPLICITÉ 35, 436, 1545.
COMPLIMENTER 1186, 1676.
COMPONCTION 1328.
COMPOSÉ 1095, 1432, 1816.
COMPOSER (SE) 468, 506.
COMPOSITE 826, 1816.
COMPOSITEUR 1868.
COMPOTE 1742.
COMPRENDRE (SE) 1016.
COMPRESSSION 2436.
COMPRIMÉ 280.
COMPRIMER 2178, 2579.
COMPRIS 3026.
COMPROMETTRE 862, 1143, 1769, 1923, 2467.
COMPROMETTRE (SE) 1850.
COMPROMIS (adj.) 1850.
COMPROMIS (n.) 469, 476, 2869.
COMPROMISSION 205.
COMPTE RENDU 2300.
COMPTOIR 3062.
CONCASSER 268, 1848.
CONCEPT 1396.
CONCEPTEUR 174.
CONCEPTION 564, 2808, 3013, 3026.
CONCERNANT 2376.
CONCERT (DE) 1014.
CONCERTER 2172.
CONCERTER (SE) 668.
CONCESSION 469.
CONCEVABLE 470, 1403.
CONCEVOIR 442, 470, 564, 626, 1232, 1403, 2052, 2172, 2417, 3026.
CONCIERGE 212, 2137.
CONCILE 2448.
CONCILIABULE 528.
CONCILIATEUR 1763.
CONCLU 2367.
CONCLUANT 611, 2199.
CONCLURE (SE) 2798.
CONCOCTER 2172.
CONCOMITANCE 2599.
CONCOMITANT 2599.
CONCORDE 35, 1247, 1351, 1991, 2928.
CONCUBINE 1708.
CONCUPISCENCE 2573.
CONCUSSION 1111.
CONDAMNÉ 2058, 2212, 3022.
CONDENSÉ 15, 474, 477, 705.
CONDENSER 2290, 2431, 2438, 2541.
CONDESCENDANCE 2720.
CONDESCENDANT 2228, 2720.
CONDISCIPLE 296.
CONDUCTEUR 2094.
CONDUIT 485.
CONFECTION 469, 2172.
CONFECTIONNER 469, 1154, 2172.
CONFÉDÉRATION 419, 2928.

CONFÉRENCE 435, 553, 2448.
CONFÉRENCIER 1970.
CONFESSER 39, 183, 527, 2339.
CONFESSION 2339, 2380.
CONFIANT 1969, 2730.
CONFIDENTIEL 2555.
CONFIGURATION 1231.
CONFINER 543, 1257, 2792, 2848.
CONFINER (SE) 984.
CONFINS 1659.
CONFIRMÉ 1955.
CONFISCATION 932, 2510.
CONFLUER 2395, 2448.
CONFONDU 1550.
CONFORMÉMENT À 2569.
CONFORMITÉ 114, 479, 527, 1351, 2644.
CONFORT 82.
CONFORTABLE 846.
CONFORTER 1230, 2338.
CONFRÉRIE 454, 1973.
CONFRONTATION 457.
CONFRONTER 457, 1967.
CONGÉ 2936.
CONGÉDIEMENT 2403.
CONGÉLATION 2616.
CONGELER 1207, 1307, 2359.
CONGÉNÈRE 2571.
CONGÉNITAL 1358, 1517, 1888, 1979.
CONGESTION 166, 1356.
CONGESTIONNÉ 2481.
CONGRATULATION 465, 926.
CONGRATULER 1186.
CONGRÉGANISTE 2380.
CONGRÉGATION 454, 1973, 2607.
CONGRÈS 2448.
CONGRUENT 2837.
CONJECTURER 2052, 2164, 2174, 2189, 2725.
CONJOINT 1739.
CONJOINTEMENT 1014.
CONJUGAISON 2928.
CONJUGUER 1606, 2448, 2928.
CONJURATION 263, 467, 2723.
CONJURER 2190, 2723.
CONNAISSEUR 1318.
CONNECTER 1606, 2268.
CONNEXION 1653, 2300.
CONNEXITÉ 1653, 2300.
CONNIVENCE 35, 436, 1545.
CONNU 1173, 1918, 2239, 2422, 2533.
CONQUÊTE 2193, 2563.
CONSACRÉ 1955, 2509.
CONSCIENCE 1110, 1373, 1808, 2546, 2573, 2578.
CONSCRIT 2611.
CONSÉCRATION 2517.
CONSEIL 180, 1535, 2333, 2713.
CONSENSUS 35.
CONSENTANT 3036.
CONSENTEMENT 35, 51, 140, 2064.
CONSERVATEUR 1822, 2316.
CONSERVATION 1706.
CONSERVE (DE) 1014.
CONSIDÉRABLE 908, 922, 1007, 1228, 1322, 1336, 1423, 1424, 1442, 1910.
CONSIDÉRABLEMENT 215, 1328.
CONSIDÉRANT 1845.
CONSIDÉRÉ 2422, 3026.
CONSIDÉRER (SE) 2171, 3026.
CONSIGNE 1539, 1973, 2246, 2333.
CONSIGNER 430, 544, 1011, 1916.
CONSISTANCE 539, 1190.
CONSISTOIRE 2448, 2755.
CONSOLE 2758.
CONSOMMATEUR 413.
CONSOMMATION 712.
CONSOMMÉ 43.
CONSORTIUM 2607.
CONSPIRATION 263, 467.
CONSPIRER 467.
CONSPUER 1384, 1723, 2592.
CONSTAMMENT 2850.
CONSTATABLE 3012.
CONSTATATION 1942.
CONSTELLÉ 2025.
CONSTERNANT 2049.
CONSTERNATION 3, 1089, 2740.
CONSTERNÉ 906, 1375, 2691, 2901.
CONSTERNER 3, 170, 491, 945, 2691, 2800.
CONSTITUÉ 1975.
CONSTITUTION 469, 1080, 1232, 1538, 1888, 1975, 2081, 2365, 2519, 2690, 2805.
CONSTRUCTIF 2140.
CONSTRUCTION 209, 922, 1080, 1988.
CONSUL 2417.
CONSULTATION 3014, 3043.
CONSULTER (SE) 668.
CONSUMER (SE) 270.
CONTACT 1253, 1653, 2300, 2377, 2848.
CONTACTER 1606, 2395.
CONTEMPLATIF 2668.
CONTEMPLATION 1145, 2346.
CONTEMPLER 505, 1942, 2363, 3026.
CONTEMPORAIN 48, 1823.
CONTENANCE 306, 1209, 1706.
CONTENTEMENT 241, 462, 1605, 2107.
CONTENTION 907, 2793.
CONTENU 2792.
CONTEUR 2023.
CONTEXTE 496, 2605.
CONTEXTURE 469, 2690.
CONTIGU 52, 2203, 2848, 3027.
CONTIGUÏTÉ 2234.
CONTINENT (adj.) 364.
CONTINENT (n.) 1828, 2800.
CONTINENTAL 2800.
CONTINGENT 30.
CONTINGENTEMENT 1659.
CONTINGENTER 2307.
CONTINUATEUR 1361, 2703.
CONTINUELLEMENT 2850.
CONTORSIONNER (SE) 809.
CONTOUR 242, 759, 1231, 1757, 2062, 2851.
CONTOURNER 598, 1107, 2854.
CONTRACTION 2445, 2662, 2793.
CONTRADICTEUR 58, 1557.
CONTRADICTOIRE 803, 1453, 1967.
CONTRAIGNANT 1968.
CONTRAINDRE 482, 1230, 1424, 1936, 2351, 2644.
CONTRAINDRE (SE) 1298.
CONTRAINT 957, 1230, 2792.
CONTRAINTE 1065, 1128, 1298, 1968, 3004.
CONTRAIRE 636, 788, 1967.
CONTRARIANT 717, 739, 1005, 2984.
CONTRARIÉ 715, 1156.
CONTRARIÉTÉ 715, 739, 789, 1043, 1761, 1812, 2369.
CONTRASTE 738, 788, 1967.
CONTRASTER 771, 1615, 2432, 2867.
CONTRAT 35, 45, 527, 1992.
CONTRE 2149.
CONTRE-ATTAQUER 2466.
CONTREBALANCER 193, 459, 911, 1051.
CONTRECARRER 523, 660, 728, 758, 1896, 1923.
CONTRECOUP 902, 2460, 2715.
CONTRE-COURANT (À) 1967.
CONTREDIRE (SE) 548, 631.
CONTRÉE 1657, 2045, 2366.
CONTREFAÇON 533, 1182, 1405.
CONTREFORT 437, 2091, 2658.
CONTREPARTIE (EN) 459, 866.
CONTRE-PIED (À) 1967.
CONTREPOISON 2384.
CONTRER 523.
CONTRESENS 1060.
CONTRETEMPS 30, 947.
CONTREVENIR 754, 990, 1731, 2086, 3003.
CONTREVENT 3034.
CONTREVÉRITÉ 1776.
CONTRIBUTION 1424, 2026, 2028, 2898.

CONTRISTER 170.
CONTRÔLEUR 2742.
CONTROUVÉ 1776.
CONTROVERSE 96, 519, 592, 806, 2256.
CONTROVERSER 519.
CONTUSION 234, 1743.
CONTUSIONNER 234, 1793.
CONURBATION 3001.
CONVAINCANT 611, 928, 2057, 2199.
CONVAINCRE 611, 2069, 2288.
CONVAINCRE (SE) 2051.
CONVAINCU 345, 2051, 2730.
CONVENABLEMENT 225.
CONVENU 799.
CONVERGER 480.
CONVERSER 329, 486, 781, 1029, 2023.
CONVERSION 1784, 2874.
CONVERTIR 352, 2859, 2874.
CONVERTIR (SE) 2874.
CONVIER 1577, 2190.
CONVIVE 1381.
CONVOI 2863.
CONVOYER 1066.
CONVULSIF 2662.
CONVULSION 2662.
COOLIE 2136.
COOPÉRATION 77, 480, 2028.
COOPÉRER 163, 429, 480, 525, 2028.
COORDINATION 1973.
COORDONNÉES 57.
COPAIN 108, 296.
COPEAU 600.
COPIEUSEMENT 215.
COPINE 108, 296.
COPISTE 1405, 2545.
COQ 580.
COQUETTERIE 70, 1800.
COQUILLE 864.
CORAIL 2481.
CORBEILLE 2001.
CORDE 1653.
CORDEAU 1658.
CORDELETTE 1653.
CORDELIÈRE 334.
CORDON 1653, 2295.
CORDON BLEU 580.
CORNER 2120, 2592, 2625.
CORNICHON 1897.
CORPORATION 163, 454, 539, 1973.
CORPOREL 1748, 2081.
CORPS À CORPS 190.
CORPULENT 1336.
CORRECTEMENT 225, 1914.
CORRÉLATION 711, 1653, 2300, 2377.
CORRESPONDANCE 114, 455, 479, 866, 1653, 2300, 2377, 2599.
CORRESPONDANT 1610, 2417.
CORRIDOR 1281, 2033.
CORROBORER 488, 1230.
CORRODANT 330.
CORRODER 166, 1726, 1841, 2478, 2932.
CORROMPRE (SE) 576, 617, 650.
CORROMPU 700, 1411, 1755, 2778, 2961, 2987, 2997.
CORROSIF 330, 1841.
CORROSION 2932.
CORRUPTIBLE 2960.
CORSAIRE 1740.
CORSÉ 2512.
CORSER (SE) 466.
CORSET 334.
CORTÈGE 437, 642, 1066, 2715.
COSMIQUE 1828, 2930.
COSMOS 1069, 1828, 2930.
COSSARD 2020.
COSSE 2020.
COSSU 2459.
COSTAUD 1230, 1278, 2616, 2996.
COSTUME 1343, 2792, 2980.
COSTUMER (SE) 1343, 2980.
COTE 553, 1783, 2422, 2945, 3023.
CÔTE 242, 1836.
COTER 135, 1613, 1916.
COTERIE 197, 1161, 2556.
COTIR 1793.
COTONNEUX 1825.
COTTAGE 3000.
COTTE 442.
COUARD 1623, 2077.
COUARDISE 1623.
COUCHANT 1947.
COUCHETTE 1664.
COUDE 1757.
COUDÉ 550.
COUDER 550.
COUDRAIE 238.
COUDRE 2099.
COUENNE 2046.
COUFFIN 2001.
COUILLON 2633.
COULANT 462, 476, 1888.
COULISSE 1872.
COULISSER 1308.
COULOIR 642, 1281, 2033.
COUP (SUR LE) 1894.
COUP (TOUT D'UN) 1894.
COUPABLE 1183, 1755.
COUPAGE 1850.
COUPANT 2867.
COUP DE MAIN 77.
COUP D'ENVOI 991.
COUP DE SANG 166.
COUP D'ŒIL 2068, 2363.
COUP DUR 1509.
COUPE 461, 711, 1158, 1231, 1598, 2557, 2952.
COUPÉ (adj.) 1850, 1987.
COUPÉ (n.) 3028.
COUPE-CHOU 2498.
COUPE-FILE 1626.
COUPE-JARRET 198.
COUPER À 868.
COUPLE 1995.
COUPLER 2928.
COUPLET 2689.
COUR 1279, 2896.
COURAGEUSEMENT 1205.
COURAMMENT 3051.
COURANT 454, 553, 1173, 1210, 1253, 1299, 1344, 1856, 1972, 2638, 2793, 2932, 3051.
COURBATU 1848.
COURBETTE 2113, 2515.
COURBURE 550.
COUREUR 1279, 1503.
COURIR APRÈS 2152.
COURONNE 1826, 1901, 2812.
COURONNER 424, 2335, 2502, 2736.
COURROIE 165, 197.
COURROUCER 1586.
COURROUX 428, 1235.
COURSE 461, 917, 1855.
COURSES 451, 2232.
COURSIER 379.
COURTAUD 2882.
COURTIER 71, 1553, 2417.
COURTISANE 2227.
COURTISER 551, 1220.
COURTOIS 60, 669, 920, 1279, 2130, 2607.
COURTOISIE 405, 920, 1279, 2130.
COUSETTE 1795.
COUTELAS 556.
COÛTEUX 377.
COUTUMIER 1173, 1344, 1972, 2468, 2664, 2858.
COUTURE 1743, 1820.
COUTURES 1155.
COUVÉE 1173.
COUVENT 4.
COUVRANTE 559.
COUVRE-LIT 559.
CRACHIN 2119.
CRACHINER 2119.
CRAMOISI 2481.
CRAMPE 2662, 2819.
CRAMPON 430.
CRAMPONNER 36.
CRAMPONNER (SE) 36, 2270.
CRAN 549, 1962.
CRÂNE (*adj.*) 259, 549, 1567.

CRÂNE (*n.*) 2803.
CRÂNEMENT 1205.
CRÂNERIE 1175.
CRÂNEUR 1175, 1977, 2183.
CRAPULE 299, 536, 1812, 2266, 2954, 3047.
CRAQUE 1776.
CRAQUELURE 1189.
CRAQUEMENT 269, 880.
CRASSE 1336, 1759, 1974, 2511.
CRASSEUX 1721, 1907, 2511.
CRAVACHER 211, 398.
CRAYONNER 574, 759, 1332.
CRÉATURE 1369, 1485, 1842, 2067.
CRÉCHER 690, 1669.
CRÉDIBILITÉ 3048.
CRÉDIT 175, 182, 487, 1184, 1423, 1506, 2182.
CRÉDULE 306, 1518, 1878.
CRÉDULITÉ 300, 1878, 1897.
CRÉER (SE) 1232.
CRÈME 924, 1963.
CRÊPÉ 1257, 1854.
CRÊPELÉ 1854.
CRÉPITEMENT 269.
CRÉPITER 880.
CRÉPUSCULE 614, 2609.
CRÊTE 2623.
CRÉTIN 18, 2633, 2692.
CRÉTINISME 2692.
CREUSÉ 1181.
CREUX (adj.) 1571, 2210, 2943, 2989.
CREUX (n.) 332, 2906.
CREVAISON 880.
CREVANT 1181, 2840.
CREVASSE 1189.
CREVÉ 1181.
CREVER (SE) 874, 1181, 2915.
CRIAILLER 2083.
CRIBLE 2769.
CRIBLÉ 559.
CRIME 674, 1792, 2504.
CRIMINEL 154, 198, 1792, 1834.
CRINIÈRE 380.
CRISPANT 1586, 1628.
CRISPATION 2662.
CRISPER 981.
CRISSEMENT 269.
CRISTALLIN 2877.
CRITÉRIUM 461.
CRITIQUABLE 1755.
CROASSEMENT 3029.
CROCHET 165, 772.
CROCHETER 1230.
CROISÉ 1749.
CROISÉE 319, 1188, 1606, 1987.
CROISEMENT 319, 425, 1606.
CROISER 2395, 2886.
CROISER (SE) 548.
CROISIÈRE 402, 3045.
CROISILLON 204.
CROQUENOT 370.
CROQUIS 759, 2541.
CROTTE 1778, 2511.
CROTTÉ 2511.
CROTTER 2511.
CROTTIN 1778.
CROUPE 736.
CROUPISSANT 2677.
CROUPISSEMENT 2677.
CROUSTILLANT 574, 2099.
CROUTILLER 574.
CROÛTE 2990.
CROÛTER 1726.
CROÛTON 1840.
CROYANT 1203, 2089, 2380.
CRU (n.) 2995.
CRUCHE 116, 1897, 2952.
CRUCIAL 571, 611.
CRUDITÉ 2970.
CRUE 1836.
CRYPTE 397.
CUBAGE 3038.
CUBER 1783.
CUEILLETTE 2332.
CUILLER 1705.
CUIR 2046.
CUIRASSER 978.
CUISINER 32, 138, 2172.
CUISTOT 580.
CUISTRE 2047.
CUIT 2058.
CUITE 1590.
CUIVRÉ 1346.
CUL 736.
CULBUTE 278, 394, 2851.
CULOT 164, 1350, 1435, 1470.
CULOTTÉ 910.
CULTE 1954, 2380, 2427.
CULTIVABLE 1622.
CULTIVATEUR 1622, 2045.
CULTIVÉ 1061, 1108, 1539, 2533.
CULTURE 1061, 1232, 1539, 1649, 2533.
CUMULER 2448.
CUMULUS 1920.
CURATIF 2809.
CURE 2175.
CURÉ 2185.
CURER 1894, 2275.
CURSIF 2297.
CUVETTE 207, 725.
CYCLIQUE 2061.
CYCLONE 251, 2790.
CYNIQUE 910, 1533.
CYNISME 1435.

DACTYLOGRAPHIER 1245, 2774.
DADAIS 1897, 2633.
DAGUE 2126.
DAIGNER 1, 483, 3044.
DALLAGE 2610.
DALLE 1315.
DALMATIEN 384.
DAME 694.
DAMER 2780.
DAMNÉ 1752.
DANDINEMENT 193.
DANDINER (SE) 193.
DANGEREUSEMENT 1712.
DANOIS 384.
DANS 2149, 2566.
DANSANT 1962.
DARD 2099, 2864.
DARE-DARE 3017.
DARNE 2867.
DARSE 207.
DATATION 769.
DATE 1046, 2798.
DATER (À) DE 471.
DAUBER 1765, 2287.
DAVANTAGE 2123.
DÉAMBULER 1060, 1734, 2033, 2215.
DÉBÂCLE 589, 634, 1166, 2445.
DÉBALLER 774, 1081.
DÉBANDER (SE) 812.
DÉBARBOUILLER 627.
DÉBARBOUILLER (SE) 1638.
DÉBARCADÈRE 2249.
DÉBARDEUR 2136.
DÉBARRASSÉ 2260.
DÉBAUCHÉ 756, 1411, 1655, 1904, 2987.
DÉBILITANT 725, 1825.
DÉBILITÉ 1165.
DÉBILITER 2293.
DÉBINAGE 1765.
DÉBINER 294, 1765.
DÉBINER (SE) 658, 2032.
DÉBITANT 449.
DÉBLAI 616.
DÉBLATÉRER 1765, 2774.
DÉBLAYER 591, 647, 1655, 1894, 2172.
DÉBLOCAGE 1655.
DÉBLOQUER 647, 727, 1655.
DÉBOBINER 734.
DÉBOÎTEMENT 809, 1688.
DÉBOÎTER 809.
DÉBONDER (SE) 2989.
DÉBORDANT 1151, 2116.
DÉBORDEMENT 1520.

DÉBOUCHÉ 1735.
DÉBOUCLER 765.
DÉBOULER 2482, 2831.
DÉBOURS 712.
DÉBOURSER 560, 712, 1993.
DÉBOUSSOLER 619.
DÉBOUTONNER 765, 1987.
DÉBOUTONNER (SE) 487.
DÉBRAILLÉ 1891.
DÉBRIDÉ 2940.
DÉBROUSSAILLER 646, 879.
DÉBUTANT 1895.
DÉCACHETER 1987.
DÉCADENCE 1, 614.
DÉCALAGE 2440.
DÉCALER 2440.
DÉCANILLER 2032.
DÉCAPANT 1841.
DÉCAPER 1894.
DÉCAPITER 1342, 2915.
DÉCARCASSER (SE) 686, 841.
DÉCÉDÉ 1842.
DÉCÉDER 1138, 1842.
DÉCELABLE 2056.
DÉCÉLÉRER 1249.
DÉCEPTION 596, 621, 2369.
DÉCERNER 169, 486, 841.
DÉCÈS 810, 1842.
DÉCHAÎNÉ 1252, 1419, 1586, 2745.
DÉCHAÎNEMENT 1269, 2790, 3004.
DÉCHAÎNER (SE) 880, 953, 1265.
DÉCHANTER 2264.
DÉCHARGÉ 1125, 2113.
DÉCHARGER 90, 590, 591, 811, 1655, 2641.
DÉCHARGER (SE) 1655.
DÉCHARNÉ 904, 1702, 2551.
DÈCHE 1812.
DÉCHÉANCE 1.
DÉCHET 394, 600, 1974, 2323.
DÉCHIFFRABLE 1662.
DÉCHIFFRER 1662, 2425.
DÉCHIRANT 2901.
DÉCHIRÉ 661.
DÉCHIRER (SE) 563.
DÉCHOIR 733, 2313.
DÉCLAMATOIRE 948, 1392, 2806.
DÉCLAMER 2219.
DÉCLARÉ 1987.
DÉCLENCHEMENT 447.
DÉCLENCHER (SE) 447, 612, 880.
DÉCLINANT 1842.
DÉCLIVITÉ 2054.
DÉCOCTION 1510.
DÉCODER 1662.
DÉCOIFFER 634.
DÉCOLLER 765, 1004, 1702, 2032, 2575.
DÉCOLORER 1996, 2799.
DÉCOLORER (SE) 1600, 2033.
DÉCOMPOSITION 542, 672, 2151.
DÉCOMPTE 471.
DÉCONCERTANT 735, 1089, 1431, 1454, 2907.
DÉCONCERTÉ 735, 1550, 2691.
DÉCONFITURE 634, 1166.
DÉCONSEILLER 625, 821.
DÉCONSIDÉRER 2058, 2262.
DÉCONTENANCÉ 735.
DÉCONTENANCER 619, 697, 934.
DÉCONTRACTION 2373.
DÉCOR 283, 2539.
DÉCORATIF 1980.
DÉCORATION 823, 1374, 1529, 1980, 2335.
DÉCORTIQUER 1045.
DÉCOUDRE 634.
DÉCOUPAGE 828.
DÉCOURAGÉ 2901.
DÉCOURAGEANT 654, 883, 2323.
DÉCOURAGEMENT 3, 107, 725.
DÉCOUVERTE 1572, 2452.
DÉCRÉPIT 2991.
DÉCRÉPITUDE 672, 2991.
DÉCRET 611, 1973, 2367.
DÉCRÉTER 611, 893.
DÉCRIER 294, 723, 1765, 1907, 2999.
DÉCROCHAGE 2347.
DÉCROCHER 689, 711, 765, 1276, 1945, 2347.
DÉCROISSEMENT 797.
DÉCROÎTRE 124, 191, 614.
DÉCROTTER 1894.
DÉCRYPTER 1662.
DÉÇU 715, 737.
DÉDAIGNEUX 99, 152, 1205, 1777, 1977, 2228, 2717, 2720.
DEDANS 1552.
DÉDICACE 2041.
DÉDIER 499.
DÉDIRE 687.
DÉDOMMAGEMENT 459, 2335, 2405.
DÉDUCTIF 2757.
DÉDUCTION 3, 478, 503, 2657.
DÉDUIRE 478, 618, 1499, 2264, 2446, 2657, 2819.
DÉDUIRE (SE) 623.
DÉFAITISME 2071.
DÉFAITISTE 2071.
DÉFALQUER 618, 2264, 2446.
DÉFAUSSER 2350.
DÉFECTION 2, 747.
DÉFECTUOSITÉ 635, 2987.
DÉFENDABLE 1617, 2658.
DÉFENDU 1550, 2212.
DÉFÉRENT 2089, 2130, 2427.
DÉFERLEMENT 1520, 2790, 2941.
DÉFERLER 2404, 2638.
DÉFEUILLER 721.
DÉFICELER 1987.
DÉFICIENCE 314, 1165, 1540, 1624.
DÉFICIENT 1165, 1755.
DÉFIGUREMENT 1869.
DÉFIGURER 97, 645, 1746, 1869, 2846, 2874.
DÉFILER (SE) 2032.
DÉFINI 769.
DÉFINITIVEMENT 2850.
DÉFLAGRATION 880.
DÉFONCER 989, 1622.
DÉFORMATION 316, 790, 1869.
DÉFORMÉ 892, 1181.
DÉFORMER (SE) 1293.
DÉFRAÎCHI 615, 1181, 1223, 2033, 2991.
DÉFRAYER 1993.
DÉFROISSER 2409.
DÉFROQUE 1338.
DÉFUNT 1842.
DÉGAGEMENT 2206.
DÉGAINE 2848.
DÉGARNI 2989.
DÉGARNIR 699.
DÉGAUCHIR 2350.
DÉGELÉE 547, 2889.
DÉGÉNÉRESCENCE 672.
DÉGLINGUER 8, 695, 809.
DÉGOBILLER 3041.
DÉGOISER 595.
DÉGONFLER (SE) 1825, 2347.
DÉGOTER 2909.
DÉGOULINANT 2490.
DÉGOULINER 545, 655.
DÉGOÛTER (SE) 1181.
DÉGOUTTANT 1850, 2490.
DÉGRADANT 205, 1375, 2536.
DÉGRADÉ 2227.
DÉGRAFER 765.
DÉGRAISSER 765, 1894.
DEGRÉ 872, 1734, 1902, 2128, 2823.
DÉGRÈVEMENT 609.
DÉGRINGOLADE 394.
DÉGRINGOLER 745, 2482, 2831.
DÉGROSSIR 646, 879.
DÉGUEULASSE 654.
DÉGUEULER 3041.
DÉGUISEMENT 1745.
DÉGUSTER 666, 1319.
DEHORS 1146.
DÉJECTION 1778.
DÉJETÉ 2840.
DÉJEUNER 1726, 2408.
DÉLABREMENT 2489.
DÉLABRER 2489.

DÉLAI (SANS) 1406.
DÉLASSEMENT 113, 2343, 2414.
DÉLASSER (SE) 767, 824, 2414.
DÉLATEUR 39, 704, 1847, 2300.
DÉLATION 704, 2300.
DÉLAVÉ 1996, 2799.
DÉLAYER 1274.
DÉLECTATION 670, 1609, 2107, 3039.
DÉLÉGATION 1815.
DÉLESTER 90, 591, 3031.
DÉLÉTÈRE 2856.
DÉLIBÉRÉ 2672, 3036.
DÉLIÉ 2646, 2700.
DÉLIER 765, 1655, 2378.
DÉLIER (SE) 1655, 2416.
DÉLIVRANCE 1655, 2641.
DÉLIVRÉ 2260.
DÉLOGER 352, 363, 2032, 2260.
DÉLURÉ 653.
DÉMANCHER (SE) 809.
DEMANDÉ 2330.
DÉMANTELER 3, 695, 764.
DÉMANTIBULER 809.
DÉMARCATION 823.
DÉMÊLÉ 96, 519.
DÉMEMBRER 1840, 2026.
DÉMÉNAGER 2, 352, 716, 727, 2032, 2260, 2879.
DÉMENTIEL 1501.
DÉMETTRE 763, 809, 2749.
DEMI-MOT 2653.
DÉMISSIONNER 2, 5, 689.
DÉMOBILISATION 1655.
DÉMOBILISER 1655.
DÉMOCRATIQUE 2076.
DÉMOLI 661.
DÉMOLITION 764, 2489.
DÉMON 780.
DÉMONIAQUE 780, 1501.
DÉMORALISANT 654, 725, 883.
DÉMORALISATION 3.
DÉMORALISER 3, 619, 625, 654, 697, 2323.
DÉMUNI 706, 2044, 2195.
DÉMYSTIFIER 737.
DÉNATURER 97, 645, 772, 1170, 1733, 2846, 2862, 2874.
DÉNÉGATION 687.
DÉNIAISER 653.
DÉNIGREMENT 294, 1765.
DÉNIGRER 166, 294, 610, 723, 797, 1765, 1907, 2262, 2999.
DÉNOMINATION 1908.
DÉNOMMER 132, 1908.
DÉNOTER 118, 605, 704, 1476, 1743, 1837, 2573, 2593, 2789.
DÉNOUEMENT 478, 1214, 1588, 2437, 2618, 2630, 2798.
DÉNOUER 634, 765, 2425.
DENRÉE 88, 2206.
DENSITÉ 477, 1037.
DÉNUDÉ 2989.
DÉNUDER 626, 1837.
DÉNUDER (SE) 626.
DÉNUEMENT 222, 807, 934, 1478, 1812, 1890, 2044.
DÉPANNAGE 2405.
DÉPARER 1292.
DÉPART 602, 788, 810, 1097.
DÉPARTAGER 2575.
DÉPARTEMENT 2580.
DÉPARTIR (SE) 698, 2398, 2632.
DÉPASSÉ 693, 2155, 2991.
DÉPATOUILLER (SE) 601.
DÉPÊCHER 1036.
DÉPEIGNER 634.
DÉPEINDRE 628, 1837, 2048, 2277, 2417.
DÉPENDANT 2716, 2898.
DÉPENSER (SE) 686, 841, 2205, 2391.
DÉPENSIER 2205.
DÉPERDITION 2058.
DÉPÊTRER (SE) 647, 2632.
DÉPEUPLÉ 747.
DÉPEUPLER (SE) 2989.
DÉPIAUTER 721.
DÉPITER 523.
DÉPLACEMENT 352, 728, 1855, 2873, 3045.
DÉPLAISIR 739, 2369.
DÉPLIANT 1432.
DÉPLIER 774, 1085, 1987.
DÉPLOYER 712, 734, 774, 1081, 1085, 1837, 1987.
DÉPLOYER (SE) 774.
DÉPOCHER 1993.
DÉPOLI 2799.
DÉPORTER 199, 1129.
DÉPOSER (SE) 2831.
DÉPOSITION 2789.
DÉPOSSÉDER 721, 2195, 2832.
DÉPOTOIR 720.
DÉPOUILLE 539, 1842, 2046, 2435.
DÉPOUILLÉ 477, 2584, 2606.
DÉPOUILLEMENT 1922, 2597, 2606.
DÉPOUILLER (SE) 699, 2260.
DÉPOURVU 706, 1125, 1731, 2195, 2989.
DÉPRAVATION 542, 593, 820, 2151.
DÉPRAVÉ 700, 1411, 1655, 1755, 2778, 2987.
DÉPRÉCIATION 394.
DÉPRIMER 3.
DÉPRISER 2654.
DÉPUTÉ 667, 2417.
DÉRAILLEMENT 30.
DÉRAILLER 673, 727.
DÉRAISON 685, 1228.
DÉRANGÉ 1712.
DÉRAPER 363, 1308.
DÉRÉGLÉ 756.
DÉRÉGLER (SE) 913.
DÉRIDER 113, 649.
DÉRIVATIF 1152.
DÉRIVER 623, 772, 2201, 2231, 2964.
DÉROBADE 868, 1264, 2347.
DÉROBÉ 2555.
DÉROUILLÉE 3030.
DÉROUILLER (SE) 653.
DÉROULEMENT 553, 774, 1734, 1973, 2202, 2703.
DÉROUTE 589, 634, 743.
DÉROUTER 491, 619, 697, 714, 772, 913, 2907.
DÉSAFFECTION 750, 765.
DÉSAGRÉGATION 809.
DÉSAGRÉGER (SE) 563, 617.
DÉSALTÉRER (SE) 237.
DÉSAPPOINTEMENT 596, 621, 715.
DÉSAPPOINTÉ 715.
DÉSAPPOINTER 607.
DÉSAPPRENDRE 1983.
DÉSAPPROBATION 232, 1967.
DÉSAPPROUVER 232, 482, 571, 2230.
DÉSARÇONNER 619, 697, 934, 2907.
DÉSARGENTÉ 2285, 2551.
DÉSARMÉ 1165.
DÉSARTICULATION 809.
DÉSARTICULER 809.
DÉSARTICULER (SE) 809.
DÉSASSEMBLER 697.
DÉSASSORTI 708.
DÉSASTREUX 328, 718, 1268, 1717, 1755.
DÉSAVANTAGEUX 636.
DÉSAVEU 232, 687, 2397, 2444.
DÉSAVOUER 232, 522, 687, 1900, 2397, 2444.
DÉSAVOUER (SE) 631.
DESCENDANCE 1658, 2143.
DESCENDANT 982, 1212, 2143.
DESCENTE 1, 1964, 2121.
DÉSEMPARÉ 735.
DÉSEMPLIR (SE) 2989.
DÉSENCHAÎNER 765.
DÉSENCHANTÉ 737.
DÉSENCHANTER 607, 657.
DÉSENCOMBRER 591, 647.
DÉSENCROÛTER 653.
DÉSENGORGER 599.
DÉSENIVRER 657.
DÉSENNUYER 824.

DÉSENTORTILLER 683.
DÉSÉPAISSIR 879.
DÉSÉQUILIBRE 728, 2907.
DÉSÉQUILIBRÉ 728, 1228.
DÉSERTER 2, 2260, 2862.
DÉSERTEUR 2862.
DÉSERTIQUE 146, 2551.
DÉSESPÉRÉ 1150, 1717, 2729, 2901.
DÉSESPÉRER 3, 2323.
DÉSESPOIR 3.
DÉSHABILLÉ 1891.
DÉSHABILLER 721.
DÉSHABILLER (SE) 626.
DÉSHERBER 1894, 2520.
DÉSHÉRITER 721.
DÉSHONNÊTE 1937.
DÉSHONORANT 1375, 1480, 2536.
DÉSHONORER (SE) 1.
DÉSHYDRATÉ 2551.
DÉSHYDRATER 2551.
DÉSIGNATION 1908.
DÉSILLUSION 596, 621.
DÉSILLUSIONNÉ 737.
DÉSILLUSIONNER 607, 657.
DÉSINFECTER 2680.
DÉSINFECTION 2680.
DÉSINTÉRESSEMENT 10, 1477.
DÉSINVOLTE 647, 1173, 1655.
DÉSIREUX 585, 1414.
DÉSOBLIGEANCE 1724.
DÉSOBLIGEANT 717, 739, 1380, 1724, 1755, 2551, 2984.
DÉSOBSTRUER 647, 652.
DÉSOLANT 2901.
DÉSOLATION 2489.
DÉSOLÉ 493, 1156, 1717.
DÉSOLER 170, 347, 523, 1005.
DÉSOLIDARISER (SE) 2397.
DÉSOPILANT 2840.
DÉSOPILER (SE) 2463.
DÉSORGANISATION 728, 756.
DÉSORGANISER 248, 728, 2907.
DÉSORIENTER 619, 697, 934, 2907.
DESPOTIQUE 20, 144, 1968.
DESPOTISME 785.
DESSAISIR (SE) 699.
DESSÉCHÉ 2551.
DESSÉCHEMENT 2551.
DESSÉCHER 2551, 2680.
DESSEIN 273, 1214, 1548, 1934, 2052, 2108, 2222, 3011, 3024.
DESSERRER 1623, 2373.
DESSERTE 2758.
DESSICATION 2551.
DESSOÛLER 657.
DESTINÉ 2149, 3022.
DESTINÉE 484, 762, 1180, 2630.
DESTITUTION 656.
DESTRIER 379.
DESTRUCTEUR 1792, 1841.
DÉSUET 693, 2991.
DÉSUNION 2907, 3063.
DÉSUNIR 267, 828, 865, 2575.
DÉTACHÉ 1477.
DÉTAILLANT 449.
DÉTALER 551, 1264, 2032.
DÉTECTER 605, 626, 714, 1103, 2056, 2452, 2909.
DÉTEINT 615.
DÉTELER 765.
DÉTENDRE 620, 664, 1623, 2373, 2414.
DÉTENTE 2043, 2343, 2373, 2385, 2414, 2641.
DÉTENTEUR 2136, 2141.
DÉTENU 2194.
DÉTERGENT 1647.
DÉTÉRIORATION 648, 656, 724, 840, 2151, 2489, 2932.
DÉTÉRIORÉ 661.
DÉTÉRIORER 8, 97, 166, 324, 656, 1824, 1869, 2497, 2932.
DÉTÉRIORER (SE) 656, 950, 1032, 1292, 2151, 2932.
DÉTERMINANT 313, 611, 839, 2191.
DÉTERSIF 1647.
DÉTESTABLE 12, 718, 739, 1752, 1755, 1777, 2044, 2998.
DÉTESTER 7.
DÉTONATEUR 109.
DÉTONATION 269, 880.
DÉTORDRE 2350.
DÉTOURNÉ 1481.
DÉTOURNEMENT 3031.
DÉTOURNER (SE) 765.
DÉTRACTER 1765, 2262.
DÉTRACTEUR 1765, 3064.
DÉTRACTION 1765.
DÉTRAQUÉ 728, 1228.
DÉTRAQUEMENT 729.
DÉTRAQUER 695, 729, 2907.
DÉTREMPÉ 1390, 1850.
DÉTRESSE 742, 1717.
DÉTRIMENT 744.
DÉTRITUS 600, 1974.
DÉTROMPEUR 737.
DÉTRÔNER 763, 2721.
DÉTROUSSER 3031.
DÉTRUIRE (SE) 2714.
DETTE 1936.
DEUIL 1717.
DEUX 2552.
DEUXIÈME 2552.
DÉVALER 745, 2163, 2482.
DÉVALISER 721, 2092, 2989, 3031.
DÉVALORISER (SE) 723.
DÉVALUATION 394.
DÉVALUER (SE) 723.
DEVANT 1155.
DEVANTURE 1081.
DÉVASTATION 724, 764, 2312, 2489.
DÉVASTER 764, 1502, 2092, 2312, 2489.
DÉVEINE 1713.
DEVENIR 1168, 2033, 2396, 2831.
DÉVERGONDAGE 593, 729, 1656, 2987.
DÉVERGONDÉ 1655.
DÉVERGONDER 593.
DÉVERROUILLER 1987.
DÉVERSEMENT 1097.
DÉVERSER 2404, 2973, 2989.
DÉVERSER (SE) 652, 886, 1601, 2404, 2989.
DÉVÊTIR 721.
DÉVÊTIR (SE) 626.
DÉVIATION 772.
DÉVIER 719, 772, 865.
DEVINETTE 1001.
DEVISER 2023.
DÉVOILEMENT 2452.
DÉVOILER 455, 626, 682, 704, 799, 830, 1667, 1837, 2452, 3026.
DÉVOILER (SE) 128.
DEVOIR (v.) 182.
DÉVOT 2089, 2380.
DÉVOUÉ 240, 1203, 3059.
DÉVOUEMENT 10, 1680, 2503, 3059.
DÉVOUER (SE) 499, 2205, 2503, 2580.
DÉVOYÉ 2954, 3047.
DEXTÉRITÉ 57, 381.
DIADÈME 2812.
DIAGRAMME 2541.
DIALECTE 1629, 2023.
DIALECTIQUE 1670.
DIALOGUE 528.
DIAPOSITIVE 3026.
DIAPRÉ 203.
DIARRHÉE 728.
DICTATEUR 757, 1968, 2147.
DICTATORIAL 20, 1230.
DICTION 925, 2023.
DICTIONNAIRE 1652.
DICTON 49, 1756.
DIÈTE 23, 2365.
DIÉTÉTIQUE 2508.
DIFFAMATEUR 39, 1765.
DIFFAMATION 294, 1765.
DIFFAMATOIRE 1765.
DIFFAMER 294, 1907, 2511.
DIFFÉRENCIER 823, 2575.
DIFFÉRENCIER (SE) 788, 823.
DIFFÉREND 96, 490, 519, 738, 2256.

DIFFICILEMENT 1712.
DIFFORME 67, 524, 808, 1834.
DIGÉRER 162.
DIGESTIF 1660.
DIGNEMENT 225, 1205, 1328, 1903.
DIGNITAIRE 2067.
DIGRESSION 1673, 2018.
DILAPIDATEUR, 2205.
DILAPIDER 574, 712, 778, 819, 994, 1274, 1726, 2205.
DILEMME 391.
DILIGENCE 47, 955, 2218, 2297, 3017, 3028, 3059.
DILUER 1085, 1850.
DILUVIEN 2843.
DINDE 1897.
DÎNER 1726, 2408.
DÎNETTE 2408.
DINGUE 1228.
DIPLÔME 261, 2046, 2823.
DIPLOMATIE 57, 2131, 2646.
DIRECT 271, 852, 1244, 1406, 1888, 2597, 2672, 2863.
DIRECTEUR 372, 1708, 2191.
DIRECTIVE 1539, 1973, 2333.
DIRIGEANT 372, 1708.
DISCERNEMENT 408, 497, 1545, 1613, 2288, 2505, 2573.
DISCERNER 126, 626, 683, 823, 1016, 1662, 2056, 2339, 2381, 2510, 2573, 3026.
DISCIPLE 922, 1212, 1361, 2027.
DISCONTINUITÉ 548.
DISCONVENIR 1900.
DISCORDANCE 522, 738, 788, 829, 1453, 1967.
DISCORDE 490, 610, 738, 828, 2793, 2819, 3063.
DISCOUREUR 212, 2023.
DISCOURIR 212, 2023.
DISCOURS 93, 774, 1368, 2222.
DISCOURTOIS 808, 1422.
DISCRÉDIT 636.
DISCRÉDITER 695, 723, 797, 1765, 1907, 1923, 2058, 2999.
DISCRÉTION (À) 3036.
DISCRIMINATION 823, 2564, 2575.
DISCULPER 44, 1122, 1518, 1617.
DISCUTABLE 519.
DISCUTEUR 2288.
DISERT 928.
DISGRÂCE 636, 1625.
DISJOINDRE 2575.
DISJONCTEUR 1557.
DISJONCTION 2575.
DISPARATE 826.
DISPARITÉ 788, 1490, 2951.
DISPARU 1842.
DISPENDIEUX 377.
DISPENSÉ 1125.
DISPENSER (SE) 22, 1107, 2033.
DISPERSÉ 1040.
DISPERSION 589, 809, 819, 2575.
DISPONIBILITÉ 815, 1655.
DISPOSÉ À 1389, 2182.
DISPOSITIF 1758, 2757.
DISPROPORTION 1490.
DISPROPORTIONNÉ 1490.
DISPUTE 96, 190, 382, 519, 806, 1139, 2256, 2539.
DISQUE 1868.
DISSEMBLABLE 788, 826, 1967.
DISSÉMINÉ 1040, 2673.
DISSÉMINER 812, 2404, 2407.
DISSENSION 490, 738.
DISSENTIMENT 817.
DISSERTATION 469.
DISSERTER 2865.
DISSIDENT 2321.
DISSIMULÉ 2555, 2651.
DISSIMULER 279, 336, 559, 659, 732, 1031, 1090, 2765, 3025.
DISSIMULER (SE) 279, 732, 810.
DISSIPATEUR 2205.
DISSIPÉ 2919.
DISSOCIER 617, 740, 2575.
DISSOLU 756, 1411, 1655.
DISSOLVANT 1841.
DISSONANT 803.
DISTANCER 709, 773, 1623, 2570.
DISTENDRE 2819.
DISTENSION 2373.
DISTILLER 2404.
DISTINCTEMENT 1894.
DISTINCTIF 313, 2223, 2921.
DISTINGUÉ 264, 381, 920, 1303, 1903, 2282.
DISTINGUO 2700.
DISTRICT 2366.
DITHYRAMBE 1676.
DITHYRAMBIQUE 926.
DIVAGATION 673, 2450.
DIVAGUER 673, 727, 913, 2280, 2941.
DIVAN 1664.
DIVERGENCE 738, 788, 817, 829, 1967.
DIVERGENT 788, 803, 1967.
DIVERGER 788.
DIVERSIFIER 2951.
DIVERTIR 113, 824, 2372.
DIVERTIR (SE) 113, 824, 2343, 2463.
DIVERTISSANT 2107.
DIVERTISSEMENT 113, 824, 1195, 1602, 2107, 2343.
DIVINATION 1699.
DIVULGATION 2452.
DJINN 1686.
DOCK 207, 1027.
DOCKER 2136.
DOCTE 1061.
DOCTORAL 835, 2047.
DOCTRINAIRE 835.
DOCUMENTÉ 1507.
DOCUMENTER (SE) 1507.
DODELINER 193.
DODO 1664.
DODU 1323, 2111.
DOGME 833.
DOGUE 384.
DOIGTÉ 57.
DOLENT 2106.
DOMESTICITÉ 2067, 2580.
DOMESTIQUE 1065, 1633, 2580.
DOMESTIQUER 139, 851.
DOMICILE 57, 690, 2828.
DOMINO 1745.
DOMPTER 139, 158, 839, 851, 1708, 1866, 2351, 2644, 2736, 2944.
DONATION 1644.
DONJON 2851.
DON JUAN 2563.
DONNE 825.
DONNER FAIM 565.
DONNER LIEU 2182.
DONNER RAISON 140.
DOPER 2681.
DORÉ 1346, 1600.
DORÉE 3058.
DORER (SE) 1600.
DORLOTER 292, 558, 2608.
DORMANT 1842.
DORMITIF 1883.
DOS 2975.
DOSER 1783, 2221.
DOTER 1324, 1574, 1881, 2153.
DOUBLE 533.
DOUBLER 709, 1241, 1291, 2033, 2389.
DOUBLURE 2389.
DOUCEÂTRE 1163, 2604.
DOUCEMENT 1165, 1645, 1825.
DOUCEREUX 1796, 1961, 2651, 3015.
DOUCHER 153, 1520, 1850.
DOUÉ 240, 306, 1230.
DOULOUREUSE 1916.
DOULOUREUSEMENT 856.
DOUVE 1234, 2109.
DRACONIEN 979, 2465, 2584, 2687.
DRAGON 3007.
DRAGUER 2270.
DRAMATISER 1112, 1986.
DRASTIQUE 979.
DRESSAGE 1836.
DRESSÉ 1360, 2533.

E

ENCOCHE 1743.
ENCOIGNURE 425.
ENCOLURE 432.
ENCOMBRANT 934, 1298, 2070, 3038.
ENCOMBRÉ 2116, 2527.
ENCOMBREMENT 934, 3038.
ENCOMBRER 356, 934.
ENCONTRE (À L') 1967.
ENCORBELLEMENT 2507.
ENCORE 1771, 2850.
ENCOURAGEANT 1277, 1969.
ENCRASSÉ 2511.
ENCRASSER 2511.
ENCROÛTÉ 2484.
ENCYCLOPÉDISTE 2078.
ENDETTER 1930.
ENDIABLÉ 909, 1252, 1501.
ENDOLORI 847.
ENDOMMAGÉ 661.
ENDOMMAGEMENT 656.
ENDOMMAGER 8, 97, 656, 2312.
ENDORMANT 1005, 1833, 1842.
ENDURANT 856, 978, 2424.
ENDURCISSEMENT 2551.
ÉNERGIQUEMENT 856, 3004.
ÉNERVANT 1115, 1586, 1628.
ÉNERVÉ 1586, 1893.
ENFANTILLAGE 195, 1286, 2241.
ENFANTIN 921, 1157, 2241.
ENFIÉVRER 987, 2731.
ENFLAMMER (S') 869, 1019, 1586, 2034, 2171.
ENFOUIR 1017, 2121.
ENFOUIR (S') 236.
ENFOURCHER 1836.
ENFOURNER 994.
ENFOURNER (S') 996.
ENFUIR (S') 545, 603, 810, 868, 1210, 1264, 1634, 2032, 2764, 2819.
ENGAGÉ 1978.
ENGEANCE 1070, 2271.
ENGLOBER 470, 517, 939.
ENGLOUTIR (S') 545, 989, 2619.
ENGORGÉ 2527.
ENGOUER (S') 1019, 2034.
ENGOUFFRER 778, 994.
ENGOURDIR 389, 2012.
ENGOURDIR (S') 2543.
ENGRENER (S') 1841.
ENGUEULER (S') 816.
ENGUIRLANDER 999.
ENIVREMENT 1091, 1590.
ENJAMBÉE 2033.
ENJAMBER 2033.
ENJEU 1811.
ENJOINDRE 445, 678, 1577, 1973, 2190.
ENJÔLEUR 2563, 2794.
ENJOLIVER 622, 1980.
ENJOUÉ 187, 1277, 2463.
ENJOUEMENT 1277.
ENJUGUER 1653.
ENLACER 939, 2579.
ENLAIDIR 1292.
ENLÈVEMENT 1618, 2193, 2727.
ENLISER (S') 876, 989.
ENLUMINÉ 987.
ENLUMINER 1980.
ENLUMINURE 1803.
ENNEMI 58, 1380, 1967, 2469.
ENNOBLIR 922, 1395.
ENNUYÉ 493, 1156.
ÉNONCÉ 2804.
ENORGUEILLIR 1002.
ENORGUEILLIR (S') 1309, 1374, 2187.
ÉNORMÉMENT 215.
ÉNORMITÉ 1336.
ENQUÉRIR (S') 678, 1507, 1523, 2400.
ENQUÊTER 1507, 2400.
ENQUIQUINER 936.
ENQUIQUINEUR 2129.
ENRAGER 2284.
ENRÉGIMENTER 1012, 1819.
ENREGISTREMENT 1527.
ENRICHIR 774, 1980.
ENRICHIR (S') 1790.
ENROBER 1031, 2482.
ENRÔLER (S') 991.
ENROUÉ 2311, 2649, 3025.
ENROULER 2854.
ENROULER (S') 1031.
ENSABLER (S') 876.
ENSANGLANTÉ 2506.
ENSEMENCEMENT 2570.
ENSEMENCER 2110, 2570.
ENSERRER 334, 1021.
ENSEVELIR 1017.
ENSILAGE 2683.
ENSILER 2683.
ENSOLEILLÉ 406.
ENSORCELANT 1585, 2563, 2907.
ENSORCELÉ 780.
ENSORCELER 963, 987.
ENSORCELEUR 1699, 2563.
ENSORCELLEMENT 963, 1699.
ENSUIVRE (S') 2201, 2437.
ENTACHER 2511, 2760, 2799.
ENTAILLE 234, 548, 1743.
ENTAILLÉ 1987.
ENTAILLER 234, 548, 1987.
ENTAILLER (S') 548.
ENTAMER 14, 109, 166, 447, 862, 991, 1028, 1841, 1987, 2848.
ENTASSÉ 2579.
ENTASSEMENT 100, 2251.
ENTASSER 38, 100, 2014, 2290, 2448, 2780.
ENTASSER (S') 888, 949, 2178, 2579.
ENTENDEMENT 497, 1073.
ENTENDU 799.
ENTÉNÉBRER 1938.
ENTENTE 35, 92, 419, 527, 1247, 1351, 1545, 1991, 1992, 2928.
ENTER 1331.
ENTÉRINEMENT 488.
ENTÉRINER 140, 488, 499, 2517, 2946.
ENTERREMENT 1214, 1842, 1940, 2576.
ENTÊTANT 1678.
ENTÊTÉ 538, 2324, 3036.
ENTHOUSIASMANT 1002, 1113.
ENTHOUSIASME 53, 145, 348, 421, 673, 955, 995, 1096, 1193, 1590, 2034, 3059.
ENTHOUSIASTE 145, 348, 368, 537, 1113, 1252, 2034, 2745, 2899, 3059.
ENTICHER (S') 424, 1019, 2034.
ENTIÈREMENT 20, 225, 2847, 2855.
ENTONNER 237, 1789.
ENTORSE 1117, 1237, 1688, 3003.
ENTORTILLÉ 934.
ENTORTILLER 972, 2563.
ENTORTILLER (S') 934.
ENTOURAGE 242, 283, 3027.
ENTOURLOUPETTE 2511, 2851.
ENTRACTE 1553.
ENTRAIDE 2554, 2615.
ENTRAILLES 2566, 3010.
ENTRAIN 101, 117, 145, 265, 421, 2990.
ENTRAVE 789, 1659, 1943.
ENTRAVER (S') 934.
ENTRELACER 964, 1769, 1887, 1906.
ENTRELACER (S') 964.
ENTREMÊLER 1769.
ENTREMÊLER (S') 1404.
ENTRER EN ACTION 1560.
ENTRETENU 2792.
ENTRETIEN 528, 1030, 2792.
ENTREVOIR 126, 775, 2056, 2179, 3026.
ENTUBER 2902.
ÉNUMÉRATION 703.
ÉNUMÉRER 404, 1476, 1908.
ENVAHI 1949, 2527.
ENVAHIR 598, 946, 1276, 1502, 1520, 1531, 1949, 2390, 2404.
ENVAHISSEMENT 1949.

ENVAHISSEUR 1949.
ENVASER (S') 876.
ENVELOPPE 2120.
ENVENIMÉ 987.
ENVERS 760, 2149.
ENVIRON 2254, 3027.
ENVIRONNANT 2203.
ENVIRONNER 939, 1021.
ENVISAGEABLE 2142, 2198, 3048.
ENVOI 1135.
ENVOL 1077, 1264, 3030.
ENVOLÉE 1077, 1855.
ENVOLER (S') 810, 868, 886, 1004, 1264, 2032, 3030.
ENVOÛTANT 1179, 1585, 2907.
ENVOÛTEMENT 360, 963, 1699.
ENVOÛTER 310, 498, 963.
ENVOYÉ 1610, 1782, 2417.
ENVOYER (S') 986.
ÉPAGNEUL 384.
ÉPAISSIR 998, 1336, 1653, 1938, 2171.
ÉPANCHEMENT 2794.
ÉPANCHER (S') 2, 487.
ÉPANDRE 2404.
ÉPARGNE 885.
ÉPARPILLÉ 1040.
ÉPARPILLEMENT 819.
ÉPARPILLER 812, 2404.
ÉPARPILLER (S') 812, 2004.
ÉPATANT 381, 1148.
ÉPATE 934.
ÉPATÉ 859.
ÉPATER 157, 861, 1089.
ÉPAULER 77, 142, 2658.
ÉPAULER (S') 1022.
ÉPAVE 2489.
ÉPÉE 1627, 2498.
ÉPELER 1662.
ÉPERDU 1228, 2879, 3004.
ÉPERONNER 2681, 2766.
ÉPHÈBE 54.
ÉPHÉLIDE 2760.
ÉPHÉMÉRIDE 95.
ÉPI 2849.
ÉPICÉ 1230, 2378, 2512.
ÉPICER 2378.
ÉPICURIEN 1609.
ÉPIDÉMIE 1820.
ÉPIDERME 2046.
ÉPIDERMIQUE 2718.
ÉPIEU 210.
ÉPIGRAMME 2124, 2525.
ÉPILOGUE 478.
ÉPINE DORSALE 437.
ÉPINEUX 669, 789, 934.
ÉPINGLE 165, 2097.
ÉPINGLER 165, 946, 2097.
ÉPISSER 1606.
ÉPISTAXIS 1356.
ÉPITAPHE 1527.
ÉPÎTRE 1649.
ÉPLORÉ 1635.
ÉPONGER (S') 2551.
ÉPOUMONER (S') 567.
ÉPOUSE 1187.
ÉPOUSER (S') 1739.
ÉPOUSSETER 1894.
ÉPOUSTOUFLANT 1148.
ÉPOUSTOUFLÉ 859.
ÉPOUSTOUFLER 2691.
ÉPOUVANTABLE 12, 67, 326, 384, 578, 908, 1148, 1755, 1834, 2801.
ÉPOUVANTAIL 2667.
ÉPOUVANTE 86, 561, 1378, 2077, 2801.
ÉPOUVANTÉ 898.
ÉPOUVANTER 65, 908, 2801.
ÉPOUX 1739.
ÉPROUVANT 2049.
ÉPROUVÉ 1717.
ÉPUISANT 1181, 2049.
ÉPUISÉ 1181, 1842.
ÉPUISEMENT 3, 1181.
ÉPULIDE 2916.
ÉQUARRIR 2764.
ÉQUILIBRER (S') 193.
ÉQUILIBRISTE 1607.
ÉQUIPE 197.
ÉQUIPÉE 1135.
ÉQUIPEMENT 189, 1748.
ÉQUIPER (S') 1343, 1386, 2980.
ÉRABLIÈRE 238.
ÉRAFLER 234, 610, 905, 1332, 2286.
ÉRAFLURE 234, 610, 2286.
ÉRAILLÉ 2311.
ÈRE 1046, 2791.
ÉRECTION 1080.
ÉREINTANT 1181.
ÉREINTÉ 1181, 1848.
ÉREINTER (S') 874, 1049, 1237, 2049.
ERGOTAGE 2700.
ERGOTEUR 2288.
ÉRIGER 209, 513, 851, 894, 922, 1968.
ÉRIGER (S') 2139.
ÉRODER 1802, 2932.
ÉROSION 2932.
ÉROTISME 1636, 2573.
ERSATZ 2702.
ÉRUCTATION 2403.
ÉRUPTION 1592.
ESBROUFE 276, 388, 934.
ESCADRON 2908.
ESCALE 150, 1082, 2373.
ESCAMOTAGE 2851.
ESCAMOTER 2401, 2727, 3031.
ESCAMOTEUR 2181.
ESCARCELLE 253.
ESCARMOUCHE 441.
ESCARPÉ 17, 789, 1836, 2285.
ESCARPIN 370.
ESCLAFFER (S') 880, 2463.
ESCLANDRE 880, 2536.
ESCOFIER 2915.
ESCOGRIFFE 1322.
ESCOMPTE 2262.
ESCOMPTER 167, 1071.
ESCRIMER (S') 907, 2915.
ESCROQUER 2659, 3031.
ESPACÉ 2302.
ESPADRILLE 370.
ESPAGNOLETTE 2126.
ESPÉRANCE 1071, 1133, 2068, 2183.
ESPIÈGLE 187, 536, 1718, 1870.
ESPIÈGLERIE 1286.
ESPIONNER 1042, 2742.
ESPLANADE 2104.
ESQUIF 208.
ESQUILLE 880.
ESQUINTÉ 1181.
ESQUINTER 8, 1181, 1746.
ESQUINTER (S') 874, 1049.
ESQUISSE 109, 759, 2108, 2541.
ESQUISSER 109, 298, 574, 759, 2857.
ESQUISSER (S') 759.
ESQUIVER 732, 772, 1107, 2657, 2854.
ESQUIVER (S') 658, 810, 868, 882, 1264, 2032, 2632.
ESSARTER 646.
ESSENCE 1070, 1147, 1888, 2223, 2250.
ESSEULÉ 2582.
ESSOUFLÉ 1348.
ESSOUFLEMENT 2711.
ESSUYER 1894, 2327, 2694, 2839.
ESSUYER (S') 2551.
EST 1978.
ESTACADE 793.
ESTAFETTE 1782.
ESTAFILADE 234, 548.
ESTAMINET 284.
ESTAMPE 2109.
ESTAMPER 1142, 1750, 3031.
ESTAMPILLE 280, 1743.
ESTAMPILLER 2817.
ESTER 2152.
ESTHÉTIQUE 214.
ESTIMABLE 214, 377, 1374, 1676, 2333.
ESTIMÉ 3026.
ESTIMER (S') 572, 2573, 2792, 2909.
ESTIVANT 2852.

ESTOMAQUÉ 859.
ESTOMAQUER 157, 1089, 2691.
ESTOMPÉ 3025.
ESTOMPER 2769.
ESTOMPER (S') 897, 927, 1842, 2033.
ESTOURBIR 2625.
ESTRADE 2897.
ESTROPIÉ 1427, 1869.
ESTROPIER 234, 1869.
ET 2123.
ÉTABLI (adj.) 2730.
ÉTABLI (n.) 2758.
ÉTAGÈRE 2315.
ÉTAL 2758.
ÉTALE 2678.
ÉTANCHE 1417.
ÉTANCHER 124, 293, 2551.
ÉTANÇONNER 2658.
ÉTANG 1736.
ÉTARQUER 2793.
ÉTAT (EN) DE 306.
ÉTATISATION 1886.
ÉTATISER 1886.
ÉTAU-LIMEUR 1697.
ÉTAYER 63, 142, 508, 2658.
ÉTEIGNOIR 2263.
ÉTEINT 1842, 2799.
ÉTENDARD 850.
ÉTENDRE (SE FAIRE) 876.
ÉTENDU 111, 1322, 1634, 2210, 2953.
ÉTERNELLEMENT 1471, 2850.
ÉTERNITÉ 2066.
ÉTEULE 2815.
ÉTHÉRÉ 2114.
ÉTHIQUE 1839, 2078.
ETHNIE 2076.
ÉTHYLIQUE 1590.
ÉTINCELANT 264, 861, 880, 1683, 2279.
ÉTINCELER 264, 878.
ÉTIOLÉ 2273.
ÉTIOLER (S') 713, 1630, 1842, 2956.
ÉTIQUE 904, 1171, 1702.
ÉTIQUETER 409.
ÉTIQUETTE 343, 1231.
ÉTIRER 94, 1085, 2819.
ÉTOFFE 2822.
ÉTOFFÉ 1919.
ÉTOFFER 1919.
ÉTOILE FILANTE 1785.
ÉTONNÉ 859, 2691.
ÉTOUFFÉ 1165, 1199, 2649.
ÉTOUFFEMENT 2711.
ÉTRANGE 214, 229, 585, 1001, 1089, 1148, 1149, 1454, 1465, 1677, 1979, 2601.
ÉTRANGETÉ 1979, 2601.
ÉTRANGLÉ 1094.
ÉTRANGLEMENT 2686.
ÉTRANGLER 2579, 2840.
ÉTRANGLER (S') 1090, 2431.
ÊTRE À CALIFOURCHON 379.
ÊTRE À MÊME DE 2157.
ÊTRE AU COURANT 2533.
ÊTRE EN DROIT DE 1229.
ÊTRE EN ÉTAT DE 2157.
ÊTRE EN MESURE DE 2157.
ÊTRE ÉVIDENT 566.
ÊTRE FRIAND DE 80.
ÊTRE INFORMÉ 137, 2533.
ÊTRE SUJET À 2182.
ÊTRE SUPRÊME 787.
ÉTREINDRE 939, 2178, 2510, 2579.
ÉTRENNE 281.
ÉTRÉSILLONNER 2658.
ÉTRILLER 1142, 1723, 2002, 3031.
ÉTRIPER 1104, 2989.
ÉTRIQUÉ 1094, 1764, 2072.
ÉTROITEMENT 2072, 2465.
ÉTRON 1778.
ÉTUDE 505, 801, 1074, 1114, 1507, 1772, 2172, 2865, 2885.
ÉTUDIANT 922.
ÉTUDIANTE 1211.
ÉTUVE 1238.
ÉTYMOLOGIQUE 1979.
EUPHÉMISME 1665.
EURASIEN 1788.
ÉVADÉ 1264.
ÉVADER (S') 868, 1264, 2632.
ÉVALUATION 1078, 1783, 2056, 2728.
ÉVALUER 135, 289, 471, 769, 1078, 1599, 1613, 1783, 2070, 2728.
ÉVANGÉLISER 2161.
ÉVANOUI 1842.
ÉVANOUIR (S') 633, 819, 1098, 1842, 2000, 2033.
ÉVANOUISSEMENT 633, 1091, 1165, 2000.
ÉVASÉ 1634.
ÉVASION 810, 1264.
ÉVEILLER (S') 2451.
ÉVENTÉ 2965.
ÉVERTUER (S') 134, 378, 907, 1074, 2915.
ÉVIDENCE 345, 406, 1168, 1632, 2318, 2968, 3026.
ÉVIDENT 130, 345, 406, 567, 1245, 1474, 1918, 1998, 2140, 2573, 2877, 3012.
ÉVIDER 565.
ÉVINCER 865, 923, 2721.
ÉVITER (S') 1264.
ÉVOCATEUR 1144, 2713.
ÉVOCATION 2299, 2713.
EXACERBATION 2024.
EXACERBER 1115, 1119.
EXACTEMENT 1616, 1771.
EXAGÉRATION 26, 688, 988, 1336, 1392, 1986.
EXAGÉRÉ 688, 909, 1118, 1149, 1392, 1986, 2285, 2512.
EXALTATION 53, 117, 145, 348, 673, 1119, 1197, 1252, 1590, 1605, 2034, 2731.
EXALTER 335, 353, 608, 869, 919, 938, 1002, 1019, 1119, 1309, 1676, 2034, 2451, 2949.
EXALTER (S') 1019.
EXAMINATEUR 1556.
EXASPÉRATION 70, 428, 1119, 1414.
EXASPÉRÉ 1586.
EXAUCÉ 2526.
EXAUCER 443, 518, 2526.
EXCAVATION 332, 1234.
EXCAVER 565.
EXCÉDANT 1115.
EXCÉDÉ 159, 1586.
EXCELLENT 225, 240, 1172, 1230, 2021, 2720.
EXCELLER 264, 2899.
EXCENTRICITÉ 1979, 2601.
EXCENTRIQUE 1149, 1979, 2062.
EXCEPTÉ 2528.
EXCÈS 26, 688, 1546, 1986, 2905.
EXCESSIVEMENT 2905.
EXCITANTE 68.
EXCITÉ 980, 1113, 1206, 1893.
EXCITER (S') 869, 981, 1386.
EXCLURE 24, 199, 363, 865, 923, 1117, 2286, 2370, 2403.
EXCLUSIF 2929.
EXCLUSIVE 1550.
EXCLUSIVEMENT 2582.
EXCLUSIVITÉ 1832.
EXCRÉMENT 1778, 2511, 2568.
EXCROISSANCE 2916.
EXCURSION 192, 3045.
EXCUSABLE 1617, 2017.
EXCUSE 638, 1617, 2017, 2184, 2288, 2369.
EXCUSER (S') 678, 2369.
EXÉCRABLE 12, 718, 1752, 2421, 2998.
EXÉCRATION 1378, 1715, 2421.
EXÉCRER 7, 1752, 3041.
EXÉCUTABLE 2142.
EXÉCUTANT 1868.
EXÉCUTER 34, 44, 1168, 1342, 1555, 1602, 1964, 2158, 2201, 2318, 2390, 2526, 2915.
EXÉGÈTE 1555.
EXEMPTER 811, 1039, 1655.
EXEMPTER (S') 22.
EXEMPTION 811, 1412.
EXERCÉ 1136.
EXHALAISON 147, 1950, 2950.

EXHALER 647, 1138, 2154, 2404, 2573, 2709.
EXHALER (S') 647, 929, 2632.
EXHAUSSER 922, 1354, 2386.
EXHIBER 1081, 1143, 1837, 1957, 2177, 2206.
EXHIBER (S') 1837, 1957, 2205, 2206.
EXHIBITION 1081, 1925, 2007, 2177, 2206, 2666.
EXHORTATION 966, 1119, 1577, 2333.
EXHORTER 966, 991, 1119, 1577, 2154, 2161, 2178, 2233, 2617.
EXIGÉ 1936.
EXIGU 1094, 1806, 2072, 2436.
EXIGUÏTÉ 1094, 2072.
EXILER (S') 942, 2360.
EXISTANT 2318.
EXISTENCE 762, 2176, 2318, 2990.
EXISTER 1093, 2368, 2395, 3020.
EXONÉRATION 609.
EXONÉRÉ 1125.
EXONÉRER 811.
EXORBITANT 688, 922, 1118, 1149, 1438, 1834, 2212, 2997.
EXPANSIF 696, 1151, 1987, 2023.
EXPATRIATION 1129.
EXPATRIER 1129.
EXPATRIER (S') 942, 2260, 2360.
EXPECTORER 560.
EXPÉRIMENTATION 1074, 1136.
EXPÉRIMENTER 1048, 1074, 1319.
EXPERT (adj.) 240, 306, 460, 1136, 1708, 2476.
EXPERT (n.) 1613, 2664.
EXPERTISE 1078, 1114, 2971.
EXPERTISER 135, 1078.
EXPIATION 2272.
EXPIRATION 870, 1214.
EXPLICABLE 470, 1617.
EXPLOITATION 61.
EXPLORATION 1114, 1815, 2330, 2339, 3045.
EXPLORER 211, 378, 1236, 2016, 2339, 2626, 3014.
EXPLOSER 598, 770, 880, 1265, 2530.
EXPLOSIF 109, 2793.
EXPLOSION 269, 880, 2790.
EXPOSÉ (adj.) 1978, 2605.
EXPOSÉ (n.) 746, 774, 1772, 1884, 2300, 2377.
EXPOSITION 1569, 1978, 2139, 2177, 2514.
EXPRÈS 1140, 1782, 3036.
EXPRIMER (S') 2023.
EXPULSER 199, 363, 591, 923, 1129, 2370, 2403, 2415, 2632, 3006.
EXPULSION 1121, 1129, 2403.
EXQUIS 75, 240, 669, 670, 1172, 1254.
EXSANGUE 230.
EXSUDER 2709.
EXTASIER (S') 53.
EXTATIQUE 1874.
EXTENSION 111, 918, 1033, 1077, 1132, 2211, 2214, 2220.
EXTÉNUANT 1181, 2049.
EXTÉNUÉ 1181, 2476.
EXTÉNUER 1049, 1056, 1116, 1181, 2735, 2989.
EXTÉNUER (S') 874.
EXTÉRIORISER 1144, 1729.
EXTERMINATION 764, 1746.
EXTERMINER 764, 953, 1410, 1746, 2306, 2915.
EXTERNE 1146, 2718.
EXTINCTION 810, 1842, 2727.
EXTIRPER 148, 726, 2632.
EXTORQUER 148, 2659, 3031.
EXTORSION 1111.
EXTRA 2720.
EXTRACTION 1658, 1880, 1979, 2271.
EXTRAVAGANCE 685, 1228, 1246, 1979, 2601.
EXTRAVAGUER 2280.
EXTRÊMEMENT 215, 2855, 2890.
EXTRÉMISTE 2925.
EXTRÉMITÉ 255, 1214, 2128, 2259.
EXULTATION 673, 1605.
EXULTER 2372.

F

FABLIER 2346.
FABRICATION 469, 2206.
FABRIQUE 2933.
FABRIQUER (SE) 1168.
FABULEUX 387, 1148, 1403, 1465, 1781, 1875.
FAÇADE 130, 1155, 1261, 2972.
FAÇADE (EN) 2732.
FACE-À-MAIN 1674.
FACÉTIE 1286, 1873, 2107.
FACÉTIEUX 187, 1838.
FACETTER 2764.
FÂCHEUSEMENT 1712.
FACIÈS 1209.
FACILITER 1184, 2597.
FACONDE 1151, 2979.
FAC-SIMILÉ 533.
FACTIEUX 1870, 2321.
FACTIONNAIRE 2574.
FACTURE 50, 471, 1772, 1916, 2693, 2885.
FACTURER 471.
FADA 1228.
FADAISE 195, 1897, 2113.
FADEUR 2113.
FAGOTÉ 2980.
FAIBLIR 191, 333, 351, 614, 633, 732, 797, 973, 1221, 1825, 2373.
FAILLE 1189.
FAINÉANT 2020.
FAINÉANTER 2020.
FAINÉANTISE 1958, 2020.
FAIRE AGIR 1855.
FAIRE APPEL À 2340.
FAIRE ATTENDRE 1631.
FAIRE CONNAÎTRE 1144, 1507.
FAIRE DÉFAUT 1731.
FAIRE DEVENIR 2396.
FAIRE DISPARAÎTRE 2727.
FAIRE ENRAGER 2776.
FAIRE ENTENDRE 922.
FAIRE FACE 69.
FAIRE FEU 2819.
FAIRE FONCTION DE 2580.
FAIRE GRIEF DE 2419.
FAIRE HALTE 150.
FAIRE MARCHER 1789.
FAIRE NAÎTRE 1100, 2233, 2747.
FAIRE OFFICE DE 2580.
FAIRE OSCILLER 862.
FAIRE OUBLIER 897.
FAIRE PARAÎTRE 895.
FAIRE-PART 118.
FAIRE PART DE 487, 1507.
FAIRE PARTIE DE 131, 471, 1025.
FAIRE PASSER 897.
FAIRE PERDRE 555.
FAIRE PREUVE DE 1837, 1993.
FAIRE REVIVRE 1109.
FAIRE RIRE 113.
FAIRE ROUTE 398.
FAIRE SAVOIR 137, 1507.
FAIRE SORTIR 1097.
FAIRE TRAVAILLER 951.
FAIRE TREMBLER 862.
FAIRE VALOIR 2187.
FAIRE VENIR 106, 531.
FAIRE VIBRER 862.
FAIRE VISITER 1837.
FAIRE VOIR 1837.
FAIRE VOLTE-FACE 2443.
FAIRE (SE) FORT DE 1220.
FAIRE (SE) HARA-KIRI 2714.
FAIRE (SE) JOUR 2055.
FAIRE (SE) PASSER POUR 2183.
FAIRE (SE) VOIR 1837.
FAIR PLAY 2674.
FAISABLE 2142.
FAISANDAGE 1843.
FAISANDER 1843.

FAÎTE 396, 443, 552, 1354, 2128, 2623, 2803.
FAIX 356.
FALLOIR 527.
FALOT (adj.) 1477, 1530, 2113, 2799.
FALOT (n.) 1631.
FALSIFICATION 1248.
FALSIFIÉ 1182.
FALUN 2495.
FAMILIARISER (SE) 1344.
FAMILIÈREMENT 1655.
FAMINE 807, 1167.
FANAL 1197, 1631, 2593.
FANATIQUE 980, 1009, 1113, 1228, 1564, 1841, 1874, 2034.
FANÉ 615, 1223, 2033, 2551.
FANER 1996, 2799.
FANER (SE) 713, 1600, 2551.
FANFARE 1868, 1971.
FANFARONNER 562.
FANFRELUCHE 1258.
FANGE 245, 1974.
FANGEUX 2907, 2952.
FANION 850.
FANTAISIE 308, 1330, 1389, 1396, 1403, 1820, 1979, 3036.
FANTAISISTE 144, 308, 1266, 1403, 1490, 1979.
FANTASMAGORIQUE 1403.
FANTASQUE 229, 308, 352, 1149, 1490, 1979.
FANTASSIN 2611.
FANTASTIQUE 1007, 1089, 1148, 1228, 1269, 1403, 1465, 1781, 2475, 2997.
FANTOMATIQUE 2667.
FARAMINEUX 1834.
FARAUD 1719, 1977.
FARCE 304, 444, 1873, 1898, 2107, 2851.
FARCEUR 246, 1266, 1718, 1873, 2107.
FARCIR 1291, 2913.
FARD 1733.
FARDEAU 356, 2125.
FARDER 3025.
FARDER (SE) 1733.
FARDIER 3028.
FARFADET 1686.
FARFELU 25, 1149, 1979.
FARFOUILLER 1236, 2900.
FARIBOLE 195, 2633.
FARNIENTE 1958.
FASCICULE 1666.
FASCINATION 360, 963, 1701, 2563.
FASCINER 310, 360, 498, 861, 963, 1393, 1701, 2034, 2107, 2314, 2563.
FASTE 880, 1689, 2614, 2624.
FASTIDIEUX 1005, 1163, 2319.
FASTUEUX 264, 1689, 2459, 2473, 2624.
FAT 177, 1423, 1498, 1977, 2183, 2943.
FATALEMENT 1496, 1890.
FATIDIQUE 1493.
FATRAS 100, 756.
FATUITÉ 1977, 2183, 2943.
FAUBOURG 2062, 3065.
FAUBOURIEN 3051.
FAUCHÉ 2551.
FAUCHER 201, 548, 732, 946, 2099, 2171, 2402, 2915, 3031.
FAUFILER (SE) 545, 1308, 1531, 2033, 2051.
FAUSSER 97, 645, 1170, 1733, 2840.
FAUT (IL) 73.
FAUTEUIL 2104, 2589.
FAUVE 2483, 2531.
FAUX-COL 1852.
FAUX-FUYANT 772, 868, 1264.
FAUX-SEMBLANT 130.
FAVEUR (EN) DE 2149.
FAVORABLEMENT 225.
FAVORISÉ 2196.
FAVORITE 1708.
FÉBRILE 1206, 1893.
FÉBRILITÉ 74, 1206, 1414, 1893.
FÉCONDER (SE) 1919.
FÉDÉRATION 92, 2928.
FÉE 1699.
FÉERIQUE 1148, 1699, 1781, 2008.
FEIGNANT 2020.
FEINDRE 62, 1602, 2598.
FEINT 1095, 1160, 1182.
FEINTER 1873, 2902.
FÉLICITATION 465, 926.
FÉLICITÉ 241.
FÉLIN 2646.
FÉLON 1612, 2862.
FÉLONIE 2862.
FÊLURE 234.
FEMME DE LETTRES 174.
FENDRE 548, 610, 865, 1104, 1987.
FENDRE (SE) 1987, 1993.
FERMEMENT 328, 1894.
FERMENTER 1650, 2885.
FÉROCE 200, 578, 1178, 1421, 1759, 2506, 2531, 2801.
FÉROCITÉ 200, 271, 301, 578.
FERRÉ 1539, 2533.
FERS 1653.
FERTILE 1185, 1323, 2111, 2459.
FERTILISER 1266.
FERTILITÉ 1185, 2459.
FÉRU 2034.
FERVENT 368, 2089, 3059.
FESSER 211, 540.
FESSIER 736.
FESTIVITÉ 1195.
FÊTARD 1904.
FÊTER 153, 335, 2516.
FÉTIDE 883, 2238.
FÉTIDITÉ 2238.
FEUILLE 1198, 1627.
FEUILLETER 472, 514, 1662, 2016.
FEUILLETTE 2833.
FIABILITÉ 2730.
FIACRE 3028.
FIASCO 871.
FIBROME 2916.
FICELÉ 2980.
FICELER 165, 1343, 1653.
FIDÉLITÉ 1110, 1373, 1680, 2616, 2730, 2968.
FIEF 2800.
FIEFFÉ 463, 1172, 2021.
FIELLEUX 1345, 1759, 2060.
FIENTE 1778.
FIER (SE) À 471, 572, 2300, 2385, 2414.
FIGÉ 2679.
FIGURANT 2067, 2935.
FIGURATIF 2750.
FIGURATION 2417.
FIGURINE 2548.
FILET 2087, 2864.
FILIALE 2706.
FILIATION 1653, 2703.
FILIFORME 1801.
FILMER 2854.
FILOU 1067, 3031.
FILOUTER 3031.
FILOUTERIE 1067, 1473, 3031.
FILTRAGE 1050.
FINASSER 2492.
FINE 1660.
FINI 43, 2058, 2932.
FIRMAMENT 1920.
FIRME 1080, 1707.
FISSURE 1189, 1558, 1610.
FISTON 1212.
FIXATION 2367.
FIXÉ 769, 2367.
FIXER 150, 164, 165, 290, 430, 611, 643, 769, 841, 1424, 1432, 2363, 2367, 2537, 2676.
FIXER (SE) 474, 1080.
FIXITÉ 1408, 2676.
FJORD 1313.
FLAGELLER 211, 398.
FLAGEOLANT 1825, 2824.
FLAGEOLER 351, 1825, 2888.
FLAGORNER 1220.
FLAGORNERIE 1220, 1941.
FLAGRANCE 929.
FLAGRANT 345, 567, 880, 1474, 1987, 3012.
FLAIR 408, 1537, 1885, 1950.
FLAMBÉ 2058.

FLAMBEAU 1683, 2838.
FLAMBÉE 1197, 1836.
FLAMBER 270.
FLAMBOIEMENT 880.
FLAMBOYER 264, 880.
FLAMINE 2185.
FLAMME 117, 145, 880, 1087, 2034.
FLANC 543.
FLANCHER 563, 973, 1825, 2347.
FLÂNER 192, 1060, 1631, 2215, 2863.
FLÂNEUR 186, 2033.
FLANQUER 33, 430, 1201, 1324, 1601, 1789.
FLAPI 1181.
FLAQUE 1736.
FLASQUE 1825.
FLATTÉ 2526.
FLATTEUR 177, 926, 1218, 1676, 1941.
FLATULENCE 2965.
FLÉAU 288, 743, 1717.
FLÈCHE 2128, 2213, 2864.
FLEMMARD 1825, 2020.
FLEMMARDER 2020.
FLEMME 2020.
FLÉTRIR 482, 748, 1996, 2511, 2760, 2799.
FLÉTRIR (SE) 2551.
FLEUR 924.
FLEURER 2573.
FLEURIR 1038, 1980, 2225.
FLEUVE 553.
FLEXIBILITÉ 2646.
FLEXIBLE 1506, 1825, 2646.
FLEXUEUX 1962, 2603.
FLIBUSTIER 198.
FLIC 71.
FLINGUER 2915.
FLIRT 179, 308.
FLOPÉE 1237, 1859, 2251, 2774.
FLORAISON 1038.
FLORILÈGE 391, 2346.
FLOTTANT 1460, 1623, 1655, 1855.
FLOTTE 1740, 2119.
FLOTTEMENT 193, 1962.
FLOUER 1873, 2902.
FLUCTUANT 1460, 1855.
FLUET 1165, 1250, 1702, 1801.
FLUIDE 406, 1459, 1661.
FLUORESCENT 1683.
FLÛTE 3067.
FLÛTES 1594.
FLUX 1225.
FOC 3025.
FOCALISER (SE) 474.
FOEHN 2965.
FOI 487, 529, 572, 2380, 2671.
FOIN 2127, 2536.
FOIRAIL 1735.
FOIRE 1195, 1735.
FOIS 547.
FOISON 13.
FOISONNANT 2849.
FOISONNEMENT 2205, 2459.
FOISONNER 13.
FOLIOTER 386, 1925.
FOLKLORIQUE 2076.
FOLLEMENT 2890.
FOMENTER 2747.
FONCÉ 2619.
FONCER 166, 356, 917, 2163, 2530, 3030.
FONCEUR 1028.
FONCEUSE 1028.
FONCIER 1888, 2210, 2278, 2800.
FONCTION 356, 792, 951, 1725, 1815, 1949, 1954, 2250, 2474, 2605, 2932.
FONCTIONNAIRE 71, 951.
FONCTIONNEMENT 1734, 2885.
FONCTIONNER 91, 468, 1602, 1734, 2854.
FOND 206, 1748, 1906, 2699.
FONDAMENTAL 921, 1076, 2170, 2191, 2278, 2699, 3016.
FONDAMENTALEMENT 2847.
FONDATEUR 564.
FONDATION 1080.
FONDÉ DE POUVOIR 1304.
FONDEMENT 206, 329, 2192, 2647.
FONDER 512, 564, 894, 1080, 1617, 1987.
FONDER (SE) 142, 2414.
FONDRE 820, 1702.
FONDRE SUR 3, 2831.
FONDRE (SE) 162.
FONDS 225, 1216, 1856, 2433.
FONGUS 2916.
FONTAINE 2647.
FONTE 1270.
FORAIN 1909.
FORBAN 198.
FORCE (À) DE 306.
FORCÉMENT 1496, 1888, 1890.
FORCENÉ 980, 1501, 2034.
FORER 565, 2055.
FORÊT 238, 2251.
FORFAIT 674.
FORFAITURE 2862.
FORFANTERIE 359, 1175.
FORGER 513, 1154, 1572.
FORMALISER (SE) 899, 1260, 1953, 2984.
FORMAT 796, 2764.
FORMEL 328, 1140, 1190, 1474, 1894, 2114, 2219.
FORMELLEMENT 328, 1894, 2465.
FORMIDABLE 381, 439, 908, 1007, 1089, 1148, 1300, 1834, 2801.
FORMULAIRE 678, 1233.
FORS 2528.
FORTEMENT 215, 1328, 1678, 1894, 2993, 3004.
FORTERESSE 2104.
FORTIFICATION 638, 1230, 1988.
FORTIFIER (SE) 2154.
FORTIN 1230.
FORTUIT 30, 1431.
FORTUNE 13, 182, 225, 350, 762, 1352, 2433, 2459, 2630, 2891.
FORTUNÉ 82, 2459.
FOSSILISER (SE) 2543.
FOUAILLER 211.
FOUCADE 308.
FOUDROYANT 2635, 2801.
FOUETTER 211, 398, 540, 1306, 2681.
FOUGUE 117, 145, 265, 348, 917, 953, 1414, 1841, 2074, 2957, 2993.
FOUGUEUX 145, 1419, 1436, 2074, 2957, 2993, 3004.
FOUILLIS 756, 964, 1769.
FOUINER 1236.
FOUINEUR 1482.
FOUIR 565, 1236.
FOULARD 1201.
FOULÉE 2033.
FOURBE 676, 1169, 1182, 1394, 2651.
FOURBERIE 676, 855, 1182, 1696, 2060, 2480, 2862, 2902.
FOURBI 189.
FOURBU 1181, 1848, 2476.
FOURCHE 319.
FOURGON 3054.
FOURGONNER 1236.
FOURIÉRISME 2607.
FOURMI 679.
FOURMILIÈRE 2486.
FOURMILLEMENT 1859.
FOURMILLER 13.
FOURNAISE 1238.
FOURNI 1037.
FOURNISSEUR 449.
FOURRAGER 1236.
FOURRÉ 238, 272.
FOURRURE 2127, 2827.
FOURVOYER 913.
FOURVOYER (SE) 913.
FOUTAISE 1812.
FOUTRE 1201.
FOUTRE (SE) 1201, 1838.
FOUTU 1201.
FRACAS 880.
FRACASSER 324, 2476.
FRACTION 2026, 2031.
FRACTIONNEMENT 828, 1840.
FRACTIONNER 548, 828, 1840.
FRACTURE 234, 2476.

FRACTURER 324, 1230.
FRACTURER (SE) 324.
FRAGILE 324, 594, 669, 846, 1165, 1250, 1459, 1712, 1996, 2072, 2159, 2573, 2794, 3052.
FRAGILITÉ 1165, 1459, 2159, 2943.
FRAGMENT 600, 880, 1147, 1840, 2015, 2031, 2085.
FRAGMENTAIRE 2031.
FRAGMENTATION 828, 1840.
FRAGMENTER 828, 1840.
FRAGRANCE 1950.
FRAÎCHEMENT 1895.
FRAÎCHIR 1650, 2283.
FRAISEUSE 1697.
FRANCHEMENT 1655, 1894.
FRANCHIR 709, 1062, 2016, 2033, 2530, 2736, 2886.
FRANCHISSEMENT 2033.
FRANC-TIREUR 2027, 2424.
FRANGE 197.
FRAPPE 3047.
FRATERNEL 2554.
FRATRICIDE 1792.
FRAUDER 533, 2902.
FRAUDEUR 2902.
FRAYER 1253, 2158, 2172.
FRAYER (SE) 1987.
FRAYEUR 86, 561, 1378, 2077, 2801.
FREDAINE 865, 1246, 2590.
FREDONNER 353.
FREIN 1659, 1943.
FRELATER 1170, 2860.
FRÉMISSANT 1999.
FRÊNAIE 238.
FRÉQUENTÉ 2033.
FRESQUE 2048, 2758.
FRET 356.
FRÉTILLER 2391.
FRIC 1829.
FRICHE 1591.
FRICOTER 2860.
FRIGIDAIRE 1307.
FRIGORIFIER 2359.
FRIGORIFIQUE 1307.
FRIME 444.
FRIMOUSSE 1209.
FRINGALE 1167.
FRINGUÉ 2980.
FRINGUER (SE) 1343.
FRINGUES 1343.
FRIPÉ 1223.
FRIPER 385, 1260, 2120.
FRIPERIE 2991.
FRIPON 299, 536.
FRIPONNERIE 1067.
FRIPOUILLE 299, 536, 2266, 2954.
FRIRE 580.
FRISELIS 1863.
FRISQUET 1243.
FRISSON 1251, 2888.
FRISSONNEMENT 2888.
FRISSONNER 1251, 2888.
FRIT 2058.
FROIDEMENT 2551.
FROIDEUR 1222, 1243, 1477, 2423, 2551, 2584.
FROIDURE 1259.
FROISSSEMENT 234, 269.
FRÔLEMENT 269, 315, 905.
FRÔLER 315, 543, 905, 1257, 2467, 2579.
FRONCE 2120.
FRONCER 2120.
FRONDAISON 1198.
FRONDEUR 1838.
FRONTIÈRE 1658, 1659, 2575.
FROTTÉE 2889.
FROTTER 1239, 1255, 1327, 1747, 1894, 2275.
FROTTER (SE) 1327.
FROUSSARD 1623, 2077.
FROUSSE 561, 2077.
FRUCTUEUX 177, 240, 1682, 2209.
FRUGAL 1641, 2597, 2606.
FRUGALITÉ 2606.
FRUSQUES 1343.
FRUSTE 1336, 2487.
FRUSTRATION 2195.
FRUSTRER 636, 2195, 2586.
FUCUS 1311.
FUGITIF (adj.) 554, 1250, 1263, 2033, 2159.
FUGITIF (n.) 1264.
FUGUE 1063, 1264.
FUIE 2090.
FULGURANT 2297, 2635.
FULMINANT 1773.
FULMINATION 1773.
FUMÉ 1907.
FUMÉE 2950.
FUMET 147, 1950.
FUMISTERIE 1873.
FUNAMBULE 1607.
FUNÉRAILLES 1940, 2576.
FUNÉRAIRE 1267.
FURETER 378, 1236.
FURETEUR 1482.
FURIBARD 1269.
FURIBOND 1269.
FURIEUSEMENT 3004.
FURONCLE 2079.
FURTIF 804, 2297, 2697.
FUSÉE 1814, 2213, 2593.
FUSER 1592, 2032.
FUSILLER 8, 1235, 2915.
FUSIONNER 162, 2448.
FUSTIGER 3019.
FÛT 2085, 2833.
FUTAIE 238.
FUTAILLE 1235, 2085, 2833.
FUTÉ 601, 1719.
FUTILE 1258, 1530, 1641, 1702, 2241, 2718, 2943.
FUTILITÉ 185, 1571, 1641, 2241, 2943.

GABARDINE 1417, 1732.
GÂCHIS 1273.
GADOUE 245, 2511.
GAFFE 224, 231, 1060, 1183, 2633.
GAGNANT 2899.
GAILLARDISE 1294, 2970.
GALA 343, 1195.
GALAPIAT 2954.
GALBE 550.
GALE 2784.
GALÉJADE 231, 1873, 2107.
GALÉJER 1776, 2107.
GALERNE 2965.
GALET 2088.
GALETAS 2351, 2781.
GALETTE 1829.
GALIPETTE 278.
GALLUP 2626.
GALOCHE 2497.
GALOPER 551.
GALVANISÉ 2745.
GALVANISER 919, 987, 1019, 2731.
GALVAUDER 1274.
GAMBADE 278, 2530.
GAMBETTE 1594.
GAMIN 982, 1295, 2072.
GAMME 1102.
GANG 197, 2908.
GANGRENER 542.
GANGSTER 198, 3031.
GANSE 2485.
GANT 1705, 1849.
GARAGE 2014.
GARANT 331.
GARANTI 559.
GARANTIE 164, 331, 559, 1275, 2160, 2228, 2560, 2730.
GARANTIR 16, 64, 164, 345, 559, 1412, 2216, 2228, 2413.
GARANTIR (SE) 164, 638, 2188, 2228.
GARÇON 1212, 2580.
GARDE-CORPS 196.
GARDE-FOU 196.

GARDIEN 1287, 2137, 2228, 2742, 2959.
GARDIEN DE LA PAIX 71.
GARGOTE 2434.
GARGOTIER 2434.
GARGOUILLIS 1290.
GARNEMENT 536, 1284, 2954.
GARNI 1360, 1790.
GARNITURE 1980.
GARROTTER 1653, 1866.
GASCONNADE 1175.
GASPILLAGE 819, 1273, 2058.
GASPILLER 563, 574, 712, 778, 819, 994, 1274, 2058, 2205.
GASPILLEUR 2205.
GASTRONOME 1318.
GÂTERIE 1254, 1317.
GÂTE-SAUCE 580.
GÂTISME 982.
GAUCHI 3025.
GAUCHISSEMENT 3025.
GAUDRIOLE 1294.
GAULE 2291.
GAULOIS 1278, 1323, 1655.
GAUSSER (SE) DE 362, 1578, 1838.
GAVÉ 2527.
GAVER 998.
GAVER (SE) 2303.
GAZE 3025.
GAZER 551.
GAZETTE 1610.
GAZEUX 2099.
GAZIER 2611.
GAZOMÈTRE 2423.
GAZON 1357.
GAZOUILLEMENT 1296.
GÉANT 439, 1322.
GEIGNEMENT 2106.
GEINDRE 1297, 2106, 2118.
GELÉ 997.
GELER 235, 1207, 1307, 2171, 2359.
GÉMISSANT 2106.
GEMME 2088.
GÊNANT 934.
GENDARME 71, 3007.
GENDARMERIE 1230.
GÊNÉ 493.
GÉNÉRALEMENT 1344.
GÉNÉRATEUR 2316.
GÉNÉRATION 2420, 2941.
GÉNÉREUX 214, 240, 259, 357, 411, 534, 750, 1336, 1386, 1634, 1903, 2111, 2205, 2459.
GÉNÉROSITÉ 214, 357, 1386, 1634, 1903, 2205.
GENÈSE 1979.
GÊNEUR 1156, 1570.
GÉNIE 306, 841, 1686.
GÉNITAL 2587.
GÉNOCIDE 1746.
GENRE 62, 81, 327, 1070, 1173, 1820, 1888, 1973, 2631, 2693, 2921.
GENTIL 75, 80, 381, 462, 535, 669, 845, 1798, 1799.
GÉNUFLEXION 2226, 2515.
GENTILHOMME 1303.
GENTILHOMMIÈRE 365.
GEÔLE 337, 2194.
GÉOMÉTRIQUE 2367, 2465.
GÉRANCE 1304.
GERBE 1601.
GERÇURE 1189.
GERME 940, 1192, 1979.
GERMER 1880.
GÉSIR 2414.
GESTICULER 2391.
GESTIONNAIRE 885, 1304.
GIBBOSITÉ 2507.
GIBECIÈRE 1867, 2499.
GIBET 2146.
GIBOULÉE 2119.
GICLÉE 1601.
GICLER 1592.
GIFLE 295, 547, 2774.
GIGANTESQUE 439, 1007, 1322, 1834.
GIGOTER 2391.
GITAN 1909.
GÎTE 16, 1669, 2445, 2771.
GÎTER 1669.
GLACE 1809, 3018.
GLACÉ 1259, 1663.
GLACER (SE) 2171.
GLACIAL 173, 856, 1259, 1322, 2358, 2551.
GLACIS 2767.
GLAIVE 2498.
GLANDER 1631.
GLANDOUILLER 1631.
GLANER 2290.
GLAPIR 1595.
GLAPISSEMENT 3029.
GLAUQUE 2976.
GLÈBE 2610.
GLISSADE 394.
GLISSANT 587.
GLISSEMENT 1855.
GLOBAL 2754, 2847.
GLOBALEMENT 1014, 1336.
GLOBE 1828, 2669, 2800.
GLOBE-TROTTER 3045.
GLOBULEUX 1336, 2507.
GLORIETTE 1619.
GLORIFICATION 127, 1676.
GLOSE 1916.
GLOSSAIRE 1652.
GLOUGLOU 1290.
GLUANT 430, 1323, 2036, 3015.
GLYPTOTHÈQUE 1865.
GNAN-GNAN 1825.
GNÔLE 858.
GNOME 1879.
GNON 547.
GOBELET 2252, 2816.
GOBE-MOUCHES 186, 1878.
GOBER 572.
GODASSE 370.
GODICHE 957, 1293, 1897.
GODILLE 2291.
GODILLOT 370.
GOGO 2090.
GOINFRE 1310.
GOINFRERIE 1310, 3042.
GOMMER 897.
GONDOLANT 2840.
GONDOLER 1293.
GONDOLER (SE) 1602, 2463, 2840.
GONFLÉ 988.
GONFLEMENT 988.
GONFLER (SE) 1836.
GONZE 2921.
GORET 2135.
GORGE 427, 642, 1315, 2033.
GORGÉ 2116.
GORGÉE 2864.
GORGER 998.
GORGER (SE) 2303.
GORILLE 1287.
GOSSE 982, 2072.
GOUAILLEUR 1838.
GOUAPE 3047.
GOUFFRE 8.
GOUJATERIE 1336, 1473.
GOULET 2033.
GOULU 1309.
GOURBI 323.
GOURD 997.
GOURDE 1293, 1897.
GOURDIFLOT 1897.
GOURDIN 210, 1747.
GOURER (SE) 2902.
GOURMAND 1254, 1310, 1546.
GOURMANDER 355, 2416, 2418.
GOURMÉ 343, 2183, 2285.
GOUSSE 2803.
GOUTTE 836, 858, 1635, 2075.
GOUVERNAIL 204.
GOUVERNANT 1708.
GOUVERNANTE 1926.
GOUVERNEMENT 175, 485, 1083, 1805, 2157, 2365.
GOUVERNER 485, 800, 839, 2368.
GRABAT 1664.
GRABUGE 2998.
GRACIEUX 60, 75, 80, 214, 218, 920, 1325, 1351, 1641, 1799, 2794.

H

HURLEMENT 269, 567, 3029.
HURLER 567, 1615, 2835.
HURLUBERLU 1091.
HUTTE 275, 323.
HYBRIDE 1788.
HYGIÉNIQUE 2508.
HYMNE 303, 353.
HYPERBORÉEN 1913.
HYPNOSE 2622.
HYPNOTIQUE 1883.
HYPOCRISIE 444, 676, 818, 1182, 1426.
HYPOGÉE 2830.
HYPOTHÈSE 320, 495, 1105, 2192, 2668, 2728, 2808.
HYPOTHÉTIQUE 848, 1105, 1446.
HYSTÉRIE 673, 1252.
HYSTÉRIQUE 1252.

IDENTIFICATION 2339.
IDENTIFIER 162, 2339.
IDENTIQUE 454, 492, 911, 1054, 1370, 1771, 2571, 2927.
IDENTITÉ 454, 911, 1054, 2927.
IDÉOGRAMME 2593.
IDÉOLOGIE 1965, 2052.
IDIOME 1629, 2023.
IDIOT 18, 2633.
IDIOTIE 223, 2633.
IDOLÂTRER 80.
IDYLLE 179.
IDYLLIQUE 2008.
IGNARE 200, 1397, 1466, 1924.
IGNOBLE 9, 205, 654, 1375, 1480, 1623, 1721, 1777, 2421, 2511, 2629, 2997.
IGNOMINIE 205, 748, 1375.
IGNOMINIEUX 1375.
ILLÉGALEMENT 1487.
ILLÉGITIMEMENT 1487.
ILLETTRÉ 1397.
ILLICITE 1248, 1398, 2212, 2531.
ILLICO 1406.
ILLOGIQUE 25, 727, 1458.
ILLOGISME 1458.
ILLUMINATION 1535, 1683.
ILLUMINÉ 1535, 1874, 3013.
ILLUMINER 878, 938.
ILLUMINER (S') 1038.
ILLUSIONNISTE 2181.
ILLUSTRE 1172, 1309, 1322, 1743.
ILLUSTRER 1980, 2417, 2750.
ILLUSTRER (S') 823, 2593.
ILÔT 2036.
IMAGE 457, 746, 875, 1209, 1402, 1809, 1959, 2138, 2354, 2417, 2750, 2758, 3013.
IMBATTABLE 1575, 2801.
IMBÉCILE 18, 116, 982, 988, 1518, 1897, 2633.
IMBÉCILLITÉ 223, 1897, 2633, 2692.
IMBIBER 1850, 2051, 2889.
IMBIBER (S') 21.
IMBROGLIO 964.
IMBU 2051, 2116.
IMMACULÉ 2223, 2992.
IMMANQUABLE 1493.
IMMANQUABLEMENT 1496.
IMMATÉRIEL 2671.
IMMATRICULATION 1527.
IMMATRICULER 1527.
IMMENSE 439, 1007, 1150, 1322, 1336, 1399, 1673, 2210, 2953.
IMMENSÉMENT 2890.
IMMERGER 2121.
IMMEUBLE 209.
IMMINENCE 2234.
IMMINENT 1406, 1773, 2203.
IMMIXTION 1511, 1560.
IMMOBILISATION 2012.
IMMOBILISER 150, 235, 290, 1207, 2012, 2676, 2792.
IMMOBILISER (S') 876.
IMMOBILISME 1492, 2543, 2677.
IMMODESTIE 1470.
IMMOLATION 2503.
IMMONDE 654, 2421, 2629.
IMMONDICES 1974.
IMMORALITÉ 593, 1656, 1937, 2987.
IMMORTALISER 1086.
IMMORTALITÉ 2066.
IMMORTEL 1086.
IMMOTIVÉ 1516.
IMMUABLE 510, 1441, 1484, 2676.
IMMUNISÉ 2937.
IMPAIR 224, 1060, 1183, 2633.
IMPARDONNABLE 1494.
IMPARFAITEMENT 1336, 1712.
IMPARTIAL 750, 852, 1053, 1616, 1896.
IMPARTIALITÉ 852, 1053, 1616, 1933.
IMPASSIBILITÉ 1222, 1408, 1477.
IMPASSIBLE 293, 1190, 1191, 1222, 1259, 1415, 1477, 2037, 2684.
IMPATIENTER 70, 869, 981, 1115.
IMPATIENTER (S') 270, 981.
IMPAVIDE 1190, 1567.
IMPAYABLE 1491.
IMPECCABLE 1584, 1894, 2021, 2223, 2608.
IMPÉNITENT 2991.
IMPENSABLE 1425, 1455.
IMPÉRATIF 1128, 1416, 1671, 1890.
IMPERCEPTIBLE 1165, 1524, 1576.
IMPERFECTION 635.
IMPÉRISSABLE 1086, 1472.
IMPÉRITIE 1444, 1540.
IMPERTINEMMENT 1533.
IMPERTINENT 152, 910, 1350, 1422, 1533.
IMPERTURBABLE 293, 1222, 1259, 2684.
IMPÉTUOSITÉ 145, 1414, 2074, 2957, 2993, 3004.
IMPIÉTÉ 1582.
IMPITOYABLE 200, 578, 856, 978, 1421, 1566, 1755, 1842, 2465, 2584.
IMPLACABILITÉ 2465.
IMPLANTATION 1080, 1569.
IMPLANTER 1423, 1569.
IMPLANTER (S') 31, 2171.
IMPLICATION 503.
IMPLICITE 2653, 2762.
IMPLIQUER 468, 1769, 2593, 2725.
IMPLORATION 2190, 2723.
IMPLORER 2118, 2190, 2723.
IMPOLITESSE 1336, 1418, 1456, 1473, 1533.
IMPORTE (IL) 73.
IMPORTUN 430, 1156, 1521, 1570, 2070, 2905.
IMPORTUNER 27, 70, 141, 324, 551, 728, 934, 936, 952, 1181, 1298, 1483, 2070, 2152, 2375, 2773, 2853.
IMPORTUNITÉ 1452.
IMPOSÉ 1936.
IMPOSER (S') 839, 2055.
IMPOSITION 356, 1424, 2782.
IMPOSSIBILITÉ 1444.
IMPOSTEUR 359, 1394, 1776, 1873, 2902.
IMPOTENCE 1505.
IMPRÉCATION 1715.
IMPRÉCIS 1226, 1336, 1413, 1446, 1471, 2941.
IMPRÉCISION 2941.
IMPRÉGNER 1743, 2051.
IMPRÉGNER (S') 21, 162.
IMPRENABLE 2616.
IMPRESSIONNABLE 945, 2573.
IMPRESSIONNANT 945, 1424, 2666.
IMPRÉVISIBLE 1431.
IMPRODUCTIF 146, 1512, 1702, 2680.
IMPRUDENCE 1091, 1641.
IMPUDEMMENT 1533.
IMPUDENT 152, 910, 1350, 1533.
IMPUDEUR 1470.
IMPUDICITÉ 1350, 1470, 1937.
IMPUDIQUE 1350, 1463, 1937, 2233, 2987.
IMPUISSANCE 314, 1444.
IMPUISSANT 1165, 1489.

INEXÉCUTABLE 1425.
INEXISTANT 1403, 1924.
INEXORABLE 1421, 2584, 2649.
INEXPERT 1495.
INEXPLICABLE 1415, 1454, 1455, 1872, 2601.
INEXPLORÉ 1457.
INEXPRESSIF 1163, 1408, 2799.
INEXPRIMABLE 1471.
INEXPRIMÉ 2653.
INEXTINGUIBLE 1525.
INEXTIRPABLE 2792.
INEXTRICABLE 1425.
INFAILLIBILITÉ 2730.
INFAISABLE 1425.
INFÂME 9, 205, 1375, 1480, 1721, 2421, 2536, 2997.
INFÂMIE 205, 748, 1375, 1378, 2535.
INFANTICIDE 1792.
INFANTILE 2241.
INFANTILISME 2241.
INFATUATION 1977, 2943.
INFÉCOND 1702, 2680.
INFÉCONDITÉ 2680.
INFECT 9, 654, 883, 1721, 1755, 2238, 2421, 2629.
INFECTÉ 987.
INFECTER 952, 2132.
INFECTER (S') 1032.
INFECTION 2238.
INFERTILE 146, 1466, 1702, 2680.
INFERTILITÉ 2044, 2680.
INFILTRATION 2051.
INFILTRER (S') 1308, 1531, 2033, 2051.
INFIME 1530, 1641, 1804, 2072.
INFINI 1399, 1471, 2210.
INFINIMENT 2890, 2993.
INFINITÉ 1859, 2155, 2251.
INFIRMATION 687.
INFIRME 1427.
INFLÉCHIR 352, 550.
INFLÉCHIR (S') 1221.
INFLÉCHISSEMENT 352.
INFLEXIBILITÉ 2465.
INFLEXIBLE 856, 1020, 1190, 1421, 2285, 2465, 2584, 2649.
INFLIGER 134, 841, 1424.
INFLUENCER (S') 2316.
INFLUER 1506, 1602.
INFORMATEUR 1476.
INFRACTION 674, 733, 1183, 3003.
INFRANCHISSABLE 1428, 1575.
INFRUCTUEUX 1489.
INFUS 1517, 1880, 1888.
INFUSER 2876.
INGAMBE 1278.
INGÉNIER (S') 134, 378, 907, 1074.
INGÉNIEUX 57, 601, 920, 1300, 1572, 2533.
INGÉNIOSITÉ 57, 1545, 2700.
INGÉNU 300, 364, 1518, 1878, 2597.
INGÉNUITÉ 300, 1243, 1397, 1878, 1888, 2247, 2597.
INGÉRER 21, 1726.
INGÉRER (S') 1407, 1769.
INGESTION 2193.
INGUÉRISSABLE 1467, 2058.
INGURGITER 21, 237, 1726, 2171, 2989.
INHABILETÉ 1293, 1444.
INHABITÉ 747, 1519, 2531, 2989.
INHALER 2428.
INHÉRENT 1888.
INHOSPITALIER 1380.
INHUMAIN 200, 578.
INHUMANITÉ 200, 271.
INHUMATION 2576.
INHUMER 1017.
INIMAGINABLE 1425, 1455, 1465, 2009.
INIMITIÉ 121.
ININTELLIGIBLE 1454, 1938.
ININTÉRESSANT 1477.
ININTERROMPU 520, 2063.
INIQUE 1516.
INIQUITÉ 1398, 1516, 2027.
INITIALES 1830.
INITIATIVE 1783, 1855.
INITIER (S') 137.
INJONCTION 445, 1973, 2922.
INJUSTEMENT 1487.
INJUSTIFIABLE 1494, 1534.
INJUSTIFIÉ 144, 1325, 1516.
INNOCENCE 300, 1878.
INNOCENTER (S') 805.
INNOMBRABLE 1910.
INNOMMABLE 1522, 2629.
INNOVATEUR 1514.
INNOVATION 1572, 1895.
INOBSERVANCE 1983.
INOBSERVATION 1983.
INOCULER 2876.
INOFFENSIF 1518.
INONDÉ 2490, 2527.
INOPÉRANT 1489.
INOPINÉ 1431, 2740.
INORGANISÉ 2672.
INOUBLIABLE 1367, 1472, 1772.
INOUÏ 1089, 1455, 1465, 2929.
INOXYDABLE 1441.
INSALUBRE 1722.
INSANITÉ 1897, 2692.
INSATISFACTION 1761.
INSENSÉ 25, 685, 727, 1228, 1834, 2692.
INSENSIBILITÉ 125, 856, 1477, 2551.
INSENSIBLE 856, 978, 1092, 1191, 1417, 1477, 1524, 2551, 2649, 2684.
INSÉPARABLE 1562.
INSÉRER 1450, 1549, 1569, 1606.
INSIDIEUX 2902.
INSIGNIFIANCE 1165.
INSIPIDE 1163, 1259, 1530, 2113, 2799.
INSISTANT 2178.
INSOCIABLE 1178, 1566, 2531.
INSOLITE 229, 1089, 1148, 1513, 1895, 2601.
INSOLUBLE 1425.
INSONORISATION 1587.
INSOUCIANCE 125, 1258, 1430, 1443, 1468, 2078.
INSOUCIANT 620, 1430, 1891, 1983.
INSOUMIS 754, 2321.
INSOUMISSION 747, 2321.
INSPECTER 526, 1045, 1114, 1236, 2339, 2363, 2547, 2742, 3014, 3026.
INSPECTION 1114, 1236, 2339, 3014.
INSPIRATEUR 501, 1536.
INSTABILITÉ 1460, 1528, 1817, 2159, 2943.
INSTABLE 239, 308, 352, 1460, 1490, 1641, 1817, 1855, 2159.
INSTALLATION 1080, 1836, 2110, 2139.
INSTALLER 149, 157, 815, 1080, 1669, 1789, 2104, 2110, 2139.
INSTALLER (S') 157, 323, 1080, 1789, 2104, 2171.
INSTANCE 2190, 2617.
INSTANT 1363, 1807.
INSTANTANÉ 1406, 2218, 2635.
INSTANTANÉMENT 1406.
INSTAURATION 1080.
INSTAURER 1080.
INSTIGATION 1535.
INSTITUER 512, 564, 1080, 1232.
INSTITUT 2607.
INSTITUTEUR 1013, 1708.
INSTITUTRICE 1708.
INSTRUIRE 137, 878, 894, 896, 922, 1507, 1514.
INSTRUIRE (S') 137, 1232.
INSTRUMENT 129, 993, 1975.
INSTRUMENTISTE 1868.
INSUBORDINATION 754, 2321.
INSUBORDONNÉ 754.
INSUCCÈS 871, 1238.
INSUFFLER 1535, 2876.
INSULTANT 1515, 1953.
INSULTE 69, 166, 1515, 1533, 1844, 1953.
INSULTER 560, 999, 1515, 1953.
INSULTEUR 1953.
INSUPPORTABLE 578, 739, 789, 1115, 1150, 1336, 1425, 1452, 1501, 1534, 2801, 2919.

INSURMONTABLE 1575.
INSURRECTION 941, 1855, 2321, 2457, 2907.
INTACT 1020, 2528, 2992.
INTÉGRAL 20, 463, 1020, 2847.
INTÉGRALEMENT 2847.
INTÉGRALITÉ 1014, 2847.
INTÈGRE 1373, 1616, 1839.
INTÉGRER 162, 470, 1450, 1462.
INTÉGRER (S') 162.
INTÉGRITÉ 1373, 1616, 2116.
INTELLECTUEL 1839, 2671.
INTELLIGENT 57, 408, 1100, 1719, 1987, 2671.
INTELLIGIBLE 406, 470, 1157, 2056.
INTEMPESTIF 1156, 1521.
INTENDANT 885.
INTENSE 79, 577, 1150, 1230, 1322, 1336, 1842, 2210, 2801, 2993.
INTENSÉMENT 215, 2993, 3004.
INTENSIFICATION 2344.
INTENSIFIER 111, 171.
INTENSIFIER (S') 171, 573, 1836.
INTENTIONNEL 3036.
INTENTIONNELLEMENT 668, 3036.
INTERCÉDER 150, 309, 1560, 2023.
INTERCESSION 1560.
INTERDÉPENDANCE 2615.
INTERDICTION 638.
INTERDIRE 339, 482, 638, 947, 1191, 1967, 2212, 2727.
INTERDIRE (S') 638.
INTÉRESSÉ 178.
INTÉRIEUR (A L') DE 2566.
INTÉRIM 2389.
INTÉRIMAIRE 2389.
INTERLIGNE 1069.
INTERLOPE 1677.
INTERLOQUÉ 859, 1550, 1857, 2691.
INTERLOQUER 619.
INTERLUDE 1553.
INTERMINABLE 1086, 1673.
INTERMITTENT 802, 2673.
INTERNAT 2053.
INTERNATIONAL 1828.
INTERNÉ 719.
INTERPELLER 132.
INTERPOLER 1549.
INTERPOSER 1549.
INTERPOSER (S') 1026, 1560.
INTERROGATIF 1556.
INTERROGATION 678, 1048, 2257.
INTERROGER (S') 678.
INTERROMPRE (S') 346.
INTERRUPTION 150, 520, 548, 2043, 2373, 2476, 2618, 2749.
INTERVIEWER 1556.
INTESTINS 3010.
INTIMATION 2922.
INTIMER 1917, 2593.
INTIMIDANT 1178.
INTOLÉRABLE 578, 847, 1439, 1501, 1534, 3004.
INTOLÉRANCE 1174.
INTONATION 2625.
INTOUCHABLE 1542, 2759.
INTOXICATION 952.
INTOXIQUER 952.
INTRANSIGEANCE 2285, 2465, 2584.
INTRANSIGEANT 20, 856, 1454, 1564, 1566, 2278, 2285, 2584, 2687.
INTRÉPIDITÉ 549, 1350.
INTRUSION 1511, 1560, 2051.
INTUITION 1535, 1537, 2179, 2573.
INUSABLE 2616.
INVALIDE 1427, 1869.
INVALIDER 11.
INVALIDITÉ 1444, 1505, 1924.
INVARIABILITÉ 510, 2063, 2676.
INVARIABLE 510, 644, 911, 1190, 1217, 1441, 2063, 2676.
INVASION 1469, 1520, 1949.
INVECTIVE 1515, 1844, 2632.
INVECTIVER 1515, 3019.
INVENTAIRE 325, 703, 1083.
INVENTÉ 1182, 1403.
INVENTEUR 174, 564.
INVENTORIER 471, 703.
INVERSER 1561, 2402.
INVERSION 1209.
INVERTI 1372.
INVESTIGATEUR 1942.
INVESTIGATION 1114, 2330.
INVÉTÉRÉ 2991.
INVIOLABLE 1542, 2502, 2759.
INVITÉ 1381.
INVIVABLE 789, 1425, 1566.
INVOCATION 2041.
INVOLONTAIRE 1230, 1537.
INVOQUER 1109, 2184, 2190, 2331.
INVRAISEMBLABLE 1148, 1425, 1455, 1465, 2009.
IRASCIBLE 271, 428, 789, 2993.
IRRADIER 2315.
IRRATIONNEL 727, 1458.
IRRÉALISABLE 387, 1425.
IRRÉALISTE 1395.
IRRECEVABLE 1439.
IRRÉDUCTIBLE 1566, 2792.
IRRÉEL 1202, 1403.
IRRÉFLÉCHI 1091, 1430, 1443, 1458, 1537, 1641, 1888, 1891.
IRRÉFLEXION 1091, 1430, 1443, 1458, 1641, 2163.
IRRÉFRAGABLE 1580.
IRRÉFUTABLE 345, 611, 1474.
IRRÉGULIER 144, 308, 802, 1398, 1463, 1490, 2673.
IRRÉGULIÈREMENT 1487.
IRRÉLIGIEUX 1464.
IRRÉPARABLE 1583.
IRRÉPRÉHENSIBLE 1584.
IRRÉPRESSIBLE 1585.
IRRÉSOLU 1446.
IRRÉSOLUTION 1165, 1446.
IRRESPECT 1418, 1533.
IRRESPECTUEUSEMENT 1533.
IRRESPECTUEUX 1422, 1533.
IRRESPONSABLE 1518.
IRRÉVÉRENCE 1418, 1533.
IRRÉVÉRENCIEUX 1533.
IRRÉVOCABLE 644, 2278.
IRRIGUER 153.
IRRITABLE 367, 428, 1414, 1893, 2746.
IRRITATION 70, 428, 679, 715, 953, 981, 1389, 1414, 1761, 1893.
IRRUPTION 1469.
ISOLER (S') 21, 24, 984, 1017, 1861.
ISRAËLITE 1614.
ISSU (ÊTRE) DE 745, 1880, 2231, 2632.
ITINÉRANT 2940.

JACASSEMENT 184.
JACASSER 184, 212.
JACQUERIE 2457.
JADE 2976.
JADIS 115, 2033.
JALOUSER 1034.
JALOUSIE 1034, 1959.
JALOUX 1034, 1959.
JAMAIS (À) 2850.
JAMBAGE 1836.
JAPPEMENT 3029.
JAQUETTE 559.
JARRE 2952.
JASER 184, 212, 2023.
JASEUR 184, 212.
JASPÉ 1743.
JATTÉE 1598.
JAVELOT 2864.
JAVANAIS 1597.
JÉRÉMIADE 1297, 2106.
JÉSUITE 1394.
JÉSUITIQUE 1394.
JÉSUITISME 1182.
JETÉE 793.

JEÛNE 23, 2195.
JEUNET 1603.
JEUNOT 1603.
JOB 47, 1787.
JOBARD 1878.
JOCRISSE 1897.
JOIGNANT 52.
JOINT 1606.
JOLI 75, 214, 535, 920, 1799.
JOLIMENT 225.
JONCHÉ 559, 2025.
JONCHER 2342, 2570.
JONGLER 1602.
JONGLERIE 2851.
JOUEUR 2625.
JOUG 711, 1065, 1968.
JOUJOU 1602.
JOURNÉE 1610.
JOUTE 1687, 2469.
JOUVENCEAU 54.
JOUVENCELLE 54.
JOUXTANT 3027.
JOUXTER 3027.
JOVIAL 1277.
JOVIALITÉ 1277.
JOYEUX 1038, 1277, 1389, 2279.
JUBILATION 1365, 1605.
JUBILER 2372, 2899.
JUCHER (SE) 544.
JUDICIEUSEMENT 225.
JUDICIEUX 240, 1616, 1670, 1966, 2288, 2505.
JUGÉ 2422, 3026.
JUGEOTE 1613.
JUGER (SE) 572, 2573, 3026.
JUGULER 971, 1010, 1249, 1866.
JURY 451.
JUS 2701.
JUSANT 2355.
JUSTICIER 2963.
JUSTIFIÉ 1229, 1616, 1643.
JUSTIFIER (SE) 638, 805, 1638.
JUVÉNILE 1603.
JUXTAPOSÉ 52.

KERMESSE 1195.
KIDNAPPAGE 1618.
KIDNAPPER 1004, 2314, 3031.
KIDNAPPEUR 3031.
KIKI 1315.
KOBOLD 1686.
KORRIGAN 1686.
KRACH 1166.
KRISS 2126.
KYRIELLE 322, 2251, 2577, 2715.
KYSTE 2916.

LABEL 1743.
LABEUR 2885.
LABOURAGE 1622.
LABYRINTHE 630.
LACÉDÉMOMIEN 2661.
LACÉRER 610, 1622.
LACET 432, 772, 1653, 1757, 2087.
LÂCHAGE 2.
LÂCHER PIED 1825.
LACIS 630.
LACONIQUE 260, 477, 554, 2787.
LACONISME 477, 2551.
LACS 432.
LADRE 178, 383.
LADRERIE 178.
LAGUNE 1736.
LAI 2124.
LAIE 374.
LAINE 2827.
LAÏQUE 2559.
LAISSE 165.
LAISSER ALLER (SE) 2, 1891.
LAISSER ÉCHAPPER 1731, 1891, 2058.
LAISER PARAÎTRE 1837.
LAISSER PASSER 1891.
LAISSER TOMBER 1891.
LAÏUS 93.
LAMA 2185.
LAMBEAU 255, 1840.
LAMBIN 1645.
LAMBINER 113, 1631, 2777, 2863.
LAMELLE 864, 1627.
LAMENTABLE 326, 718, 847, 1717, 1755, 1812, 2044, 2101, 2602, 2619, 2901.
LAMENTATION 567, 1297, 2106.
LAMENTER (SE) 718, 1297, 2106, 2118.
LAMINAIRE 1311.
LAMPE 1683, 2838.
LAMPÉE 2864.
LAMPER 237.
LAMPION 1631.
LAMPISTE 2072.
LANCE 2099.
LANCEMENT 1601, 1987, 2819.
LANCER 447, 613, 991, 1036, 1601, 1623, 2154, 2163, 2213, 2239, 2632, 2819, 3041.
LANCER (SE) 933, 2467.
LANDAU 3028.
LANGAGE 1629, 2023, 2693, 2798.
LANGE 544.
LANGOUREUX 2794.
LANGUEUR 3, 125, 1825, 2841.
LANGUIDE 1630.
LANIÈRE 197.
LAPER 237.
LAPIDAIRE 260, 477.
LAPIDER 1692.
LAPS 1069.
LAPSUS 1060.
LAQUAIS 1633, 2580.
LARCIN 3031.
LARD 1323.
LARDER 2055.
LARGE D'IDÉES 470.
LARGEMENT 215.
LARGEUR D'ESPRIT 470.
LARGUER 2, 1623.
LARMOYER 2118.
LARVÉ 1637.
LAS 1165, 1181, 2113.
LASCAR 1278, 1925.
LASSANT 1181, 1833, 2773.
LASSER 625, 654, 1005, 1049, 1181.
LASSITUDE 654, 1005, 1181.
LASSO 1653.
LATEX 2701.
LATITUDE 1157, 1655, 1738.
LATITUDINAIRE 1639.
LATRINES 1657.
LATTE 2109, 2498.
LAUDATEUR 1676.
LAUDATIF 926, 1676.
LAURIER 1309.
LAVABO 2826.
LAVANDIÈRE 1638.
LAVETTE 1825.
LAXATIF 2248.
LAYON 374.
LAZZI 1838.
LEADER 372.
LÈCHE-BOTTES 1218.
LÉCHER 1208, 1220, 2021, 2707.
LECTEUR 1662.
LÉGAL 1643, 1955, 2064, 2367.
LÉGALISER 345, 488.
LÉGALITÉ 1643, 2367.
LÉGAT 1912, 2417.
LÉGATAIRE 1361.
LÉGENDAIRE 1172, 1875.
LÉGENDE 516, 1153, 1875, 2858.
LÉGÈREMENT 1165, 2075.
LEGGINGS 1594.
LÉGIONNAIRE 2611.
LÉGITIMATION 2339.
LÉGITIMEMENT 1616.
LÉGITIMER 1617.
LÉGUME 2067.
LEITMOTIV 1845, 2357.

M

MACULE 2760.
MACULÉ 2511.
MACULER 202, 2511, 2760.
MADONE 2992.
MADRÉ 1719, 1915, 2480.
MADRIER 2156.
MADRIGAL 2124.
MAESTRIA 265, 1708.
MAFIA 197.
MAFFLU 1336, 1608.
MAGAZINE 1610, 2061.
MAGNANIME 214, 411, 1903.
MAGNANIMITÉ 214, 1903.
MAGNAT 2147, 2244, 2473.
MAGNIFICENCE 214, 264, 880, 1689, 2459, 2614, 2624.
MAGNIFIER 1309, 1395, 1676.
MAGNIFIQUE 53, 214, 264, 880, 1309, 1322, 1689, 1781, 1903, 2473, 2624, 2717.
MAGNIFIQUEMENT 2473.
MAGOT 2891.
MAIGRELET 1702.
MAIGRICHON 1702.
MAIGRIOT 1702.
MAIL 553, 2215.
MAILLE 1703.
MAIN (PETITE) 1795.
MAINTENANT 48.
MAIRIE 1382.
MAIS 2582.
MAISONNETTE 275.
MAÎTRE QUEUX 580.
MAJOR 2170.
MAJORITÉ 454, 1299.
MALADRESSE 224, 635, 1060, 1091, 1183, 1293, 1495, 1678, 2633.
MALADROIT 1293, 1336, 1678.
MALADROITEMENT 1336, 1678.
MALAISÉ 789.
MALAISÉMENT 1712.
MALANDRIN 198.
MALAPPRIS 1316, 1422.
MALAVISÉ 1458.
MALAXER 1769, 2073, 2391.
MALÉFICE 1699, 2630.
MALÉFIQUE 1716, 1755, 1905.
MALENCONTREUSEMENT 1712.
MALENCONTREUX 1005, 1156, 1717.
MALENTENDU 1060.
MALBÂTI 524.
MALCHANCEUX 1509, 1717.
MALFAÇON 635, 2987.
MALFAITEUR 198, 3031.
MALFORMATION 635, 1834.
MALHABILE 1293.
MALHONNÊTE 676, 1473, 1625, 1721, 1812.
MALHONNÊTETÉ 676, 1473.
MALIGNITÉ 1718, 1759.
MALINGRE 594, 1165, 1712, 2273.
MALINTENTIONNÉ 1724.
MALLÉABLE 1506, 1825, 2646.
MALMENER 254, 271, 1723, 2553.
MALODORANT 2238.
MALOTRU 1316, 1422.
MALPROPRETÉ 1473, 2511.
MALSÉANT 716, 1463.
MALVENU 1521.
MALVERSATION 1067, 1111.
MAMELLE 2566.
MAMELON 274, 433.
MANAGEMENT 800.
MANAGER (n.) 1023.
MANAGER (v.) 800.
MANAGEUR 372.
MANCHE 2259, 2581.
MANCHETTE 2823.
MANDATAIRE 71, 667, 1304.
MANDATER 487, 667.
MANDER 531.
MANÈGE 1730.
MANGEAILLE 88, 1919.
MANIE 586, 1228, 1344, 1712, 2034.
MANIÈRE 81, 343, 444, 468, 934, 1158, 1333, 1705, 1786, 1800, 1820, 1856, 2631, 2693, 2848.
MANIÉRÉ 112, 1798.
MANIÉRISME 62, 2162, 2700.
MANIFESTATION 696, 929, 1144, 1743, 2593, 2789, 2907.
MANIFESTE (adj.) 130, 345, 406, 567, 880, 1146, 1474, 1918, 1987, 1998, 2239, 2573, 3012.
MANIFESTE (n.) 612, 2204.
MANIFESTEMENT 1894.
MANIGANCE 442, 1568, 1730.
MANIGANCER 442, 467, 2860.
MANIPULATION 1727, 1964.
MANIPULER 1727, 2713, 2788.
MANNE 2001.
MANŒUVRER 1568, 1727, 1876.
MANOIR 365.
MANQUE 19, 314, 633, 635, 641, 1540, 1624, 1960, 2195, 2302, 2989.
MANQUEMENT 733, 1983, 3003.
MANSUÉTUDE 240, 411, 845, 2101.
MANTE 1732.
MANTILLE 1201.
MANUEL 553, 2346.
MANUFACTURE 2933.
MANUSCRIT 533, 2003, 2804.
MAQUEREAU 2658.
MAQUETTE 1821, 2108.
MAQUIGNONNER 2860.
MAQUILLÉ 1182.
MAQUISARD 2424.
MARAIS 1737.
MARASME 569, 1712, 2677.
MARAUDE 3031.
MARAUDER 3031.
MARAUDEUR 2092, 3031.
MARCHAND 449.
MARCHANDER 592, 1783.
MARCHANDISE 2206.
MARCOTTE 257.
MARÉE 1225, 2119.
MAREYEUR 449.
MARGOULIN 449.
MARINER 1694, 2889.
MARITIME 1740.
MARIVAUDAGE 187.
MARIVAUDER 2004.
MARMITON 580.
MARMONNEMENT 1863.
MARMONNER 194, 1863.
MARMOT 982.
MARMOTTEMENT 1863.
MARMOTTER 194, 1863.
MARONNER 1863.
MAROTTE 586, 1228, 1344, 2034.
MARNER 2885.
MAROUFLE 1316.
MARQUÉ 954, 1230, 1894, 2219, 2312, 2921, 2993.
MARRANT 853, 2840.
MARRE (EN AVOIR) 159.
MARRER (SE) 2463.
MARRON 547, 2748.
MARSOUIN 2611.
MARTELER 2093.
MARTIAL 216, 1340, 1714.
MARTYR 2988.
MARXISME 2607.
MASCARET 2941.
MASCOTTE 1196.
MASCULIN 1714.
MASQUER 279, 559, 659, 882, 1861, 1948, 1997, 2342, 3025.
MASSACREUR 1792.
MASSAGE 1255.
MASSUE 210, 1747.
MASTABA 2830.
MASTIQUER 1695.
MASTOC 1678, 1747.
M'AS-TU-VU 1977, 2139.
MASURE 275, 2781.
MAT 2649, 2799.
MATAMORE 1175.
MATCH 441, 461, 2031, 2395.
MATELAS 1664.
MATELASSER 2382.
MATELOT 1740.
MATER 158, 851, 1090, 1843, 1866, 2351, 2644, 2800, 2944.
MATÉRIALISER 481, 2318, 2750.

MATÉRIALISTE 1748.
MATÉRIAU 1748.
MATHÉMATIQUE 2465.
MATIN 447.
MÂTIN (adj.) 1870.
MÂTIN (n.) 384.
MATOIS 1719, 2480.
MATRAQUE 210, 1747.
MATRICE 1851.
MATRICIDE 1792.
MAUSOLÉE 2830.
MAXIMAL 2105.
MAXIMUM 443, 2105, 2116, 2123.
MEC 2921.
MÉCANISATION 1846.
MÉCANISER 1846.
MÉCÈNE 2228.
MÉCHAMMENT 856.
MÈCHE 2849.
MÉCOMPTE 596, 621.
MÉCONNAISSABLE 788.
MÉCONNAISSANCE 1397.
MÉCONNU 1397, 1457.
MÉCONTENT 1156, 1389, 1526.
MÉCONTENTER 347, 523, 1156.
MÉCRÉANCE 1464.
MÉCRÉANT 1420.
MÉDAILLE 1529, 2335.
MÉDAILLÉ 622.
MÉDECIN 832, 2809.
MÉDICAL 2809.
MÉDICAMENT 1762, 2384.
MÉDICAMENTEUX 2809.
MÉDICATION 2809.
MÉDICINAL 2809.
MÉDIOCREMENT 2075.
MÉDITATIF 2052, 2450.
MÉDITATION 2052, 2346, 2354.
MÉDUSÉ 859, 1550, 2691.
MÉDUSER 2691.
MEETING 2448.
MÉFAIT 648.
MÉGALOPOLE 3001.
MÉGARDE 1060.
MÉGÈRE 1269.
MEILLEUR 2170, 2720.
MÉJUGER 723, 2654.
MÉLANGÉ 1749, 1816.
MÉLANGER (SE) 1769.
MÊLÉ 826, 1749, 1816.
MÊLÉE 190, 354, 390, 441.
MÉLI-MÉLO 1769.
MELLIFLUE 1796.
MÉLODIE 81, 353, 1351, 1868.
MÉLODIEUX 845, 1351, 1868.
MÉLOMANE 1868.
MÉLOPÉE 353.
MÊME (À) DE 306.
MÉMENTO 2939.
MÉMORANDUM 1916.
MÉMORIALISTE 1367.
MÉNAGE 1173, 1707.
MÉNAGER (SE) 164.
MENDIGOT 1775, 2044.
MENDIGOTER 1775.
MENER 91, 446, 485, 599, 800, 1727, 2215.
MÉNESTREL 1607.
MENEUR 372, 1023, 1536, 2803.
MENOTTE 1705.
MENSTRUES 2367.
MENSURATION 796, 1783, 2764.
MENTAL 1839, 2237.
MENTALITÉ 1073, 1839, 2237.
MENTERIE 1776.
MENTIONNER 404, 1011, 1109, 1476, 1527, 1908, 2023, 2593.
MENTOR 501.
MENU 1215, 1250, 1641, 1801, 2072.
MÉPHISTOPHÉLIQUE 780.
MÉPHITIQUE 2238.
MÉPRENDRE (SE) 2902.
MÉPRISE 224, 493, 1060.
MER 1225, 1634.
MERCANTI 449.
MERCENAIRE 179.
MERCURIALE 2419.
MÉRIDIENNE 2591.
MÉRIDIONAL 2708.
MÉRITÉ 1616.
MERVEILLEUSEMENT 225.
MÉSAVENTURE 30, 179, 1509, 1713, 2895.
MÉSENTENTE 738, 1259, 1454, 2907.
MÉSESTIMER 723, 1760, 1777, 2262, 2654.
MÉSINTELLIGENCE 1454, 2907, 3063.
MESQUIN 178, 383, 1094, 2072.
MESQUINERIE 1094, 2072.
MESS 2353, 2434.
MESSAGE 118, 181, 451, 455, 710, 1649.
MESSE 1954, 2503.
MESSIE 2532.
MESURÉ 1645, 1822, 2139.
MESURER (SE) 1687, 1967.
MÉTAMORPHISME 2874.
MÉTAMORPHOSER 352, 2458, 2874.
MÉTAMORPHOSER (SE) 2874.
MÉTAPHORE 457, 1209.
MÉTAPHYSIQUE 2078.
MÉTHODISTE 2229.
MÉTICULEUX 500, 1728, 1808, 1973, 2546, 2608.
MÉTICULOSITÉ 1808, 2546.
MÉTISSAGE 1270, 1769.
MÉTISSÉ 1749.
MÉTONYMIE 1209.
MÉTRER 1783.
MÉTROPOLE 3001.
METS 88, 2113.
METTRE AU COURANT 1507.
METTRE AU MONDE 982.
METTRE D'ACCORD 476.
METTRE EN CAUSE 39.
METTRE EN GARDE 2188.
METTRE (SE) À TABLE 183.
MEUBLE 1818.
MEULE 2780.
MEURT-DE-FAIM 2044.
MEURTRIÈRE 1987.
MEURTRISSURE 234, 1743, 2097.
MEUTE 197, 2908.
MIASME 929.
MIAULEMENT 3029.
MICROSCOPIQUE 1806.
MIDI 2708.
MIETTE 600, 1840, 2015.
MIGNARD 1798.
MIGRATION 1130.
MIJAURÉE 2096, 2183.
MIJOTER 580, 1766, 2172.
MILICE 2908.
MILIEU 101, 283, 340, 414, 420, 1828, 2295, 2607.
MILIEU (AU) DE 2566.
MILITAIRE 1340, 2611.
MILITER 1687.
MILLÉNAIRE 2558.
MILLIARDAIRE 2459.
MIME 1405.
MIMER 524, 533, 1405.
MIMÉTISME 1405.
MINABLE 1812, 2101.
MINARET 2851.
MINAUDIER 2183.
MINCIR 1702.
MINE 81, 130, 1144, 1146, 1209, 1800, 2647.
MINEUR 2072, 2552.
MINIMUM 2109.
MINOIS 1209.
MINORER 1804.
MINUIT 3060.
MINUTIEUSEMENT 1673.
MIRACLE 1781.
MIRACULEUX 1781.
MIRAGE 1401, 2450.
MIRETTE 1951.
MIRIFIQUE 1781.
MIROBOLANT 1148, 1781.
MIROITEMENT 2354.
MIROITER 264.
MIS 2980.

MISAINE 3025.
MISE À MORT 1123.
MISE EN GARDE 180.
MISE EN SERVICE 1987.
MISER 1602, 1789.
MISÉREUX 1171, 1717, 1812, 2044.
MISÉRICORDIEUX 411.
MISSIVE 228, 1649.
MISTOUFLE 1812.
MISTRAL 2965.
MITAINE 1849.
MI-TEMPS 2043.
MITEUX 1812.
MITIGER 1822.
MITONNER 580, 2172.
MITOYEN 52.
MITRAILLE 1829.
MITRAILLER 2819.
MIXTURE 1769.
MOCASSIN 370.
MOCHE 1625, 2101.
MODALITÉ 410, 1820.
MODELEUR 2548.
MODÉRATION 845, 1783, 2133, 2505, 2606.
MODERNISATION 2399.
MODESTE 364, 606, 897, 1165, 1387, 1530, 1659, 1702, 1764, 1801, 2072, 2240, 2597.
MODESTIE 606, 1387.
MODICITÉ 1165, 1702, 1764, 2044, 2072.
MODIFICATION 352, 540, 2345, 2356, 2456, 2874, 2951.
MODIFIER 248, 352, 645, 2356, 2874.
MODIFIER (SE) 352, 1108, 2874, 2951.
MODIQUE 205, 1165, 1530, 1659, 1764, 1801, 1804, 2072.
MODULER 492.
MODULOMÈTRE 3053.
MOELLEUX 845, 846, 1825, 1961, 2646.
MŒURS 1344, 1820, 2990.
MOINDRE 731.
MOINE 2380.
MOISSON 2332.
MOISSONNER 548, 2332.
MOITE 1390.
MÔLE 793.
MOLESTER 271, 1723.
MOLLASSE 1825.
MOLLASSON 1486, 1825.
MOLLETIÈRE 1594.
MOLLETONNER 1241.
MOLLO 1825.
MOLOSSE 384.
MÔME 982, 2072.
MOMENT 1046, 1363, 1610, 1657, 1807, 1946.
MOMENTANÉ 260, 1041, 2033.
MONACAL 1827, 2584.
MONARCHIQUE 2473.
MONASTÈRE 4.
MONCEAU 100, 1747, 1835, 2251, 2780.
MONIALE 2380.
MONITEUR 1023.
MONNAYER 1892, 2961.
MONOCORDE 1833, 2927.
MONOGRAPHIE 1772.
MONTE 2507.
MONTICULE 274, 433, 922.
MONTUEUX 30, 1835, 2853.
MONUMENTAL 439, 1007, 1322.
MONUMENT FUNÉRAIRE 2830.
MOQUETTE 2775.
MORALISATEUR 894, 1839, 2161.
MORALISER 2161.
MORBIDE 1712, 1722.
MORDACITÉ 1841.
MORDILLER 1841.
MORFONDRE (SE) 167, 1630, 1824.
MORGUE 1205, 1354, 1533, 1777, 1977.
MORGUER 259.
MORIBOND 1842.
MORIGÉNER 232, 355, 2416, 2418, 2553.
MORNE 1408, 1630, 1833, 2113, 2799, 2901, 2989.
MOROSE 227, 347, 1754, 1768, 2619, 2763, 2901.
MORTIFÈRE 1842.
MORTIFIÉ 1842.
MORTUAIRE 1267.
MOTET 303.
MOTEUR 104, 1536, 2432.
MOTILITÉ 1817.
MOTIVÉ 1616, 1643.
MOTO 1697.
MOTRICE 1697.
MOUCHARDAGE 704, 2300.
MOUCHARDER 704.
MOUCHETÉ 1743.
MOUE 1333.
MOUISE 1812.
MOULANT 430, 2579.
MOULER 759, 1047.
MOULIN À PAROLES 212.
MOUSSON 2965.
MOUTARD 982, 2072.
MOUTON 704, 1072.
MOUTONNÉ 1854.
MOUTONNEUX 1854.
MOUVANCE 2669.
MOYEN (AU) DE 1320.
MOYENNANT 2149.
MOYENNE 1914.
MUER (SE) 2874.
MUFLE 1316, 1422, 1864.
MUFLERIE 1336, 1473.
MUGIR 1791, 3050.
MUGISSEMENT 269.
MUID 2833.
MULÂTRE 1788.
MULE 370.
MUNICIPALITÉ 3001.
MUNIFICENCE 1634.
MUNIR 1052, 1291, 1881, 2153.
MUNIR (SE) 2171.
MUNITIONS 2213.
MURAILLE 1861.
MURET 1861.
MURETTE 1861.
MUSARDER 113, 1631.
MUSCLÉ 979, 1230, 1893.
MUSER 1631, 2863.
MUSÉUM 1865.
MUTATION 352, 2873.
MUTER 352, 716.
MUTINERIE 941, 2321, 2907.
MUTUELLE 163.
MYRIADE 2155, 2251.
MYRMIDON 1879.
MYSTICISME 2671.
MYSTICITÉ 779.
MYTHOLOGIQUE 1875.
MYTHOMANE 1776.

NABAB 2459.
NABOT 1879.
NACELLE 208.
NAEVUS 1743, 2760.
NAGEUSE 1877.
NANA 1211.
NAPÉE 1927.
NARGUER 259, 640.
NARGUILÉ 2098.
NARINE 1885.
NARQUOIS 1312, 1578, 1718, 1838.
NARRER 516, 2277.
NARTHEX 2137, 2981.
NASE 1885.
NASONNER 1885.
NASSE 2087.
NATAL 1979.
NATATION 1876.
NATIONALISTE 2039.

NATIONALITÉ 1888.
NATURISME 1922.
NAUFRAGE 2058, 2489.
NAUSÉABOND 654, 739, 883, 2238, 2323, 2421.
NAUSÉE 654, 2421.
NAUTONIER 2094.
NAVAJA 2126.
NAVIGANT 3030.
NAVIGATEUR 1740.
NAVIGATION 3030.
NAVIGUER 398, 1876, 2482, 3030, 3045.
NAVIRE 208.
NAVRANT 718, 847, 2049, 2101, 2901.
NAVRÉ 493, 1156.
NAVRER 170, 347, 523.
NÉANMOINS 341, 2582.
NÉANT 2462, 2943, 2989.
NÉANTISER 2351.
NÉBULEUX 102, 493, 1210, 1266, 1920, 1938, 2941.
NÉCESSITÉ (PAR) 1230.
NÉCESSITEUX 1478, 1812, 2044.
NÉCROMANCIEN 1699.
NÉCROPOLE 397.
NÉCROSE 1843.
NÉCROSÉ 1842.
NEF 208.
NÉFASTE 636, 1180, 1268, 1717, 1755, 1905.
NÉGATIF 1924.
NÉGATION 2362.
NÉGLIGEABLE 730, 1530, 1641, 1759, 1777, 1801, 1804, 2072.
NÉGOCE 449.
NÉGOCIANT 449.
NEIGE 2163.
NÉNÉ 2566.
NÉNETTE 1211.
NÉOPHYTE 1895.
NÉPOTISME 1184.
NÉRÉIDE 1927.
NETTOYAGE 1638, 1894.
NETTOYER (SE) 1638.
NEUTRALISER (SE) 193.
NEUTRALITÉ 1933.
NEUTRON 2030.
NEURASTHÉNIE 3, 725, 1005, 1768, 2071.
NEURASTHÉNIQUE 1768.
NÉVRALGIQUE 2573.
NÉVROSÉ 1228.
NICHÉE 1173.
NICHER 690, 1669.
NICHER (SE) 236.
NICHON 2566.
NICODÈME 1897.
NIGAUD 1878, 1897, 2633.
NIGAUDERIE 1897.
NIMBUS 1920.
NIPPÉ 2980.
NIPPER 1256.
NIPPER (SE) 1343.
NIPPES 1338, 1343.
NIQUEDOUILLE 1897.
NIVELAGE 1902.
NIVELER 911.
NIXE 1927.
NOBLAILLON 1903.
NOBLIAU 1903.
NOCHER 2094.
NOCTAMBULE 1904.
NOM (AU) DE 2149.
NOM DE GUERRE 2738.
NOMBRE (EN) 1230.
NOMENCLATURE 325.
NOMMER (SE) 132.
NON 2361.
NONCHALAMMENT 1825.
NONCHALANCE 125, 1492, 1645, 1825, 1891, 2020.
NONCHALANT 620, 973, 1486, 1645, 1825, 1891, 2020.
NON-CONFORMISME 1475.
NON-CONFORMISTE 1475, 1485.
NONNE 2380.
NONOBSTANT 341.
NORMALISATION 2308.
NOROÎT 2965.
NOSTALGIE 1712, 1768, 2369.
NOSTALGIQUE 1768.
NOTABILITÉ 1916, 1955, 2067.
NOTION 497, 921, 1396, 1683, 2192, 2573.
NOTULE 1916.
NOUEUX 2265, 2551.
NOUILLE 1825.
NOUILLES 2036.
NOUNOU 1919.
NOURRISSANT 2699.
NOURRISSON 982.
NOUVELLE (FAUSSE) 304.
NOVATEUR 1514.
NOYAU 340.
NOYÉ 3025.
NOYER 994, 1520.
NOYER (SE) 2058, 2714.
NU 2989.
NUÉE 1075, 1642, 1859, 1920, 2251, 3030.
NUISANCE 2132.
NUISIBLE 587, 636, 1180, 1268, 1716, 1722, 1755, 1905.
NUIT 1938, 1959, 2609.
NULLARD 1924.
NUMÉRAIRE 1070, 1829.
NUTRICIER 1919.

OBÉISSANCE 801, 831, 1942, 2505, 2644.
OBÉISSANT 801, 831, 1727, 2505.
OBÈSE 1323, 1336.
OBJECTIF (adj.) 750, 1053, 1896.
OBJECTIF (n.) 273, 1934, 3011.
OBJETS PERSONNELS 61.
OBLATION 1957.
OBLIGATION (PAR) 1230.
OBLIGATOIREMENT 1496.
OBLIGEANCE 240, 462, 1302, 2188.
OBLIGEANT 60, 240, 462, 2188, 2554.
OBLIQUER 352, 719, 2264.
OBNUBILER 1939.
OBSCURCIR (S') 559, 897, 1907.
OBSÉDANT 1628.
OBSÉDÉ 1728.
OBSERVABLE 3012.
OBSERVANCE 1942, 2158, 2367.
OBSOLÈTE 2991.
OBSTRUCTION 1943, 1967, 2424.
OBSTRUER 204, 235, 243, 482, 548, 934, 1191.
OBTEMPÉRER 639, 1449, 1929, 2644.
OBTURER 243.
OBTUS 1037, 1678, 2692.
OBVIER 1997.
OCCASIONNEL 30.
OCCIRE 2915.
OCCULTISME 1699.
OCCURRENCE 320, 496.
OCÉANIDE 1927.
OCTAVON 1788.
OCTROYER 35, 473, 486, 502, 841.
OCTROYER (S') 1957.
ODE 2124.
ODIEUX 654, 739, 1480, 1522, 1755, 1907.
ODORIFÉRANT 1950.
ODYSSÉE 3045.
ŒCUMÉNIQUE 2930.
ŒDÈME 988.
ŒIL-DE-BŒUF 1188, 1681.
ŒUVRE D'ART 373.
OFFICIER 283.
OFFUSQUER 390, 2536.
OFFUSQUER (S') 899, 1953.
OGIVE 2803.
OGRE 301.
OIE 1897.
OIGNON 1837.
OINDRE 2502.
OISEAU 1485.
OISEUX 1571, 2680.

OISIF 755, 1519.
OLÉODUC 485.
OLIBRIUS 1485, 1979.
OLIVÂTRE 2976.
OMBILIC 1911.
OMBRAGÉ 1959.
OMBRER 1938.
OMBRES 1842.
OMNIBUS 2863.
OMNIPOTENT 2244.
OMNISCIENT 969.
OMNIUM 2607.
ONCE 2128.
ONDÉE 2119.
ONDINE 1877, 1927.
ON-DIT 269.
ONDULANT 1962.
ONDULÉ 1257, 1854, 1962.
ONÉREUX 377.
ONGLÉE 997.
OPACITÉ 1037, 1907.
OPAQUE 1037, 1907.
OPE 2906.
OPINIÂTRE 40, 510, 1020, 1944, 2321, 2792, 3036.
OPINIÂTRER (S') 1944, 2099.
OPINIÂTRETÉ 510, 1018, 1944, 3036.
OPPOSANT 58.
OPPRESSANT 1090, 2070, 2711, 2793.
OPPRESSER 27, 1090, 2711.
OPPROBRE 748, 1375.
OPTER 391, 611, 2166, 2171, 2219.
OPTION 391.
OPTIQUE 1610, 2068, 3026.
OPULENCE 13, 1689, 2225, 2459.
OPULENT 1336, 2459.
OPUSCULE 1666.
ORACLE 2164.
ORAGE 251.
ORAGEUX 1383, 1678, 1855, 2917.
ORAISON 2190.
ORAL 2969.
ORBITE 2669, 2866.
ORBITER 2854.
ORCHESTRER 800.
ORDINAIRE (D') 1344.
ORDO 95.
ORDURIER 1336, 1937.
ORÉADE 1927.
ORÉE 242, 447.
OREILLE 1985.
ORFÈVRE 1604.
ORGANIQUE 2081.
ORGANISATEUR 1973, 2803.
ORGANISER (S') 149, 512.
ORIFLAMME 850.
ORIGINAIRE 1880.
ORIPEAU 1338.
ORMAIE 238.
ORNIÈRE 2484.
ORPHÉON 1868.
ORTHODOXE 492.
ORTHOGONAL 2065.
ORTHOGRAPHIER 889.
OS 789.
OSCILLANT 1855, 2888.
OSCILLATION 193, 1855, 2951, 2986.
OSCILLER 193, 2391, 2938, 2986.
OSÉ 577, 1350, 1641, 1655.
OSEILLE 1829.
OSSATURE 361, 2675, 2690, 2805.
OSSEMENT 2435, 2675.
OSSEUX 904, 2551.
OSSUAIRE 397.
OSTENSIBLE 3012.
OSTENSIBLEMENT 3026.
OSTENTATION 1309, 2007.
ÔTER SON CHAPEAU 626.
OUATER 1241.
OUATINER 1241.
OUBLIÉ 1891.
OUEST 1947.
OURAGAN 251, 2790.
OURDIR 442, 467, 1836, 1906, 2172.
OURLET 2412.
OURS 1810, 2531.
OUTIL 993.
OUTILLAGE 1748.
OUTRAGE 69, 1515, 1953, 2504.
OUTRAGEANT 1515, 1953.
OUTRAGER 188, 560, 1953.
OUTRANCIER 1118, 1150, 1986.
OUTRE (EN) 172.
OUTRECUIDANCE 1418, 1977, 2720.
OUTRECUIDANT 910, 1977, 2720.
OUTREPASSER 26, 709, 1116, 2632.
OUVERTEMENT 1354.
OUVRIR L'APPÉTIT 565.
OVATE 2185.
OXYGÉNER (S') 59.

PACIFISTE 1991.
PACOTILLE 297, 2511.
PADDOCK 1664.
PAF 1590.
PAGAIE 2291.
PAGAILLE 728, 756, 1273.
PAGE 2033.
PAGEOT 1664.
PAGINER 386, 1925.
PAÏEN 1420, 1503.
PAILLARD 1636.
PAILLARDISE 1294.
PAILLASSE 418.
PAILLASSON 2775.
PAILLOTE 323.
PAÎTRE 1726, 2042.
PALABRE 806.
PALABRER 806.
PALACE 1382.
PALADIN 379.
PALAIS 365, 1382.
PÂLI 1996.
PÂLICHON 1996.
PALIER 872, 1902, 2800.
PALINODIE 2444.
PALIS 2099.
PALISSADE 204, 417.
PALME 258.
PALOMBE 2090.
PÂLOT 1996.
PALUD 1737.
PALUDIER 2529.
PAMPHLET 784, 1654, 2525.
PAMPRE 258.
PANACÉE 2384.
PANACHE 265.
PANACHÉ 203.
PANADE 1812.
PANARD 2086.
PANARIS 2079.
PANCARTE 889, 2103.
PANÉGYRIQUE 127, 926, 1676.
PANIÈRE 2001.
PANIQUE 2077.
PANIQUER 65.
PANNE 150, 548.
PANNEAU 889, 2758.
PANONCEAU 2112.
PANORAMA 1376, 2045, 3026.
PANSE 2966.
PANTAGRUÉLIQUE 2111.
PANTALON 582.
PANTELANT 1348, 1999.
PANTELER 1348.
PANTIN 246, 1177, 1741.
PANTOIS 1550.
PANTOUFLARD 321.
PANTOUFLE 370.
PAON 1977.
PAPELARD 1796, 3015.
PAPERASSE 2003.
PAPOTAGE 212.
PAPOTER 212.
PAQUEBOT 208.
PAQUETAGE 189.

PARABELLUM 2100.
PARACHEVÉ 43.
PARACHEVER 463, 2021.
PARACHUTISTE 2611.
PARAGES 3027.
PARALLÈLE (EN) 457.
PARALYSÉ 997, 1408, 1842.
PARALYTIQUE 1427.
PARANGON 1395, 1821.
PARAPET 196.
PARAPHE 2593.
PARAPHER 2593.
PARAPHRASE 1139.
PARAPHRASER 448.
PARAPLÉGIE 2012.
PARAVENT 244, 559, 887.
PARCELLEMENT 1840.
PARCELLISER 548.
PARCHEMIN 261, 2046, 2823.
PARCIMONIE 885.
PARCIMONIEUX 383.
PARDESSUS 1732.
PARÉ 2182.
PAREIL 492, 911, 1054, 1771, 1994, 2571, 2786, 2927.
PAREILLEMENT 172.
PAREMENT 1980.
PARENTÉ 114, 1173, 2203, 2300.
PARENTS 2203, 2590.
PARESSEUSEMENT 1825.
PARFAITEMENT 20, 225, 1781, 1984, 2847, 2890.
PARFOIS 2255.
PARFUMÉ 1950.
PARI 1275.
PARIA 1752, 1812.
PARIER 1275, 1602.
PARITÉ 911.
PARJURE 2397, 2862.
PARKING 2014.
PARLEMENTER 806, 1892, 2865.
PARLOTE 212.
PARMI 2566.
PARODIE 316, 1405.
PARODIER 316, 524.
PAROI 1861.
PAROISSIEN 1203.
PARPAILLOT 2229.
PARQUER (SE) 1288.
PARQUET 2109, 2610, 2896.
PARRAINAGE 2041.
PARRAINER 1569, 2041.
PARRICIDE 1792.
PARTAGÉ 1871.
PARTENAIRE 92.
PARTERRE 1747.
PARTICIPANT 480.
PARTICULARISER (SE) 823.
PARTICULARISME 2665.
PARTICULIER (n.) 1485.
PARTICULIÈREMENT 1916.
PARTIES 2966.
PARTI PRIS 2027.
PARTIR (À) DE 471, 588.
PARVENIR 14, 151, 922, 1945, 2449, 2533, 2848.
PASSABLE 527, 540, 1856.
PASSABLEMENT 159.
PASSADE 179, 308.
PASSATION 2876.
PASSE-DROIT 1516, 2196.
PASSÉE 2033.
PASSEMENTERIE 2283.
PASSE-PARTOUT 2033.
PASSER À TABAC 211.
PASSER SOUS SILENCE 24.
PASSER UN SAVON 168.
PASSERELLE 2134.
PASSE-TEMPS 586, 824, 1602.
PASSIF 1492.
PASSIVITÉ 125, 1180, 1492.
PASSOIRE 2769.
PASTEL 2794.
PASTEUR 220, 2185.
PASTEURISATION 2680.
PASTEURISER 2680.
PASTICHE 1405.
PASTICHER 524, 1405.
PASTICHEUR 1405.
PATACHE 3028.
PATAUD 1678.
PATAUGER 201, 934, 1876.
PÂTÉE 1919.
PATELIN (adj.) 1796, 1961, 3015.
PATELIN (n.) 250, 425, 2045.
PATENT 1918, 1987, 1998.
PATÈRE 399.
PATERNE 1796, 1961.
PATERNEL 597.
PATHÉTIQUE 945, 2986.
PATHOS 1282.
PATIBULAIRE 1523, 2602.
PATIENT (n.) 413, 1712.
PATIENTER 167.
PATINER 1308.
PÂTIR 2639.
PATOUILLER 201, 2900.
PATRAQUE 1712.
PÂTRE 220.
PATRIARCHE 2991.
PATRON 372, 1708, 1821, 2792.
PATRONYME 1908.
PATROUILLE 765.
PATTE 1594, 1705, 2086, 2848.
PATTE D'OIE 319.
PÂTURE 1919, 2042.
PAUMER 2058.
PAUVREMENT 2072.
PAVANER (SE) 1837, 2007, 2139.
PAVER 2342.
PAVILLON 546, 850, 1619, 1707, 3000.
PAVOIS 244.
PAYANT 177.
PEAUFINER 1208, 2021, 2608.
PÉCHÉ 1183, 1953.
PÊCHER 2171, 2909.
PÉCORE 2096, 2633.
PÉCULE 885.
PÉCUNIAIRE 1216, 1748.
PÉDALER 551.
PÉDAGOGUE 1013.
PÉDANTESQUE 2047.
PÉDÉRASTE 1372.
PÉDICULE 2815.
PÉDONCULE 2259.
PÉGASE 379.
PÈGRE 299, 2266.
PEIGNÉE 2889.
PEIGNER 424.
PEIGNOIR 2470.
PEINARD 1991.
PEINÉ 1156, 1717.
PEINTURLURER 202, 2048.
PELAGE 2127, 2470, 2827.
PÊLE-MÊLE 354, 1769.
PELER 1045.
PÉLERINAGE 2017.
PÉLERINE 1732.
PÉLIADE 3005.
PELISSE 1732.
PELLICULE 544, 2046.
PELOTONNER (SE) 236, 2290.
PELOUSE 1357.
PELURE 2046.
PÉNALISER 1245, 2517.
PÉNATES 1242.
PENAUD 493, 1375, 2633.
PENCHANT 110, 143, 1165, 1436, 1449, 1537, 2034, 2751, 2793.
PENCHÉ 205.
PENCHER 191, 544, 1221, 1449, 2120, 2166.
PENCHER (SE) 191, 1449.
PENDANT (adj.) 205.
PENDELOQUE 2050.
PENDENTIF 2050.
PENDILLER 2050.
PENDOUILLER 2050.
PENDRE (SE) 2714.
PENDULAIRE 2986.
PENDULE 1377.
PÉNIBLEMENT 1712.
PÉNICHE 208, 370.

PIMENTÉ 2512.
PIMENTER 2378.
PIMPANT 535, 1256.
PINACOTHÈQUE 1865.
PINAILLER 1057.
PINARD 2995.
PINCEAU 2086.
PINCEMENT 1841.
PINCE-NEZ 1674.
PINÇURE 1841.
PINÈDE 238.
PINGRE 178, 383.
PINGRERIE 178.
PINTER 237.
PIOCHER 1095, 2885.
PIOCHEUR 1621.
PION 2742.
PIONCER 842.
PIONNIER 1536.
PIPELINE 485.
PIPI 2931.
PIQUÉ 1228.
PIQUE-ASSIETTE 2013.
PIQUE-NIQUE 2408.
PIQUE-NIQUER 1726.
PIQUETÉ 1743.
PIQUETER 1593.
PIQÛRE 234, 1841.
PIRATE 198.
PIROUETTE 278, 868, 2851.
PIROUETTER 2102, 2854.
PISCINE 207.
PISSAT 2931.
PISSE 2931.
PISSER 2931.
PISSOIR 2931.
PISSOTIÈRE 2931.
PISTE 374, 3024.
PISTER 2715.
PISTON 142, 2228, 2333.
PISTONNER 142, 2041, 2228, 2333.
PITANCE 88, 1919.
PITEUX 2101.
PITRE 246, 418.
PITRERIE 2107.
PITTORESQUE 214, 1668.
PLACAGE 134.
PLACE (À LA) DE 2149.
PLACEMENT 1574.
PLACIDE 213, 293, 1222, 1991.
PLACIDITÉ 1222, 2868.
PLACIER 2417.
PLAGE 242.
PLAGIAIRE 1405.
PLAGIAT 533, 957, 1405, 2092.
PLAGIER 533, 1405, 2092, 3031.
PLAID 559.
PLAIDER 638, 2023.
PLAIDEUR 2031.
PLAIDOYER 127.
PLAIE 234.
PLAIGNANT 39.
PLAINE 207.
PLAISIR (AVEC) 3036.
PLANÉTAIRE 1828, 2930.
PLANÈTE 1828.
PLANIFIER 1973, 1975.
PLANQUER 279.
PLANT 2110.
PLAQUER 2, 134, 430, 2260.
PLAQUETTE 1666, 2112.
PLASTIQUE 1231, 1825, 2548.
PLASTRONNER 562, 2007, 2139.
PLASTRONNEUR 1977.
PLATÉE 2113.
PLATRAS 600.
PLÉBISCITE 3043.
PLEINEMENT 20, 225, 2847, 2890.
PLÉNIPOTENTIAIRE 1892.
PLÉNITUDE 1038, 1751, 2847.
PLÉTHORE 13.
PLEUR 1297, 1635.
PLEURARD 1635, 2106.
PLEURNICHARD 1635, 2106.
PLEURNICHER 1297, 2118.
PLEUTRE 1623, 2077.
PLEUTRERIE 1623.
PLEUVASSER 2119.
PLEUVINER 2119.
PLEUVOTER 2119.
PLIANT 2589.
PLIER (SE) 333, 483, 492, 1929, 1942, 2644, 2840.
PLISSEMENT 2120.
PLOMBER 2537.
PLOUTOCRATE 2459.
PLOYER 333, 550, 1221, 2120, 2705.
PLUMAGE 2122.
PLUMARD 1664, 2122.
PLUPART (LA) 1299.
PLURALITÉ 826, 1858.
PLUSIEURS 345, 788, 826, 2254.
PLUTÔT 159.
POCHARD 1590.
POGNE 1705.
POGNON 1829.
POGROM 1746.
POIGNANT 849, 945, 1999, 2986.
POIGNARDER 2915.
POIGNE 1190.
POILANT 2840.
POILER (SE) 2463, 2840.
POINÇON 1743.
POINDRE 1650, 1880, 2010.
POINT DE VUE 181, 543, 1613, 2068, 2139, 2573.
POINTILLER 382.
POINTILLEUX 669, 1128, 1231, 1728, 1808, 2648.
POINTU 79, 2099.
POINTURE 796.
POIRE 1878.
POIREAUTER 1630, 1824.
POISSE 1713.
POISSEUX 1323, 2511, 3015.
POITRINE 287, 2566, 2811, 2844.
POIVRÉ 2512.
POIVROT 1590.
POLARISER (SE) 474.
POLÉMIQUE 806, 2256.
POLICE 1230.
POLICER 1386, 2282.
POLICHINELLE 246, 1177, 1741.
POLICIER 71.
POLIR 366, 1208, 1163, 2021, 2928.
POLISSON 299, 536, 1284, 1323, 1641, 1655.
POLITICIEN 2131.
POLLUÉ 1722.
POLOCHON 2886.
POLTRON 1623, 2077.
POLTRONNERIE 1623.
POLYPE 2916.
POMMADE 1220, 1963, 2384.
POMMELÉ 1854.
POMPE 370, 880, 1689, 2614.
POMPER 21, 237, 533, 2243, 2989.
POMPETTE 1590.
POMPEUX 112, 948, 1392, 2614, 2806.
POMPONNER (SE) 2019.
PONANT 1947.
PONCHO 1732.
PONCIF 412.
PONCTUALITÉ 1110, 2367.
PONCTUEL 160, 1110, 2367.
PONCTUER 2643.
PONDRE 889.
PONTE 2067.
PONTIFE 2185.
PONTIFIANT 2047, 2614.
PONTIFICAT 2368.
POPE 2185.
POPOTE 2353, 2434.
POPOTIN 736.
POPULACE 299, 1859, 2076, 2266.
POPULAIREMENT 3051.
POPULARISER 692.
POPULATION 2076, 2239, 2607.
POPULEUX 2076.
POPULO 1237, 2076.
PORCELET 2135.
PORCHE 2137, 2981.

PORNOGRAPHIQUE 1059, 1937.
PORTAIL 2137.
PORTANT 1836.
PORTÉ À 965, 2716.
PORTE-BAGAGES 1281.
PORTE-BONHEUR 1196.
PORTEFAIX 2136.
PORTEMANTEAU 399.
PORTE-MONNAIE 253.
PORTE-PAROLE 1555, 2417.
PORTER PLAINTE 39.
PORTIÈRE 2137.
PORTION 1675, 1840, 2026, 2031, 2307, 2867, 2904.
POSÉMENT 1328, 1645.
POSSÉDANT 2459.
POSSÉDER (SE) 839.
POSTE 356, 951, 2104, 2139, 2327, 2605.
POSTER 1036.
POSTER (SE) 2110.
POSTÉRIEUR (adj.) 1271.
POSTÉRIEUR (n.) 736.
POSTICHE 1160, 1182.
POSTULAT 2192.
POSTURE 2139.
POT 2952.
POTACHE 922.
POTAGER 1596.
POTASSER 1095, 2885.
POT-AU-FEU 321.
POTELÉ 1323, 1336, 2111.
POTICHE 2952.
POTIN 212, 269, 2222, 2774.
POTINER 212.
POTION 2384.
POT-POURRI 1769.
POUDRE 356, 2155.
POUDREUX 2155.
POUF 2589.
POUFFER 880.
POUILLEUX 1812.
POULE 2227.
POULETTE 1211.
POUPON 982.
POUPONNER 292.
POURCEAU 2135.
POURCENTAGE 451, 2221, 2782.
POURCHASSER 551, 2152, 2330.
POURLÉCHER (SE) 666.
POURPARLERS 528, 1892.
POURPRE 2481.
POURRI 1292, 1722, 2151.
POURSUITE 520, 2330.
POURSUIVRE (SE) 520, 857, 2214, 2416.
POURTANT 341, 2582.
POURTOUR 242, 2062, 2851.
POURVOI 2340.
POURVOIR (SE) 1386.
POUSSETTE 3028.
POUSSIER 2155.
POUVOIR D'ACHAT 1902.
PRAGMATIQUE 1748, 2140, 2318, 2935.
PRAGMATISME 2318.
PRAIRIE 1357, 2042.
PRATIQUANT 2380.
PRATIQUEMENT 481.
PRÉ 1357, 2042.
PRÉALABLE 2168.
PRÉAMBULE 447, 1131, 1569, 2165, 2168.
PRÉCAUTIONNER (SE) 164.
PRÉCAUTIONNEUSEMENT 1645.
PRÉCAUTIONNEUX 2236.
PRÉCÉDENT 119, 731.
PRÉCÉDER 773.
PRÉCEPTE 49, 445, 1756, 1914, 2192, 2367.
PRÉCIPICE 8.
PRÉCIPITAMMENT 3017.
PRÉCIPITÉ (adj.) 1348, 1353, 2178, 2297.
PRÉCIPITÉ (n.) 2562.
PRÉCIS 406, 477, 766, 823, 1110, 1140, 1616, 1771, 1894, 2223, 2579, 2625.
PRÉCISÉ 769.
PRÉCISÉMENT 1616, 1771.
PRÉCISER 643, 769, 799, 2665, 2682.
PRÉCISER (SE) 759.
PRÉCISION 406, 841, 1110, 1616, 1683, 1894, 2223, 2400, 2730.
PRÉCOCE 1353.
PRÉCONISER 501, 2161, 2333.
PRÉCURSEUR 773, 1514, 1782.
PRÉDÉCESSEUR 773.
PRÉDESTINÉ 3022.
PRÉDESTINER 3022.
PRÉDICATEUR 1970, 2161.
PRÉDICATION 1368.
PRÉDILECTION 2166.
PRÉDISPOSÉ 965.
PRÉDISPOSITION 143, 815.
PRÉDOMINANCE 2368.
PRÉDOMINANT 2191.
PRÉDOMINER 839, 2187, 2368.
PRÉÉMINENCE 2720.
PRÉÉMINENT 2720.
PRÉFABRIQUÉ 2679.
PRÉFÉRABLE 1797, 2945.
PRÉFÉRÉ 1184.
PRÉHENSION 2193.
PRÉJUDICE 744, 840.
PRÉJUDICIABLE 1268, 1717, 1905.
PRÉJUDICIER 1923.
PRÉJUGÉ 2188.
PRÉLASSER (SE) 2020.
PRÉLÈVEMENT 2193.
PRÉLUDE 2168, 2174.
PRÉMATURÉ 1353.
PRÉMONITION 1537, 2179.
PRÉMUNIR (SE) 164, 2188, 2228.
PRENDRE D'ASSAUT 161.
PRENDRE GOÛT À 1841.
PRENDRE L'AIR 59.
PRENDRE LA PAROLE 1560.
PRENDRE L'UN POUR L'AUTRE 491.
PRENDRE PART À 163, 525, 1606, 1769, 2028.
PRENDRE PEUR 65.
PRENDRE POUR 505.
PRENDRE SOIN DE 2959.
PRÉNOM 1908.
PRÉNOMMER 132, 1908.
PRÉOCCUPATION 1005, 2052, 2608, 2634.
PRÉOCCUPÉ 123, 2052, 2608, 2634, 2793.
PRÉOCCUPER 74, 934, 1005, 1523, 2634, 2885.
PRÉOCCUPER (SE) 497, 934, 1523, 1551, 2052, 2363, 2627, 2634.
PRÉPARÉ 2182, 2223.
PRÉPONDÉRANCE 2720.
PRÉPONDÉRANT 839.
PRÉPOSÉ 951.
PRÉROGATIVE 177, 852, 1832, 2196.
PRESBYTÉRIEN 2229.
PRESCRIPTION 445, 815, 1476, 1539, 1973, 2367.
PRESCRIRE 445, 678, 815, 1424, 1789, 1973, 3044.
PRÉSÉANCE 2033.
PRÉSENT (adj.) 48, 1243.
PRÉSENT (n.) 281, 841, 1957.
PRÉSENT (À) 48.
PRÉSENTATEUR 2663.
PRÉSENTEMENT 48.
PRÉSERVATION 1412, 1706.
PRÉSERVER 16, 164, 504, 1039, 1287, 1706, 2228, 2532, 2657.
PRÉSIDENCE 800.
PRÉSIDER 800.
PRÉSOMPTION 356, 495, 1977, 2183.
PRÉSOMPTUEUX 177, 1309, 1977, 2183, 2238.
PRESQUE 2253.
PRESSION 1563, 2154.
PRESSURER 1142, 2178, 2506.
PRESTE 72, 1135, 1641, 2218, 2297.
PRESTEMENT 3017.
PRESTESSE 2218, 3017.
PRESTIGE 175, 505, 1423, 1506.
PRESTIGIEUX 1322, 1743, 2381.

PRÉSUMÉ 338, 2725.
PRÉSUMER 2052, 2174, 2645, 2725.
PRÉTÉRITION 1209.
PREUX 379, 2942.
PRÉVOYANCE 2236.
PRÉVOYANT 2236.
PRIEUR 2720.
PRIEURÉ 4.
PRIMAIRE 2597.
PRIMAUTÉ 2720.
PRIME 451, 2335.
PRIMER 2187.
PRIMESAUTIER 2672.
PRIMITIF 1336, 1514, 1979, 2170, 2531.
PRIMORDIAL 1076, 1423, 1708, 1890, 2170, 2191, 3016.
PRINCE 2565.
PRINCIER 2624.
PRINCIPALEMENT 1916.
PRIS 1949.
PRISER 135, 377, 1078.
PRIVAUTÉ 1173, 1655.
PRIVILÉGIER 1184.
PRIX (À TOUT) 1230.
PROBE 852, 1373, 2367.
PROBITÉ 669, 852, 1373, 1616, 1839.
PROBLÉMATIQUE 848, 1446.
PROCÉDÉ 1200, 1233, 1786, 1856, 2158, 2327, 2555, 2757, 2783.
PROCÉDURE 1231.
PROCÈS 61, 320, 329.
PROCESSION 642, 2703, 2808.
PROCRÉER 992.
PROCURATION 1725, 2157.
PROCURER 841, 1240, 1957, 2153, 2206, 2945.
PROCURER (SE) 41, 182, 2819.
PRODIGE 373, 1781.
PRODIGIEUSEMENT 2890.
PRODIGIEUX 1089, 1148, 1228, 1269, 1465, 1781, 1834, 2695.
PRODROME 2168, 2753.
PRODUCTEUR 564.
PRODUCTIF 1185, 2209.
PROÉMINENCE 2507.
PROÉMINENT 2507.
PROFANATEUR 1420, 2504.
PROFÉRER 1601, 2154, 2219.
PROFESSEUR 1013, 1708.
PROFESSION 1083, 1787, 2139.
PROFESSION DE FOI 2204.
PROFESSORAL 2047.
PROFIL 759, 1658, 2557.
PROFILER (SE) 624, 759.
PROFIT (AU) DE 2149.
PROFONDÉMENT 2993.
PROFUSION 13, 593, 1689, 1976, 2205.
PROGÉNITURE 1173, 2143.
PROGRAMME 2108, 2113.
PROGRAMMER 1975, 2367.
PROIE 312, 2193, 2988.
PROJECTION 1601.
PROJET 1396, 1548, 2052, 2108, 3026.
PROLÉGOMÈNES 2165.
PROLIFÉRATION 1858.
PROLIFÉRER 1858, 2420.
PROLIFIQUE 1185.
PROLIXE 212, 791, 1673, 2969.
PROLIXITÉ 2719.
PROLOGUE 1131, 2165, 2168.
PROMENEUR 2033.
PROMIS 3022.
PROMONTOIRE 305.
PROMOTEUR 1514, 1536.
PROMOTION 176, 922, 1908.
PROMPTEMENT 2477, 2993, 3017.
PROMULGATION 2239.
PROMULGUER 893, 2239.
PRÔNE 1368, 2161.
PRÔNER 2949.
PRONONCIATION 925, 2023.
PRONOSTIC 2164, 2189.
PRONOSTIQUER 2164, 2189, 2216.
PROPAGANDE 2239.
PROPENSION 143, 1449, 2793.
PROPHÈTE 775, 1699.
PROPHÉTIE 2164.
PROPHÉTISER 118, 775, 2164.
PROPICE 1184, 1966.
PROPOSER (SE) 471, 2052, 2213.
PROPOSITION 1957, 1987, 2713.
PROPRIÉTAIRE 1705, 1708, 2141.
PROPULSER 2213.
PROPULSEUR 2316.
PROROGATION 2337, 2399.
PROROGER 2214, 2399.
PROSAÏSME 1833.
PROSATEUR 174.
PROSCRIPTION 1129.
PROSCRIRE 199, 482, 638, 1129.
PROSPECTER 378, 2016, 2339, 2626.
PROSPECTION 2330.
PROSPECTUS 1432.
PROSTERNEMENT 2226.
PROSTITUTION 593.
PROSTRATION 906, 2226, 2841.
PROSTRÉ 906.
PROTAGONISTE 1536, 2067.
PROTÉGÉ 559.
PROTESTANTISME 2356.
PROTOCOLAIRE 1231.
PROTOCOLE 343, 1231.
PROTON 2030.
PROTOTYPE 1821.
PROTUBÉRANCE 2507.
PROUE 1885.
PROUESSE 1141.
PROVENANCE 1979.
PROVERBE 49, 1756.
PROVIDENCE 787, 2228.
PROVINCE 2366.
PROVINCIAL 2366.
PROVISOIRE 1041, 2033.
PROVOCATEUR 2910.
PROXÉNÈTE 2658.
PRUDEMMENT 2579.
PRURIT 679.
PSALMODIE 353.
PSALMODIER 353.
PSAUME 303.
PSEUDONYME 1908, 2738.
PSYCHÉ 1809.
PSYCHIQUE 1839, 2237.
PSYCHISME 1839.
PUBERTÉ 1232.
PUBLIÉ (ÊTRE) 2010.
PUBLIQUEMENT 1354.
PUCEAU 2992.
PUCELLE 2992.
PUCIER 1664.
PUDIBOND 2235, 2240.
PUDIBONDERIE 2235.
PUDICITÉ 2240.
PUGNACE 441.
PUGNACITÉ 441.
PUISSAMMENT 3004.
PUITS 2647.
PULL 1704.
PULLOVER 1704.
PULLULEMENT 1859.
PULLULER 13, 598, 1502.
PULSION 2793.
PURÉE 1812.
PURGE 1050, 1647, 2248.
PURIFICATION 1050, 2282.
PURISME 540.
PURITAIN 2235.
PURITANISME 2235, 2465, 2584.
PUSILLANIME 561, 2077, 2818.
PUTAIN 2227.
PUTATIF 2725.
PUTRÉFACTION 542, 2151.
PUTRÉFIER 542, 2151.
PUTRÉFIER (SE) 617.
PUY 1835.
PYLONE 2145.
PYRAMIDE 100.
PYROMANE 1445.
PYTHONISSE 3046.

QUALIFICATION 460, 1908, 2250, 2823.
QUALIFIÉ 306, 460, 1136.
QUALIFIER 132, 2865.
QUANT À 2149.
QUARANTAINE 1587.
QUARTAUT 2833.
QUARTERON 1788.
QUASIMENT 2253.
QUELCONQUE 454, 1477, 1530, 1972, 2072, 2941, 3051.
QUELQUES-UNS 345.
QUÉMANDER 1775, 2258, 2617.
QUÉMANDEUR 2617.
QUÉQUETTE 2587.
QUERELLER (SE) 36, 190, 816.
QUESTION (ÊTRE) DE 73.
QUESTIONNAIRE 678, 1233.
QUESTIONNER 514, 678, 1556.
QUIDAM 1369.
QUIET 1991.
QUIÉTUDE 293, 1991, 2868.
QUIGNON 1840.
QUILLE 1594.
QUINQUETS 1951.
QUINTESSENCE 2701.
QUIPROQUO 493, 1060.
QUITTANCE 609, 2327.
QUITTER (SE) 2476, 2575.
QUOLIBET 1838, 2107.
QUOTE-PART 2026.
QUOTIDIEN 1610.

RAB 2722.
RABBIN 2185.
RABIBOCHER 2336.
RABIBOCHER (SE) 2267.
RABIOT 2722.
RABLÉ 2882.
RABOUGRI 1702, 2273, 2306.
RABOUGRIR (SE) 1842.
RABOUTER 2448.
RABROUEMENT 2322.
RABROUER 2323, 2415.
RACCOMMODEMENT 2336.
RACCOMPAGNER 2292.
RACCOURCISSEMENT 797.
RACLÉE 540, 547, 2889.
RACONTAR 212, 269, 448, 1482.
RACORNI 538.
RACORNIR (SE) 2551.
RADE 2136.
RADICALEMENT 20, 2847.
RADICALISER 856.
RADIER 2286.
RADIN 178, 383.
RADINER 2964.
RADIO 1962.
RADIS 1829, 2477.
RADOTAGE 2261.
RADOTEUR 2261.
RADOUBER 2405.
RADOUCIR 124.
RAFFERMIR 508, 1230, 2296, 2431, 2889.
RAFFOLER 2034.
RAFFUT 2774.
RAFISTOLAGE 2267.
RAFISTOLER 2267, 2405.
RAFLER 732, 946, 953, 2638, 3031.
RAFRAÎCHI 1245.
RAGAILLARDIR 2338, 2386.
RAGE 428, 1252, 1269, 2034.
RAGEANT 1115, 2984.
RAGLAN 1732.
RAGOT 212, 1482, 2222.
RAGRÉER 2313.
RAI 2315, 2864.
RAID 1135, 1469.
RAIDILLON 1836.
RAIDIR (SE) 521.
RAIDISSEMENT 2793.
RAILLEUR 1312, 1578, 1718, 1838.
RAINURE 2286.
RAISON (AVEC) 2823.
RAISON (EN) DE 2149.
RAISONNABLEMENT 225.
RAJEUNIR 1823, 2283, 2399.
RAJOUTER 463, 2385.
RALENTI 2351.
RALENTIR 797, 1249, 1822, 2440.
RALENTISSEMENT 2677, 2780.
RÂLER 1753, 1863, 2106, 2230, 2284.
RALLONGE 2722.
RALLONGER 94.
RAMAGE 353, 1296.
RAMASSAGE 431, 2332.
RAMASSÉ 705, 2882.
RAMBARDE 196.
RAMDAM 2494.
RAMEAU 258.
RAMÉE 258.
RAMER 1876.
RAMIER 2090.
RAMIFIER (SE) 828.
RAMILLE 258.
RAMONER 1894.
RAMPANT 1941, 2113.
RAMURE 258, 1198.
RANCŒUR 715, 2430.
RANÇON 2715.
RANÇONNER 721, 2506.
RANCUNE 2430.
RANCUNIER 3002.
RANDONNÉE 402, 2215, 3045.
RANGÉ 1973, 2578.
RANGÉE 1210, 1658, 2295.
RANGEMENT 1973.
RANIMER (SE) 2451.
RAPACE 584, 3031, 3042.
RAPACITÉ 584.
RÂPÉ 2932.
RAPETASSER 2267.
RAPETISSÉ 2306.
RAPETISSER 797, 2269.
RÂPEUX 2487.
RAPIDEMENT 2551, 2993, 3017.
RAPIÉÇAGE 2267.
RAPIÉCER 2267.
RAPIÈRE 2498.
RAPPLIQUER 2292, 2964.
RAPPORT (PAR) À 457, 2149.
RAPPORTER (S'EN) 2414.
RAPPROCHÉ 2203, 2579, 3027.
RAPT 1618.
RARÉFACTION 797.
RARÉFIER (SE) 797, 879.
RAREMENT 2075.
RAS 554.
RASANT 1005.
RASER 3, 695, 764, 905, 936, 973, 1005, 1257, 2579, 2832.
RAS LE BOL 159.
RASOIR 1833.
RASSASIEMENT 2523.
RASSEMBLER (SE) 474, 2448.
RASSÉRÉNER 124, 293, 1991, 2560.
RASSÉRÉNER (SE) 293.
RASSIS 856, 2551.
RASSURANT 1969, 2560.
RASSURER (SE) 2385.
RATATINER (SE) 2780.
RATATOUILLE 1769.
RÂTELER 2290.
RATER 876, 1274, 1731, 2058.
RATIBOISER 3031.
RATIER 384.
RATIFICATION 140, 488, 2517.
RATIFIER 140, 488, 499, 2517, 2537, 2946.
RATIONALISER 1914.
RATIONNEL 1616, 1670, 1786, 2288.
RATIONNER (SE) 2436.
RATTACHEMENT 2448, 2928.
RATTACHER (SE) 711, 2268, 2270, 2300.

RATTRAPER (SE) 2270.
RATURE 204.
RATURER 204, 2286.
RAVAUDAGE 2267.
RAVAUDER 2267, 2405.
RAVI 82, 518, 2279.
RAVIGOTER 2296, 2338, 2386.
RAVINÉ 2312.
RAVISER (SE) 352, 631.
RAVISSANT 214, 670, 963.
RAVISSEMENT 53, 670, 945, 963, 1145, 1590, 1605, 2879.
RAVISSEUR 3031.
RAVITAILLEMENT 2232.
RAVITAILLER 1240, 1919, 2153.
RAVITAILLER (SE) 1240.
RAVIVER 2283, 2296, 2399.
RAVIVER (SE) 2451.
RAYONNAGE 2315.
RAYONNANT 264, 1683, 2279, 2899.
RAYONNEMENT 1132, 1309, 1506, 2220.
RAZZIA 1469, 2092.
RÉACTIVER 2296.
RÉALISABLE 2142.
RÉALISATION 564, 1123, 1661, 2158.
RÉANIMER 2296.
RÉAPPARAÎTRE 2393, 2454.
RÉAPPARITION 2443.
REBÂTIR 2352.
REBELLER (SE) 754, 1541, 1870, 2230, 2424, 2457.
REBIFFER (SE) 277, 2230, 2364.
REBOND 2460.
REBONDI 1336, 2116, 2477.
REBONDIR 2334, 2460.
REBONDISSEMENT 2460, 2715.
REBOURS (À) 1967.
RÉCALCITRER 2364.
RECALER 83, 923, 1085, 2361.
RECALER (SE FAIRE) 876.
RÉCAPITULER 2438.
RECÉDER 2453.
RÉCEMMENT 1895.
RECENSEMENT 703.
RECENSER 471, 703.
RECENSION 457.
RÉCEPTACLE 2423.
RÉCESSSION 569, 725, 2780.
RECEVOIR (SE) 2442.
RECHANGE 2389.
RÉCHAPPÉ 2744.
RÉCHAUFFÉ 2320.
RÊCHE 2487.
RECHIGNÉ 252, 1754.
RECHIGNER 2392, 2421.
RECHUTER 2442.
RÉCIDIVE 2410.
RÉCIDIVER 2334.
RÉCIF 891.
RÉCIPIENT 207.
RÉCIPROQUE 1871.
RÉCIPROQUEMENT 1871.
RÉCIT 471, 516, 746, 1367, 1884, 1895, 2300, 2377, 2758.
RÉCITER 799.
RÉCLAMATION 678, 837, 1128, 2106, 2230.
RÉCLAME 2239.
RECLUS 2582.
RÉCLUSION 2194.
RECOIN 425, 2412.
RÉCOLER 2971.
RECOMMANDER (SE) 2331.
RECOMMENCEMENT 2399, 2410, 2416, 2443.
RÉCONCILIER (SE) 2267, 2385.
RECONDUIRE 33, 2292, 2385, 2399.
RECONNAISSANT 1936.
RECONNU 1918.
RECONQUÉRIR 2341, 2416.
RECONQUÊTE 2416.
RECONSIDÉRER 2454, 2456.
RECONSTITUANT 537, 1230, 2338.
RECONSTITUER 2352, 2386, 2439.
RECONSTITUTION 2399, 2420.
RECONSTRUCTION 2434.
RECONSTRUIRE 2352, 2378, 2434.
RECOPIER 533, 2871.
RECORD 1141.
RECOUDRE 2267.
RECOURBÉ 550.
RECOUVERT 2980.
RECOUVREMENT 2056.
RECRÉER 113, 824.
RÉCRIER (SE) 1120, 2230.
RÉCRIMINATION 837, 2106, 2230.
RÉCRIMINER 2106, 2230, 2331.
RÉCRIRE 2352.
RECROQUEVILLÉ 2306.
RECROQUEVILLER (SE) 2290, 2780.
RECRUE 2611.
RECRUTER 935, 991, 1012, 1650, 1819, 2171, 2276.
RECTIFICATIF 2345.
RECTIFIEUSE 1697.
RECTILIGNE 852.
RECTITUDE 1110, 1616, 2465.
REÇU 609, 2327.
RECUEILLI 2380.
RECULÉ 1354, 1587, 1672, 2058, 2210.
RECULER (SE) 865, 927, 2154.
RÉCUPÉRER 2341, 2385, 2416, 2447.
RÉCURER 1894.
RÉCUSER 519, 2361.
RÉDACTEUR 1610.
REDAN 2507.
REDÉCOUVRIR 2247.
REDÉMARRAGE 2375, 2416.
REDÉMARRER 2416.
RÉDEMPTEUR 2532.
RÉDEMPTION 2272, 2515.
REDESCENDRE 2442.
REDEVABLE 1936.
REDEVANCE 356, 852, 1424, 2898.
REDIRE 2261, 2299, 2410.
REDITE 2410.
REDONDANCE 2117, 2719.
REDONDANT 112, 791, 2719.
REDONNER 2383, 2385, 2396, 2409.
REDOUBLER 2334.
REDOUTABLE 587, 908, 2244, 2487, 2801.
REDOUTER 136, 561, 640.
REDRESSÉ 2378.
REDRESSER (SE) 1650, 2378.
RÉDUCTION 609, 797, 1803, 2262, 2385, 2436.
RÉDUIRE AU SILENCE 491.
RÉÉDUCATION 2317.
RÉELLEMENT 2968.
RÉEXAMINER 2454.
RÉEXPÉDIER 2403.
RÉEXPÉDITION 2403, 2443.
RÉFÉRENDUM 3043.
RÉFÉRER (SE) 142, 2300.
REFERMER 2264.
RÉFLÉCHI 474, 1862, 2139, 2236, 2288, 2505, 2578.
RÉFLEXE 1537, 1855, 2316.
REFLUER 2347.
REFONDRE 2352.
RÉFORMÉ 2229.
REFOULER 199, 363, 517, 1090, 1708, 2264, 2313, 2401, 2415.
RÉFRACTAIRE 754, 2321, 2649.
RÉFRÉNER 517, 1822, 2313, 2401.
RÉFRIGÉRATEUR 1307.
RÉFRIGÉRER 1307, 2359.
REFROIDIR (SE) 2283, 2915.
REFROIDISSEMENT 2283, 2889.
REFUSER (SE) 2195.
REGAGNER 2289, 2310, 2341, 2371, 2401, 2416.
REGAIN 2344, 2416.
RÉGAL 670, 2107.
RÉGALER 2865.
RÉGALER (SE) 1289.
RÉGALIEN 2473.
REGARD (EN) DE 457.
REGARDANT 178, 383, 885.
REGARDÉ 2715, 3026.
REGARNIR 2352.

RÉGÉNÉRATION 2420, 2434.
RÉGÉNÉRER 105.
RÉGENTER 839, 2368.
RÉGICIDE 1792.
RÉGIE 1304.
RÉGIMENT 2908.
RÉGIR 800, 1304.
REGISTRE 1666, 2474, 2802.
RÉGLEMENTAIRE 1955, 2367.
RÉGLEMENTER 2367.
REGORGER 13, 598.
RÉGRESSER 2347.
RÉGRESSION 2347.
REGRETTABLE 718, 840, 1156, 1717, 2901.
REGROUPER 2289, 2448.
RÉGULARISER 1914.
RÉGULIÈREMENT 1914, 2477.
RÉHABILITER 1518.
RÉHABILITER (SE) 2272.
REHAUSSER 1354, 2378.
RÉINSTALLER 2439.
RÉINTÉGRER 2401, 2439.
RÉITÉRATION 2410.
RÉITÉRER 2334, 2399.
REÎTRE 2636.
REJAILLIR 877.
REJET 2154, 2361.
REJETON 1212, 2154.
REJOUER 2416.
RÉJOUI 518, 1038, 1277, 1365, 2279, 2463.
RÉJOUISSANCE 113, 1195.
RÉJOUISSANT 945, 1277.
RELÂCHÉ 620, 1891, 2646.
RELAPS 1359.
RELATER 516, 2023, 2277, 2300.
RELATIVEMENT À 457.
RELAX 620.
RELAXATION 918, 1655, 2373.
RELAXÉ 620.
RELAXER 1655, 2373.
RELAXER (SE) 620, 2414.
RELAYER (SE) 98.
RELÉGATION 719, 1129.
RELÉGUER 199, 1129, 2385.
RELENT 1950.
RELÈVE 2389.
RELIÉ (ÊTRE) 455.
RELIER 1606, 1653, 2268, 2309, 2448, 2928.
RELIQUAT 2435, 2612.
RELIQUES 2435, 2660.
RELIRE 2456.
RELUIRE 264.
RELUQUER 776, 1674, 1942, 2363.
REMÂCHER 2491.
REMANIEMENT 352, 540, 2456.
REMANIER 540, 2356.
REMARQUABLEMENT 225.
REMBARRER 2323, 2403, 2415.
REMBLAI 369, 2767.
REMBLAYER 443.
REMBOÎTER 2385.
REMBOURSEMENT 2272.
REMÉDIER 1997, 2405, 2722.
REMÉMORER 2299.
REMÉMORER (SE) 2299, 2660.
REMERCIEMENT 2335.
REMERCIER 494, 1320, 1330, 2396.
REMETTRE (S'EN) 1667, 2300, 2414, 2454.
RÉMINISCENCE 2660.
REMONTANT 537, 1119, 1230, 2338.
REMONTÉE 2416.
REMONTRANCE 180, 571, 1935, 1942, 2419.
REMONTRER (SE) 2393.
REMORDS 2369.
REMPART 244, 638, 1861, 2228.
REMPLACER (SE) 98.
REMPLI 463, 559, 1360, 1678, 2116, 2527.
REMPLISSAGE 665.
REMPORTER 1004, 1276, 1945, 2416.
REMUE-MÉNAGE 74.
REMUGLE 1950.
RÉMUNÉRATEUR 240, 1551, 1682, 2209.
RÉMUNÉRATION 1276, 1993, 2612.
RÉMUNÉRER 1933.
RENARDER 2492.
RENDEMENT 903, 2206, 2300.
RENDEZ-VOUS 1030, 2395.
RENDRE L'ÂME 1842.
RENDRE MAÎTRE DE (SE) 312, 1949.
RENDRE SERVICE 77, 1936.
RENDU 1181, 1848.
RENDU (ÊTRE) À 151.
RÊNE 262.
RENFERMÉ 2555, 2594, 2763.
RENFERMER 468, 517, 984, 2141, 2325, 2792.
RENFERMER (SE) 2412.
RENFLEMENT 2966.
RENFLER 1314.
RENFLOUER 2532.
RENFORCEMENT 2344.
RENFORCER 63, 488, 508, 1230, 2228, 2637.
RENFORT 77, 2554.
RENFROGNÉ 252, 1754.
RENGAINE 2357.
RENGAINER 2385.
RENIFLER 1219.
RENOM 335, 1309, 1908, 1918, 2422, 3023.
RENOMMÉ 1172, 2422.
RENOMMÉE 335, 505, 1908, 1918, 2076, 2422.
RENONCIATION 2, 5, 691.
RENOUVEAU 2393, 2399, 2416, 2451.
RÉNOVATION 2399, 2434, 2874.
RÉNOVER 105, 352, 1823, 2283, 2399, 2416, 2434, 2874.
RENTABLE 177, 240, 1551, 1682, 2209.
RENTE 2300, 2433.
RENTRÉE 2056, 2327, 2443.
RENVERSER (SE) 371, 581, 2443, 2973.
REPAIRE 16, 122, 1899, 2445, 2771.
REPAÎTRE (SE) 1029, 1919, 2303.
RÉPANDU 454, 1253.
REPARAÎTRE 2393.
REPARLER DE 2454.
RÉPARTIR (SE) 1081.
RÉPARTITION 815, 825, 1973, 2026, 2965.
REPEINDRE 2283, 2352.
REPENTIR 2369.
REPENTIR (SE) 2369.
RÉPERCUSSION 503, 774, 902, 1447, 1506, 2214, 2403, 2441, 2460, 2715.
RÉPERCUTER 2354, 2403, 2876.
REPÈRE 1593, 1743, 2593.
REPÉRER 126, 605, 626, 2447.
REPÉRER (SE) 1978.
RÉPERTOIRE 318, 325, 2346.
RÉPÉTÉ 520, 1253.
RÉPÉTER (SE) 2399, 2420.
RÉPIT 150, 662, 2043, 2373, 2385, 2414.
REPLACER 2385.
REPLANTER 2411.
REPLET 1323, 1336, 2111, 2116, 2477.
RÉPLÉTION 2523.
REPLIEMENT 2445.
RÉPLIQUE 533, 2413.
RÉPLIQUER 1932, 2288, 2406, 2413.
RÉPONDANT 331.
REPORT 2403.
REPORTER (v.) 83, 788, 2300, 2370, 2385, 2403, 2415, 2440, 2879.
REPORTER (n.) 1610.
REPORTER (SE) 3026.
REPOUSSANT 67, 654, 883, 1625, 2323, 2421.
RÉPRÉHENSIBLE 718, 1755.
REPRÉSAILLES 2466, 2517, 2963.
RÉPRESSION 2517.
RÉPRIMANDE 180, 232, 571, 1640, 1935, 1942, 2419, 2572.
RÉPRIMER 366, 445, 839, 1090, 1708, 2246, 2313, 2401, 2424, 2517, 2585.
REPRISAGE 2267.

REPRISER 2267, 2405.
RÉPROBATION 232, 339, 482, 1715.
RÉPROUVÉ 1752.
RÉPROUVER 232, 339, 482, 1752.
REPU 2303.
RÉPUDIATION 2403.
RÉPUDIER 2397, 2403.
RÉPULSION 121, 654, 1378, 2421.
RÉPUTER 2792.
REQUÉRIR 445, 678, 1128, 1890, 2331, 2617, 3044.
REQUÊTE 2190, 2340, 2617.
REQUIN 3031.
REQUINQUER 2386.
REQUIS 752, 1890.
RÉQUISITOIRE 39.
RESCAPÉ 2528, 2744.
RÉSERVE (SOUS) 2528.
RÉSERVÉ 804, 822, 1243, 1387, 2195, 2555, 2813.
RÉSERVER (SE) 504.
RÉSIDENCE 690, 2567, 2589.
RÉSIDER 506, 690, 1669, 2909, 3020.
RÉSIDU 600, 2544.
RÉSIGNATION 5, 691, 1180, 2037, 2078, 2503, 2644.
RÉSIGNER 2, 689, 2260, 2398.
RÉSIGNER (SE) 29, 502, 1168, 1449, 2425, 2644.
RÉSILIATION 2476.
RÉSILIENCE 2424.
RÉSILIER 11, 2476.
RÉSOLU 259, 510, 611, 769, 979, 1350, 2182, 2367, 2867, 3036.
RÉSOLUMENT 668.
RÉSONANCE 2441, 2625.
RÉSONNER 2441, 2625, 2986.
RESPECTABLE 792, 1374, 1903, 2962.
RESPIRATION 1347, 2638.
RESPLENDIR 264, 880.
RESPLENDISSANT 264, 880, 1224, 2225, 2279.
RESPONSABILITÉ 777, 2125, 2608.
RESPONSABLE 174, 924, 1183.
RESSAISIR 2310.
RESSAISIR (SE) 2416.
RESSASSÉ 892, 2932.
RESSASSER 2261, 2410, 2491.
RESSASSEUR 2261.
RESSEMBLANCE 114, 479, 2300, 2968.
RESSEMBLANT 2571, 3027.
RESSEMELAGE 2405.
RESSEMELER 2405.
RESSENTIR (SE) 2573.
RESSERRE 2385, 2423.
RESSERRÉ 1094.
RESSERVIR (SE) 2416.
RESSORTISSANT 2716.
RESSUSCITER 2292, 2296, 2451.
RESTANT 2435.
RESTAURER (SE) 1726, 1919.
RESTITUER 2385, 2396, 3041.
RÉSUMÉ 15, 1916, 2269, 2541, 2620.
RÉSUMÉ (EN) 2699.
RÉSUMER (SE) 2292.
RÉSURRECTION 2451.
RÉTABLIR (SE) 1339, 2352, 2385, 2454.
RÉTABLISSEMENT 1339, 2350, 2378, 2434.
RETAPER 2296, 2338, 2385, 2405.
RETAPER (SE) 2352.
RETENIR 21, 36, 150, 391, 517, 971, 1090, 1287, 1676, 1706, 2313, 2423, 2660, 2792.
RETENIR (SE) 517, 947, 1822, 2270, 2792.
RETENTISSANT 880, 2625, 2986.
RETENUE 401, 792, 804.
RÉTICENCE 2423, 2653, 2813.
RÉTICENT 2813.
RÉTICULE 253.
RÉTIF 2324.
RETIRÉ 1587, 2058, 2582.
RETIRER 148, 647, 721, 1004, 1650, 1982, 2056, 2167, 2171, 2260, 2332, 2416, 2444, 2446, 2632, 2727, 2819.
RETIRER (SE) 19, 211, 658, 745, 753, 882, 886, 897, 1004, 1017, 1097, 1982, 2032, 2347.
RETOMBÉE 503.
RÉTORQUER 1932, 2413.
RETORS 1200, 1394, 1915, 2480.
RÉTORSION 2517, 2963.
RETOUCHE 540.
RETOUCHER 366, 540, 2416.
RETOUR (EN) 866.
RETOURNEMENT 2402, 2443, 3037.
RETRACER 628, 1143, 2023, 2277.
RETRAITER 2412.
RETRANCHEMENT 2727.
RÉTRÉCIR 797, 2269.
RÉTRÉCIR (SE) 2431.
RÉTRIBUER 1993.
RÉTRIBUTION 280, 1275, 1993, 2612.
RÉTROCÉDER 2453.
RÉTROGRADATION 2347.
RÉTROGRADER 2347.
RETROUSSER 2378, 2412.
RETS 2087.
REVALORISATION 2378.
REVALORISER 2378.
REVANCHE 2963.
REVANCHE (EN) 459.
RÊVASSER 2450.
RÊVASSERIE 2450.
RÊVÉ 1395.
REVÊCHE 17, 252, 1754, 2319.
RÉVÉLATEUR 928.
REVENANT 1073, 1959, 2667.
REVENDICATION 678, 1128, 2183, 2230.
REVENDIQUER 678, 1128, 2183, 2331, 3044.
REVENU 1856, 2206, 2300, 2433.
REVERBÉRER 2354, 2403.
RÉVÉRENCE 2346, 2427, 2515.
RÉVÉRENCIEUX 2427.
RÉVÉRER 1374.
REVERS 634, 871, 2412, 2975.
REVÊTEMENT 976.
REVIGORER 2296, 2338, 2375, 2385, 2434, 2681.
REVIREMENT 352, 2443, 3037.
REVITALISER 2375.
REVIVIFIER 2283, 2296.
REVIVRE 2393, 2451.
RÉVOCATION 1121, 2403.
REVOIR 2409, 2456.
REVOIR (AU) 2515.
REVOIR (SE) 2447.
RÉVOLTANT 567, 654, 1115, 1480, 2536.
RÉVOLTÉ 1480, 1541, 1870, 1986, 2321.
RÉVOLTER 654, 883, 1480, 1986, 2536.
RÉVOLU 2033, 2625.
REVOLVER 2100.
RÉVOQUER 11, 324, 494, 763, 2378, 2403.
REVUE 1610, 1975, 2007, 2061, 2239, 2666.
RHABILLER 2405.
RHAPSODE 2124.
RHIZOME 2815.
RIBAMBELLE 2251, 2577, 2774.
RIBOTE 1976.
RICANER 2463.
RICHARD 1881, 2459.
RICTUS 1333.
RIDE 1962, 2120, 2595.
RIDÉ 1223, 2306.
RIDEAU 2685.
RIDER 2120.
RIDICULISER 188, 316, 1838, 2287.
RIGIDE 173, 856, 2285, 2465, 2487, 2551, 2661, 2687.
RIGIDITÉ 856, 997, 2285, 2465, 2551, 2584.
RIGOLER 2463.
RIGOLO 2100.
RIGORISTE 173, 2465, 2584.
RIMER 2593.
RINCER 1850, 2033.
RIPATON 2086.
RIQUIQUI 1806.
RISÉE 1838.

RISIBLE 420, 1337, 1491, 2461.
RISQUÉ 179, 587, 1350, 2535.
RISQUE-TOUT 179.
RISSOLER 2479.
RISTOURNE 797, 2262.
RITE 343.
RITOURNELLE 2357.
RIVAGE 219, 242.
RIVE 219, 242.
RIVER 156.
RIVETAGE 2448.
RIVIÈRE 553.
RIXE 190.
ROBERT 2566.
ROBUSTE 1230, 1497, 2244, 2424, 2616, 2996.
ROBUSTESSE 1230, 2424, 2616, 2996.
ROC 2088.
ROCAILLE 2088.
ROCAILLEUX 2088, 2265, 2311, 2487.
ROCHE 2088, 2800.
ROCHER 891, 2088.
RODOMONT 1175.
RODOMONTADE 1175.
ROGNE 428.
ROGNER 1646.
ROGNURE 394, 600.
ROGUE 2551.
ROMAN 1367.
ROMANCIER 174.
ROMANTIQUE 2475, 2668.
ROMANTISME 2124.
RONCHON 247.
RONCHONNER 1335, 1753, 1863.
RONCHONNEUR 247.
RONDEAU 2124.
ROND-DE-CUIR 951.
RONDE 1855, 3014.
RONDE-BOSSE 2548.
RONDELLE 2867.
RONDELET 535, 1323.
RONDOUILLARD 2477.
ROND-POINT 319.
RONFLANT 112, 2625.
RONFLEMENT 269, 3050.
RONFLER 249, 3050.
RONGEANT 1841.
RONRONNEMENT 269.
ROQUET 384.
ROQUETTE 2213.
ROSACE 3018.
ROSE 406.
ROSSE 379, 2584.
ROSSÉE 540, 547.
ROSSER 211, 324, 540, 1245, 1723, 1750.
ROSSERIE 1759, 2099, 2511.
ROSSINANTE 379.
ROT 2403.
ROTATION 2458, 2851.
RÔTIE 2825.
RÔTISSERIE 2434.
ROTONDITÉ 937, 2477.
ROUBLARD 1200, 1719, 1915, 2480.
ROUBLARDISE 2480.
ROUCOULER 353.
ROUELLE 2867.
ROUER 211.
ROUILLÉ 997.
ROULAGE 2879.
ROULANT 2840.
ROULÉ 1168.
ROULIS 193, 1855.
ROUND 2416.
ROUPILLER 842.
ROUPILLON 2621.
ROUQUIN 2483.
ROUSCAILLER 1863.
ROUSPÉTER 1753, 1863, 2106, 2230.
ROUSSÂTRE 2483.
ROUVRAIE 238.
ROYALISTE 1826.
ROYAUME 1826.
ROYAUTÉ 1826.
RUBICOND 2481.
RUDEMENT 856, 2551, 2890, 2976.
RUDIMENT 921, 2192.
RUDIMENTAIRE 921, 1336, 2541, 2597, 2620.
RUDOYER 254, 271, 1723.
RUÉE 2941.
RUELLE 2033, 2488.
RUER (SE) 166, 356, 917, 1601, 2163, 2530.
RUGISSEMENT 3029.
RUGOSITÉ 2487.
RUGUEUX 1490, 2265, 2487.
RUISSEAU 553, 1225, 2464.
RUISSELER 545, 655.
RUMEUR 269, 875, 1863, 1895.
RUPIN 2459.
RURAL 2045.
RUSÉ 57, 653, 1719, 1915, 2480.
RUSH 2941.
RUSTICITÉ 1336, 2487, 2616.
RUSTIQUE 2035, 2424.
RUSTRE 574, 1316, 1336.
RUTILANT 264.
RYTHMIQUE 2061.

SAISIR 1597.
SABREUR 2636.
SACCAGE 724, 2092, 2312.
SACCAGER 764, 1746, 2092, 2312.
SACHET 2499.
SACOCHE 253, 1867, 2499.
SACQUER 2498.
SACRAMENTEL 2468.
SACRE 552.
SACRIPANT 2954.
SACRO-SAINT 2759.
SADIQUE 578, 1759.
SADISME 200, 578.
SAGACE 408, 1215, 2051, 2210, 2700.
SAGACITÉ 408, 1215, 2051, 2237.
SAGEMENT 225.
SAHARIENNE 2980.
SAIGNÉE 2464.
SAINT-BERNARD 384.
SAINT DES SAINTS 2518.
SAINTETÉ 2059.
SAINT-PIERRE 3058.
SAINT-SIMONISME 2607.
SAISISSABLE 2056.
SAISISSANT 849, 945, 1245, 1916, 1999, 2381.
SAISISSEMENT 945.
SAISON 1046.
SALACE 1636.
SALACITÉ 1636.
SALADE 1769.
SALAIRE 1275, 1276, 1993, 2335.
SALAMALECS 2515.
SALARIÉ 1989.
SALAUD 1721.
SALIGAUD 1721.
SALIN 2512.
SALISSURE 877, 2760.
SALLE 1668, 2085, 2239, 2514.
SALMIGONDIS 1769.
SALOPARD 1721.
SALOPER 1274.
SALOPERIE 1759, 1974, 2511.
SALOPETTE 442.
SALTIMBANQUE 1607.
SALUBRE 2508.
SALUBRITÉ 1391.
SALUTAIRE 2209, 2508, 2935.
SALVE 609, 2819, 2941, 3030.
SANDALE 370.
SANG 1173, 2271, 2481.
SANG-FROID 164, 293, 1708, 2037.
SANGLANT 1792, 2506, 2531, 2801, 2861.

SPLEEN 3, 725, 1768.
SPLENDEUR 214, 264, 880, 1309, 1689, 2614, 2624.
SPLENDIDE 53, 214, 264, 827, 861, 1309, 2279, 2473, 2624, 2717.
SPOLIER 721.
SPONTANÉITÉ 1888.
SPONTANÉMENT 1655, 1888.
SPORTIF 2674.
SQUAME 864.
SQUARE 1596.
SQUELETTIQUE 1171, 1702.
STADE 872, 1082, 1902, 2128.
STANCE 2689.
STANDARD 1914.
STANDARDISATION 2308.
STANDARDISER 1914, 2927.
STANDING 1902.
STAR 46, 1088, 2955.
STATION 150, 1288.
STATIONNER 150, 690, 1288.
STATISTIQUE 703.
STATUAIRE 2548.
STATUE 2548.
STATUER 611, 1613, 2219, 2867.
STATUETTE 2548.
STATURE 1272, 2764.
STATUT 2367.
STÉRÉOTYPE 412.
STIGMATE 395, 1743, 2857.
STIGMATISER 482.
STIMULANT 537, 966, 1113, 1119, 1230, 2338.
STIPE 2815.
STIPENDIER 41, 542.
STIPULATION 410, 484, 527.
STOCK 1675, 2232, 2251, 2423.
STOPPAGE 2267.
STOPPER 150, 400, 971, 1010, 1249, 2267, 2749.
STRAPONTIN 2589.
STRATAGÈME 442, 2492.
STRATÉGIE 2108, 2131.
STRATUS 1920.
STRICTEMENT 2465.
STRIDENT 79, 567, 880.
STRUCTURÉ 1973.
STUDIEUX 134, 160, 1621.
STUPEUR 1089, 2691.
STYLET 2126.
STYLO 2122.
SUAVE 845, 1351.
SUAVITÉ 669, 845.
SUBALTERNE 205, 1387, 1500, 2552.
SUBDIVISION 2557.
SUBIT 1406, 1431, 2635.
SUBITEMENT 2635.
SUBJACENT 2655.
SUBJECTIF 2376.
SUBJUGUER 360, 498, 2644.
SUBMERGÉ 2527.
SUBMERGER 598, 994, 1520.
SUBMERSIBLE 2656.
SUBMERSION 1520.
SUBODORER 775, 848, 1219, 2179.
SUBORDONNÉ 1500, 2898.
SUBORDONNER 2644.
SUBORNER 41, 2563.
SUBORNEUR 2563.
SUBSÉQUENT 2552.
SUBSIDE 2554.
SUBSIDIAIRE 2552.
SUBSISTANCE 88, 1919, 2990.
SUBSTANTIF 1908.
SUBSTITUER 352, 2389.
SUBSTITUER (SE) 2389, 2722.
SUBSTITUTION 352, 2389.
SUBTERFUGE 772, 868, 1264, 2184, 2492.
SUBTILISER 732, 2099, 2314, 2638, 2657, 3031.
SUBVENIR 1240, 2153.
SUBVENTION 2554.
SUBVENTIONNER 77.
SUBVERSIF 2458.
SUCCINCT 260, 477, 554, 2541, 2620.
SUCCULENT 75, 240, 669, 670.
SUCRÉ 845, 1796.
SUCRERIE 1254.
SUFFIRE (SE) 3020.
SUFFISAMMENT 159.
SUFFISANCE 1309, 1423, 1977, 2720, 2943.
SUFFISANT 99, 152, 177, 606, 1309, 1374, 1423, 1498, 1977, 2047, 2526, 2943.
SUFFOQUÉ 2691.
SUINTER 545, 655, 2709.
SUIVANT 2203, 2569.
SUIVI (ÊTRE) DE 2859.
SUIVRE (SE) 962, 2703.
SUJÉTION 711, 1065.
SULKY 3028.
SUMMUM 443, 2623.
SUPERCHERIE 208, 1873, 2902.
SUPERFÉTATION 2719.
SUPERFÉTATOIRE 2719.
SUPERFICIE 1069, 2732, 2764.
SUPERMARCHÉ 1698.
SUPERPOSER 38, 134.
SUPERPOSITION 134.
SUPERVISER 424.
SUPPLÉANCE 2389.
SUPPLÉANT 2389.
SUPPLICE 983, 1744, 1842, 2639, 2846, 2853.
SUPPLICIER 1744, 2846.
SUPPLIQUE 678, 2190, 2617.
SUPPORT 142, 206, 437, 2086, 2658, 2958.
SUPPORTER (n.) 2027.
SUPPOSER (SE) 572.
SUPPOSITION 495, 2668, 2728.
SUPPRIMER (SE) 2714.
SUPRÉMATIE 839, 1708, 2720.
SUR 78, 406.
SURABONDANCE 1151, 2205.
SURABONDANT 1151.
SURABONDER 598.
SURANNÉ 693, 2991.
SURCHARGE 1116, 1678, 1976, 2722.
SURCHARGÉ 2527.
SURCHARGER 18, 27, 356, 598, 888.
SURCHAUFFÉ 2745.
SURCLASSER 211, 709, 839, 882, 888, 2944.
SURCROÎT 2722.
SURDOUÉ 264.
SURÉLEVER 922, 1354, 2378.
SÛREMENT 1106, 1496.
SURENCHÉRIR 2394.
SURÉROGATOIRE 2719.
SURESTIMER 1112, 2733.
SÛRETÉ (EN) 2560.
SURÉVALUER 1112, 2733.
SUREXCITÉ 2745.
SURGEON 2154.
SURGISSEMENT 1592.
SURHAUSSER 1354.
SURIMPOSER 2741.
SURIMPOSITION 2741.
SURINER 2915.
SUR-LE-CHAMP 1406.
SURMENAGE 1181.
SURMENÉ 1181.
SURMENER (SE) 1181.
SURNATUREL 1148, 1699, 1781.
SURNOMMER 132.
SUROÎT 2965.
SURPASSER 709, 773, 839, 882, 989, 2944.
SURPASSER (SE) 709.
SURPLOMBER 176, 839, 2736.
SURPLUS 1116, 2435, 2722, 2905.
SURPOPULATION 2739.
SURPRENANT 229, 585, 853, 1089, 1455, 1465, 2009, 2302, 2402.
SURPRIS 2691.
SURSATURÉ 2527.
SURSAUT 2316, 2530.
SURSAUTER 2530, 2892.
SURSEOIR 83, 167.
SURSIS 662, 1320.
SURVEILLÉ 2792.

SURVIVRE 2698, 2737.
SURVOL 2886.
SURVOLER 905, 2108, 3030.
SURVOLTER 919, 987, 2731.
SUSCEPTIBLE (ÊTRE) DE 2639.
SUSCRIPTION 57.
SUSPECTÉ 2748.
SUSPECTER 2645.
SUSPENS (EN) 2639.
SUSPICION 640, 1767.
SUSTENTER 88.
SUSTENTER (SE) 1726, 1919.
SUSURREMENT 1863.
SUSURRER 393, 1863, 2638.
SUZERAIN 2565.
SVELTE 917, 1215, 1641, 1801, 2646.
SVELTESSE 1215, 1801.
SYBARITE 1609.
SYMBIOSE 2928.
SYMBOLISATION 2417.
SYMÉTRIE 2367.
SYMÉTRIQUE 2367.
SYMPATHISER 1016.
SYMPOSIUM 435, 2448.
SYNCOPE 633, 1091, 1165, 2000, 2907.
SYNCHRONE 2599.
SYNCHRONISME 479, 2599.
SYLPHIDE 1927.
SYNDIC 1304.
SYNDICAT 163.
SYNDROME 2753.
SYNOPSIS 2538.

T

TABASSER 211.
TABATIÈRE 1681.
TABLÉE 2758.
TABLER SUR 471, 1071, 2668.
TABLETTE 2112.
TABOURET 2589.
TACHÉ 2511.
TACHETÉ 1743.
TACOT 3028.
TACT 57, 669, 804.
TACTIQUE 1734, 2108, 2131, 2757.
TAILLADE 548.
TAILLADER 548, 1622.
TAILLADER (SE) 548.
TALENT 57, 143, 265, 306, 841, 1162, 1780, 1787.
TALER 1793.
TALISMAN 1196.
TALOCHE 295, 547.
TALOCHER 211, 1306.
TALONNÉ 2579.
TAMBOURIN 2768.
TAMISÉ 791, 845, 3025.
TAMPON 280, 2817.
TAMPONNEMENT 30, 390, 434, 2395.
TAMPONNER 36, 1364, 2817.
TAMPONNER (SE) 2395.
TAM-TAM 2768.
TANCER 232, 355, 999, 2416, 2418, 2553.
TANDEM 1995.
TANGAGE 193, 1855.
TANGIBLE 481, 900, 1748, 1998, 2318, 2573.
TANKISTE 2611.
TANNE 2916.
TANT 2786.
TANTINET (UN) 2075.
TAPANT 2625.
TAPÉ 1228.
TAPETTE 212.
TAPIR (SE) 236, 279.
TAPOTER 2768.
TAQUIN 1718, 1870.
TARABISCOTÉ 2162, 2853.
TARABUSTER 1723, 2773, 2853.
TARAUDER 3049.
TARE 635, 2987.
TARGUER (SE) 1220, 1309, 2183, 2187, 2949.
TARI 2551.
TARIF 484, 2782.
TARIFER 2782.
TARIFICATION 2782.
TARIN 1885.
TARTE 547.
TARTINE 2825.
TARTINER 1081, 2342.
TARTUFE 1394.
TARTUFERIE 1182.
TASSÉ 705.
TÂTER 1319, 1998, 2626, 2848.
TÂTER (SE) 1362.
TATILLON 1808.
TÂTONNER 1362.
TATOUER 1743.
TAULARD 2194.
TAULE 337, 2194.
TAUPE 1072.
TAUTOLOGIE 1632, 2117.
TAVELÉ 1743.
TAVELURE 2760.
TAVERNE 284, 2434.
TAXIDERMIE 1888.
TAYLORISATION 2308.
TECHNICIEN 2664.
TECHNOLOGIE 2783.
TECKEL 384.
TEINT 546.
TEINTE 546, 1921, 2972.
TÉLÉCOMMANDER 2788.
TÉLÉGRAMME 710.
TÉLÉPATHIE 2876.
TÉLÉPHONE 1210.
TÉLÉPHONER (SE) 455.
TÉLESCOPAGE 434, 2395.
TÉLESCOPER 1364.
TÉLESCOPER (SE) 2395.
TÉLÉVISION 887.
TÉMÉRAIRE 179, 259, 1350, 1434.
TÉMÉRITÉ 1350.
TEMPÉRAMENT 313, 469, 1389, 1888, 2067, 2176, 2519.
TEMPÉRANCE 2606.
TEMPÉRANT 2606.
TEMPÉRATURE 1206.
TEMPÉRÉ 845, 1822.
TEMPÉRER 56, 293, 540, 1249, 1822, 2133, 2264.
TEMPÊTER 1265.
TEMPLE 914, 2518.
TEMPOREL 2559, 2800.
TEMPORAIRE 1041, 2033.
TEMPORISER 167.
TEMPS (EN MÊME) 1014.
TÉNACITÉ 1018, 1944, 2037, 2424, 3036.
TENAILLER 2846, 2853.
TENAILLES 2097.
TENDANCIEUX 1978, 2027.
TENDRE (SE) 521.
TENDRON 1211.
TÉNÈBRES 266, 1907, 1938.
TÉNÉBREUX 1768, 1872, 1907, 1938, 2619.
TÉNIA 2967.
TENIR AU COURANT 1507.
TENIR COMPTE DE 471, 497, 2363.
TENIR FORTEMENT 51.
TENIR LIEU DE 2580.
TENIR POUR 471, 505.
TENIR (SE) À L'AFFÛT 167.
TENIR (S'EN) 1659, 2435.
TENTANT 68, 89, 1034, 1119, 2563.
TENTATION 752, 2563, 2617.
TENTATIVE 680, 1028, 1074, 1136.
TÉNU 1250, 1801.
TÉNUITÉ 1215, 1801.
TÉPIDITÉ 2813.
TÉRÉBRANT 2993.
TERGIVERSATION 1362, 1645.
TERMINAISON 255.
TERMINÉ 43, 611, 2367.
TERNI 615.
TERRE À TERRE 3051.

TERREAU 2800.
TERRE-NEUVE 384.
TERRE-PLEIN 2800.
TERRER (SE) 279.
TERREUX 1600, 1996, 2155, 2511.
TERRIER 2445, 2771, 2906.
TERRIFIANT 908, 2602, 2801.
TERRIFIÉ 898.
TERRIFIER 65, 908, 2801.
TERRINE 2036.
TERRITOIRE 2366, 2610, 2800.
TERROIR 2610, 2800.
TERRORISME 2801.
TERTRE 274, 433.
TESSON 1840.
TEST 1048, 1074.
TESTAMENT 3036.
TESTER 1048, 1074, 2971.
TÊTE-À-TÊTE 528, 1030.
TÊTE BRÛLÉE 1113.
TÉTER 2707.
TÉTON 2566.
TÊTU 1944, 3036.
TEXTILE 2822.
THAUMATURGE 1699.
THÈME, 1396, 1748, 1845, 1934, 2716.
THÉORIQUEMENT 2192.
THÉRAPIE 2809.
THÉSAURISER 100.
THÈSE 2808.
THURIFÉRAIRE 1676.
TIC 1344.
TICKET 228, 2823.
TIFS 380.
TIGNASSE 380.
TILBURY 3028.
TIMBRÉ 1228.
TIMIDEMENT 1825.
TIMIDITÉ 934, 1387.
TIMORÉ 561, 2818.
TINTAMARRE 2774.
TINTER 2625.
TINTINNABULER 2625.
TINTOUIN 934, 2634.
TIQUER 2648.
TIRAGE 2819.
TIRE 3028.
TIRÉ 1181.
TIRER AU CLAIR 879.
TIRER D'EMBARRAS 707.
TIRER PARTI DE 1142, 2209.
TIRER (S'EN) 2328, 2454, 2632.
TISANE 1510.
TISSER 1906.
TITANESQUE 439.
TITI 1295.
TITILLER 367.
TITUBER 351, 1679, 2887.
TOBOGGAN 2863.
TOC 297, 1405.
TOCANTE 1837.
TOGE 2470.
TOHU-BOHU 74, 354, 2917.
TOILE 2048, 2758, 2822.
TOILETTER 1894.
TOILETTER (SE) 2019.
TOISER 776, 1783, 2363.
TOITURE 559, 2828.
TOLÉRABLE 2723.
TOLÉRANCE 470, 1639, 1738, 2033.
TOLÉRANT 470, 1157, 1634, 1639.
TÔLIER 2792.
TOLLÉ 1384.
TOMBÉE 394, 1214.
TOMBER DANS LES POMMES 633.
TOMBEREAU 3028.
TOMBEUR 2563.
TOMBOLA 1675.
TOME 1666, 3038.
TON 546, 1921, 2625, 3029.
TONALITÉ 1921.
TONIFIER 1230, 2296, 2681.
TONIQUE 537, 1119, 1230, 2338.
TONITRUANT 880, 2625.
TONITRUER 2835.
TONNANT 880, 2625.
TONNE 2833.
TONNELET 2833.
TONNERRE 1235, 2790.
TONTE 2764.
TOPER 2774.
TOPO 93.
TOQUADE 308, 995.
TOQUE 424.
TOQUÉ 1228.
TOQUER (SE) 424, 1019.
TORCHONNER 2839.
TORNADE 251, 2281.
TORPILLE 2213.
TORPILLER 2497.
TORRIDE 145, 368.
TORS 2840.
TORTILLARD 2863.
TORTILLER 2482, 2797.
TORTILLER (SE) 2391, 2840.
TORTU 2840.
TORTUEUX 1394, 2603.
TORTURÉ 2853.
TÔT 3017.
TOTALITAIRE 20.
TOTALITARISME 785.
TOUBIB 832.
TOUCHANT 945, 279.
TOUCHER (n.) 2573.
TOUER 2819.
TOUILLER 2391, 2854.
TOUPET 164, 1350, 1435, 2849.
TOURBILLON 251, 2281, 2388.
TOURBILLONNER 2854.
TOURELLE 2851.
TOURMENTE 251, 2790.
TOURMENTER (SE) 324, 1245, 1523.
TOURNAILLER 2854.
TOURNANT 772, 3006.
TOURNÉE 402, 2851, 3014, 3030, 3045.
TOURNER DE L'ŒIL 633.
TOURNESOL 2613.
TOURNICOTER 2854.
TOURNILLER 2854.
TOURNIQUER 2854.
TOURNOI 461, 480.
TOURNOYER 2854.
TOURNURE 1108, 1144, 1233, 1978, 2851.
TOURTERELLE 2090.
TOUT À FAIT 20.
TOUT DE SUITE 1406.
TOUTEFOIS 341, 2582.
TOUTOU 384.
TOUT-PUISSANT (LE) 787.
TOXICOMANE 1565.
TRAC 561, 2077.
TRACAS, 789, 934, 952, 1005, 1043, 2049, 2634, 2853.
TRACASSÉ 123, 2634.
TRACASSER 70, 74, 385, 1005, 1523, 1568, 1939, 2853.
TRACASSER (SE) 1245, 1523.
TRACASSERIE 382, 1231, 1812.
TRACT 1432.
TRACTATION 1892.
TRACTER 2819.
TRADITIONALISTE 492, 2484.
TRADUCTEUR 1555.
TRAFIC 403, 449, 1855, 2033.
TRAFICOTER 2860.
TRAFIQUANT 449.
TRAGÉDIE 849, 2085.
TRAGÉDIEN 46.
TRAÎNAILLER 1631, 2472, 2863.
TRAÎNANT 1630, 1842.
TRAÎNARD 1645.
TRAÎNASSER 1631, 2472, 2863.
TRAÎNE 2259.
TRAÎNÉE 2259, 2595.
TRAÎNE-MISÈRE 1812.
TRAIN-TRAIN 2484.
TRAITABLE 2607.
TRAIT D'ESPRIT 2507.
TRAITE 2866.
TRAITEMENT 1276, 1993, 2608, 2809.

TRAITEUR 2434.
TRAME 1568, 2805, 2822.
TRAMER 442, 467, 1836, 1906, 2172.
TRAMER (SE) 2172.
TRAMONTANE 2965.
TRANCHÉE 1234.
TRANQUILLE 213, 293, 845, 1645, 1894, 1991, 2505, 2730.
TRANQUILLEMENT 1645.
TRANQUILLISANT 2561.
TRANQUILLISER 293, 2305, 2560.
TRANQUILLISER (SE) 2385.
TRANSBAHUTER 2879.
TRANSBORDER 2033.
TRANSCENDANCE 2720.
TRANSCENDANT 2695, 2720.
TRANSCRIPTION 1527.
TRANSFÉRER 352, 2876, 2879.
TRANSFIGURER 2874.
TRANSFORMÉ 788.
TRANSFUGE 2862.
TRANSGRESSER 754, 990, 2086, 2632, 3003.
TRANSGRESSION 3003.
TRANSI 997.
TRANSIGER 469, 1992.
TRANSIR 1307, 2051, 2510.
TRANSITOIRE 2033.
TRANSLATION 2873.
TRANSLUCIDE 783.
TRANSMUER 2874.
TRANSMUTATION 1784, 2874.
TRANSPARENCE 406.
TRANSPERCER 568, 1307, 1850, 2051, 2055, 2886.
TRANSPIRATION 2709.
TRANSPIRER 1213, 2055, 2709.
TRANSVASER 2659.
TRAQUENARD 2087.
TRAUMATISME 234, 453.
TRAVAILLÉ 2330.
TRAVAILLEUR 47, 134, 500, 549, 1705, 1989.
TRAVAILLISME 2607.
TRAVAUX 61.
TRAVERS 635, 2461, 2987.
TRAVERSE 204, 2269.
TRAVESTI 1745.
TRAVESTIR 1170, 2874.
TRAVESTIR (SE) 659.
TRAVESTISSEMENT 1745.
TRÉBUCHANT 2824.
TRÉBUCHET 193.
TRÉFONDS 2210, 2412, 2555.
TREILLAGE 204, 417.
TREILLIS 417.
TREMBLOTANT 2888.
TREMBLOTER 2888, 2938.
TRÉMOUSSER (SE) 2391.
TREMPÉ 1390, 1850, 2490.
TRÉMULANT 2888.
TRÉMULATION 2888.
TRÉPAS 1214, 1842.
TRÉPASSÉ 1842.
TRÉPASSER 1842.
TRÉPIDANT 2745.
TRÉPIDATION 2553, 2888, 2986.
TRÉPIDER 2888, 2986.
TRÉPIGNER 2082, 2086.
TRÉSORERIE 1216.
TRESSAILLEMENT 1251.
TRESSAUT 2530, 2553.
TRESSAUTEMENT 2530.
TRESSAUTER 2530, 2892.
TRESSE 1887.
TRESSER 1887.
TRÉTEAU 2539.
TRÊVE 2373, 2749.
TRIAGE 2893.
TRIBUN 1970.
TRICHER 533, 2902.
TRICHERIE 1248, 2902.
TRICHEUR 2902.
TRICOT 1704.
TRIFOUILLER 1236, 2900.
TRIMARDEUR 2940.
TRIMBALER 2863.
TRIMER 2885.
TRINGLE 2815.
TRINGLOT 2611.
TRINQUER 237.
TRINQUETTE 3025.
TRIPATOUILLER 2860, 2900.
TRIPES 3010.
TRIPOTÉE 1859, 2889.
TRIQUE 210, 1747.
TRISSER (SE) 2032.
TRISTESSE 3, 107, 347, 1768, 2049.
TRITURER 268, 2900.
TRIVIAL 454, 1336, 3051.
TRIVIALEMENT 3051.
TRIVIALITÉ 3051.
TROC 352, 866.
TROGNE 1209.
TROÏKA 2863.
TROLL 1686.
TROMBE 251.
TROMBINE 2803.
TROMBONE 165.
TROMPE 2903.
TROMPETTER 407.
TRONC 2815, 2844.
TRONCHE 1209, 2803.
TRONÇONNER 548, 828.
TRÔNE 2589.
TRONQUER 1869.
TROPHÉE 312.
TROQUER 352.
TROQUET 284.
TROTTER 551.
TROTTER (SE) 2032.
TROTTIN 1795.
TROUBADOUR 1607, 2124.
TROUBLÉ 934, 1523, 2391, 2853.
TROUBLE-FÊTE 2263.
TROUBLER (SE) 65, 267, 352, 617, 697, 945.
TROUFION 2611.
TROUILLARD 2077.
TROUILLE 561, 2077.
TROUPEAU 2290, 2908.
TROUPIER 2611.
TROUSSE 1890.
TROUSSER 2378.
TROUVAILLE 564, 1572.
TROUVER BIEN (SE) 2107.
TROUVER BON 80.
TROUVÈRE 1607, 2124.
TRUAND 198.
TRUC 392, 442, 993, 1134, 1200, 1856, 2492, 2555.
TRUCK 3054.
TRUFFE 1864.
TRUFFÉ 1360.
TRUISME 1632.
TRUQUAGE 1248.
TRUQUÉ 1182.
TRUQUER 97, 1170, 1733, 2860.
TRUST 163, 2607.
TRUSTER 1832.
TUANT 1181.
TUDESQUE 2531.
TUERIE 317, 764, 1355, 1746.
TUILE 1005, 1713.
TUMULUS 2830.
TURBAN 424.
TURBIN 2885.
TURBINER 2885.
TURBULENCE 819, 2388.
TURLUPIN 246.
TURLUPINER 1939, 2853.
TURPITUDE 1375, 1625.
TUTEUR 142.
TUYAU 485, 1476, 2914.
TUYAUTER 2400.
TYPHON 251.
TYRAN 757, 1968, 2147.
TYRANNIE 785, 1968.
TYRANNIQUE 20, 144, 1416, 1968.
TYRANNISER, 27, 962, 1968.

ULCÈRE 2923.
ULCÉRER 234, 390.
ULSTER 1732.
ULTÉRIEUR 1271.
ULTÉRIEUREMENT 1015.
ULTIMATUM 2922.
UNI 911, 1663, 2113.
UNICITÉ 2601, 2928.
UNIFICATION 1544.
UNIFIER 2927.
UNIQUEMENT 2582.
UNIVERSALISER 1299.
URBANITÉ 405, 896, 2130, 2932.
URGENT 2178.
URNE 2952.
USAGÉ 1181, 2991.
USINER 1154, 1158.
USITÉ 2932.
USTENSILE 1934.
USUFRUIT 1609.
UTILISABLE 2158.
UTILISATEUR 2932.
UTILISATION 134, 762, 951, 1727, 2932.
UTILISÉ 2932.
UTOPIE 24, 387, 1395, 1401, 1875, 2450.
UTOPIQUE 387, 1395, 1401, 1403.
UTOPISTE 387, 2124, 2450.

VACANCIER 2852.
VACARME 269, 358, 756, 2774, 2917.
VACCINER 1412, 2099.
VACHE 2584.
VACHERIE 1759, 2511.
VACILLANT 1446, 2824, 2888.
VACUITÉ 2989.
VADROUILLE 2215.
VADROUILLER 1060.
VA-ET-VIENT 193, 1889, 3045.
VAGABONDER 1060, 2215, 2472, 2941.
VAGISSEMENT 567.
VAGUEMENT 1165, 2075.
VAILLANCE 421, 549, 2945.
VAINCU 634, 2058.
VAINQUEUR 2899.
VAISSEAU 208.
VAL 2947.
VALABLE 240, 2327, 2367, 2578, 2946.
VALET 1633, 2580.
VALETAILLE 2580.
VALÉTUDINAIRE 1712.
VALEUREUX 259, 2942.
VALIDATION 488.
VALISE 189.
VALLEUSE 2947.
VALLON 2947.
VALLONNÉ 1855.
VALLONNEMENT 1855, 1962.
VALOIR (FAIRE) 1142.
VAN 2769.
VANDALE 200.
VANDALISME 200, 724.
VANITEUX 177, 1309, 1498, 1977, 2183, 2238, 2526, 2943.
VANNÉ 1181, 1848.
VANNER 566, 1181, 2769.
VANTARD 1175, 1776.
VANTARDISE 276, 1175.
VA-NU-PIEDS 1341, 2044.
VAPOREUX 1215, 1226, 1446.
VAPORISER 2245.
VAPORISER (SE) 1098, 3033.
VARECH 1311.
VAREUSE 2980.
VARIABILITÉ 1460, 1817.
VARIABLE 308, 352, 1446, 1817, 1962.
VARIANTE 2974.
VASECTOMIE 2680.
VASSALITÉ 711.
VATICINATEUR 3013.
VAUDEVILLE 444.
VAUTRER (SE) 1081.
VECTEUR 2958.
VÉGÉTAL 2110.
VÉGÉTATION 1888.
VEILLÉE 2609.
VEINARD 350.
VEINE 241, 350.
VELLÉITAIRE 1165, 1459.
VÉLOCE 2297.
VÉLOCITÉ 2297, 3017.
VÉLOMOTEUR 1697.
VELOUTÉ 845, 1961, 2524.
VELU 2127.
VENDANGE 2332.
VENDANGER 2332.
VENDETTA 2963.
VENDRE (SE) 886, 1004, 1049, 2227.
VENELLE 2033, 2488.
VÉNÉNEUX 1842.
VÉNÉRATION 779, 2089, 2427.
VÉNÉRER 80, 377, 1374.
VÉNÉRIEN 1375.
VÉNIEL 1641.
VENIMEUX 1345, 1724, 1759.
VENIN 1204, 2129.
VENIR AU MONDE 1880.
VENIR (EN) À 2033.
VENT DE (AVOIR) 137.
VENTÉ 2965.
VENTRIPOTENT 1336.
VENTRU 1336.
VENUE 151.
VÉNUSTÉ 1320.
VÉRANDA 1281.
VERBOSITÉ 2719, 2969.
VERDÂTRE 2976.
VERDELET 2976.
VERDICT 150, 611, 1613.
VERDURE 1198.
VÉREUX 1473, 2748.
VERGE 210, 2587.
VERGER 1596.
VERGOGNE 1375.
VÉRIFIER (SE) 488.
VÉRISME 1888.
VÉRITABLEMENT 2968.
VERMEIL 2481.
VERMICULER 2688.
VERMILLON 2481.
VERMINE 2266.
VERNI 350.
VERRE 1684.
VERRIÈRE 3018.
VERROU 1191.
VERROUILLER 1191.
VERS 2149.
VERSANT 2054.
VERSATILE 308, 352, 1263, 1459, 1460, 1490, 1641, 1817, 1962.
VERSATILITÉ 1459, 1460, 1817.
VERSÉ 2533.
VERTICAL 852.
VERTICALE 2065.
VERTIGE 1091, 2854, 2907.
VERTUEUX 214, 240, 364, 894, 1373, 1839, 2509.
VESPASIENNE 2931.
VESTALE 2185.
VESTON 2980.
VÉTÉRAN 2991.
VÉTILLE 1812, 2462.
VÉTILLER 382.
VÉTILLEUX 1231, 1808, 2648.
VÉTO 1967, 2361.
VÉTUSTE 115, 2991.
VÉTUSTÉ 2991.
VEULE 1165, 1825.
VEULERIE 1459, 1623, 1825.
VEXÉ 715.
VICAIRE 2185.

VICELARD 2987.
VICISSITUDE 1460, 2895.
VICTIME (ÊTRE) DE 2639.
VICTOIRE 177, 1276, 2449, 2704, 2899.
VICTORIA 3028.
VICTORIEUX 2899.
VICTUAILLES 3020.
VIDANGER 1097, 2989.
VIDÉ 1181.
VIDER SON SAC 183.
VIDUITÉ 2983.
VIEILLISSEMENT 2991.
VIEILLOT 693, 2991.
VIGILE 1287, 2574, 2742.
VIGNETTE 1209, 1402, 2817.
VIGNOBLE 2995.
VIGOUREUSEMENT 1230.
VILENIE 205, 1623, 1759, 1907, 2072, 2511.
VILLAGE 250, 975, 2045, 2906.
VILLÉGIATURE 2567.
VINASSE 2995.
VIOLON 337.
VIRÉE 2215, 2632, 2851.
VIREVOLTE 3037.
VIREVOLTER 2854.
VIRGINITÉ 2247.
VIRIL 1714.
VIRTUEL 2148.
VIRULENCE 3004.
VIRULENT 587, 3004.
VISAGE 81, 1155, 1209, 1864, 2138, 2864.
VIS-À-VIS DE 457.
VISIBLEMENT 1106.
VISITEUR 3014.
VISSER 156.
VITICOLE 2995.
VITICULTEUR 2995.
VITRAGE 3025.
VITRINE 1081.
VIVACE 857, 2424, 2996, 3020.
VIVAT 1990.
VIVEUR 1609, 1904.
VIVIER 2423.
VIVIFIANT 1230.
VIVIFIER 1230.
VIVOTER 2956.
VOCABLE 1844, 2041.
VOCABULAIRE 1629, 1652, 2798.
VOCALISER 353.
VOCIFÉRATION 269, 567.
VOCIFÉRER 567, 2835.
VOGUE (ÊTRE EN) 1269.
VOGUER 398.
VOILAGE 3025.
VOILEMENT 3025.
VOILER (SE) 559.
VOILETTE 3025.
VOILIER 208.
VOILURE 3025.
VOIR LE JOUR 1880.
VOITURER 2879, 2958.
VOLAGE 1258, 1460, 1503, 1641.
VOLATILE 3032.
VOLCANIQUE 1419.
VOLETER 3030.
VOLTIGER 1225, 1962, 2004, 2854, 3030.
VOLUBILE 212.
VOLUBILITÉ 1151.
VOLUPTUEUX 1059, 1636, 2573, 2713.
VOULOIR (S'EN) 2369.
VOULU 752, 3036.
VOUSSURE 550.
VOÛTE 399.
VOÛTÉ 550, 2477.
VOÛTER 550.
VOYANT 567, 775, 2774.
VUE (EN) DE 2149.
VULGARISATION 791.
VULTUEUX 2481.

WATER-CLOSET 1657.
W.C. 2826.
WHARF 2249.

YACHT 208.
YATAGAN 2498.
YEUX 3026.

ZÈBRE 1485, 1925, 2921.
ZÉBRURE 2286.
ZÉNITH 443, 2623.
ZÉPHYR 81, 2965.
ZIEUTER 1674.
ZIGOTO 1925, 3066.
ZIGOUILLER 2915.
ZIGUE 2921.
ZIGZAG 1757.
ZIGZAGANT 2824.
ZIGZAGUER 1679.
ZIZI 2587.
ZOZO 1897.
ZOZOTEMENT 3061.
ZOZOTER 3061.

Achevé d'imprimer sur les presses de Maury-Imprimeur S.A.
45330 Malesherbes
N° d'imprimerie : G83/13497
N° d'éditeur : K33177 I (D.C. VII)
Dépôt légal : Février 1984

Imprimé en France